GOLIAR

Goliarda Sapienza est née à Catane en 1924, dans une famille socialiste anarchiste. Son père fut le chef de file du socialisme sicilien jusqu'au début des années vingt. Sa mère, Maria Giudice, figure historique de la gauche italienne, directrice du *Grido del popolo* (*Le cri du peuple*), fut la première femme à diriger la Chambre du Travail de Turin.
En 1940, alors âgée de seize ans, Goliarda Sapienza entre à l'Académie d'art dramatique de Rome, ville où elle reste jusqu'à la fin de sa vie. Comédienne très appréciée, elle travaille sous la direction de monstres sacrés comme Luchino Visconti, Alessandro Blasetti, ou encore Francesco Maselli, qui a été son compagnon pendant dix-huit ans. Son talent était qualifié d'« absolu, terrifiant, et superbement naturel ».
De son vivant, elle a publié quatre romans qui font partie d'un cycle autobiographique. Elle est décédée en 1996, quelques mois avant la parution en Italie de son chef-d'œuvre, *L'art de la joie*, auquel elle a travaillé dix ans de sa vie.

L'ART DE LA JOIE

GOLIARDA SAPIENZA

L'ART DE LA JOIE

Traduit de l'italien
par Nathalie Castagné

Postface d'Angelo Maria Pellegrino

VIVIANE HAMY

L'éditeur tient à remercier Waltraud Schwarze pour ses précieux conseils, et Nathalie Castagné pour sa remarquable traduction

Titre original : *L'Arte della Gioia*

ISBN : 978-2-266-17801-3

PREMIÈRE PARTIE

1

Et voyez, me voici à quatre, cinq ans traînant un bout de bois immense dans un terrain boueux. Il n'y a pas d'arbres ni de maisons autour, il n'y a que la sueur due à l'effort de traîner ce corps dur et la brûlure aiguë des paumes blessées par le bois. Je m'enfonce dans la boue jusqu'aux chevilles mais je dois tirer, je ne sais pas pourquoi, mais je dois le faire. Laissons ce premier souvenir tel qu'il est : ça ne me convient pas de faire des suppositions ou d'inventer. Je veux vous dire ce qui a été sans rien altérer.

Donc, je traînais ce bout de bois ; et après l'avoir caché ou abandonné, j'entrai dans le grand trou du mur, que ne fermait qu'un voile noir couvert de mouches. Je me trouve à présent dans l'obscurité de la chambre où l'on dormait, où l'on mangeait pain et olives, pain et oignon. On ne cuisinait que le dimanche. Ma mère, les yeux dilatés par le silence, coud dans un coin. Elle ne parle jamais, ma mère. Ou elle hurle, ou elle se tait. Ses cheveux de lourd voile noir sont couverts de mouches. Ma sœur assise par terre la fixe de deux fentes sombres ensevelies dans la graisse. Toute la vie, du moins ce que dura leur vie, elle la suivit toujours en la fixant de cette façon. Et si ma mère – chose rare – sortait, il fallait l'enfermer dans les cabinets, parce qu'elle refusait de se détacher d'elle. Et dans ces cabinets elle hurlait, elle s'arrachait les cheveux, elle se tapait la tête contre les murs jusqu'à ce qu'elle, ma mère, revienne, la prenne dans ses bras et la caresse sans rien dire.

Pendant des années je l'avais entendue hurler ainsi sans y faire attention, jusqu'au jour où, fatiguée de traîner ce bois, m'étant jetée par terre, je ressentis à l'entendre crier comme une douceur dans tout le corps. Douceur qui bientôt se transforma en frissons de plaisir, si bien que peu à peu, tous les jours je commençai à espérer que ma mère sorte pour pouvoir écouter, l'oreille à la porte des cabinets, et jouir de ces hurlements.

Quand ça arrivait, je fermais les yeux et j'imaginais qu'elle se déchirait la chair, qu'elle se blessait. Et ce fut ainsi qu'en suivant mes mains poussées par les hurlements je découvris, en me touchant là d'où sort le pipi, que l'on éprouvait ainsi une jouissance plus grande qu'en mangeant le pain frais, les fruits. Ma mère disait que ma sœur Tina, « La croix que Dieu nous a justement envoyée à cause de la méchanceté de ton père », avait vingt ans ; mais elle était grande comme moi, et si grosse qu'on aurait dit, si on avait pu lui enlever la tête, la malle toujours fermée de mon grand-père : « Un damné, plus encore que son fils... », qui avait été marin. Quel métier c'était que celui de marin, je n'arrivais pas à le comprendre. Tuzzu disait que c'étaient des gens qui vivaient sur les bateaux et allaient sur la mer... mais qu'est-ce que c'était que la mer ?

On aurait vraiment dit la cantine de notre grand-père, Tina, et quand je m'ennuyais je fermais les yeux et lui détachais la tête du corps. Si elle avait vingt ans et était une femme, toutes les femmes à vingt ans devaient sûrement devenir comme elle ou comme ma mère ; pour les garçons c'était différent : Tuzzu était grand et il ne lui manquait pas de dents comme à Tina, il les avait fortes et blanches comme le ciel d'été quand on se lève tôt pour faire le pain. Et son père aussi était comme lui : robuste et avec des dents qui brillaient comme celles de Tuzzu quand il riait. Le père de Tuzzu riait toujours. Notre mère ne riait jamais, et cela aussi parce qu'elle était femme, sûrement. Mais même si elle ne riait jamais et n'avait pas de dents, j'espérais devenir comme elle : au moins elle était grande et ses yeux étaient grands et doux, et elle avait des cheveux noirs. Tina n'avait même pas ça : seulement des fils que maman étalait avec le peigne pour essayer de recouvrir le sommet de cet œuf.

Les cris ont cessé : notre mère est sûrement rentrée et fait taire Tina en lui caressant la tête. Qui sait si maman a découvert elle aussi qu'on peut éprouver tellement de plaisir en se caressant à cet endroit ? Et Tuzzu, qui sait si Tuzzu le sait ? Il doit être en train de ramasser les roseaux.

Le soleil est haut, il faut que j'aille le chercher et l'interroger sur ces caresses et il faut aussi que je l'interroge sur cette mer. Y sera-t-il encore ?

2

La lumière me fait brûler les yeux. Toujours, quand je sors de la pièce, la lumière me brûle les yeux ; quand j'entre, par contre, l'obscurité m'aveugle. La grosse chaleur est retombée et les montagnes sont redevenues noires comme les cheveux de maman. Toujours, quand la chaleur retombe, les montagnes deviennent noires comme ses cheveux, mais quand la chaleur monte elles deviennent bleues comme l'habit du dimanche que maman coud pour Tina. Toujours des vêtements pour elle, et des rubans ! Elle lui a même acheté des chaussures blanches. À moi, rien : « Tu as la santé, ma fille, mes vêtements raccourcis peuvent te suffire. À quoi servent les vêtements quand on a la santé ? Remercie le bon Dieu, au lieu de te plaindre, remercie le bon Dieu ! » Elle parle sans arrêt de ce Dieu, mais si l'on demande des explications, rien : « Prie-le de te protéger, voilà tout ! Que veux-tu savoir ? Prie-le et voilà. »

La grosse chaleur est vraiment passée et l'air est frais. La boue s'est asséchée en quelques heures, le vent s'est asséché, la cannaie est immobile et ne crie pas comme hier. Il faut bien regarder : là où les roseaux bougent, là se trouve Tuzzu.

— Que fais-tu là comme une crétine ? Tu regardes les mouches ?

— Je te cherchais, et je ne suis pas une crétine ! Je te cherchais, tu as fini ?

— Je n'ai pas fini. Je me repose. J'en profite pour me fumer une cigarette. Tu es aveugle ou quoi, en plus d'être crétine comme ta sœur ? Tu ne vois pas que je suis étendu à l'ombre et que j'ai une cigarette à la bouche ?

— Tu fumes, maintenant ? Je ne t'avais jamais vu fumer avant.

— Bien sûr que je fume, depuis deux jours. Il était temps, non ?

Il se taisait, maintenant, et il ôtait la cigarette de sa bouche. Il ne parlerait plus. Toujours, quand il fermait la bouche, Tuzzu ne l'ouvrait plus pour des heures, comme disait son père. Et s'il faisait ça avant, qu'est-ce que ce serait maintenant qu'il fumait. Et comme il était grand ainsi étendu ! Il avait grandi ou c'était la cigarette qui le faisait paraître plus grand ? Comment puis-je lui parler maintenant qu'il est devenu aussi grand ? Il me rira à la figure et il dira que je suis une petite crétine, comme toujours. La seule solution était de s'asseoir près de lui et de rester immobile, au moins je pouvais le regarder. Et je le regardai longuement et je le regarde maintenant : son visage noir de soleil était comme entaillé de deux blessures immenses et claires – ce n'étaient pas là des yeux – qui pleuraient une eau bleue, profonde et fraîche. Je regardais le mouvement sûr avec lequel il portait à sa bouche la cigarette et puis l'enlevait comme faisait son père.

Cette sûreté de mouvement me fit trembler.

Non, il ne me parlerait plus et peut-être ne me permettrait-il même plus de le regarder. Le froid devint si fort à cette pensée que je dus fermer les yeux et m'étendre, parce qu'aussi la tête me tournait comme cette fois où j'avais eu de la fièvre. Je fermai les yeux dans l'attente de la condamnation. Il ne me permettrait même plus de le regarder.

— Qu'est-ce que tu fais, bécassote, tu dors ?

— Non, je ne dors pas. Je pensais.

— Ah, parce qu'en plus tu penses, toi ? Bécassote que t'es avec tes pensées, tiens ! Et à quoi pensais-tu ? On peut avoir l'honneur de le savoir ?

— Je pensais te demander...

— Quoi ? Et va, parle ! On dirait une poule à qui on va tordre le cou ! Et de quoi s'agit-il, parle !

— Oh rien, rien. Je voulais te demander ce que c'est que la mer.

— Et allez avec cette mer ! Entêtée que tu es ! Cent fois je te l'ai expliqué, cent fois ! La mer est une étendue d'eau profonde comme l'eau du puits qui se trouve entre notre ferme et cette masure qu'est votre maison.

Sauf qu'elle est bleue, et qu'on a beau tourner les yeux dans tous les sens, on ne peut pas voir où elle finit. Mais qu'est-ce que tu veux comprendre ! Tu es sotte et même si t'étais pas sotte, les femmes, comme dit mon père, depuis que le monde est monde, ne comprennent rien à rien.

— Pas du tout, je comprends, moi : une eau profonde comme celle du puits mais bleue.

— Bravo ! Félicitations ! Alors, lève-toi et regarde autour de toi ! Tu la vois cette plaine marécageuse ? Comment s'appelle cette plaine, hein ? Voyons si tu es digne d'apprendre.

— Cette plaine s'appelle Plaine du Bœuf.

— Voilà, la mer est une plaine d'eau bleue, mais sans les montagnes de lave que nous voyons là au fond. Quand on regarde la plaine de la mer on ne voit rien au fond, rien qui ferme la vue, ou mieux, on voit une ligne toute mince qui n'est rien d'autre que la mer qui se mélange au ciel. Et cette ligne s'appelle l'horizon.

— Et qu'est-ce que c'est que l'horizon ?

— Je te l'ai dit, c'est rien qu'une plaine d'eau bleue qui s'arrête au ciel, tout au fond, tout au fond, là où l'œil peut arriver.

— Une plaine d'eau bleue comme tes yeux qui vont s'unir au ciel de ton front !

— Mais voyez-moi un peu ces idées ! On dirait un conteur, je te promets qu'on dirait un conteur ! Serais-tu tombée du lit ce matin pour avoir ces pensées poétiques ?

— Et toi, tu es tombé du lit, pour fumer comme un grand ? Tu fumes et moi... tu me laisses te regarder dans les yeux ? Si je te regarde dans les yeux je comprendrai mieux comment est la mer.

— D'accord ! Qui te dit quelque chose ? Si ça te fait tellement plaisir de comprendre comment est la mer, vas-y, je t'en prie. Ça doit te donner beaucoup de plaisir pour te faire rougir de cette façon. Tu es mignonne, bien que sotte, vraiment mignonne ! Qui sait avec qui ta mère t'a faite.

— Avec un homme, sûrement, et même un marin, à ce qu'elle me dit.

— Bon, nous devenons même spirituelle ! Qu'est-ce qui se passe ? La dernière fois on aurait dit une vraie momie ! Tu t'es tout à coup réveillée cette nuit ?

— Oui, je me suis réveillée, mais pas cette nuit, et à ce propos aussi je voulais te demander...

— Quoi ? Mais qu'est-ce que tu veux que j'en sache, moi, de ton réveil ! Va demander à ta mère. La mer est une chose mais... Ouh, mais qu'est-ce que tu as bu ce matin ? Tu es rouge comme un ivrogne ! Qu'est-ce que tu voulais me demander d'autre ? Parle et arrête de me fixer comme ça ! Suffit, j'en ai assez, et pour de vrai ça me fait tourner la tête cette façon de me fixer. Tu as de beaux yeux comme ça de près, je ne m'en étais pas aperçu. On dirait du miel... qui sait avec qui ta mère t'a faite. À présent je retourne travailler, j'en ai assez ! Ouh ! Et pourquoi me tiens-tu comme ça ? Tu as perdu la tête ?

La chaleur montait de nouveau, la terre fumait et les montagnes s'éloignaient, à nouveau bleutées. Il ne fallait pas le laisser partir, il fallait que je lui demande pourquoi – quand je le regardais, d'abord – et maintenant que je tenais son bras, ce désir me venait de me caresser là où...

— Mais regarde un peu si ce sont des questions à poser ! Et à ton âge ! Une peste, voilà ce que tu es ! Une peste, mon père a raison ! Tu n'as pas honte ?

— Et pourquoi est-ce que je devrais avoir honte ? Si je l'ai découvert quand personne ne me l'a dit, ça veut dire que tout le monde le découvre.

— Ah, bravo ! Logique subtile ! Attention, pitchounette, laisse mon bras ou tant pis pour toi. Le sang me monte au cerveau, attention !

— Attention pourquoi ? Je n'ai pas peur de toi et tu dois me répondre. Réponds-moi, tu le savais ?

— Eh, bien sûr que je le savais ! Tu me prends pour un blanc-bec ? Je suis un homme et si tu ne me lâches pas, c'est moi qui te caresse et comme ça nous faisons un beau gâchis.

— Eh bien, faisons-le ce gâchis. Je n'ai pas peur ! C'est toi qui as peur. Un homme, tu parles. Tu trembles des pieds à la tête.

Il s'était dégagé et se levait. Étrangement, je n'avais plus de force dans les bras, mais quand je le vis debout, ramassant par terre son béret sans me regarder, n'arrivant pas à me lever, je me roulai par terre et lui saisis de mes bras les chevilles. J'avais peur qu'il ne me donne un coup de pied mais au contraire, le béret à la main, il s'inclina d'abord les mains en avant comme pour m'écarter, puis il tomba à genoux et puis sur moi. Il avait les yeux fermés. Il s'était fait mal en tombant ? Il s'était évanoui ? Un siècle passa. Je n'osais parler. J'avais peur qu'il ne se détache de moi. Et puis, même si je l'avais voulu, je n'avais à présent même plus la force de bouger les lèvres. Je ne connaissais pas cette étrange fatigue, une fatigue douce, pleine de frissons qui empêchaient de sombrer. Derrière mon dos s'était assurément ouvert tout grand un précipice qui me donnait le vertige, mais ces frissons me tenaient suspendue dans le vide. J'ouvris les yeux et j'entendis ma voix qui disait :

— Maintenant je sais ce qu'est la mer.

Il ne répondit pas, et me fixant sans bouger, il me retira ma jupe, releva mes sous-vêtements et m'arracha ma culotte. Il ne bougeait pas, mais avec ses doigts, en me fixant toujours, il commença à me caresser juste comme je le faisais moi-même quand Tina criait. Brusquement, avec un sursaut, il écarta son visage. Il s'en allait ?

— Non, je suis là, où veux-tu que j'aille ? Maintenant je dois rester là.

Rassurée, je fermai les yeux. Tina criait et tout mon corps était secoué de ces frissons que je connaissais. Puis les caresses se firent si profondes que... comment faisait-il ? Je le regardai. Il m'avait ouvert les jambes et son visage était enfoncé entre mes cuisses ; il me caressait avec la langue. Bien sûr que je ne pouvais pas comprendre si je ne le regardais pas : ça, je ne pouvais pas le faire toute seule. Cette pensée me donna un frisson si profond que les cris de Tina se turent et c'est moi qui hurlai fort, plus fort qu'elle ne criait, elle, quand maman l'enfermait dans les cabinets... Je m'étais évanouie ou j'avais dormi ? Quand j'ouvris les yeux il y avait un grand silence sur la plaine.

— Il faut que nous nous arrêtions là, maintenant, petite fille. Même si tu es une moins que rien, je ne veux pas te démolir la vie. Remets ta culotte et file. Profite de ce que j'aie réussi à me remettre la tête en place quand tu me l'avais fait perdre. Oh, bon Dieu, tu me l'as vraiment fait perdre. Qui l'aurait cru ? Tu es attirante, vraiment attirante, mais je ne veux pas te démolir la vie. Debout et file !

3

Je me levai, j'enfilai ma culotte, mais je ne filai pas, bien que sa voix ait été menaçante et qu'il ne m'ait pas

regardée. Ce n'était plus comme avant. Il avait cess
de me faire peur au point que j'oubliai presque de lu
dire au revoir. Et je m'acheminai vers la maison tou
doucement parce que je chancelais de fatigue et du sou
venir de ces frissons qui me faisaient trébucher
chaque pas. Ç'avait été magnifique.

Les caresses d'avant me semblaient du pain dur e
comparaison de celles de Tuzzu. J'avais bien fait d
demander à Tuzzu. Il savait tout et, même s'il se met
tait un peu en colère, en fin de compte, il répondait
Même maintenant, fixant ce mur bancal que maman
appelait maison, je savais qu'il y avait d'autres mai
sons, grandes, et des routes et la mer au-delà de ce
montagnes lointaines qui tantôt disparaissaient tantô
réapparaissaient comme les esprits des morts.

La vieille qui venait une fois par mois parlait toujours des esprits... La vieille doit venir aujourd'hui o
demain. Il doit en être ainsi parce que ma mère
allumé le four ce matin et fait le pain. Quand la vieill
vient, ma mère fait toujours du pain et en même temp
que le pain elle met à cuire des biscuits qu'ensuite ell
offre avec le rossolis.

On entend parler derrière la tenture. Ce doit être l
vieille avec son sac plein d'un tas de petits chiffons que
maman coudra ensemble, après, l'un à côté de l'autre

J'écartai le voile noir et restai pétrifiée sur le seuil
Juste devant moi, comme s'il m'attendait, assis derrière
la table, il y avait un homme grand et robuste, plus
grand et plus robuste que le père de Tuzzu. Un géant
avec une masse de cheveux ébouriffés sur le front et
une veste bleue d'un tissu que je n'avais jamais vu,
brillant et duveté ; il me fixait en souriant de ses yeux
bleus comme sa veste. Ses dents étaient blanches
comme celles de Tuzzu et de son père.

— Mais regarde un peu avec quel beau brin de fille

e me retrouve ! Ça me fait plaisir, vraiment plaisir ! 'étais persuadé que de ta mère ne pouvaient naître que es Tina. Je vois avec plaisir qu'il n'en est rien, ma ille. C'est une satisfaction de voir la chair de votre hair devenue ce beau brin de fille que tu es.

— Arrête ! Ne parle pas ainsi et laisse tranquille Aodesta ! Ce n'est pas un brin de fille, c'est encore ne enfant, une enfant ! Va-t'en ! Ça fait toute la soirée ue je te le dis. Va-t'en, va-t'en ou j'appelle les carabiiers !

— Entendez-moi ça ! Les carabiniers ! Et où vas-tu es trouver ? Derrière la porte ? Va, va ! Va courir en as dans la plaine, ça te fera du bien ! Tu es devenue rosse comme une vache. Regarde, moi, quel adonis je uis, ça fait une vie que je cours !

Sur ces mots il se leva en s'étirant de tout son long, e touchant la poitrine et ses hanches robustes sans une nce de graisse. Et après avoir tourné sur lui-même our mieux se montrer, il commença à s'approcher de noi en riant. Il avait une voix douce comme le tissu le sa veste. Je n'avais jamais touché un tissu comme a. Il me prit le menton dans les mains et me fixa en iant toujours.

— Et tu es grande, en plus, et bien dense et rouge omme une grenade.

Voilà avec qui m'avait fait ma mère ! J'aimais parler t rire avec lui. Ni maman ni Tina ne parlaient jamais. Aaintenant j'allais parler avec lui, au lieu d'aller vider non cœur en compagnie du vent comme je l'avais touours fait... Sa main me relevait le menton et je levai es yeux pour mieux voir ce rire, quand ma mère, en riant – je ne l'avais jamais entendue crier ainsi – s'élança entre cet homme et moi et se mit à me tirer vers un coin de la pièce pour m'éloigner de lui. Ces ris me firent désirer les baisers de Tuzzu et je fermai

les yeux. Ma mère, avec la voix de Tina, tirait et criait
et l'homme riait. Je la repoussai de toutes mes forces
Je ne voulais pas bouger. Je voulais rester là
l'écouter.

— Ça ne sert à rien que tu piailles, crétine ! Tu n
vois pas qu'elle veut rester ici près de son papounet
Eh, la voix du sang ne ment jamais, jamais ! C'est vrai
que tu veux rester près de ton petit papa ? Dis-le-lui
ta mère que tu veux rester avec ton papa.

— Oui, je veux rester avec lui !

Je n'avais pas fini de dire cela que ma mère, criant
toujours, se jeta sur moi, en m'attrapant par les che
veux. Mais lui, de sa grande main, l'en arracha en
disant suavement :

— Et fais bien attention à ne pas toucher à la chair
de ma chair ! Bas les pattes, ou je te fais sauter ce cou
ratatiné de poule que tu te paies.

Ma mère s'affaissa comme un vêtement vide entre
ses mains : on aurait vraiment dit un tas de chiffons
Et comme un tas de chiffons les grandes mains se res-
saisirent d'elle pour la jeter dans les cabinets. Quand il
ouvrit la porte, je vis Tina recroquevillée dans un coin
C'était sûrement lui qui avait commencé par là. Et
loque sur loque, maman alla rejoindre Tina. Puis il
ferma calmement les cabinets à clef et se tournant vers
moi il fit le geste comique de se laver les mains. Mon
sang riait d'orgueil devant sa force.

Quand il me souleva dans ses bras, mes caresses et
les caresses de Tuzzu s'évanouirent en comparaison du
plaisir que je sentais entre mes jambes du fait de ces
mains lourdes et légères couvertes de poils doux et
blonds. J'attendais. À la façon dont il me fixait je
savais ce qu'il voulait.

— Tu n'as pas peur, n'est-ce pas ? Je ne leur ai rien
fait de mal. Je m'en suis seulement débarrassé pour un

noment. Elle est trop ennuyeuse, et je veux profiter en
aix de ce beau bout de fille que je ne savais pas avoir.
Jn vrai cadeau du destin... tu as peur ?
— Je n’ai pas peur. Tu as bien fait. Elle apprendra,
omme ça, à crier sans arrêt et me punir toujours
our tout.
— Bien. Je vois que nous sommes du même sang
t ça me fait plaisir, vraiment plaisir...
En continuant à répéter plaisir, d’une voix de plus
n plus basse et de plus en plus vite, il me déposa sur
e lit sans la moindre peine. Il était si fort que je me
entais légère comme la pelote de laine que je devais
oujours apporter à maman quand elle travaillait. À pré-
ent elle ne travaillait pas. Après s’être tue un moment,
elle se mit à crier derrière la porte avec Tina, ou était-
e Tina ? Ou peut-être s’y étaient-elles mises toutes les
leux, mais ça m’était complètement égal. J’avais moi
ussi pleuré tant de fois comme ça, maintenant c’était
eur tour, je m’en fichais. Ce dont je ne me fichais pas,
’était de suivre les grandes mains couvertes de poils
londs qui me déshabillaient. Quand je fus toute nue il
ne toucha la poitrine en cessant de murmurer et, se
nettant à rire doucement :
— Voilà deux petits boutons qui sont en train de
oindre. Ça te fait mal quand on touche ?
— Non.
— Tu sais ce que sont ces petits gonflements ?
— Non. Des furoncles peut-être ?
— Petite sotte ! Ce sont tes seins qui commencent
pousser. Je parie que tu auras des seins gros et fermes
omme ma sœur Adelina. Quand elle avait ton âge, ta
ante Adelina avait des tétons de la même couleur que
oi, tout roses.
— Et où est-elle, cette Adelina que je n’ai jamais
vue ?

— Tante Adelina, tu dois dire tante Adelina. Si t fais ce que je te dis, je t'y emmènerai. Elle vit dan une grande ville avec des magasins, des théâtres, de marchés... il y a aussi un grand port.

— S'il y a un port il y a aussi la mer, alors ?

— Bien sûr qu'il y a la mer, et des bateaux aussi et des palais. Adelina est devenue une grande dame Si tu fais ce que je te dis je t'emmène avec moi che elle, et je ne te fais pas seulement connaître cette dam importante qu'est ta tante, je te fais connaître de choses que tu ne peux même pas imaginer, des chose merveilleuses. Tu veux ? Tu veux rendre heureux to petit papa ? Si tu le rends heureux, il te rendra heureus toi aussi.

4

Et il semblait heureux étendu près de moi tout nu Je n'avais jamais vu un homme nu. Sans sa veste bleu ses épaules semblaient les roches blanches de la rivièr au temps des mûres, quand le soleil haut restait clou en plein milieu du ciel pendant des jours et des jour et des mois. J'ouvrais les yeux et il était là, fixe. Je le fermais mais il était toujours là immobile derrière le vitres de la fenêtre. Espionnait-il ? Je devais dormir Même les yeux fermés les épées brillantes du soleil m transperçaient les paupières et pour dormir je devai me recroqueviller tout entière pour me cacher de lu qui m'espionnait.

— Que fais-tu ? Tu cherches à te cacher, pour te recroqueviller ainsi ? Tu as peur de ton papounet ?

Comment l'avait-il compris ? Nu et blanc comme ça

faisait peur, mais je ne devais pas le lui montrer. Je evais être forte comme lui. S'il se rend compte que ai peur il va penser que je suis comme ma mère et il e m'emmènera pas là-bas au loin.

— Je n'ai pas peur. Ce sont ces bécasses qui pleu- ent qui me retournent le sang. S'il est vrai que tu es non père et que tu me ressembles, fais-les taire d'un oup de poing.

Les roches près de moi bougeaient lentement à pré- ent. Il était brûlant et la toison légère et blonde comme n champ de seigle montait de ses poignets à ses paules. Le seigle prenait feu. Quand cela s'était-il pas- é ? Nous cueillions des mûres avec maman et Tina iait sous le figuier quand un morceau de ce soleil haut t immobile était tombé et comme un serpent de feu vait commencé à ramper en brûlant tout autour de lui. es poils blonds brûlaient, les coquelicots, les vête- nents que maman avait étendus à sécher, les jupes de ina, la fumée de ces poils brûlés m'étouffait moi ussi.

— Et comment puis-je faire, fifille, comme puis-je aire pour les faire taire, ces piailleuses, si tu me aresses comme ça ? Un petit bouton, un vrai petit bou- on de rose, voilà ce que tu es.

Le seigle blond brûlait et le serpent de fumée lui tranglait la gorge, elle devait fuir... Elle devait fuir et grimper sur le figuier et crier comme l'autre fois... À es cris Tuzzu accourrait et la prendrait dans ses bras.

« Comment se fait-il que tu m'aies sauvée du feu, Tuzzu ?

— Toi sous un bras et sous l'autre la pauvre Tina, oute couverte de légères brûlures, on aurait dit un bout le bois quand on fait le charbon.

— Et pourquoi ne l'as-tu pas laissée là à brûler ? Il n'y a que moi que tu devais sauver.

— Mais entendez-la cette maudite fille, le cœu
qu'elle a ! Si tu le répètes, c'est toi, vrai de vrai, c'es
toi que je laisse brûler, même si tu es blanche et épa
nouie comme une colombe. »

Elle devait fuir, mais la roche s'était lentement ren
versée sur elle et l'écrasait contre les planches du gran
lit et le feu montait. Tina criait, mais ces cris ne lu
procuraient aucun plaisir. Cet homme qui la tenait sou
son bras ne la caressait pas comme Tuzzu, mais lu
tirait les jambes et lui enfilait, dans le trou d'où sort l
pipi, quelque chose de dur qui coupait. Il devait avoi
pris le couteau de cuisine et il voulait la dépece
comme à Pâques maman dépeçait l'agneau avec l'aid
de Tuzzu. Elle entrait la lame entre les cuisses trem
blantes de l'agneau – la grande main plongeait dans l
sang pour diviser, séparer – et elle, Modesta, elle allai
rester là sur les planches du lit, en morceaux.

On ne voyait rien. Le soleil était-il couché ? O
était-elle déjà morte, coupée en morceaux comm
l'agneau ? La douleur du couteau était encore là e
montait à travers le nombril jusque dans l'estomac, jus
qu'à sa poitrine qui éclatait. Cependant ses bras bou
geaient. Elle chercha des doigts le couteau, il était l
collé derrière son dos. Sa poitrine aussi était intacte e
aussi son ventre, intact. Ce n'est que sous le ventre qu
la chair coupée brûlait et quelque chose de dense et d
lisse, un liquide étrange, coulait, ce n'est pas du pipi
c'est du sang. Elle n'avait pas besoin de regarder : ell
savait cela depuis toujours.

Il valait mieux rester immobile, les yeux fermés, e
dormir, mais le soleil me cogne sur la tête et je doi
ouvrir les yeux : cette lueur n'est pas le soleil mais l
lampe à pétrole que maman avait allumée pour travail
ler, avant, si longtemps avant, quand cet homme nu qu

dormait maintenant à côté d'elle n'était pas là, et avec lui le sang qui faisait mal. Sa mère aussi, quand elle saignait, se pressait l'estomac et pleurait, et puis dans la bassine s'entassaient des linges et encore des linges tachés de sang.

La douleur était passée maintenant et son père semblait heureux dans son sommeil. Il se réveillerait bientôt et sûrement voudrait refaire ce qui l'avait rendu si heureux. Maman le disait toujours : « C'est un malheur de naître femme, tu te mets à saigner et adieu paix et santé ! Les hommes ne cherchent que leur plaisir, ils te démolissent de fond en comble et ne sont jamais rassasiés... »

J'étais une enfant, avant, mais maintenant je suis devenue une femme et il faut que je fasse attention : l'homme, là, bouge déjà. Il faut que je m'enfuie. Mais où ? Il fait noir dehors.

Dans les cabinets ? Il suffisait de tourner la clef et de se réfugier dans les bras de sa mère. Mais aucun bruit ne venait de cette porte et puis maman ne m'avait jamais embrassée, elle n'embrassait que Tina. Et maintenant encore, en appuyant l'oreille contre le bois, on entendait qu'elles dormaient dans les bras l'une de l'autre. On entendait la respiration pesante de Tina et celle, légère, de maman, comme chaque soir dans le grand lit : moi au pied du lit et elles embrassées dans le bon sens. Non, elle n'ouvrirait pas, elle voulait juste savoir si là aussi par terre elles étaient dans les bras l'une de l'autre. En prenant la lampe, peut-être qu'on pouvait voir par les fentes. Rien, on ne voyait rien... Il faut que je les réveille, il faut que je les réveille avec la lumière de la lampe... Il suffit de poser la lampe près de la porte et d'enlever le verre qui protège la flamme, cette flamme qui déjà, comme le soleil, me fend le crâne si je ne recule pas, et aussitôt glisse rapide sur le

bois séché par la chaleur. Ça faisait des mois qu'il n
pleuvait pas.

Tuzzu avait eu tort de sauver Tina du feu, la foi
précédente. Il avait eu tort, il ne devait sauver que moi
Mais cette fois il n'était pas là, et moi, même si j
devais mourir de peur à cause de ces flammes, de cett
fumée qui m'étouffait presque, je n'appellerais pas
l'aide, je ne crierais pas.

5

— Pauvre petit être ! Pauvre petit être ! Si je n
voyais pas de mes propres yeux et n'entendais pas d
mes propres oreilles, je n'y croirais pas ! Laissez, capitaine, laissez. Ne la tourmentez plus. Ne voyez-vou
pas comme elle tremble ? Que voulez-vous savoi
encore ? Cela fait trois jours que vous l'interrogez e
tout, hélas, est tellement clair ! Tellement terribl
qu'on se croirait au Moyen Âge et non en 1909. E
cela parce que les personnes qui craignent Dieu ne tiennent plus le pays, et les athées...

— Pardonnez-moi, ma Mère, mais la politique n'a
rien à voir ici. Si vous permettez, durant ces trois jours
je n'ai fait que mon devoir. Malheureusement, des
choses comme ça, il en arrive par tripotée... Oh ! toutes
mes excuses, je voulais dire que... eh bien, oui, quan
à moi j'en ai vu tant et tant que je ne les compte plus.
Et puis c'est de mon devoir, ne serait-ce que pour protéger cette pauvre créature, de mettre au clair ce qu
s'est passé.

— Oh, Sainte Vierge ! Taisez-vous, chut ! Ne
voyez-vous pas que dès qu'elle entend votre voix sa
crise la reprend une nouvelle fois ?

Cette douce voix – vous n'entendez pas comme elle st douce ? –, c'est la voix de mère Leonora qui me uggérait de m'évanouir. C'était simple : il suffisait de errer fort les paupières et les poings, jusqu'à ce que es yeux commencent à larmoyer et que les ongles, ntrant dans la chair des paumes, me fassent trembler out entière comme Tina quand maman sortait. Je 'avais appris d'elle, et comme elle – je la voyais imprinée sur mes paupières fermées – je tremblais déjà.

— Mais n'avez-vous vraiment pas de cœur, capitaie ? Laissez-la en paix ! Vous avez entendu ce qu'a dit e docteur Milazzo ? Il ne faut rien lui rappeler de cette uit d'enfer, rien ! Cette petite doit oublier... Vous oyez ? Dès qu'elle vous a vu elle est devenue blanche omme une petite morte, et à peine faites-vous allusion l'horrible événement, voilà sa crise qui la reprend. Que voulez-vous savoir de plus ? Tout a été confirmé ar Tuzzu et son père quand ils l'ont amenée ici, et nsuite, à plusieurs reprises...

— Si vous permettez, ma Mère, pas vraiment tout.

— Mais que dites-vous ? Ce sont là des détails.

— Mais cet homme qui se faisait passer pour son ère, nous ne l'avons pas trouvé, ni parmi les restes de a mère et de la sœur, ni... Eh, ma Mère, il faut le rouver, celui-là !

— C'est à vous de le trouver. Vous avez trouvé la veste, non ? Et même une veste de velours bleu comme e disait cette petite suppliciée. Au nom de sainte Agathe qui a subi le martyre comme cette enfant, ne la tourmentez plus ! Vous voyez comme elle se tord ? Allez-vous-en, au nom de Dieu qui voit tout ! Vous n'avez pas une âme chrétienne, vous autres carabiniers. Et vous, sœur Costanza, au lieu de rester là plantée comme un emplâtre, aidez-moi à étendre Modesta sur e lit. Voilà, comme ça. Pauvre petite ! Vous sentez

comme elle pèse ? C'est vraiment là une crise d'épilep
sie. Et si avant l'horreur qui l'a frappée, à ce que nou
a dit Tuzzu, elle n'en souffrait pas, cette horreur l'
détruite pour toujours.

La voix de mère Leonora m'indiquait encore ce qu
je devais faire : serrer les poings de plus en plus fort
de façon que les ongles s'enfoncent plus profondémen
dans la chair. Ça valait toujours mieux, cette douleur
que de répondre à l'homme aux moustaches noires e
aux yeux durs comme la pierre, qui à force de question
ner pouvait me faire dire ce que je ne voulais pas dire
Mes paupières me faisaient tellement mal à présent qu
je commençai à crier fort, pour de bon. À tel point pou
de bon que ces deux hommes, confus de mes pleurs e
des douces supplications de mère Leonora, disparuren
au milieu de l'envol désordonné des longues jupes que
portaient ces étranges grandes femmes. Ce n'est que
lorsque tout fut devenu silence, à l'exception de la
respiration légère de mère Leonora, que je desserra
les doigts, mais lentement, pour qu'elle ne s'en aperçoive pas. Je devais me calmer lentement, afin qu'on
ne comprenne pas mon intention. Je devais suivre les
suggestions de cette voix douce. Que disait-elle à présent ? Que devais-je faire ?

— Sois tranquille maintenant, sois tranquille. Le
vilain homme noir s'en est allé et je suis là près de
toi. Ils ne te tourmenteront plus, pauvre petite martyre,
torturée dans son âme et son corps comme sainte
Agathe notre patronne ! Voilà, c'est ça, doucement,
calme-toi. N'aie pas peur, l'homme noir n'est plus là.

Je le savais, mais je savais aussi que ce n'était pas
le moment d'ouvrir les yeux. Elle ne me l'avait pas
encore dit.

— Ils ne sont plus là ; tu ne me crois pas ? Tu as
raison de ne plus croire en personne, après ce qu'on t'a

ait, tu as raison. Mais je te rendrai la confiance. Moi, u dois me croire, ouvre les yeux et donne-moi la onsolation de voir dans tes beaux yeux que tu me rois.

Voilà, elle l'avait dit. Je pouvais enfin ouvrir les eux. Encore un instant et je les ouvrirais. Elle ne me 'avait pas commandé que de la voix, mais aussi de ses nains blanches et lisses, plus lisses encore que cette ouverture duvetée et moelleuse, plus blanches et par-umées que ces draps qui s'étaient substitués comme ar enchantement à ceux, durs et noirs, du grand lit où 'avais toujours dormi avant... avant... quand je n'avais as saigné encore. Par bonheur j'avais résisté à la peur lu feu sans courir chercher Tuzzu. Si je n'avais pas eu a force de résister, Tuzzu, avec ses jambes de lièvre, es aurait sûrement sauvées encore une fois.

— Voilà, c'est ça, tu dois me regarder de ces beaux eux. Beaux et limpides. Et ne pense plus à ce feu qui 'assombrit le regard. N'y pense plus, prie plutôt, prie ainte Agathe qu'elle t'accorde le miracle de tout ublier et guérisse ton âme et ton corps martyrisés.

— Et qui est sainte Agathe ?

6

— Oh Jésus Marie, tu ne le sais pas ? Que faut-il voir dans notre malheureux pays ! On ne t'a rien appris, rien. Juste misère et tourments. Si tu me pro-mets de faire comme a dit le docteur Milazzo...

— Qu'est-ce qu'il a dit ?

— Il t'a dit d'oublier, de tout oublier. Si tu le fais, je t'apprendrai...

La voix promettait une berceuse chaude et douce de draps parfumés et de récits aventureux de reines et de rois, d'assauts, de guerres et de tortures. Dans la voix suave et dansante de mère Leonora, des armées avançaient revêtues de cuirasses d'or et d'argent. Armées ennemies, hordes sauvages fuyaient chassées par sa main d'aile de colombe levée vers le soleil. Des hommes noirs et méchants, des foules d'hommes sans Dieu à assujettir à la juste loi dictée par la Croix. La petite pièce au parfum de dragée se peupla de paladins et de saints et de vierges consacrés à Dieu, que, malgré les embûches et les supplices, personne ne parvenait à détourner de leur foi. Sainte Agathe était magnifique. J'avais bien fait de demander qui c'était, ses seins coupés sur le plateau provoquaient un frisson encore plus fort que les mains délicates et tendres de mère Leonora quand elle me caressait si j'avais une crise d'épilepsie.

Et j'avais souvent une telle crise. Au moins tous les deux, trois jours. Pas davantage, elle aurait pu avoir des soupçons. Quelque chose dans ses gestes, dans sa voix, me disait qu'elle ne se caressait pas et que si elle avait découvert que je le faisais elle m'aurait sûrement envoyée en enfer. Cette histoire de l'enfer et du paradis était vraiment ennuyeuse, mais de temps à autre il fallait bien la supporter, après tout elle ne durait pas trop longtemps. Et bientôt sainte Agathe serait évoquée par le doigt levé de mère Leonora. Et pâle, élancée, elle entrait avec ses cheveux blonds ondulés, si longs qu'ils retombaient mollement sur sa jupe de brocart bleu et argent. Ses seins petits et roses, on les entrevoyait à travers ses cheveux légers, transparents (une poussière d'or ?).

Voici sainte Agathe qui entrait par la porte ; et là tout près, dans un coin sombre de la pièce, deux hommes d'enfer tout noirs arrachaient sous nos yeux, avec leurs tenailles rougies, les petits seins, et les posaient sur le plateau d'argent, encore chauds et tremblants... Toujours, à ce point de l'histoire, mère Leonora me regardait dans les yeux et :

— Tu es épouvantée, pas vrai ? Tu es épouvantée ?

Je comprenais ce que son regard bleu comme le ciel – illuminé d'une quantité de petites étoiles d'or – voulait me suggérer, et je commençais à trembler, mais un peu, ce peu qui suffisait à me faire prendre dans les bras. Dans ses bras je posais la tête sur son sein que je sentais plein et chaud sous le tissu blanc. Les miens n'étaient encore que deux petits boutons, elle me l'avait bien dit : « Comme tu es maigre, sous-alimentée, pauvre enfant ! Quel thorax maigrelet ! Espérons qu'il va se développer ce thorax, se développer : la phtisie a vite fait de frapper ! »

Ce mot de phtisie ne me plaisait pas, ni ces petits boutons, je tremblais à la pensée que ces boutons ne se développeraient pas comme les siens. Je tremblais, les joues enfoncées dans ce renflement tiède et parfumé.

Et tandis que les tenailles rougies au feu déchiraient le tissu blanc et arrachaient la chair tendre de ses seins, le frisson du plaisir commençait à s'élever en moi. Et si, sentant que je continuais à trembler, elle me serrait encore plus contre elle de peur que je ne tombe, le frisson se faisait si fort et si long que je devais serrer les dents pour ne pas crier. Malheureusement cela ne m'est jamais plus arrivé, d'éprouver une chose pareille sans même me caresser, comme j'avais été obligée de le faire jusqu'à ce moment-là.

7

L'air frais, au parfum de dragée, me faisait voler à travers les couloirs dans une pénombre à peine éclairée par le blanc d'une quantité de petites portes toujours fermées. Derrière, il y avait sûrement un grand nombre de petites pièces comme la mienne, où cette armée de grandes femmes blanches parfois s'enfermait, d'où parfois elle sortait doucement, avec des pas précautionneux et rapides si légers qu'il était plus facile d'entendre le bruissement des jupes que des chaussures. Ces femmes soupiraient tout le temps. Peut-être parce qu'elles ne parlaient jamais ? Ou parce qu'elles ne se caressaient pas et ne voyaient jamais d'hommes ? Combien de temps cela faisait-il que moi aussi je n'avais pas vu un homme ? Il y avait bien le jardinier mais il était interdit de parler avec lui. Parfois un autre homme venait, mais il portait une jupe longue comme celle des femmes, à ceci près que la sienne était noire. Je sus plus tard qu'en plus d'une armée de femmes qui travaillaient – selon les termes de mère Leonora – à répandre la parole de Dieu sur la terre, il y avait aussi une armée d'hommes qui, toujours selon mère Leonora, étaient le bien de l'humanité. Par la suite je compris que ces hommes en jupe étaient les prêtres dont ma mère parlait toujours avec amour, et que détestait le père de Tuzzu, qui disait souvent : « Sale prêtre, enculé de prêtre, abruti de prêtre. » Quels vilains mots ! Mère Leonora avait eu raison de me gronder cette fois-là, mais j'étais alors à peine arrivée et je ne savais rien. Qu'est-ce que j'avais dit ? Ah oui : saloperie de monde

De ce jour j'abandonnai tous ces gros mots sans regrets. Ce ne fut pas facile ; alors même que j'essayais de les oublier ils ne voulaient pas me sortir de la tête, mais j'inventai un système, une discipline – pour parler comme mère Leonora (mais quel beau mot, quand même, discipline). Chaque fois que je sentais un gros mot me monter de la gorge je me mordais la langue. La douleur me les fit oublier. Je n'en avais pas de regrets. Des lèvres roses et tendres de mère Leonora – elle me permettait parfois de les lui toucher – j'appris tant de mots nouveaux et beaux que dans les premiers temps, à force d'être attentive pour les retenir, la tête me tournait et le souffle me manquait. Demain matin aussi, qui sait combien je vais en apprendre... Il faut dormir, comme ça la lumière arrivera vite. Et avec la lumière, dans cette pièce tapissée de buffets hauts jusqu'au plafond, avec des vitres si propres qu'on croirait qu'il n'y en a pas, mère Leonora commencerait à parler, droite, la baguette à la main devant ces buffets immenses. Sauf qu'au lieu des tasses et des plats et des verres, comme dans celui de maman, les buffets de mère Leonora étaient pleins de livres. Et ces livres étaient pleins de tous ces mots et toutes ces histoires que mère Leonora m'apprenait. Qui sait si elle les avait tous lus ?

— Que de livres, ma Mère ! Vous les avez tous lus ?

— Mais que dis-tu, petite folle ! J'ai étudié, oui, je sais quelques petites choses, mais je ne suis pas une savante. Seuls les docteurs de l'Église ont tout le savoir du monde dans leurs mains.

— Moi aussi je deviendrai une savante !

— Folle que tu es ! Et à quoi cela te servirait-il, quand tu es une femme ? La femme ne peut jamais parvenir au savoir de l'homme.

— Et sainte Thérèse, alors ?

— Mais sainte Thérèse, comme te le dit ce « sainte », était une élue de Dieu, folle que tu es ! Attention de ne pas tomber dans le péché d'orgueil. Je suis heureuse de voir combien tu aimes apprendre et je dois admettre que tu as une mémoire et une volonté hors du commun. Mais attention, car l'intelligence peut faire tomber dans les sombres rets du péché. Prie et brode, en plus d'étudier ! Brode et prie. La broderie habitue à l'humilité et à l'obéissance qui sont les seules armes sûres contre le péché. Cela fait un moment que nous en discutons : sœur Angelica s'est plainte, elle dit que tu n'es pas aussi attentive au métier à broder qu'avec moi et qu'au piano. Elle était très affligée de ta paresse. Essaie de la contenter à l'avenir. Sœur Angelica connaît l'humilité mieux que nous, et tu ne peux l'apprendre que de ses mains patientes. J'ai peur de ton intelligence... tu es une femme... tu es une femme... sœur Angelica...

Quand elle parlait ainsi, sa voix s'élevait stridente presque comme la voix de ma mère. Mais il était inutile de la contredire, elle ne comprenait pas. Comment pouvais-je m'appliquer avec sœur Angelica ? Elle était si laide qu'elle me rappelait presque Tina. Au piano, c'était différent. Sœur Teresa, même si elle n'était ni belle ni laide, parlait, avec ses mains. Elle faisait sortir des sons si doux du clavier que c'était comme écouter la voix de mère Leonora...

— Modesta ! Tu ne m'écoutais pas ! Tu ne dois pas être ainsi distraite quand on te réprimande. C'est le signe que le diable te fait un clin d'œil pour rendre inutile notre travail de redresser tes branches, qui sont attirées vers l'ombre au lieu d'être attirées vers la lumière. L'enfant est une plante fragile qui tend à la mollesse et au jeu. Ce n'est qu'en l'attachant solidement avec les fils de la discipline qu'on peut le faire pousser droit et sans déformations dans son âme et dans son corps. Cette distraction qui est la tienne est déjà un péché. Après ta leçon, va à la chapelle et récite dix Ave Maria et dix Pater Noster ! Tu apprendras ainsi à écouter quand on te réprimande.

Le mal ! Le mal ! C'est sûr, quand elle faisait comme ça, elle était vraiment ennuyeuse et son visage même s'altérait : il se ratatinait et se tordait. C'était pour cela que Modesta détournait le regard, c'était pour ne pas la voir ainsi : elle ne voulait la voir que dans toute sa beauté.

— Modesta ! Que cherches-tu du regard ? Tu as entendu ?

— J'ai entendu.

Il fallait être patiente, ne serait-ce que parce que ces vilains mots, comme mal, enfer, obéissance, péché, ne duraient pas longtemps. Elle savait comment faire arrêter ces doléances : il suffisait de baisser les yeux et de pleurer. C'était un peu pénible. Mais après, la voix de mère Leonora, reprenant sa douceur de toujours, se remettrait à prononcer de belles paroles, comme infini, azur, suave, céleste, magnolias... Qu'ils étaient beaux, les noms des fleurs : géraniums, hortensias, jasmin, quelles sonorités merveilleuses ! Et maintenant qu'elle lui écrivait les mots là sur la blancheur du papier, noir sur blanc, elle ne les perdrait plus, elle ne les oublierait plus. Ils étaient à elle, rien qu'à elle. Elle les avait volés, volés à tous ces livres par la bouche de mère Leonora.

8

Et elle devait en voler encore, en accumuler le plus possible là aussi, dans cette pièce immense – on l'appelait le salon – qui était la seule pièce du couvent avec de grandes fenêtres et pleine de meubles dorés. Au milieu de ce scintillement d'or, le marron du piano recelait notes et rythmes précieux à prendre à pleines mains. Il suffisait de suivre la voix, non pas douce comme celle de mère Leonora, mais, à dire la vérité, plutôt éraillée, de sœur Teresa :

— Aujourd'hui, après le solfège et les exercices au piano nous apprendrons aussi à écrire les notes... mais qu'est-ce que tu as, ce matin, pitchounette ? Tu as des yeux si radieux qu'on dirait la Vierge Marie quand les anges l'emportent vers la gloire éternelle. Eh, quelle belle chose rayonnante que la jeunesse !

— Ce n'est pas la jeunesse, sœur Teresa, c'est que mère Leonora, après des mois et des mois de promesses et d'ajournements, va me faire voir les étoiles.

— Je suis contente. Tu vois qu'en obéissant et en étant sage tu as tout de suite eu ta récompense ?

À vrai dire, pas tellement tout de suite que ça. Durant des mois j'avais trimé sur ce maudit métier sous les yeux de harpie de cette maudite sœur Angelica.

— Seul le bien entraîne le bien ! Et cette nuit tu iras... c'est cette nuit que tu y vas, non ? Tu iras avec elle là où aucune d'entre nous n'a jamais mis le pied. Mais à la vérité je devrais dire l'œil, puisque c'est des yeux qu'il s'agit !

— Pas même vous, sœur Teresa ?

— Pour l'amour de Dieu ! À part le fait que le vertige me ferait tomber si je montais par ces petites échelles extérieures en fer avant d'arriver au sommet de cette tourelle étroite. Qu'est-ce qu'elle est étroite ! C'est sans doute une impression de ma part mais quand il y a du vent il me semble qu'elle oscille comme un étendard. Et puis, je ne souffre pas d'insomnie. Moi, la nuit, je dors, par la grâce de Dieu, et je n'échangerais pas mon sommeil contre toutes les étoiles du firmament.

— Et qu'est-ce que l'insomnie a à voir là-dedans, si je puis me permettre cette question ?

— Elle a à voir, elle a à voir ! Et puis ne fais pas toutes ces minauderies avec moi. Permettre, ne pas permettre. Laisse toute cette étiquette à mère Leonora.

— Et alors, qu'est-ce que l'insomnie a à voir là-dedans ?

— Elle a à voir, elle a à voir !

— Comment est-ce qu'elle a à y voir ?

— Si je te dis qu'elle a à voir, elle a à voir ! Quelle tête de mule tu fais ! Passons au solfège, allons, laisse tomber l'insomnie et solfie.

— Mais l'insomnie, n'est-ce pas ce mal qui vous prend la nuit et qui empêche de dormir ?

— Absolument ! C'est ce mal qui tient les paupières grandes ouvertes avec des ongles de fer et vous empêche de fermer les yeux, ou, comme on dit, vous refuse la bénédiction du sommeil.

— Mais ce n'est pas ce mal qui par la main de Dieu frappe ceux qui sont en état de péché mortel ?

— Mais que dis-tu ? Qui te raconte ces sottises ? Oh, ce ne serait pas que tu as parlé avec le jardinier ?

J'avais parlé avec Mimmo, mais je répondis vivement :

— Non ! Dieu m'en garde ! Je ne parle jamais avec les hommes !

— Bien répondu ! Alors c'est cette commère de sœur Angelica ? Ne l'écoute pas. À force de broder, celle-là, elle a perdu le bon usage de ses yeux et elle ne voit plus que des enchevêtrements de couleurs... Bah ! Laissons tomber. Nous ne sommes pas là pour broder. Allez, solfie, allez, mesure à quatre temps : un deux trois quatre, un...

— Et qui souffre donc d'insomnie ?

— Quelle bourrique c'est, oh ! Une vraie mouche de coche quand elle veut savoir quelque chose, cette petiote. C'est vrai en partie que l'insomnie est une punition que Dieu inflige à qui a péché. Mais parfois – quoique rarement –, c'est comme un avertissement, une sonnette d'alarme pour qui, doué d'une grande intelligence, pourrait, sans l'insomnie qui le met en alerte, tomber dans le péché d'orgueil, de... Mais que m'importent les péchés, fais-les-toi dire par mère Leonora. Moi, je ne m'y entends qu'en notes ! Le médecin du couvent dit que tous les grands esprits souffrent d'insomnie et même que c'est un mal héréditaire. Mais cet homme-là est un hérétique, et sauf pour l'huile de ricin ou quelque petit cachet il vaut mieux ne pas l'écouter.

— Ah ! Alors c'est mère Leonora qui souffre d'insomnie ?

— Précisément, et quand cette maladie l'a frappée – deux ou trois ans, je crois, après qu'elle fut venue ici chez nous prendre le poste vacant de mère Giovanna qui mourut... passons sur la façon dont elle mourut, que Dieu lui pardonne ! –, un spécialiste, qu'on n'envoie de Palerme que dans des cas exceptionnels, après l'avoir examinée et réexaminée, lui a fait obtenir une dispense de l'évêque pour amener ici la lunette astronomique de son père. C'était un grand astronome, son père. Et elle a installé ce télescope sur la petite tour. Dans la dispense il y avait également écrit qu'elle pouvait passer autant d'heures qu'elle voulait à étudier les étoiles comme son père. Ça aussi, c'est une maladie de famille. On en hérite avec l'intelligence, la richesse, la puissance. Il faut que tu saches que mère Leonora est de l'une des maisons les plus anciennes de notre île par la noblesse et la fortune. Je ne peux pas te dire son nom parce que, comme tu sais, une fois que nous avons prononcé nos vœux nous n'avons plus ni parents ni... tu es étonnée ? Ta surprise me confirme combien d'actes d'humilité mère Leonora a dû faire en elle-même pour s'ôter cet orgueil qu'elle devait avoir. J'ai vu sa mère, une fois. Quelle allure ! Belle comme elle, avec les mêmes yeux, le même front, le même nez. Et toi, d'ailleurs, comment crois-tu que tu aurais pu rester ici après cette nuit où Tuzzu et son père t'ont amenée ? Ils disent que c'est parce que le couvent était proche, mais je crois que c'était par crainte de la force publique... Alors, comment crois-tu que tu as pu rester ici ?

— Je ne sais pas.

— C'est trop beau ! Elle ne le sait pas ! Mais grâce au pouvoir de mère Leonora ! Si tu savais comme elle a lutté, ensuite, pour te garder ici et ne pas t'envoyer dans quelque orphelinat plein de punaises et de faim. Bon, je ne devrais pas le dire, parce que les orphelinats sont tenus par des sœurs, mais tu sais comme je suis : je ne peux pas ne pas dire pain au pain et vin au vin. Le fait est que ces orphelinats sont tenus par des sœurs pauvres, de basse extraction. De petites gens qui viennent ou de la campagne ou de ces mêmes orphelinats miséreux. Ce n'est pas comme chez nous ici. Cela non plus je ne devrais pas te le dire, que Dieu me pardonne, mais ici il n'y a pas une sœur qui ne soit au moins fille de baron. Même les plus fortunées des roturières n'ont jamais mis le pied ici et ne l'y mettront jamais.

— Et vous, sœur Teresa, vous êtes fille de...

— De baron justement. Mais il fallait dire vous « étiez » fille et pas : vous « êtes » fille. Répète la question.

— Et vous, sœur Teresa, de qui étiez-vous fille ?

— Comme je te disais, d'un baron, mais pauvre, et d'une maison pas très ancienne. C'est aussi pour cela que je ne serai jamais mère supérieure ! Mais qu'est-ce que ça fait ? Moins de préoccupations et plus de temps pour la musique et pour l'enseigner aux novices et à toi... Allez, allez, laisse le solfège et fais-moi entendre la sonatine de Clementi. C'est une grâce d'enseigner, et surtout à toi, écoutez-moi ce toucher ! Un toucher d'ange, mais maintenant ça suffit, ça suffit. Il faut que nous commencions à noter la musique. Allez, viens ici : tu vois la feuille avec les portées ? C'est la novice du continent qui a fait les portées. À présent, tu me les remplis... Non, non, tu dois faire comme si tu dessinais une bouche. Voilà, d'abord les contours : fort...

Les contours de ces notes qui sous la pression des doigts s'imprimaient entre les lignes, prises là au piège, personne ne me les enlèverait plus. Elles étaient à moi, volées comme les adjectifs, les substantifs, les verbes, les adverbes...

9

Et il fallait en voler encore, en accumuler le plus possible sur le papier réglé de ses cahiers. Et les chiffres aussi, tant de chiffres additionnés aux mots, aux notes, aux étoiles. Les étoiles ! Cette nuit, elle avait vu les étoiles de si près qu'on avait l'impression de pouvoir les toucher avec les doigts. Sur la tourelle haute et effrayante – un doigt pointé contre le ciel ? –, à travers la lunette, mère Leonora lui avait montré la Grande Ourse et la Petite Ourse ou le Petit et le Grand Chariot, et Sirius, resplendissant : l'étoile la plus brillante du firmament.

— Firmament ! Quel beau mot, peut-être le plus beau de tous... le plus resplendissant dans le firmament des mots.

— Qu'as-tu dit, Modesta ? Quelle merveille ! Qu'as-tu dit, mon cœur ? Répète.

Et je répétai.

— Mais quelle merveille ! On dirait un poème. Tu es extraordinaire ! Non seulement intelligente, consciencieuse et bonne, mais avec une imagination qui épouvante presque ! Tu seras une poétesse : sœur et poétesse. Et ainsi tu pourras chanter les louanges du Seigneur !

Poétesse, pourquoi pas, mais sœur, je n'étais pas trop d'accord. Certes, on n'était pas mal ici, on mangeait tous les jours comme si c'était dimanche, et les pièces, les draps sentaient la dragée. Mais toute la vie dans cet endroit ?

— Cela fait combien de temps que vous êtes ici, ma Mère ?

— Ce n'est pas ainsi qu'on dit, Modesta ! Répète la question comme il convient.

— Cela fait combien de temps, ma Mère, que vous avez prononcé vos vœux ?

— Bien ! Là c'est bien, oui. Tu dois faire attention, Modesta. Parfois tu as un ton mondain – qui sait où tu l'as pêché – qui ne convient pas à une future novice... Cela fait tant d'années, ma fille, que je suis entrée dans cet asile de paix. Eh, que n'y suis-je entrée plus tôt, à ton âge ! À l'âge chaste et pur que tu avais quand tu es arrivée chez nous. Moi, hélas, je vivais dans un monde vain où la parole de Dieu n'arrivait pour ainsi dire pas. Je ne devrais pas parler des choses du monde, mais il m'est permis de le faire dans ce cas précis parce que cela t'aidera à comprendre à quel point la Vierge t'a protégée en te faisant arriver, même si ce fut à travers les vicissitudes, ici chez nous. Elle t'a élue tout de suite, sans doute aussi parce que tu es d'humble origine et qu'elle protège les humbles, alors que pour moi – peut-être parce que le péché d'hérésie s'était emparé de certains membres de ma famille –, pour moi la route fut longue et douloureuse. J'ai vécu pendant des années dans le luxe et dans l'insouciance, quand une mélancolie terrible me prit et me fit soupçonner que j'étais dans l'erreur, comme me le répétait le dimanche mon confesseur, auquel je dois le salut. Il a combattu contre tous, dans ma maison, pour me rapprocher de la foi. Les miens disaient que cette tristesse était une maladie du corps, une anémie, disaient-ils. Mais c'était ma jeune âme pure qui souffrait de tout ce luxe, de tous ces discours immoraux et sans espérance auxquels – paix à son âme – mon oncle surtout se complaisait. Je souffrais obscurément, partagée entre les paroles élevées, morales de mon confesseur et la superficialité savante des autres. Ce fut à la fête des débutantes que la Vierge, que j'avais tant priée, m'éclaira sur mon mal, qu'aucun médicament n'avait pu soulager. Un mal qui se manifestait par un ennui et une mélancolie infinis. Jusqu'au jour précédant le bal des débutantes, que dis-je ? jusqu'au matin même, je ne savais pas. Bien au contraire, les joyeux préparatifs, les rubans, les tissus, les fleurs, m'avaient comme ranimée, comme écartée un instant de mon ennui et de ma tristesse. Mais ce soir-là, vêtue de la robe d'organdi blanche, immaculée, que portent traditionnellement les débutantes, je commençai à éprouver une angoisse suprême et à trembler tout entière. On m'avait déjà promise à un jeune officier de cavalerie que je ne connaissais pas encore. Je l'avais vu fugitivement du balcon alors qu'il défilait avec son régiment. Il était grand, avec des moustaches et des yeux si noirs qu'on aurait dit de la poix. Les hommes bruns m'ont toujours répugné. Mes parents disaient que c'était un bel homme, mais à moi il faisait peur comme tous les bruns. Il était grand et musclé, avec les joues couvertes d'entailles reçues dans divers duels, comme je pus l'observer quand je le vis de près. Il avait déjà tué trois hommes là-bas dans son pays. C'était un noble allemand. Dieu lui pardonne ! À vingt-trois, vingt-quatre ans il avait déjà trois morts qui lui pesaient sur la conscience. Imagine, trois morts, tués pour de futiles motifs d'honneur mondain. De loin déjà cet homme m'avait fait peur, mais de près, tandis que nous dansions une contredanse, avec ces entailles qui me rappelaient ses crimes, l'horreur qui se cachait derrière ces uniformes rutilants, brillants de décorations et de galons, se communiqua à la splendeur des soies, des candélabres, des diadèmes des femmes, me révélant l'orgie de péché et de crime que ce luxe cachait.

La soie, les candélabres, la splendeur des diadèmes, les joues entaillées... Une morsure à l'estomac, comme quand j'avais faim, me fit trembler du tremblement de mère Leonora et me fit courir dans ses bras et y cacher le visage. Un peu parce qu'elle devenait magnifique quand elle était ainsi émue, et un peu pour cacher le désir qui m'avait prise d'être embrassée par cet officier. Désir qu'assurément on devait lire sur mon visage, même dans l'obscurité... Tuzzu, où était Tuzzu ? Lui n'avait pas les joues entaillées, mais les blessures de ses yeux déversaient une mer bleue et ses mains étaient fortes quand il caressait. Les mains de Tuzzu me caressaient dans l'obscurité ; c'est toujours quand la cannaie se fait sombre et muette qu'il me caresse comme ça. Non, ces mains ne sont pas les mains de Tuzzu. Ce sont les paumes tendres et tremblantes de mère Leonora, qui de ma taille montent à mes épaules en m'effleurant à peine la poitrine avec un bruissement d'ailes.

— Qu'arrive-t-il ? Tu es épouvantée ? Tu es épouvantée à la pensée de la perdition dans laquelle j'aurais été entraînée en restant dans le monde ? Mais la Vierge m'a éclairée à temps, comme elle le fera pour toi. Allons, calme-toi. Le danger est passé. Tu es grande et forte maintenant et tu ne peux plus te laisser effrayer comme quand tu étais petite. Tu sens comme ta poitrine s'est bien développée ? Tu te souviens de la peur que nous avions qu'elle reste plate et desséchée comme celle de sœur Teresa ?

Oui, mes seins s'étaient développés, par bonheur, mais ces mains ne me donnaient plus aucun frisson. Elles étaient faibles et n'osaient jamais rien. J'avais espéré si souvent, mais cette femme-là ne faisait rien de plus que quelques timides caresses. D'abord j'avais cru que mère Leonora ne se caressait pas parce qu'elle était pure, sainte, comme tout le monde le répétait dans le couvent, mais à présent je savais qu'elle aussi, la nuit, se caressait exactement comme je le faisais moi. Je l'avais compris cette nuit où, sous le prétexte de l'orage, elle m'avait emmenée dormir dans son lit. Et après, convaincue que je dormais, elle avait commencé à se caresser et gémir. Tu parles d'une sainte, c'était une lâche ! Une lâche, et c'est pour ça qu'elle ne parlait que d'enfer et de peines...

Qu'avais-je dit ? Un long cri, suivi d'un battement

d'ailes blanches, me repoussa au loin. Qu'avais-je dit ? Folle ! Je devais avoir dit quelque chose de terrible, car mère Leonora court maintenant dans la tourelle comme une chauve-souris aveuglée par la lumière, quelque chose de terrible, puisqu'elle se jette à genoux et commence à se signer désespérément en criant :

— *Mea culpa, mea culpa, mea maxima culpa.*

Comment réparer ?

10

De la réparation se chargea une grosse fièvre qui me prit à l'instant, en voyant mère Leonora – immobile comme une morte – qui me chassait en continuant à prier. Une fièvre de peur, je crois. Comment avais-je pu être assez sotte pour dire à mère Leonora ce que je pensais ? Tout en claquant des dents et tremblant, j'essayais de comprendre ce qui m'était arrivé. Elle dura trois jours et trois nuits, cette fièvre horrible qui me lancinait le cerveau de la question : pourquoi as-tu fait ça ? Je l'avais fait parce que, comme une sotte, moi qui me croyais si habile, j'avais eu une trop grande confiance en mère Leonora. Et ainsi la déception de découvrir jour après jour sa lâcheté et, en conséquence, de ne plus l'aimer, m'avait fait commettre une erreur des plus banales. Une fois mon erreur comprise la fièvre cessa. Mais pas la terreur d'être exilée loin de toutes ces femmes qui, tout obtuses et lâches qu'elles fussent, m'étaient nécessaires. Elles m'avaient semblé pendant des années si douces et belles et grandes ! Elles n'étaient même pas grandes. Moi qui avais quinze ans, j'étais déjà plus grande que sœur Costanza qui était, certes, la plus laide, mais aussi la plus grande de toutes. Dommage. J'avais presque envie de revenir au temps où je les admirais et m'efforçais de marcher et de parler comme elles. Attention, Modesta, ce désir de retourner à un passé qui n'a plus d'existence possible est lui aussi un piège sentimental qui peut te coûter cher. Non ! Regardons la réalité en face : ce qui a été a été et ne pouvait pas être différemment. Maintenant, il faut sortir de cet exil dans lequel mère Leonora m'a précipitée. En trois jours je n'ai vu que la sœur infirmière et le médecin, vieux et chauve. Si au moins il était jeune ! Qui sait où était Tuzzu ? Peut-être était-il parti sur la mer.

La mer... je savais maintenant ce que c'était. J'avais vu tant de reproductions de tableaux célèbres qu'elles m'avaient presque fait oublier le désir que j'avais autrefois de la voir.

« Comment est la mer, Tuzzu ?

— C'est une grande étendue à perte de vue. Voilà : comme ce terrain pierreux que tu as devant toi du matin au soir. Sauf qu'au lieu de ces blocs de pierre et de cette boue et, mais n'en parlons pas ! il y a de l'eau, de l'eau bleue. Tantôt calme comme l'eau du puits, tantôt déchaînée comme la cannaie quand souffle le sirocco.

— Alors c'est vraiment comme sur les tableaux de la maison des sœurs ?

— Mais que dis-tu, bécasse que tu es ! Ces puits de tableaux suspendus aux murs sont feints, faux et mensongers. La nature, on ne peut pas la peindre ni l'acheter. Et puis que peux-tu attendre de ces momies desséchées qui, pour parler comme mon père et feu mon grand-père, qui savaient lire et même écrire, ont trahi et leur propre nature et la nature elle-même ? Elles sont stériles, oh ! Elles ont choisi d'être stériles comme le sable traître et perfide. Qu'est-ce que c'est que ces histoires de peintures ! Viens, promenons-nous un peu, viens... »

Tuzzu me prenait par la main et m'entraînait sur une étendue infinie d'herbe moelleuse et bleue qui ondulait au point de vous faire sentir comme après avoir bu le rossolis de Pâques.

« Quelle crétine que c'est cette petiote ! D'abord elle vous harcèle comme une mouche parce qu'elle veut voir la mer, et puis quand on l'y amène elle ne s'en rend même pas compte. »

L'herbe s'ouvrait sous mes pieds et m'aspirait, terrorisée je m'agrippais au bras de Tuzzu... « Comment nous as-tu sauvées du feu, Tuzzu ?

— Mais n'aie pas peur ! Tu ne vois pas que je te tiens ? Tant que je te tiens tu ne dois craindre ni l'eau ni le feu. »

Et en effet, je ne me noyais pas. Et nous allions, main dans la main, dans la mer bleue du regard de Tuzzu. Sa main était brûlante et serrait fort...

Non, ce n'était pas Tuzzu. C'était ce petit homme chauve, aux yeux de lézard, qui me serrait le poignet et criait. Il criait toujours, ce petit homme. Peut-être parce qu'il ne portait pas de jupe, ni la blanche ni la noire ?

— La crise revient ! Et comme si cela ne suffisait pas la fièvre est remontée ! Cette enfant va nous mourir entre les bras ! Sœur Costanza, allez, allez immédiatement trouver mère Leonora, et dites-lui que, quel que soit le péché commis par cette enfant, il vaut mieux qu'elle vienne tout de suite ou la petite meurt entre nos bras !

Voilà comment en sortir. Ce petit homme n'était pas aussi vilain qu'il semblait. Et il devait en plus être intelligent. Il fallait que je fasse ce qu'il disait, et pas que je reste muette et sage comme je l'avais fait durant ces trois jours.

Je fermai les yeux pour rejoindre Tuzzu et cette mer qui inspirait anxiété et terreur. Et, de toute la force que le désir et la terreur me donnaient, je criai fort, mais avec une seule petite variante. Au lieu du nom de Tuzzu, je disais :

— Mère, mère, pardon ! (Et je pensais à Tuzzu oublié depuis si longtemps :) Pardon, mère, pardon !

11

Tout le monde s'émut, mais mère Leonora ne se montra pas. Elle m'envoya dire par la bouche édentée et aigre de sœur Costanza qu'elle m'avait pardonné, mais qu'elle attendait que Dieu me donne un signe de Son pardon pour pouvoir prendre en considération le fait de me revoir.

Comment puis-je savoir quand Dieu me pardonnera ?

Comme si elle avait lu dans mes pensées, sœur Costanza reprit :

— Ne te fais pas de souci, mère Leonora le saura, si ce signe se manifeste. Nous ne sommes pas sourdes à ton intention de te repentir. Mais l'intention ne peut être encore définie comme le repentir. Il y avait trop de passion dans tes larmes. Cependant, étant donné ton état de santé et ta bonne volonté, nous avons accepté la suggestion du docteur Milazzo : tu pourras sortir quelques heures dans la journée à partir de demain. Mais attention de ne pas troubler notre paix par des larmes et des soupirs dans les couloirs et dans le jardin.

'est une grande faveur que ce qui t'a été concédé, ouviens-t'en. Et prie aussi pour le docteur qui a inter-édé pour toi avec tant d'affection.

En attendant que Dieu me donne un signe de son ardon, je commençai à flâner dans les couloirs, sous a colonnade du cloître, dans le jardin. Il m'avait paru nmense, ce jardin, quand je le traversais en courant our ne pas manquer un seul mot nouveau, un adjectif, ne note. Maintenant, comme dans les rêves, il s'était esserré, en un espace misérable, plein de monde. 'outes ces femmes savaient mais, comme par un ccord tacite, même quand je les frôlais, elles faisaient emblant de ne pas me voir. Exilée de leurs visages npassibles et durs, je me sentais transparente : seules nes mains et mes épaules pesaient, m'obligeant à bais-er la tête vers le sol. Je n'avais plus faim. J'avais seu-ement la nostalgie du sourire de mère Leonora, le natin, là, dans la pièce des bibliothèques dont je royais quand j'étais petite que c'étaient des buffets. 'omme elle avait ri, mère Leonora, la fois où je le lui vais dit.

Une telle nostalgie peut-elle vous tomber dessus lors même que l'on n'aime plus comme avant ? J'ayant rien d'autre à faire, je me mis à chercher à omprendre ce qu'était cette nostalgie. Plutôt que de ne repentir, je devais m'étudier moi-même et étudier es autres comme on étudie la grammaire, la musique, t arrêter de m'abandonner ainsi à mes émotions, quel eau mot, émotions ! Mais désormais je n'avais plus le temps pour les mots, je devais seulement penser à e qu'était cette nostalgie.

Après des jours et des jours de méditation, je ompris. Ce n'était pas mère Leonora que je regrettais, nais tous les privilèges et toutes les attentions que ces emmes m'avaient accordés uniquement par peur de

mère Leonora. C'était elle la patronne, en effet. Ce
pleurs et ces soupirs n'étaient que la rage de n'être plu
le chouchou de la patronne de toutes ces esclaves. Un
fois cela compris je ne pleurai plus. Parce que l'affec
tion, quand elle cesse, ne revient plus.

Ç'avait déjà été ainsi avec Annina la converse. Ell
m'avait semblé si douce, Annina ! Nous étions deve
nues tellement amies, et puis elle s'était révélée un
lâche, elle aussi. Non, l'affection ne revient pas, mai
la faveur oui, la faveur peut se reconquérir.

Pour obtenir cela, elle devait continuer à étudier se
actions et celles des autres et ne rien oublier. Oublie
avait aussi été une erreur. Mère Leonora l'avait pous
sée à oublier le passé comme s'il ne pouvait plus reve
nir. Et en fait il avait suffi de quelques mots qu'il n
fallait pas prononcer pour la précipiter dans la solitude
avec pain sec et rares soupes insipides identiques
celles du temps où, enfant, elle errait dans la plain
marécageuse à la recherche de Tuzzu.

Elle ne se souvenait que de Tuzzu... Pourquoi cela
Peut-être était-il naturel de ne se souvenir que de
belles choses. Mais s'il en était ainsi, c'était peut-êtr
mal. Parce qu'on apprend plus des ennemis – ell
l'avait lu quelque part – et des mauvaises choses d
passé que... Oui, il devait en être ainsi. Et je décida
qu'à partir de ce jour je me rappellerais toujours tou
du passé – les belles choses et les mauvaises – pou
qu'il reste présent à mon esprit et pour prévenir a
moins les erreurs déjà commises.

— Ne t'inquiète pas, princesse ! Il y a remède
tout, sauf à la *Certa*[1] !

La voix de Mimmo ! Cela faisait plus d'un mois que

1. Celle qui vient à coup sûr : la Mort. *(Toutes les notes sont de la traductrice.)*

ersonne ne m'adressait la parole et je le regardai pouvantée. Il se tenait comme toujours appuyé à un rbre et il fumait en souriant. Son corps recouvert de elours marron foncé, de loin, semblait un autre tronc oussé du chêne par un caprice de la nature.

— C'est un usage ancien, pour qui travaille comme noi parmi ces arbres, de s'habiller dans les couleurs le la nature afin de satisfaire ses caprices et de se faire rotéger par cette dame. La nature est femme et capri-ieuse. Prends ces sœurs... Oh, ce n'est pas pour parler nal de qui que ce soit, mais quand tu penses qu'avec e peu de terre qu'il y a elles me font planter géra-iiums, hortensias...

Que de fois nous avions bavardé ensemble ici, où le ois était si épais qu'on ne pouvait rien voir même à in demi-mètre de distance. Mais, vu ma situation, je ie pouvais pas prendre de risque. Dommage. Sans épondre, j'inclinai la tête et lui tournai le dos. Dom-nage, vraiment. Mimmo avait toujours de belles hoses à me dire, et mille noms pour m'appeler quand e courais insouciante et avais à peine envie de l'écou-er. Il m'appelait tournesol, petite demoiselle, prin-esse...

« Pourquoi "princesse", Mimmo ? Je ne suis pas ine princesse.

— Eh bien si, si, si ! Princesse par caprice de la iature qui parfois s'amuse à donner des jambes tordues i une princesse de sang et une démarche élancée et oyale à qui n'a ni fortune ni titre. Eh, petite princesse, cela me fait mal au cœur de penser que cette carnation de lys est destinée à se flétrir entre ces quatre murs. Hier soir, au crépuscule, que je tombe raide si je ne dis pas la vérité, vous aviez l'air d'une rose pâle dorée par le soleil. Et si j'étais une abeille je n'aurais pas d'autre désir que de me poser sur le bouton de rose que sont tes jolies lèvres. »

Me haussant sur la pointe des pieds, le visage lev vers lui, j'avais répondu en fermant les yeux :

« Eh bien, Mimmo, mets-toi à la place de cett abeille et pose-toi sur moi. »

Mais il n'avait pas bougé. Ce n'est que lorsque j'ou vris les yeux qu'il répondit :

« Les yeux fermés, non, princesse. La fleur e l'abeille s'embrassent les yeux ouverts. »

Et s'approchant, il posa sa grande main entre mo épaule et mon cou avec une légèreté dont je ne pensai pas qu'un chêne puisse jamais l'avoir.

« Et puis mes compliments ne sont pas intéressés princesse. Ou pour mieux dire, ils ne sont intéressé qu'à sentir sous mes doigts la soie de ce cou de cygne Une fois je suis allé à Catane, une grande ville qui s trouve loin, très loin d'ici, en bas près de la mer. Dan cette ville il y avait – qui sait s'il y a encore, je te parl d'il y a si longtemps – un jardin immense qu'on appe lait Villa Bellini. On m'a dit que ce Bellini était u grand homme du coin, un de ceux qui sont sculptés là tous, l'un à côté de l'autre, au milieu des arbres. Qu de statues, oh ! Et il n'y a pas que des statues. Il y aussi une espèce d'autel où joue un orchestre, mai pas payant comme dans les théâtres, gratis pour tout l monde. Et puis il y a plein de vieux assis au milie des arbres près des statues qui racontent des aventure incroyables de l'ancien temps à ceux qui s'arrêtent. Ce vieux se font payer, mais pas grand-chose, quelque centimes. La plus belle chose de l'endroit est un granc lac, tout plein de cygnes qu'on peut caresser, si l'on a de bonnes manières. Et je peux vous garantir, princesse, que votre peau est délicate et lisse comme... »

Incroyable. C'est vrai qu'il avait de bonnes manières et n'était pas intéressé. C'était si vrai que sans finir sa phrase il avait détaché sa main de mon cou pour la porter à son béret, et avec un : « Je vous salue, princesse », il s'était éloigné. Alors, tous les hommes n'étaient pas intéressés, comme le prétendaient ma mère et les sœurs. Et du reste, à présent que j'étais tombée en disgrâce, quel intérêt pouvait-il avoir à me parler ?

— Te sentirais-tu mal, princesse, pour être tombée à terre comme une poulette épouvantée ?

Une voix, après plus d'un mois ! Je voudrais m'enfuir, mais lui :

— C'est humide ici, très humide, poulette.

— C'est vrai, Mimmo, merci. J'y vais à présent.

— Et où ? De la cour à la basse-cour, eh, princesse ? Mais ne t'en fais pas, ça arrive à tout le monde une fois ou l'autre. Et si ce n'était qu'une seule fois dans la vie ! Mais il est sûr que tu en as fait un de ces bruits ! Qui l'aurait cru, légère comme tu es ? Tu as fait un tel bruit que tout le couvent en retentit encore !

— Et tu crois, Mimmo, qu'en tombant on peut choisir de faire un bruit léger ou fort ?

— Bravo, princesse, je vois que tu n'as pas perdu le goût de la plaisanterie ! C'est bon signe. À dire la vérité, je m'inquiétais un peu à te voir errer comme une somnambule, le dos courbé. Je pensais : ça ne serait pas qu'elle nous deviendrait bossue à force de prières et de punitions ? Ce n'est pas que tu sois la première que je vois entrer dans ces murs jeunette, belle, et droite comme un cierge, et qui peu à peu se courbe comme un âne trop chargé, jusqu'à ce que toute ratatinée elle en sorte avec les pieds devant, passe-moi l'expression, sans avoir gagné la récompense d'une vieillesse longue et sereine. Ma femme, ma belle-sœur ont les cheveux blancs, mais elles sont sereines, ayant évité faim et maladies. Mais ces religieuses, là, qu'est-ce qu'on y comprend ? Elles disent qu'elles vivent dans la chasteté, mais elles se courbent comme sous les péchés les plus graves.

Avant, quand Mimmo commençait à parler ainsi des sœurs et du couvent, je fuyais, mais à présent ses discours me descendaient dans le sang comme un baume réconfortant. J'éprouvais le besoin de m'étirer et de relever la tête.

— Voilà, comme ça, bravo, princesse, bravo : droite comme avant.

— C'est juste que les mains et les bras me pèsent.

— Eh, bien sûr. Quand le souffle vital, que ce soit sous une douleur ou sous une humiliation, ou par manque de pain, quitte le corps, les bras et les mains tirent vers la terre. Mais c'est un mauvais signe que celui-là, signe que l'âme est fatiguée du corps et que l'on veut mourir. Cela m'est arrivé à moi quand me parvint la carte postale disant que mon fils aîné, Nunziato, était mort à la guerre de Libye. Les bras me pesaient, me tiraient vers lui. Et pour me donner de la force – j'avais à nourrir six enfants nés de ma propre chair – pour me donner de la force j'ai dû me les couper, ces bras. Maintenant ils travaillent, ils bougent mais je ne les sens plus. Ils sont partis avec lui, princesse.

— J'y vais à présent, Mimmo, si jamais elles arrivaient.

— Non, pour l'instant elles n'arrivent pas : le chêne se tait. Mais si tu te sens mal, va. Mais droite, hein ! Attrape-toi par les cheveux et tire ton cœur vers le haut. Parce que ces femmes-là n'attendent rien d'autre, même si elles ne le savent pas, que de te voir te courber au point de te retrouver à six pieds sous terre.

— Non, ça non, Mimmo. Pourquoi parles-tu ainsi, toi qui es si bon ?

— Parce que c'est la vérité. Et quoi ? Quelqu'un de bon ne devrait pas voir la vérité ? Tu sais qui tu dois remercier de pouvoir au moins sortir à l'air libre ?

— Bien sûr que je le sais : le médecin.

— Certes, le médecin. Mais le médecin seul n'aurait rien obtenu si, il y a huit ou dix ans, n'était morte une novice plus ou moins de ton âge, et, comme toi, protégée de mère Leonora.

— Et comment est-elle morte ?

— Elle s'est tuée, ma fille. Et qui pourrait le lui reprocher ? Enfermée dans sa chambre pendant un mois et davantage, elle s'est prise de découragement et s'est jetée par la fenêtre. Regarde, celle-là, là-bas. Je l'ai trouvée à l'aube, écrabouillée par terre. Personne n'avait rien entendu. Ces couvents ont des murs épais, des murs à l'épreuve des bombes pour n'entendre ni les larmes ni les joies du monde. Regarde, cette fenêtre là-bas.

— C'est celle de ma chambre.

— Précisément ! Parce que c'est la cellule voisine de celle de mère Leonora. C'est là que finissent ses protégées.

— Mais comment a-t-elle fait ? Il y a des grilles.

— Non, elles les ont fait mettre après. Comme on dit à Catane, sainte Agathe, on l'a d'abord volée et puis on l'a protégée par des barreaux... Et donc, comme je te disais, le médecin, qui, autant que tu le saches, est un homme fin de cœur et d'esprit, et qui en plus de médecine s'y connaît en droit, en reparlant de ce suicide que tout le monde ici, sauf moi, avait oublié, a pu t'offrir une bouffée d'air et de distraction. Maintenant bien sûr elles l'ont chassé. Mais c'est un homme de véritable conscience, il s'en est allé tranquille. Je vous salue, princesse. Le chêne me dit que l'armée se trouve dans les parages et qu'il vaut mieux pour vous et pour moi prendre des chemins différents.

Le chêne me dit... C'était réellement vrai, il lui suffisait de poser la tête contre le tronc noueux pour connaître les mouvements du bois tout entier. J'essayai moi aussi, mais l'arbre ne dit rien. Et cependant au bout de quelques minutes on commença à entrevoir le blanc des jupes des novices au milieu des petits buissons. Elles venaient vers moi pour ensuite faire semblant d'être surprises et de fuir, en exagérant une terreur pleine de petits cris et de rires aigus. Le chêne ne me parlait pas, mais j'avais bien fait d'oser avec Mimmo. Venez, venez rire tout votre saoul, maintenant je sais comment faire cesser tout cet amusement. Profitez-en tant que la farce continue, parce que, comme dit Mimmo :

« La farce, si l'on rit trop, finit toujours en grande amertume. »

12

Pour sortir de cette situation, je devais mourir. Et mourir comme Mimmo me l'avait suggéré, c'est-à-dire me jeter par la fenêtre. Mais de laquelle ? Sur la mienne, par bonheur, il y avait ces barreaux, parce qu'elle aurait été trop haute, et par-dessus le marché sans parterres de géraniums, que sais-je ? ou arbres ou haies pour m'éviter de me rompre les os. J'y tenais, à ce corps qui m'avait donné tant de joies.

Je cherchai trois jours sans trouver une seule fenêtre qui n'eût pas ces odieux barreaux. Jusqu'à ce que, découragée, je m'asseye sur l'herbe en appuyant la tête contre l'anneau corrodé du puits. Là, le troupeau de brebis, comme disait Mimmo, ne venait jamais. Pourquoi ? Mais oui, pourquoi ne s'approchaient-elles jamais du vieux puits, et pourquoi, quand l'une d'elles l'apercevait de loin, se signait-elle bien vite trois fois en détournant le regard ? C'était leur affaire. Pour moi, cela valait mieux ainsi. J'avais au moins découvert un endroit où me concentrer tranquillement au soleil. Dans ma cellule, désormais, je ne pouvais plus ni penser ni lire. Comment pouvais-je mourir si toutes les fenêtres étaient garnies de barreaux ? « Et je tombai comme tombe un corps mort. » Comment pouvais-je apparaître parfaitement morte, comme disait le poète, sans aller véritablement finir dans les bras odieux de la *Certa* ?

— La princesse m'aurait-elle appelé ? Il ne faut pas, si vous me permettez, il ne faut pas se laisser prendre aux illusions du sommeil, comme ça, sous le soleil d'avril. Avril trompe avec sa fausse chaleur. Il vous caresse avec des mains sûres, mais il est prêt à vous abandonner au poison de l'humidité dès que l'ombre tombe.

— Qui te l'a dit, que je te cherchais ? Le chêne ?

— Comme toujours, et il avait raison. À présent encore votre regard m'appelle, princesse, mais sans savoir s'il doit se fier ou pas à un étranger. Parce que, même si je vous ai vue grandir avec la ténacité d'une plante saine, nous n'en sommes pas moins deux étrangers l'un pour l'autre, non ?

— Tu sais pourquoi les sœurs ne s'approchent jamais de ce puits, et quand elles le voient se signent comme si elles voyaient le diable ?

— Je vois que depuis qu'on vous a mis en quarantaine votre langue s'est déliée, hein, princesse ?

— Et pas seulement ma langue, Mimmo, mon intelligence aussi s'est déliée. Sauf que...

— Quoi ? Le puits ? Il te soucie, ce puits ? Restes-en éloignée, ma fille !

— Et pourquoi ?

— Parce qu'il attire les âmes en peine. Rien que moi, j'en ai compté deux qui ont écouté sa voix.

— La voix de qui ?

— De l'eau oublieuse du puits, princesse, et elles s'y sont jetées. J'en ai repêché deux, moi, de ces bras-ci que tu vois. Mon père, en son temps, une autre. Mon grand-père, paix à son âme, qui sait combien ! Mais lui était de la vieille école, et il se taisait. On se taisait sur tout à l'époque. Même en famille, avec les gens de son propre sang, on se taisait. Temps de muets, que c'était ! Mais quelque chose est en train de bouger depuis vingt ans par ici. Dans les villages là en bas on commence à parler, prudemment, certes, mais on parle. Et sur le continent, à ce que me dit mon fils qui circule parce qu'il est commerçant, il y a tout un remue-ménage de discours et d'idées nouvelles. On parle même contre cette guerre qui a éclaté. Et quand donc a-t-on parlé contre la guerre, avant ! Mon fils, là, Giovanni, dit qu'ici aussi ce vent de rébellion est en train d'arriver, agitant les esprits, surtout dans les soufrières et les salines... Si tu le voyais ! Il est tout enflammé de ces nouvelles idées de rébellion.

— Une rébellion contre qui ?

— Et contre qui se rebellent les pauvres ? Contre les riches, les puissants, l'Église.

— Alors le médecin est l'un de ceux-là ?

— Eh oui ! Avant, non, mais il a changé depuis quelques années, comme mon fils Giovanni.

— Mais il n'est pas pauvre, lui, c'est un médecin.

— C'est peut-être une exception. Quoique mon Giovanni me dise que là-bas, sur le continent, il y en a tant de ces médecins et maîtres d'école et avocats qui sont du côté du peuple.

— Mais c'est bien vrai, ce que te dit ton fils ?

— Bien sûr ! Et je m'inquiète. Il parle tout le temps de ces choses. C'est une tête folle, mon Giovanni ! J'ai peur qu'un beau matin...

— Et toi, qu'en penses-tu ?

— Moi, princesse, je suis prudent par nature. Et puis, même si je critique les règles de ce couvent et beaucoup, beaucoup d'autres choses pas claires de l'Église, je crois en Dieu. Eh oui, je crois en Dieu, moi.

— Ah, parce que, eux, ils ne croient pas en Dieu ?

— Eh, si c'était seulement qu'ils n'y croient pas, ma fille, je pourrais le comprendre. Mais ils le détestent et le combattent. C'est ça, vois-tu, qui me rend prudent. Sans l'enseignement de l'Évangile, seules des routes sombres peuvent s'ouvrir pour nos jeunes... Qu'est-ce qui se passe que tu nous deviens toute rouge ? C'est la pensée de tous ces sans-Dieu ? Eh, Mimmo, Mimmo ! Ma fille a raison, Mimmo parle trop !

Que pouvais-je répondre ? Que la découverte de n'être pas la seule à douter de l'existence de Dieu m'avait propagé un incendie dans le sang tel que j'avais été obligée de serrer les lèvres pour ne pas crier de joie ? Baissant la tête et serrant les poings de façon à ce que mes ongles entrent bien dans mes paumes (cela me ferait pâlir, je le savais), je dis :

— Ne t'inquiète pas, Mimmo.

— Je ne suis pas tranquille de te voir tourner autour de ce puits. J'en ai repêché deux, je te l'ai dit, avec ces bras que tu vois là.

Son agitation me dit que j'avais visé juste. Il ne me perdrait plus de vue un seul instant. Les yeux hallucinés et de plus en plus pâle à mesure que mes ongles pénétraient dans mes paumes, je me levai en tanguant tellement qu'il dut me soutenir.

— Ne t'inquiète pas, Mimmo, c'est le soleil et l'humidité, tu avais raison. Heureusement que tu m'as réveillée. Même si désormais... Peut-être que ç'aurait été pour moi une délivrance d'attraper une bonne pneumonie et de m'en aller près de Dieu... Merci, Mimmo, au revoir.

Sans me retourner, je me dirigeai vers le couvent d'un pas mal assuré, comme on écrit dans les romans. Je sentais derrière moi l'immobilité dans laquelle la préoccupation avait cloué Mimmo, et pour un peu j'aurais eu de la compassion pour lui. Le désir de me retourner et de courir le tranquilliser fut si fort que je vacillai et fis une embardée pour de bon. Mais il n'était pas temps d'avoir de la compassion, il était temps d'agir.

13

Mais agir ne se révéla pas aussi facile que je l'avais pensé. Depuis des jours et des jours des masses de nuages passaient au-dessus du couvent comme de grandes ailes d'oiseaux fous et j'avais peur. J'allais au puits, je regardais au fond, mais là aussi des masses de nuages battaient de leurs ailes sombres contre les parois glissantes pour finir aspirées par l'eau stagnante du fond. Je tremblais de froid. Certes, désormais Mimmo était toujours dans les parages, comme une sentinelle, et cela me confirma que son inquiétude était en éveil. Mais il ne s'approchait plus. L'inquiétude lui avait sûrement enlevé le goût de faire un brin de causette avec quelqu'un qui lui faisait se faire tant de mauvais sang. Lui-même me l'avait dit une fois :

« Pardonnez-moi, princesse, si je ne parle pas aujourd'hui. C'est que je suis tourmenté par des pensées qui m'enlèvent l'appétit et l'envie de parler. »

Et moi qui, lâchement, ne me décidais pas à faire ce saut qui nous aurait libérés, lui et moi. Mais comment le pouvais-je ? Je n'osais même pas penser à ces parois de lave qui glissaient sur leur tour tout entier pour finir en bas dans le fond invisible. Le jour, je me frappais la tête et la poitrine en m'accusant d'être une lâche. La nuit, l'œil du puits ne me lâchait jamais, me fixant des coins obscurs de la cellule, me tenant éveillée, agrippée aux draps dans la terreur de basculer dans le précipice béant. Je n'y arriverais jamais. C'était inutile. Si au moins j'avais su nager. Si Tuzzu m'avait amenée voir la mer et m'avait appris à nager ! Il disait que c'était facile même pour une bécasse comme moi :

« D'abord il faut apprendre à faire le mort[1] : il suffit de s'étendre le dos sur l'eau comme tu t'étends sur l'herbe, sans peur, et d'écarter les bras et les jambes. Si tu n'as pas peur, après ça l'eau te soutient comme la terre te soutient maintenant. »

L'herbe noire s'ouvrait sous le poids de mon corps mort, et m'entraînait loin cogner contre le mur d'enceinte du couvent, tandis que le globe enflammé du soleil se laissait aller en souriant dans les bras de lave de la Mort. Le soleil mentait : il le savait bien, lui, qu'il ne mourrait jamais...

Non, je n'y serais jamais arrivée si le signe que Dieu m'avait pardonné n'était pas venu par la bouche édentée de sœur Costanza.

— Dieu t'a pardonné. Voici ta valise. Rassemble tes affaires : tricots, robes, bas, une paire de draps avec les taies d'oreiller qui vont avec, une couverture et tous tes objets personnels, y compris le chapelet d'or et de perles que t'a offert mère Leonora. Les livres de prières aussi, naturellement, les autres non. Là où tu vas aller, tu n'auras plus la possibilité d'étudier, mais en revanche tu auras le privilège d'apprendre un métier. C'est toi qui choisiras : couturière, brodeuse, cuisi-

1. Nous dirions « la planche ».

nière, c'est toi qui choisiras parmi ces humbles activités qui seules conviennent à une femme. Étudier est un luxe qui corrompt, comme le soutenait notre supérieure de Turin. Pour ma part, je n'ai jamais ouvert un livre qui ne fût pas un livre de prières. Et quand Dieu voudra que je prenne la direction de cette communauté, on mettra fin à ce gaspillage de temps et d'argent. D'ici deux ou trois jours, quand une occasion de voiture se présentera, tu iras à l'orphelinat de Pietraperzia, qui est le plus renommé de tous pour la sévérité et la discipline. Mère Leonora prendra à sa charge les frais de pension mensuelle. Et afin que tu connaisses sa grandeur d'âme et prennes exemple sur elle, tu dois savoir que tu n'auras pas – si toutefois ta conduite s'améliore au fil des années – à te préoccuper de ton avenir, ceci quand tu auras atteint la majorité et que tu te retrouveras dans le monde. Car elle a pensé à toi dans son testament. Elle est très malade. Je vois que tu n'éprouves aucune joie à cette bonne nouvelle que je te donne. Et cela me confirme, à l'inverse de ce que soutenait mère Leonora – toujours trop bonne, trop pour tenir efficacement les rênes de ce couvent – que la solitude de ces derniers mois ne suffirait pas à te rabattre le caquet et à te faire comprendre en combien de péchés d'orgueil – et d'autres choses que j'ignore et ne veux pas savoir – tu es tombée durant ces années. Tout cela n'a servi à rien. Nous, les anciennes, nous ne nous sommes jamais trompées : notre décision était juste. Là où tu vas aller tu apprendras l'humilité et l'abnégation, seules disciplines qui puissent mener au salut de l'âme. Nous les anciennes nous n'avons pensé qu'à cela : à sauver ton âme. Au revoir, pour l'instant, Modesta. Nous nous dirons adieu comme il convient avant que tu ne quittes cette maison. Il t'a été concédé de prendre congé de nous toutes en une cérémonie officielle. *In primis* pour que la séparation s'imprime plus fortement dans ton âme, ensuite pour donner un exemple aux autres jeunes filles, qu'elles sachent ce qu'on perd à relever la tête à mauvais escient. Tu n'as rien à dire ?

— Mère Leonora y sera ? Pourrai-je...

— Non.

Et là-dessus elle disparut derrière la porte qui se referma, ensevelissant la seule petite espérance qui m'était apparue dans cette avalanche de paroles. Si au moins j'avais pu la revoir. Elle ne m'était pas si hostile si elle avait pensé à moi dans son testament. La revoir ! Il fallait que je meure pour la revoir, il n'y avait pas d'autre issue. Ou avais-je rêvé ? Non, la valise posée sur le lit était réelle et était en train de se remplir de petits insectes sombres : des punaises. Je les connaissais, les punaises. Elles auraient bientôt envahi les murs blancs et me chasseraient. Sans savoir comment, je me retrouvai agrippée aux barreaux de la fenêtre. Le soleil était encore haut, par bonheur.

S'il y avait le soleil, il devait y avoir aussi Mimmo, Mimmo immobilisé par l'inquiétude devait être à son poste, à veiller... Le voici, là, parmi les arbres. Il doit m'avoir découverte parce qu'avec un petit saut il est allé se cacher derrière un plus gros tronc. Je courais pour me donner du courage et pour ne pas penser aux lèvres grandes ouvertes du puits. La voix de sœur Costanza me poussait : « Là où tu vas aller, pas de livres... là où tu vas aller on ne te servira pas... tu apprendras un métier... l'humilité... » Mes mains moites glissaient sur la pierre polie. Deux fois je tombai par terre et me relevai, et puis je fus debout sur le rebord. Que Mimmo me voie bien... Et, peut-être parce que j'avais tellement couru, ou à cause de la voix de sœur Costanza qui me retentissait dans le crâne, me faisant perdre l'équilibre, ou parce que le bord du puits était lisse et mouillé, je dérapai et disparus sans avoir même dû recourir à ce courage que j'avais tellement invoqué.

14

J'aimerais pouvoir vous dire ce que j'éprouvai en tombant dans cette obscurité sans fond, mais ça m'est impossible parce que pour la première et la dernière fois de ma vie je perdis connaissance, mais réellement et non délibérément, comme je l'avais toujours fait. Si bien que ni vous ni moi n'en saurons jamais rien. Ce que je sus, c'est que Mimmo me sauva. Et que, alors que moi, à part quelques égratignures et quelques éraflures sur le visage et sur les jambes, je ne me fis rien, lui se cassa un bras. Cela m'ennuya un peu, mais étant donné qu'il disait à ceux qui le plaignaient : « Mais qu'est-ce que c'est ! Rien de grave. Un bras se recolle, mais pour une âme qui sort d'un corps il n'y a pas de colle qui tienne ! », puisqu'il était content, tout le monde l'était. Quant à moi, allongée dans les draps immaculés de mon lit reconquis, les yeux fermés – qu'on ne voie pas ma joie – j'étais plus heureuse qu'on ne l'est, à en croire les sœurs, au paradis. J'écoutais la voix de mère Leonora qui parlait, mais pas avec sa voix d'autrefois. Elle s'était un peu décolorée, cette voix, comme usée. Mais enfin, c'était tout de même sa voix. Elle disait que tout le monde, dans le couvent, s'était ému – il était temps ! – et que, même si le fait d'avoir attenté à ma vie m'avait fait commettre un péché mortel, en même temps on ne pouvait nier que ce fût aussi un avertissement : le signe que je devais rester ici, dans ces murs, avec elles. Nous allions prier ensemble pour nous purger (quel vilain mot, pensai-je) de ce péché. Si elle m'avait gardée là et fait étudier comme autrefois, j'aurais prié bien volontiers. J'aurais prié nuit et jour, et je me serais véritablement repentie de mon ingénuité et de mon imprudence. J'avais grandi à présent. Et si auparavant j'étais assez attentive à mesurer chacun de mes mots, chacun de mes gestes, maintenant je n'étais plus que prudence : un amas de nerfs et de veines solidement liés par la crainte de l'imprudence. Et encore à présent, bien qu'elle insistât tellement pour que j'ouvre les yeux, je n'osais la regarder. Ce visage m'avait donné trop d'émotions, et la crainte de le revoir après tant de temps, et que quelque chose dans ses traits puisse déchaîner en moi quelque caprice du cerveau, me disait qu'il valait mieux attendre au moins sa prochaine visite.

— À demain, Modesta. L'heure est passée. Repose-toi tranquillement et prie. Prie comme tu le fais maintenant. Je l'ai vu, tu sais, au mouvement de tes lèvres.

Ce n'est que lorsque le bruissement de sa jupe me dit qu'elle allait sortir par la porte, que j'entrouvris à peine les yeux et que je la vis : elle était devenue toute petite, comme un chiffon ratatiné par trop de lavages. Par bonheur je n'avais pas ouvert les yeux avant, parce qu'une décharge à la poitrine me fit sursauter tout entière. Et sans rien pouvoir y faire je me mis à pleurer et sangloter. Mais réellement, avec de vraies larmes, comme dit le poète.

Mes larmes se condensèrent en une stupeur de glace quand je la regardai le lendemain. Ce n'était plus elle. Deux lignes dures aux coins de la bouche lui étiraient les lèvres en une mince grimace effilée. Était-ce pour cela que sa voix, maintenant, grinçait, métallique, et ne parlait plus que de péchés, d'enfer, de pénitences et de mort ? À peine fut-elle partie que, chose qui m'aurait semblé impossible autrefois, je ne désirai plus la revoir. Et ainsi je décidai de guérir tout de suite pour ne plus subir cette heure d'acier. Tous les jours je fis en sorte qu'elle me trouve habillée, les joues roses et fraîches à force de pincements et d'eau froide.

— C'est bien, Modesta. Je vois que tu as réagi de la bonne manière, et que tu ne t'es pas laissée bercer de coupable façon par la douceur de la convalescence. Je me réjouis vraiment de voir comme tu as grandi durant ces derniers mois. Au lit, tu semblais toute petite, comme autrefois. Tu es devenue grande et forte. Mais ne t'en enorgueillis pas. Dans la santé du corps peuvent aussi se nicher des tentations. Prie ! Ta santé retrouvée n'est due qu'à la prière, et à sainte Agathe qui a veillé sur toi. J'ai sans cesse rêvé d'elle durant ces mois, et, parfois, je la voyais vivante, comme je te vois maintenant. Elle venait près de moi, et me disait des yeux d'être tranquille, parce qu'elle veillait. Je m'en vais maintenant. Mes visites ne seraient qu'une mollesse à présent que je te vois debout. Je m'en vais tout de suite, d'autres âmes affligées m'attendent. À partir de demain nous ne nous verrons plus que dans la chapelle pour prier, et durant les heures de cours. Sœur Angelica sera heureuse de te revoir au métier à broder, elle dit que la tapisserie n'avance plus comme avant depuis que tu n'es plus là.

Cette voix étrangère se tut enfin et elle sortit. Je la haïssais, désormais. À l'improviste, cette émotion de haine – qu'elles disaient être un péché – me cingla d'une joie si forte que je dus serrer les poings et les lèvres pour ne pas me mettre à chanter et à courir. Dès que je me sentis plus calme, je dis timidement à voix basse : « Je la hais », pour voir si l'effet se répétait ou si la foudre s'abattait sur ma tête. Il pleuvait dehors.

Ma propre voix m'atteignit comme un vent frais qui me libérait la tête et la poitrine de la crainte et de la mélancolie. Comment se pouvait-il que ce mot interdit me donnât tant d'énergie ? J'y penserais plus tard. Maintenant je n'avais plus qu'à le répéter à voix haute, pour qu'il ne m'échappe plus, et : « Je la hais, je la hais, je la hais », criai-je après m'être assurée que la porte était bien fermée. La cuirasse de mélancolie se détachait par morceaux de mon corps, mon thorax s'élargissait secoué par l'énergie de ce sentiment. Je ne respire plus, enfermée dans cette blouse. Qu'est-ce qui me pèse encore sur la poitrine ?

M'arrachant blouse et chemise, mes mains trouvèrent ces bandes serrées « pour qu'on ne voie pas les seins », qui jusqu'à ce moment avaient été pour moi comme une seconde peau. Une peau de douce apparence qui me liait avec sa blancheur rassurante. Je pris des ciseaux et je la coupai en morceaux. Il fallait que je respire. Et enfin nue – combien de temps cela faisait-il que je ne sentais pas mon corps nu ? Il fallait même garder sa chemise pour prendre un bain –, je retrouve ma chair. Mes seins délivrés jaillissent sous mes paumes, et je me caresse là par terre, et je jouis des caresses que ce mot magique avait libérées.

15

La foudre ne tomba nullement sur ma tête tandis que dehors la pluie continuait à battre contre les vitres de la fenêtre. Mon corps nu, échauffé par le plaisir, la sentait descendre, légère. Douce pluie d'avril entre les seins, les hanches ouvertes pour accueillir cette fraîcheur de printemps. J'avais retrouvé mon corps. Durant ces mois d'exil, enfermée dans cette cuirasse de douleur, je ne m'étais plus caressée. Aveuglée par la terreur, j'avais oublié que j'avais des seins, un ventre, des jambes. Alors la douleur, l'humiliation, la peur n'étaient pas, comme elles le prétendaient, une source de purification et de béatitude. C'étaient de répugnantes voleuses qui la nuit, profitant du sommeil, se glissaient à votre chevet pour vous ôter la joie d'être vivante. Ces femmes ne faisaient aucun bruit quand elles passaient à côté de vous ou entraient et sortaient de leurs cellules : elles n'avaient pas de corps. Je ne voulais pas devenir transparente comme elles. Et maintenant que j'avais retrouvé l'intensité de mon plaisir, jamais plus je ne m'abandonnerais au renoncement et à l'humiliation qu'elles prêchaient si hautement. J'avais ce mot pour combattre. Et dans mon exercice de santé – je l'appelais désormais ainsi en moi-même –, dans la chapelle, le chapelet entre les doigts, je répétais : je hais. Penchée sur le métier, sous le regard éteint de sœur Angelica, je répétais : je hais. Le soir avant de dormir : je hais. Ce fut à partir de ce jour-là ma nouvelle prière.

Et en priant j'étudiai. Je cherchai dans les livres la signification de ce mot. Mais je ne trouvai rien de plus que la colère de Dieu, que l'envie de Lucifer. Tous ceux qui détestaient l'Église avaient peut-être, eux, des livres différents. Mimmo en avait parlé avec crainte et respect :

— Je ne suis pas d'accord, mais il faut que je reconnaisse que Giovanni, depuis qu'il est en contact avec ces gens, semble un autre homme : serein, plein de force...

Alors eux aussi, grâce à la haine, étaient heureux. Comment me serait-il possible de faire leur connaissance ? Le médecin était l'un d'eux, mais j'étais une enfant alors. Que pouvais-je savoir ? À présent il n'était plus là, quel dommage ! Je me résignai à ne rien savoir. Mais si je continuais à étudier avec dans le corps cette haine plus nourrissante que le pain, et qui me donnait la force de m'appliquer nuit et jour – tout le monde en était émerveillé dans le couvent –, je pourrais devenir enseignante. À ce que l'on disait il commençait à y avoir des femmes enseignantes sur le continent. Et une fois enseignante je les rencontrerais certainement. Et puis mère Leonora avait pensé à moi dans son testament... Il n'y avait qu'à être patient : mère Leonora était minée par un mal incurable. Encore un an ou deux, et je serais libre. Mais la douleur de mère Leonora devait elle aussi avoir d'immenses pouvoirs magiques, parce que, malgré sa maladie, elle apparaissait chaque jour plus en chair et plus droite... et avec un de ces souffles ! Une malade de la poitrine, elle ? Elle ne faisait que parler. Et ce n'étaient pas des mots tremblants, humbles, comme il en avait été auparavant, mais pleins de pièges, sûrs, sans appel. Écoutez :

— Je suis condamnée, Modesta. Le médecin m'a donné cinq ou six ans au maximum. Mais je remercie Dieu de ces années qu'il me concède encore parce que je sais qu'elles suffiront pour te former et faire éclore dans ton âme la vocation que, je le sens, tu tiens cachée dans ton sein comme un joyau précieux. Je ne fermerai les yeux que lorsque je te verrai revêtue de l'habit que je porte. Car tu dois savoir que tout mon trousseau d'épouse de Jésus te reviendra, lui aussi, à ma mort. Précieux trousseau, qui, comme un signe divin, te va parfaitement. Quand j'avais ton âge, j'avais aussi un corps semblable au tien.

Vous avez entendu ? Écoutez encore :

— N'aie pas peur, Modesta. Tu as peur parce que tu ne connais pas encore la douceur paradisiaque du renoncement et de l'humilité. Ta fibre juvénile est encore trop pleine de vitalité animale, de santé. Du reste, j'en ai parlé avec sœur Costanza, tu nous ferais une grâce si tu réduisais ta nourriture, au moins le soir. Tu es maintenant adulte et saine. Quelques renoncements à la table ne pourront que t'aider dans la prière. À partir de demain tu dîneras de pain et de lait comme les sœurs converses. Mais, comme je te le disais, n'aie pas peur. Je ne te forcerai pas, et pour t'en donner une preuve je veux te faire lire la copie de mon testament. L'original est déposé chez un notaire de Modica, par sécurité... Tu vois ? Il y a écrit que tu auras cette rente même dans le cas où Dieu ne te ferait pas la grâce de t'enrôler dans ses troupes. Et tel est mon désir de ne rien faire d'autre que ce que tu voudras que voici, joint au testament, un acte signé du médecin confirmant que tu as perdu ta virginité à cause... mais passons. Je ne veux pas te rappeler toutes ces choses horribles, ces douleurs d'enfer. Ce qui est important, c'est que si tu veux entrer dans le monde après ma mort, ce document t'aidera. Parce qu'aucun homme, il faut que tu le saches, ne prend pour épouse une jeune fille s'il n'a la certitude de son intégrité physique et morale.

Et ainsi de suite durant des jours, des mois. Écoutez, même si vous n'en avez plus envie :

— N'aie crainte, ces documents sont la preuve que je ne veux te forcer à rien, et que c'est seulement lorsque tu le voudras, serai-je morte ou vivante, que tu prononceras tes vœux. Mais je sais aussi que Dieu ne m'appellera pas à lui avant que je n'aie accompli cette mission. Peut-être toutes mes souffrances n'avaient-elles que cette fin : te conduire à Lui.

Que ce fût à cause de cette rengaine quotidienne, ou

par la faute des dîners à base de pain et de lait, qui me faisaient me réveiller affamée et fatiguée, l'effet de la haine m'abandonnait. Le médecin lui avait donné cinq ou six ans, au moins. Et si cette douleur qui la soutenait était si puissante qu'elle allait vraiment la porter jusqu'à l'accomplissement de sa mission ? Eh non ! C'était trop, toutes ces années, même si j'avais conquis la force de la haine et l'astuce de la prudence. Ou pour mieux dire, du fait même de ces conquêtes je connaissais maintenant la fragilité de ma nature et de toutes les natures. Je craignais de ne pas arriver à mentir pendant tout ce temps. Eh non ! Même cinq ou six ans, c'était trop. Il fallait ici ou fuir, ou avoir la chance que son Dieu la rappelle le plus vite possible auprès de lui.

16

De fuir, il n'était même pas question. Où pouvait-elle aller ? Même en parvenant à franchir, et ce n'était pas facile, cette muraille de lave qui entourait le couvent, Mimmo disait qu'à pied il fallait compter cinq, six heures de marche pour rejoindre ce village... Comment s'appelait-il ? Avec terreur, elle s'aperçut que durant toutes ces années elle avait étudié, certes, le latin même, le français, mais n'avait parlé avec personne qui ne fût une sœur ou un prêtre. Elle sentait bien que ce langage était différent de celui qu'on devait parler dehors, dans le monde. Avec Mimmo, c'était autre chose. Bien ou mal, il faisait partie du couvent.

À ces pensées, la haine l'abandonnait pour laisser place à un épuisement qui se répandait à travers sa poitrine, ses bras, l'obligeant à s'étendre là sur le banc chauffé par le soleil. La haine l'abandonnait ? Ou était-ce tout ce lait qu'on lui faisait boire le soir qui diluait le sentiment puissant qui la tenait debout auparavant ? Et si l'on voulait à tout prix rêver comme dans les romans, une fois atteint le village, comment parviendrait-elle à échapper aux carabiniers ? À trouver une place de femme de chambre – comme elle serait jolie avec le tablier et la petite coiffe blanche brodée – dans une maison où elle rencontrerait un officier ami de la famille, ou même, pourquoi pas ? le fils de ses maîtres en personne, qui fasciné par sa grâce la demanderait en mariage ? Où avait-elle lu tout cela ? Ah oui ! C'était cette mollassonne d'Annina la converse qui se prenait des punitions à n'en plus finir pour avoir lu des âneries de ce style. Mais même si cet officier la demandait en mariage elle ne pourrait pas l'épouser. Les hommes ne se marient pas avec les femmes qui ont perdu leur virginité. J'étais entre les mains de mère Leonora, il n'y avait rien à faire ; si au moins j'avais eu le certificat ! Et puis en m'échappant je perdrais l'héritage que j'avais obtenu au prix de tant d'efforts. Il valait peut-être mieux rester. Au fond mère Leonora était bonne, elle m'avait pardonné. Et peut-être avec le temps redeviendrait-elle douce comme autrefois... Son visage voilé par le soleil m'apparaît là-haut au milieu des pampres contre le ciel...

— Ne vous abandonnez pas ainsi aux illusions flatteuses du soleil, princesse, être pauvre est un poison qui affaiblit. Le manque de nourriture embrume le cerveau. En cela je dois donner raison à Giovanni. Il dit que les pauvres s'imaginent les riches bons et généreux pour ne pas sentir, plus forte qu'elle ne l'est déjà, l'humiliation de courber la tête et de les révérer.

Mimmo avait raison, ce soleil faisait du mal, il m'avait embrouillé les idées. Ce n'était que la conscience d'être pauvre qui me faisait apparaître mère Leonora belle et bonne... Je ne devais pas m'endormir au soleil ; cela m'était arrivé une autre fois et j'étais tombée dans le puits. J'ouvris brusquement les yeux. Combien de temps avais-je dormi ? Mimmo n'était pas là, et pourtant j'avais entendu sa voix. L'avais-je rêvé ? J'allais me lever, le banc était devenu glacé dans mon dos et de longs frissons me parcouraient les bras, quand la voix de Mimmo me cloua de nouveau à la glace de ce banc. Mimmo avait parlé, mais pas à moi, et il continuait maintenant de sa voix chantante à s'efforcer de convaincre quelqu'un là derrière la haie. Quelque chose me dit que je devais écouter. Ils ne m'avaient pas vue – on le comprenait à la façon dont ils parlaient – et la haie qui nous séparait était dense et haute. Je refermai les yeux, faisant semblant de dormir.

— Veuillez me pardonner, mère Leonora, si j'ai l'audace de vous contredire. Pour une fois, écoutez un vieillard qui, même s'il est ignorant, s'y connaît dans ces choses-là. Cette rampe sur laquelle vous prenez appui, la nuit, elle est pourrie. Il faut la changer.

— Mais elle est en fer, et puis elle est ancienne. Je ne permettrai pas, tant que je vivrai, que ce chef-d'œuvre soit remplacé par l'horrible rampe qu'a faite le forgeron du village.

— Mais ce forgeron est un bon artisan, ma Mère, si je peux me permettre, et il l'a faite, au détail près, à la ressemblance de l'autre.

— Mais que dis-tu ! On voit que c'est une imitation, et très mauvaise encore.

— D'accord, ma Mère. Mais qu'est-ce que ça fait ? Nous la détachons seulement, il ne s'agit pas de la jeter. Nous la détachons avec délicatesse et nous la mettons dans un autre endroit, où vous pourrez la regarder tant qu'il vous plaira. Mais faites-moi cette grâce, ma Mère, je ne peux pas vous imaginer montant sur cette tourelle en prenant appui de-ci de-là.

— Mais elle est tout de même en fer, Mimmo !

— En fer, oui, mais en fer abîmé, usé par les années et les intempéries. Il y a des endroits – pas plus tard qu'hier je suis allé la contrôler – il y a des endroits où elle paraît sciée. Sciée, je ne mens pas ! Avec tout le respect que je vous dois, je ne voudrais pas, moi, vous voir dégringoler en bas l'une de ces nuits...

La voix continuait à implorer, mais je n'écoutai plus. Ce « sciée, elle paraît sciée », rappela en moi cette haine que j'étais en train de perdre, noyée dans tout ce lait qu'on m'obligeait à boire le soir. Moi qui par-dessus le marché n'avais jamais aimé le lait.

17

À partir de cette nuit même je me mis au travail. Je devais faire vite, parce que Mimmo avait une grande capacité à convaincre riches et pauvres, femmes et hommes, bêtes et diables, comme disait sœur Teresa.

Il avait été facile de trouver la scie dans le local à outils derrière les cuisines. Il y en avait de toutes formes et de toutes tailles. Et après avoir avalé ce pain et ce lait mou et sans saveur, au milieu de tous ces visages blancs et flasques, et pardi ! quelle autre couleur pouvaient prendre toutes ces futures épouses de Dieu ? au lieu d'aller au lit j'attendais que toutes les portes soient fermées pour me faufiler dehors. Glissant le long des murs – je connaissais chaque pierre de ces couloirs et recoins et portes – je montais, vers cette fraîche obscurité, plus noire encore que le noir des escaliers. Par bonheur il n'y avait ni lune ni étoiles. Depuis des jours et des jours le matin le soleil brillait, mais du crépuscule à l'aube un amas compact de nuées venait couvrir le firmament de mère Leonora. Elle s'en désolait. Ce n'était pas une saison de nuages, mais pour moi c'était un signe qu'il fallait agir, ou scier, comme vous voulez. Durant de nombreuses nuits je sciai jusqu'à l'aube, protégée par cet amas de nuées jusqu'aux premières lueurs du jour. Je sciai en quatre points, les quatre points qui soutenaient le poids du télescope. Le travail accompli, épuisée – cela faisait des jours et des jours que je ne dormais pas – je me jetai sur le lit, heureuse. Je pouvais enfin dormir. Il n'y avait plus désormais qu'à attendre le beau temps.

Mais étrangement, peut-être parce que j'avais pris l'habitude de peu dormir, ou pas du tout, ou de crainte qu'on ne remplace la rampe, je ne parvins plus à fermer l'œil. Je m'endormais mais aussitôt me réveillais avec l'idée fixe de surveiller la rampe. Le beau temps ne venait pas. Le jour aussi, maintenant, il pleuvait.

— Quel malheur, princesse, juste cette année où la nature promettait une grande récolte ! Un mauvais temps comme on ne s'en souvient pas de mémoire d'homme dans ces parages. Tout ce don de Dieu de blé et de foin va être perdu si ça continue comme ça.

Avec Mimmo je priais, moi aussi, pour que vienne le beau temps, parce que mon blé à moi serait lui aussi perdu et le foin pourrirait si ça continuait ainsi.

Il n'y avait rien à faire. La nuit, agrippée aux barreaux, je pleurais presque de rage. Pas une étoile ne se montrait, pas un souffle de vent ne faisait bouger cette masse sombre et dense. Épuisée, je me jetai sur le lit. Que tout pourrisse, blé et seigle et foin. Je dormirais cette nuit. Je n'en pouvais plus. Et je dormis d'un sommeil si profond que, à ce qu'on me dit plus tard, seules

les gifles de sœur Costanza – elle ne ratait pas une occasion – parvinrent à me réveiller. Hurlements, pleurs, portes qui battaient derrière la sonnerie sourde de la cloche en folie, me jetèrent hors du lit terrorisée, je pensai : un tremblement de terre !

— Pire encore, ma fille ! Pire encore ! Viens, viens dans la chapelle, il ne manque que toi. Nous sommes toutes dans la chapelle à prier. Mère Leonora est tombée de la tourelle ! Qui se serait attendu à cela ?

Jamais je n'avais entendu autant de joie dans la voix affligée de sœur Costanza.

— Qui se serait attendu à ce qu'elle monte à son observatoire ! Toute la nuit il n'a fait que tonner dans un ciel zébré d'éclairs. Qui s'y serait attendu ! Viens, allez, viens ! Mimmo l'a arrangée comme il a pu, c'est lui qui a entendu son cri. Viens dans la chapelle la voir pour la dernière fois et veiller sur elle !

Veiller, moi ? Toute la nuit et peut-être aussi la matinée d'après, avec le retard de sommeil que j'avais ? Il n'en était pas question.

— Allez, ma fille, allez, ne reste pas là tout hébétée. Certes, je comprends dans quel état d'âme tu te trouves, tu es la plus frappée de tous par ce malheur. Tu avais une telle dévotion pour elle et elle t'aimait tant ! Mais prends courage, accepte cette grande épreuve que Dieu t'envoie.

Alors, si j'étais la plus frappée je pouvais très bien m'évanouir de douleur et me soustraire ainsi à l'épreuve qu'elles voulaient m'infliger. Et je tombai comme tombe un corps mort, dit le poète et maître de vie. Et il n'y eut pas moyen de me réveiller, ni cette nuit-là, ni le lendemain.

18

Je ne m'éveillai que lorsque mon intestin, de l'amas dur qu'il avait été dans les premières vingt-quatre heures, se mit à se transformer en un tas de tentacules enflammés, et ma langue – je ne savais pas jusque-là que j'avais une langue – à être si gonflée et si sèche que la sœur infirmière ne parvenait qu'à grand-peine à me faire descendre dans le gosier un liquide tiède et parfumé.

— Pauvre créature ! Comme elle souffre ! Regardez-la comme elle souffre ! Trois jours sans boire et sans manger ! Et elle recrache encore ce petit peu de bouillon !

Ce n'était pas moi qui le recrachais, j'en avais envie, au contraire. C'était elle, ma langue, qui ne m'obéissait plus. Peut-être avais-je avalé une trop grande quantité de ces pilules ? Je vous explique : pour arriver à dormir aussi longtemps j'avais ingurgité chaque soir et chaque matin, pendant ces trois jours, l'un de ces cachets qui font dormir. Le médecin me les avait fait connaître bien longtemps auparavant. Ils s'appelaient Véronal, et tous les soirs il m'en donnait un pour me calmer. Moi, à l'époque, malgré ma peur, je ne les avais jamais pris, et je les avais cachés pour le moment où, peut-être, ils pourraient me servir. Et j'avais bien fait puisqu'ils m'avaient évité la dernière rencontre avec mère Leonora et, à ce que j'entendais maintenant, les obsèques aussi. Ils m'avaient été utiles, mais la crainte d'en avoir trop pris – le médecin avait dit qu'ils pouvaient agir comme du poison – me tourmentait tellement que je ne pus pas ne pas demander :

— Je vais mourir ?

— Non, ma fille, non, ne prononce plus ce mot. Tu n'as fait que le répéter durant ces trois jours. Non, le médecin t'a examinée. Tu n'as rien. Ce n'est que douleur et dénutrition, voilà ce qu'il a dit, et qu'il n'y avait qu'à espérer que la volonté de vivre te revienne. Je vois que cette volonté te revient, puisque tu as peur. Mange, ma fille, et prie. Vouloir mourir est un horrible péché. Mère Leonora en serait affligée. Pense à elle et force-toi. Quel dommage que tu ne l'aies pas vue ! Son corps était tout fracassé, mais son visage est resté intact, beau et serein. Un visage de sainte.

Si un médecin – qui sait qui était ce nouveau médecin ? – avait dit que je n'avais rien, je pouvais être tranquille et avaler ce bon liquide qui m'entrait dans l'estomac comme un soleil fondu.

— C'est bien, Modesta, c'est bien ! Tu rends heureuse mère Leonora en faisant cela et en ne voulant pas mourir, comme tu as fait durant tous ces jours ! C'est ainsi qu'elle te voulait, mère Leonora. Mange, mange, ne la mécontente pas maintenant qu'elle est morte, comme tu ne l'aurais pas mécontentée quand elle était vivante.

Pour ne pas mécontenter mère Leonora, je mangeai tellement qu'en quelques jours je fus sur pied et en mesure d'écouter la voix grinçante de sœur Costanza sans trop de peur devant cette valise – c'était une fixation – qu'elle avait posée sur mon lit en entrant.

— Rassemble tes affaires, Modesta. Tu peux emporter avec toi le chapelet précieux, le petit tableau représentant sainte Agathe et les livres que mère Leonora t'a donnés dans son immense générosité, ton linge personnel et les bandes. N'oublie pas les bandes, surtout, continue à te bander la poitrine y compris quand tu seras exposée à tous les pièges du monde où tu vas te retrouver.

Je n'osais pas demander d'explications, ni détacher mon regard de cette valise où déjà quelques petites punaises évoquées par les mots de sœur Costanza commençaient à parsemer de noir le cuir couleur de carton.

— Il ne m'est pas permis de prononcer des noms de personnes et d'endroits de ce monde auquel nous n'appartenons plus. Mais tu peux être tranquille car mère Leonora a pensé à toi. Dans sa magnanimité, elle a voulu que tu choisisses toi-même si tu ferais partie de l'armée du Seigneur ou si tu resterais en dehors. Et pour que tu puisses prendre cette décision en pleine conscience et liberté, elle a également décidé que tu devais d'abord connaître le monde. J'ai terminé. On viendra te chercher dans l'après-midi... Je vois ton désarroi, ma petite fille, moi non plus je ne suis pas d'accord, parce que le Seigneur t'a envoyée ici quand tu n'étais qu'un petit animal répugnant et terrorisé et qu'ici est ta place. Mais voilà ce qui est écrit dans son testament et voilà donc ce qu'il faut faire. Pars tranquille, je suis sans inquiétude : je sais que nous nous reverrons.

Ce qui me plongeait dans le trouble, c'était l'inconnu qui transparaissait dans chaque mot de sœur Costanza et la douceur qu'elle avait maintenant dans la voix. Je me décidai à la regarder, et pour un peu je tombai réellement évanouie. Elle était presque belle. Quelque chose l'avait comme redressée et sa bouche souriait tandis que ses yeux erraient légèrement à travers la pièce. Elle rêvait du siège de mère Leonora, c'était le dossier de ce siège de chêne qui l'avait redressée. Je regrettais presque d'avoir été la cause du bonheur qu'elle éprouvait. Mais il n'y avait pas de temps pour les regrets. Il fallait faire vite. Tourmentée par cet inconnu, je commençai à rassembler mes affaires...

N'oublie surtout pas les bandes, continue à te bander la poitrine... les pièges... là où tu vas aller... Ce « là où tu vas aller » me faisait trembler les mains et tout en tombait. Je ne trouvais rien, les bandes me glissaient des doigts pour aller rouler dans les coins, entre les pieds du lit, et je devais tout refaire de nouveau. La valise était trop petite, elle ne voulait pas se fermer. En transpirant et en forçant dessus avec les genoux j'y parvins finalement. Et, que ce fût la fatigue, ou le visage rayonnant de sœur Costanza qui me mettait vraiment en rage, assise sur cette valise je me mis à pleurer et à invoquer mère Leonora, qu'au moins elle me dise où elle m'envoyait. Et si elle voulait se venger ?

19

Elle avait sûrement choisi un endroit horrible où la vocation me viendrait sans coup férir. Sœur Costanza avait dit avec trop de certitude : je sais que nous nous reverrons. Avec mes poings serrés contre mes tempes qui éclataient à cause de ce « je sais que nous nous reverrons », je n'entendis pas la porte qui s'ouvrait.

— Et que fais-tu, princesse, tu pleures ? Tu l'aimais tant, hein ? Ben, moi aussi. Je ne pleure pas parce que les hommes ne le font pas, mais à l'intérieur, hein ! C'était une grande dame ! Mais allez, viens. C'est mieux que tu t'en ailles. Des temps sombres s'annoncent pour ce couvent. Une lettre scellée vient juste d'arriver de Palerme. Sœur Costanza prend la place de mère Leonora ! Des temps sombres ! Allez, debout, donne-moi la valise, je te la porte. Sœur Costanza m'a envoyé chez toi parce qu'elles ne doivent pas te voir ortir... Mais qu'est-ce que tu as, tu trembles ? Ne t'inquiète pas ! Pleure-la, oui, parce qu'il est juste de se ouvenir des morts avec des larmes ; elle t'a aimée omme une fille. Mais allez, viens. Tu verras que nême morte elle ne t'a pas abandonnée.

Agrippée au bras de Mimmo – je n'aurais jamais pu e faire avant –, je ne me sentais plus l'une d'elles. Que pouvaient-elles me faire désormais, même si elles n'épiaient des volets entrouverts de toutes ces fenêtres le la cour ? Je me serrais contre son bras parce que ce que virent mes yeux était quelque chose de si énorme que cela me coupait les jambes plus que la peur l'avant : une voiture sans chevaux. Ou les chevaux e trouvaient sous ce long tube qui brillait au soleil ? Sûrement les chevaux se trouvaient à l'intérieur et egardaient par ces grands yeux de verre cerclés d'or.

— Ce n'est pas une voiture à chevaux, princesse, c'est une diablerie moderne qui va à toute allure comme si dix chevaux la tiraient... Moi, je suis quelqu'un à l'ancienne et toutes ces nouveautés ne me lisent rien qui vaille, je suis prudent. J'en ai vu une en bas au village, on aurait dit une erreur de la nature, qu'est-ce que je sais ! un cafard géant, mais celle-là, bon Dieu, elle coupe le souffle tant elle est belle. On dirait une cathédrale !

Aidée par Mimmo et par un monsieur de haute taille – un officier, sûrement – avec un uniforme sombre et une chemise si blanche que les bandes des sœurs paraissaient grises en comparaison, j'entrai dans cette cathédrale sans pour autant lâcher la main de Mimmo.

— Voilà, installez-vous là, mademoiselle. Si pendant le voyage vous ne vous sentiez pas bien ou si quelque chose vous incommodait, vous voyez ? il y a ici le cornet, vous le soulevez et vous parlez dedans, ainsi je peux vous entendre si besoin est à travers la vitre.

— Tu as entendu, princesse ? Si tu te sens mal parce que ça, ça file, ce n'est pas comme une voiture à chevaux, ça file comme le diable, tu soulèves ce tube et tu le lui dis.

— Mais qui est-ce, Mimmo, un officier ?

— Non, c'est le chauffeur, c'est comme un cocher... Et maintenant adieu, princesse. Je sais que nous ne nous reverrons pas. Cette voiture automobile est grandiose et mère Leonora veille sur toi. Mais toi, si jamais tu as besoin de quoi que ce soit, grâce à Dieu tu sais écrire, sache que je suis là. Souviens-toi : Mimmo Insanguine, jardinier du couvent des Sœurs de la Vierge aux Sept Douleurs, Sciarascura. N'oublie pas. Adieu, princesse.

Le cocher détacha ma main de celle de Mimmo en disant gentiment :

— Que mademoiselle me pardonne, mais il se fait tard.

Et il ferma la porte. Soudain dépossédée de la main de Mimmo, je me collai à la vitre et le regardai : il saluait le bras levé. Je le regardai jusqu'à ce que son grand corps couvert de velours marron aille se fondre, tronc sur tronc, aux chênes qui entouraient le grand mur de lave du couvent.

20

Quand Mimmo englouti par cette mer de chênes se détacha de moi, une grande fatigue me fit tomber sur ce divan moelleux, plus moelleux que mon lit et que tous les divans et fauteuils de la salle de musique. Cette voiture – comment avait-il dit qu'elle s'appelait, Mimmo ? – était comme une petite pièce de velours sombre. Il y avait aussi des fenêtres, avec de petits rideaux plissés qui donnaient une lumière verte et tendre comme les feuilles du bois quand le soleil est haut et brûlant. Je fermai aussi celle d'où j'avais dit au revoir à Mimmo. À quoi bon regarder toutes ces montagnes chauves comme la tête pelée de sœur Teresa ? Je l'avais vue, moi, cette tête ! Comment cela s'était-il passé ? Il faisait une grande chaleur, j'étais allée trop vite à ma leçon et elle s'était dépêchée de remettre sa coiffe.

« Eh, Modesta, non, tu ne dois pas entrer comme ça sans frapper. Eh non, ça ne va pas !

— Mais j'ai frappé...

— Bon, alors, cela me signifie que je suis en train de devenir sourde, en plus de devenir aveugle ! Du reste il est temps. Je commence vraiment à n'en plus pouvoir de ces exercices et de ces gammes, de toutes ces idiotes qui tapent sur les touches comme si c'étaient des singesses et pas des créatures de Dieu... Bah ! Au fond, vieillir n'est pas aussi moche qu'on le dit, Modesta. Il y a l'avantage de ne plus voir la sale tête de sœur Costanza, Dieu me pardonne, de ne plus entendre... passons ! Et puis, comme tu vois, seule la vieillesse m'a donné la consolation de porter cette petite coiffe légère quand vient la canicule. Mais allez, allez. À cause de toi, je parle et on ne fait plus rien. Allons, mesure à quatre temps : un, deux, trois, quatre... un, deux, trois, quatre... »

Elle avait bien fait de fermer ces petits rideaux verts, et de ne plus voir le crâne chauve de sœur Teresa qui entre la poussière et le souffle chaud du vent se multipliait, là-haut, plus haut encore, jusque là-bas où le dernier crâne se confondait au ciel... Dans un mouvement de terreur, elle porta ses mains à sa tête. Non, on ne la lui avait pas rasée. Les tresses épaisses et fortes étaient là, échappées juste à temps aux doigts aiguisés comme des ciseaux de sœur Costanza.

« Mère Costanza, dois-tu dire à présent, Modesta, répète : mère Costanza... »

Ou peut-être, maintenant qu'elle avait en main les rênes du couvent, s'était-elle ravisée, et la poursuivait-elle, et avait-elle arrêté la voiture, de ces solides mains ?

— Mademoiselle se sent mal ? Si je peux me permettre, j'ai vu dans le rétroviseur que votre tête se balançait à droite et à gauche et je me suis permis de m'arrêter.

— Non, merci, monsieur, je ne vais pas mal. C'est juste que j'ai un vide, ici, à l'estomac, et comme une somnolence.

— Ne vous alarmez pas, Mademoiselle. Ce n'est rien. L'automobile fait cet effet à toutes les dames et les demoiselles. Humez ce petit flacon. Je dois reprendre le volant à présent parce qu'il se fait tard. On vous attend à la villa. Je vois que vous allez mieux, hein ! On ne dirait pas, mais ces sels font du bien. Si vous vous sentiez mal à nouveau, vous savez maintenant qu'ils se trouvent là sous l'accoudoir. Regardez, dans cette petite bouteille ronde il y a l'ammoniaque.

Il était gentil, ce charretier, et cette automobile, depuis que Modesta se tenait droite, allait si vite que mère Costanza n'aurait jamais pu rejoindre cette voiture qui, comme avait dit Mimmo, filait plus vite que le vent.

Répétant en moi-même : je dois me tenir droite autrement cet homme à l'intérieur de la cage de verre va s'arrêter encore, je m'endormis.

Quand j'ouvris les yeux, la cage de verre était encore pleine de lumière. Mais de ce monsieur... chauffeur, voilà comment il s'appelait, pas même l'ombre. Pourtant l'automobile bougeait encore. En posant la main sur la paroi pour retrouver le velours, au lieu de ce tissu moelleux, elle sentit quelque chose de lisse comme la soie. Ce contact inconnu lui fit ouvrir tout grand les yeux. Ce n'était plus la petite pièce qui filait à toute allure. Celle-ci ne bougeait pas et était beaucoup plus grande, et les parois, quoique recouvertes de tissu comme celles de l'automobile, n'avaient pas ces petites fenêtres tout autour, mais une seule fenêtre, immense, à peine voilée par une chute de tissu blanc et transparent. Exactement comme le voile de mariée que mettaient les novices quand elles allaient à l'autel pour le mariage divin.

Elle voulait sauter du lit et courir regarder dehors, mais elle se retint. Qui sait si c'était permis par les règles de cette maison. Elle avait appris la prudence, et même si son estomac commençait à crier famine, elle resta immobile, se contentant de ne bouger que les yeux. Sa valise n'était plus là, mais ses livres étaient posés en ordre sur un petit secrétaire si brillant qu'on l'aurait cru en verre. Le tableau représentant sainte Agathe était suspendu au-dessus d'elle, un peu plus bas que le grand crucifix placé au milieu du mur. Sa blouse, sur un petit fauteuil au pied du lit, était si bien arrangée que si elle avait eu une tête on aurait dit elle-même assise se regardant. Glissant les mains sous la couverture elle sentit sa chemise de nuit dure et les bandes qui lui enserraient le thorax. Ses cheveux, elle les avait sauvés, mais ces bandes, à ce qu'il semblait, elle devait les garder. Tant pis ! Mais qui pouvait avoir fait tout cet ordre pendant qu'elle dormait ? Comme une réponse à sa question, la porte s'ouvrit, et une petite jeune fille avec un tablier et une coiffe blanche – aurait-elle échoué dans un autre couvent ? – entra en souriant. Ce sourire la rassura ; elle n'avait jamais entendu dire que dans les couvents il fut permis de sourire ainsi, en montrant impudiquement toutes ses dents.

— Veuillez m'excuser, mademoiselle, la princesse vous souhaite une bonne journée et veut savoir si vous avez bien dormi et si vous êtes satisfaite de la façon dont j'ai rangé vos affaires.

Je ne savais que dire. Pouvais-je parler ou valait-il mieux se taire ? Mais en voyant que ce sourire se refermait en une grimace je pris courage et :

— Très satisfaite.

Le sourire reparut :

— Merci, Mademoiselle, je le ferai savoir à la princesse. La princesse me charge de vous dire que vous pouvez faire ce que vous voulez : sortir, vous promener dans le jardin, dans la bibliothèque, dans la salle de musique. Et si vous avez faim, descendre aux cuisines où vous trouverez la cuisinière à votre disposition... Voici cette feuille. C'est pour vous, pour que vous sachiez comment vous comporter. Puis-je m'en aller maintenant ? Si vous avez besoin de moi, tirez ce cordon à votre gauche et j'accourrai. Je suis très vive, moi, Mademoiselle, si vive que la princesse m'a fait l'honneur de m'appeler Vif-argent. Elle ne m'appelle jamais par mon nom, seulement comme ça. Ah, à propos, je me nomme Luigia. Le fait est que je ne suis pas d'ici. Et comme dit la princesse – je n'oserais jamais, moi, émettre des jugements sur le pays qui m'accueille – ici les femmes sont lentes, pour ne pas dire un peu paresseuses... Comme je vous le disais, je suis née en Toscane, à Poggibondi, pour être exact. Là-bas, chère Mademoiselle, si on ne court pas, on ne mange pas, ma chère Mademoiselle...

Ce qu'elle était vive en effet ! En quelques secondes

lle avait éjecté de son sourire tous ces mots en réarran-
eant quelque chose qui selon elle n'était pas suffisamment en ordre, tirant les rideaux, les nouant avec un
rand nœud parfait, jusqu'à disparaître de mon regard,
me laissant aveuglée par le soleil avec cette feuille
égère et délicate comme de la soie – cette maison était-
lle toute en soie ? – où une écriture petite et parfaite
m'indiquait les heures où il m'était permis de sortir de
ette pièce. Tout m'était permis, mais seulement dans
es heures que cette plume avait tracées élégamment,
mais avec fermeté, sur ce morceau de papier précieux.

21

La maison n'était pas tout entière en soie, mais
resque. Il y avait le bois des portes, des tables, le
elours des rideaux. Dehors, en revanche, tout était en
marbre : les escaliers, les fontaines, les statues qui sur-
gissaient, au moment où l'on s'y attendait le moins,
lerrière une niche de verdure – pas en marbre, naturel-
ement – mais faite de feuillages et de fleurs si beaux
que si Mimmo les avait vus il en aurait été fou de joie.
Non, il valait mieux qu'il ne soit pas là à voir tout
cela, ça lui aurait fait de la peine. Il était si fier de ses
géraniums, même s'il grognait : « Eh, princesse, il y a
les fleurs plus belles. De tout mon cœur je te souhaite
le pouvoir les voir un jour comme moi à Catane... Si
u voyais cette ville ! À Catane, j'y étais quand j'étais
oldat. Mais ici, entre cette lave et ce peu de terre
qu'on réussit à prendre d'en bas dans la vallée, il faut
aire pousser des fèves, des tomates, de la nourri-
ure... »

Comme Mimmo le lui avait souhaité, elle les voya: à présent, ces fleurs. Parfois même elle les touchai mais elle n'en savait pas les noms. Et après des jour et des jours de cette soie silencieuse qui la faisait glis ser de sa chambre au couloir, au jardin, elle osa entre dans la bibliothèque pour trouver les noms de ce fleurs. Elle ne s'était pas trompée : il y avait de grand volumes pleins d'illustrations où en cherchant on pou vait les trouver tous.

Tous les noms étaient en latin. Elle devait le apprendre par cœur. Maintenant, elle avait une occupa tion : aller de la bibliothèque au jardin, du jardin à l bibliothèque, pour bien les imprimer dans son esprit tous ces noms difficiles et étranges.

Mimmo disait toujours la vérité. Elles étaient vrai ment belles, ces plantes. S'il avait pu être là pou rompre ce silence de sa voix lente et rocailleuse ! Mai elle n'avait rien d'autre que la voix alerte de cette pou pée du continent qui se répandait à travers la pièce e disant toujours les mêmes choses. Elle ne l'écoutai plus. Ou plutôt, elle ne l'écouta plus jusqu'à ce que :

— La princesse est très satisfaite de savoir que vou êtes moins triste et que vous allez dans la bibliothèque

Alors la maison n'était pas déserte. On savait c qu'elle faisait. Ragaillardie, ce jour-là elle osa mêm entrer dans la salle de musique, et, les mains trem blantes, elle ouvrit le couvercle de ce piano au moin trois fois plus long que celui du couvent, et pas marron mais noir et brillant comme le marbre des colonne dans le grand escalier d'entrée. Cette brillance faisai peur, mais elle n'en pouvait plus de ce silence de soi et elle reprit ses exercices. Elle dérangeait, peut-être Au couvent, on ne l'autorisait à jouer qu'une heure Son regard et ses doigts étaient ensorcelés par la blan cheur et le moelleux de ces touches. Il suffisait de le effleurer et le son en sortait puissant et doux comme celui d'un orgue. Ce n'était pas là un piano, ou alors peut-être, comme l'automobile, il y en avait trois cachés dans ce long coffre...

— La princesse vous souhaite une bonne journée et me charge de vous dire que vous avez un toucher merveilleux. Elle a également dit qu'elle apprécie beaucoup la façon dont, malgré votre douleur pour ce qui s'est passé, vous vous êtes remise à étudier et à vous exercer au piano... La princesse voudrait savoir si la nourriture de notre maison vous convient et comment il se fait que vous ne preniez jamais le thé à cinq heures, ah ! je comprends, on ne prenait pas le thé au couvent... Excusez-moi, Mademoiselle, mais la princesse m'a chargée de prendre vos mesures, des épaules, de la taille et la circonférence de la poitrine. Mais qu'avez-vous sous votre blouse, Mademoiselle ? Pourquoi êtes-vous toute serrée comme ça ? Ah oui, bien sûr, les règles du couvent. Permettez-moi d'en référer à la princesse... La princesse vous prie, si toutefois cela ne vous ennuie pas trop, d'enlever pour un moment ces bandes pour que je puisse mesurer la circonférence exacte de votre poitrine... La princesse m'a demandé si vous aviez une photo de vous. Pas de photos ? Eh, bien sûr, le couvent. Dommage ! La princesse me charge de vous dire que demain matin, sachant combien vous êtes pieuse, elle a ordonné au chauffeur de vous accompagner au village pour la messe. Simplement, comme il y a deux heures de route, elle désirerait savoir si vous voulez aller à la messe de huit heures ou à celle de midi... à huit heures ? Bien, je le lui dirai.

Depuis combien de jours étais-je là ? Si le lendemain était un dimanche, ça ne devait faire qu'une semaine, ou huit jours. On aurait cru des mois ! La laisserait-on toujours seule ? Bien sûr, elle pouvait lire, étudier, la nourriture était bonne, mais... la voici qui arrive avec sa princesse :

— La princesse m'a chargée de vous porter ces trois robes. Elle vous prie, quoique sachant bien combien vous tenez à ces blouses qui vous rappellent votre vocation, d'en mettre une cet après-midi pour le thé. Je viendrai vous chercher parce que vous ne connaissez pas cette aile-là du palais. Elle m'a également recommandé de vous dire de ne pas vous faire de souci : il suffit que vous mettiez la robe à cinq heures. Après le thé vous pourrez remettre vos blouses.

Il y avait trois robes : une rose, une blanche avec de merveilleuses dentelles, une de couleur bleue, voyante et brillante, mais qui avait pour elle d'être la moins décolletée. Dommage ! La rose et la blanche aux dentelles lui plaisaient, mais il fallait être prudente. Et en s'habillant et se peignant – elle n'avait pas beaucoup de temps – elle se contenta de les regarder sans arrêt. Elle n'avait jamais rien vu d'aussi beau, des larmes lui en montaient aux yeux.

— Mais que faites-vous ? Vous pleurez, Mademoiselle ? Mais allons, ce n'est pas grave si vous mettez une robe pour une heure. La princesse l'avait prévu. Si vous saviez comme elle est intelligente, la princesse ! Elle l'avait bien prévu que vous pleureriez de devoir enlever cette blouse ! Allons, séchez vos larmes. Vous ne voudriez tout de même pas attrister la princesse ? Elle a déjà tant souffert durant ces dernières années : un malheur après l'autre, jusqu'à cet accident de mère Leonora... Là, comme ça c'est bien, entrez, entrez. Et pour une fois souriez, Mademoiselle, souriez, ne serait-ce que pour ne pas rappeler son deuil à la princesse.

Elle avait peut-être raison, je devais sourire. Mais la prudence me bloquait complètement, mes lèvres ne voulaient pas s'ouvrir. Étourdie par les bavardages de

Vif-argent et par la surprise de constater que, l'aurais-je voulu, mes lèvres étaient incapables de faire plus que s'étirer un peu aux coins des joues, je me retrouvai au milieu d'une pièce si grande et si pleine de tables, de divans, de grands et de petits fauteuils que mon étourdissement se transforma en désarroi.

Il n'y avait personne, seulement un désert de meubles : là encore personne ne m'attendait. Résignée, je pensai attendre le retour de Vif-argent, parce que je n'aurais jamais réussi toute seule à retrouver ma chambre au milieu de tous ces couloirs et de toutes ces pièces identiques.

— Je t'assure, *maman** [1], qu'elle est mignonne, un peu sombre mais mignonne, je te l'assure !

Devant moi – d'où avait-elle surgi ? – un petit visage tout pâle, presque caché par une masse de cheveux légers et blonds comme de la soie – là encore de la soie – me scrutait de la tête aux pieds, tournant autour de moi comme je le faisais avec les statues du jardin. Jusqu'à ce que, me prenant par la main, elle me conduise avec sûreté – comment faisait-elle pour ne pas renverser cette forêt de petites tables couvertes de statuettes, boîtes, lampes, Dieu seul le sait ! – vers le très haut dossier d'un fauteuil étroit et muni d'accoudoirs. Derrière, je trouvai face à moi cette princesse qui m'avait envoyé tant de messages par la voix de Vif-argent. Elle était comme je l'avais imaginée. Sauf que lorsqu'elle parla, s'il n'y avait pas eu cette petite main qui me tenait, je me serais enfuie.

— Grâce à Dieu ce n'est pas l'un de ces monstres qui peuplent nos couvents ! Grâce à Dieu, elle a forme humaine ! Et toi, Pouliche, tu pouvais me le dire, non,

1. Tous les mots en *italique* suivis d'un astérisque sont en français dans le texte original.

qu'elle était normale ? Sinon belle, normale. Tu pouvais me le dire, non ?

— Mais je te l'avais dit, *maman**, et Vif-argent te l'avait dit aussi. C'est juste que tu ne fais jamais confiance à personne.

— Eh, certes, je ne fais confiance à personne ! Je vis au milieu de rustres ! Personne qui ait hérité de mon goût ou de celui de feu ton père ! Viens, jeune fille... comment t'appelles-tu ? Comment ? Modesta ? Mon Dieu, quel vilain nom ! Ne sois pas offensée, jeune fille. C'est que moi, les noms... pour tout dire, il n'y en a pas un qui me plaise. Ou mieux, il n'y a pas un nom qui ressemble à qui le porte. Il y a toujours une dissonance. As-tu l'impression que je sois faite pour m'appeler Gaia ? Et qu'est-ce que j'ai de gai, moi ! Enfin ! Modesta, en plus, quelle laideur ! Excuse-moi, je... Oh, Pouliche, elle n'est pas seulement normale ! Maintenant qu'elle est émue... te serais-tu offensée à cause de ce que j'ai dit sur ton nom ? Eh bien, maintenant que cette offense, ou je ne sais quoi, t'a fait monter un peu de rouge aux joues, il me semble réellement voir que tu es jolie. Ça suffit maintenant ! Allez-vous-en ! Je suis fatiguée. La vue de la jeunesse fatigue. Allez, hop !

La petite main me tira et je m'y agrippai. Nous étions déjà dehors quand la voix tonna derrière nous :

— Mais regarde, regarde un peu ! Maintenant qu'elle court je vois qu'elle est même gracieuse ! Écoute, Pouliche, vu qu'elle n'est pas laide, nous la faisons venir avec nous, hein ! Qu'en dis-tu ?

— Certainement, *maman**, j'en serais très heureuse.

— Bien ! Allez ! Accordé. Mais à présent, hors de ma vue. Et toi, jeune fille, tu as compris ? Demain, au lieu de t'infliger cette course en voiture jusqu'au village, tu peux venir à la messe avec nous, à midi. Mais s'il te plaît, sois à l'heure ! Et mets un vêtement décent, pour l'amour de Dieu ! Une robe d'une couleur plus gaie, par pitié. Parce que ce bleu est d'une tristesse, d'une tristesse telle qu'elle m'est tombée dessus comme un soir d'hiver depuis que tu te trouves devant moi. Allez, on file !

22

Nous filâmes, ou plus exactement la petite main me tira, parce que moi, à dire la vérité, je n'avais ni la force de rester immobile ni la force de bouger. La petite main me traînait à travers couloirs et escaliers jusqu'à ce que je commence à reconnaître les rideaux du couloir qui menait à ma chambre. La pensée de devoir retourner là-dedans toute seule me fit ralentir et serrer fort ses doigts. Je m'en voulus parce qu'elle tomba presque :

— Oh, excusez-moi !

— Ce n'est rien ! Je ne me suis rien fait, regarde. Je ne suis même pas tombée.

Je la regardai : ainsi immobile, il y avait comme quelque chose de bancal dans sa petite silhouette menue et maigre, comme si elle avait une épaule plus courte que l'autre.

— Tu as eu peur de maman pour me regarder ainsi et me serrer la main aussi fort ? Elle produit cet effet sur tout le monde la première fois, mais après on s'habitue.

Un je ne sais quoi dans ce petit visage couvert de soie – même ses cils, là, à ce peu de soleil, devenaient transparents et dorés – me réchauffa et me fit oublier pour un instant la prudence.

— Non, c'est que j'ai peur de ma chambre.

— De ta chambre ? Qu'y a-t-il qui ne va pas dans ta chambre ? Si tu veux, j'entre avec toi et je regarde. Elle est triste, peut-être... il y a beaucoup de pièces tristes dans cette maison... des pièces avec de vilaines histoires. Je ne voudrais pas qu'on t'ait donné l'une de celles-là. Tu me permets d'entrer ou tu veux rester seule à prier comme tu fais toujours ?

J'allais dire : prier, quelle idée ! Ou même, je craignais de l'avoir dit, quand j'entendis ma voix (par bonheur l'exercice de la prudence avait fonctionné tout seul) :

— Non, venez, cela me fait plaisir. Je prierai après. J'ai tant prié et tant pleuré mère Leonora que je vois dans la gentillesse de votre intérêt pour moi, *principessina*, un signe de Dieu. J'avais si froid avant.

— Oui, je le sens. Et je sens aussi que tu parles comme ma tante. Tu dois l'avoir beaucoup aimée pour avoir sa voix et sa façon de s'exprimer. Il y a une photographie d'elle quand elle était jeune dans le petit salon rose, je te la ferai voir, elle te ressemble.

— Vous lui ressemblez aussi, *principessina*.

— Forcément ! Mais ne m'appelle pas *principessina*, appelle-moi Beatrice.

— Beatrice ? Mais votre mère...

— Pouliche, oui, elle m'a donné ce surnom... pour diverses raisons. Elle dit que Beatrice ne me va pas bien, que papa a eu tort de me donner le nom de la Beatrice de Dante. Elle était trop parfaite, dit-elle. Mais le fait est que Dante était le poète préféré de papa. Mais entrons, voyons cette chambre. Viens...

En me tirant toujours par la main, qui maintenant brûlait dans la sienne, elle ouvrit avec assurance la porte et je la suivis, tout heureuse. Comme le poète, j'avais moi aussi ma Beatrice, avec auréole et tout, pour affronter l'enfer qu'avait été pour moi cette pièce.

Quand j'entrai, Beatrice l'illuminait tellement avec sa masse de cheveux d'or que j'eus presque honte de m'en être plainte. Mais elle, après être restée un moment immobile au centre de la pièce à fixer le sol :

— Bien sûr, on ne peut pas dire que ce soit une belle pièce, mais je peux t'assurer qu'ici personne n'est mort. Aucun de ces objets n'est lié à un malheur. Non, ici personne n'est mort, et même il y avait avant une demoiselle anglaise qui nous a laissés pour se marier. Malheureusement, parce que non seulement elle était très jolie, mais aussi très bonne enseignante. Maintenant ça fait un an que maman en cherche une autre, mais de Londres ne sont arrivées que des photos de femmes laides et vieilles. Rien que ce mois-ci j'en ai écarté dix ; imagine, si maman les avait vues !

Elle riait, ma Beatrice, en tournant à travers la pièce, touchant les murs, examinant les rideaux. Jusqu'à ce qu'elle s'arrête d'un coup, essoufflée, comme si elle avait perdu l'équilibre, et pourtant elle n'avait pas couru. Elle me regarda et se fit sérieuse, les yeux fixés sur l'ourlet de sa robe. Voilà ce qu'il y avait : ma Beatrice n'était pas parfaite comme celle du poète, elle boitait. En voyant sa pâleur, je voulus lui sourire, mais mes maudites lèvres ne voulaient pas bouger. Il allait falloir que j'invente un exercice quelconque pour apprendre à sourire.

— Tu me souris si tristement...

Oui, il fallait que j'invente un exercice quelconque.

— Mais... je te fais de la peine ?

Ce « je te fais de la peine » dénoua les nœuds de la prudence qui me liaient et je me trouvai si près d'elle que je l'embrassais presque.

— Mais quelle peine, Beatrice, vous êtes très belle et même si...

— Alors tu t'en es rendu compte ? Tant mieux ! Comme ça au moins avec toi je n'ai plus à me forcer.

— À vous forcer à quoi ?

— Vois-tu, Modesta, quand je suis avec maman je dois m'efforcer de boiter le moins possible, autrement elle se met à hurler. Tu as entendu comme elle fait, non ? Avec toutes les personnes étrangères je dois faire en sorte de cacher ce défaut. Mais vu que tu l'as compris et que tu ne le lui diras pas, je n'aurai plus à me forcer. Je vois bien que tu es sincère. Quel soulagement ! Ma jambe me fait si mal quand je la force comme ça.

Et ce devait être vrai car elle recommença son inspection de la pièce en sautillant avec joie, Pouliche.

Cette petite note dissonante du pied gauche donnait à sa taille étroite quelque chose de tendre, à serrer dans les mains comme une chose précieuse qui pourrait se casser d'un moment à l'autre. Rappelant à moi la prudence qui était en train de m'échapper, je ne lui saisis pas la taille. Mais pour justifier la trop grande proximité de mes mains, je dis :

— Quelle belle ceinture, quel rouge merveilleux !

— Mais ce n'est pas rouge, Modesta, c'est grenat. Oh, excuse-moi, ce ne sont rien que des choses qui ne t'intéressent pas... C'est justement à cause de cela que je ne me décidais pas à te dire pourquoi cette chambre n'est pas aussi gaie que la mienne. Tu pries sans arrêt et tu es si sérieuse !

— Mais non, Beatrice, dites-le-moi, je serai contente de le savoir.

— C'est qu'il manque un miroir. Ici, tu vois ? Tu vois qu'il y a une marque sur la tapisserie ? Il y avait là un miroir. Ils sont très beaux, tu sais, avec des cadres sculptés à fleurs dorées. J'en ai un dans ma chambre... Qui sait pourquoi on l'a ôté ? C'est ça qui rend la pièce triste. Ah, voilà pourquoi ! Au couvent il n'y avait pas de miroirs dans ta chambre, n'est-ce pas ? Et sûrement tu n'en voudras pas, c'est une chose frivole. Vif-argent m'a dit que même quand tu te coiffes tu ne te regardes pas dans le petit miroir qu'il y a dans le cabinet de toilette.

— Oui, il ne nous est pas permis de nous regarder dans un miroir.

— Voilà. Et c'est pour ça que la pièce est triste. S'il y avait un miroir ici, même avec le peu de soleil qu'il y a aujourd'hui, la chambre le recueillerait... Tu vois qu'il était mis exprès pour saisir le moindre rayon de lumière de la fenêtre ? Bien sûr, ainsi toute la tapisserie est terne. Si tu voulais... peut-être que ça ne te ferait pas de mal. Et peut-être que tu pourrais prier de la même façon, si tu veux...

— J'y songerai.

23

Et j'y songeai. Au lieu de prier, je pensais : m'étais-je trompée en tout avec elles comme pour la robe ? Peut-être devais-je laisser tomber toute cette prudence ? Ou peut-être elles aussi, comme mère Leonora et sœur Costanza, parlaient d'une façon et pensaient d'une autre ?

Quand j'étais avec Beatrice au jardin, dans la salle de musique ou dans le salon aux paons pour le thé, tout me paraissait clair. Tout, y compris son pas incertain, me disait que je pouvais avoir confiance, sourire. Mais quand je restais seule le doute me retombait dessus et me remettait sur la route ancienne de la prudence. Triste route qui ne menait qu'au couvent. Mais du moins je la connaissais, cette route. « Qui laisse la vieille route pour la nouvelle, sait ce qu'il laisse, pas ce qu'il trouve », comme disait ma mère. Et si c'était là mon destin... destin, un autre mot de ma mère. Le destin existait-il ?

« Mais qu'est-ce que c'est que cette histoire de destin ! Cette terre était destinée à rester un désert de lave et nous en trois générations nous l'avons rendue fertile comme dans la vallée. Le destin ! Rien que des bavardages inutiles de femmelettes ! »

Mimmo avait raison. Je ne serais pas une femmelette. Je voulais devenir comme la princesse, celle-là, oui, c'était une femme forte et volontaire comme un homme. Si au moins elle avait continué à crier ! Après sa première crise de colère, elle se taisait maintenant. Elle prenait le thé avec nous tous les jours, elle nous suivait du regard, mais elle se taisait. Et ce silence était plus effrayant que les hurlements d'avant. Je devais moi aussi rester bouche cousue et écouter. Écouter Beatrice. Peut-être, en suivant sa voix – comme le poète –, je pourrais découvrir la voie qui me permettrait de sortir de cette forêt de soie, de marbres, de sourires et d'ors. Et on aurait vraiment dit la Beatrice de Doré quand, levant les bras, toujours en équilibre au-dessus d'un abîme, à cause de la tension due à l'effort de rester droite, elle m'indiquait une fenêtre fermée au dernier étage.

— Tu l'as remarqué qu'elle est toujours fermée, non ? C'est là qu'est la « chose », comme l'appelle maman.

Ou, brusquement, s'envolant légère sur les marches, elle disparaissait un instant derrière l'angle d'un couloir pour réapparaître, de sa main petite et rapide – une aile d'oiseau ? – et m'encourageait à la suivre.

— Regarde, tous ces portraits sont ceux de nos ancêtres. Maman les a relégués ici, bien loin, elle les déteste. En bas au salon il n'y a, comme tu as vu, que des paysages, des Vierges, des crucifixions. Ici nous sommes en famille... Moi je les aime bien, au contraire ! Ils y sont tous, sauf ma grand-mère. On n'en a pas voulu ici parce que c'était une bourgeoise, mais j'ai tant insisté qu'on me l'a mise dans ma chambre. Je te la ferai voir. Elle est représentée à cheval... Et maintenant que je te les ai présentés tous ou à peu près, viens que je t'amène chez Ildebrando.

J'entrai dans une petite pièce nette, avec peu de meubles, mais pleine de jouets, de trains, de bateaux à vapeur. Sur une table une grande maison presque achevée construite avec des cubes. Je regardai autour de moi, mais je ne vis qu'un siège de paralytique. Je voulais me taire, mais je ne pus m'empêcher de demander :

— Il est sorti ?

— Non, il est mort. Simplement, selon le testament du prince, mon père, toutes les pièces doivent rester intouchées, afin que, s'ils le veulent, ceux qui s'en sont allés puissent y retourner. La sienne aussi, là-haut, est intouchée. Parfois j'ai l'impression de sentir l'odeur de son tabac. Il fumait la pipe. Ici par contre il n'y a aucune odeur, peut-être parce que je ne l'ai pas connu, qui sait ! C'était le frère aîné de *maman**, et il est mort avant que je ne naisse, à dix, douze ans. D'après ce qu'on m'a dit il a eu une arthrite déformante et... ensuite la phtisie, qu'est-ce que je sais, le cœur – je crois – et il est parti... Si tu veux le connaître mieux il y a là sa photo. Regarde, il a un beau visage, on dirait une femme, pas vrai ? Mais son corps... Viens, viens, allons chez tante Adélaïde.

Je savais maintenant que je ne trouverais personne derrière cette porte que Beatrice ouvrait toute grande et j'espérai en moi-même ne plus m'étonner. L'étonnement est ennemi de la prudence. Mais le gazouillement de mille oiseaux qui m'assaillit quand j'entrai me fit rester de sel, comme disait Tuzzu.

— Regarde cette merveille ! Elle s'était fait porter ces cages de Paris ; on dirait de petites cathédrales, pas vrai ? Elle voulait que ses oiseaux aient l'impression d'être libres.

— Mais elle dormait ici ? Avec tout ce bruit ?

— Oui, dans ce lit-là, au fond ; et puis le soir les oiseaux dorment eux aussi. Tu vois ces rideaux autour des cages ? Le soir Vif-argent les referme et les oiseaux dorment. Quand tante Adélaïde était vivante, c'est elle qui le faisait. Elle ne vivait que pour ses bestioles. Il y en avait beaucoup plus, mais depuis qu'elle est morte eux aussi s'en vont peu à peu. Et elle n'avait pas que des oiseaux, elle avait aussi des oisons, des chats. Et des pigeons là-haut dans le pigeonnier. À présent, c'est le fils du jardinier qui s'en occupe. Je t'y amènerai un jour. Quand elle vivait j'aimais venir la voir, sauf qu'elle ne voulait personne, pas même moi. Peut-être parce que je lui rappelais tante Leonora. Il semble qu'elle n'ait plus voulu voir personne à partir du jour où Leonora est entrée au couvent. Elle détestait mon père, elle disait que c'était sa faute. Elle s'est mis tout le monde à dos, et ne s'est plus occupée que de ses petites bestioles de Dieu, comme elle les appelait. Je ne sais pas si c'est vrai, mais on m'a dit que lorsqu'une mère de l'un de ces petits animaux mourait, en laissant les œufs, elle les couvait elle-même. On m'a dit que plus d'une fois elle est parvenue à faire naître un poussin. Ce n'est peut-être qu'une invention de quelqu'un... je ne sais pas, je te dis ce qu'on m'a dit. Et maintenant viens, ça suffit comme ça avec la famille. J'ai tellement envie de jouer du piano avec toi. Je sais que tu es meilleure que moi, mais ça me plaît de clopiner près de toi. Et puis, comme l'a dit *maman**, depuis que je joue avec toi mon toucher s'est beaucoup amélioré.

Bientôt ses petites mains menues allaient suivre les miennes en clopinant, comme elle disait. Ces notes tremblantes et incertaines, au lieu de m'agacer, m'emplissaient la poitrine d'une douceur que je n'avais jamais éprouvée. Et puis, en jouant à quatre mains, j'allais la sentir près de moi pour au moins une heure ou deux.

24

— Ce matin je t'emmène de l'autre côté de la villa. Allez, viens, viens. Mais qu'as-tu ? Tu as pleuré ? Tu as les yeux tout battus. Je parie que tu as pleuré pour tante Leonora ; je ne veux pas ! Je ne veux pas, viens...

Le souvenir de cette sonate, avec sa douceur, m'avait empêchée de fermer l'œil : des gammes et des gammes ensemble, les sonatines de Clementi – mes doigts tremblaient eux aussi, incertains comme les siens –, sa démarche ondulante le long des couloirs vides, la masse d'or de ses cheveux qui vibrait de lumière à chaque fenêtre... Pouliche était dangereuse. Cette vieille femme silencieuse enfermée dans quelque pièce nous suivait. Vif-argent avait raison, elle comprenait tout. Et puis c'était la sœur de mère Leonora. Il ne me fallait jamais l'oublier.

— Voilà, c'est la chambre d'oncle Jacopo, ferme les yeux quelques secondes, pour t'habituer à cette pénombre. « Il n'y a qu'au crépuscule que ce luminaire néfaste est acceptable », me disait-il. Et d'autres fois, en riant : « Mais tu veux bien éteindre ce soleil de *merde**, oui ou non ! » Il disait tout le temps *merde**, peut-être parce qu'il avait étudié à Paris et qu'il était républicain. Oncle Jacopo était le frère préféré de maman, sauf qu'ils se disputaient tout le temps, et cela parce qu'en plus il était hérétique. Dans cette pièce, il n'y a que des livres scandaleux. Il est interdit de les lire. J'en ai toujours été tellement curieuse, mais je n'ai jamais osé en prendre un, bien que la clef soit là dans le vase où il l'a laissée... Mais que se passe-t-il pour que tu pâlisses comme ça ? C'est parce que c'était un hérétique ? Oui, je sais, ils sont contre Dieu et ils lisent tous ces livres contre Dieu, mais c'était quelqu'un de bien, crois-moi. Ou c'est le squelette et tous ces drôles de machins qui te font peur ? À moi aussi ils me faisaient peur quand j'étais petite. Mais ensuite, à force de l'entendre parler, la peur m'est passée. Si tu savais comme il avait une voix douce ! Je venais tout le temps ici l'aider pour ses collections de papillons, de coquilles et de minéraux. Dans ces petits vases il gardait des choses vivantes. Je ne saurais pas te dire pourquoi... il faisait des expériences. Il a écrit et publié tellement de livres à Rome et en France. *Maman** dit qu'on ne comprend rien de ce qu'il y a écrit dedans. Il était médecin et chimiste aussi, tu sais ? Ces trucs difficiles... Je l'aimais tant, même s'il blasphémait contre Dieu et les prêtres. Et puis il m'a fait un grand plaisir. À force de hurlements il a convaincu *maman** de ne plus m'obliger à broder. C'était un supplice pour moi. Il disait que broder abêtissait les femmes. Une seule fois je suis parvenue à lui faire me dire pourquoi il ne croyait pas en Dieu. Il m'a dit que l'invention de Dieu est une explication trop facile, ou il a dit commode, je ne me souviens pas, pour rendre compte de toute la beauté et de tout le mystère des papillons. Il a dit aussi que le laid et le beau sont une seule chose que l'on ne peut pas séparer, que... attends, comment a-t-il dit ? Ah oui, que du laid naît le beau, du beau le laid et ainsi de suite. C'est très difficile. Quand il parlait comme ça, c'était difficile de le comprendre et... C'est à cause de tout ça qu'il a voulu se faire incinérer, n'en dis jamais un mot. Tu vois, ce vase sur la cheminée ? Ses cendres sont là. Allez, viens, qu'est-ce que tu fais là clouée au sol ? Il n'était pas méchant, Modesta, vraiment, même si...

Enfin j'avais trouvé un autre hérétique. Ces livres qui clignaient de l'œil dans la pénombre m'attiraient plus que la voix caressante et rapide de Beatrice. Si elle n'avait pas été là j'aurais tout de suite pris un de ces livres, au moins un... mais elle m'entraînait, à présent, et je devais être prudente. Je me laissai tirer par sa main chaude, en descendant l'escalier, vers la dernière pièce à droite qui donnait sur le petit lac. La pièce était si étrange que je n'osais pas entrer. Des fenêtres qui occupaient les murs entiers, du sol au plafond, faisaient avancer la lumière et les arbres jusque sur les longues tables de bois blanc, avec des lampes bizarres, comme de fins serpents à la grosse tête repliée. En plus des tables, rien d'autre que des étagères le long du seul mur sans fenêtre. Devant ces étagères un lit de camp avec une couverture gris-vert, le drap et le coussin net, en attente...

— Oui, il dormait là. C'est beau ici, pas vrai ? Mais c'était plus beau quand Ignazio était vivant. Dommage que tu ne l'aies pas connu. Il est mort juste le jour où tu es arrivée. Pourquoi est-ce que je ne porte pas le deuil ? *Maman** ne veut pas. Elle dit que, là-dessus au moins, son frère Jacopo avait raison. Oncle Jacopo disait que le deuil est une barbarie... que si on est vraiment affligé on le porte dans son cœur sans besoin de démonstrations inutiles. Et je suis vraiment affligée.

Viens, regarde comme Ignazio était beau. C'est ici qu'il gardait les choses qu'il préférait. Regarde : un billet du métro de Londres... ça, c'est un billet de l'Opéra de Paris ; une carte postale de Weimar. Il avait étudié à Londres et en Allemagne... Et ici, sa photographie en civil : l'enfant qu'il tient dans ses bras, c'est moi quand j'étais petite. Mais viens, regarde celle-ci sur le lit de camp, en uniforme. Il était encore plus beau, pas vrai ? Elle date de quand il est entré dans l'aviation. Il concevait aussi des aéroplanes, tu sais ? Il disait toujours que l'avenir du monde se déciderait dans le ciel, sur ces ailes. Regarde, là ce sont ses dessins. Il travaillait tout le temps, même la nuit, sous ces grandes lampes. Les immenses fenêtres aussi, c'est lui qui les a fait ouvrir. Il avait besoin de beaucoup de lumière, avant. Ensuite il n'a plus voulu regarder dehors et il a fait mettre ces rideaux sombres. Quand il est mort, je les ai ouverts, parce que je ne veux me souvenir que du temps où il était beau et bien portant. Ces étagères aussi sont pleines de ses projets et de ses calculs. Ça t'étonne, toutes ces photos d'aéroplanes, hein ? Celle qui est sur le lit, où on le voit aussi, c'est moi qui l'ai mise, après... Il ne voulait que des aéroplanes sur les murs. C'est pour ça que *maman** disait qu'il n'aimait personne, rien que ses machines infernales. Mais ce n'est pas vrai, il m'aimait, moi. Il ne voulait que moi après l'accident. Un an, il est resté paralysé sur ce lit de camp. Il a été blessé trois mois seulement après le début de la guerre. Il s'était porté volontaire. Il disait que la guerre finirait tout de suite grâce aux aéroplanes, et en fait... cette guerre n'en finit plus. Mais pourquoi n'en finit-elle plus ?... Tous les après-midi je venais le voir, de plus en plus maigre et pâle sur ce lit de camp, et il me parlait de la guerre, des socialistes, d'un certain Mussolini• qu'il admirait tant parce qu'il disait que c'était quelqu'un qui croyait dans les jeunes et pas en ces vieillards qui font semblant de s'occuper de l'Italie, au parlement, et qui en fait creusent sa tombe. Il aimait beaucoup l'Italie. Il fumait tout le temps, et quand il se taisait il faisait des anneaux avec la fumée... comme font les hommes. Mais c'est vrai, tu n'as aucune expérience de ces choses. Je le vois, tu sais, que lorsque je te parle d'hommes tu deviens distraite, et peut-être ne devrais-je pas t'en parler. Et pourtant c'est vraiment dommage que tu ne l'aies pas connu.

Éblouie par la beauté de cet Ignazio qui me fixait de sa photographie, j'entendis ma voix dire :

— Hélas...

Terrorisée, je regardai Beatrice, mais elle, occupée par son Ignazio, n'avait pas compris.

— Eh oui, hélas, parce qu'avec ça notre lignée s'éteint. C'était le seul garçon qui restait, le plus jeune des Brandiforti. Et si, comme le dit maman, il ne s'était pas laissé prendre par la manie de la politique, et en cela elle a bien raison... Qu'est-ce que ça peut nous faire, à nous, Siciliens, la guerre que le roi d'Italie mène pour son profit personnel ? En cela maman et oncle Jacopo étaient d'accord. Mais lui, là-haut à Rome, à l'université, il s'était pris de ferveur patriotique et s'est fait engager comme volontaire. Il est tombé au bout de trois mois seulement. Mais ça, je te l'ai déjà dit, excuse-moi. C'est que je l'aimais tant. Je lui faisais la lecture, il ne voulait que moi. Parfois il se fatiguait, il tournait la tête vers le mur et je me taisais. Une fois je me levais pour m'en aller, mais il m'a dit :

• Tous les noms suivis d'un rond noir sont regroupés dans un lexique en fin de volume.

« Non, reste, petite. C'est juste que je suis fatigué, mais ça me fait plaisir de te savoir là, si bien sûr ça ne t'ennuie pas. » M'ennuyer ! Je vivais pour ces heures de l'après-midi où je venais ici. Au bout d'un petit moment, je ne sais pas, une demi-heure, vingt minutes, il tournait de nouveau la tête vers moi et je me remettais à lire. Et j'étais heureuse avec lui...

Au mot « heureuse », peut-être parce qu'elle souriait, ses pleurs brusques et désespérés m'aveuglèrent. Ou le soleil était-il tombé ? Il faisait noir autour de nous. Depuis combien de temps écoutais-je sa voix ? Dans l'obscurité, me dirigeant selon ses sanglots, je l'embrasse. Elle tremble tout entière. Je sens la soie de ses cheveux entre le creux de mon cou et ma joue et, chose qui m'étonne encore, je me mets à la bercer en chantant quelque chose que j'ignorais connaître :

— *Si Beatrice nun voli durmiri coppa nno' culu sa quantu n'ha aviri* [1]...

Et, vu qu'au milieu des hoquets et des larmes quelques petits rires commençaient à se faire entendre, je continuai à la bercer en tenant dans mes mains la taille la plus mince et la plus précieuse que jamais l'imagination n'aurait pu me suggérer qu'il existât sur terre.

25

— *Ooh, ooh, ooh, dormi figghia, fa la « 0 ». E si Beatrice nun voli durmiri coppa nno' culu sa quantu n'ha aviri... ooh, ooh, ooh... dormi bedda, fa la « 0 »* [2]...

1. Si Beatrice ne veut pas dormir, elle en recevra des fessées sur son petit cul...

2. Ooh, ooh, ooh, dors, ma fille, fais dodo. Et si Beatrice ne veut pas dormir, etc. Ooh, ooh, ooh, dors, ma jolie, fais dodo.

La possibilité qu'avait Beatrice de passer du rire aux larmes était une chose qui me coupait le souffle. Elle riait maintenant, pelotonnée contre moi.

— Tu sais pourquoi je ris ?

— Et comment le pourrais-je ?

— Parce que tu me chantes la berceuse que me chantait ma nounou.

— Votre nounou ?

— Oui, la mère de lait, la nourrice. On dit nounou sur le continent et on m'a appris à l'appeler ainsi. Ça leur semble plus élégant, sauf que ma nounou était sicilienne, et je sais qu'il y a un gros mot dans cette berceuse.

— Alors vous comprenez le sicilien ?

— Bien sûr que je le comprends. Avec ma nounou, quand nous étions seules, *'u parlavamu sempri*, nous le parlions tout le temps. J'aime beaucoup le parler, mais à la maison c'est interdit : français, anglais, italien, mais pas de sicilien. Que de choses elle me racontait ! Elle me parlait toujours en sicilien, ou mieux, en palermitain. Elle était de Palerme, et elle en était très fière. Elle détestait Catane : *catanisi soldu fausu*[1], disait-elle toujours. Et je m'amusais à l'asticoter. Elle se mettait en colère et puis nous faisions la paix en riant. Quelle belle époque c'était, Modesta, là-bas à Catane ! La maison était toujours pleine. Tout le monde vivait, alors, et il n'y avait pas cette maudite guerre. Nous ne venions à la villa que l'été, mais ici aussi c'était toujours plein de gens. Les amis d'Ignazio, si tu savais combien il en avait ! Et tous jeunes ; quand ils venaient le voir, ils s'enfermaient dans sa chambre et parlaient fort, tu sais, comme le font les hommes. Je

1. Catanais, fausse monnaie, pour l'assonance, et pour le sens : faux jetons.

me mettais toujours derrière la porte, non pas pour écouter, mais j'aimais entendre les voix et sentir l'odeur du tabac qui filtrait par les interstices de la porte. Et puis ils venaient pour le dîner ou pour le thé avec leurs sœurs... Et puis, en 1915, ils ont commencé à partir. Tout le monde disait que la guerre ne durerait que six mois, à cause de je ne sais quelles armes extraordinaires qui... Bah ! Presque deux ans sont passés et elle n'est pas encore finie. Et les deuils non plus n'en finissent pas... notre cousin Manfredi est mort juste après Ignazio... comme s'il l'avait appelé. Et il y a deux mois Alberto a disparu lui aussi sur le front de... je ne me souviens pas. Et ainsi toutes les maisons sont fermées. Les grandes portes sont si tristes avec leurs draps de deuil. Et puis il y a eu le malheur qui est arrivé à Alessandra, la pauvre, c'était la fiancée d'Ignazio.

Elle se taisait, et sa tête s'était faite lourde sur mon cou.

— Vous dormez ?

— Non... Comment se fait-il que tu ne me demandes rien à propos d'Alessandra ?

— Je ne sais pas.

— C'est vraiment vrai ce que dit *maman**. Tu es faite pour le couvent. Tu n'es curieuse en rien. Moi, je suis tellement curieuse de tout, au contraire ! C'est un péché ?

— Pourquoi est-ce que ça devrait être un péché ? Allons, allons, ne vous attristez pas ainsi. Et pour vous démontrer que ce n'est pas un péché, je vous confesse...

— Tutoie-moi.

— Je vous confesse que moi aussi j'éprouve de la curiosité à propos de cette Alessandra. Alors ?

— Mais tu demandes sans intérêt ! Demande-le bien ! Autrement je penserai que c'est un péché.

— Racontez-moi, s'il vous plaît... Quel est ce malheur qui est arrivé à Alessandra ?
— Tutoie-moi.
— Bien, alors raconte-moi.
— Elle s'est tuée quand elle a su qu'Ignazio était paralysé.
— Mon Dieu ! Et comment s'est-elle tuée ? Que Dieu lui pardonne ! Cela, oui, c'est un péché.
— On n'a pas su. C'est un mystère. Il y en a qui disent qu'elle s'est laissée mourir de faim, il y en a qui disent qu'elle s'est empoisonnée, il y en a qui disent...
— Quoi ?
— C'est terrible, mais il y en a qui disent, et il semble que ce soit bien là la vérité, qu'elle s'est pendue dans sa salle de bains avec une corde, oui, avec une corde.

Tout en parlant elle se serrait contre moi et cachait le visage dans mon cou. Était-ce un enlacement ? Était-il possible qu'elle aussi sente ces frissons ? J'avais fait la même chose, moi, avec mère Leonora. Ce n'était pas une lâche, alors, c'était seulement parce que j'étais petite qu'elle se comportait de cette façon. Maintenant c'était moi qui étais mère Leonora, et comme elle je devais être prudente. Mais comment arrêter cette petite main qui s'agrippait comme si de rien n'était à ma poitrine, ou pour mieux dire aux bandes qui m'enserraient la poitrine ?

— Mais qu'as-tu sous ta blouse, Modesta ? On dirait une cuirasse ! Fais-moi voir...
— Laissez, *principessina*, ce n'est pas permis. Ce sont les bandes que portent toutes les novices.
— Ah ! Et pourquoi ? Tu ne réponds pas ?... J'ai compris. Je sens que tu as plus de poitrine que moi. C'est pour qu'on ne la voie pas, par modestie.
— Exactement. Non, ne faites pas ça. On ne doit pas les enlever, Beatrice, et puis ça me chatouille.

— C'est bizarre, moi, ça ne me chatouille pas. Tu n'y crois pas ? Mets la main ici. Tu vois que je ne crains pas les chatouilles ? Moi, ça me fait chaud. Quand j'étais petite, je mettais toujours la main sur la poitrine de ma nounou pour m'endormir... J'ai sommeil ! Tu me laisses mettre la main ?

Il était inutile de l'arrêter. De sa petite main alerte elle avait trouvé une ouverture entre une bande et une autre, d'autant que je ne me serrais pas aussi fort qu'au couvent, et maintenant elle tenait l'un de mes seins dans sa paume. Ce sein ainsi soutenu par sa main semblait être la mamelle coupée de sainte Agathe. Je fermai les yeux pour ne pas voir ces doigts qui maintenant jouaient avec mon téton, me faisant glisser dans un long frisson... Pauvre mère Leonora, qu'avait-elle enduré ! Immobile comme elle, je laissai la jouissance monter de torturante façon. Que la petite ne s'en rende pas compte, pour l'amour de Dieu, qu'elle ne s'en rende pas compte !... Elle s'endormit ainsi, accrochée à mon sein. Des grandes baies vitrées la lune avançait soupçonneuse, sous le regard de la Maligne ses cheveux paraissaient bleu pâle. Je ne savais que faire. L'effort de ne pas la caresser avait été si violent que je me sentais fatiguée comme lorsque je courais toute la journée dans la cannaie à la recherche de Tuzzu. Tuzzu me fixait sous les yeux de la lune, les blessures de son regard saignaient, déversant une mer bleue...

« D'accord que tu ne pèses rien, petiote, mais tu ne peux pas rester là toute la sainte journée, après ça j'aurai à te porter chez toi à moitié endormie... »

Le sommeil me tirait les cheveux, le crâne... elle ne pèse rien cette petiote : un petit chat sur mon ventre. Ou j'étais devenue plus grande ou elle était plus petite que la normale. Quel âge pouvait-elle avoir ? Je ne comprends plus rien, Tuzzu, le sommeil m'égare et ces yeux d'Ignazio qui dans l'obscurité me font signe, doux et perfides, plus perfides que la lune, m'égarent eux aussi. Ce n'étaient pas des yeux de jeune homme, ces yeux, mais d'homme adulte. Son frère ? Comment cela se pouvait-il ? L'éveiller ? Je n'osais pas. Dormir là ? Elle prendrait froid. « C'est vous qui vous occuperez de la *principessina ?* Faites bien attention ! La *principessina* ne doit absolument pas prendre froid. Elle est de santé délicate, si délicate ! »

— Mademoiselle, mademoiselle Modesta ! Oh, heureusement que je vous ai trouvée ! Je vous cherchais pour le dîner. Vous savez que la *principessina* est délicate, délicate et distraite, comme dit la princesse, et il faut la surveiller, elle en arrive même à oublier de manger quand elle lit ou se promène dans la maison... Oh, elle dort ! Oh, mon Dieu, mademoiselle Modesta, vous ne savez pas, vous ne pouvez pas imaginer tous les soucis qu'elle nous donne. Toujours à la chercher ! Oui, oui, je vous aide à la transporter. C'est toujours comme ça quand elle vient dans cette pièce ! Je m'étais permis de suggérer à la princesse de la fermer à clef, cette pièce. Et vous savez ce qu'elle m'a répondu ? Dans cette maison on ne ferme rien. Si Pouliche veut se casser le cou en courant dans le parc ou en dormant avec Ignazio, qu'elle le fasse ! Ici chacun est libre de vivre et de mourir comme il lui plaît le mieux. Une originale, cette princesse ! Mais j'insiste, il vaudrait mieux fermer cette chambre. Attention, je ne suis pas une ignorante superstitieuse, comme dit la princesse des femmes de ce pays, mais cette pièce est maléfique pour la *principessina*. Maléfique ! Quand elle entre là, des heures plus tard, je la trouve en larmes, ou endormie et tout échevelée comme maintenant. Ce n'est pas naturel. Heureusement que vous êtes là, à présent !

Désormais je ne porte plus toute la responsabilité comme avant...

Juste pour arrêter ce torrent de paroles, je me décidai à lui répondre.

— Ne vous faites pas de souci, Vif-argent, je m'occupe de Beatrice. Voilà, comme ça, portons-la dans sa chambre.

— Et le dîner ?

— Peut-être vaut-il mieux qu'elle dorme.

Nous la transportâmes en haut dans sa chambre, mais à peine dans le lit Beatrice ouvrit tout grands les yeux et :

— J'ai faim !

— Vous voyez comme elle fait, mademoiselle Modesta, vous voyez ?

— J'ai faim !

— Le dîner est servi dans le petit salon vert.

— Non, je veux manger ici, avec Modesta. J'ai dit ici ! Va-t'en, va-t'en ! Et n'ouvre pas la bouche ! Un jour ou l'autre je te la coudrai, cette bouche. Silence et file, je veux dîner ici, avec Modesta !

Je me sentis glacée. Je ne lui avais jamais entendu dire des paroles dures, et dans ces cris sa voix résonnait comme la voix de la princesse.

— Viens là, Modesta, j'ai fait exprès semblant de dormir pour te faire venir dans ma chambre. Je craignais que tu ne veuilles pas venir, elle te plaît ?

En disant « beaucoup » je m'approchai et tentai de deviner l'âge qu'elle avait. D'aussi près, de petites rides entaillaient la peau blanche de son front. Ou c'étaient ces cris qui l'avaient vieillie ? Je n'avais jamais vu une peau aussi transparente.

— Tu vois, ça c'est le miroir dont je t'avais parlé. Tu vois comme c'est gai ? Tu ne t'es pas encore décidée ? Et là c'est notre grand-mère. Regarde comme elle

ait belle ! Cette Anglaise roturière et richissime, tu te
uviens ? Personne de nous n'a pris sa beauté, comme
it *maman**. Il n'y a que son argent que nous avons
ussi à lui prendre, ou plutôt, dit-elle, à lui voler. Mon
rand-père était dans de mauvais draps, comme il
rive souvent aux nobles. Si bien que, pour reprendre
ncore les termes de *maman**, cette naïve bourgeoise
été providentielle pour sauver la baraque. Comme
lle me fait rire quand elle dit que tous les nobles, avec
leur tête les Savoie, qui du reste ne sont nobles que
usqu'à un certain point, sont des voleurs ! Comme elle
ne fait rire ! Elle est belle, pas vrai ? Elle ressemble à
gnazio, pas vrai ?

— Oui, et aussi à mère Leonora.

— Tu veux devenir religieuse comme elle, n'est-
e pas ?

— Oui.

— Et quand t'est venue la vocation ?

— Au couvent.

— Mais qu'est-ce que la vocation ? Qu'est-ce qu'on
prouve, qu'est-ce qu'on sent ?

N'en sachant rien, je répondis avec les mots de
nère Leonora :

— C'est comme un chant d'oiseaux.

— Elle aussi disait ça, *maman** me l'a dit, moi, je
e l'ai pratiquement pas connue. *Maman** dit aussi que
our tante Leonora ça a été un malheur parce qu'elle
tait riche et qu'elle pouvait faire un grand mariage.
Mais que pour toi c'est différent. Il vaut mieux que tu
ies cette vocation parce qu'au couvent, avec ta petite
ension et le trousseau de mère Leonora, tu peux être
nieux que mariée à un valet de chambre, ou que sais-
e, à un petit employé. Avec ton intelligence, dit-elle,
t avec notre appui, tu peux même devenir mère supé-
ieure.

Vif-argent avait raison : sa princesse éta
perspicace.

— C'est pour cela qu'elle m'a dit de ne pas t'écart
de ta vocation. Bien que je la regrette, parce que ç
veut dire que d'ici trois mois tu t'en iras, et je su
tellement bien avec toi. Je le lui ai dit, tu sais. Ma
elle m'a répondu de te laisser en paix, et que j'éta
une capricieuse. C'est un peu vrai... mais c'est dom
mage, tout de même, parce que si tu n'avais pas
vocation tu pourrais rester toujours avec moi, d'autan
que moi non plus je ne pourrai jamais me marier.

— Pourquoi ? Vous êtes riche.

— Oui, oui, je sais, mais *maman** dit que personn
ne doit découvrir qu'une Brandiforti est estropiée. Tan
de garçons m'ont demandée en mariage. Tu vois, tou
les Brandiforti jusqu'à la génération de mon grand-pèr
ont été d'une grande beauté et bien portants. Et pui
quelque chose s'est gâté dans notre sang. Le premie
signe, ce fut cette Anglaise qui n'eut qu'un enfant, mo
père... Et puis la naissance de la « chose » qui, comm
je t'ai dit, se trouve dans la pièce dont la fenêtre e
toujours fermée. Personne ne l'a jamais vue, pas mêm
moi. Bien sûr, il y a eu Ignazio, qui était beau et for
mais *maman** dit que lui aussi avait quelque chose d
pourri dans le cerveau. C'est peut-être pour ça qu'
est mort. *Maman** dit que notre maison doit s'éteindr
comme un fleuve que la montagne ne veut plus nourri
Nous sommes de Catane. Là-bas, l'Etna donne la vi
avec la neige et la mort avec la lave. *Maman** dit qu
dans son souvenir elle a vu bien d'autres maisons e
domaines fertiles s'assécher et finir par la volonté d
Dieu et de l'Etna.

26

— Bonjour, Mademoiselle. Vous avez bien dormi ? La *principessina* s'est réveillée comme une fleur ce matin, comme une fleur ! Elle vous fait savoir qu'après le *breakfast* viendra le maître de musique. Si vous saviez comme elle est enthousiaste de prendre une leçon avec vous ! Ah, depuis que vous êtes là la *principessina* a repris vie ! Repris vie, il n'y a pas d'autre mot !... Et pour le miroir, vous avez décidé ? Elle m'a aussi parlé du miroir.

— Non, pas de miroir.

— Bien. La princesse en sera contente, mais la *principessina* le regrettera. Elle est déjà tellement désespérée de ne pouvoir prendre aussi avec vous ses leçons de danse ! Enfin ! Pas de miroir. Pas de leçons de danse. La danse ne convient pas à une religieuse. La princesse dit que c'est mieux comme ça !

J'avais bien fait d'être prudente. Mariée à un valet de chambre ! Plutôt le couvent. Devenir comme celle-là ! Maintenant que je savais, toute cette gaieté se révélait à moi comme une envie furieuse contrainte de se masquer de paroles humbles et de faciles traits d'esprit. Les mains courtaudes, le sourire forcé, piqué avec deux épingles aux coins de la bouche, attifée de cet horrible tablier... Eh non ! Elle la garderait, sa vocation. Au moins elle pourrait continuer à étudier l'histoire, les mathématiques, le piano... Le piano ! Beatrice avait dit que son maître avait été un grand concertiste russe. Et si elle disait qu'il était bon, il l'était sûrement. Le précepteur aussi était d'une culture telle qu'en comparaison mère Leonora semblait une ignorante. La philosophie... ça, elle ne pourrait peut-être pas l'étudier au couvent... Il fallait qu'elle se renseigne. Quel monde riche et mystérieux que « le monde des idées », comme avait dit le précepteur. Et il avait également dit :

« Bravo, mademoiselle, vous associez les notions tout à fait comme un homme ! »

Bien sûr, de Platon, elle avait entendu parler par mère Leonora, mais les sophistes, les épicuriens... Et ce philosophe grec qui disait que tout naissait du hasard... comment s'appelait-il ? Il fallait qu'elle demande. Le précepteur lui répondrait.

Pouvoir demander sans crainte. Cela, au couvent, ce ne serait pas possible. Mais au moins elle pourrait lire. Durant ces quelques mois elle devait questionner, questionner ce petit vieillard doux et souriant. Dommage qu'il n'ait pas été jeune, ce précepteur, elle l'avait tellement espéré, mais elle savait désormais que le maître de musique, lui aussi, serait un vieillard. Dans cette maison il n'y avait que des femmes et des vieillards. Qui sait pourquoi mère Leonora s'était enfuie de ce riche couvent pour aller s'enfermer entre ces murs de lave sur la montagne ? Au fond, c'était la même chose...

— Que fais-tu là perdue dans tes pensées ? Peut-être priais-tu, pardon ! J'ai tellement envie de te faire connaître le maestro Beliaiev. Tu vas voir, il sera enthousiaste de toi !

Beatrice, une main posée sur la tenture de la porte entrouverte, oscillait sur sa taille fragile cachée par des plis blancs et souples. Elle s'habillait presque toujours en blanc.

— Tu sais que tu ressembles vraiment à la Beatrice de Doré ?

— Tu trouves ? Je ne m'en souviens pas ; qu'est-ce que c'est, un tableau ?

— Non ! Les illustrations, en bas, dans la bibliothèque.

— Ah, oui, ce gros livre était à papa. Tu vois tout, toi. Tu trouves que je lui ressemble ? Tu me le feras voir. Viens, donne-moi la main. Tu ne veux pas ? Pourquoi ?

Et comment le pouvais-je, après l'avoir tenue dans mes bras ? Rien qu'à la pensée de sentir ses paumes je risquais de perdre et la prudence et la vocation. Mais elle, rien. D'une main rapide, la voilà qui me saisit le poignet. Heureusement que ce matin j'ai serré les bandes comme il se doit.

— Qu'y a-t-il, Beatrice ? Qu'y a-t-il ?

— Oh, Dieu ! Le voici qui vient. Tu n'entends pas son pas, comme il résonne ?

En effet un pas pesant comme celui de quelqu'un qui porterait des chaussures ferrées ou en bois ébranlait les marches de l'escalier.

— Ferme la porte, j'ai peur.

— Oui, mais qu'est-ce que c'est ?

En sécurité maintenant dans la pièce, agrippée à moi, elle rouvrit doucement, et me désigna muettement un homme immense : un géant qui avançait du fond du couloir et venait vers nous. Il devait mesurer deux mètres, avec des épaules larges et massives comme une porte et une tête petite, ronde, pelée, sur un cou qui ressemblait à une colonne. Plus qu'une tête, cette boule semblait la continuation du cou trapu et musculeux. Ce cou avait deux grands yeux si clairs qu'ils en paraissaient blancs.

— Qui est-ce ?

— Viens, je vais lui dire bonjour. Avec toi je n'ai peur de rien... Bonjour, Pietro.

— Mes respects, *principessina*.

— Comment va Ippolito ?

— Tout va bien, *principessina*, tout va bien.

De sa hauteur, il nous fixait sans expression. Et même s'il n'était pas facile de le comprendre d'après son visage, l'étonnement d'avoir été salué l'immobilisa complètement. Immobile comme ça, on aurait cru une statue d'acier.

— Auriez-vous peut-être besoin de quelque service, *principessina ?*

Sa voix lente non plus n'avait pas d'expression.

— Non merci, Pietro, je voulais juste avoir des nouvelles d'Ippolito.

— Il ne va pas mal, Dieu merci, il ne va pas mal. Alors je peux m'en aller ? Je baise les mains de Mademoiselle.

Rigide, il tourna à droite et se remit à monter l'escalier avec son pas de fer. Voilà donc ce qu'était ce bruit que j'entendais tous les matins.

— Il fait peur, pas vrai, Modesta ?

— Eh oui, il fait peur. Mais qui est-ce ?

— C'est la personne qui s'occupe d'Ippolito. Tu vois qu'il va au dernier étage ? Lui seul sait comment traiter « la chose », comme dit *maman**. Quelle peur ! Ferme bien la porte. Je ne lui avais jamais parlé, brrr... quelle voix terrible ! Cette aile du palais est terrible : « la chose », la pièce de papa... brrr !...

— Tu m'as fait voir toutes les pièces, mais pas celle de ton père, le prince.

— Cette pièce me fait peur. C'est peut-être mal de parler ainsi d'un mort, mais à toi on ne peut rien cacher. Le fait est que je... voilà, je ne sais pas quand... ah oui, quand il a commencé à vouloir que j'aille chez lui tous les après-midi lire à haute voix et étudier l'astronomie. Je devais avoir dix ans. Certes, je ne suis pas intelligente comme *maman**, comme toi. Le précepteur lui-même – tu as vu comment désormais il s'adresse oujours à toi quand il donne une explication ? Voilà, ui... je ne comprenais pas l'astronomie et il se mettait n colère. Alors quand j'entrais chez lui je me mettais trembler... Tu vois, rien qu'à en parler mes mains remblent. Je ne sais pas ce qui m'arrivait. Ignazio lisait que je lisais bien, tandis qu'avec mon grand-père e m'embrouillais.

— Tu as dit ton grand-père ? Mais le prince n'était-l pas ton père ?

— Si, si, je me suis trompée. Je me suis embrouillée omme avec lui... je, je...

Comme rapetissée par son tremblement, elle se pelo-onna entre mes bras. Comment faisait-elle pour araître grande de loin et si petite dans mes bras ? Comment faisait-elle pour passer si vite du rire aux armes, si vite que cela donnait le vertige ?

— Puis-je te demander ton âge, Beatrice ?

— Tu as compris, hein, Modesta ? Tu comprends out et tu vois tout.

— Non, je n'ai pas compris. Et même, je commence raiment à avoir la tête pleine de confusion à force de ioms, d'oncles, de grands-pères. Aussi, excuse-moi de e poser tant de questions, c'est juste pour...

— Mais j'aime quand tu me poses des questions ! Tu fais moins religieuse... Oh, pardon ! Je voulais dire noins sérieuse, plus proche de moi. Et les cheveux, tu n as tellement ? Serrés comme tu les portes, on ne 'en rend pas compte. Laisse-moi défaire ce toupet qui st exactement comme celui de ma nounou... Une eule fois !

— Mais oui, je t'en prie, si ça te fait plaisir. Je vois que tu as retrouvé le sourire.

— Viens ici près de la fenêtre. Mon Dieu, que d'épingles ! Mais tu vas abîmer tes cheveux comme ça. Ça leur fait mal de les porter aussi serrés.

— Là où je dois aller ils ne servent à rien. Après l noviciat, on me les coupera.

— Ne dis pas ça ! Ne dis pas ça ! Je ne peux pas penser... Encore deux mois et... tu sais que ça fait u mois que nous nous connaissons ? Ne t'en va pas ! N pars pas !

Elle pleurait, maintenant, dans le recoin le plu éloigné de la pièce. C'était sa façon de me repousser Mais je savais désormais comment la faire revenir prè de moi et sourire. Il suffisait de la distraire ave quelque chose de nouveau. J'achevai d'enlever toute mes épingles, et avec mes lourdes tresses qui battaien dans mon dos à chaque pas, combien de temps y avait il que je ne sentais plus cette pression vitale, le mêm poids que lorsque j'allais à la recherche de Tuzzu...

« Si tu ne te calmes pas, je te coupe les tresses et j m'en vais les vendre au village. Elles sont belles épaisses et dures. Ma parole, si je sais y faire j'y gagne rai même une lire !

— Elles valent si cher ?

— Eh oui !

— Et qu'est-ce qu'on en fait ?

— Des perruques pour les vieilles.

— Et qu'est-ce que c'est que les perruques ?

— Ouf ! Toujours à poser des questions ! Je n'ai n l'envie ni le temps de te répondre. Calme-toi que j dois travailler ! »

— Calme-toi, Beatrice ! Calme-toi ! Regarde regarde la surprise. Prends les épingles, regarde !

— Qu'elles sont grosses ! Avec une de tes tresses on m'en fait une à moi et à deux autres filles... Mais que fais-tu ? Tu as les larmes aux yeux. Oh, Dieu, j ne t'ai jamais vue pleurer ! Oh, Dieu ! Et qui va le dire à *maman** ! Tu as perdu la vocation ?

— Non, je ne l'ai pas perdue. Mère Leonora me l'a donnée et...

— Alors tu pleures parce que, quoique tu n'aies pas perdu la vocation, ça te fait de la peine de me laisser, hein ? Dis, ça te fait de la peine ?

— Oui, ça me fait de la peine.

— Cela me console. J'avais peur parce qu'on dit que vous, au couvent, vous n'aimez que Dieu, c'est ce que disait tante Leonora... Comme c'est étrange, avec tes tresses lâchées tu as l'air plus jeune. Mais au fait, quel âge as-tu ?

— Je suis née le 1er janvier 1900. C'est ce que m'a dit l'économe du couvent. Elle disait qu'avec moi c'était facile de faire le compte.

— Alors tu as dix-sept ans comme...

— Comme qui ?

— Comme moi.

27

— Mais avoue, tu l'avais compris ! Je le vois bien que tu n'es pas étonnée. Maman a raison : tu vois tout et tu comprends tout. Elle dit aussi qu'elle a rencontré peu de filles aussi intelligentes et pleines de volonté que toi. Et elle est également très en colère parce qu'elle n'arrive pas à te trouver un surnom. Elle dit que tu es le contraire du nom que tu portes et... mais pourquoi pâlis-tu ? Elle ne t'en veut pas ! Tu sais comment elle est, elle est seulement en colère de ne pas arriver à te trouver un surnom.

Terrorisée, j'étais sur le point de refaire mon toupet. Beatrice était ingénue, mais pas la princesse ; malheur à moi si elle me voyait avec mes tresses !

— Mais que fais-tu ? Non, non, laisse-les lâchées !

De toute façon c'est moi qui ai les épingles, maintenant, et je ne te les donne pas ! Je suis si heureuse que tu aies compris ! Comme ça je n'ai pas à faire semblant ni de n'être pas boiteuse, ni d'être plus âgée... Mais je t'en prie, ne fais pas comprendre à ma grand-mère que tu sais.

— Alors la princesse est ta grand-mère et pas ta mère ?

— Et comment aurait-elle pu l'être ? Je ne sais pas quel âge elle a. Avant qu'Ignazio ne parte pour la guerre, elle me semblait très jeune à moi aussi, mais quand on l'a ramené sur le brancard, en quelques mois elle est devenue toute blanche et desséchée. J'ai de la peine à la voir ainsi. Si tu savais comme elle montait à cheval jusqu'à il y a deux ans... Même Carmine ne lui arrivait pas à la cheville.

— Et qui est Carmine ?

— Eh voilà. C'est bien la question. Tu me permets de te défaire les tresses ?

— Non, Beatrice, non. C'est interdit. Mais toi, de qui es-tu la fille, alors ?

— Ça, je ne peux pas te le dire. Vraiment je ne peux pas te le dire. Je pourrais te faire perdre la vocation et, comme dit ma grand-mère, ta vocation est la seule richesse que tu aies.

— Ce n'est pas une chose aussi facile qu'il te semble. Quand la vocation est profondément enracinée, comme en moi, rien ne peut vous faire changer. Mais, attends : tu as dit que tu pourrais me faire perdre...

— Voilà, tu as compris ! Oui, parce que mère Leonora était ma mère. Mon Dieu, comme tu deviens pâle ! Mais je ne te l'ai pas dit ! C'est toi qui l'as compris, n'est-ce pas ? C'est toi qui l'as compris ! Je ne veux pas t'enlever la vocation !

— Oui, Beatrice, oui, ce n'est pas toi qui me l'as dit. Je l'ai compris par moi-même.

— Cependant, une chose est de comprendre, une autre de savoir, pas vrai ? Comme tu as pâli !

— Attends, je vais me laver le visage, un moment.

Dans le petit cabinet de toilette je m'appuyai au lavabo et il s'en fallut de peu que je ne vomisse. Je tremblais tout entière, mais pas de douleur, comme le croyait Beatrice... La maudite... le fiancé terrifiant, la fête des débutantes, son désarroi devant la corruption mondaine... Et même la Vierge qui l'avait éclairée sur l'horreur qu'était l'homme. La grâce, la vocation ! Et en attendant elle avait eu, elle, un homme !

Pour calmer cette haine je me mis à me gifler à l'eau froide, jusqu'à ce que je voie dans le miroir un visage de sœur apaisé et sans sourire. Et tout en continuant à penser : maudite, menteuse, je te hais, je revins vers Beatrice, qui, les mains pleines d'épingles, m'attendait avec anxiété.

— Je ne te l'ai pas dit, Modesta ! C'est toi qui l'as compris, c'est toi !

— Mais bien sûr, Beatrice, bien sûr.

— Comme tu es calme, à présent ! Le péché de mère Leonora t'a fait perdre la vocation ?

— Que celui qui n'a jamais péché jette la première pierre, Beatrice. Et puis mère Leonora a entièrement expié son péché dans la solitude et la prière. Moi, je n'ai pas péché, et malgré cela je me sens indigne devant elle !

Épouvantée, j'entendais la voix de mère Leonora qui parlait par ma bouche. La haine l'aurait-elle fait renaître en moi ? La prière de la haine peut tout, elle peut donner la vie et la mort, tout.

— Et dis-moi maintenant, ma chère âme, dis-moi. Qui était ton père ? Quelque officier auquel elle avait été promise ?

— Si tu te laisses défaire les tresses là, au soleil, je te le dis.

— Fais donc, petite fille.

— Quelle voix douce tu as à présent. Tu es une sainte, Modesta ! Tu te laisses tout faire et tu acceptes tout sans te rebeller. Mais comment fais-tu ? J'aimerais être comme toi ! Quels beaux cheveux ! Je peux te les peigner ?

— Mais dis-moi qui était ton père ; ou ne le sais-tu pas ?

— Un jour je te le montrerai.

— Tu as une photographie ?

— Il n'en est pas besoin.

— Alors c'est quelqu'un qui habite dans cette maison.

— Tu refroidis, tu refroidis... Pas vraiment, il vient quelquefois... Tu ne l'as pas remarqué ?

Je les passai rapidement en revue : le prêtre, trop vieux... Le précepteur, le concertiste russe, non, trop vieux... Cet homme malingre et chétif qui venait voir « la chose » ?

— Le médecin, Beatrice ? C'est lui ?

— Tu refroidis, tu refroidis...

— Le notaire qui est venu l'autre soir ?

— Tu refroidis, tu refroidis.

— Cet homme qui vient de temps à autre ?

— Tu brûles, tu brûles... tu brûles...

— Non ! Alors c'est...

— Gagné ! Viens, lève-toi, il est en train de monter l'escalier... Je m'enfuis toujours quand il vient.

Derrière les vitres, serrées l'une contre l'autre, nous suivions les pas lents d'un homme grand et fort... Comme s'il avait senti nos regards, il leva sa tête couverte de boucles blanches et regarda dans notre direction. Deux prunelles bleues se posèrent une seconde sur nous. Des lames d'or jaillirent comme des flèches de ce sombre azur. Il était vêtu de velours comme

Mimmo, sauf qu'au lieu d'être marron ce velours qui le recouvrait était d'un bleu si foncé qu'il en paraissait noir.

— Mais qui est-ce ? Le jardinier ?

— Non, le garde champêtre ! Tu ne vois pas qu'il porte un fusil ?

Mais oui ! Cet homme était habillé et bougeait comme Mimmo, mais il portait un fusil en bandoulière. Un doute m'assaillit. Beatrice était fantasque, la princesse l'avait bien dit, fantasque et instable. Ne se moquait-elle pas de moi comme elle faisait souvent avec Vif-argent et les autres femmes ? Je ne devais pas perdre de vue qu'elle était la patronne, et que seul un « voile consacré » m'empêchait d'être servante dans cette maison.

— Ce n'est pas possible, Beatrice. Et même si c'était vrai, tu ne pourrais pas le savoir. Ce sont des choses qu'il est difficile de savoir.

S'arrachant à moi et se jetant sur le lit, elle crie maintenant et pleure, donnant des coups de poing sur la couverture et dans l'air.

— Tu me traites de menteuse ! Pour sauver ta Mère Leonora, tu me traites de menteuse ! C'était une lâche ! Une lâche, comme toi ! Elle m'a abandonnée ici, au milieu de ces fous ! S'il n'y avait pas eu ma nounou puis Ignazio je serais morte. Morte de solitude, cachée à tout le monde. Ils me tenaient toujours cachée, que crois-tu ? Je t'ai parlé de tous ces gens qui venaient, et à Catane aussi... mais moi, je les voyais toujours de loin, ou derrière une porte. Va-t'en, comme cette lâche qui m'a abandonnée !

Elle semblait sincère. Que faire ? Il fallait la faire taire. Pas tant pour elle, quelque chose en moi-même me disait que ces larmes lui faisaient du bien, comme un sain défoulement qui la laisserait ensuite plus calme et sereine, mais pour Vif-argent qui pouvait entendre. Et pour la faire taire il n'y avait qu'une solution, l'embrasser.

— Tu as raison, Beatrice. J'ai été une lâche de ne pas te croire, mais il faut que tu comprennes...

Elle souriait au milieu des larmes qui lui coulaient sur le menton, sur le cou. Ces larmes réclamaient d'être séchées – je le savais maintenant – et la prenant dans mes bras je lui caressai les joues, le menton, le cou.

— Ignazio aussi m'essuyait comme ça quand je pleurais. Il m'appelait sa petite fontaine privée. Il m'a dit une fois : « J'ai soif, tu me les laisses boire, toutes ces larmes ? » Tu n'as pas soif ?

J'avais très soif et je suçai ces larmes de mes lèvres ; je ne savais pas qu'elles étaient aussi salées.

— Comme c'est salé !

— Tu ne le savais pas ?

— Non.

— Et comment ça, tu n'as jamais pleuré ?

— Si, mais...

— Tu as pleuré et tu ne les as jamais goûtées ? Que c'est bizarre, moi je l'ai tout de suite fait... d'aussi loin que je me souvienne. Et puis j'ai découvert qu'elles ont le goût de l'eau de mer, moins salée, mais c'est le même goût.

— Tu as vu la mer ?

— Bien sûr ! Pas toi ? Mais c'est incroyable ! Ce n'est pas possible !

— Maintenant c'est toi qui me traites de menteuse. Attention, je vais me mettre à pleurer comme toi.

— Et fais-le ! Comme ça je boirai moi aussi. Mais comment se fait-il que tu ne l'aies jamais vue ?

— Je suis née dans les montagnes, mais quelqu'un m'en parlait toujours.

— Ton frère ?

— Presque.
— Tu ne parles jamais de toi.
— C'est interdit.
— Menteuse !
— Attention, je vais me mettre à pleurer et crier.
— C'est ce que je veux.
— Mais pourquoi ?
— Je te l'ai dit, parce que j'ai soif, et sommeil aussi. Tu me laisses mettre la main sur ta poitrine ?

Elle n'attendit pas que je réponde. Elle délaça rapidement ma blouse et écartant les bandes, elle ne se contenta pas comme l'autre fois de poser la main sur mon sein, mais elle le tira entièrement dehors. Je fermai les yeux pour résister au supplice jusqu'à ce que, la sentant paisible, j'aie cru qu'elle dormait ; je la regardai. Elle ne dormait pas. Les yeux grands ouverts, elle regardait mon sein.

— Comme il est gros et ferme ! Il est plus beau que celui de ma nounou et le mamelon aussi... il est clair. Celui de ma nounou était noir. Tu me fais téter ?

Sans me laisser le temps de rien dire, elle se mit à sucer avec ses lèvres comme si elle buvait réellement.

— Je n'ai plus soif, maintenant. À toi.

D'un geste assuré elle sortit son sein et m'obligea, d'une main devenue imprévisiblement forte, à boire à son mamelon comme elle l'avait fait.

— Voilà, comme ça, bois. Il faut fermer les yeux, ça désaltère mieux.

28

Je fermai fort les yeux. L'ébahissement me glaçait.

— Allez, tète, allez, sois une bonne petite. Si tu ne manges pas, tu ne grandiras pas, tu dépériras et la *Certa* toute décharnée arrivera pour ramasser tes os. Allez, mange et grandis... Là, là, bien calme, petitoune.

Je ne parvenais pas à me calmer. Je restai glacée, embarrassée, à la voir jouer avec mon sein, avec mes cheveux, avec mes oreilles. Comment était-ce possible ?

— Tu es toute froide et trempée de sueur, Modesta. Je vais te sécher. Ce n'est pas que tu penses que c'est un péché ? Quel mal y a-t-il ? Après tout nous sommes des femmes toutes les deux. On ne tombe pas enceintes.

Cette énormité me fit éclater de rire... Tuzzu riait quand... « Cette petiote a sorti une énormité vraiment digne de la fille effrontée qu'elle est ! »

Je croyais rire et en fait, à ma grande surprise, je me retrouvai pleurant sur sa poitrine. Elle était grande à présent, et ses bras étaient protecteurs.

— Oh, tu pleures ? Ne pleure pas. Ce n'est pas un péché, je t'assure. Allez, viens que je boive toutes ces belles larmes salées.

Je me laissai aller. J'avais froid.

Mais peu à peu cette glace de stupeur fondait sous ses caresses et une chaleur jamais éprouvée me fit dire :

— Non, Beatrice, ce n'est pas un péché.

Ainsi, pour la première fois de ma vie, je fus aimée en éprouvant moi-même de l'amour, comme dit la romance. Chose si rare qu'encore maintenant je me rappelle la sensation de légèreté qui me faisait ouvrir les yeux le matin, sûre de la nouvelle aventure qui naîtrait de nos embrassements. Nous courions ensemble dans les pièces, le jardin, l'allée de palmiers... Les leçons et le thé à cinq heures étaient les seules pauses dans notre solitude à deux. Mais ces pauses étaient légères, parce que toujours ou un regard, ou une caresse sous la table ou une façon qu'elle avait de m'effleurer les épaules pendant que nous jouions du piano nous rassurait sur le fait que nous serions bientôt de nouveau ensemble.

— Nous jouons à la nounou et à l'enfant ?

— Oui.

— Cette fois c'est toi qui fais la nounou et je fais la petite fille.

— Que préfères-tu, faire la nounou ou l'enfant ?

— Oh, ça m'est égal, pourvu que je puisse être près de toi et t'embrasser.

— À moi aussi...

M'abandonnant à elle, je sortais de cet enfer de doutes et de bandes et de murs de lave. Le couvent s'éloignait quand je la regardais dans les yeux, il s'engloutissait derrière moi et je revoyais les étoiles. Serait-ce cela le Paradis, l'amour ? Je ne savais pas ce que signifiaient ces mots : « L'Amour qui fait se mouvoir le soleil et les autres étoiles. »

Certes, quand elle m'embrassait tout tournait autour de moi. Ce n'était pas comme avec Tuzzu ou comme avec mère Leonora. Une tendresse jamais connue auparavant me faisait être tranquille au milieu de ces arbres qui tournaient autour du soleil, sûre de ne pas sombrer.

Si elle me déshabillait, j'apprenais d'elle quelle couleur avait ma peau, combien de grains de beauté, mon dos...

— Mais toi aussi tu as la taille fine, c'est juste que tu ne portes pas de corset. Tu vois qu'elle est presque aussi fine que la mienne ? Tu ne me crois pas ? Je vais prendre le centimètre. Et puis tu es plus grande et tu as les hanches plus larges et tu n'es pas boiteuse.

Ce mot était toujours suivi de pleurs. Pour les faire cesser il suffisait que je lui baise la jambe à peine plus mince et plus courte que l'autre.

— Ça ne te dégoûte pas ?

— Me dégoûter ! Ça ne fait que m'attendrir, Beatrice, que dis-tu ?

— Ma nounou aussi disait ça. Tu me fais téter comme elle ?

— Je te recouvre d'abord de mes cheveux.

— Oh oui, j'ai si froid !

Et elle faisait semblant – dans le soleil – de trembler de froid.

— Et ça, entre tes jambes, qu'est-ce que c'est ?

— Un pré.

— Je peux y poser les lèvres et sentir comme l'herbe est douce ?

29

Mais ce matin-là l'herbe était humide en bas dans le pré.

— Tu as entendu l'orage qu'il a fait cette nuit ? Le premier orage d'été. Bientôt ce sera l'automne, Modesta.

De gros nuages amassés à l'horizon bouchaient notre vue comme un haut mur de lave. J'avais oublié ce mur.

— Bientôt tu devras partir... Reste ici avec moi,

Modesta ! Elle le disait doucement, désormais, comme on dit une prière qui ne sera jamais exaucée, ou comme un refrain éculé :

— Reste, reste.

Je l'embrassai pour qu'elle ne voie pas combien je le désirais moi aussi. Ce n'est qu'en cachant le visage contre son épaule que je pus dire :

— Dieu m'appelle.

Je ne voulais plus m'en aller maintenant que Beatrice embrassait tout mon corps nu, et que je pouvais moi aussi l'embrasser sans cesse et quand je voulais. Qu'importait si cette maison, elle aussi, n'était au fond qu'un couvent, et s'il n'y avait pas d'hommes ? Que m'importaient les hommes maintenant que je l'avais, elle ? Là où je devais retourner je n'aurais que cet amour solitaire dont je savais maintenant comment il s'appelait : masturbation. Quelle chose triste, quel truc de religieuse, pensai-je, et je me mis à rire.

— Que fais-tu, tu ris ?

— Oui.

— Et pourquoi ?

— Je ne sais pas.

— Tu sais qu'on croirait une autre fille maintenant que tu ris ? Si seulement tu enlevais tes bandes et tu mettais un corset ! Ou au moins si tu te laissais coiffer avec les cheveux souples et quelques boucles qui tombent, comme moi. Vif-argent coiffe très bien.

— Jamais je ne me laisserais toucher par Vif-argent !

— Si ce n'est que cela, moi aussi je sais bien coiffer et faire les chignons.

— Je ne peux pas, Beatrice. Et puis quel intérêt pour aussi peu de temps ? Vingt jours encore et...

Comment pouvais-je ne pas partir ? Comment pouvais-je, aux yeux de la princesse et de Beatrice elle-même, perdre si brusquement la vocation ? Et si Beatrice se lassait de moi ? Il n'y avait rien à faire.

— Je le lui ai dit, tu sais, à ma grand-mère, de ne pas te faire partir ; il y a deux jours. Mais elle ne m'a pas répondu. Et puis hier elle m'a envoyé ce billet, regarde : « Laisse cette fille tranquille. Tu n'es qu'une écervelée entêtée comme était ta mère. Et tu le sais ! »

— Elle veut dire ta mère, mère Leonora ? Alors, vous en avez parlé ?

— Une fois, il y a des années. Tu le comprends, non ? Ce n'étaient pas des caprices, je voulais savoir. Ici et à Catane aussi j'avais entendu des rumeurs. Si bien que j'ai tant insisté qu'elle m'a fait appeler et m'a dit : « Eh bien, puisque tu veux savoir, tant pis pour toi. » De ça, je me souviens, mais ensuite je ne me rappelle plus rien de ce qu'elle m'a dit. C'est étrange, mais c'est peut-être l'émotion qui a fait que je ne me souviens que du début et de la fin... La fin a été : « Et maintenant que tu sais, en privé, en tête à tête, appelle-moi grand-mère, puisque tu n'es nullement ma fille. » Mais ne pense pas qu'elle me l'ait dit avec haine ; tu sais comment elle est, elle crie, elle crie mais après...

— Et elle t'a parlé aussi de Carmine ?

— Bien sûr. Elle dit toujours que, soit on ment complètement, soit on dit tout.

Mais voyez un peu ! Que de choses j'apprenais de cette vieille femme muette ! Elle avait raison.

— Ce qui m'a fait le plus de peine, ce n'est pas d'apprendre la vérité, que j'avais plus ou moins devinée, mais...

— Quoi ?

— Eh bien, que lorsque Leonora s'est trouvée enceinte, comme l'a dit ma grand-mère, elle pouvait, sans faire tant de drames, ou me faire mourir avant de naître – et ç'aurait été un bien pour moi – et puis se marier comme elle devait le faire, ou me garder et me faire passer pour sa sœur. Tu vois un peu la tragédie ! Les Milazzo, qui ne sont ni riches ni nobles comme nous, ont bien une fille qui passe pour leur dernier enfant et qui est en fait l'enfant de leur fille aînée.

— Et pourquoi n'a-t-elle pas voulu ?

— Va savoir ! Elle disait que c'était une faute de me faire mourir et de me faire vivre, et elle a choisi le couvent. Qu'est-ce que j'en sais ? Toi, peut-être peux-tu le comprendre ; la vocation lui est venue.

— Et Carmine ? Comment se fait-il qu'il vienne encore ici ?

— Il est resté veuf et ne s'est pas remarié.

— Mais qu'est-ce que ça a à voir ?

— Je me demande pourquoi il ne s'est jamais remarié. Ma grand-mère a tellement insisté pour lui faire épouser Agata il y a trois ans...

— Ce n'est pas ce que je disais, je disais comment se fait-il...

— Comment se fait-il quoi ?

— Mais si Carmine avait mis dans de mauvais draps une Brandiforti, ton grand-père, tes oncles, comment se fait-il qu'ils n'aient pas...

— Mais qu'est-ce que ça fait ! Nous sommes nobles et ce n'est qu'un paysan. Tu voudrais qu'un des nôtres se salisse les mains avec un homme du peuple ? Bien sûr, si ç'avait été quelqu'un de notre condition, ou que sais-je, un officier, un bourgeois, mais un homme du peuple, provoquer en duel un homme du peuple, quelle idée !

— Mais il n'a pas été chassé, je ne sais pas...

— Chassé ? Mais que dis-tu ! Mon grand-père l'adorait et disait toujours : « C'est une chose de perdre une fille qui en plus d'être une femme est une sotte, et autre chose de perdre un garde champêtre de la trempe de Carmine. Sans fille on a moins d'ennuis et on économise une dot, mais sans un garde champêtre comme Carmine, qui va surveiller la campagne ? » Tu penses ! Il a tout en main et plein d'hommes qu'il a exercés au fusil, qui protègent les domaines et lui sont soumis comme des chiens. À moi, il me fait peur !

— Mais c'est ton père.

— Mon père, lui ? Comme disait ma nounou, ce type-là est un paysan, *pedi 'ncritati*[1]. Je ne l'ai jamais regardé en face. Il ne me plaît pas et il me fait peur... J'ai froid. Tout me fait peur ici. Regarde comme le ciel s'est couvert ! Il pleut, Modesta, c'est le signe que tu vas partir.

— Rentrons, Beatrice, tu trembles de la tête aux pieds, je ne voudrais pas que tu prennes mal.

— Si je pouvais tomber malade ! Comme ça tu serais obligée de...

— Allons, Beatrice, allons ! Je suis responsable de ta santé.

J'essayai de l'entraîner mais elle ne voulait pas bouger. Je ne pensais pas qu'elle était aussi forte, je ne parvenais pas à lui faire faire un pas. Et je n'y serais pas arrivée si une rafale de vent ne l'avait fait vaciller. Je la saisis par la taille juste à temps pour résister à la seconde bourrasque qui s'abattit sur notre dos. Des gouttes grosses comme des cailloux nous battaient au visage et faisaient trembler la façade blanche de la villa. Beatrice murmurait :

— Mon Dieu ! Les pluies, c'est le signe. Tu vois ? Ils ont fermé toutes les persiennes. Ils ont tout fermé... Mon Dieu ! Modesta, regarde, regarde !... Le vent a ouvert la fenêtre là-haut au second étage ! Dieu, quelle peur, je ne l'ai jamais vue ouverte !

1. Pieds-terreux.

Ce n'était pas le vent ; deux bras se tendaient maintenant comme si quelqu'un voulait enjamber le parapet et se jeter en bas.

— Mais c'est Pietro, Modesta ! C'est Pietro qui crie, que s'est-il passé ?

— Ne regarde pas, ne regarde pas !

Je tenais fort sa tête contre mon épaule, pour qu'elle ne voie pas tout ce sang sous lequel disparaissait le visage de Pietro. On ne reconnaissait que ses mains et ses bras.

— Pourquoi m'empêches-tu de regarder ? Qu'y a-t-il, Modesta, qu'y a-t-il ? Tu as l'air d'un fantôme.

— Laisse, Beatrice. Va te sécher et chercher Vif-argent, qu'elle fasse appeler le médecin, vite.

— Le médecin ? Où vas-tu, Modesta, non !

Détachant ses mains qui retenaient ma jupe, je me précipitai dans l'escalier. Il n'y avait qu'à arriver à ma porte et de là à monter la dernière volée de marches. Je savais quel trajet faisait Pietro. Tous les matins j'avais suivi ce pas de fer... Voici le couloir... Ce devait être l'une de ces portes. Je courais dans le long couloir semblable au mien, quand la porte du fond s'ouvrit toute grande et Pietro en sortit lentement, dégoulinant de sang.

— Attention, Mademoiselle ! Retournez en bas. Je l'ai apaisé. Retournez en bas et faites appeler le médecin. Ce n'est pas un endroit pour vous, Mademoiselle !

Il était calme, mais il devait beaucoup souffrir, car il se jeta sur un banc. Sa voix hurlait, menaçante. Il avait peut-être raison, mais je voulais savoir. Et retenant mon souffle pour vaincre la peur, j'entrai dans la pièce et je vis la « chose » les mains liées. Jetée sur un fauteuil, elle se débattait et se mordait la bouche, sa bouche pleine de salive. Cette « chose » n'était qu'un homme gras et trapu à la tête ronde qui me fixait avec les yeux de Tina. Je reculai, et pour la première fois de ma vie je me demandai si les morts ne revenaient pas. Cette Tina de sexe masculin, en me voyant, cessa de se débattre et de grogner, et la bouche ouverte, me fixa vraiment comme si elle m'avait reconnue.

Fascinée par cette ressemblance, je n'arrivais pas à arrêter mes jambes qui, raides, me portaient vers lui. Il m'attendait avec des yeux émerveillés. Ce n'est que lorsque je fus tout près, à le toucher presque, que je me persuadai que ce n'était pas Tina et, pour vaincre la crainte qui m'avait prise, je souris en me répétant à moi-même : mais regarde-le bien, c'est un homme. Sauf que probablement il a la même maladie que Tina. Tina n'était pas un monstre ou une « chose », elle était seulement malade. Le médecin au couvent me l'avait dit : mongolisme. Je souris pour être sûre que ce n'est pas Tina et je me mets à l'appeler doucement : « Ippolito, Ippolito ! » Il fait une grimace qui pour lui doit être un sourire, et de ses grosses mains attachées il se met à presser sur ma jupe, mais doucement, presque avec douceur. Ce n'est pas Tina.

— Mais c'est un miracle ! Un miracle !

Pietro me fixait extasié tout en séchant son sang.

— Vous ne deviez pas me faire ça, Mademoiselle, mais c'est un miracle ! Le prince Ippolito n'a jamais fait comme ça avec personne... avec moi seulement, deux fois en dix ans. Vous êtes une sainte, Mademoiselle. Mais regardez, il s'est apaisé, c'est un miracle ! Et sans pilules ni piqûres. Il vous a vue et il s'est apaisé.

Voilà ce qui allait me délivrer de ma vocation : ce miracle. Mais pour le rendre plus complet il fallait que je reste là et que tout le monde le sache et me voie.

— Vous avez vu, Pietro, qu'il ne se passe rien ? Allez vous soigner ou vous mourrez vidé de votre sang.

Allez, et si vraiment vous voulez être tranquille, appelez quelqu'un, mais qu'il reste dehors. De toute façon, à moi, il ne m'arrivera rien. La Vierge m'a guidée. Je veillerai moi-même sur cette âme du Bon Dieu !

Et sans crainte, touchée par le doigt de Jésus, comme on le dit plus tard, j'étendis la main et la posai sur la tête d'Ippolito. Quelle crainte pouvais-je avoir, moi qui avais grandi avec une « chose » comme celle-là ? Et même, il avait plus de cheveux que Tina. Je commençai à les lui caresser, et lui à baisser la tête et à jubiler exactement comme faisait Tina avec notre mère. Il n'avait pas d'autre moyen de me montrer que je lui plaisais.

En moins d'un quart d'heure la nouvelle s'était répandue dans toute la villa. Ils accouraient, je les entendais derrière la porte, dans le couloir, ils priaient. Beatrice aussi était là. Il ne fallait pas que je recule ; la victoire devait être complète. Je défis les liens d'Ippolito, et lui tout brave qui me regardait avec des yeux noirs et humides de chien. Après l'avoir délié je m'agenouillai devant lui en le fixant. Alors il baissa les yeux sur ma jupe et se mit à la caresser timidement. Je commençais à comprendre. La « chose » n'avait jamais vu que Pietro, le médecin et peut-être le prêtre. Probablement ma stature ou ma voix douce – je continuais à l'appeler et à lui dire : « Gentil, gentil » – ou peut-être la couleur de ma jupe l'étonnaient et le désarmaient. Je le laissai faire jusqu'à ce que, sûre de moi à présent, je commence à dire : « Moi maman, moi maman... » Il avait bien dû être allaité par quelqu'un, ce pauvre garçon. Puis je lui pris la main et je la posai sur ma poitrine en répétant : « Maman, maman... » Et, chose qui me stupéfia moi-même qui commençais à transpirer, fatiguée de répéter et de le regarder dans les yeux, il dit maladroitement entre ses dents :

— Mama, mama, mama.

Je sentis comme un frisson répondre, dans le couloir, à l'annonce que quelqu'un avait faite :

— Il l'a appelée maman !

Et, après un silence, le mot miracle, fort, jailli de toutes les bouches.

C'était fait. J'avais quelque chose en main – cela, oui, c'était un vrai miracle –, non pour la perdre, mais pour la transformer à ma manière, ma vocation.

— Ainsi, jeune fille, à ce que j'ai entendu dire, ta mère Leonora t'est apparue et tu veux sacrifier ta vocation en te consacrant à notre famille ?

La voix qui s'était tue depuis si longtemps recommençait maintenant à sévir, plus effrayante que les coups de tonnerre et la pluie qui, dehors, ne s'était pas arrêtée un instant. S'il avait pu au moins y avoir Beatrice ! Cette fois j'étais seule avec la princesse. Ses yeux gris rieurs ne lâchaient pas mon regard, qui cherchait en vain à s'échapper dans les coins.

— Mais réponds ! Certes, tu es vraiment jolie quand tu es émue ! Dommage que ça n'arrive qu'à chaque mort de pape ! Mais réponds ! Tu crois que j'y tiens, moi, à ta vocation ? Si tu veux le savoir : ici, nous croyons en Dieu, mais aux prêtres et aux religieuses peu, fort peu. Et puis, si cela peut te rassurer, il me fait plaisir de savoir que lorsque je mourrai – je suis vieille, et même si l'idée de la mort ne me plaît guère, il me faut y penser de temps en temps. Quelle cochonnerie, la mort ! Mais que disais-je ? Ah, oui, il me ferait plaisir que Pouliche et cette « chose », là en haut, ne finissent pas entre les mains de serviteurs, mais de quelqu'un qui, même si c'est par acquisition, est de la famille, peu ou prou. Tu ne dis rien ? Bon ! Réponds au moins à cela : tu as sérieusement médité sur la décision que tu as prise ? Il ne s'agirait pas d'un coup de tête ? Tu te trouves bien ici ? Tu ne regretteras pas le couvent, après ? Tu es jeune ! Réfléchis bien avant de répondre, parce que vois-tu, petite fille, je ne supporte pas les pleurnicheries de femmes. Après, tu ne pourras plus te plaindre. Tu as compris ? C'est entendu, tu ne t'es pas plainte durant ces mois et tu ne pleurniches pas, mais avec vous les femmes on ne sait jamais ! Il vaut mieux établir les choses clairement. Accords clairement définis et hostilité éternelle. Mais réponds !

— J'ai réfléchi, madame la princesse. Ma place est ici.

— Bien. Demain j'écris à ces vieilles ratatinées qui t'ont perdue, et je me fais renvoyer le trousseau et la dot. Je veux vraiment écrire une lettre gentille et délicate et rire en pensant à la rage de déception que chaque ligne causera à mère Costanza. Je me fais tout renvoyer. Ce qui veut dire qu'avec le trousseau nous te ferons quelques robes de bal ; parce que, oh, jeune fille, entendons-nous bien : accords clairement définis : si tu dois te sacrifier, évite qu'on le remarque. En premier lieu, demain, quand viendra le maître de danse pour Pouliche, tu prendras le cours avec elle. Valse, mazurka, contredanse et tout et tout ! Si tu as décidé, tu dois apprendre à danser et à sourire, parce que, moi, les maussades et les disgracieuses me tapent sur les nerfs, compris ? Et maintenant file, que je dois écrire ces quelques lignes à mère Costanza.

Je n'attendais rien d'autre que de m'enfuir auprès de Beatrice ; mais sur le seuil :

— Ah ! Et tu dois aussi apprendre à monter à cheval... et il faut s'occuper de ce maudit prénom, jeune fille !

La taille mince serrée dans un corset, la poitrine libre, contenue seulement par un léger bustier de dentelle, j'allais vers Beatrice qui me servait de cavalier dans cette contredanse compliquée de saluts, embrassements à peine esquissés, virevoltes. Comme par la magie de ce corset qui m'aidait à me tenir droite, ou des bottines de copal plus brillantes que le marbre du sol, j'étais beaucoup plus grande que Beatrice. Et si elle me prenait par la taille quand le maître changeait de rythme au piano : un deux trois, un deux trois pour la valse, je volais à travers l'immense salon, entouré seulement de sièges et de divans vides en attente. « Et maintenant, contretemps ! Tournez ! » Rapide, Beatrice tournait. C'était incroyable, quand elle dansait elle ne boitait presque plus, et ses mains fortes tenaient solidement ma taille qui tournait autour des murs, des tentures, des lustres.

— Oh, mesdemoiselles, quelle joie des yeux de vous regarder : deux anges, pardieu ! Deux anges embrassés qui s'envolent là-haut, là-haut sur les nuages ! Il était temps que la *principessina* aït un partenaire ! Et non, non, c'est à vous maintenant, mademoiselle Modesta, vous savez déjà bien guider, allons, c'est à vous maintenant de faire le cavalier ! N'ayez pas peur, et puis Beatrice vous guidera en se laissant conduire, n'ayez crainte, c'est toujours ainsi. Pardieu, bien sûr qu'il en est toujours ainsi : la dame fait semblant de se laisser conduire et en fait conduit, conduit, conduit... Voilà, comme ça ! Magnifique ! On tourne, on tourne. *Bravo ! Bravo ! Bravo !* Il n'y a rien d'autre à dire...

Ce maître, tout petit, plus petit que Beatrice, n'était pas vieux, mais curieusement lisse, mince et souriant. Peut-être parce qu'il ne portait ni barbe ni moustaches ? En revanche il était couvert de bagues et ses ongles roses paraissaient vernis. Quand il arrivait, toutes les femmes murmuraient et riaient entre elles. S'il s'approchait pour lui corriger la position de la main, Beatrice caressait ses boucles noires qui, à force de courir du piano à nous, lui retombaient sur les tempes, humides de sueur et de parfum.

— Mais enfin, Modesta, tu n'as pas compris ? Ce n'est pas parce que c'est un danseur ou parce qu'il doit savoir tenir le rôle de l'homme et de la femme... Ou peut-être est-ce aussi pour cela, que tu es perspicace ! Mais quoi qu'il en soit, c'est que c'est une femme comme nous. Tu ne vois pas cette taille toute fine ? Pense qu'il ne porte même pas de corset ! Comme ce serait amusant si nous pouvions lui mettre un corset...

Nous riions ensemble à présent, et lui, encore exalté par notre gaieté :

— Non, non, mademoiselle Modesta, pas aussi lourd ! Maintenant c'est vous qui faites la *cavalière**... Légère, légère, légère, de la féminité ! Voilà, comme ça, ne vous agrippez pas aux épaules de la *principessina* comme si vous aviez peur de tomber dans un ravin. Une dame, pardieu, n'a pas peur de son cavalier ; elle sait qu'un léger petit coup... voilà, comme ça... quelle belle main ! et c'est elle qui conduira le cavalier. Comme je l'envie ! Et puis, là-haut, là-haut au paradis... en trois temps : un deux trois, un deux trois, un deux...

Nous riions en trois temps : un, deux, trois...

— À présent, toutes les deux, sans perdre le rythme, veuillez me prendre par la taille... Voilà, comme ça. Et maintenant, le grand galop final. Prêtes ? Allez !

30

Nous étions si douées – à ce que disait Vif-argent – que souvent une représentante ou une autre de cette armée de femmes de chambre venait nous regarder par la fenêtre. La princesse elle-même daigna un jour assister à une leçon pour voir mes progrès. Au bout de dix minutes, elle se leva et passant la porte elle cria :

— Bien, bien. Excellent ! Mais enfin que ne faut-il pas voir : trois Grâces sans cavalier ! Je m'en vais, mes comptes m'attendent. Et vous, consolez-vous comme vous pouvez.

Elle avait crié si fort que nous nous arrêtâmes tous les trois sans plus même oser nous regarder. Le bruit sourd de la porte nous fit sursauter. Cette princesse-là claquait toujours la porte. Le maître, pâle comme un linge, s'acheminait vers le piano dont la demoiselle s'était arrêtée de jouer, quand la porte se rouvrit.

— Vous m'avez fait perdre le nord. J'étais venue avec une raison précise et vous, avec ces sauts et virevoltes... ah ! oui, Mody, quand vous aurez fini avec ces réjouissances, je t'attends dans mon bureau. J'ai deux ou trois petites choses à te dire. Et vous, que faites-vous là planté comme un piquet ? Voulez-vous la faire fructifier, cette heure de cours, ou non ? Songez que je vous paie généreusement et qu'il ne me convient pas que mes enfants perdent leur temps. Allons, que ça saute !

Le maître, précipitamment, donna l'ordre de réattaquer la valse, et Beatrice me prenait déjà par la taille, mais mes jambes ne me soutenaient plus et je me laissais traîner par elle... Elle devait me dire deux ou trois petites choses. Que s'était-il passé ? Je riais trop ? J'avais montré trop d'intérêt avec la couturière ? Ou je m'étais trop occupée d'Ippolito ? Ou s'agissait-il des comptes ? Je m'étais trompée dans les comptes ? En traînant mes jambes qui ne voulaient pas avancer je frappai à la porte.

— Entre, entre, Mody. Et s'il te plaît, doucement avec la porte. Je ne peux supporter les portes qui claquent. Que fais-tu là plantée comme un piquet ? Viens, assieds-toi. Carmine et moi avons deux ou trois petites choses à mettre au clair avec toi... Tu la connais, Carmine ?

Je m'assis juste à temps : mes jambes coupées ne me portaient plus. Cet homme me fixait d'un regard bleu compact comme de la faïence.

— Je n'ai pas encore eu l'honneur de faire la connaissance de mademoiselle Modesta.

— Mody, Carmine, Mody !

— Pardonnez, princesse, mais moi, avec les noms étrangers, je ne sais pas où j'en suis.

— Eh bien, en ma présence du moins, il te faut savoir où tu en es.

— Avec tout le respect que je vous dois, de quelle nationalité est ce « Mody » ?

— Anglaise. J'avais d'abord pensé à Modesty, mais c'est presque aussi laid qu'en italien, si bien que je l'ai abrégé à ma façon. Je ne sais pas si c'est correct. Mais les Anglais, grand peuple, permettent tout, du moins avec les noms. Sais-tu, Mody, ce que disait la mère de mon mari, feu le prince ? Oui, cette bourgeoise que nous avons dépouillée. Et ne rougis pas : comme si cette grande bavarde de Beatrice ne te l'avait pas raconté ! Elle disait que pour garder un cheval heureux il suffisait de l'attacher à une corde plus longue. C'est ainsi que les Anglais sont solidement attachés, mais avec une corde si longue qu'ils ne s'en aperçoivent même pas et croient être libres. Eh, j'en ai appris des choses de cette bourgeoise ! Elle était remarquable ! Elle lisait, au lieu de se massacrer à faire des enfants. Mais que me faites-vous dire ! Nous ne sommes pas là pour ça. Écoute, Carmine, pour en finir, je te dis que cette fille est très forte et capable. Cela fait deux mois qu'elle tient tous les comptes de la maison, et jamais une erreur. Tout marche mieux que lorsque c'était moi qui les tenais, et elle m'a même fait faire des économies.

— Je n'en doute pas. Mais une chose est la maison, une autre...

— Et moi ? C'est moi, il me semble, qui tiens tout en main depuis dix ans, non ?

— Pardonnez-moi ce qui peut sembler être une indiscrétion, mais vous, princesse, vous êtes une exception : vous étiez née pour être un homme !

— Et moi je te dis que Mody est de la même trempe ! Cela fait des mois que je la surveille ! Et puis j'ai besoin d'une aide ; j'y vois de moins en moins. Et il faut que je prépare quelqu'un qui sache prendre soin de tout pour quand je n'y serai plus. Leonora était certes aussi évaporée que Beatrice, mais elle avait du goût et de l'intelligence. On dirait vraiment qu'elle me l'a trouvée et élevée pour me soulager durant ces dernières années. Oui, je l'admets, je suis fatiguée, et quelqu'un doit prendre ma place.

— Mais...

— Nous avons trop parlé aujourd'hui. Il y a Mody ici. Leonora nous l'a envoyée et à partir de demain, 3 novembre 1917, chaque lundi elle sera là avec nous pour apprendre à s'occuper de tout. Tu la vois muette parce qu'elle a peur avec moi, mais le précepteur m'a dit qu'elle a un de ces bagouts ! Je lui apprendrai à traiter avec ces voleurs d'avocats et de notaires et tu l'instruiras sur la terre et les fermiers. Compris ?

— Mais si je peux me permettre, la demoiselle est bien jeune.

— Jeune ou pas jeune, j'en ai décidé ainsi... Tu n'es pas convaincu ?

— Je ne me permettrai pas de répondre.

— Toi, quand tu étais un jeune garçon, qui t'a enseigné ce que tu devais savoir ?

— Feu le prince et vous-même, princesse.

— Et alors pourquoi ne te permets-tu pas de répondre à propos de cette jeune fille ?

— Parce que, avec votre permission, je ne me permets pas de répondre.

— Eh bien ne réponds pas, vu que tu es une tête de mule. Mais à partir d'aujourd'hui, ici, devant moi, tu dois l'appeler patronne. Compris, Carmine ? Patronne. Dis-le.

— Il faudrait que j'appelle patronne la demoiselle ?

— Patronne.

— Vu que Votre Honneur y tient tellement, mais vu aussi que c'est une gamine de rien du tout, puis-je au moins l'appeler petite patronne ?

— D'accord ; et maintenant va-t'en, parce que je suis fatiguée.

— Et toi, que fais-tu là plantée comme un piquet ? Je vous ai dit de partir, non ? De toute façon tu as tout compris. Et essaie de te faire respecter par cet homme d'honneur.

31

Et pour me faire respecter je me mis à étudier sur les cartes de la propriété les limites, les terrains, les murs mitoyens de ces immenses propriétés. Il y avait toujours quelque procès en cours. Le Code civil, la princesse me l'avait donné en me disant : « Regarde-le bien, c'est la seule façon de ne pas se faire trop escroquer par les avocats, courtiers et notaires. »

Chaque lundi, j'écoutais Carmine à propos des nouvelles cultures, des récoltes... Les bras manquaient à cause de la mobilisation générale... Les contremaîtres et les journaliers réclamaient toujours plus... Dans les champs de Licata un agneau avait été retrouvé les pattes coupées, c'était un avertissement : il fallait traiter avec eux ou tout le bétail finirait dans le bois de la Ficuzza, et là – qui pouvait y mettre le pied ? – serait transformé en conserves pour le front. Au sud de la Vallée du Bœuf une coulée de lave avait détruit des hectares et des hectares d'oliveraies. Plus rien n'arrivait du Nord. À la Fiat, les grèves avaient tout bloqué et les prix grimpaient vertigineusement : le pain, de cinquante-trois centimes qu'il coûtait en 1915, était arrivé à cinquante-six centimes le kilo. Les pâtes, de soixante et onze centimes à quatre-vingt-quinze. Et comme si cela ne suffisait pas, en août, sur le continent – et plus précisément à Turin – il y avait eu une émeute, pour le pain justement.

— Ici aussi, croyez-moi, le mécontentement augmente. Au front, les soldats sont pleins de ces idées de rébellion. Et ils reviendront tôt ou tard... Les sans-Dieu peuvent lever la tête ici aussi. N'oublions pas 93. Et aujourd'hui il n'y a pas sur l'île un homme comme Crispi•. Gardons à l'esprit que, toujours à Turin, ils ont saccagé et brûlé l'église de San Bernardino...

Je savais maintenant qui étaient ces misérables sans-Dieu. Et pour ce Crispi, je savais aussi qu'il avait arrêté la révolution par le sang. Je l'avais appris de Jacopo. Dans un livre de Voltaire, dans la marge, il y avait un carré bordé de noir où il avait écrit :

« Je devrais me réjouir de la victoire du sanguinaire Crispi, mais la liesse générale ne trouve pas d'écho dans mon cœur. Je sais trop bien que nous sommes une race finie, mais j'aurais préféré mourir de la main des paysans plutôt que saigné à blanc par les gardes champêtres. Parce que telle sera notre fin. »

Je savais que je trouverais des informations dans sa chambre, mais je ne pouvais imaginer les trésors que contenait cette petite bibliothèque. Il me fallait étudier, me préparer pour le moment où je les rencontrerais, ces socialistes. Ils disaient aussi que les femmes étaient les égales des hommes. En marge d'une page d'August Bebel• la claire calligraphie de Jacopo disait :

« 21 octobre 1913. Combien j'ai essayé d'inculquer au moins quelques-unes de ces idées à Beatrice ! Mais il est difficile de la détacher de ce contexte barbare qui l'entoure. Il faudra cent ans pour que la femme puisse entendre ta voix, vieil August ! »

Je buvais ces lignes légères, parfois effacées par le temps, comme si ç'avait été moi, Beatrice... Je lui volais sa place. J'entendais la voix de Jacopo qui de ces feuilles me conduisait à ne pas lire de façon chaotique, comme il disait, mais avec méthode, sa méthode. À la fin de *Candide* une note disait : relire *L'interprétation de la nature* de Diderot. Le livre ouvert, ce : « Jeune homme, prends et lis » me saisit à la gorge ; mais ce fut surtout le post-scriptum qui m'émut : « Jeune homme, encore un mot et je te laisse. Garde toujours présent à l'esprit que la nature n'est pas Dieu ; qu'un homme n'est pas une machine ; qu'une hypothèse n'est pas un fait : et sois sûr que tu n'auras pas bien compris, là où tu croiras découvrir quelque chose de contraire à ces principes. »

Diderot mettait en garde contre certains philosophes : « Les grandes abstractions, disait-il, ne contiennent rien d'autre qu'une faible lueur. Il existe un type d'obscurité que nous pourrions définir comme l'affectation des grands maîtres. C'est un voile qu'il leur plaît d'étendre entre le peuple et la nature... »

Jacopo avait souligné cette dernière phrase, et à côté il y avait le nom d'un certain Marx : cela signifiait que ce devait être quelqu'un qui disait plus ou moins la même chose. Peut-être était-il dans la rangée où se trouvait Voltaire. Aurait-il été l'un d'eux ?... Jacopo, Jacopo, ses livres, son écriture menue, son front serein sur la photographie qui ne démentait pas ses notes ; ses cendres dans le vase, afin qu'il soit clair qu'il ne croyait en aucun dieu et qu'il était mort sans peur.

— Oh là là, Modesta ! Tu ne fais que poser des questions sur Jacopo. Je t'ai tout dit ! Et puis il voyageait beaucoup, il n'était pas toujours ici, loin de là. Non, il ne s'est jamais marié. Il ne voulait pas d'enfants, ça, je le sais. Oh là là ! Tu as si peu de temps pour moi, maintenant, mais pourquoi ? Je m'ennuie toute la matinée sans toi !

C'était vrai, mais dans les derniers temps, comme je l'avais pressenti, Beatrice, délivrée de la peur de mon départ, commençait à faire moins attention à moi. Moi, qui avais été avertie par la princesse, je m'étais mise sans hésiter à m'occuper du prince Ippolito, non seulement le matin comme je le faisais avant, mais aussi l'après-midi. Et vu que je passais presque toute la journée avec lui, et que je m'étais habituée aux bonnes odeurs – comme on apprend vite les choses agréables ! –, je ne pouvais supporter de le voir sale. Avec l'aide de Pietro, je parvins à le garder bien propre. Pietro était tout heureux des progrès de son maître le prince, il m'était désormais tout dévoué et frétillait autour de moi, léger, de toute son énorme masse.

— Et parbleu, il fallait une femme ici ! Moi, ce que je pouvais faire, je l'ai fait, mais la main de la femme a un autre toucher, comme disait mon père. Qui aurait pu penser que le prince, en si peu de temps, mangerait avec une fourchette. Un miracle ! Un miracle que seule peut faire une femme ! Chez moi aussi, quand ma mère est morte, tout s'est embrumé de poussière et de larmes. Et ce n'est que lorsque ma tante, cette bonne âme, est venue vivre avec nous qu'ont reparu la propreté et la gaieté...

— Même pour déjeuner tu vas chez « la chose », Modesta ! Et moi qui dois manger seule ! Oh là là ! Mais pourquoi ?

À ce refrain je répondais par mon :

— Apaise-toi, Beatrice. Il est juste qu'il en soit ainsi. Souviens-toi que j'étais destinée au couvent et, même si j'ai appris à danser, à m'habiller, et si je suis avec toi le soir, j'ai un devoir à accomplir et rien ne peut venir avant ce devoir que mère Leonora m'a donné à la place de la vocation.

Elle se renfrognait, elle poussait des soupirs, mais en même temps son intérêt pour moi était revenu et même davantage. Elle ne le savait pas, mais moi si. Mimmo ne disait-il pas toujours : « Et que voulez-vous, princesse, même si la soupe est bonne et servie avec grâce, si c'est toujours la même qui vous est présentée, on se lasse... »

— Tu ne viens même plus au thé !

De fait, je n'aimais pas le thé et j'évitais ainsi le mutisme de la princesse ; il me suffisait des hurlements du lundi matin. Et puis, en plus d'Ippolito, des comptes, des leçons, il me fallait étudier pour moi-même. Je suis pauvre, n'est-ce pas, Mimmo ? Pauvre, et je dois me rendre forte en lisant et en étudiant, en cherchant en moi et chez les autres la clef pour ne pas succomber. Il y en avait eu tant qui, nés pauvres, s'étaient sauvés par l'intelligence et la force que donne le savoir... Là, devant moi, en rang dans l'immense bibliothèque, ils montraient leurs noms brillant au dos brun et or de tous ces volumes.

32

Par l'intermédiaire du médecin, un petit vieux qui désormais me regardait toujours bouche bée et plein de révérence, j'avais obtenu de la princesse de pouvoir ouvrir la fenêtre de cette chambre. Ainsi l'air avait fait disparaître cette mauvaise odeur qu'aucun lavage n'avait jamais réussi à supprimer.

Avec Pietro qui veillait sur moi et sur son prince, cette pièce était ma maison. Personne ne pouvait y entrer, Pietro ne savait pas lire, et je pouvais ainsi sans crainte prendre les livres de Jacopo et y étudier tranquille. Avec le temps, je découvris que non seulement quand je chantais et racontais des histoires Ippolito était heureux, mais aussi quand je lisais à haute voix (peut-être parce que j'articulais bien les mots). Il écoutait, charmé, et j'apprenais mieux, au fur et à mesure que les indications de Jacopo me guidaient... C'est ainsi que le précepteur, qui sept ou huit mois seulement auparavant me semblait un génie, m'apparut comme un petit philistin dont il fallait se méfier. Et si mère Leonora n'était qu'une *religieuse**, lui m'apparut comme un pauvre Candide heureux et content de son esclavage, plein d'enthousiasme et de candeur. Voltaire disait qu'être naïf à vingt ans est une faute. J'étais encore naïve, mais je n'avais pas vingt ans. Je suivais les cours, oui, mais pour ensuite les démonter, les dépouiller, et en tirer seulement les idées qui pouvaient me servir. Ippolito, heureux, écoutait sans comprendre ma fatigue. Parce que j'étais fatiguée ! Mes jupes s'élargissaient à la taille et une étrange sueur m'envahissait quand j'aidais Pietro à laver et habiller Ippolito le matin.

— Tu es une sainte, Modesta ! Une sainte ! Mais tu dois faire attention à toi, tu fais peur tant tu as maigri ! Oui, oui, c'est ton devoir, mais maintenant tu n'es que pour moi, pas vrai ? Tu ne vas pas me dire que maintenant encore tu penses à cette vilaine « chose » là-haut ? Le soir, du moins, rien que pour moi, n'est-ce pas ? Viens, jouons...

Moi aussi j'attendais le soir avec impatience ; je ne voulais rien d'autre que la caresser et la tenir dans mes bras. Et même si j'étais fatiguée, dès qu'elle m'effleurait les cheveux, le sommeil passait.

— ... C'est vrai qu'Ippolito mange avec une fourchette ? Mais comment as-tu fait ?

— ... C'est vrai qu'il se fait donner des bains ? Oui, bien sûr, c'est Pietro qui s'en occupe, mais tu l'aides à l'habiller, à le coiffer. Vif-argent m'a dit que Pietro, lui aussi, est propre comme un sou neuf.

— ... Mais que fais-tu toutes ces heures avec lui ? Vif-argent dit que Pietro lui a dit que tu lis et que la « chose » écoute. Comment est-ce possible ?

— ... C’est vrai que tu as réussi à le faire prier ? Père Antonio est heureux de venir lui donner la communion tous les dimanches.

— ... Il est si laid, Modesta ? Il est vraiment aussi monstrueux que le prétend ma grand-mère ?

— Mais non, Beatrice. Et puis aucune créature de Dieu n’est monstrueuse. Il est seulement gros et trapu, mais ses yeux ne sont pas du tout comme ceux de Ti... Je voulais dire qu’ils sont laids mais expressifs.

— À quoi penses-tu, Modesta ? Tu ne penses pas à lui, tout de même ? Tu ne l’aimes pas plus que moi ? Parfois ça me met en rage de savoir que tu passes tant d’heures avec lui, que tu le coiffes. Mais tu ne le caresses pas, n’est-ce pas ? Tu ne lui chantes pas de berceuse comme à moi ?

— Mais que dis-tu, Beatrice ! Ippolito, bien que malade, n’en est pas moins un homme ! Et moi, même si je ne suis pas allée au couvent, je n’en reste pas moins épouse de Dieu, et vouée à la chasteté.

— Tant mieux, comme ça au moins je pourrai t’avoir toujours, et rien que pour moi. Les hommes, moi, je les hais.

Eh oui. Bien que malade, c’était un homme, et un prince. Beatrice avait raison. Comment avait-elle pu ne pas y penser plus tôt ? Avait-elle trop travaillé, trop étudié ? Ou était-ce la paix qu’elle ressentait dans les bras de Beatrice qui l’avait ramollie, comme disait Mimmo :

« Eh, princesse ! L’amour ramollit quand il est trop fort. À moi, ça m’est arrivé une fois. De travailleur que j’étais, j’étais devenu fondant comme une bougie. À aucun être vivant il ne faut abandonner ses bras. »

Je fuyais quand Mimmo parlait ainsi. Mais était-ce de l’amour, ce que j’éprouvais pour Beatrice ? Tous ces livres effrayants qui parlaient d’amour ! Ils étaient beaux à lire, mais les passions dont ils traitaient étaient fanatiques, aurait dit Voltaire, comme la passion de la religion. Et puis, qui sait pourquoi, c'étaient toujours les femmes qui y étaient perdantes... Jacopo disait que la raison en était que les femmes ne sont éduquées qu'à l'amour... Elle devait se garder de Beatrice et penser à sa propre vie. Qu'avait-elle fait depuis qu'elle était dans cette villa ? Certes, elle avait étudié, elle avait obtenu la pleine confiance, inespérée, de la princesse. Et même si Carmine ne daignait pas lui jeter un regard, il devait l'accepter désormais.

La « chose » était un homme. Je l'avais vu plusieurs fois se toucher en me regardant. Et, chaque fois, Pietro, promptement, m'avait éloignée avec une excuse quelconque. J'avais perdu tout ce temps ? Mais ce n'est qu'avec le temps qu'Ippolito s'était habitué à moi. Un jour où j'avais tardé, je l'avais trouvé ligoté et bavant, avec Pietro désespéré. Voilà ce que je devais faire : tomber malade et les laisser cuire dans leur soupe, comme aurait dit Mimmo.

Le matin suivant je m'éveillai avec un fort mal de tête et dans l'impossibilité d'ingurgiter de la nourriture. Et, jetant tous les comprimés, les gouttes et les purgatifs que le médecin m'apportait, je résistai aux larmes de Beatrice désespérée, aux appels de la princesse qui désormais déclarait partout : « Sans elle, je me sens amputée d'un bras », aux supplications de Pietro qui n'arrivait plus à tenir son prince. Lequel en faisait de toutes les couleurs depuis qu'il ne me voyait plus dans sa chambre.

Je n'arrivais pas à imaginer ce qui se passerait quand je le reverrais. Mais : « Une action entraîne une autre action, élimine l'immobilisme qui, même s'il est confortable, finit à la longue par devenir un guêpier. » Durant cette année j'avais pu constater que le degré d'idiotie d'Ippolito n'était pas aussi absolu que chez Tina. Son abrutissement n'avait été causé que par l'abandon dans lequel il avait été laissé. À présent il disait au moins quelque chose : faim, sommeil, pipi, maman, et étrangement il appelait Pietro mon oncle.

Dix jours plus tard, quand je me présentai, apparemment il n'arriva rien d'important. Ippolito, après avoir pleuré et bavé d'émotion, se calma pour toute la journée. Mais le soir, au moment de m'en aller, il se mit à hurler et à me retenir par ma jupe. Il craignait désormais, éprouvé par ma longue absence, que je ne revienne plus. Pietro le détacha à grand-peine, mais ce fut un enfer toute la nuit, et il fallut recourir à la camisole de force et aux comprimés comme avant. Quelque chose était arrivé.

Dans les jours qui suivirent, réunis dans le petit salon rose, sur le pied de guerre, ils s'affrontaient sous mes yeux sans me voir :

LE MÉDECIN : Et moi j'insiste sur le fait que, s'il ne s'est pas calmé ni la première ni la deuxième ni la troisième nuit, il faut trouver une autre solution. À force de bains, de bromure et de camisole de force, nous finirons par le tuer. Et je ne peux pas prendre sur moi la responsabilité d'un assassinat. Devoir médical !

LE MÉDECIN ENCORE : Il est de mon devoir d'avertir les responsables, et vous également, chère mademoiselle, êtes responsable, que depuis ce matin Ippolito refuse la nourriture. Pietro ne parvient pas à lui faire avaler quoi que ce soit, pas même en lui ouvrant les mâchoires avec des tenailles. Mon devoir médical...

LA PRINCESSE : Depuis le premier instant, mon cher monsieur le médecin, avec tout votre devoir, je l'avais dit, que c'était une folie de laisser une jeune fille près de cette « chose ». Qui, bien que « chose », n'en est pas moins un homme. Je le sais, moi, combien il me coûte avec ces petites visites.

LE MÉDECIN : Ces petites visites sont une chose, et mademoiselle Modesta, à l'évidence, est autre chose. J'insiste...

DON ANTONIO : Et moi je l'interdis ! Et je me trouverai contraint, si vous insistez, de me retourner vers la Curie. Nous, gens du clergé, ne pouvons permettre qu'une de nos brebis consacrée à Dieu se voie compromise, en dormant, fût-ce en qualité d'infirmière, dans la chambre d'un homme. Je rappelle à tous que l'itinéraire spirituel de cette âme tient particulièrement à cœur à Son Éminence. Il ne se passe pas une fois sans qu'Elle me demande de ses nouvelles.

Beatrice pleurait sans un mot, les fixant tous de deux yeux si grands qu'ils faisaient peur quand on la regardait.

LA PRINCESSE : Mais alors amenez-lui quelque fille plus appétissante, puisqu'il est devenu si difficile.

LE MÉDECIN : Nous l'avons fait, princesse ! Et nous avons fait davantage. Nous avons rappelé Carmela.

LA PRINCESSE : Et qui est donc cette Carmela ?

LE MÉDECIN : Celle à laquelle il s'était un moment tellement attaché... Mais si, princesse, la fille de ce balourd qui a été tué dans l'orangeraie de Licosa, et qui n'a plus voulu venir une fois qu'elle a été mariée, vous vous souvenez ? Ah, quand même. Eh bien, hier elle a accepté, malgré les trois enfants qu'elle a. Le résultat ? C'est que tandis qu'il ne regardait même pas les autres, Carmela, il l'aurait étranglée si Pietro n'avait pas été là. Il n'y a rien à faire. Mon Ippolito est tombé amoureux. Au fond, même s'il n'a pas tous ses sentiments bien en ordre, on voit qu'en fréquentant une jeune fille comme il faut il ne veut plus rien savoir de toutes ces moins que rien d'avant. Pietro l'a compris lui aussi.

Quand il lui en amène une nouvelle, il tourne la tête et répète hébété : « Maman, maman, maman. »

LA PRINCESSE : Et que vient faire là sa maman ?

LE MÉDECIN : Elle y fait. Depuis le premier jour il l'appelle maman, mademoiselle Modesta.

LA PRINCESSE : Mais voyez-moi ça un peu !

J'avais espéré qu'il se passe quelque chose, mais ce tremblement de terre de portes claquées, de hurlements, d'ordres et contrordres me contraignit à regagner le lit. Il n'y avait rien d'autre à faire, ne serait-ce que parce que désormais la princesse me regardait avec de tels yeux que je n'osais lui rendre son regard. Dans mon refuge, j'avais des nouvelles par Vif-argent et par le médecin. À présent, la dernière décision de la princesse était que je ne le voie plus et qu'on continue à amener des filles à la « chose ». Elle était certaine qu'il m'oublierait. Mais le médecin, quand il était avec moi, ricanait et continuait à dire :

— Que voulez-vous, peut-être suis-je fou moi aussi, mais ça ne me déplaît pas que mon Ippolito soit tombé amoureux.

Les jours passaient et je commençais à aller vraiment mal, obligée de rester dans ce lit, quand un beau soir la porte s'ouvrit toute grande d'une façon si insolite et fracassante que je me rencognai contre le mur en me tenant la tête dans les mains. Qui pouvait-ce être ? Sœur Costanza, sûrement. C'était elle la supérieure, maintenant. Et si elle faisait ça avant « pour surprendre les vilains vices de toutes ces petites pécheresses », imaginons un peu ce que ça devait être maintenant qu'elle avait pris les rênes du couvent...

— Jeune fille ! Excuse-moi de venir dans ta chambre, mais on m'a dit que tu ne tiens pas debout. Et j'en ai assez, et de ta maladie, et de tous les bavardages et toutes les bêtises qu'a suscités ta présence dans cette pièce. Donc, il nous faut ici prendre une décision. J'ai parlé avec Carmine, il est d'accord. Il a admis qu'il n'y avait pas d'autre solution, ne serait-ce que parce que, que tu le veuilles ou non, c'est par ta faute qu'est advenu tout ce remue-ménage, et que tu dois en prendre la responsabilité. Au fond, vu que dans cent ans je m'en irai donner un banquet aux vers, comme le dit ce plaisantin d'Hamlet, il n'est pas plus mal que tu fasses partie de la famille, y compris légalement. Tu pourras mieux t'occuper des affaires, du moins tant que vivront Beatrice et la « chose ». Mais attention ! Je ne veux pas de petits enfants. Cette famille d'estropiés et de fous doit finir avec mon mari. Il est inutile que tu te tournes et protestes. C'est ta faute et celle de cette écervelée de Leonora, qui a toujours fait cent choses de travers pour une bonne. Je te donne trois jours pour guérir. Parce que Don Antonio vous mariera dans la chapelle privée, et de nuit. Ne compte pas sur ma présence. Je n'ai pas vu la « chose » depuis qu'elle est née, et je n'ai certes pas la moindre intention de la voir maintenant. Le médecin et Pietro vous serviront de témoins, parce que personne, tu as compris ? personne ne doit le voir. Ah, autre chose : dis à ton amie Pouliche, qui depuis dix jours m'assomme de larmes et de soupirs, d'arrêter. Essaie de la calmer si tu ne veux pas que je l'expédie dans quelque collège en Suisse. Tu as compris ? Au revoir.

La porte claqua avec plus de force qu'avant, mais, étrangement, ces cris m'avaient fait monter aux joues une chaleur et une paix jamais éprouvées auparavant. Comme après un travail vraiment « finement » accompli, n'est-ce pas, Mimmo ? Me prélassant dans cette paix, je cherchais Mimmo là-haut sur les murs tapissés de soie, le long des rideaux de velours précieux qui me protégeaient de la nuit. Un travail vraiment bien fait, n'est-ce pas, Mimmo ?

« Eh oui, princesse, et après on peut jouir de la fatigue la plus belle qui soit. »

Mimmo avait toujours raison. Même si j'étais mariée à un monstre, je n'en étais pas moins princesse. Et cette torpeur qui m'envahissait doucement était vraiment le sommeil mérité après un dur travail aux champs.

33

Je dormis si profondément, sous le regard vigilant de Mimmo, que lorsque j'ouvris les yeux j'eus peur de n'avoir fait que rêver la visite de la princesse. Cela également parce que quelqu'un pleurait dans la chambre.

— C'est terrible, terrible, je ne peux pas y penser, Modesta. Tu ne devais pas accepter, tu ne peux te sacrifier ainsi ! C'est la faute de ce fou de médecin et de Don Antonio. C'est horrible, pourquoi dois-tu payer ta bonté de cette façon ?

Beatrice ne comprenait jamais rien. Si elle avait été plus intelligente, ainsi que la voulait Jacopo, j'en aurais fait ma complice. C'est dur de se battre seul. Mais il n'y avait rien à faire, il fallait continuer seul à tisser cette toile pour me protéger et la protéger.

— C'est mon destin, Beatrice.

— Mais tu dormiras avec lui !

— C'est mon destin. Calme-toi et pense que ce pieux sacrifice nous permettra de rester toujours ensemble. Tu n'as pas pensé à cela ?

J'étais certaine qu'elle n'y avait pas pensé, et en effet :

— C'est vrai ! Je n'y avais pas pensé.

— Chère Beatrice, pourquoi n'essaies-tu pas de penser aussi aux côtés positifs de ce qui arrive ? Rien n'est complètement négatif dans la vie.

— Mon Dieu, Modesta, tu parles comme oncle Jacopo ! Ça fait des mois que je m'en suis aperçue. Je ne t'avais rien dit parce que j'avais peur que tu te mettes en colère.

Évaporée et parfois perspicace, Beatrice. La ressemblance qu'avait saisie cette petite tête était dangereuse ; il valait mieux changer de sujet.

— Tu viendras au mariage ?

— Modesta, non ! Ne me demande pas ça, je ne pourrais jamais. Je n'ai jamais vu la « chose », et puis ma grand-mère a dit que personne ne devait la voir, même si elle se marie.

Tant mieux. S'ils avaient vu Ippolito, ils se seraient rendu compte qu'il n'était pas aussi monstrueux que le leur avait représenté leur imagination. Ne jamais refuser de voir les côtés désagréables de la vie ; quand on ne les connaît pas, la réalité leur fait prendre des proportions gigantesques dans l'imagination, les transformant en cauchemars incontrôlables.

— Voilà que comme oncle Jacopo tu t'éloignes de moi en poursuivant je ne sais quelles pensées. Tu as beaucoup changé, Modesta.

Une chance qu'elle m'ait toujours prévenue. Cette façon qu'elle avait de ne jamais pouvoir garder bouche cousue, comme disait la princesse, était commode.

— Ce n'est pas que j'aie changé, Beatrice, c'est que bientôt j'aurai une croix de plus à porter et que je m'y prépare. Et je t'en prie, ne continue pas à pleurer comme ça. Comment ferais-je pour supporter tout cela si tu es loin ?

— Loin ? Pourquoi ?

— La princesse m'a dit que si tu continues à pleurer

elle t'expédiera dans quelque collège en Suisse. Tu sais que lorsqu'elle dit quelque chose, elle le fait.

Grâce à la princesse, les pleurs avaient cessé. Pour moi aussi il était insupportable de la voir ainsi. Maintenant, elle séchait ses larmes et tentait de sourire.

— Oh, mon Dieu, Modesta, par pitié, je ne pleurerai plus. Je te le promets ! Dis-le-lui que je ne pleurerai plus !

Elle s'en remettait à moi ; c'était moi qui étais en contact avec la princesse, à présent, et au bout seulement d'une année ! Attention, Modesta, il faut être prudent avec le pouvoir. Surtout, ne jamais perdre les vieux amis, comme dit Shakespeare. Cet air humilié de Beatrice se recommandant à moi pouvait signifier un éloignement de sa part.

— Ma Beatrice, ne pensons pas aux choses tristes. Allons, souris ! Quand tu souris tout devient beau pour moi. (Où avait-elle lu ces sottises qui plaisent tant aux petites filles ? Elles étaient utiles, cependant.) Quand tu souris, même s'il y a des nuages, pour moi le soleil resplendit. Viens, embrasse-moi. Dans tes bras j'aurai le courage d'affronter le douloureux devoir qui m'attend.

— Oh, Modesta, tu es redevenue douce avec moi, et quelles belles choses tu me dis ! Ces vingt derniers jours tu étais si sérieuse que je commençais à avoir peur de toi.

Voilà, elle l'avait dit. Je devais lui ôter cette peur de la tête pour qu'elle soit mon alliée, même si c'était inconsciemment. La peur et l'humiliation sont le germe de la haine et de l'hostilité. Et l'envie également ; c'était écrit. C'était dur, mais à présent que je commençais à avoir un peu de pouvoir, il me fallait trouver le moyen de ne pas me faire trop envier, y compris des domestiques, comme un vieux et sage monarque.

Après m'être fait consoler par les bras de Beatrice, je me levai.

— Et maintenant va, Beatrice, je dois prier et retrouver de la force.

Sûrement, vous qui lisez, vous êtes en train de penser que ma conquête comportait nécessairement quelque chose de très désagréable : dormir avec un être infirme, sinon monstrueux du moins très laid. Le fait est que vous la lisez, cette histoire, et vous anticipez, tandis que je la vis, je la vis encore.

En un éclair je réalise ce qui m'attend. Que faisait ce monstre avec toutes les filles qui étaient allées dans sa chambre ? Et qui pouvais-je interroger ? Pietro, il n'en était même pas question. Lui aussi était un petit bigot. Ma réputation de sainteté ne me permettait pas ne serait-ce que d'effleurer certains sujets. Une sueur glacée commença à me couler le long du dos et un instant je doutai de ce qui m'était apparu comme une victoire. Involontairement, la vieille habitude me fit tomber à genoux, la tête entre les mains. Je ne priais pas, n'ayez aucune inquiétude, j'essayais seulement de vaincre ce tremblement de dégoût qui m'embrumait le cerveau. Je ne devais pas céder à ce dégoût. Et puis, si tant de filles avaient été dans cette chambre et n'en étaient pas mortes, je pouvais m'en sortir moi aussi. J'essayai de me rappeler l'un de ces noms. Ah oui, Carmela, celle que, à ce qu'avait dit le médecin, Ippolito avait préférée...

— Pardonnez-moi si je vous dérange, Mademoiselle. La princesse m'a chargée de vous dire que pour la cérémonie vous devrez mettre la robe que mère Leonora a portée quand elle est devenue l'épouse de Dieu. Si cela ne vous ennuie pas, je suis venue la prendre pour la rafraîchir.

Jamais Vif-argent n'avait été aussi respectueuse, elle

parlait plus lentement en tenant les yeux baissés et ne s'agitait plus comme une damnée à travers la pièce.

— Puis-je prendre la robe, Mademoiselle ?

Eh oui. Elle attendait un ordre de moi. Cette attente me rendit la confiance que j'avais perdue. J'étais de la famille à présent. Et pour me renforcer dans cette confiance, je la fis attendre quelques minutes. Cette immobilité respectueuse et cette tête baissée calmèrent complètement mon tremblement. Avec le calme, les idées affluèrent à nouveau, limpides. Du moins je n'avais plus à redouter les murs, les rideaux, les domestiques de cette maison, comme par le passé.

— Un moment, Vif-argent, j'ai à te poser une question. Connais-tu une certaine Carmela Licari ?

— Non, je ne la connais pas. Ce n'est qu'une paysanne qui vit en bas dans les masures. Comme vous le savez, nous, les gens de la maison, n'avons aucun contact avec ce genre de personnes.

— Tu peux prendre la robe.

En s'inclinant – avant de bouger, elle faisait aussi la révérence, à présent – elle osa dire :

— Mais Mademoiselle ne doit pas penser à cette femme-là. Ces femmes étaient payées et...

— Je n'ai pas demandé ton avis.

La princesse aurait répondu ainsi, et l'effet fut immédiat.

— Oh, pardon ! Je ne voulais pas... Pardonnez-moi si je vous ai dérangée. Mes respects, Mademoiselle.

C'était dangereux, mais il me fallait savoir. Par bonheur, je n'avais pas dépensé un seul centime de l'argent que la princesse me donnait chaque mois depuis que j'avais pris les rênes de la maison.

Quand le soleil fut haut, de façon à être sûre que tous les hommes étaient aux champs et que tout le monde dans la villa était enfermé à cause de la grosse chaleur, j'enfilai une vieille blouse, je mis sur ma tête, comme les paysannes, le fichu le moins voyant que je trouvai, et je courus en bas vers les murs blancs derrière les arbres. Il y avait une brèche gardée seulement par le chien Selassié, qui me connaissait, et en une seconde je fus dehors. Je n'étais jamais sortie dehors, et l'immensité de cette pente d'épis agités par le vent, à perte de vue, me cingla les jambes et le front. Le vent était fort et je n'arrivais pas à bouger. Je n'étais pas habituée à marcher sans un mur qui marque les frontières avec le monde extérieur. Et penser qu'enfant je n'avais fait qu'errer à travers la plaine... Ces années m'avaient affaiblie, je ne parvenais même pas à regarder cette immensité d'or dansante. Une seconde je pensai revenir sur mes pas. Non ! Je devais me vaincre. Et la tête baissée, fixant uniquement les petites masures blanches qu'on voyait dans le fond, je me lançai à courir comme si l'on me poursuivait, ne m'arrêtant que lorsque mes mains trouvèrent un mur où reprendre l'équilibre que j'avais perdu. C'était un abreuvoir entouré d'une foule d'ânes et de petits enfants.

— *Ma chi dici chista 'cca ! Iu nu la capisciu, e tu*[1] *?*

Comme je le savais depuis que j'étais allée chez les sœurs, au-delà du mur on parlait une autre langue.

— *Ma chi dici ? 'Na straniera havi a essiri, e chi voli*[2] *?* Heureusement qu'alors je ne m'étais pas échappée du couvent. Mais maintenant j'avais de l'argent, et sans parler davantage, répétant seulement le nom de Carmela Licari, je distribuais des sous.

1. Mais qu'est-ce qu'elle dit celle-là ! Je ne la comprends pas, et toi ?

2. Mais qu'est-ce qu'elle dit ? Ça doit être une étrangère, et qu'est-ce qu'elle veut ?

— *Ah, Carmela, Carmela cerca, chidda ca parra cornu 'na signura*[1].

L'un d'eux me fit signe de la tête et, sans plus dire un mot, il m'amena devant une ouverture fermée par un voile noir. Mais au lieu de me laisser passer, il se planta devant la porte, se remit le béret sur la tête comme un adulte et, les jambes écartées, tendit sa main grande ouverte. Je lui donnai de nouveaux sous et il repartit vers les autres en hurlant quelque chose qui devait sûrement être une insulte. Je frappai, et quand la porte s'ouvrit, je tombai d'un seul coup en arrière dans le temps. Une obscurité puante de moisi et de sueur me souffla à la figure, me faisant redevenir petite. Les mouches bourdonnaient, cognant contre les murs. Trois lits s'étaient ajoutés au grand lit où ma mère dormait avec Tina. Au fond, la cuisine était éteinte comme toujours.

— Que désirez-vous ?

La voix n'était pas stridente comme celle de ma mère.

— Oh, Seigneur Dieu, mais c'est mademoiselle Modesta ! Mais que faites-vous ici, Mademoiselle ? Seriez-vous malade ? Mais... vous seriez-vous enfuie ? Oh Dieu, Mademoiselle, c'est pas un endroit pour vous ici ! Au moins vous n'êtes pas venue porter le feu dans cette maison déjà frappée par tant de malheurs ?

Terrorisée moi aussi par sa terreur, je criai sans le vouloir :

— Non, Carmela, non, je ne me suis pas enfuie ! Je voulais juste une information...

— Ah oui, oui, je comprends. Moi aussi j'ai senti une grande épouvante la première fois qu'on m'y a

1. Ah, Carmela, c'est Carmela qu'elle cherche, celle-là qu'elle parle comme une dame.

amenée. Et dire – nous sommes entre femmes – que moi, par misère et par mauvais sort, j'étais experte quand j'y ai mis les pieds. Et cette expérience m'a sauvée. Ce n'est pas pour l'argent, ma fille, que je te dis ces choses. C'est qu'à personne je ne voudrais faire passer ce que j'ai passé en attendant d'entrer dans cette chambre... Ton argent, je le prends, mais rien que la moitié. Et seulement parce que, tu le vois ? nous en avons grand besoin. Mais je vois que tu es impatiente. S'ils se rendent compte que tu t'es échappée, c'est des embêtements pour toi et pour moi. Écoute, ma fille, pour moi ça n'a pas été difficile, mais il faudra que tu prennes sur toi. Je vais te dire. Tu dois savoir que j'ai été la première femme qu'a vue cette pauvre créature. Maintenant, même que tu sois femme, je ne sais pas comment commencer la chanson... Pour aller vite et nous gêner moins toi et moi – et ne me regarde pas comme ça que j'ai honte ! –, quand j'y suis allée, je pensais que c'étaient des gens instruits. Il y avait même un docteur, mais ça c'est une autre question. Qu'est-ce que je sais ! Je pensais que le prince était instruit d'une façon ou d'une autre sur ce qu'il avait à faire en tant qu'homme. Et alors, en fermant les yeux et sans enlever ma robe, il y en a que ça leur plaît, de déshabiller... alors en fermant les yeux – et dire qu'à dix ans on m'a mis un homme entre les jambes –, j'ai attendu. Un siècle est passé, et l'autre, rien. J'ai ouvert les yeux, et cette pauvre créature, tout habillé et avec... comment est-ce que je peux dire ? Ben, oui, avec son truc dehors que, s'il le touchait, il était dans tous ses états. Enfin bref, j'ai compris qu'il ne savait pas que faire avec son truc, qui, tout dur tout dur, devait sûrement lui faire bien mal. Et alors, la Vierge me pardonne ! avec une sainte patience...

— Quoi donc ?

— Vu qu'il ne savait rien, et que c'était commode pour moi, je lui ai appris à se frotter de bas en haut comme font les hommes. Ça pouvait pas lui faire de mal, parce que je m'y connaissais là-dessus. Un marin me l'a dit que les hommes font ça, quand ils sont sur les bateaux, embarqués pour des mois et des mois. Et le médecin de bord lui a dit aussi que ça ne faisait pas de mal à la santé. Et même qu'il m'a dit en confidence que c'était pas loin de lui donner plus de satisfaction comme ça que de la façon régulière. Oh, ma fille, quelle honte de devoir te dire tout ça. Mais tu m'as donné beaucoup d'argent. Maintenant tu sais. Il y a juste l'inconnu de toutes ces jeunes qui sont venues après moi. Là, je peux rien te dire. Mais à présent, dis-moi, qu'est-ce que c'est qui te préoccupe vraiment ? C'est qu'il est laid ? Il est laid, mais il est gentil, ça je peux te le garantir, gentil et inoffensif. Ou peut-être ce qui te préoccupe, vu qu'ils te le font épouser, c'est de ne pas avoir d'enfants ? Bien sûr, ta position serait plus forte avec des enfants, mais moi, avec le prince, j'en ferais pas. Je ne te dis rien, tu es jeune ! Mais regarde là autour de toi... Je sais que pour la religion je dis de mauvaises choses, mais ne fais pas comme moi qui ai eu trop confiance... Regarde là autour de toi ! Et maintenant va-t'en, j'entends qu'ils reviennent des champs. Va-t'en, ma fille, que mon Michele est furieux de jalousie. Une rage de jalousie le prend envers tous ceux du château... Non, je ne veux pas tout, c'est trop. Mais non, non ! Eh bien, d'accord, si vraiment tu le veux je le prends. Je vois que tu as bon cœur, et je l'accepte, mais seulement si tu me promets de penser que je te dois quelque chose. Et maintenant cours, cours chez toi, et ne sors plus...

Quand je sortis, la lumière m'aveugla comme tant d'années auparavant, mais des hommes approchaient et je ne devais pas penser au passé. Je devais seulement courir comme Carmela me l'avait dit. À remonter, le jaune infini du blé était moins effrayant. Et sans regarder, la tête baissée, je volais vers la tache sombre du bois au-delà duquel un haut mur protégeait de la misère que jusque-là du moins j'étais parvenue à fuir, mais qui attendait immuable, avec la bouche grande ouverte et la main tendue d'un enfant. Plus jamais je ne sortirais de ce mur.

— Elle a de bonnes jambes, ma petite patronne ! Dieu sait que je ne l'aurais jamais imaginé ! De loin, n'était la couleur des cheveux, je l'aurais prise pour une fille des champs ou un lièvre.

Clouée sur place, je portai mes mains à ma tête. Dans mon impatience à fuir la misère, j'avais perdu mon fichu. Je maudis mon passé et ma lâcheté. Il était désormais inutile de continuer à fuir. Je serrai les poings et l'affrontai en le fixant droit au visage. Depuis des mois je ne le regardais plus. Que ce fût parce qu'il paraissait plus grand du haut du cheval, ou parce que dehors l'émail bleu de ses yeux avait des lueurs rouges, ou parce qu'il riait, la terreur d'avant me reprit encore plus forte.

— Vous devez avoir beaucoup couru, *padroncina*, vous êtes toute rouge. Si vous me permettez, je peux vous accompagner avec Orlando. À descendre, tous les saints vous aident, mais une montée est une montée. Ouhiiih, Orlando, brigand, je te présente ma petite patronne. C'est lui qui vous a vue bouger dans le blé, et qui m'a fait dévier. Alors, si vous voulez, je vous accompagne. Pas à l'intérieur des murs, ne vous inquiétez pas. Carmine est un homme discret. Et si on ne le contrarie pas, il ne voit rien ni n'entend rien. Je vous laisserai là d'où vous êtes sortie... Je vous suis à pied.

— Mais je...

— Vous voulez dire que vous ne savez pas monter sans selle ?

— Je ne sais pas monter à cheval.

— Alors il est nécessaire, même si ça ne vous plaît pas, que vous montiez devant moi... Voilà, mettez un pied ici. Et maintenant vous prenez un élan. Mais très bien ! Vous êtes agile... Je vous prie de m'excuser mais je dois me tenir derrière vous.

Cette voix m'inspirait une terreur profonde. Quand je le sentis derrière moi, courbé, les rênes à la main, ce fut comme si une chaîne m'avait entourée de partout. Il m'avait prise au piège, voilà pourquoi il souriait.

— Et pourquoi est-ce que vous tremblez comme ça, *padroncina ?* Peut-être que vous avez peur du cheval ? Ça arrive à tout le monde la première fois. Mais vous devez vous habituer, parce que demain, quand vous serez princesse, vous devrez, non seulement sur le papier, mais aussi en personne, visiter vos propriétés.

— Oui, oui, mais... il me fait un peu peur. Comment s'appelle-t-il ?

— Orlando, *padroncina*. J'espère que seul l'animal vous fait peur et pas le maître de l'animal.

Sa voix et le vent me faisaient osciller à droite et à gauche. Vue d'en haut, cette immensité d'or dansante commença à me faire tourner la tête, si bien que sans le vouloir je m'agrippai à ses bras.

— Eh non, *padroncina*, les bras, il faut me les laisser libres. Orlando est très jaloux. Et si vous vous faites trop sentir il est capable de changer complètement d'humeur et de nous faire casser les os du cou. Appuyez-vous à moi avec le dos. Bien sûr, c'est difficile avec les jupes. Voilà, comme ça... vous sentez comment je fais moi ? Les cuisses et les genoux attachés et légers contre les flancs. Et voilà, bravo ! Comme ça. Je parie qu'en un mois vous vous tiendrez droite aussi bien et mieux que la *principessina* Beatrice. Je vous apprends quand vous voulez.

Les flancs du cheval fumaient. Les bras et le thorax de cet homme, eux, dégageaient une chaleur sèche, comme lorsqu'on se trouve devant une cheminée. Je n'ouvrais plus les yeux de peur que cet étrange étourdissement ne me reprenne. Je devais dire quelque chose, mais j'avais la bouche pâteuse. Si du moins il avait continué à parler... Mais il se taisait maintenant. Dans le silence, chaque fois qu'il tirait légèrement sur les rênes, mes vertiges augmentaient, et je sentais avec honte la sueur qui de mon dos se communiquait à sa chemise. Bientôt je ne distinguai plus le tissu de mon vêtement du sien. Je ne parlai plus jusqu'à ce que je sente le cheval s'arrêter et lui, descendre en me tenant un bras.

— Allons, *padroncina*, nous sommes arrivés. Si je peux me permettre, vous ne devriez pas avoir aussi peur de cet animal. Vous m'avez tout trempé avec votre sueur. C'est une brave bête, ce cheval, si on sait le prendre comme il faut. Voilà, descendez.

La taille entre ses mains, avant que j'aie pu ouvrir les yeux, il m'avait déjà fait faire un vol plané qui acheva de me remplir de confusion et, avec honte, je m'entendis dire :

— Oh, excusez-moi pour toute cette sueur !

— Vous n'avez pas à vous excuser pour votre sueur : c'est du parfum ! Dieu sait que même si ma mère me l'avait dit je n'y aurais pas cru, que la sueur puisse embaumer la fleur d'oranger ! Je vous baise les mains, *padroncina*.

En riant, il monta à cheval sans plus me regarder.

Mes jambes tremblaient tellement que j'eus du mal à le regarder s'éloigner avant de me jeter assise par terre. Même assise je tremblais. Et au fur et à mesure que cette chaleur moite de la chevauchée disparaissait, un froid terrible se mit à me descendre le long du corps tout entier. Et pourtant le soleil était encore haut... La voilà, là, cette tête blanche qui file... Sale vieux de malheur ! Il riait quand il était en dehors de la villa. Il était le maître, là. Beatrice avait raison de détester son père.

Le froid ne voulait pas m'abandonner et avec le froid la haine pour ces bras puissants, pour ce rire plein d'assurance.

Je m'arrachai les vêtements avec rage et me lavai, comme si cette eau avait pu effacer le souvenir de la force de ce vieux. Il ne fallait plus y penser.

Qu'est-ce qui m'avait bouleversée ainsi ? Sa force ? La facilité avec laquelle il m'avait soulevée comme si j'étais une chaise ? S'il en était ainsi, alors ce que j'éprouvais n'était pas de la pure haine, comme j'avais imaginé. Cette haine masquait la peur que j'éprouvais de lui. Il était dur de reconnaître se sentir faible et lâche, mais il fallait que j'affronte cette réalité. La sortie du château avait été une vraie bataille. À l'intérieur de ses murs, je m'étais sentie forte et sûre de moi, mais il avait suffi de cette maison, de cet enfant à l'abreuvoir pour faire ressurgir le passé. Voilà comment revenait le passé... pas avec les mêmes personnages, comme dans les romans, mais avec d'autres, nouveaux, qui nous rendent le souvenir de peurs non effacées. Et c'était très dangereux. Je ne devais pas chercher, comme j'avais pensé en m'échappant de la maison de Carmela, à oublier le passé : il fallait au contraire me le rappeler sans cesse tout entier, afin de le garder sous contrôle et de m'en faire une force contre les nouvelles rencontres qui certainement m'attendaient au passage. Carmela m'était apparue comme ma mère. C'était ma vieille peur qui m'avait fait perdre le fichu. Carmine aussi m'avait fait peur, mais pas de la même façon que mère Leonora. Et la princesse, quel genre de peur me faisait-elle ? Voilà, c'était ça le bon chemin : il fallait, comme on étudie la grammaire, la musique, étudier les émotions que les autres provoquent en nous.

L'impression de chaleur et de délivrance qui m'envahit à ces pensées me confirma que j'avais découvert quelque chose de sensé. Je fermai les yeux et me vis courir au milieu du blé, tremblante comme une enfant de sept, huit ans. Cette sortie m'avait fait grandir, à condition de toujours garder à l'esprit que cette enfant, avec ses peurs inconsidérées, pouvait être ressuscitée en moi par un regard, un mur, une lumière, un visage. Et avec sa terreur mener à la ruine tous mes plans et ma santé de fille de dix-huit ans. J'allais avoir dix-huit ans dans quelques mois. Dans trois jours, non, deux, je serais princesse, même si cela comportait... Si du moins il pouvait en être comme l'avait dit Carmela !

Il en était encore comme l'avait dit Carmela. Et ce ne fut rien de terrible, d'autant que Pietro, au lieu de préparer le grand lit, en avait mis un autre petit, séparé par une table de chevet. Sur le montant du lit, une clochette rassurait. Elle sonnait directement au-dessus de la tête de Pietro qui veillait dans la pièce à côté. Les quinze premiers jours furent durs, mais seulement parce qu'Ippolito, dès que j'ébauchais un pas vers la porte, me saisissait doucement par la jupe. Carmela avait raison, il était inoffensif. Et ainsi je dus rester tout le temps avec lui, enfermée dans cette pièce. Mais par la suite il commença à se tranquilliser, et je pus reprendre ma vie. La vie était belle avec un peu de sécurité sous mes pieds. Je pouvais courir, maintenant, de haut en bas à travers les pièces, les salons, le jardin, sans la crainte – qui était celle d'autrefois – que quelqu'un me tire le sol de sous les pieds. J'étais de la famille ; je le voyais à la façon dont on me laissait passer quand je rencontrais les serviteurs, les femmes de chambre, le maître de danse, le précepteur. Et même Don Antonio – chose que je n'aurais jamais imaginée – s'adressait à moi, non pas directement comme avant, mais prudemment, en inclinant légèrement la tête. Comme j'en avais le projet, je devins un bon vieux monarque. Je fus d'une extrême douceur avec tout le monde, je faisais des cadeaux avec prudence et parfois je me laissais plaindre de mon malheur.

— Une fille aussi belle et sainte, sacrifiée pour sa vie entière à un monstre !

Là-dessus, je restai inébranlable, et avec père Antonio au confessionnal, et avec les autres. Il ne fallait pas qu'ils oublient ma malchance. Ce n'est que de cette façon que je pouvais obtenir leur approbation et calmer leur possible jalousie. Avec Vif-argent, ce fut un vrai succès. Quand elle me voyait, je faisais en sorte qu'une légère tristesse s'emparât de mon regard. Une fois elle se jeta même à mes pieds en pleurant :

— Pauvre chère mademoiselle, comme vous êtes bonne d'être aussi gaie et sereine avec ce grand sacrifice !

Sacrifice ! J'avais dormi des années avec Tina, moi.

Ainsi, ma vieille habitude des monstres et Pietro qui gardait bien propre son maître le prince m'aidèrent peu à peu à ne plus faire attention à sa laideur. Il m'inspirait même une sorte de tendresse quand il restait tout tranquille à me regarder comme un chien. Voir son bonheur quand je laissais ses vilaines mains déformées tenir la mienne me communiquait quelque chose de tendre et d'ambigu qui exhumait en moi des frissons oubliés. Mais je n'apportai aucune innovation à ce que Carmela m'avait dit. Je ne me déshabillais jamais entièrement, et pour la nuit je choisis les chemises les moins décolletées que je trouvai. Mais que dis-je, à cette époque elles montaient toutes jusqu'au cou, j'avais presque oublié...

34

Ce lundi-là la princesse me surprit par sa perspicacité, comme aurait dit Vif-argent. J'apprenais toujours d'elle quelque chose de nouveau. Écoutez seulement :

— Tu te fatigues trop, Mody ! Tu es devenue un vrai squelette. Je t'avertis que si tu deviens laide je te fais répudier par la « chose ». C'était un printemps pour les yeux de te voir, avant. Tu travailles trop. Tu as la charge de la maison, cette « chose » à soigner et tu étudies, encore ! D'accord, c'est la preuve que tu as de l'esprit. Au début je pensais que ton intérêt pour les livres venait de ce que tu devais te faire une position, mais je vois maintenant que c'est vraiment un intérêt intellectuel. Mais moi, je ne veux pas te voir ainsi. Alors, ou tu trouves le moyen de grossir et de reprendre un peu de couleur, ou je t'empêche de prendre encore des leçons. Compris ? Et puis, peut-être que le médecin a raison : il faut que tu sois davantage au plein air. À partir de demain tu prends des leçons d'équitation. Comme ça, quand tu retrouveras Beatrice, qui ne se débrouille pas mal à cheval, vous pourrez aller vous promener un peu. Il faut que tu le fasses pour Beatrice aussi, qui sous prétexte que tu ne sais pas monter à cheval est en train de nous devenir grasse et molle. Ces blondes ! Dès qu'elles sortent de l'adolescence, elles gonflent et dégonflent comme des ballons. Je la veux plus maigre et toi plus grosse. Toi aussi, Carmine, tu as compris ? Nous devons donner des leçons à Mody. Et maintenant suffit avec les bavardages et au travail.

Moi non plus, je ne comprenais pas pourquoi je continuais à m'acharner sur les livres de cette façon. Et maintenant que la menace avait été proférée, la pensée de ne plus pouvoir étudier me fit avaler ce soir-là deux assiettées de pâtes et un tas de purée ; la purée était censée faire grossir. Et le matin lait, beurre et plein de confiture. Mais l'idée de revoir Orlando me faisait trembler de peur. Avais-je vraiment peur d'Orlando, ou de Carmine ? Depuis cette rencontre, je n'avais plus pensé à lui, et je ne l'avais plus regardé, pas même quand il était devant moi dans le bureau de la vieille... Le voici qui arrive en riant, remontant la grande allée. Ce rire plein d'assurance était insupportable. À l'extérieur des murs c'était lui le maître. On le voyait à la façon dont l'autre l'écoutait, un pas en arrière, tenant Orlando et un autre cheval par les brides.

— Bonjour, *padroncina*. Je suis vraiment heureux que vous vous soyez décidée à affronter le cheval. Je vous laisse Rosario, c'est le meilleur maître d'équitation que nous ayons, et il vous apprendra vraiment comme il faut. Rosario, fais attention, la princesse a un peu peur. Mais avec toi, je n'ai pas de crainte. Mes respects, *padroncina*.

Rosario tendit aussitôt ses mains pour que je prenne mon élan. Mais on voyait qu'il se faisait violence. Une telle rage me prit devant ce petit morveux plein de révérence, que je tombai le long du flanc de l'animal.

— Pardonnez, Madame, pardonnez, je ne pensais pas que vous saviez déjà prendre votre élan. Par bonheur que vous ne vous êtes rien fait ! Parce que vous ne vous êtes rien fait, vrai, n'est-ce pas ?

— Je vais très bien, et ce n'est pas la peine de te désespérer ainsi ! Où est passé Don Carmine ?

— Mais, assurément, il est retourné chez lui...

— Et où est-ce ?

— Eh, à pied, c'est loin. À cheval, dix bonnes minutes.

— Emmène-moi à cheval, alors.

— Mais j'ai ordre de...

— Ici, c'est moi qui donne des ordres ! Fais-moi monter et essaie de ne pas me faire tomber une seconde fois !

Il continuait à s'excuser de plus en plus. Le sentir derrière moi sur la selle, maigre et fragile, me répugnait tellement que, utilisant cuisses et genoux, je trouvai le moyen de ne pas m'appuyer sur lui.

— Mais Madame est en équilibre ! Ç'a été ça l'erreur, croyez-moi, Don Carmine ne me l'a pas dit. Il m'a dit que vous aviez encore peur... Ç'a été ça l'erreur.

— Ce n'était pas ça l'erreur. Dépêche, je suis pressée !

— Qu'est-ce que c'est que ça, *padroncina ?* Vous me dites que Rosario vous a fait tomber ? Eh, bravo, Rosario ! Je ne savais pas que tu avais aussi le talent de faire tomber les belles filles ! Bien... Vous ne voulez pas apprendre avec lui ? Tu as entendu, Rosario ? On voit que tu ne l'as pas fait bien tomber. Et comment fait-on maintenant, *padroncina ?* Il faut en parler. Je n'ai pas de temps, moi. Que dis-tu, Rosario, nous pouvons essayer avec Beppe ?... Non, dites-vous ? C'est moi qui dois le faire ? Bon, ça va. Retourne au travail, toi, que nous risquons de perdre la journée avec tout ça, moi j'essaie de me mettre d'accord avec la princesse.

Il ouvrit la porte pour faire sortir Rosario, et quand il l'eut refermée il s'appuya du dos contre le bois en me regardant fixement. Il ne souriait plus.

— Alors, c'est vraiment moi qui dois le faire ?

Je ne parvenais pas à ouvrir la bouche, de colère pour cette phrase.

— Mais réponds ! Mais pourquoi trembles-tu comme ça ? Nous ne sommes pas à cheval. Réponds.

Ce « tu » jeté à ma figure, juste là devant moi, me fit lever les bras et je le frappai au thorax de mes poings fermés. Je voulais le blesser au visage, mais il était trop grand.

— Tu es belle, et forte, et tu me veux. Tu le sais que tu me veux ?

J'allais le frapper à nouveau, mais la vérité de ces mots me foudroya. C'était vrai. Comment pouvais-je le savoir s'il ne me le disait pas ? Et moi qui croyais que le tremblement qui me prenait en sa présence était tout simplement de la haine. Il me fallait fuir. Et pourquoi ? Jamais je n'avais éprouvé cette fureur qui se déchaînait dans mon sang sous forme de haine. C'était un plaisir effrayant que je n'avais jamais éprouvé, et pour l'éprouver à nouveau je recommençai à frapper. Il me laissa faire. Mes bras et mes poings me faisaient mal à force de cogner sur cette poitrine de marbre, au point que je m'effondrai dans ses bras immobiles. Ce fut le signe. Comme s'il n'avait attendu que cela, voici que ses mains me serrent à la taille et me soulèvent, me faisant voler comme un objet léger. C'était comme de regarder dans un ravin. Plus la terreur augmentait et plus le désir de la chute grandissait à l'intérieur de moi. Je me retrouvai par terre avec lui sur moi. Il ne m'avait pas déshabillée, ni ne s'était déshabillé. Je le sentais à l'intérieur de moi, il ne faisait pas mal, il bougeait doucement. Quand il sortit, rien qu'à la façon dont il laissa aller la tête sur mon épaule, je compris qu'il devait avoir joui. Mais il ne disait rien et je brûlais tout entière sans qu'aucun frisson vînt me calmer.

— Excuse-moi, petiote, de cette précipitation, ça fait si longtemps que je te voulais et toi tu ne sais vraiment rien faire. Tout doucement, avec le temps, je vais t'apprendre à prendre ton plaisir toi aussi. Vos mères ne vous apprennent rien, et c'est à l'homme, après...

Et il m'apprit. Tous les matins, juste après l'aube, d'abord à comprendre le cheval, et puis, là chez lui, dans cette petite pièce nue et embaumant le tabac :

— C'est comme avec le cheval. Tu dois serrer tes cuisses autour de moi, et tu dois bouger avec moi. C'est comme faire le cheval et le cavalier. Laisse-toi aller, ma fille, ne te pétrifie pas comme ça, comme si je voulais te tuer. Maintenant tu connais l'animal, et je veux te donner du plaisir comme tu m'en donnes à moi. Tu vois, ma fille, l'amour n'est pas comme le disent tant d'hommes qui n'en sont pas et aussi des femmes qui ne sont pas des femmes, et qui se précipitent d'un côté à l'autre sans presque rien sentir. Avec l'amour, quand tu le trouves... à moi ça m'est arrivé une seule fois... non, pas avec la mère de Beatrice, cette malade de la tête comme tous ceux du palais, pleine de manies, un jour elle voulait et puis elle pleurait... non, avec une femme, une vraie, que j'ai eue pendant des années ; et puis je l'ai perdue. Mais ce n'est pas ça que je voulais te dire. La vérité, c'est que quand tu trouves la femme ou l'homme qu'il te faut, alors il faut absolument arriver à s'entendre. Le corps est un instrument délicat, plus qu'une guitare, et plus tu l'étudies et plus tu l'accordes à l'autre, plus le son devient parfait et fort le plaisir. Mais il faut que tu t'aides et que tu m'aides. Il ne faut pas que tu aies honte. Voilà, je vais lentement là, bien lentement et toi, suis-moi. Et quand tu sens augmenter la chaleur il faut que tu me le dises, que je t'attende, et qu'on se pâme ensemble. Mais pourquoi ne veux-tu pas me le dire, eh, pitchounette, quand tu sens la chaleur grandir ? Si tu ne veux pas me le dire avec la voix, fais-moi un signe, serre-moi avec tes bras, mords-moi l'oreille, comme tu veux. Tu es toute chaude et tremblante, mais je sais bien que tu n'éprouves qu'un léger plaisir. Voilà, comme ça, tranquille, bien tranquille, n'aie pas honte.

Et comment pouvais-je le savoir s'il ne me le disait pas ? Tout doucement, j'appris à le suivre dans cette eau profonde pleine de frissons. Et la première fois que je jouis vraiment ce fut un plaisir tellement fort que je crus rester foudroyée.

— Bravo, maintenant oui, tu es une femme, et j'ai crié en même temps que toi. Je parie que tu ne m'as pas entendu si fort tu as joui.

Pendant des jours et des jours je crus ne pas avoir bien appris la leçon. Et si je glissais sur la selle, j'avais peur de tomber... Et si, sans un mot, il me prenait par la taille, me faisant voler sur le lit, et que je sentais mes jambes se raidir, je craignais toujours que ne vienne pas ce frisson qui me comblait. Mais Carmine était talentueux et patient. Il me guidait de ses paumes, il calmait l'angoisse qui m'ankylosait, et toujours, avec lui, après la course, je tombais dans le ravin éblouissant et sans fond.

— Courage, petite, au galop. Hier tu t'es un peu effrayée, mais si aujourd'hui tu ne laisses pas à la peur le temps d'effacer le souvenir du plaisir, tu n'auras plus peur. La peur, comme les pensées noires, est une mauvaise herbe puissante et il faut tout de suite se l'arracher du corps.

Il riait, me dépassant, rapide, avec son Orlando, pour m'inciter à galoper vers la vallée. Et ce grand rire, suivi par l'acier des boucles de sa tête, insufflait en moi une douce terreur qui me poussait à le rejoindre pour saisir ces boucles dures et tirer, tirer. Je le détestais, je voulais lui faire du mal, mais quand je m'éloignais ce froid mystérieux me reprenait et il fallait que je revienne.

— Mais bien sûr que tu me fais mal ; tu crois que je suis en fer ?

— Tu es en fer, et je ne peux pas te voir !

— D'accord, petite, eh bien, ne me vois pas. De toute façon l'amour, qui sait pourquoi, se fait les yeux fermés. Une vraie femme, tu es une vraie femme, vraie et puissante. Et penser, miséricorde, que je croyais que tu n'aimais que les caresses des filles ! Vois un peu comme même un vieux comme moi peut se tromper !

Comment le savait-il ? La surprise me fit trop tirer sur les rênes, et pour un peu Morella me faisait tomber.

— Eh quoi, tu t'es émue pour une sottise pareille ? Croirais-tu que tu es la première à être d'abord passée par des mains de femme ? Il n'y a rien de mal, petite. Et ne t'inquiète pas : tu es une femme, une femme, même si un de ces jours tu devais te réveiller avec des moustaches.

35

Ce que j'apprenais de Carmine, j'essayais de le communiquer à Beatrice. Mes caresses se firent plus circonspectes et plus pénétrantes. Bien sûr, je n'étais pas un homme, mais j'entrais plus profondément en elle avec ma main et elle jouissait plus profondément.

Et puis, comme disait Carmine, je la préparais au moment où elle rencontrerait l'homme qu'il lui fallait. Ici, bien sûr, c'était difficile, mais la guerre finirait, et à Catane...

— On voit la mer de notre palais de Catane ?

— Et pas seulement la mer, Modesta : les magasins, le marché, vois comme elle est grande, la belle Catane...

Sur le plan, la petite main m'indiquait fébrilement les rues, les places. Elle me montrait les photographies du palais avec, tout près, plein de magasins débordants de merveilles.

— Et ça, c'est la villa de l'Ognina, au milieu des orangers. Ils sont comme ça, les orangers ! Ici il n'y a qu'un bois, c'est triste, les bois ! Une orangeraie, c'est autre chose, parce que, même si on ne la voit pas, on sait que tout près il y a la mer. Ces bois sont lugubres comme ça parce qu'ils sont trop loin de la mer. J'ai l'impression qu'il y a un siècle que je n'y suis pas retournée ! Maudite guerre ! Mais pourquoi les hommes font-ils toujours la guerre, Modesta ?

— Les intérêts, Beatrice. Uniquement pour des intérêts masqués par des idéaux. Et peut-être pour quelque autre chose encore, plutôt difficile à comprendre.

— Oh, Dieu, voilà que tu me réponds comme oncle Jacopo ! Quel dommage que tu ne l'aies pas connu.

— Je l'ai connu à travers toi.

— Parfois je crois presque à cette plaisanterie que tu fais. Parfois je pense vraiment que d'une certaine manière tu l'as connu.

— C'est grâce à toi. Tu me l'as si bien fait connaître que parfois, en rêve, il vient me trouver et me dit ce que nous devons penser, faire...

— Oh, Modesta, raconte-moi, j'aime quand tu me racontes. Que t'a-t-il dit que nous ferions ? Quand l'as-tu vu ? Il t'a dit ce que nous ferons dans deux, trois ans ?... Moi, me marier ? Il t'a dit que je me marierai ? Mais grand-mère ne le veut pas, et puis les hommes me font peur. Je ne veux que toi.

De quelque façon que j'aie présenté la question hommes, elle se mettait à pleurer et se serrait contre moi. Il fallait faire quelque chose. Elle pleurait si fort que je n'entendis pas Vif-argent qui hurlait derrière la porte.

— Mais que se passe-t-il, Modesta, qui crie comme ça ? Et dans la cour aussi, tu entends comme ils crient ?

Je n'avais pas encore eu le temps d'ouvrir la porte, que nous nous trouvâmes traînées en bas dans la cour où il s'en fallut de peu qu'une foule de paysans et de serviteurs ne nous renversât. Je n'en avais jamais vu autant ensemble. Certains portaient des drapeaux, d'autres lançaient leur béret en l'air comme un disque, d'autres encore pleuraient et s'embrassaient. Tous criaient des choses différentes. On ne comprenait rien. Jusqu'à ce que les oreilles commencent à saisir le cri souterrain qui liait toutes ces exclamations : la guerre est finie ! La guerre est finie ! Quelqu'un me pousse à présent, en répétant : la guerre est finie ! Je ne trouve plus Beatrice, emportée dans des embrassades et des serrements de mains, jusqu'à ce que d'en haut une voix aiguë que je connaissais ne hurlât plus fort que tous ces cris :

— Pas pour nous !

Avec un dernier chuchotement, toutes ces voix se turent et les visages tournés vers le haut s'inclinèrent en hâte, muets. La princesse, pâle, dressée de toute sa hauteur, agrippée au balcon, lança sur le silence, pour la seconde fois :

— Pas pour nous ! (Et après une pause :) Et toi, Mody, Beatrice, montez chez moi, immédiatement !

— Mais sommes-nous devenues folles pour nous mélanger ainsi à ces loqueteux insensés ? Ils ont même traîné derrière eux les drapeaux italiens ! Toujours ces trois pelés et quatre tondus qui avant hurlaient en réclamant la guerre. Asseyez-vous ! Et pour que cette vulgarité ne se communique pas à nous, il faut que je vous clarifie notre position. Pour nous la guerre n'est pas finie. Avec la mort d'Ignazio, pour moi la guerre ne finira jamais. Et je ne permettrai jamais qu'on insinue le contraire. Nous ne bougerons pas d'ici. Je le vois à vos yeux, je le vois, que c'est ce que vous aviez espéré ! Jamais je n'accepterai de retourner à Catane ou Palerme, où je l'ai vu marcher plein de force et en bonne santé. Et quand je m'en irai moi aussi, vous resterez ici à prendre soin de ma chambre, comme si je pouvais toujours revenir. Ainsi que l'a voulu feu mon époux, pour lui et pour tous les autres. Et pour que ce soit clair, j'ai rédigé mon testament en ce sens. Celui qui franchit le seuil de cette maison devient un étranger à la famille, et l'argent revient à ceux qui restent. Et si personne ne reste, l'argent ira à une institution pieuse dont je ne vous dis pas le nom. Et maintenant allez dire à ces idiots de ne pas se montrer à moi avec des sourires ou des choses de ce genre. Avertissez aussi le précepteur et le maître de danse. Pas un mot sur cette paix qui ne m'appartient pas. Pour moi et pour vous le deuil continue.

Je n'osais regarder Beatrice qui, pâle comme un linge, se laissa entraîner dans sa chambre où, comme je pus, je l'étendis sur le lit avant de courir avertir tout le monde de l'ordre de ne pas se réjouir que cette folle nous avait donné. Alors, pourquoi toutes ces leçons de danse, toutes ces robes comme pour nous préparer à la vie, pour ensuite décider que cette villa serait notre tombe ? Elle avait perdu l'esprit. Au fur et à mesure que je parlais aux serviteurs, je lisais sur leurs visages ce blêmissement incertain des regards que la vue de la folie provoque en nous tous. Elle était devenue folle, et il valait mieux pour le moment ne pas la contredire.

— Mais Madame, mais...

— Pas de mais. La princesse veut qu'il en soit ainsi, et il en sera ainsi. Renvoyez tous ces gens. Oui, bien sûr, offrez-leur un peu de vin, mais en silence, s'il vous plaît, et puis allez, retournez au travail. Aujourd'hui est un jour comme un autre.

36

Gaia n'était pas folle, et ne l'avait jamais été. Je commençais maintenant à connaître l'animal-homme et je savais que nous apparaît comme folie toute volonté contraire à nous existant chez les autres, et comme raison ce qui nous est favorable et nous laisse à l'aise dans notre façon de penser. Ce n'était pas de la folie. Elle avait décidé de mourir en nous entraînant tous avec elle. Et avec quelle poigne elle avait décidé ! Je tremblai devant la volonté de l'autre, qui encore une fois se déchaînait sous mes yeux, mais sans plus être jetée dans le désarroi. Et puisque j'avais moi aussi une volonté qui m'était propre, ou un plan, ou une décision, comme vous voulez, et qui aurait pu apparaître aux autres comme de la folie, je la ferais agir, cette folie, avec la même poigne que cette grande vieille que j'admirais. Je l'admirais, mais il fallait qu'elle meure. Comment ? Nous avions le temps. Que ce soit Beatrice ou moi, nous n'avions que dix-huit ans. Il fallait avoir de la patience et la seconder sans lui donner de soupçons. L'occasion viendrait. Pour commencer, il fallait calmer Beatrice, puis s'occuper du testament. Savoir au moins où elle l'avait mis. Ne pas le perdre de vue.

— Je vois, Mody, que j'ai bien fait de me fier à toi. Tu es la seule qui dans ces derniers mois ne m'ait pas regardée comme une folle, et qui n'ait pas changé d'humeur. Hier j'ai fichu dehors Don Antonio. Il s'est mis à faire le machiavélique – avec cette légèreté d'éléphant qu'il a ! –, à me questionner sur le testament : mes volontés sont-elles en sûreté, l'ai-je confié à un notaire, et ci et ça, et cætera et cætera... Comme si j'avais besoin de qui que ce soit d'autre que moi. Le testament est là... Comme s'il me fallait à tout prix un notaire ou, que sais-je, un médecin. Il voulait insinuer que je suis folle, ce vieil imbécile, hein, Mody ?

— Vous n'êtes pas folle, princesse.

— Tu le penses réellement ?

— Réellement. Vous avez pris la décision qui vous convient, et il est juste que vous le fassiez.

— Bravo, Mody ! Mais que je suis une égoïste, cela, tu le penses ?

— Bien sûr que je le pense.

— En effet. Je n'ai jamais dit que j'étais altruiste... Et maintenant, au travail ! Et toi, Carmine, dis-moi ce qu'il y a de nouveau, avec cette paix pernicieuse qui nous est tombée sur le dos ?

— Il y a, princesse, que tout augmente. Bien sûr, on prévoyait des augmentations, mais ça grimpe vertigineusement, et si l'on ne fait pas attention...

Tout en parlant, Carmine me fixait avec admiration. C'était la première fois. J'avais réussi à me faire respecter par cet homme d'honneur. Deux victoires en une matinée. Maintenant je savais avec certitude que le testament était dans la maison. Grâce à mon calme, au bout de trois mois seulement, Gaia me l'avait dit de sa bouche. Jusqu'à ce moment-là, j'avais cherché dans son bureau et dans sa chambre à coucher, mais très sommairement. Parce qu'une chose est d'espérer, une autre d'être certain. Et maintenant j'en étais certaine : le testament n'était pas loin. Je retournai fouiller et dans le bureau et dans la chambre avec plus d'attention qu'auparavant. Je dénichai les tiroirs secrets du bureau. Je feuilletai page par page ses livres personnels, examinant attentivement les reliures. Je découvris ainsi les lectures qu'elle préférait ; il n'y en avait pas beaucoup et toutes étaient de la poésie. Je passai presque un mois à cette opération, jusqu'à ce que je sois certaine que le testament ne pouvait être dans ces deux pièces. Pour fouiller toute la maison comme je l'avais fait pour le bureau et la chambre à coucher, il aurait fallu une année entière. Il n'y avait pas d'autre solution que de l'étudier, elle, en espérant trouver quelques signes infimes qui m'amèneraient à la découverte de la cachette. Sous le prétexte de ne pas comprendre la poésie, je lui demandai la permission de prendre quelques-uns de ses livres.

Au fur et à mesure que je lisais tous ces poètes français et anglais je me rendis compte pour de bon que je n'avais jamais compris la poésie. Bien sûr, j'avais lu Dante, Pétrarque, Leopardi, mais sans saisir le secret des vers. À dire la vérité, j'avais préféré lire des essais philosophiques, des textes historiques et politiques, des biographies. Cette découverte me prit à tel point que j'en oubliai presque le testament. Je devais démontrer un tel acharnement dans la lecture que même la princesse s'en aperçut :

— Oh, Mody, tu ne verserais pas dans la distraction, par hasard, à force de lire de la poésie ? Je ne te prête plus rien, je t'avertis, si tu continues à fixer le vide avec ces gros yeux grands ouverts. On dirait que tu cherches quelque chose...

Il était étrange, cependant, qu'au milieu de tous ces livres de poésie rare il y ait eu deux œuvres en prose : *Les Fiancés*• et les *Histoires extraordinaires* d'Edgar A. Poe. Ce fait me remplit de soupçons. Je laissai *Les Fiancés*, que je connaissais, je me mis à lire les nouvelles de Poe. Cette nuit-là, je fis connaissance avec les histoires les plus belles que j'aie jamais lues. Je ne parvenais plus à m'arrêter, pas même à l'aube, quand le sommeil oublié me faisait un peu brûler les yeux. Ces lignes mystérieuses, où des visages encore plus mystérieux de jeunes filles apparaissaient dans des cadres magiques et des jardins souterrains, avaient tellement absorbé mes émotions que je ne compris pas une phrase de *La Lettre volée*, qui était la clef de ma fébrile recherche : « Peut-être est-ce la simplicité même de l'erreur qui induit en erreur. » J'allais passer au *Scarabée d'or* quand je m'assis d'un coup sur le lit et, la lumière éteinte – il faisait maintenant plein jour –, je recommençai à parcourir les pages de ce récit, jusqu'à ce que je réalise que le testament, comme la fameuse lettre volée, pouvait se trouver dans quelque endroit bien en vue où je n'avais jamais pensé à chercher. Tout de suite, j'inspectai le secrétaire du cabinet de travail – j'avoue que j'avais espéré que le testament s'y trouverait –, les tables de la salle de lecture, les étagères de la bibliothèque, les partitions de musique... Je le trouvai sur la table de nuit d'Ignazio, dans un carton à dessins. Notre destin était là, parmi ces dessins paraphés par Ignazio qui du haut de sa photographie me regardait troublé. Pas un brin de poussière sur cette table de nuit qui, comme tout le reste, était époussetée chaque jour. Qui aurait pu penser à fouiller parmi ces dessins tracés par la main d'un mort ? Mes doigts tremblaient en effet quand je le pris. Les yeux d'Ignazio me glaçaient. Ce regard voulait vivre pour nous empaler tous à sa mort. Mais moi aussi, je voulais vivre, et tout en tremblant je remis en place le document. Mais doucement, Modesta, et fais attention que personne ne soupçonne que quelque chose a été touché. Le poison de la peur fait commettre des erreurs.

Le matin suivant, réconfortée par ma découverte et par le sommeil, je pouvais tout imaginer sauf que la colère d'Ignazio se manifesterait aussi vite. Un éclair était tombé dans la nuit, fracassant la grande baie vitrée de sa chambre, et tous les oiseaux de tante Adélaïde furent trouvés morts. Épouvantée, j'allai constater avec Beatrice si ce que disait Vif-argent était vrai. Dans la grande cage, tous les petits oiseaux qui restaient gisaient raides morts ou agonisants. Et comme si cela ne suffisait pas, à cette vue, Beatrice se replia sur elle-même en se pressant la bouche de ses poings fermés. Je la pris dans mes bras. Elle vomissait un liquide sombre mélangé à du sang. Vif-argent se mit à hurler si fort que, tenant toujours Beatrice dans mes bras, je dus, comme je pus, la gifler pour la faire revenir à elle-même.

— Cours, au lieu de crier ! Va chercher le médecin pendant que je l'étends sur le lit.

Allongée elle continuait à vomir. Je pris une bassine et avec une serviette de tante Adélaïde, que je mouillai, j'essayai de lui essuyer le front qui, maintenant qu'elle s'était arrêtée de vomir, était brusquement devenu jaune et froid comme le marbre. Puis les vomissements reprenaient et avec les vomissements son visage brûlait, se couvrant de taches rouges. Une éternité passa dans ces alternances spasmodiques, quand enfin le médecin entra. La peur et l'odeur acide de pourri qui avait envahi la pièce me donnaient à moi aussi l'envie de vomir.

— Nous y sommes ! J'ai justement reçu hier la nouvelle que Catane est infectée. Tous les hôpitaux pleins, couloirs et escaliers, tout... Si tu as envie de vomir, ne t'en empêche pas. Mieux vaut le rejeter, ce poison.
— Mais qu'est-ce que c'est ?
— La grippe espagnole, Modesta.
— La grippe espagnole ?
— Il semble que le vecteur soit les soldats qui reviennent du front. Pardonne ma franchise, mais il faut que je sois clair avec quelqu'un : c'est grave. Ça ne fait pas une semaine que l'épidémie s'est déclarée à Catane et déjà on ne compte plus les morts. J'espérais qu'ici, avec le bon air, et loin des centres habités, elle n'arriverait pas. Je ne vous l'avais pas dit pour ne pas vous effrayer inutilement... Non, non, ne t'inquiète pas. Beatrice ne peut pas comprendre, elle a autre chose à faire. La fièvre est élevée. Aide-moi à la soulever, voyons un peu les poumons. Et maintenant donne l'ordre que personne ne s'approche. Tous à l'isolement. Ne faites pas venir ici la princesse. Il faut se procurer du lysoforme. Aux cuisines, faire tout bouillir. Il faut faire bouillir tout le linge. Bien, Modesta, je vois que tu t'es remise. Fais-moi sentir ton pouls ? Ta langue ? Normale... Les nausées te sont passées ?
— Oui, elles me sont passées. Je m'étais juste laissé suggestionner. Dites-moi ce que je dois faire d'autre.

En une semaine la villa devint un lazaret. L'odeur de lysoforme et de vomi avait tout envahi. Et tous, entraînés par cette puanteur de mort acide et douceâtre, tombaient sur leurs lits qu'il fallait changer trois ou quatre fois par jour. À part moi, Pietro et Carmine, chargés de garder les contacts avec l'extérieur, tout le monde brûlait de cette fièvre. Deux infirmières arrivèrent de Catane, mais au bout de quelques jours elles se mirent au lit elles aussi. Dans l'aile des domestiques, seules Vif-argent et deux autres étaient debout. Le médecin, malade, envoyait des ordres de chez lui. Don Antonio, de son lit, envoyait dire que l'on prie. On ne voyait plus le petit maître de danse, mais il n'était pas mort comme tant d'autres dans les parages.

Chaque soir, au retour de ses voyages, Carmine nous donnait des nouvelles, et s'il n'avait pas été là nous n'aurions même pas eu du sel, du sucre, des médicaments. Il disait que tous les magasins étaient fermés : beaucoup, bordés de noir. Les hôpitaux pleins jusque sous leurs portiques de malades et d'agonisants. Dans la province de Messine, tous les prisonniers avaient réussi à s'échapper. Dans les plus grandes villes ces délinquants et d'autres, improvisés, mettaient les maisons à sac, tandis que les gens malades assistaient à cela sans pouvoir rien faire. Tous les médecins avaient été réquisitionnés, et aussi les étudiants qui n'avaient fait qu'un an ou deux d'université. Le combat contre les rats avait commencé. Ici également, dans la villa, ils commençaient à se montrer, gros comme des chats et affamés. Durant des semaines nous luttâmes contre le sommeil, la saleté et la peur. Au sein de cette peur, je n'avais que le réconfort d'un petit espoir : cette épidémie qu'on avait appelée « espagnole » pour la rendre moins terrifiante, tuait, en plus des enfants, surtout les vieillards. Mais quand la princesse me fit appeler, devant la force non seulement morale, mais physique, de cette grande vieille qui se tenait dans son lit droite et altière comme sur un trône, je fus presque heureuse de l'entendre crier avec sa voix de toujours :

— Alors, comment va Pouliche ?

— Mieux. Le danger est passé.

Beatrice, qui était tombée malade la première, n'était que depuis quelques jours hors de danger. Et si maigre et tremblante que ma gorge se serra à la pensée que, au lieu de la princesse, c'était elle que j'avais failli perdre.

— Et Vif-argent ?

— Elle va bien, tout à fait bien.

— Elle t'a été d'une grande aide, n'est-ce pas ?

— Immense.

— Je la récompenserai. Ce n'est pas pour cela que je t'ai appelée, mais pour te dire que je ne peux bouger ni les jambes ni ce bras. Bref, en un mot, je ne peux plus bouger tout mon côté droit. Chut ! Ne trahis pas ma confiance. Pas une larme, ni un mot avec qui que ce soit. Je ne veux pas que ça se sache ! Personne ne doit me voir ainsi, sauf le médecin, naturellement. Donc, étant donné que, comme je te l'ai dit, je veux n'être vue de personne, à partir de cet instant tu resteras toujours dans la pièce là à côté et tu t'occuperas de moi. Mais pas un mot, avec qui que ce soit. Pas même quand je serai morte. Je ne veux pas qu'on me plaigne, ni vivante ni morte. Maintenant va, prends tes affaires, tes livres et reviens ici immédiatement. Ici, parce qu'en cas de crise il faut tout de suite courir chez le médecin, après m'avoir donné ces comprimés, en m'ouvrant s'il le faut la bouche avec des tenailles.

Durant les vingt jours que nous passâmes ensemble, mon admiration ne fit que grandir. Pas une plainte, ni quand la crise s'annonçait, ni quand elle se reposait ou, à grand-peine, parlait avec moi. Elle parlait de tout, mais particulièrement de poésie. Elle me demandait quel poète je préférais, maintenant que je comprenais aussi la poésie, et de lui lire quelque chose. Plus je l'admirais et plus j'épiais le moment de sa mort. Cela également parce que, désormais, j'avais beau serrer mon corset, ma taille augmentait de volume, et elle, bien que malade, fixait mes hanches avec de plus en plus de soupçons.

— Comment se fait-il que tu aies tant grossi, Mody ? Tu ne me jouerais pas quelque tour, par hasard ? Je t'ai dit que je ne voulais pas d'enfant de cette « chose » ! Avertis-moi si ça arrive : dans les premiers mois, avec un bon médecin, c'est une bagatelle de s'en défaire.

— Ne vous inquiétez pas, princesse, il n'y a rien de nouveau. C'est juste que j'ai trop mangé dernièrement.

— Et alors mange moins. Tu ne me plais pas comme ça. Tu perds ta grâce, et ton origine paysanne se révèle dans ces joues gonflées.

Elle devait mourir. Ma folie-volonté de vie contre sa folie-volonté de mort.

— Oh, Mody, cette lettre ici sur la table de nuit est pour Don Carmine. S'il m'arrive quelque chose de définitif, il faut que tu la lui donnes immédiatement. Tu as compris ?

Elle devait mourir. J'avais trop attendu. Et quand elle eut une nouvelle crise, au lieu de lui donner son comprimé et de courir chez le médecin, comme je l'avais toujours fait, je me mis derrière la porte fermée et j'attendis jusqu'à ce que le dernier gémissement s'éteigne dans cette pièce. Puis je rentrai. Les yeux grands ouverts regardaient-ils vers moi ? Non, ils fixaient la porte. J'en détachai mon regard, je n'étais pas rentrée pour cela. Après lui avoir fermé les yeux, je pris la lettre et la lus. Ce n'était pas un nouveau testament. La lettre disait à Carmine que le testament était à l'endroit qu'il savait, etc.

La lettre à la main, je courus prendre le testament, que je glissai avec la lettre dans un grand vase chinois au pied de l'escalier. Je les brûlerais plus tard. Maintenant je devais courir chez le médecin. Dix, quinze minutes passeraient inaperçues, mais davantage serait trop, même pour la crédulité de ce petit vieillard myope aux cheveux fins et flottants comme ceux d'un enfant.

37

On ne trouvait pas le testament. Tout le monde le cherchait fébrilement, et moi aussi bien sûr, derrière eux, mais seulement pour surveiller Carmine.

Comme je savais qu'il allait le faire, il entra suivi de Don Antonio et du médecin dans la chambre d'Ignazio, et après avoir jeté un regard sur les papiers de la table de nuit, il se tourna vers nous qui le suivions en file indienne :

— S'il n'y a rien ici non plus, je peux vous garantir, Don Antonio, qu'il n'y a pas de testament.

— Comment, il n'y en a pas ? Elle m'a plusieurs fois...

— Certes, à moi aussi. Mais vous savez comment était la défunte princesse. Comme moi, vous l'avez fréquentée vingt ans.

— Et comment était-elle, voyons ?

— N'aimait-elle pas jouer des tours, parfois ?

— C'est vrai, mais...

— Mais les faits parlent. Nous avons passé au peigne fin tout le palais. S'il n'y a rien ici non plus, alors que c'était sa pièce préférée, cela veut dire qu'elle a changé d'idée, ou qu'elle n'a jamais fait ce testament. Mais pourquoi vous tracassez-vous, Don Antonio ? Pour la construction de l'église ? Il n'y a pas de raison. Nous avons ici la princesse Modesta qui sait ce qu'il faut faire. Elle est la dernière à avoir entendu de vive voix les volontés de la princesse, sa belle-mère, et elle sait assurément ce qui doit revenir à l'Église comme à chacun. Je me trompe, princesse ?

Carmine ne me regardait pas, mais il m'indiquait le chemin. Que pouvais-je en savoir, moi, des legs, s'il ne me le disait pas ? Je rassurai comme je pus Don Antonio qui me suivait partout, même là dans le bureau de la princesse, où, après des heures de discussion, nous nous mîmes d'accord. Je n'aurais pas imaginé tant de ténacité et de dureté chez ce vieux petit bonhomme d'Église. La robe noire avait à peine disparu derrière la porte que Carmine éclata d'un rire si fort qu'il s'en fallut de peu que je ne tombe de ma chaise. Je ne l'entendais plus rire depuis des mois.

— Comment est-on sur cette chaise, petite ? Elle ne me semble pas trop confortable. Il faudra que tu y fasses beaucoup d'exercice pour que le vent ne te fasse pas tomber de la selle.

Je le détestais quand il s'adressait ainsi à moi.

— Que veux-tu dire ?

— Je ne dis rien. Tu as vu que je n'ai rien dit ? Je regarde.

— Tu le sais que j'attends un enfant de toi ?

— Ça ne m'avait pas encore été dit de vive voix, mais je l'ai vu. Je regarde, moi.

— Et pourquoi ne m'as-tu pas dit que ça pouvait arriver ? Tu es un homme âgé.

— Il y a de la jeune sève dans le vieil arbre. Tu es mécontente ? Tu ne devrais pas être mécontente parce que, à mon avis, il tombe à point pour toi, cet enfant. Avec lui, surtout si c'est un garçon, tu fermeras la bouche à tout le monde là-bas, à Catane. Si j'étais toi, petite, je ne m'en plaindrais pas et je relâcherais cette frénésie de ville qui t'a prise. On te la lit dans les yeux, elle est malsaine. Et je vais te dire pourquoi : d'abord, Catane est encore infectée, ensuite, parce que c'est mieux si tu t'y présentes montée sur un beau garçon Brandiforti.

Je n'arrivais pas à comprendre ce qu'il pensait réellement, mais je devais me contenir. Comment aurais-je fait sans lui ? Même maintenant qu'il s'était levé, et sans parler me tenait la tête entre les mains, j'aurais voulu le chasser. Mais la chaleur sèche de ses paumes apaisait.

— Tu n'es pas mécontente, hein ? Tu ne réponds pas. Bon. Tu as raison. Tu me détestes et tu ne veux pas me donner satisfaction. Mais je regarde. Et je vois que tu n'es pas mécontente. À la façon dont tu portes ton ventre on voit que tu n'es pas mécontente.

Non seulement je n'étais pas mécontente, mais maintenant que mes nausées avaient disparu et que dans la villa l'odeur de vomi s'en était allée, tout, jour après jour, reprenait une vie nouvelle. Les rideaux, les salons, la lumière, les gestes de chacun. Une faim jamais éprouvée me faisait apparaître toutes les nourritures comme un don merveilleux du sort. Je désirais tout : les fruits, l'eau, le lait, et surtout le pain. J'avais oublié le goût du pain chaud, tout juste sorti du four, avec dessus de l'huile et du sel. Je n'aurais mangé rien d'autre. Et avec la faim la lumière se fit plus intense et plus caressante, l'herbe plus fraîche et plus verte, les pêches et les figues plus tendres et douces. Quand je les cueillais et les tenais dans ma main, c'était comme si un courant de sensations oubliées venait se faire reconnaître, chaque matin, d'un passé extrêmement lointain que je gardais caché dans quelque profond repli de ma mémoire. Le sommeil aussi était devenu un plaisir charnel. Dès que je me mettais au lit, les ombres, les pensées s'inclinaient sur moi pour me bercer. Pour prolonger cette sensation de paix j'essayais de retarder le sommeil, mais c'était inutile, et les rêves glissaient sur moi dans des ruisseaux de lumières et de couleurs. Quand, ne pouvant plus porter de corset, je me vis la taille élargie, déformée, et le ventre gonflé dans le miroir, au lieu de me désespérer, comme j'avais pensé le faire au début, je me mis à rire comme sur un bon tour sans importance que la vie me jouait. Je n'arrivais pas à rester sérieuse. La seule chose qui m'ait donné de la peine était la douleur que je devais afficher pour la mort de la princesse.

Avec Ippolito les choses avaient été faciles. Dès la mort de la princesse, je l'avais fait sortir de sa chambre-prison et, comme je l'avais prévu, dès qu'il fut dehors, guidé par Pietro, son attention s'écarta de ma personne. Il s'était attaché à moi parce que j'étais la seule femme qu'il ait jamais vue. Pour être plus libre, je fis venir de Turin une infirmière spécialisée. Je choisis la plus jolie. Et quand mademoiselle Inès, avec ses boucles brunes et ses gestes agiles et discrets, commença à lui tourner autour, il m'oublia complètement. À tel point qu'il s'en fallut de peu que je ne sois blessée par sa « légèreté ». Mais je ne ressentais le besoin de personne, je me souvenais comme dans un nuage des caresses de Beatrice et des étreintes de Carmine...

Carmine ne se montrait plus, le travail était retombé tout entier sur mes épaules. Je n'avais même plus besoin des livres, ni du piano. J'étais un peu effrayée de découvrir cela. Je serais toujours comme ça ? Mais je compris bientôt qu'il n'en était pas ainsi. De la même façon que maintenant je gonflais, je dégonflerais après, et sûrement je redeviendrais comme avant, si je ne mourais pas. Eh oui, voilà ce qu'était ce repos que sous forme d'heureuse abstraction de toute chose mon corps m'imposait en même temps que les longs sommeils. La nature me préparait à l'effort que j'allais devoir affronter ; mais en même temps je devinais que ce repos, trop souvent répété comme chez ces femmes qui ne faisaient rien d'autre qu'enfanter, engendrait à la longue cet état d'absence hébétée qui les rendait étrangères à la vie. Bien sûr, cette préparation du corps et de l'esprit à l'aventure la plus secrète et la plus risquée que l'être humain puisse affronter, comment pouvait-elle ne pas faire apparaître à la longue tout le reste inutile et sans intérêt ?

Quand le moment s'annonça d'un coup brûlant qui de l'estomac poussait vers le bas, déchirant les flancs, les reins, l'intestin, je compris qu'il fallait s'éveiller de cette hébétude et lutter. Ce n'était pas seulement un effort, comme je l'avais pensé. C'était une lutte à mort qui se déchaînait à l'intérieur, comme si le corps, jusque-là préservé dans son intégrité, se séparait en deux, et qu'une partie luttait pour dévorer l'autre.

— Crie ! Crie, ça va t'aider !

— La position est bonne. Il se présente bien. Crie et pousse ! Tu vas y arriver !

Qui va y arriver ? Cette vague de douleur lancinante ? Il lui fallait suivre cette vague ? Son corps luttait avec l'autre corps qui, comme un bloc de pierre, cognait contre le mur du ventre pour sortir. Il était là, l'ennemi, dans ce bloc qui cognait pour sortir de sa prison, et vivre au prix de déchirer, de détruire son corps à elle qui, même s'il s'y était préparé, n'arrivait pas à expulser cet ennemi pour ne pas succomber.

— Voilà, comme ça, c'est bien. Pas en te démenant de tous les côtés, mais en poussant vers le bas ; comme ça tu l'aides et tu t'aides.

Oui, elle devait le pousser à sortir, cet étranger déjà fort de sa volonté de vie autonome. Elle sentait qu'il était décidé à vivre, fût-ce au prix de tuer. Et d'une dernière poussée, qui la parcourut des épaules jusqu'à couper d'un coup sec le bas-ventre, les cuisses, elle le sentit tomber d'elle avec un bruit sourd, dans le vide.

Non. On l'avait saisi. Des mains le soulevaient, le secouaient contre la clarté laiteuse de la fenêtre. Ce devait être l'aube, les oiseaux criaient. Les oiseaux crient toujours à l'aube. Et là aussi, secoué dans ces mains, des cris sortaient de ce morceau mutilé de son corps épuisé de fatigue.

Pourquoi criait-il ainsi ? Pleurait-il pour sa vie conquise, ou parce que, au secret de cet acte charnel, cet être savait qu'il avait presque tué pour vivre ? Seuls mon corps et le sien connaissaient la signification secrète de ce combat mortel et sans hostilité : chacun pour sa propre vie.

38

J'étais revenue de ce long voyage juste à temps pour voir que je risquais de perdre, et pour la seconde fois, Beatrice. Comment avais-je fait pour ne pas voir ce regard fixe et sans lumière, ces cheveux tirés qui la faisaient ressembler à une vieille femme ?

— Nous devons rester ici et accomplir la volonté de ma grand-mère. Même si elle n'avait pas fait de testament, c'est cela qu'elle voulait. Et il ne faut rien changer. C'est moi maintenant qui m'occupe de sa chambre, qui doit rester comme si elle pouvait y revenir à n'importe quel moment.

J'étais restée éloignée trop longtemps, et Gaia et tous ces morts en avaient profité pour s'insinuer en elle. En un éclair je compris ce qu'était ce qu'on appelle le destin : une volonté inconsciente de poursuivre ce que pendant des années on nous a insinué, imposé, répété être le seul juste chemin à suivre. Ma gorge se serra. Je ne voulais pas la perdre, et ce visage pâli, triste, de fausse Gaia me fit sortir du lit pour agir. Et pour agir je ne devais pas la contredire. Je me remis à prendre soin avec elle de ces pièces et je ne l'obligeai pas à voir le « fils de la chose », comme elle appelait ce poupon de chair tendre qui se suspendait à mon sein exactement comme elle l'avait fait.

— C'est toi qui l'allaites ? C'est indécent. Une vraie princesse aurait tout de suite pris une nourrice !

Elle claquait maintenant les portes comme sa grand-mère. Ce bruit réveilla Eriprando qui se mit à pleurer et crier. Il pleurait tout le temps et s'agitait, tenu dans ces bandes qui l'enserraient des pieds à la poitrine. Des bandes étroites et dures pour faire grandir droits et forts. Bandes rigides pour éduquer, corriger, ou ankyloser le corps et l'esprit ? Je n'en pouvais plus d'entendre ces cris. Je me levai d'un bond, prise de colère devant toutes ces contraintes qui, au retour de ce long voyage à l'intérieur de mon corps, aux marges de la vie, m'apparaissaient avec plus de clarté que jamais. Et, chose que je n'avais jamais faite, je me mis à hurler moi aussi :

— Ça suffit ! Ça suffit ! Ça suffit !

Je ne voulais pas haïr Beatrice, mais elle me montrait un visage ennemi que je devais détruire. J'ouvris la porte toute grande et je courus dans le couloir en hurlant ma haine. J'entendais ma voix mais je ne comprenais pas ce que je disais. Jusqu'à ce que Vif-argent tremblante me tombe entre les mains. Je me mis à la gifler. Et entre mes cris et ses pleurs j'entendis sa voix qui disait :

— Mais oui, princesse ! Je ne l'emmailloterai plus ! Arrêtez ! Oh, Dieu ! oui, oui, vous avez raison !... La *principessina* est dans sa chambre... Oui, oui, je vous l'amène ici !

Quand elle fut devant moi elle aussi, tremblante, vieille, par cette obscure volonté qu'elle ne savait pas combattre, je la saisis par la tête et lui arrachai les épingles, arrachai ses cheveux. Quand je sentis qu'elle tremblait encore plus sous mes mains, une rage forcenée me fit lever la main, et à force de gifles et de coups de pied je la traînai dans ma chambre, claquant la porte à la figure de Vif-argent en larmes. Je ne voulais pas la haïr, mais ma main ne pouvait plus s'arrêter. Ce n'est que lorsque je la vis tomber à mes pieds que je la laissai là au milieu de la pièce et, m'enfermant dans la salle de bains, je mis la tête dans la cuvette pleine d'eau froide. Tant pis. Si elle voulait la guerre, elle aurait la guerre, mais une guerre ouverte. Je ne pouvais agir avec elle comme avec les autres. Nous étions à égalité toutes les deux, liées l'une à l'autre. L'eau froide me calma et je retournai dans la pièce. Eriprando, encore serré comme un saucisson dans ses langes, hurlait. Beatrice, toute recroquevillée par terre, ne bougeait plus. Je m'appuyai à la porte et la fixai. Sur ce peu de front qu'on apercevait entre ses mèches de cheveux, de minces filets de sang coulaient. On frappait à la porte et il me fallait ouvrir. Je bougeai, mais brusquement deux bras agrippèrent mes genoux.

— Pardonne-moi, Modesta ! J'ai été méchante ! Tu as raison, méchante ! Mais ma grand-mère était si bonne avec moi.

Stupéfaite, je la soulevai. Ses yeux éclaircis brillaient et ses lèvres gonflées souriaient. Ses cheveux tombaient sur ses épaules, souples, attrayants. Et sans nous soucier des appels derrière la porte, nous tombâmes dans les bras l'une de l'autre, échangeant nos baisers d'autrefois.

39

Eriprando, libéré des langes qui l'emmaillotaient, ne pleurait plus, il jouait avec mon mamelon et avec les cheveux de Beatrice qui, libres au soleil, l'attiraient.

Quand il les tirait plus fort, Beatrice criait et pour se venger s'emparait de mon autre sein et tétait. Ils luttaient sur mon corps, et dans cette lutte joyeuse se réconciliaient. J'en profitais pour me reposer, abandonnée à ces deux êtres auxquels, pour la première fois de ma vie, je me sentais liée de façon absolue.

Il fallait que je me repose. J'étais fatiguée. Cette fatigue était peut-être le signe que je n'étais plus jeune ? Je n'avais jamais ressenti de fatigue auparavant. Ou était-ce la conscience d'être désormais seule à devoir les nourrir, les protéger ? C'était cela. Je n'étais pas vieille. J'étais seulement sortie de la première jeunesse et j'avais déjà un passé. Cette fatigue n'était que la nostalgie pour quelque chose qu'on a eu et dont on pense que cela ne reviendra plus.

C'est encore la nostalgie qui m'a poussée à fixer ma jeunesse dans ces pages, parce que je ne veux pas que le silence efface les longs cheveux de Beatrice, éclairés par ce soleil qui nous liait de sa chaleur narcotique impossible à retrouver jamais. Je voudrais m'arrêter là. Mais même à présent, alors que j'écris, le soleil décline, quelqu'un frappe à la porte, une voiture attend à la grille...

La grande Lancia Tricappa attendait, étincelante au soleil, et même si maintenant je savais que ce n'était pas une voiture à chevaux, l'idée de ce second voyage vers l'inconnu me troublait le regard. C'était une émotion du passé qui comme un écho de peurs s'insinuait dans la joie du moment et l'empoisonnait. C'était mon moi d'enfant qui s'insinuait entre moi et l'heure présente. Fermant les yeux, je me vis telle que j'étais alors, agrippée au bras de Mimmo. Il fallait chasser cette enfant qui ne voulait à aucun prix se rassurer. Je posai les yeux sur Beatrice qui restait silencieuse à côté de moi, tout occupée à caresser les cheveux d'Eriprando. Elle le gardait tout le temps dans ses bras. C'était elle maintenant qui refusait que la nourrice s'en occupe, même pour le laver ou lui donner à manger, et c'était une bonne chose pour moi aussi. Avec la mort de la princesse le travail avait redoublé, et malgré l'aide de Carmine j'avais extrêmement peu de temps... La voiture avait démarré, Beatrice riait doucement. Elle ne se retournait même pas pour regarder la villa, toute prise par son neveu. Ils se ressemblaient comme deux gouttes d'eau. Tout le monde dans la villa l'avait répété pendant des mois et des mois. C'était naturel, mais là, dans cet espace inhabituel, la ressemblance était vraiment impressionnante, même pour deux personnes nées du même père. Moi non plus je ne me retournai pas pour regarder. Je ne laissais rien dans cette maison. Il n'y avait pas Mimmo et tous les livres de Jacopo étaient déjà partis dans une malle avec mademoiselle Inès, Ippolito et Pietro, affligé par les regards de dévotion que son maître le prince réservait maintenant à sa nouvelle passion :

— Je suis attristé, princesse. Vraiment attristé ! J'espérais qu'en un mois ce feu de paille pour la Turinoise s'éteindrait, mais... ah, les hommes ! Il ne faut pas que vous vous en fassiez. Il faut être patiente ! Les hommes, tous les mêmes ! Mon regretté père aussi, à rester en extase devant chaque nouveau jupon ! Mais croyez-moi, c'est vous qu'aime mon prince... Je suis embarrassé de parler de ces choses. Voilà, moi, au point où on en est, je pense qu'à Catane, que Madame me pardonne, il faudra le distraire avec quelques petites, ben, oui, comme on faisait du temps de feu la princesse parce que – voilà le hic – cette Turinoise est vierge... mais que faites-vous, vous pleurez ?

Pauvre Pietro, ce n'était pas exactement des pleurs ! Je m'étais porté les mains au visage parce que j'éclatais de rire. À Catane, j'aurais une grande pièce rien que pour moi avec les livres de Jacopo, en cette Catane rêvée. Tellement rêvée et pour moi lointaine que pour un peu je fus prise de panique en entendant Beatrice crier :

— Catane ! Catane ! Regarde comme elle est belle, Modesta, regarde ! Et toi aussi, Eriprando, regarde ta ville !

Stupéfaite de nous apprendre déjà parvenus à destination, j'ouvris les yeux pour les refermer, aveuglée par cette immensité de toits noirs brillants au soleil, dégringolant vers un ciel bleu qui s'étendait à l'infini, là où le regard pouvait arriver : la mer ! La mer de Tuzzu, bleue !

— Oui, oui, c'est la mer ! Et qui est Tuzzu ?... Oui, là où elle s'éclaircit, c'est l'horizon.

Les yeux pleins de cet espace de lumière débordante, qui même sous mes paupières fermées ne voulait pas me laisser, je m'entendis dire :

— Allons la voir de près, tout de suite !

Sur l'ordre de Beatrice, la voiture, en vitesse, se mit à filer comme poursuivie par tous ces murs noirs hauts et remplis de fenêtres et de balcons en fer qui dévalaient derrière nous.

Dès que la voiture s'arrêta, le souffle coupé, je bondis dehors suivie de Beatrice. Et, peut-être parce que je m'attendais à le voir d'en haut comme avant, je dus lever les yeux pour trouver ce ciel liquide renversé qui fuyait calmement vers une liberté sans limites. De grands oiseaux blancs glissaient dans ce vertige de vent. Mes poumons libérés s'ouvraient et, pour la première fois, je respirais. Pour la première fois des larmes de reconnaissance me descendaient sur les lèvres. Ou était-ce le goût sec et fort de ce vent qui s'inclinait sur ma bouche pour la baiser ?

DEUXIÈME PARTIE

40

Mais les promesses de liberté que les vagues et le vent s'en allaient répétant, se brisaient le long des murs des édifices fleuris de roses et de pampres de lave coupante. Il n'y avait pas de liberté dans ces rues, ces ruelles, ces places ambiguës, débordant de seuls hommes avec des canotiers et des cannes arrogantes, épiés par des ombres féminines cachées derrière les rideaux des fenêtres ou dans l'obscurité des pauvres rez-de-chaussée à la porte toujours entrouverte. Le palais de la via Etnea déployait une kyrielle de salons hostiles où, deux jours après notre arrivée, une procession de femmes impeccablement habillées, avec des gants blancs ou noirs et de petits chapeaux à fleurs, commença à défiler devant nous en ouvrant et refermant ses éventails et prodiguant protection et conseils.

— Oh, Jésus Marie ! Non ! seules à l'Opéra ? Non ! Il y a notre loge, ma chère nièce...

— Mais absolument ! On a déjà beaucoup parlé de votre absence de dimanche ! Bien sûr, vous étiez fatiguées du voyage, bien sûr. Mais s'il vous plaît, mes colombes, la messe de midi, dimanche. C'est la tradition. Absolument.

— Aller seules au café ? Oh, non, c'est inadmissible, cousine, inadmissible !...

— Bien sûr, c'est vraiment malheureux de n'avoir pas un frère, un mari !

— Au cinématographe ? Cette diablerie moderne ? Oh, non ! Nous n'y allons jamais, excepté en quelques rares occasions, et toujours à condition que l'un de nos hommes se soit d'abord assuré qu'il ne s'agisse pas d'un film trop licencieux...

— Un film qui traite d'un sujet historique, dites-vous, cousine ? Allons donc ! L'histoire comme paravent à des scènes inconvenantes, petites femmes décolletées, bacchanales, laissons, laissons ! Tout le monde parle encore de ce *Cabiria*• ! Une véritable honte ! Et ces parlementaires qui se gargarisent sous prétexte de liberté. Mais à quoi peut-on s'attendre aussi avec tous ces socialistes au gouvernement ? Et notre Saint-Père prisonnier ! Avec cela les mauvaises mœurs se répandent jusque dans nos maisons ! Hier j'ai failli avoir une attaque en entendant mon petit-fils, à quatorze ans seulement, quelle génération sans cœur de désaxés, d'égoïstes est en train de nous arriver là !... Que disais-je ? Ah oui, j'ai failli avoir une attaque en entendant mon petit-fils inciter sa sœur à se couper les cheveux comme le font toutes ces folles furieuses du continent, les suffragettes. Mon mari, qui les a vues à Milan, dit qu'on croirait des hommes avec ces cheveux courts et leur absence de corset. Il ne leur manque plus que de mettre des pantalons, et amen ! On ne respecte plus rien !...

— Si je puis me permettre, chères amies, vous lisez trop. Ça fait mal aux yeux. Mon oncle médecin affirme que lire donne des rides... Gaia vous y autorisait ? Eh, naturellement, toujours originale ! Femme de grande valeur, je ne dis pas, mais trop, trop...

— Dimanche dernier à la messe, le petit baron Ortesi a montré un véritable intérêt pour notre chère

Beatrice. Bien sûr, ces barons ne sont pas de vieille noblesse, mais ils sont riches. Il faudrait lui faire rencontrer Beatrice... Oh, non ! Pas ici ! Vous êtes des femmes seules, vous ne pouvez recevoir des hommes. On pourrait profiter de la bonté de cousine Esmeralda qui s'est gentiment proposée de préparer un thé. Eh ! Ce ne serait pas une mauvaise chose qu'un homme entrât dans cette maison...

Beatrice pâlissait, et moi, de plus en plus oppressée par les chiffres et les comptes, je ne dormais plus. Me tournant et me retournant dans le lit je me cognais aux murs de cette prison de paiements, impôts fonciers, contrats de locations... Gardes champêtres et contremaîtres peinaient à percevoir les loyers, les paysans relevaient la tête, la campagne ne rapportait pas, les salaires avaient triplé. Pour lire quelques livres j'avais sacrifié des heures et des heures de sommeil. Le piano se taisait. La malle de Jacopo, encore fermée, gisait dans la pièce à côté, oubliée dans un coin. Dans quel piège étais-je tombée ? Je portais à bout de bras cette espèce d'immense royaume qui prenait l'eau de toutes parts. Et cette énorme maison tenue comme un palais royal ? « Je suggérerais à Madame de rafraîchir les rideaux au printemps », avait humblement commandé le majordome. Ce qui voulait dire les refaire. La villa, à la campagne, toujours ouverte, fonctionnant comme un hôtel, en attente du retour de tous ces morts ; vingt bouches à nourrir, vingt salaires à débourser chaque mois. Je ne dormais plus. Gaia aussi souffrait d'insomnie. Je comprenais à présent son regard obsédé, sa façon de rester tout le temps enfermée dans son bureau, occupée à mener cette bataille impossible. À quoi s'était-elle donc sacrifiée ? Au devoir d'un nom à maintenir bien haut dans la considération des autres ou à ses propres yeux ? De fait, tous ces avocats, banquiers, notaires avaient comme elle ce regard sourd, fixé dans une seule direction. Carmine, non. Carmine sur son cheval, ses boucles blanches, immobiles dans l'air, courait vers moi dans mon souvenir en riant... Depuis des mois je ne le voyais plus qu'entouré de notaires et d'avocats engoncés dans leurs gilets et vestes noirs ajustés. Dès qu'il pouvait, il s'enfuyait. Moi aussi je devais fuir de ces murs et de ces hommes que j'avais tant admirés quand je m'occupais de l'administration à la villa du Carmel, mais qui maintenant m'apparaissaient comme les détenus d'une prison qu'eux-mêmes s'étaient construite jour après jour. « Si je peux me permettre, princesse, vous auriez dû naître homme. » Naguère cette phrase me semblait la plus haute reconnaissance qu'on pût recevoir des autres, mais à présent la terreur de devenir comme Gaia m'oppressait la poitrine et m'ôtait la respiration.

La ville instruisait. Ce pouvoir de coupoles majestueuses, de palais et de tours rapaces à peine adoucis par des dentelles de grilles hautaines, barrait le passage au fourmillement misérable qui s'épuisait à servir et sourire, rappelant à tous, riches et pauvres, d'accumuler de l'argent pour combattre la peur de la mort, mot qui en réalité n'est pas plus effrayant que les mots maladie, esclavage, ou torture. Je ne me confronterais plus avec la mort, avec cette ligne d'arrivée qui, si on ne la redoute plus, rend éternelle chaque heure pleinement savourée. Mais il fallait être libre, profiter de chaque instant, expérimenter chaque pas de cette promenade que nous appelons vie. Libre d'observer, d'étudier, de regarder par la fenêtre, de guetter à travers cette forêt d'édifices chaque lumière qui de la mer se glisse entre les volets... Quelqu'un avait éteint tous les réverbères, la sirène du port saluait un bateau invisible, l'un après l'autre s'élevait le fracas des rideaux de fer qu'on ouvrait. Un cri de marchand de poissons montait des ruelles qui croisaient la via Etnea, coupant l'appel de l'homme de la neige, qui évoquait la grosse chaleur pour vendre la « salive du Mont »... Mais tout cela, pas ici, pas dans cette rue élégante de portails de banques lourds et somptueux comme des cercueils. On avait ouvert tout grands les battants de porte de la Banque de Sicile, et voici le premier employé qui traversait la rue. Ce n'était pas un petit employé, on le voyait à la coupe parfaite de son costume sombre et à sa canne agile et brillante. Cet homme avait sûrement le même regard fixe et dur que Santangelo, l'avocat, et se préparait à sa journée de supérieur, content de donner des ordres et d'humilier. Non, je n'allais pas devenir l'employée de mon patrimoine. Pour commencer, aujourd'hui, je ne recevrais personne.

Jacopo, avec son sourire ironique, m'appelle du fond de la malle ; cette malle, il faut que je l'ouvre. Naguère il m'a parlé de richesse et de pauvreté, mais j'étais alors trop jeune pour comprendre. En quelque façon il m'a dit que l'une comme l'autre peuvent donner la vie et la mort : « Villa du Carmel, 27 mars 1912. Je pars demain. Je reprends la route. Il n'y a pas de vie dans ces esprits oblitérés par l'orgueil. Je me sens un lâche de laisser tout ce poids sur les épaules de Gaia. Mais à quoi sert de combattre contre l'Histoire ? Mon devoir serait de m'enfermer avec elle dans cette prison et de la suivre dans son absurde espoir de garder debout une mentalité et une richesse volée à la sueur des humbles, et qui bientôt sera dévorée par une bourgeoisie forte d'une avidité nouvelle. Et si ce n'est pas elle... Un spectre rôde à travers l'Europe. Je me traite de lâche, mais je reprends ma route. La seule amertume, la seule culpabilité que je porterai avec moi, pesant fardeau, est Beatrice. Il faudrait la préparer à la vie, la faire étudier ; le monde nouveau appartiendra aux médecins, aux ingénieurs, aux chimistes. Je pars, et le reste est silence. »

Beatrice disait que Jacopo aurait été aussi beau qu'Ignazio s'il ne s'était tenu un peu courbé... Courbé sous son fardeau, Jacopo marche sur des routes inconnues de moi, de longues routes sombres sans arbres ni maisons. Où allait-il ?

— Tu vois, Beatrice, il fait toujours comme ça. Il me parle et puis il s'éloigne.

— Ne dis pas ça, ça me fait peur ! Dieu, quelle peur, Modesta ! Mais que t'a-t-il dit ?

— Tant de choses bonnes et justes, qu'il veut pour ton bonheur et le mien.

— Oh, Dieu ! Ça suffit maintenant, dormons. Prends-moi dans tes bras ! J'ai peur de le voir moi aussi.

Beatrice se serre contre moi. J'aime sentir son tremblement : comment il naît, comment peu à peu il se calme dans mes bras, jusqu'à ce que sa main qui retombe ou la pression de sa tête sur ma poitrine me précipite avec elle dans un profond sommeil sans souvenirs. À en croire ce qu'on me dit, je dormis deux jours et deux nuits.

41

— Je vends tout. J'ai dit que je vendais tout. Le palais, je le donne en location à la banque : Maître Santangelo est d'accord, on convertit tout en or et en quelques titres. Puis on verra. D'ici peu il faudra une valise de billets pour acheter un bout de pain. La villa à la mer suffira, et sera également d'un grand bénéfice pour Ippolito : ici il ne peut descendre dans les rues et sa santé s'en ressent. Au Carmel il s'était habitué à travailler avec le jardinier, à rester en plein air, à...

— Et ça a été une erreur ! Le bruit de sa difformité s'est propagé à travers la campagne. Une chose est d'imaginer, une autre de voir, ma fille, et vous y avez perdu de l'autorité ! Si maintenant, comme tu me dis, à cette première erreur tu veux ajouter celle de te retirer dans une petite maison sans prestige, ce sera difficile de la maintenir, l'autorité.

— Mais je ne veux maintenir aucune autorité, Carmine. Je n'ai peut-être pas été assez claire. Je veux me défaire également des terres.

— Également des terres ? Eh, non ! que je n'avais pas compris. Feu la princesse et moi t'avions donné notre confiance, mais je vois que tu es une femme, et une paresseuse. Tu t'es déjà fatiguée de travailler ?

— Ce sont mes affaires. Tu ne peux pas comprendre. Je n'aime pas ce travail. Je veux étudier !

— Étudier ? Qu'est-ce qu'il faut entendre ! Et que veut dire étudier ?

— Tu vois que tu ne peux pas comprendre ? Alors vas-y, je suis une paresseuse et une femme, à ton gré.

— Je ne dis plus rien. Mais quand on saura que tu vends, ils se feront passer le mot et tu ne trouveras personne pour t'offrir la valeur réelle de la terre : ils te donneront une misère, comme ça a été le cas le mois dernier avec le domaine de Suormarchesa, celui du territoire de Serradifalco : aux enchères, il a fallu le vendre, et Don Calô l'a empoché pour quatre sous.

— Eh bien, n'attends pas les enchères et l'arrivée de Don Calò. Achète toi-même. Mène à son terme le plan que tu poursuis depuis vingt ans.

— Je vois que tu es maligne. Mais je n'ai pas volé,

j'ai pris ce qui me revenait grâce à mon travail, tandis que le prince et ses enfants, ce n'est pas pour parler mal des morts, jouaient à étudier avec leurs livres et à regarder les étoiles. Et puis je l'ai fait pour mes fils.

— Tes fils ? Quels fils ?

— J'ai deux fils... Tu ne le savais pas ?

— Et comment pouvais-je le savoir si tu ne me l'as pas dit ?

— Je devais te le dire ? On regarde, ma fille, on écoute. Tu es devenue comme les beaux messieurs. Toujours perdue à courir derrière des choses inutiles... J'ai été en grande peine pendant ces quatre années de guerre. Mais comme Dieu l'a voulu, Mattia est revenu quand tu as accouché, et maintenant voilà que me revient Vincenzo, qu'on me donnait pour disparu. Toi aussi tu as un fils, est-ce que tu l'aurais oublié ? En vendant tout, qu'est-ce que tu lui laisses ? Tu peux avoir du pain pour dix ans, ou vingt, mais la terre sert à donner un statut aux enfants. Et tu as un enfant !

— C'est aussi le tien.

— Il ne porte pas mon nom !

— Tu parles en vieux que tu es, le « nom », le « statut » ! Mon fils se fraiera un chemin de ses propres mains. Nous les jeunes, nous sommes différents.

— Peut-être ! Mais comme tu le dis, je suis un homme à l'ancienne, et pour moi mon devoir de père passe avant tout le reste. Et puisque nous parlons de ça : mes fils ne doivent pas connaître mes faiblesses. Tu es une gamine, tu n'as que quelques années de différence avec Mattia.

— Et alors ?

— Nous ne pouvons plus nous voir comme avant. Mes fils ne doivent pas savoir.

Je me jetai en avant pour le frapper, mais cette fois il ne se laissa pas battre. Il m'arrêta de la main et, me tenant écartée de lui, il dit d'une voix glacée que je ne lui connaissais pas :

— Arrête là, fillette, le temps de l'insouciance est passé ! Il te faut être calme, as-tu compris ? Et oublier. Carmine a oublié. Toujours à vos ordres, princesse.

— Celui-là, nous devons absolument le prendre, c'est un tableau unique, et ce paysage aussi, regarde ! Même s'ils ne te plaisent pas beaucoup, nous devons les garder. Nous les mettrons tous dans une pièce. Oncle Jacopo disait qu'avec le temps ils acquerraient une valeur inestimable. Par chance, il a fait une liste de ceux qu'il estimait précieux ! Il savait tout de la peinture, de la sculpture, et de l'architecture aussi. Quelle libération, Modesta ! Tu as vu que les couleurs me sont revenues comme tu le souhaitais tant, et que j'ai grossi, même ? Allez, embrasse-moi et souris. Je ne peux pas supporter de te voir si triste. Espérons que cette maladie te passe vite. Que t'a dit le médecin ?... Anémie ? C'est ça qu'il t'a dit ? J'ai tellement envie de prendre des leçons de conduite avec toi. Quelle bonne idée tu as eue de vendre cette espèce de corbillard et d'acheter cette petite automobile. Sans chauffeur, nous serons plus libres d'aller où nous voudrons, nous conduirons nous-mêmes, imagine comme ce sera merveilleux ! Mais comment vas-tu ? Mieux ? Viens, parce qu'il y a une table Empire vraiment belle que je voudrais prendre avec nous, mais je veux avoir ton avis.

Vous avez entendu la voix de Beatrice ? Carmine est parti et elle a deviné le vide dans lequel je suis tombée et que j'ai besoin d'elle.

C'était mon intention jusqu'à il y a quelques minutes, devant le souvenir de l'une de ces étapes obligées que la vie nous impose : celle d'être abandonné ou d'abandonner, de taire l'épisode de l'abandon de Carmine. Mais ses mots se sont emparés du droit de vivre sans l'accord de mon intelligence, comme il advient toujours dans les « affaires de cœur ». Mais ne vous inquiétez pas. Je n'irai pas vous raconter pas après pas le combat que chacun mène pour oublier. Je souffris exactement comme tout le monde. Mais l'amour n'est pas absolu et pas davantage éternel, et il n'y a pas seulement de l'amour entre un homme et une femme, éventuellement consacré. On peut aimer un homme, une femme, un arbre et peut-être même un âne, comme le dit Shakespeare.

Le mal réside dans les mots que la tradition a voulu absolus, dans les significations dénaturées que les mots continuent à revêtir. Le mot amour mentait, exactement comme le mot mort. Beaucoup de mots mentaient, ils mentaient presque tous. Voilà ce que je devais faire : étudier les mots exactement comme on étudie les plantes, les animaux... Et puis, les nettoyer de la moisissure, les délivrer des incrustations de siècles de tradition, en inventer de nouveaux, et surtout écarter pour ne plus m'en servir ceux que l'usage quotidien emploie avec le plus de fréquence, les plus pourris, comme : sublime, devoir, tradition, abnégation, humilité, âme, pudeur, cœur, héroïsme, sentiment, piété, sacrifice, résignation.

J'appris à lire les livres d'une autre façon. Au fur et à mesure que je rencontrais certains mots, certains adjectifs, je les sortais de leur contexte et les analysais pour voir s'ils pouvaient être employés dans « mon » contexte. Dans cette première tentative d'identifier le mensonge caché derrière des mots qui avaient, y compris sur moi, un pouvoir de suggestion, je m'aperçus de combien d'entre eux et donc de combien de fausses idées j'avais été victime. Et ma haine grandit jour après jour : la haine de se découvrir trompé.

Je trouvai les mots pour tuer Carmine. Je découvris ce que savent tous les poètes, que l'on peut tuer avec les mots, et pas seulement avec un couteau ou du poison :

Tu me tues mais mon visage
te restera fiché
dans le regard.
Dans les nuits
pleureront tes paupières
clouées.

Et repensant à Beatrice dans les premiers temps de notre amour, à la Beatrice d'alors, avant de l'oublier :

Qu'est-ce qui pousse tes pas
à travers d'obscures, d'insolubles
saisons,
toi qui te décolores à la plus légère
chaleur
et tombes brisée
au plus léger mouvement
d'ombres sur le pré ?

N'ayez pas peur, je ne vais pas vous redire tous les poèmes qui m'envahirent l'esprit comme une rivière en crue.

— Mais que fais-tu, Modesta ? Il ne faut pas que tu travailles autant. Excuse-moi d'être venue te chercher. On est si bien au bord de l'eau par cette chaleur. Nous avons préparé un feu, ce soir nous dînons sur la plage. Pietro a pêché un tas de poissons ce matin. Si tu savais comme il est drôle, il veut nous faire croire qu'Ippolito a pêché aussi ! Viens, nous sommes tous si heureux, il ne manque que toi.

Et ils semblaient vraiment tous heureux de courir sous les ordres de Beatrice, qui en peu de temps avait transformé la petite crique en une salle à manger étincelante de couverts d'argent et de porcelaines éclairés par les grandes lampes à acétylène des barques. Le plus heureux était Ippolito qui, main dans la main avec sa demoiselle Inès, regardait fixement la mer. À lui aussi, la mer parlait de liberté ? Il devait en être ainsi, car ses gros yeux toujours larmoyants et sans cils s'élargissaient en fixant l'eau. Et un lointain écho d'intelligence affleurait presque dans son regard maintenant qu'il le posait sur moi. Épouvantée, j'eus la sensation précise que ces yeux me regardaient avec reconnaissance, alors qu'il répétait : « c'est bo, maman, c'est bo. » Par bonheur, mademoiselle Inès éclata d'un de ces grands rires brusques qui secouaient ses boucles noires, son cou et sa poitrine. Par bonheur, car j'étais sur le point de m'enfuir devant ce « maman », enfin avec le « an », qui m'était adressé.

— Vous avez entendu, princesse ? Il a dit « beau ». Avec moi il l'avait déjà dit, et tant d'autres mots aussi. Mais, comme je le pensais, devant vous il a honte. Vous avez vu comme il a minci ? Et vous savez qu'il est en train de finir de peindre la palissade du potager avec l'aide du jardinier, et que ses mains ne tremblent presque plus ?

Avec une terreur croissante, j'observais le regard de cette pauvre chose qui suivait les lèvres d'Inès et puis me regardait avec une sorte de satisfaction à l'audition de ses prouesses racontées par sa tante, comme il l'appelait maintenant. Elle avait un sens de la famille prononcé, cette pauvre chose. J'essayai de rire en moi-même. Mais soupçonner qu'il s'était retrouvé incapable de vivre à cause du seul fait qu'on l'avait gardé enfermé, et constater les progrès qu'il avait faits à son âge simplement parce que quelqu'un s'occupait de lui, me fit monter à la gorge tant de sanglots que je dus retourner immédiatement dans ma chambre où je pleurai des heures et des heures durant. Je pleurais pour Ippolito ?

42

La mer attendait, je la regardais avec le regard enfantin, large et flottant d'Eriprando. C'était l'été, et il fallait que je vole à cette mer avare un peu de sa liberté. Pour le faire, je devais la comprendre, la toucher de mon corps comme Beatrice savait le faire. C'était curieux, mais Beatrice, comme lorsqu'elle dansait, ne boitait presque plus quand elle courait le long de la plage. Me décider à entrer dans l'eau fut la chose la plus difficile qu'il m'eût été donné d'affronter jusque-là. Cette mer était dure, et me rejetait sans générosité. Je luttais pour saisir ce corps liquide qui m'échappait en me surprenant de toutes parts. Je perdais l'équilibre, je reculais en vitesse à quatre pattes pour me retrouver repoussée sur la plage, à bout de souffle.

— Excusez-moi d'intervenir, mademoiselle, mais vous n'apprendrez jamais si vous continuez à vous battre ainsi avec les vagues. Il faut s'abandonner à la mer. Cela fait dix minutes que je vous observe et... En fait je voulais vous demander par où l'on passe pour aller à la villa Suravita. Je cherche la princesse Brandiforti.

Cette voix qui d'en haut déployait une si douce élocution sur le sable sans troubler le silence, me fit lever les yeux, qui brûlaient à cause du sel, mais je ne vis qu'une chemise blanche au soleil.

— Excusez mon impertinence, mademoiselle, mais vous avez besoin d'un maître de natation et moi d'une villa que je ne parviens pas à trouver. La villa d'une certaine...

— J'ai compris. Je suis la princesse. Continuez donc.

— Oh, pardon ! Je ne pensais pas. Mais qu'est-ce que je dis ? Excusez-moi encore. Je ne voulais pas vous déranger. Si vous voulez bien avoir l'amabilité de me dire où est la villa, j'y vais et je vous y attends.

— Mais vous me cherchiez moi ou la villa ?

— Vous, mais... Un moment, je remets ma veste. Il faisait une grande chaleur dans le bois.

— Alors ?

— Ah ! Carlo Civardi, médecin. C'est maître Santangelo qui m'envoie. Je vois que vous me regardez incrédule. J'y suis habitué, et pour vous tranquilliser je vous dis tout de suite que je ne suis pas aussi jeune qu'il y paraît. J'aurai vingt-huit ans dans un mois. Mais si mon aspect ne vous inspire pas confiance, ne vous inquiétez pas. À cela aussi je suis habitué. Je comprends. Au fond, je venais avec fort peu d'espoir. J'aime beaucoup la Sicile, mais malheureusement je vois qu'ici également prévaut, et encore plus que chez nous, l'idée préconçue de la *in senectute sapientia*.

— Mais d'où venez-vous donc ?

— De Milan, princesse, ville superbe, mais légèrement humide. Pour être franc, j'ai eu quelques petits problèmes aux articulations qui m'ont amicalement suggéré de me méfier des poétiques brumes du nord, et qui m'ont, disons, poussé vers le sud en quête de soleil. Comme votre île est belle ! Je l'ai traversée de long en large avant de m'arrêter ici à Catane.

— Et pourquoi vous êtes-vous arrêté à Catane ?

— L'habituelle histoire, l'histoire bien connue, toute simple : mon oncle est le docteur Lenzi, ami de maître Santangelo. Je travaille avec lui. Je vous vois perplexe. Je reviendrai avec mon oncle, lui a des cheveux tout blancs et cela, c'est évident, inspire confiance. Je vois que par bonheur vous souriez, même si c'est de moi. Je commençais à croire que ce que dit de vous maître Santangelo correspondait à la réalité.

— Que dit maître Santangelo ?

— Eh bien, que vous avez une poigne de fer. Que...

— ... que je ne me fie à personne, que je suis froide, distante et avare.

— Euh, ce n'est pas exactement ça.

— C'est exactement ça. Maître Santangelo a raison.

— Alors, si vous permettez, je cesse de vous importuner.

— Mais où allez-vous ! Non seulement vous avez l'air d'un petit garçon, mais comme un petit garçon vous vous rendez tout de suite.

— Vous dites ?

— Pourquoi ne vous grimez-vous pas en vieillard ?

— Pardon ?

— Comme font les acteurs comiques : lunettes, poudre blanche sur les cheveux, fausse barbe. Eh oui, pourquoi ne portez-vous pas la barbe ?

— Mais j'ai des moustaches ! Et puis chez nous on ne porte presque plus la barbe. C'est plus hygiénique.

— Vraiment ? Le malheur est qu'ici elle se porte encore. Pourquoi ne vous la faites-vous pas pousser ? Cela vous aiderait à paraître au moins vingt-quatre, vingt-cinq ans, au lieu de dix-huit.

— Oh, mon Dieu, seulement dix-huit ? Je comprends, et m'excuse de vous avoir dérangée.

— Un moment, je vous prie. Vous savez nager ?

— Comment ?

— Si vous savez nager et vous m'apprenez, je fermerai l'œil sur votre âge, et je vous confie le prince.

— Du chantage ?

— Prenez-le comme vous voulez. Il faut que j'apprenne à nager.

— Ce n'est pas très honorable pour un médecin, mais je ne peux qu'accepter. Je n'ai que deux patients, et qui par-dessus le marché ne paient pas... Alors, je peux voir le prince ? C'est quelque chose de grave ?

— Mais non ! C'est juste que son vieux médecin est mort. Vous le verrez demain, mais venez avec un maillot de bain. Maintenant je vous prie de me laisser. Parler au soleil fatigue. Bonne journée !

Comme vous l'aurez compris, ne sachant pas comment me comporter avec ce garçon, j'avais emprunté les manières brusques de feu la princesse. Cela fonctionnait toujours. Je l'entendis, après un instant de pause incertaine, se précipiter vers le bois en trébuchant.

Que de choses j'avais apprises de cette grande vieille ! Je la sentais à l'intérieur de moi qui se dressait dans sa solitude orgueilleuse, tandis que Modesta intimidée par cet étranger s'agrippait à elle. Et si Gaia criait tellement parce que parfois elle aussi avait peur des gens comme j'avais eu peur de ce médecin qui parlait si bien ? Pourquoi cette peur ? Je ferme les yeux pour interroger le passé et vers moi avance une procession de religieuses, de vieillards, de figures sans âge de sœurs converses. Ce médecin était le premier jeune homme que je rencontrais. J'avais bien fait de lui dire de revenir, il fallait casser cette procession qui m'apparaissait à présent reposante en comparaison du regard tendu de ce garçon. Avec stupeur je découvris que j'avais peur de son jeune âge. Mais je n'avais que vingt et un ans et je devais, peur ou non, affronter avec la sienne ma propre jeunesse.

— Avec qui parlais-tu, Modesta ?

— Le nouveau médecin.

— Je n'y crois pas. On dirait un petit garçon. Et puis, même si c'était vrai, tu le reçois ainsi, Modesta ? Tu n'aurais pas dû le recevoir !

Je me retrouve debout à la gifler, mais pas assez fort pour la blesser comme la première fois. Je sais maintenant comment repousser ces préjugés qui, du fond de ses vingt ans d'habitudes, ressurgissent, assombrissant le lac bleu de son regard. Pleurer la calme, et que ce soit par peur de moi, ou parce qu'ainsi, grâce à mes gifles, elle peut se sentir justifiée à ses propres yeux, elle accepte à nouveau la vie et redevient heureuse.

Elle rit maintenant, Beatrice, avec ce médecin qu'elle ne voulait pas voir, ils s'amusent de mes tentatives maladroites de me maintenir à la surface de l'eau. Je dois être vraiment comique à boire tant d'eau à deux mètres de la plage. Eux s'éloignent, libres, fendant cette mer avec sûreté et ils rient, mais en attendant je parviens à flotter et à faire quelques brasses, à condition toutefois de voir le fond. Qui sait quand je réussirais à aller là où l'on ne voit rien d'autre qu'une masse d'eau sombre fouillée par le soleil. De la barque, j'avais observé pendant des heures ces lents tentacules qui sondaient patiemment ce secret. Encore un mois, ou deux – l'automne était loin, par bonheur ! – et avec l'aide de ce garçon j'y arriverais... Ils se remettent à rire... ils sont arrivés au rocher du Prophète. Ce rocher était devenu mon rêve. J'étudiais, je lisais, je m'occupais d'Eriprando, mais au fond de mon être ce rocher affleurait comme une promesse.

Les jours passèrent, tournant autour de cette promesse, de ce profil de lave qui émergeait, tantôt pensif, tantôt courroucé, d'une nappe d'eau miroitante qui de la plage paraissait toujours verte. Jusqu'à ce que je puisse voir de près que ce n'était pas une illusion d'optique ; autour de la grande tête du Prophète la mer était en effet toujours verte. Avec l'aide de Carlo, j'y étais arrivée. Je tremblais à cause de l'émotion de la traversée et de l'air qui s'était rafraîchi en une nuit. Juste à temps : de grands nuages se montraient déjà à l'horizon. Lui aussi était ému. Il restait là, distant et muet, après m'avoir aidée à monter sur la chevelure du Prophète. Il ne parlait jamais quand nous étions seuls, je devais attendre Beatrice pour entendre sa voix. Gaia n'avait que trop bien fonctionné... Mais maintenant je ne pouvais plus faire marche arrière. C'était peut-être mieux ainsi. Je ne parvenais pas à m'habituer à cette jeunesse et à cette intelligence qui agressaient avec une flamme et un langage nouveaux pour moi. Il fallait que je lui vole cette maîtrise qu'il avait pour jouer sur le clavier des mots, comme moi je faisais résonner de mille nuances les notes au piano. Depuis des mois, désormais, je saisissais au vol chaque nouvel adjectif et je le répétais en moi-même pour ne pas l'oublier. Avec le temps je finirais par parler comme lui, de la même façon qu'avec le temps j'étais parvenue à sentir sous mes pieds la lave solitaire et inaccessible de cette petite île.

— Mais tu restes au soleil sans parasol, Modesta ? Tu vas t'abîmer la peau ! Je te l'ai dit mille fois. Tu es déjà toute noire ! C'est laid cette peau foncée comme celle des paysannes.

— Mais au contraire, si je peux me permettre : la princesse est en avance sur son temps. Et peut-être le sait-elle. À Riccione il y a beaucoup de femmes qui ont accepté l'héliothérapie sur notre conseil à nous, les médecins. Depuis longtemps sont connues les propriétés curatives du soleil, sauf que cette vérité médicale s'est heurtée, comme toujours, à la pudeur, ou mieux, à un idéal esthétique qui la dissimule. L'été dernier on a vu des maillots de bain vraiment scandaleux, pour les maris s'entend ! Mais les temps changent, on ne peut arrêter le progrès, et la princesse, chère Beatrice, sciemment peut-être ou peut-être en suivant son instinct ou son amour pour le soleil, selon ses propres termes, accomplit un acte en faveur de la libération de la femme. La pâleur, la fragilité ne sont, au fond, que des fils très minces pour brider et dompter la nature féminine, exactement comme les Chinois qui au nom de la beauté bandent les pieds des petites filles. Non, non, Beatrice, ne vous troublez pas, je vois que je vous ennuie, c'est la faute de mon travail : déformation professionnelle.

— Je ne m'ennuie pas, Carlo, c'est juste que l'envie m'était venue de jouer aux anneaux, on y va ?

Ils courent tous les deux chercher les anneaux. Beatrice lui a permis de l'appeler par son nom. C'est normal, ce ne sont que des enfants. Sciemment, héliothérapie, déformation professionnelle. Quelles belles expressions !

— Non, Beatrice, non ! Vous êtes gentille, mais il est vain que vous vous donniez tant de mal pour faire en sorte que la princesse s'intéresse à moi. Ne voyez-vous pas que, y compris lorsque je parle, non seulement elle ne m'écoute pas mais elle ferme les yeux comme si...

— Je vous écoute, au contraire, et pour vous en donner une preuve je vais vous dire que vous nourrissez de la sympathie pour ces socialistes dont on parle tant.

— Puis-je me permettre de vous demander comment vous l'avez compris ?

— À la façon dont vous avez parlé, il y a quelques jours, des femmes.

— Et vous n'avez pas été scandalisée ? Vous ne m'avez pas donné congé ?

— Et pourquoi aurais-je dû le faire ?

— Mais... maître Santangelo m'avait recommandé...

— Maître Santangelo ne m'intéresse pas. En revanche, en savoir davantage sur vos sympathies m'intéresse. Vous ne répondez pas ?

— Excusez-moi, princesse, je suis extrêmement confus. Vous avez le pouvoir de toujours me surprendre. Je n'imaginais pas que vous vous intéressiez à la politique.

— Non, nous ne nous intéressons pas du tout à la politique, Modesta ! Comment te vient-il à l'esprit de plaisanter sur ces choses ? Tu ne vois pas que tu l'embarrasses ? Carlo n'a aucune sympathie pour ces sans-Dieu ! Je n'aime pas quand tu fais comme ça ! Je vais me baigner.

— Non, docteur, je vous conseille de ne pas la suivre, vous la perdriez. Laissez-la nager. Nous expliquerons plus tard à Beatrice qu'il n'y a rien de mal chez ces socialistes. Il faut de la patience avec Beatrice, et du temps. Je vous vois perplexe. Croyez-moi, c'est mieux ainsi. Ça se serait su tôt ou tard. Ou vous espériez que Beatrice ne le découvrirait jamais ? Mais pourquoi me fixez-vous hébété comme ça ?

— Ce n'est pas cela. Le fait est que je ne vous avais jamais entendue parler aussi longuement et avec tant de douceur. C'est votre voix qui me charme. Vous devriez parler davantage.

— Vous n'avez pas répondu à ma question. Comment êtes-vous devenu socialiste ?

— Ça s'est fait à l'université. Deux ou trois précieuses rencontres, et tout a été clair en moi.

— Il y a beaucoup de socialistes à Milan ?

— Beaucoup, oui. Et à Turin encore plus. Ici en Sicile il y en a beaucoup aussi.

— Vous parlez sérieusement ?

— Oui.

— Et vous les connaissez ?

— Pour être sincère, je suis ici à Catane pour prendre contact avec ces camarades.

— Ah ! Maintenant je comprends pourquoi durant tous ces mois vous ne vous êtes pas préoccupé d'avoir d'autres clients, en plus de nous. La chose m'avait beaucoup surprise. Mais je l'avais attribuée à la richesse et, pardonnez-moi, à la paresse.

— Il faut admettre que rien ne vous échappe. Le diagnostic était presque exact. Non, la paresse, non ! mais une certaine solidité économique qui m'a permis d'y voir clair dans mes actions. Je vous explique. Depuis de longues années ma vocation médicale s'est heurtée à beaucoup de réalités qui l'ont dépouillée de l'auréole de sainteté dont je la voyais parée dans ma jeunesse. Je me suis rendu compte qu'être médecin dans cette société n'est rien d'autre que réparer tant bien que mal les dégâts que les conditions de travail dans les mines et les usines, les préjugés et un état de pauvreté et de saleté recréent à une vitesse supérieure, bien trop grande pour nos bonnes intentions de petits médecins individualistes. Que vaut – dans une vie – de sauver cent personnes, dont quatre-vingt-dix-neuf sont riches ou aisées, quand on a compris que la médecine doit avant toute chose prévenir les maux de chacun, sans discrimination ? La profession de médecin, dans ces conditions, équivaut à celle du missionnaire qui va en Afrique soigner les lépreux, sauver une âme ou deux... surtout la sienne ! À bien y réfléchir, ce ne sont pas des idiots : s'ils extirpaient vraiment la douleur, comment pourraient-ils continuer à s'amuser avec leurs jouets qu'ils appellent âme, mal et rédemption ? Je plaisantais. D'autant que je suis en train de verser dans la pédanterie. Et pour en finir avec ce petit discours archi-pédant : le métier de médecin n'a de valeur que s'il est accompagné d'une action politique ayant pour fin de donner à tous des maisons salubres, vivables, des hôpitaux vraiment efficaces. Pour y arriver, il faut agir, agir en profondeur. Il n'y a pas d'autre chemin.

— C'est cela, le socialisme ?

— Oui, mais je vous vois pensive. Je crains de vous avoir ennuyée.

— Vous savez très bien que non seulement vous ne m'avez pas ennuyée mais... ne faites pas le coquet !

— Vous avez raison.

— Vous recourez à la coquetterie parce que je suis une femme, et cela vous permet de présumer que vos raisonnements sont trop profonds pour...

— Touché ! Je vous prie de m'excuser. Mais il est si rare de trouver des femmes !... Parmi les socialistes il y a des femmes extraordinaires, vraiment extraordinaires, mais peu encore, malheureusement, si peu !

— Vous m'avez appris à nager, n'est-ce pas ?

— Oui.

— Vous m'apprendriez... vous me feriez connaître quelques-uns de ces socialistes ?

— Je voudrais vous baiser la main. Quelle belle main ! Merci de ne pas l'avoir retirée. Je vous aime, princesse !

— Mais n'étiez-vous pas amoureux de Beatrice ?

— Je porte à Beatrice un profond amour, mais depuis que je vous ai entendue parler, j'ai découvert que je tenais à Beatrice pour arriver à vous. Pardonnez-moi. Non, ne retirez pas votre main ! *I am not fond in love.* J'ai déjà trop souffert au nom de l'amour. Si vous avez l'intention de m'enlever toute espérance, permettez-moi de ne plus venir ici. Il y a beaucoup de médecins en ville. Je dois m'en aller à présent, princesse. Non ! Ne m'en veuillez pas si je ne viens pas demain. Je ne puis espérer, je le vois ! Pensez que je suis lâche si vous voulez, mais ne m'en veuillez pas, car je vous ai aimée pendant une heure !

43

La première semaine d'absence de Carlo

— Mais vraiment il ne viendra plus ? Mais pourquoi, Modesta, pourquoi ?

Il valait mieux ne pas répondre... « Pensez que je suis lâche, mais ne m'en veuillez pas, car je vous ai aimée pendant une heure ! » Il avait du caractère, ce garçon frêle à la démarche dégingandée.

La deuxième semaine d'absence de Carlo

— Alors, c'était vrai ce que tu avais découvert sur lui ? Ce n'était pas une plaisanterie ?

— Qu'est-ce que j'avais découvert, Beatrice ?

— Tu as déjà oublié ? Mais allez, bien sûr que tu t'en souviens ! Qu'il était socialiste ! C'est pour ça que tu l'as chassé ?

— Toi-même m'as fait remarquer que nous avions la chance de ne connaître aucun de ces sans-Dieu.

— Alors c'était vrai ? Ça semble impossible. Quel dommage, il était si gai !

Il valait mieux ne pas répondre.

— Mais pourquoi ne réponds-tu pas quand je te parle de lui ? Tu es insupportable quand tu fais comme ça ! On dirait grand-mère Gaia. Tu es vraiment comme elle, fermée et égoïste. Tu ne penses jamais à moi.

— Et pourquoi est-ce que je ne pense jamais à toi ?

— Eh, bien sûr ! Qu'est-ce que ça te fait à toi si Carlo ne vient plus ? Tu es tout le temps enfermée dans cette maudite pièce, à travailler ! Oh là là ! Le matin avec maître Santangelo, l'après-midi seule, et puis toujours avec Eriprando et...

— Et avec toi, il me semble, non ?

— Tu comprendras qu'avoir les restes... Et puis je m'ennuie, oh là là ! Surtout maintenant avec ce temps nuageux. Oh là là, quel ennui !

— Nous sommes en automne, Beatrice.

— Au moins avant on pouvait aller à la plage. Et puis, ce n'est pas que je n'aime pas Eriprando. Mais il est petit. De quoi veux-tu qu'il parle ? Avec Carlo, on conversait si bien !

— Mais c'était un socialiste, Beatrice, ne l'oublie pas.

— Je ne l'oublie pas. C'est quelque chose de très grave, ça, je le sais. C'est grave, n'est-ce pas, Modesta ?

La troisième semaine d'absence de Carlo

— Que de jeux il m'a appris ! Tu te souviens quand il est arrivé avec les tambourins ? Tu ne sais pas comme c'était amusant de jouer aux tambourins, tu ne peux pas le comprendre, tu n'as jamais voulu apprendre. Il m'avait promis de m'apporter, à la fin de l'été, tant de jeux nouveaux... Quand l'été finit, et qu'on est obligé de rester enfermé à la maison, il est nécessaire, disait-il, de s'inventer des distractions pour se soustraire à la léthargie dans laquelle tombe la nature. Il disait aussi que l'automne et l'hiver sont des saisons plus difficiles, mais aussi plus... plus...

— Constructives, Beatrice.

— Ah oui, c'est ça, constructives ! Oui, pour l'imagination ! Et que l'été, même s'il est plein de charme, peut se révéler à la longue plus facteur d'éparpillement. Comme ils s'expriment bien, ces gens du continent ! Peut-être parce que, comme il a dit, ils ont de longs hivers et sont obligés de penser beaucoup ?

— Tu pourrais aussi dire : de jouer avec leur intelligence.

— Ah oui, il a dit comme ça, c'est joli, n'est-ce pas ? C'est étrange, je croyais que ces gens du continent étaient tous blonds et sérieux, et lui au contraire a les cheveux noirs et les yeux aussi, et il plaisante tout le temps. Ses mains sont blanches, bien sûr, tu te souviens comme elles sont blanches ? Mais qu'est-ce que je dis ? Tu ne l'as jamais regardé, pense donc ! Mais pourquoi est-ce que tout le monde en veut à ces socialistes, Modesta ? Lui n'a pas l'air d'un mangeur d'enfants. C'est peut-être une exception, comme l'oncle Jacopo qui était si doux, bien qu'il n'ait pas cru en Dieu.

— C'est sans doute une exception, Beatrice.

— Et alors, s'il en est ainsi, pourquoi est-ce que tu ne lui écris pas pour lui dire de revenir ? Aussi bien, après, avec le temps et sous ton influence, il cessera d'être socialiste.

— S'il te manque tant, pourquoi ne lui écris-tu pas toi-même pour lui dire de revenir ?

— Moi ? Mais tu es folle ! Je suis une Brandiforti et je ne suis pas mariée !

— Je ne suis pas folle. C'est à toi qu'il manque, et ce devrait être toi...

— Tu es jalouse, voilà ce qu'il y a ! Tu es jalouse

et c'est pour ça que tu ne veux pas lui écrire. Je t'ai percée à jour, tu sais ! Tu as saisi le prétexte de son socialisme et comme ça tu m'as fermé la bouche. Tu es jalouse...

Il valait mieux ne pas répondre et la laisser pleurer, même si ces pleurs me poussaient à la prendre dans mes bras et me communiquaient ce tremblement douloureux, insupportable, qui depuis quelques jours la faisait boiter davantage.

— Tu es jalouse de Carlo, dis la vérité ! Tu es jalouse !

Deux jours après la troisième semaine d'absence de Carlo

— Je me suis décidée à écrire à Carlo parce que j'ai compris que tu ne l'as pas éloigné parce qu'il est socialiste, mais parce que tu es jalouse. Et puis peut-être, comme disait oncle Jacopo, être socialiste n'est pas quelque chose d'aussi horrible qu'on le dit.

— Tu es libre de faire ce que tu veux, Beatrice.

— Qu'est-ce que ça veut dire, ça ? Grand-mère disait ça aussi et puis... Qu'est-ce que ça veut dire ? Que tu l'accueilleras mal, ou même que tu ne voudras plus le recevoir ? Dis-le tout de suite, au moins. Que je sache que faire !

Maintenant qu'elle se rebellait enfin, je pouvais parler, d'autant que je ne voulais pas qu'elle me confondît avec Gaia. La prenant dans mes bras, je tentai d'arrêter pour un instant le mouvement de ces boucles agitées par des années de peur et d'insécurité. Il fallait que j'immobilise ce petit visage qui tressaillait à la moindre ombre, au moindre bruit.

Je prends ses joues dans mes mains, ses cheveux me retombent sur les doigts, légers comme autrefois. Et si maintenant pas un frémissement ne me trouble le regard, leur contact verse en moi une paix sans tressaillements peut-être plus profonde que le plaisir d'autrefois.

— Écoute, Beatrice. Pour une fois, écoute-moi ! Je ne suis pas comme ta grand-mère, même si j'ai beaucoup appris d'elle. Je t'aime d'une façon différente de la sienne. Je ne veux que ta tranquillité. Je ne suis pas hostile à Carlo, j'ai une telle confiance en toi, et le fait qu'il te soit aussi cher me convainc qu'il n'y a peut-être rien de mal dans le fait d'être socialiste. Qu'en savons-nous, après tout, hein ?

— Rien, en effet, rien.

— Qui nous a mal parlé des socialistes, hein ? Essaie de te souvenir.

— Eh bien, maître Santangelo, nos tantes, et... tous ces autres, là.

— Mais ce sont tous des gens antipathiques, n'est-ce pas, Beatrice ? Ennuyeux.

— Oh, Modesta, par pitié, ne m'en parle pas ! Mais alors Carlo ne t'est pas antipathique ?

— Beatrice, ne bouge pas ta petite tête un instant, essaie de me regarder dans les yeux. Carlo ne m'est ni sympathique ni antipathique. Pour moi ce n'était qu'un médecin qui venait contrôler la santé d'Ippolito et d'Eriprando. Mais si pour toi sa compagnie est importante, je ferai en sorte de le connaître et de l'aimer comme tu l'aimes.

— Mais je ne l'aime pas, Modesta, qu'est-ce que tu dis ? C'est juste que je m'amuse avec lui !

— Entendu ! Alors j'essaierai de m'amuser moi aussi en l'écoutant discourir.

— Oh oui ! C'est cela que je voulais, Modesta ! Heureusement que tu as compris. J'ai pensé du mal de toi. Mais quand tu te tais, j'ai peur. Je ne suis pas intelligente comme toi, comme ma grand-mère, comme vous qui comprenez même quand on ne parle pas. Oncle Jacopo aussi était comme toi, mais moi, moi... j'ai besoin qu'on m'explique, et maintenant que tu parles, je te crois. Je te crois et je t'aime, je t'aime tant. C'est toi que j'aime et pas lui. Il ne faut pas que tu sois jalouse. Avec lui c'est juste que je m'amuse.

— Et quand vient-il ?

Une sombre rougeur qui montait de son cou vers ses joues, et que je ne lui avais jamais vue, me troubla tellement que j'eus un instant la sensation que mon ancienne passion pour elle me reprenait. Je fermai les yeux pour comprendre. Non, c'était seulement un souvenir (un regret ?) du temps où, main dans la main, à travers couloirs et jardins, je tremblais à ses changements d'humeur brusques et imprévisibles.

— Pourquoi as-tu fermé les yeux, Modesta ? Tu te sens mal ? Comme tu es belle quand tu fermes les yeux ! Quand tu fermes les yeux tu es plus belle et je voudrais à chaque fois t'embrasser, mais ce n'est pas possible.

— Et pourquoi n'est-ce pas possible ?

— Parce que j'ai à faire.

— Mais Carlo t'a répondu ? Quand viendra-t-il ?

— Il est là en bas au salon à attendre. C'est pour cela que je ne t'embrasse pas. J'avais peur que tu ne veuilles pas le voir, alors j'ai dit à Vif-argent de le faire attendre en bas. Cela fait un long moment qu'il attend. Viens, maintenant que tout est clarifié, viens.

— Pourquoi n'y vas-tu pas toute seule ?

— Mais ce ne serait pas correct, Modesta ! Je suis une demoiselle, viens, allez !

— Oui, bien sûr, je viens, mais seulement pour aujourd'hui. Par la suite je te permets de le voir seule. C'est moi le chef de famille, non ? Les temps ont changé, Beatrice.

— Mais que diront les gens ?

— N'avons-nous pas décidé de ne pas nous occuper de ce que disent les gens, comme Jacopo nous l'a conseillé ?

— Tu as raison. Après je verrai, mais aujourd'hui, non ! J'ai peur !

La petite main tremblante me tirait comme autrefois (combien d'années auparavant ?). Mais son pâle visage, alors, ne s'enflammait pas de cette rougeur dense qui maintenant me la rend étrangère. Étrangère, mais chère. Et c'est bien ainsi.

Dans le salon, devant Carlo, cette rougeur disparut aussi rapidement qu'elle était venue. Si rapidement que, préoccupée (comment ce petit corps pouvait-il supporter tant d'émotions ?), je l'entourai d'un bras de crainte que cette taille mince ne se brise. Reconnaissante, Beatrice s'appuya sur moi et nous allâmes ensemble vers ce garçon, lequel, maintenant qu'il portait une veste d'hiver croisée, me semblait plus grand et plus raide, comme vieilli.

— Vous voyez, princesse, j'ai suivi votre conseil et je me suis fait pousser la barbe. Et comme vous l'aviez prévu j'ai gagné en âge et en clients. Vous êtes une femme précieuse, princesse.

— Je suis heureuse de vous avoir été utile, docteur, d'autant que la barbe vous va bien. N'est-ce pas, Beatrice, que ça lui va bien ?

— Eh bien, ce n'est pas qu'on puisse encore dire qu'il s'agit d'une vraie barbe comme celles que l'on croise à Catane... Il faudra encore un mois ou deux pour que la pauvrette mérite ce nom. Je l'espère du moins.

— Mais on n'en voit pas moins que ça lui va bien. N'est-ce pas, Beatrice ?

Beatrice, toute raide, me pesait tellement sur la poitrine que je pouvais à peine parler. Carlo ne pouvait pas s'asseoir devant des dames qui s'obstinaient à rester debout, c'était la règle. Tous les trois, immobiles au milieu de la pièce, nous apparaissions ainsi comme des petits soldats prêts à l'attaque en attente d'un ordre.

— Je crains que Beatrice n'approuve pas ma barbe. Elle me regarde comme si elle ne me reconnaissait pas.

Beatrice ne répondit pas. Et tandis que, commençant à transpirer, j'essayais de la pousser vers un siège, le sourire de Carlo se transforma en une grimace de désappointement.

— Décidément, ma barbe n'a pas eu ici, entre amis, le succès qu'elle a obtenu dehors en milieu ennemi. Qu'en dirait la princesse si je retournais chez moi me raser et revenais dans une petite heure ? Comme ça nous reprenons tout au début, comme si cette barbe n'avait jamais existé.

Brusquement Beatrice, se tournant vers moi et m'embrassant, éclata d'un rire si fort que Carlo fit un saut en arrière et que je dus bien m'arc-bouter sur mes jambes pour ne pas vaciller.

— Oh, mon Dieu, comme il est drôle, Modesta ! Tu as vu comme il se pinçait ces trois poils quand il a dit « décidément » ? Oh, Dieu, Carlo, que tu es drôle avec cette barbe ! Je n'ai jamais autant ri de ma vie ! Je n'en peux plus, je n'en peux plus !

Peu à peu ce rire se communiqua à nous aussi, et Dieu sait comment, des trois petits soldats immobiles que nous étions, nous nous trouvâmes tous les trois assis sur le divan à rire.

— Comme quand on est enfants, dit Carlo. (Et il ajouta :) Enfants avec des prétentions de barbe, naturellement !

Le rire que nous étions parvenus à dominer nous reprit, un vrai fou rire, jusqu'à ce que Beatrice se levât en criant :

— Ça suffit ! Ça suffit, Carlo ! Par pitié, je n'en peux plus !

— Par pitié ? Et je devrais avoir pitié de toi qui n'en as pas eu pour ma tentative d'entrer avec mes trois poils dans le monde austère de nos mâles héros barbus ?

— Non ! Ne dis plus ce mot, j'étouffe !

— Bon, entendu, je ne prononcerai jamais plus ce mot scandaleux, mademoiselle Beatrice ! Mais j'ai cependant le devoir de plaider la cause de la barbe, laquelle a toujours été et sera toujours un symbole de génie et de virilité ! au moins dans notre pays où les poils abondent. Rirais-tu, petite fille, devant la barbe de Garibaldi•, de Galilée• ou de Turati• ?

— Et qui est donc ce Turati ? Tu le connais, Modesta ?

— Ah, fille étourdie, ignare et inconsciente ! Vous marquez là une véritable irrévérence non seulement à l'égard de nos pères, mais aussi envers la lumineuse grandeur de nos contemporains qui avec leurs laborieuses barbes ont élevé haut les pilastres de notre culture barbue.

— Oh, mon Dieu, Modesta, la culture barbue ! La culture barbue !

Et nous rîmes jusqu'à ce qu'entrât Vif-argent, nous apportant du thé. Morts de rire, nous nous jetâmes en silence sur les gâteaux ; je ne savais pas que la gaieté fatiguait autant.

— C'est vrai, princesse, je ne me suis pas senti aussi fatigué depuis mes six ou sept ans. Mais c'est une belle et bonne fatigue... je l'avais oubliée ! Elle me rappelle une époque lointaine où j'étais encore à la campagne avec mes parents...

44

— Non, nous ne sommes pas de Milan, mais de la campagne. Eh oui, princesse, c'est très différent, comme ici aussi en Sicile, du reste. Mes ancêtres venaient du nord de l'Europe : de riches paysans, mais pas assez pour vivre en riches dans leur pays, à la recherche de terres fertiles et bon marché. Dans notre clan, comme on appelait à la maison cette foule de sept familles avec leurs trente ou quarante personnes – je ne les ai jamais bien comptées – on parlait de ces ancêtres pionniers comme d'une lignée de héros pas trop bien identifiée. Mais comme disait mon père, ce n'étaient que les prédateurs habituels qui depuis toujours ont traîné, chapardant ici et là, dans notre pays. Maintenant que j'y pense, on pourrait les appeler des colonialistes à compte personnel. « Une race forte. Une race sélectionnée par la rigueur des hivers, par l'austérité des mœurs, par l'absence de contamination avec les éléments indigènes... » Et par les chapardages continuels, ajoutais-je mentalement à la fin de ce sermon qu'au moins trois fois par semaine l'un ou l'autre de mes oncles nous administrait avant le dîner. Tu ris, hein, Beatrice ? Il n'y a guère de quoi rire. J'aurais voulu t'y voir ! J'avais une telle peur de cette race forte ! Et les femmes, alors ! Je me rappelle encore la peur que me faisait la voix de ma grand-mère. Une telle peur que, après sa mort, je ne suis plus arrivé à me souvenir de son visage, mais seulement de sa voix. Et pourtant durant toute mon enfance je l'avais eue devant moi au petit déjeuner, au repas de midi et à dîner. Eh oui, ris,

ris ! Mais moi j'ai encore dans les oreilles la voix terrible de grand-mère Valentina qui tonnait en me regardant : « Mais c'est un nain ! Il ne grandit pas, cet enfant ! » Et allez, des biftecks à toutes les heures du jour. J'exhalais une odeur de viande par tous mes pores. À moi, en plus, qui ai toujours détesté la viande ! Ou peut-être l'ai-je détestée après ? Peu importe, la psychologie ne m'intéresse pas. Dieu, quel ennui, tous ces romans subtilement psychologiques ! Laissons-les à notre chère camarade Montessori•. Grand Dieu, comme elle est ennuyeuse !

— Et qui est cette Montessori ?

— Une de nos camarades, qui s'occupe de la psychologie de l'enfance. Je n'ai rien lu d'elle, mais on dit que c'est intéressant. Je crois qu'elle a inventé une nouvelle méthode d'éducation des enfants. Je vois que cela vous intéresse, princesse. Je vous procurerai ses livres.

— Ils ne vous intéressent pas, vous, parce qu'ils sont écrits par une femme ?

— Non, non, princesse, j'ai dit que la psychologie ne m'intéressait pas.

— Oh là là ! Voilà que vous vous disputez. Laisse tomber, Carlo. Parle-moi de grand-mère Valentina et du clan. Qu'est-ce qu'ils étaient, anglais ?

— Eux, anglais ? Quelle idée ! Ils venaient de quelque barbare pays du nord chargés de mobiliers et de volaille, jouant du cor pour se frayer un passage à travers les Alpes. Si tu avais vu les poignets de ma grand-mère quand elle s'emparait de son mousquet pour poursuivre quelque malheureux voleur de poulets, ou quand dans la grande cuisine elle brandissait son couteau pour choisir elle-même un morceau de viande pour le nain...

— Mais pourquoi, tu étais si petit ?

— Moi, petit ? Penses-tu, Beatrice ! Cette histoire s'est poursuivie jusqu'à mes quatorze ans ! Elle me prenait par une oreille et me tirait vers elle en hurlant : « Tu vas grandir, oui ou non, espèce de nain ? »

— Toi, nain ?

— Oui, et j'y croyais ! Ensuite, à Pavie, à Milan, dans le monde civilisé, autrement dit, je me suis rendu compte que je n'étais pas très grand, mais que je n'étais pas non plus minuscule. Mais là, au milieu de ces oncles et cousins grands et blonds...

— Mais tu es brun.

— C'est la faute de ma mère.

— Oh, Dieu, comme tu es drôle, Carlo ! Tu as vu, Modesta, comment il a dit ça ?

— C'est du moins ce que répétait grand-mère Valentina : c'était la faute de ma mère et surtout de mon père : excellent, fort honnête membre de la famille, mais distrait et dépourvu du moindre sens de la réalité, ne s'occupant que de son microscope. Et ainsi, dans sa distraction, à Milan, ville possédée par Satan, il est tombé amoureux d'une petite jeune fille naine et toute noiraude, et napolitaine de surcroît, même si elle était noble et riche. Ma grand-mère l'appelait, avec une fausse douceur, Bambolina : « Eh non ! Bambolina est fragile, il vaut mieux que tu y ailles toi-même. Bambolina a déjà monté les escaliers deux fois aujourd'hui ! Elle est frêle, je ne voudrais pas qu'elle tombe malade comme l'an dernier ! » Mais moi, j'aimais ce nom parce qu'elle ressemblait vraiment à une poupée de porcelaine avec ses cheveux noirs ondulés, sa petite bouche rose et ses cils si longs que lorsqu'elle baissait les paupières ils faisaient une ombre sur ses joues. Je me souviens qu'à quatorze ans déjà je pouvais la prendre dans mes bras quand elle était fatiguée et la porter dans l'escalier jusqu'à sa chambre. Je me souviens que la dernière fois aussi c'est moi qui l'ai soulevée du fauteuil où elle paraissait s'être endormie. Sur le moment je ne me suis aperçu de rien. Elle était juste légèrement plus lourde que les autres fois.

— Elle était morte ?

— Eh oui ! De phtisie. C'est à elle que je dois, en plus du fait d'être nain, la fragilité de mes bronches. Du moins était-ce ce qu'ils disaient. Mais toutes ces horreurs que Bambolina m'a laissées en héritage, je les aime, moi, et les garde comme des dons précieux.

— Pourquoi l'appelles-tu Bambolina ? Tu ne l'appelais pas maman, toi ?

— Bien sûr que si ! Mais depuis qu'elle est morte, je ne sais pas pourquoi, je n'arrive pas à penser à elle sinon en l'appelant ainsi. Peut-être aussi parce qu'avec mon père nous l'appelions toujours de cette façon. Il l'aimait beaucoup. Il ne s'est jamais consolé de sa mort. Et si auparavant il disparaissait de la maison pour des semaines entières, après, on ne l'a presque plus vu. Il ne s'occupait plus que de politique.

— Ah ! Votre père aussi s'occupait de politique ?

— Eh oui, princesse. C'était là l'autre grand tourment de grand-mère Valentina, qui pour cette raison, dans les moments les plus invraisemblables, était prise de fréquentes attaques de sourds grognements, qu'elle faisait passer en se promenant, ou mieux, en marchant en large et en travers dans le salon avec ses longues jambes noueuses. Moi, quand j'entendais le martèlement de ces grands pieds sur le parquet... il n'y avait pas de tapis chez nous, on considérait cela comme une mollesse ! Il n'y avait de tapis que dans la chambre de Bambolina. J'aimais courir dans cette pièce colorée et chaude, quand elle était au lit. Elle me permettait d'enlever mes souliers et...

— Et grand-mère Valentina ne se fâchait pas ?
— Elle ne venait pas dans la chambre de Bambolina. Mieux, une fois où ma mère était au lit avec de la fièvre, je l'ai entendue dire au médecin : « Je ne mettrais plus les pieds dans cette pièce. On suffoque ! Non seulement elle n'ouvre jamais la fenêtre, mais comme si ça ne suffisait pas elle se parfume comme... Passons. Ces Méridionaux ! Même une église, ils réussiraient à la transformer en... » je peux, princesse ? « ... à la transformer en bordel ! »
— Elle a vraiment dit ce mot ?
— Eh oui. Elle jurait parfois, aussi. Mais je vous prie de le croire, toujours afin d'exprimer son indignation pure et sans tache devant les mollesses du monde.
— Tu étais en train de raconter les moments où tu entendais ses martèlements sur le parquet.
— Ah, oui ! Quand j'entendais ces martèlements j'allais me cacher dans ma chambre, sous le lit.
— Et que faisais-tu sous le lit ?
— Bah, je somnolais pour ne pas entendre ce pas martial qui allait et venait, ou je lisais tous les livres interdits de mon père.
— Et quels livres étaient-ce, Carlo ?
— Des livres de politique.
— De politique ? Mais alors tu étais déjà grand ?
— Il est affreux de l'admettre, Beatrice, mais je n'ai jamais eu l'étoffe d'un héros. Oui, j'avais quatorze ans quand j'ai commencé, sous le lit, à m'intéresser à la politique, tombant victime, comme mon père et mon grand-père, de ce maléfice que quelque sorcière devait avoir exercé sur la façon de penser saine et claire de notre maison. Les gens de ma famille passaient en courant dans la bibliothèque de mon grand-père en lançant des regards incendiaires aux livres et aux revues qui s'y trouvaient : instruments de corruption que le diable

fabriquait la nuit entre une marmite et une autre. Dans les autres maisons du clan le seul livre admis était la Bible.

— Et ils ne disaient rien, comment cela se fait-il ?

— Pour une bonne et vieille raison, Beatrice, du moins depuis que l'Ecclésiaste se délectait à cogiter et à écrire sur ce qu'il cogitait.

— Mais que dis-tu, l'Ecclésiaste de la Bible ?

— Assurément, chère Beatrice : « L'argent répond à tout. Ne maudis pas le riche, même dans la chambre où tu dors. » Nous étions les plus riches du clan. Et puis il y avait tante Clara, nette vieille fille sereine et active qui calmait les esprits avec son optimisme absolu sur la force de notre souche saine et promise à une longue vie. Elle répétait toujours : « Allons, allons ! N'exagérons pas, cette politique n'est qu'une maladie infantile qu'a attrapée mon cher Federico. » Federico était son frère, et mon grand-père, pour mettre les choses au clair. Sauf que cette maladie infantile a duré jusqu'à sa mort. « Une légère maladie infantile », a continué à répéter tante Clara pendant toute sa longue vie. Moi, je ne dirais pas si légère, si l'on considère les acquisitions colossales de livres très coûteux, les fréquentes petites visites nocturnes de certains *carbonari*, les escapades à Rome parsemées çà et là de quelques sporadiques noyades d'espion papal dans le Tibre blond. Des babioles de rien du tout, tout ça, qui n'impressionnèrent jamais tante Clara. Mais quand Federico suivit officiellement ce bandit de Garibaldi en Sicile, alors là, le scandale fut terrible ! Et il ne serait plus rentré au sein du clan si Garibaldi n'avait rencontré à Teano le Roi honnête homme[1]. Par la suite,

1. Surnom de Victor-Emmanuel, qui deviendrait en 1861 le premier souverain de l'Italie unifiée.

malgré l'amertume qui le saisissait quand il faisait allusion devant moi à son rêve perdu d'une Italie républicaine, à l'intérieur de moi-même j'étais reconnaissant à la « trahison du Général », qui m'avait permis de le connaître. C'était un gros homme barbu et enfantin, avec un regard sans défense... Comment te le décrire, Beatrice ? Il paraissait sorti d'un livre de contes. Quand il racontait ses expériences de guerre – atroces, à vrai dire – il savait les envelopper d'un tel halo d'aventure et de mystère qu'il les rendait enthousiasmantes et sereines comme les contes bienfaisants.

— Pourquoi dis-tu bienfaisants, Carlo ? Tous les contes ne sont-ils pas bienfaisants ?

— Eh non, Beatrice, tous les contes ne sont pas bienfaisants. Au contraire, comme dit notre camarade Montessori, et en cela je suis d'accord avec elle, presque tous les contes sont malfaisants, ils sont un instrument pour terroriser les enfants et les éduquer à la crainte de la loi et de l'autorité. Nous en avons longuement parlé, ou, plutôt, elle m'en parlait en m'exhortant à écrire des contes d'un nouveau genre. Je me souviens qu'à Rome, à peine faisait-elle allusion à la question des contes, tout le monde s'enfuyait. Bien sûr, sa position contre les contes d'Andersen, des frères Grimm et de tant d'autres se tient. Mais prétendre que tous les camarades, médecins, ingénieurs ou cheminots, le soir, au lieu de dormir, s'efforcent de trouver des trames et des aventures nouvelles pour la révolution...

— La révolution par les contes ! C'est beau, pourtant.

— Bien sûr, princesse. Mais d'abord il y a des problèmes légèrement plus sérieux à résoudre : le chômage, la faim...

— Il me semble comprendre que votre Montessori

inclut les contes dans ces problèmes sérieux. Le conte, en même temps que le pain, est la nourriture des enfants, et il est important que cette nourriture soit différente de celle qu'on leur offre ordinairement.

— Vous m'étonnez toujours, princesse ! Si Maria Montessori avait exprimé aussi clairement ses idées...

— Oh là là ! Voilà que vous recommencez ! Carlo a raison, Modesta, cette Montessori est ennuyeuse. Pourquoi est-ce que tu l'interromps sans cesse ? Laisse-le raconter.

Sans le savoir Beatrice me traitait d'ennuyeuse. Tout change. Eriprando s'échappe de mes bras, galoper à califourchon sur mes jambes l'ennuie maintenant qu'il peut tenir en équilibre sur un cheval presque vrai et se balancer tout seul. Moi aussi, désormais, l'élégante légèreté de Beatrice qui ravit le regard de Carlo me laisse indifférente et parfois même m'irrite.

— Et toi, Carlo, arrête de porter à Modesta un livre après l'autre. Elle ne fait que lire ! Ça lui fera mal. Et puis ils la font devenir encore plus sérieuse que ce qu'elle a toujours été.

— Regarde, regarde notre Beatrice qui parle comme grand-mère Valentina.

— Qu'est-ce que ça a à voir ! Je ne suis pas contre les livres, mais là c'est un peu trop, il me semble. Allez, finis cette histoire, nous allons bientôt dîner. J'entends Vif-argent qui met le couvert. Mais après, tu restes avec nous, n'est-ce pas ? Comme ça nous jouons au mikado.

— Quelle histoire, Beatrice ? J'ai perdu le fil à la pensée des merveilles qu'aura préparées Vif-argent. C'est une vraie virtuose, votre Vif-argent, elle ne se répète jamais.

— Mais celle de la maladie infantile ! Dieu que c'est amusant d'appeler comme ça quelque chose d'aussi sérieux que la politique. Parce que, que ce soit quelque chose de sérieux, je l'ai compris, que crois-tu, Modesta ! Je l'ai compris, ce n'est pas la peine que tu me regardes avec ce visage sévère.

— Ah, oui, tante Clara. Eh, la pauvre ! Ç'a été terrible pour elle de devoir se rendre compte que cette maladie infantile de mon grand-père était devenue héréditaire. Le soir même où mon père vint dîner avec Turati pour fêter la naissance de la ligue socialiste, on était dans la lointaine année 1889, et où Turati lui-même porta un toast à l'adresse de mon père en l'appelant « camarade », le coup fut trop fort, sa mort s'ensuivit.

— De ton père ?

— Non, de tante Clara. Elle mourut de douleur, la pauvre ! Du moins est-ce ce que ma grand-mère avait coutume de rappeler à table en fixant mon père avec rancœur. Mais il répliquait doucement : « Mais de quelle douleur parles-tu, maman, c'est la vieillesse qui t'embrouille, tu sais très bien qu'elle est morte d'indigestion. »

— Et comme ça, toi aussi tu as hérité de cette maladie ?

— Il doit en être ainsi, bien que l'histoire de la médecine ne nous apprenne pas que le germe d'une idée puisse pénétrer dans le chaste sein d'une mère. Cependant, même en admettant par hypothèse que cela puisse arriver, les symptômes de cette maladie héréditaire ont tardé à se manifester, contrariés par le souvenir de la douleur de mon grand-père trahi par Garibaldi et par la déception que Turati a causée à mon père quand il s'est promené via Volta en mai 98.

— Ton père aussi a été trahi ? Trahi comment, s'il se promenait ?

— Il se promenait, oui, façon de parler ! À bien y

penser, ce doit être un destin de famille. À chaque génération, une trahison. Pas mal quand même, ça n'arrive pas à tout le monde. Qu'en dites-vous ?

— Mais, docteur, vous voulez dire Turati...

— Oui, lui-même, ce Filippo Turati qui s'agite à la Chambre aujourd'hui encore.

— Mais il doit être très âgé ?

— Il faut que tu saches, ignorante et douce enfant, qu'aux politiciens, pas aux politiques, Dieu, ou qui tu voudras, donne une longue, une très longue vie. Si toutefois quelque anarchiste ne se mêle pas de...

— Oh, Dieu, Carlo, que vient faire là cet anarchiste ? Qui sont les anarchistes ?

— Des gens doux, moraux et irréfléchis comme toi. Fais-le-toi expliquer par la princesse qui en sait maintenant autant que moi, sinon plus. Elle a un vrai talent pour la politique, notre princesse.

— Ah, j'ai compris, Carlo. Turati a trahi ton père en devenant lui aussi monarchiste ?

— Oh, mon Dieu, Beatrice ! Maintenant c'est toi qui me fais mourir de rire ! Vous l'avez entendue, princesse ? C'est une idée géniale, et pas si éloignée de la réalité. Beatrice a ciblé l'essence du socialisme de Turati. Je m'explique : les socialistes sont tombés dans le piège psychologique de la pensée libérale. Ils croient eux aussi à la bonté fondamentale des institutions démocratiques. Alors que nous savons, après le succès de la révolution russe, que retoucher les lois çà et là, les corriger timidement, est parfaitement inutile si l'on ne change pas tout à partir des fondements. Il faut abolir la propriété privée, abolir les classes, impliquer tous les hommes dans la gestion du pouvoir.

— Oh, Dieu, Carlo, arrête, je n'y comprends plus rien. Pourquoi dis-tu « ils croient », tu n'y crois pas, toi ?

— Moi, j'appartiens à la fraction communiste, en attendant qu'elle devienne le Parti Communiste italien. Ce sera bientôt fait, d'ici quelques mois. Mais je vois au petit visage assombri de notre Beatrice que je commence à devenir lassant. Pardonnez-moi, je me suis laissé entraîner. Donc, mon père s'est trouvé participer aux journées de 1898. Une insurrection née spontanément pour protester contre le traitement inhumain des onze heures, je dis bien onze, de travail quotidien. L'occasion en a été donnée par l'usine de Pirelli, du reste grand ami de mon père, sauf en politique, s'entend... Tu sais comment on appelait Pirelli ? Je peux, princesse ?

— Mais bien sûr, docteur, je vous en prie.

— On l'appelait l'entremetteur occulte des femmes.

— Comme c'est amusant ! Et pourquoi ?

— Parce que c'était lui qui « complétait » les dames et demoiselles manquant de seins, d'épaules, de hanches, de cuisses et aussi de mollets, je crois. Pour les mollets je n'en jurerais pas.

— Eh oui, c'est vrai, qu'alors toutes ces courbes étaient à la mode. Je les ai vues dans la *Domenica del Corriere*. Comme c'était comique !

— Bien, la révolte a éclaté, brutale et terrible. Les troupes du général Bava Beccaris• sont arrivées armées de tous les instruments de mort de l'ère moderne. Mon père était sur les barricades avec sa bonne ceinture à outils pleine de pierres. Beaucoup sont tombés mais d'autres résistaient, tandis que notre Turati, dans les moments de pause entre les affrontements, allait partout, porté sur les épaules de deux camarades, et s'égosillait, exhortant tout le monde à abandonner. Je crois l'entendre, maintenant aussi il ne fait que prêcher le calme et la non-violence... Il disait, donc : « En tant que député de votre circonscription, je réclame de vous calme et patience ! Pas la patience de l'âne, entendons-nous bien, mais la patience de la raison. Écoutez mon conseil, je vous le dis en conscience, l'heure n'est pas venue, l'heure n'est pas venue ! » C'est alors qu'un camarade ouvrier qui était près de lui lui a crié : *« E quand l'è ch'el vegnerà donc el di*[1] *? »* Vous avez compris ? Je vois que vous riez ; tant mieux, je n'aime pas traduire les langues étrangères... Pour conclure, ces socialistes « craignant Dieu », comme les appelait mon père, se sont laissés convaincre et ont fait payer aux ouvriers une révolte qui, tant bien que mal, pouvait aussi... enfin !

— Et comme ça ton père n'a plus parlé, le pauvre ? Cette histoire est triste, Carlo. Je ne sais pas pourquoi, mais elle est triste. Elle n'est pas comme les autres.

— Si triste, en effet, que pour moi, enfant, ces récits ont servi d'antidote au poison de la politique. Et jamais, au grand jamais, je ne m'y serais intéressé si je n'avais pas rencontré à Turin un nain comme moi qui... Eh oui, si j'y repense, je l'ai écouté, non seulement à cause de l'intelligence et de la bonté que respirait son visage, mais aussi parce que je pouvais enfin regarder quelqu'un dans les yeux.

— Et qui était ce nain ?

— Qui est, dois-tu dire, Beatrice. Il est vivant et en bonne santé, par bonheur. Il s'appelle Antonio Gramsci•.

1. « Et quand donc c'est qu'il viendra, ce jour ? »

45

Du Journal de Beatrice trouvé bien des années plus tard par Modesta

7 janvier 1921

Mais pourquoi ne peut-on être toujours heureux ? Pourquoi y a-t-il toujours quelque chose qui vient entraver notre bonheur ?

Depuis un an, je ne me suis plus tournée vers toi, cher Journal, et cela parce que j'étais si heureuse et que j'avais tant de choses à faire : me préparer pour le soir, chercher dans les armoires ou dans le coffre quelque corsage ou châle pour donner un air de nouveauté aux robes et aux jupes que Modesta m'avait fait faire quand nous étions riches. Quelles belles choses avait ma grand-mère ! Qui aurait pu l'imaginer ! Et combien de rubans et de ceintures j'ai trouvés ! Et puis, chercher avec Vif-argent une façon toujours nouvelle de me coiffer. Comme il est important de changer de coiffure ! Modesta devrait le faire elle aussi, je le lui ai dit bien souvent. Il suffit d'un peigne nouveau, d'un ruban, de quelques fleurs ; mais bon, elle est comme grand-mère, elle ne prend pas trop soin de sa personne. Peut-être parce que comme grand-mère elle est trop intelligente, mais c'est dommage parce que toutes les fois que j'ai réussi à la convaincre de se faire coiffer par moi elle était splendide, comme Carlo l'a remarqué aussi. Et puis, comme c'était merveilleux de chercher dans le jardin ou au marché des fleurs toujours nouvelles pour le salon et la salle à manger et de découvrir avec Vif-argent les goûts de Carlo – sur le continent ils ont des goûts très différents des nôtres – pour que notre nourriture ne le lasse pas. Ça n'a pas été facile parce que, comme le dit avec justesse Vif-argent, les hommes n'aiment pas parler de cuisine et il faut s'y prendre avec habileté pour découvrir leurs préférences sans demander. Et puis ils aiment bien manger, même s'ils sont intelligents et distraits comme Carlo. Je crois que je vais m'arrêter là, cher Journal, parce que voir son nom écrit me fait trop mal. Cela fait un mois qu'il est parti pour Livourne pour organiser la naissance de ce nouveau parti. Qui sait pourquoi ils ont besoin d'autant de temps ! Et puis tout devrait être déjà fini, à en croire ce qu'il avait dit. Et si ce parti communiste qui me fait si peur et ce nain ont encore besoin de lui et ne le laissent pas revenir ?

5 mars 1921

Plus le temps passe et plus je déteste ce nouveau parti et tous ces gens qui sont ses camarades. Quelle catastrophe, ce dimanche où il nous a emmenées les voir. Avant on restait toujours en bas dans le salon le soir, et le dimanche après-midi il nous emmenait au cinéma ou au théâtre. Mais ce dimanche-là, Modesta a tellement insisté... Il faut que j'arrête parce que l'envie de pleurer me vient à la pensée de ces dimanches dans cette grande maison triste et froide, mais du moins il était encore avec nous. C'est bien vrai, ce que dit Dante :

Il n'est pas de plus grande douleur
que de se souvenir des temps heureux
dans la misère

Il faut que j'arrête parce que je vois déjà les larmes qui s'élargissent sur le papier. Je ne veux pas te tacher, cher Journal.

12 mars 1921, cinq heures de l'après-midi

J'ai tellement pleuré, cher Journal, mais à présent je reviens à toi. Cela me réconforte beaucoup de parler avec toi. Une autre semaine est passée et aucune nouvelle de Carlo. Même Modesta ne sait pas quand il reviendra. Ou elle sait qu'il ne reviendra plus et elle ne veut pas me faire de la peine ? Et pourtant elle devrait le savoir parce que maintenant elle est tout le temps avec ces socialistes, l'après-midi et le soir aussi. Elle vient dîner et puis elle court les retrouver. Je les déteste, et puis vraiment je ne comprends pas comment ça peut lui plaire de rester dans cette grande pièce pleine de livres poussiéreux avec juste une table et plein de sièges inconfortables, il n'y a même pas un divan, avec tous ces hommes mal habillés qui hurlent et fument sans respect pour nous les femmes. Comme j'étais embarrassée l'autre dimanche ! Non seulement nous étions les seules femmes là-dedans, mais personne ne s'est levé quand nous sommes entrées. Je ne pense pas qu'ils soient mal élevés, ce sont des amis de Carlo. C'est que lorsqu'ils commencent à discuter ils ne voient plus rien, comme m'a dit cette femme, la seule femme qu'il y avait à part nous.

12 mars 1921, 22 heures 30

J'ai honte de te le dire même à toi, cher Journal, mais je suis jalouse de cette femme. Elle m'a volé Modesta avec son bagout et ce front haut et ces cheveux courts exactement comme un homme. Modesta ne le dit pas, mais je sais qu'elle l'admire énormément. Elle ne fait que lire. Comme si les livres et les revues que Carlo lui a données ne suffisaient pas ! Maintenant, elle revient toujours avec des paquets de journaux. Elle m'a dit que ce sont les anciens numéros du journal que dirige cette femme. Je crains que, en plus d'aller chez elle, elle n'aille aussi à l'imprimerie parce que parfois elle revient avec le corsage taché d'encre. Bien sûr, je ne devrais pas parler et ne le ferais jamais avec des étrangers, mais tu es mon seul ami fidèle. Nous nous connaissons depuis mes onze ans et tu ne m'as jamais trahie. Je sais que je ne devrais pas juger cette femme et être jalouse d'elle, et je me repens ici devant toi et devant Dieu, mais c'est plus fort que moi. Je la déteste et, chose encore plus honteuse, parce qu'elle est très belle... Je l'ai dit. Je te laisse pour prier et tenter de chasser de moi ce mauvais sentiment qui nuit et jour me poursuit.

13 mars

J'ai prié et j'espère parvenir à penser à elle avec impartialité, même si ce n'est pas avec amitié. Et cela aussi parce que c'est une grande amie de Carlo et, comme Carlo nous l'a dit, une héroïne de leur « idée ». Elle a travaillé avec les syndicats depuis qu'elle est toute jeune, elle a été plusieurs fois en prison et torturée. Elle ne doit pas être aussi jeune qu'elle semble, parce que Carlo a dit que c'était l'une des camarades qui ont participé aux grèves, là-haut sur le continent – elle non plus n'est pas sicilienne –, pour obtenir les neuf heures au lieu des onze, qui est l'horaire de tous les travailleurs d'aujourd'hui. Les quelques fois où je suis allée chez elle, je me souviens maintenant qu'elle insistait sur le fait que l'homme ne peut pas travailler plus de six heures. J'ai fait une erreur avec Modesta et maintenant j'en paie les conséquences. Je devais la laisser faire quand elle voulait parler avec Carlo, et pas l'interrompre tout le temps pour jouer. Ma grand-mère avait raison, je suis gâtée et paresseuse, mais il n'en sera plus ainsi, je le jure devant toi et devant Dieu. Et si Carlo revient – tous les soirs je prie la Sainte Vierge qu'elle me fasse cette grâce –, s'il revient, je les laisserai parler de tout ce qu'ils veulent et j'essaierai d'étudier ces livres moi aussi. Je le ferai pour Modesta et pour corriger ma nature égoïste.

15 mars

J'ai essayé de lire le *Manifeste du Parti Communiste*, mais plus d'une page, au moins pour aujourd'hui, je n'y suis pas arrivée. Je comprends, mais ça me rend triste. Je ne sais pas pourquoi, ça me rend triste, et ça me fait aussi un peu peur. Serait-ce à cause de ce spectre qui rôde en Europe ? Pourquoi Marx a-t-il choisi ce vilain mot de spectre ? Est-ce qu'il ne pouvait pas trouver un autre mot, que sais-je, ange par exemple ? Mais c'est comme ça, et il faut que je surmonte cette peur ! À partir de demain je lirai tous les jours.

20 mars

Je n'ai plus d'espoir que Carlo revienne. Aujourd'hui encore est arrivée une carte postale qui dit : « Saluts brumeux du brumeux Turin aux déesses du soleil. » On a l'impression d'entendre sa voix dans ces quelques mots. Mais s'il a envoyé cette carte, ça veut dire qu'il ne revient pas encore. Je n'ai plus la force de pleurer et de prier, cher Journal, et je crois n'avoir pas non plus la force de parler avec toi. Et puis, pour te dire quoi ? Il pleut. S'il n'y avait pas Eriprando avec ses jeux et sa gaieté ! Vif-argent dit que cette maison serait triste comme... Passons.

25 mars dans l'après-midi

Même si Carlo n'est pas revenu, la Vierge m'a du moins fait la grâce, en ce qui concerne Modesta, que depuis hier elle ne va plus chez ces socialistes. Qui sait pourquoi ? Mais quelle qu'en soit la raison, pour moi c'est un soulagement à la solitude dans laquelle j'étais tombée. Je suis bien sûr curieuse de savoir pourquoi elle n'y va plus. Si j'ai le courage, elle est très triste elle aussi, ce soir je le lui demanderai.

26 mars au matin

J'ai eu le courage de le lui demander. Elle m'a dit en souriant les mots suivants. Je les écris pour essayer de les comprendre, comme elle fait avec les poèmes. Elle m'a dit : « Eh, Beatrice, cette maison est une véritable église, pleine de fresques de madones et de saints ! Et, comme le disait Jacopo, il vaut mieux s'enfuir des églises après en avoir admiré les chefs-d'œuvre. » Je ne comprends vraiment pas, parler de cette maison comme d'une église. À moi, elle m'a semblé plutôt sale. Et les fresques ? Oui, il y a bien quelques tableaux, mais... parfois Modesta est vraiment mystérieuse. Ou peut-être plaisantait-elle ?

30 mars 1921

Juste deux mots, cher Journal, parce que je suis si heureuse que mes mains en tremblent. Carlo est à Catane et vient dîner ce soir. Je te laisse. J'ai tellement de choses à faire et aussi tellement peur. Je ne comprends pas pourquoi, mais depuis ce matin mon front est brûlant et j'ai froid. Je n'ai pas pris ma température, j'ai peur d'avoir de la fièvre. Juste maintenant ! Et il n'y a pas que de ça que j'ai peur. Ces jours-ci j'ai pensé et repensé à ce que m'a dit l'autre soir Vif-argent, dans son impertinence. Ça ne peut pas être vrai ! Mais elle a été amoureuse et en sait plus que moi. Et si c'était vrai ? C'est terrible, mais je crains, cher Journal, que Vif-argent n'ait raison. Si au moins je pouvais demander à Modesta ! Elle est tellement intelligente, elle sait tant de choses. Mais comment faire ? Elle pourrait redevenir jalouse et... je ne veux pas y penser. Je ne dois pas y penser. Parce que jamais, au grand jamais, même si ce désastre était vrai, je ne laisserai Modesta. Je l'ai juré dans mon cœur. Comment ferait-elle sans moi qui l'assiste, qui m'occupe de la maison ? Elle qui travaille tant avec tous ces avocats et notaires et qui est, comme toutes les personnes intelligentes, si distraite et dépourvue de sens pratique ? Hier encore, si je n'avais pas été là elle n'aurait pas déjeuné, et elle a tellement maigri ces derniers temps ! Jamais, au grand jamais je ne la laisserai, d'autant plus que ce serait faire du mal à la mémoire pour moi sacrée de ma grand-mère. J'étoufferai en moi cet amour, ainsi du moins pourrai-je le voir toujours avec Modesta et pourrons-nous être heureux ensemble, toujours.

46

— Quand je vous ai vues descendre ensemble en courant l'escalier comme, si je peux me permettre, princesse, deux vraies gamines, pour un peu la peur me faisait fuir, à entendre ce galop sourd au-dessus de ma tête, exactement comme...

— Grand-mère Valentina qui marchait ?

— Eh, malheureusement non, Beatrice ! Grand-mère Valentina aurait été assurément bien préférable aux charges de la garde royale. Maudit Turin, construit exprès pour que deux carabiniers à cheval ou un canon pointé puissent tenir sous contrôle un quartier entier. Ingrat Turin, ou ingrat continent, comme vous l'appelez. Que j'ai regretté ce salon doux et oisif et les ruelles sûres de Catane !

— Mais pourquoi parles-tu ainsi, Carlo, tu m'effraies, il y avait des canons ?

— Des canons pas encore, pas pour le moment du moins. C'est que, absent depuis si longtemps, j'ai pu voir Turin dans toute sa cruauté glacée. C'est, de toute façon, l'avantage de voyager. Il faut s'éloigner périodiquement de tout lieu où l'habitude a tué l'objectivité. C'est ce qui se passe aussi pour les langues. Lorsqu'on est obligé d'en parler une autre pendant des mois, comme cela m'est arrivé, quand on revient à la sienne on se rend compte que l'éloignement a servi à la redécouvrir dans son essence la plus profonde. On pourrait imaginer un slogan amusant : « Étudiez l'anglais, le français, l'allemand pour... apprendre l'italien. » Et voici qu'à travers de pédants et oiseux discours je suis en train de vous redire ma joie d'être avec vous, et aussi... ah, oui, qu'en vertu de mon long séjour au soleil de cette île je me suis changé en un respectable et paresseux Méridional. Ah ! Et j'ai également compris pourquoi au Nord on méprise tant le Sud : c'est qu'on l'envie, c'est moi qui vous le dis !

— Tu es triste, Carlo, tu plaisantes, mais tu es triste.

— Eh bien, disons que la situation générale n'est pas très réconfortante.

— À cause de ce Mussolini ? Mais tout le monde dit que c'est juste une farce, n'est-ce pas, Modesta, que toi aussi tu as entendu ça ici à Catane ?

— Oui, mais j'ai également vu quelques têtes fracassées qui n'avaient pas du tout l'air d'être une farce.

— Comme je suis content que vous au moins ayez compris, princesse, et que vous ne vous soyez pas laissée influencer par la tendance répandue à rabaisser l'adversaire, chose qui, comme le dit Gramsci, « est par elle-même un témoignage d'infériorité de celui qui en est possédé ; on tend en effet à rabaisser rageusement l'adversaire pour pouvoir croire qu'on en sera sûrement vainqueur ». Mais ça suffit, je deviens ennuyeux. Ce séjour dans le Nord m'a fait perdre ce déjà misérable sens de l'humour que j'avais. Ça suffit, j'ai déjà trop parlé ! Comment allez-vous, princesse ? On m'a dit chez mes camarades de Catane que vous alliez mal. Et en fait je vous vois en bonne forme, j'en suis heureux. Je suis très curieux cependant...

— Soyez-le sans aucun souci. Avec « eux » j'ai fait semblant d'être malade pour ne pas donner d'explications inutiles.

— Vu que j'ai obtenu la permission d'être indiscret, m'en diriez-vous aussi la raison, ou j'en demande trop ?

— À cause de tout ce que vous avez évoqué avant. Ici aussi, sinon à proprement parler ce « soyez gentils, soyez saints, soyez lâches », on dit quelque chose qui y ressemble fort et... je me suis découragée.

— Je sais pourtant que vous continuez à envoyer de l'argent au journal ; je ne comprends pas.

— Ça, c'est une autre affaire... mais je crains, docteur, que nous ne devions essayer de tirer Beatrice du mutisme dans lequel elle est tombée pour me faire plaisir. Allons, Beatrice, ouvre les yeux : nous en avons fini avec ces discussions sérieuses.

— Oh, Dieu, princesse, notre pauvre petite s'est endormie.

— Elle est brûlante, docteur, sentez, elle est brûlante.

— Ce n'était pas seulement un juste sommeil, un sommeil sacré contre la maussaderie de nos discours, mais de la fièvre ! Une fièvre de cheval, je dirais. Il faut la mettre tout de suite au lit.

— J'appelle Vif-argent.

— Non, non, grand-mère, je t'en prie ! Je ne veux pas aller en pension, laisse-moi rester ici avec Modesta.

— Mais qu'est-ce que c'est, docteur, qu'est-ce que c'est ?

— Ce n'est rien, princesse, ne pâlissez pas ainsi ! Il n'y a rien d'alarmant aux poumons ni au cœur. C'est juste de la fièvre.

— Modesta, Modesta, ne me laisse pas ! Je ne veux pas partir, je ne veux pas !

— Venez plus près, princesse, prenez-la dans vos bras. Que vous soyez près d'elle peut la calmer.

— Ah, tu es là ! Ne pars pas, je t'en prie. Je sais que j'ai été méchante, mais je ne le ferai plus, plus jamais !

*
* *

— Encore un regard à notre petite patiente et puis nous allons tous nous coucher. C'est presque l'aube. Ce n'est rien de grave, princesse, le salicylate a produit son effet, la fièvre est tombée. Mais il faudra que vous usiez de toute votre autorité envers Beatrice, cette petite n'est pas à proprement parler ce qu'on appelle un colosse. Je conseillerais beaucoup de ménagements. À présent, si vous me permettez, je vous ordonne d'aller au lit vous aussi. Allons, je vous accompagne dans votre chambre. Vous n'avez pas dormi un instant, et cela se voit !

— Vous non plus n'avez pas dormi.

— J'y suis habitué, moi, cela fait partie de mon

métier. Allez, au lit ! Il me faut vraiment être sévère. Vous êtes très pâle. Vous au lit et moi à Catane. J'ai une visite importante à huit heures, mais je reviendrai dès que je serai libre. Excusez-moi, princesse, mais de quelle grand-mère parlait Beatrice dans son délire ? Je ne devrais pas poser de questions, mais mon cœur s'est serré à l'entendre supplier ainsi, elle était vraiment désespérée.

— Vous l'avez sûrement plus ou moins compris, docteur, une grand-mère terrible comme votre Valentina. Mais Beatrice n'a pas eu une mère comme Bambolina auprès de qui se réfugier.

— Un beau malheur ! Et vous, princesse ? Vous avez eu une grand-mère vous aussi, ou vous avez été épargnée ? Vous ne parlez jamais de votre passé, et cela laisse supposer...

— Non, non, c'est juste que mon passé ne m'intéresse pas. Il n'y a que le présent qui compte.

— Dommage ! Parce que si vous aussi vous aviez eu une grand-mère terrible, nous aurions pu constituer une association. Et à partir de cette association, un parti, et puis à la Chambre une motion pour l'abolition des grands-mères indignes. Je ne parviens pas à vous faire sourire. Ne vous inquiétez pas. Comme je vous l'ai dit, cette fièvre n'est rien, et la gracilité de Beatrice n'est pas grave non plus. Vous ne me croyez pas ? Vous ne m'estimez pas en tant que médecin ? Eh, bien sûr, quand on aime un être humain comme vous aimez Beatrice, aucune parole de médecin ou d'ami ne peut réconforter... Écoutez-moi, princesse, je vous aime, je vous aime. Je sais que ce n'est pas le moment de vous dire cela, mais malheureusement j'ai tenté d'étouffer cet amour pour vous parce que je tiens tellement à votre amitié et à l'amitié de Beatrice. Si vous saviez la solitude que nous connaissons, nous, les hommes, toujours et exclusivement confinés dans les limbes des amitiés masculines. Il est si difficile de trouver des femmes instruites, et libres ! C'est un énorme problème pour moi. Les autres, je ne sais pas comment ils se contentent de... mais je vous parlerai ! Non, non, je ne vous parlerai pas parce que je vois que je ne suis pas parvenu à étouffer cet amour pour vous. Toute la nuit je vous ai regardée et j'ai compris que tous mes efforts avaient été vains. Permettez-moi, dès que Beatrice sera guérie, de ne plus venir. Et puis ce sera aussi une bonne chose pour moi de retourner à Turin, à la lutte...

— Non, Carlo, reste.

— Oh, Dieu ! princesse, qu'avez-vous dit ?

— Reste, Carlo, embrasse-moi.

— Moi, toi ? Oui, oui... mais maintenant je vais à Catane. Pas pour la visite, ce n'était pas important, mais, je ne sais plus où j'en suis, Modesta.

— Oui, bien sûr, mais reste ici, viens.

— Je t'aime, Modesta, oh, comme je t'aime ! Je le sens, tu sais, que tu m'aimes toi aussi, je te sens si tendre, si tremblante... Tu ne réponds pas ? Tu as raison, c'est si beau, le silence.

Il me souleva de terre et m'étendit sur le lit, mais il ne me déshabilla pas. Je le savais, ça s'était passé ainsi une autre fois. Et comme l'autre fois il entra en moi avec sa chaleur qui ne me faisait pas mal. Quand sa tête se fit lourde sur ma poitrine, je sus qu'il avait joui, comme l'autre fois, et que bientôt il allait dire : « Excuse-moi, petite, si je t'ai prise avec tant de fureur, c'est que... » Et en fait j'entendis ma voix qui disait :

— Mais vos mères ne vous apprennent vraiment rien ?

— Qu'as-tu dit ? Comment ma mère t'est-elle venue en tête ? À quoi pensais-tu ?

— Je pensais à nous, à nous tous, et à l'instant à

nous deux et au point auquel nous ne savons rien de l'amour.

— Pardonne-moi, mais qu'est-ce que ça a à voir ?... Je peux allumer la lumière ou ça te gêne ?

— Me gêner ? Pourquoi ?

— Mais en général on est gêné, moi je le suis un peu... Habille-toi donc, je me tourne.

— Pourquoi ne me regardes-tu pas ?

— Mais, ta jupe est soulevée et...

— Je n'ai pas de culotte ? Excuse-moi, Carlo, mais c'est toi qui me l'as enlevée.

— Bien sûr, bien sûr, mais...

— Mais quoi ? Je te jure que je ne te comprends pas. Tu es gêné, ou je ne te plais pas ? Ça peut arriver, Carlo, je ne m'en offenserai pas.

— Je t'aime tant, Modesta. Tu es bizarre, mais je t'aime tant !... Comme tu es belle, nue ! J'éteins la lumière.

— Si je suis belle, pourquoi as-tu éteint ?

— Je ne sais pas, tu es bizarre, bizarre. Tu ne m'aimes pas, Modesta.

— Pourquoi dis-tu que je ne t'aime pas, Carlo, explique-moi ?

— Je dois partir maintenant. Tu ne m'aimes pas. Pourquoi ne me dis-tu pas que tu m'aimes, Modesta ? Dis-le, je t'en prie !

— Je t'aime, Carlo.

Une pluie de baisers tomba dans l'obscurité sur mes cheveux, sur mon front, des baisers pleins d'inquiétude, des baisers légers de ces lèvres tendres et douces comme celles d'Eriprando. De mes paumes je tentai d'immobiliser ce visage et de ma langue je cherchai la sienne, mais aucune douceur ne me vint de ces lèvres qui furieusement appuyaient avec les dents sur ma bouche :

— Je t'aime, Carlo, mais va-t'en maintenant.

Tandis qu'heureux il s'éloignait, agitant une main devenue petite et fragile, un tremblement d'anxiété pour Prando me fit rester clouée sur le lit : « Vos mères ne vous apprennent rien. » En effet, Carmine, elles n'apprennent rien ni à nous ni à vous. Mais moi, comme tu as été patient avec moi, je serai patiente avec Carlo.

Première semaine de la maladie de Beatrice

— Tu ne m'aimes pas, Modesta.

— Pourquoi dis-tu cela, Carlo ? T'ai-je repoussé ?

— Non, non ! Mais tu ne me dis jamais que tu m'aimes quand nous nous embrassons.

— Quand nous faisons l'amour, tu veux dire ?

— Voilà, tu vois comme tu es crue, brutale ? Et puis, je le sens qu'après tu restes là, froide, lointaine.

— Comme les catins, c'est ça que tu veux dire ?

— Mais que dis-tu, tu es folle ? Je n'ai eu que des femmes libres mais *bien*. Et puis qu'en sais-tu, toi, des catins ?

— Avec ces femmes bien, vous êtes-vous jamais embrassés, comme tu dis ?

— Bien sûr, pourquoi ne l'aurions-nous pas fait ?

— Et après, comment étaient-elles ? Elles n'étaient pas froides, lointaines comme moi ? Comment étaient-elles ?

— Mais Modesta, que me demandes-tu ? Comment puis-je le savoir, je n'étais pas en elles, moi !

— Alors tu as aimé un tas de femmes et tu ne sais même pas me dire ce qu'elles éprouvaient ?

— Il est inutile de feindre avec toi. J'ai compris. Tu sais toujours tout. Les seules femmes que j'aie connues avant toi sont celles que notre cher Turati appelle élégamment « les salariées de l'amour ». Tu es contente ?

— Ah, il les appelle comme ça ?

— Une seule fois j'ai aimé vraiment, ou du moins c'est ce que je croyais avant de te rencontrer.

— Alors tu as bien eu une femme qui n'était pas une « salariée de l'amour » ?

— Tu es folle ! C'était une fille très comme il faut et...

— Vous vous êtes au moins donné quelques baisers, quelques...

— Quelques baisers ? Mais jamais de la vie ! J'étais très amoureux et je la respectais.

— Et comment est-ce que ça a fini ?

— Comme cela se passe presque toujours : elle a préféré mon meilleur ami.

— Probablement cet ami l'embrassait-il alors que tu la respectais.

— Tu ramènes toujours tout à...

— À quoi, Carlo ? Pourquoi ne le dis-tu pas ? Au sexe ? C'est un mot tellement laid ? Je te semble si laide, moi, qui vois maintenant ta chère petite bouche irritée et qui au lieu de me mettre en colère ai seulement envie de l'embrasser ?

— Oh, Modesta, quelles lèvres pleines et douces tu as ! J'aurais envie de les mordre.

— Eh bien mords-les, mais doucement, Carlo, doucement, je t'en prie !

Sous le drap, je descendis avec la main le long de sa poitrine et de ses hanches fines. Sa peau était presque aussi délicate que celle de Beatrice, mais entre les cuisses les poils et le pénis étaient forts, virils. Qu'était-ce alors que cette hâte qui le saisissait, et qui ensuite, je le sentais, ne lui permettait pas de jouir pleinement ? Après l'amour, le pénis de Carmine devenait petit et doux. Et moi, alors, je jouais avec.

— Ce n'est pas que je ne t'aime pas, Carlo, c'est

que je reste insatisfaite, aide-moi. Il faut que tu sois moins nerveux. Ne fuis pas comme si tu voulais effacer ce que tu fais. Non, ne t'en va pas ! Ce n'est pas un reproche, moi aussi, en temps voulu, j'ai appris.

— Et de qui ? Tu ne vas pas me dire que tu l'as appris du prince ?

— Non, Carlo, de...

— Alors c'est vrai, ce qu'on dit à Catane.

— Bien sûr ! Comment aurais-je pu avoir un enfant de cette pauvre chose ?

— Beatrice m'a dit que tu t'étais sacrifiée. Et j'ai cru à ce qu'elle croit, pauvre naïve !

— Beatrice est fragile et il faut la protéger. Mais toi, un homme, tu aurais dû comprendre.

— Comprendre comment, si tu ne dis rien ?

— Il n'y a pas besoin de mots. On regarde, on observe. Ou peut-être que ça te plaisait de penser qu'on m'avait sacrifiée ? Tu ne réponds pas ? Je comprends à présent : tu t'étais composé une sainte un peu dantesque à aimer. Ou tu préfères Pétrarque, comme je le pense ? Alors tu as fait de moi ta pure et sainte Laure. Pauvre jeunesse ! À nous Madame Bovary et à vous Laure. Mais enfin, Carlo, nous sommes en 1921 !

— Et qui sait combien de ces professeurs tu as eus, hein ? Maintenant je comprends pourquoi tu te déshabilles si facilement et me caresses comme...

— Va, dis-le, sinon avec le vrai mot de putain, du moins avec l'euphémisme de Turati. Allez, dis-le ! Comme une salariée de l'amour !

Une pluie, non de baisers comme avant, mais de gifles, s'abattit sur mon visage, me faisant un peu brûler les joues, comme Eriprando quand il était en colère et me battait de ses poings aux épaules, au cou, au visage. Il fallait le laisser faire et ne pas trop s'impatienter, ce n'était qu'une tendre colère d'enfant présomptueux, déçu dans ses attentes. Mais Prando après s'être ainsi défoulé comprenait parfois.

Deuxième semaine de la maladie de Beatrice

— Pardonne-moi, Modesta, j'ai repensé à ce que tu m'avais dit et peut-être as-tu raison. Je ne te laisse pas parler, je t'interromps sans cesse. Durant ces nuits où je ne suis pas venu chez toi je n'ai pas fermé l'œil. Si je m'endormais un instant, je me réveillais en cherchant ton corps. Oh, Modesta, je suis peut-être un faible, tout ce que tu veux, mais je t'aime tant ! Tu ne me regardes pas, Modesta, et tu as raison. Je me suis enfui comme un lâche.

— Tu n'es pas un lâche, Carlo, je te comprends. Ce n'est pas ta faute, ni la mienne. C'est juste la faute de nos passés si différents. Et puis peut-être est-ce aussi que je suis si fatiguée et préoccupée pour Beatrice. Excuse-moi, mais je n'arrive pas à garder les yeux ouverts tant j'ai mal à la tête.

J'attendais une réplique furieuse, ce n'était pas facile de mentir avec lui. Je devinais que par des voies mystérieuses ce garçon me connaissait comme personne avant lui.

— Comme tu es belle les yeux fermés, Modesta !

La surprise me fit ouvrir les yeux tout grands. Il m'avait soulevée du fauteuil comme il l'avait fait avec Beatrice en ce soir lointain.

— Non, Modesta, ferme les yeux. Voilà, comme ça ! Je vais te mettre au lit, tu veux ? Je te déshabille comme on fait avec les enfants et puis tu dors, et je te regarde. Tu me permets de rester à côté de toi à te regarder un moment ?

Dans ses bras, durant le bref trajet du fauteuil au lit, j'espérai. Tout finit et puis recommence, tout meurt pour renaître plus tard, j'espérai. Ses mains me dévêtaient avec des gestes précis, je me laissai aller. Sous les couvertures son corps nu s'étendait avec précaution sur le mien, sa bouche se posait sur mon sein. Il ne pouvait pas me voir, aussi ouvris-je les yeux, sans croire à mes sensations. Il avait saisi mon mamelon entre ses lèvres et suçait. J'espérai, et de ma main – c'est moi qui tremblais à présent – je voulus lui caresser le pénis. Étais-je allée trop loin ? Non, car il entra en moi avec douceur et avec le bon rythme, comme autrefois, il me ramena loin dans une petite pièce nue, embaumant le tabac : « Aide-moi et aide-toi, petite, comme ça après nous nous pâmons ensemble. » Je me mordis les lèvres parce qu'un nom était monté du fond de mon être bouleversé. Mais je n'avais pas dit ce nom parce que lui, trempé d'une légère sueur d'enfant, s'agitait entre mes seins et mes hanches en murmurant : « Ne bouge pas... tu me plais comme ça, immobile, les yeux fermés. » Maintenant il soulevait la tête, heureux. Je tentai de rester les yeux fermés et de ne pas parler, mais les larmes qui malgré moi se mirent à s'échapper de mes cils fermés parlèrent pour moi.

— Mais qu'y a-t-il, Modesta, tu pleures ?

— Ce n'est rien, Carlo, c'est juste l'émotion.

— Quelle émotion ? Tu penses à cet homme. Je m'habille, j'ai une visite à huit heures, nous parlerons plus tard.

Avec fureur il ramassa ses vêtements et claqua la porte de la salle de bains. La salle de bains restait fermée durant des minutes et des minutes. Toujours, après l'amour, il allait se laver, pourquoi ? J'éteignis la lumière et murmurant « Carmine, Carmine », je me donnai de mes mains cet orgasme que j'attendais depuis des semaines.

— Pourquoi as-tu éteint la lumière ?

— Je suis fatiguée, Carlo.

— Ce n'est pas vrai, je t'ai crue tout à l'heure, mais ce n'est pas vrai ! Et ouvre les yeux. Nous devons parler !

— Je t'en prie, Carlo, demain. C'est toi, avant, qui ne voulais pas parler.

— Avant, sûrement. Mais maintenant non ! Maintenant je dois savoir. Tu pensais à cet homme, avoue-le !

— Non, Carlo, ou plus exactement, je pensais à la liberté de cet homme.

— Qu'est-ce que ça signifie ?

— L'amour se fait à deux, Carlo. Tu as appris tant de choses, mais...

— Mais quoi ? J'écoute ?

— Quand tu rencontreras la femme qu'il te faut, laisse-la participer ou apprends-lui si elle ne sait pas.

— Quand tu rencontreras la femme qu'il te faut, as-tu dit ? Cela signifie que je ne suis pas l'homme qu'il te faut et que tu ne m'aimes plus ? Ou peut-être que tu ne m'as jamais aimé ?

— Je t'aime, Carlo, même maintenant où tu me regardes avec ce regard de censeur, je t'aime et je t'estime. Sauf que nous ne nous sommes pas rencontrés charnellement. Ou peut-être, du moins en ce qui me concerne, avais-je pris la séduction que tu avais et as encore quand nous parlons, pour de l'amour. C'est difficile de te l'expliquer, mais ces dernières semaines j'ai commencé à comprendre bien des choses sur ce mot que nous utilisons tous, mais dont nous ne savons presque rien.

— Des excuses, ce ne sont rien que des excuses ! Tu es encore amoureuse de cet homme !

— Pas de cet homme, Carlo, mais de l'accord physique qu'il y avait entre nous quand nous faisions l'amour.

— Tu deviens vulgaire, Modesta.
— Pour toi, tout ce qui est vrai est vulgaire.
— Oh, Dieu, je n'en peux plus ! Je pars, ou je vais te tuer ! Je vais te tuer ! Mais nous en reparlerons.

47

Durant les jours de convalescence de Beatrice

— Non ! Il est inutile que tu me fuies !
— Je ne te fuis pas, Carlo !
— Tu me fuis ! Mais nous devons parler puisque avant tu as voulu tant le faire, au lieu de m'aimer comme je t'aimais.
— Et comment devais-je t'aimer, Carlo ? En silence, en me laissant adorer comme une statue ?
— Mais l'amour est mystère et silence. Je te vénérais en silence. Il me suffisait de te regarder pour être heureux pendant des jours et des jours. Je n'avais pas besoin de parler. L'amour est un miracle, et comme tel...
— L'amour n'est pas un miracle, Carlo, c'est un art, un métier, un exercice de l'esprit et des sens comme un autre. Comme jouer d'un instrument, danser, fabriquer une table.
— Tu veux dire le sexe.
— Mais le sexe n'est pas de l'amour ? L'amour et le sexe sont enfants l'un de l'autre. Qu'est-ce que l'amour sans le sexe ? Une vénération de statues, de madones. Qu'est-ce que le sexe sans l'amour ? Une bataille d'organes génitaux et c'est tout.
— Mais alors tu nies la substance immatérielle de

l'amour ? Tu nies sa spontanéité, et le fait que plus il naît spontanément, plus il est authentique, pur, miraculeux.

— Mais Carlo, tu es toi aussi comme tes camarades de Catane : « L'ascétisme du peuple russe, le caractère sacré de la classe ouvrière, le martyrologe du prolétariat, la nature comme Dieu, l'artiste comme Dieu. » Comment est-ce possible ?

— Qu'est-ce que tout cela a à voir ?

— Ça a à voir, parce que chez tes camarades je n'ai trouvé qu'aspiration mal dissimulée à la sainteté et vocation au martyre. Ou la férocité du dogme pour cacher la peur de la recherche, de l'expérimentation, de la découverte, de la fluidité de la vie. Si tu veux le savoir, je n'ai rien trouvé qui ressemble à la liberté du matérialisme. Et je me suis enfuie, oui, parce que je n'avais pas l'intention de tomber dans un piège peut-être pire que l'Église à laquelle j'ai échappé.

— Mais Modesta, tu te rends compte ? Tu nies le sacrifice et l'abnégation de ceux qui luttent pour la cause du prolétariat, pour une société meilleure sans différence de classes, sans l'exploitation de l'homme par l'homme, sans...

— Je ne nie aucun combat ! Je critique une tournure de pensée trop peu différente de celle de l'ancien monde que vous voulez combattre. En pensant comme vous pensez, dans la meilleure des hypothèses, on construira une société qui sera une copie, de mauvaise qualité par-dessus le marché, de la vieille société chrétienne et bourgeoise.

— Mais il faut du temps pour les transformations profondes. Il faut d'abord faire la révolution pour renverser la bourgeoisie et changer les rapports de production. Tout le reste, après, viendra de lui-même parce que les superstructures créées par l'idéologie bourgeoise tomberont... En attendant je voulais parler de nous. Je ne comprends pas ce qu'a à y voir ce discours théorique. Mais nous en parlerons.

Et en en parlant, en m'entendant reprocher de mille façons ma cruauté, ma froideur, ma rationalité, combien j'avais été aimée sans le mériter, combien l'amour est sacré et miraculeux, tout à coup je me rendis compte que je n'écoutais plus. Je pensais, en regardant ses mains qui me pressaient les genoux, à toutes les discussions que, si je vivais assez longtemps, j'aurais dans le futur avec Alberto, Giovanni, Michel... Michel aux yeux verts comme l'émeraude. Des discussions que l'on reprendrait devant moi, identiques, pendant encore dix, vingt, trente ans. Le fait d'imaginer mon avenir, d'avoir peut-être tant d'années à vivre, m'entra dans le sang comme une pluie légère d'avril, calmant l'irritation que la voix de Carlo me communiquait désormais.

Mais il fallait que je sois patiente face à ce visage tendu, déçu, d'enfant qui ne voulait pas se résigner devant son jouet gisant irrémédiablement cassé sous ses yeux par un geste inconsidéré (le mien ou le sien ?) ou par un coup de vent. Je ne voulais pas perdre cette intelligence ardente qui invitait à la recherche, qui offrait de toujours nouvelles découvertes de la pensée, de nouvelles idées, de nouveaux mots. Sortie moi aussi de la déception causée par un beau jeu gâché, je commençais à comprendre. Lui aussi ne m'aimait plus, mais il ne voulait pas se résigner à avoir été la cause de cette fin.

— C'est ta faute, c'est toi qui as tout détruit !

— Oui, Carlo, c'est ma faute.

La reconnaissance de ma culpabilité avait le pouvoir de le calmer. Maintenant il n'attaquait plus. Il me regardait calmé et épuisé. Il laissa mes genoux, il se passa les mains sur le visage. Il ne savait où regarder. Il tournait la tête à droite et à gauche avec fatigue.

— Tu ne sais pas, Modesta, ce que sont les hommes que j'ai connus depuis que je suis enfant, les hommes qui m'ont, disons, formé. Tu ne sais pas leur solitude, leur ignorance des femmes dont ils croient tout savoir depuis la première prostituée chez laquelle ils ont eu le courage d'aller. Maintenant je me rends compte que j'aurais mieux fait de te dire tout de suite qu'avant toi je n'avais connu que ces pauvres femmes que la société contraint à vendre leur corps. Tu m'aurais compris, et nous aurions tout de suite brisé une solitude entre homme et femme qui dure depuis des siècles.

Je le regardai, il souriait à présent en terminant son discours. Il souriait de son sourire calme, timide. Et peut-être parce que des nuages légers erraient incertains derrière le vol des mouettes, évoquant des espaces, des mondes, des visages inconnus à découvrir, peut-être parce que Beatrice amaigrie mais guérie courait vers nous, tantôt illuminée par le soleil, dense, nette, tantôt rendue diaphane par ces nuages timides de fin d'hiver, je revis le visage de Carlo comme je l'avais vu autrefois.

— Je t'estime énormément, Modesta, mais malgré tout, il y a une chose que je voulais te dire, et c'est pour ton bien, pour ton avenir. Je suis peut-être trop délicat, c'est vrai, mais toi tu es trop dramatique, trop !

— Modesta ! Oh, mon Dieu, Modesta, Carlo, par pitié ! Eriprando, Eriprando ! Grand-mère avait raison, la malédiction ! Courez, vite, il est sur le tapis et hurle. Son petit pied, Modesta, son petit pied tendu comme c'était arrivé avec moi. Courez ! Vif-argent voulait le soulever pour lui donner sa bouillie, mais il s'est mis à hurler !

Beatrice pleurait sur mon épaule en m'embrassant

frénétiquement, je ne pouvais pas bouger. Une colère jamais éprouvée pour cette taille frêle qui tremblait entre mes bras en m'immobilisant me fit hurler :

— Tais-toi ! Arrête avec ces paroles de mauvais augure !

Je devais l'avoir repoussée avec violence. En courant vers la maison, je vis Carlo qui l'aidait à se relever du sol. Mais il ne perdit pas de temps à la consoler parce que, entré dans la pièce, devant ce petit être qui se tordait sur le tapis, avec les pleurs de Vif-argent qui me retentissaient dans le crâne, ses bras me soutinrent juste à temps.

— Courage, Modesta ! Il faut un chirurgien, cours à la voiture et attends, ou si tu ne te sens pas capable de conduire appelle Pietro.

— Non, non, je m'en sens capable. Qu'est-ce que c'est, Carlo, qu'est-ce que c'est ?

— Vite, Modesta, vite ! Il n'y a pas de temps à perdre ! Je ne voudrais pas te donner d'illusions.

Seul, Eriprando luttait avec son mal enveloppé dans une couverture dans les bras de Carlo. Et je ne devais pas crier, ni pleurer, ni questionner. Je devais seulement conduire, poussée par ces cris qui, de stridents qu'ils étaient, s'étaient faits longs, monotones, comme une litanie dissonante.

Quand je fus abandonnée derrière cette porte blanche et muette, avec ce visage impassible d'infirmière qui m'observait en étrangère, le silence de la clinique hurla dans mon cerveau plus fort que les cris d'Eriprando, m'emprisonnant derrière un mur infranchissable d'attente. Ou était-ce encore la paroi glissante du puits, d'où à quatre pattes j'essayais de remonter à la lumière ?... Là-haut, Mimmo allait me parler peut-être. Je restai dans ce puits stagnant jusqu'à ce que Mimmo, de sa voix reconnaissable entre toutes :

— Calmez-vous, princesse, ce n'est rien de grave, ce n'est pas la poliomyélite. Il n'y avait qu'à tailler un tendon, Carlo va vous expliquer.

— Modesta, je te présente mon collègue et ami Arturo Galgani, de Milan. Par chance, il était ici !

— Enchantée, docteur.

— Tout le plaisir est pour moi, princesse.

Les phares fouillaient prudemment le pavé noir de lave lustré par la pluie. Prudemment, Carlo conduisait ; pas une secousse, pas un coup de frein brusque, pour ne pas troubler le sommeil de ce petit être qui pesait contre moi. Je ne pouvais regarder ce visage qui en quelques heures à peine s'était aminci et décoloré comme si la *Certa* s'était arrêtée un instant pour le fixer. Il ne fallait pas que je le regarde. L'homme grand et blond, là-bas, avait souri en disant :

— Pris à temps ce n'est qu'un accident sans gravité ; je vous conseille toutefois de l'emmener chez vous. Il faut qu'il se réveille dans son environnement habituel et si, comme j'en suis sûr, vous ne vous montrez ni préoccupée ni nerveuse, quand le petit s'éveillera il ne se souviendra plus de rien. Il est de la plus haute importance qu'il oublie et qu'il prenne les exercices et les massages comme quelque chose que tout le monde fait.

— Tu te sens mal, Modesta, pour fermer ainsi les yeux ?

— Non, Carlo, non, je suis seulement très fatiguée.

Pour qu'il se rassure, j'ouvris les yeux, et son visage calme, amical d'autrefois me sourit un instant avant de revenir fixer la route.

— Comment as-tu dit que s'appelle cette crampe ou rétraction du muscle, Carlo ?

— Oh, on l'appelle pied de poulain. Tu y penses

encore ? Ça peut être grave parce que la rétraction empêche la croissance de la jambe, mais pris à temps ce n'est rien, c'est vraiment une chose de rien du tout.

— Comme Beatrice ?

— Exactement !

— Merci, Carlo. Si tu n'avais pas été là !

— Mais j'y étais. J'y suis toujours. Ce n'est pas de la présomption, crois-moi, mais simplement une constatation des faits ; c'est plus fort que moi. Chaque fois que quelqu'un en a besoin, je ne sais comment, me voici là tout prêt. Commode pour les autres, mais moins pour moi. Que veux-tu y faire ! Ce doit être cette maudite vocation de médecin.

Il plaisantait. Et si Carlo plaisantait, il était vrai qu'Eriprando guérirait.

— Vocation ou non, Carlo, je te suis reconnaissante et... pardonne-moi pour tout.

— Et de quoi donc ?

— Alors, sans rancœur, Carlo ?

— Sans rancœur, et avec amour, je dirais, princesse.

48

— Je peux entrer ? Mais que fais-tu, Modesta, encore en robe de chambre ? Carlo est en bas à attendre et...

— Beatrice, ces deux derniers mois je suis restée tous les soirs avec vous, comme je te l'avais promis après ta maladie, dans l'espoir que tu te persuaderais d'abandonner cet attachement insensé, je ne trouve pas d'autre mot après nos discussions, à des traditions ou des préjugés anciens. Mais à partir d'aujourd'hui ça suffit.

— Mais...

— Il n'y a pas de mais qui tienne ! Je ne descends pas. Tu sais combien de temps j'ai dû perdre avec Eriprando pour le distraire de tes nervosités et des appréhensions de Vif-argent. Maintenant qu'il est content avec Elena, il faut que je me remette à travailler.

— Cette Elena ! Tu as préféré cette étrangère muette et froide à moi et à Vif-argent, Modesta ! Aujourd'hui encore, elle ne me l'a laissé voir que quelques minutes, et elle me surveillait comme un gendarme.

— Il ne me semble pas qu'auparavant tu aies passé beaucoup plus de temps avec lui. Et puis cette Elena est froide et muette aussi parce que vous ne l'avez assurément pas bien traitée.

— Mais c'est une étrangère !

— C'est une fille qui fait son métier ! Ouvre les yeux et les oreilles, Beatrice. Tu n'entends pas comme Eriprando rit ? Comment pouvait-on obtenir ce résultat avec toi qui dès que tu le voyais te mettais à pleurer ? Bien sûr, il te rappelait ta maladie, parce que ça n'a rien été d'autre qu'une maladie, ce que tu as eu, Beatrice ! Allez, quand tout sera passé en toi aussi, tu pourras le voir tant que tu voudras. Mais tant que tu fais cette petite mine contrite, rien qu'à parler d'Eriprando, non !

— Oui, bien sûr, Carlo l'a dit lui aussi, mais c'est plus fort que moi, j'ai toujours peur qu'il reste...

— Bien. Maintenant, va, parce qu'il faut que je finisse d'écrire des lettres.

— Mais alors vraiment tu ne descends pas ?

— Je ne peux pas, Beatrice, comment dois-je te le faire comprendre ? Entre ta maladie et celle d'Eriprando, j'ai perdu trop de temps. Regarde toutes ces lettres, ces papiers à signer, ces comptes, ces maudits comptes !

— Mais tu descendras tout de même pour dîner, n'est-ce pas ?
— Bien sûr, il faut quand même que je dîne, non ?
— Et après ?
— Après je verrai.
— Dieu, que de papiers, Modesta ! Je suis vraiment une ingrate, tu travailles pour nous. Je me déteste, Modesta, je me déteste ! Et toutes ces feuilles écrites... quelle petite écriture bizarre, on dirait l'écriture d'un médecin. On n'y comprend rien. Que sont ces feuilles ?
— Mon travail, des poèmes, des notes.
— Ah, mais oui, tu me l'avais dit. Comme disait grand-mère, je suis vraiment une tête de linotte !
— Cela suffit avec ta grand-mère ! Je ne veux plus en entendre parler. Elle est morte, Beatrice.
— Mais elle t'estimait tant... et je suis certaine qu'elle t'estime encore.
— Je ne crois vraiment pas. Ou peut-être, pourquoi pas ? Tu n'as pas tort. Ce serait bien de quelqu'un comme elle d'estimer les gens qui parviennent à leur infliger échec et mat. Tu te souviens comme elle était heureuse quand le vieux médecin la battait aux échecs ?
— Mais tu ne lui as pas infligé échec et mat, tu as seulement désobéi, et je crois...
— Désobéi ? Tu as dit désobéi, Beatrice ? Tu me fais rire.
— Oh, Modesta, enfin tu souris ! Enfin tu me regardes, ça fait des mois que tu ne me regardais pas !
Cela faisait des mois en effet... depuis l'époque de ces hurlements d'Eriprando qui parfois me réveillaient encore la nuit, et que seul le fait de voir son visage plongé dans un profond sommeil parvenait à chasser de ma mémoire. Elle avait raison elle aussi, et me dominant j'entourai sa taille de mes bras et baisai ses

cheveux légers, au parfum de foin : la même odeur qu'Eriprando, que Carmine. Seule la consistance était différente. Ses cheveux avaient encore la douceur de ceux d'Eriprando petit, lesquels, après la lutte contre son mal, s'étaient renforcés en boucles dures comme celles de Carmine, le père d'Eriprando et de Beatrice. D'aussi près, je vis quelques fils blancs qui déjà se montraient au milieu du blond. Du côté paternel, Beatrice avait hérité de cette blancheur précoce et de ce pied malade. De la souche paysanne de cet homme d'honneur provenaient deux signes raffinés, délicieusement *fin de race**.

— Oh, Modesta, tu souris et tu me caresses les cheveux. Tu ne me détestes plus ?

— Mais je ne t'ai jamais détestée, Beatrice, c'est seulement que tu...

— Oui, oui, Carlo me l'a dit que c'était seulement la préoccupation, la fatigue. Il a dit aussi un mot... comment a-t-il dit ?

— Trauma, Beatrice.

— Oui, que toi aussi, comme moi, tu as eu un trauma. Mais je ne supporte pas, je ne supporte pas de te sentir distante. C'est plus fort que moi, je me sens en faute mais en même temps j'insiste sur ce que je sais être des erreurs. Mais pourquoi est-ce que je fais tout ce que je sais qu'il ne faut pas faire ?

— Qui sait, peut-être est-ce seulement que tu n'es pas habituée à l'affection. Qu'en sais-tu, de l'affection ? Tu n'as connu que des reproches.

— Oh, ce doit être vrai, Modesta, parce que je rêve toujours que je suis indigne de toi, d'Eriprando, de Carlo.

— Bien, bien. Ça suffit maintenant ! Nous l'avons oublié, et le malheureux attend. Allons, courage, Beatrice, va auprès de ton Carlo. Et ne te sens pas indigne, parce que tu es la plus belle et la meilleure des petites filles.

— Tu penses ? Mais pourquoi as-tu dit ton Carlo, Modesta ?

— Mais parce que nous l'aimons. J'ai dit ton Carlo comme j'aurais pu dire mon Carlo. Allez, allez, ne te trouble pas. Nous lui sommes reconnaissantes, non ? Il a sauvé notre Eriprando. Voilà, tu vois ? J'ai dit notre Eriprando. C'est la même chose, non ?

— Oh oui ! Notre Carlo et notre Eriprando. Oh, mon Dieu ! C'est déjà six heures et demie, j'y vais vite. Nous t'attendons pour dîner. Vif-argent a fait quelque chose que tu adores, mais je ne peux pas te le dire, elle m'a priée de ne pas te le dire, tu verras la surprise !

Juste à temps, la porte se ferma derrière cette jupe de dentelle couleur de lumineux ivoire comme son cou et ses bras. Non, ce n'était pas une jupe. Un châle, peut-être ? Où trouvait-elle ces dentelles et ces soies, Beatrice ? Juste à temps, la porte s'était fermée, et déjà la salive amère qu'elle avait longuement retenue au fond de sa gorge envahit sa langue, ses dents : « Vif-argent t'a fait quelque chose que tu adores. » Elle courut au lavabo couleur ivoire parsemé de petites fleurs. Là encore de l'ivoire tendre, dansant. Ce devait être de la crème, quelque crème renversée, cette surprise. Sur cette crème qui ondulait sous son regard, elle vomit. C'était la confirmation de cette douce langueur qui depuis des semaines la retenait au lit, d'un jour à l'autre devenu accueillant et doux comme deux bras tièdes d'amoureux, ou la clouait pour des heures et des heures à son fauteuil devant la fenêtre grande ouverte, à fixer les arbres, le ciel, la mer lointaine. Sans regarder cet ivoire elle se lava les dents, la langue, et se regarda avec crainte dans le miroir : deux yeux agrandis, étonnés et sereins la fixaient. Ses joues s'étaient creusées, mais sa poitrine, ses hanches tendaient déjà sa jupe, son corsage. S'abandonnant elle-même, là, dans ce miroir, elle courut regarder la mer. Il fallait qu'elle travaille. Derrière elle, sur le bureau, des papiers et des papiers entassés attendaient. Elle se détacha avec effort de la fenêtre et s'assit, contemplant l'encrier, le stylo, le papier timbré. Avec dégoût pour cette odeur amère d'encre, elle ferma l'encrier et appuya la tête sur ses bras. La chaleur de ses bras était douce, douce et fraîche en même temps, son front brûlant trouvait un réconfort dans cette fraîcheur... Il était délicieux de rêver entre la chaleur et la fraîcheur de la plage et du bois.

— Puis-je entrer, princesse ?

Combien de temps était passé ? Probablement des heures, et Beatrice l'appelait derrière la porte. Non, Beatrice ne l'appelait pas « princesse » et cette voix était une voix d'homme. Carlo ?

— Entrez.

Pietro, debout, le béret à la main, la fixait d'en haut, de ses yeux ronds sans regard, son crâne lisse comme une boule de marbre se baissait respectueusement. Quelle peur cet homme avait autrefois suscité en elle et en Beatrice ! Alors que maintenant, s'il n'y avait eu la « princesse » qu'elle devait être, elle aurait couru l'embrasser. Autre signe de la condition dans laquelle elle était retombée : celui de désirer seulement être embrassée, protégée, bercée dans les bras puissants de cet homme bon et tendre comme un petit enfant. Ses yeux n'étaient pas sans regard, ils étaient seulement trop doux pour cette structure massive, et le contraste épouvantait. Que faisait cet homme sans une femme, une fiancée, tout entier consacré à son prince ? Il se masturbait probablement, et les après-midi allait aux putains, comme disait Tuzzu de son père : « Et qu'est-ce qu'il devait faire, resté veuf, amener à la maison une marâtre pour nous rendre tous fous ? »

— Veuillez bien me pardonner, princesse, si je vous dérange, pardieu je vous assure que je l'aurais pas fait si ce n'était pour une affaire de la plus grande urgence.

— Mais non, Pietro, non, tu ne me déranges pas. Qu'est-ce que cette affaire urgente ?

— C'est que... je ne sais pas par quel bout le prendre. C'est une affaire sans queue ni tête, mais compliquée, pardieu, je vous assure, princesse, bien compliquée.

— Mais commence par où tu veux, comme il te plaira, tu sais bien que nous nous entendons tous les deux.

— C'est bien aimable à vous, princesse, mais j'ai peur que cela ne vous fâche.

— Cela concerne le prince ?

— Non. Cela concerne mademoiselle Inès.

— Mademoiselle Inès ? Et qu'y a-t-il avec mademoiselle Inès, Pietro ? Vous êtes brouillés, pour que je te voie si attristé ?

— Non, ça non. Elle est aimable, pas fière et dévouée à monsieur le prince, mais...

— Pietro, avec moi, tu peux parler, tu le sais. Serais-tu par hasard tombé amoureux de mademoiselle Inès ?

— Moi amoureux d'une demoiselle aussi instruite et comme il faut ? Veuillez me pardonner, princesse, mais vous commettez une erreur en pensant à ça. Pietro a du bon sens, et sait quel est son état. Ce qu'il peut avoir et ce qu'il ne peut pas avoir.

— Et alors de quoi s'agit-il ? Je te vois tout en sueur.

— Peut-être la princesse n'a-t-elle pas regardé ces derniers mois les comptes des dépenses et en particulier les dépenses pour les « distractions » de mon maître le prince. Et je peux la comprendre parce qu'elle était dans l'inquiétude pour la *principessina* Beatrice et pour cette malédiction qui...

— Cette maladie, dois-tu dire, Pietro, pas malédiction, maladie.

— Vous avez raison, pour cette maladie qui a frappé le petit prince.

— Qui l'avait frappé, Pietro. Maintenant tu as bien vu toi-même que tout est redevenu normal.

— Certes, certes, un miracle, princesse, un miracle que vous...

— Bien, Pietro, j'ai compris. Qu'y a-t-il dans ces comptes ? On a trop dépensé pour les « distractions » du prince ?

— Eh non, princesse, au contraire, depuis des mois et des mois il en veut plus de ces femmes. Eh, j'aurais dû le comprendre tout de suite ! Mais qui aurait pu penser qu'une demoiselle aussi comme il faut, aussi sensée que mademoiselle Inès...

— Ne me dis pas ça ! Le prince est tombé amoureux ?

— Ça m'enlève un gros poids du cœur, princesse, de voir que vous souriez au lieu de vous mettre en colère. Vous êtes une sainte ! Maintenant je me sens le courage de continuer.

— Et continue, va, Pietro. Ne sois pas gêné comme ça.

— Le fait est que j'ai découvert que mademoiselle Inès – mais qui aurait pu le penser ! – a lâché, comment dire certains mots devant une dame ? voilà : a lâché la bride au prince. Maintenant j'ai parlé et il reste à Madame à prendre la décision de renvoyer mademoiselle Inès chez elle.

— Et pourquoi, Pietro ? Comment va le prince ?

— Oh, pour ça il est vraiment heureux, heureux comme un enfant de trois ans !

— Et alors, pourquoi devrions-nous renvoyer chez elle mademoiselle Inès ?

— C'est ce qu'aurait fait feu la princesse.

— Pietro, toi et moi nous aimons le prince, non ?

— Oh, pardieu c'est vrai, beaucoup !

— Et s'il est heureux ainsi, est-ce qu'il ne vaut pas mieux mademoiselle Inès que ces femmes ? Et puis, sommes-nous certains qu'un jour ou l'autre n'arrive pas quelque vilaine maladie ? Ne rougis pas comme ça, Pietro.

— Je n'y avais pas pensé. Madame est vraiment forte et généreuse comme un homme ! Comme feu la princesse Gaia, que Dieu la garde dans sa gloire ! Et vu que ça va bien pour Madame que les choses soient comme elles sont, je peux vous dire que pour moi c'est un soulagement, un vrai soulagement de voir le prince aussi content.

— Parfait, Pietro : tu es content, Ippolito est content, je suis sereine. Que veux-tu de plus ? Va maintenant.

— Bien sûr, bien sûr. J'ai volé trop de temps au travail de Madame. Je vous baise les mains, princesse, et que Dieu vous bénisse.

— Et qu'il te bénisse aussi, Pietro... Ah, écoute ! Rapporte cet entretien à mademoiselle Inès et dis-lui aussi qu'il faut que je lui parle et au plus vite.

Il est inutile de vous dire que j'avais fait sortir Pietro juste à temps. Un fou rire irrépressible me prit au point que je dus me jeter sur le lit et en étouffer les éclats dans un coussin. Peu à peu ce fou rire se changea en une profonde fatigue. « Je n'avais plus ri autant depuis mes six, sept ans, princesse... Ça fait du bien de rire, ça fatigue, mais c'est une saine fatigue, comme après avoir nagé longtemps. »

Il devait être tard car les vitres des fenêtres s'obscurcissaient lentement. Elle avait dormi ? Déjà Vif-argent la réveillait en frappant légèrement à la porte. Depuis qu'elle était devenue princesse, non pas par la puissance de sa lignée mais par la puissance de sa nature, comme disait Mimmo, Vif-argent ne déboulait plus dans la pièce, mais frappait doucement, et ne parlait jamais si elle ne lui en donnait pas l'autorisation.

Entre, *come in, entrez**... Le rire la reprenait déjà. « Voilà, c'est comme ça que je t'aime, princesse, riant ! Même dans le mauvais sort il faut savoir garder le goût d'un bon éclat de rire. » Eh oui, Mimmo, tu m'as appris à rire et personne ne me retirera ton enseignement.

Le visage serein et sérieux de Mimmo se détache doucement de mes cils et s'éloigne en reculant vers la fenêtre. Ça lui fait du bien de converser avec sa petite princesse et il s'éloigne à contrecœur bien qu'il fasse déjà presque nuit. À la fenêtre, la lumière hésitait encore, incertaine, troublée par la saison paresseuse déjà aux aguets. Bientôt les crépuscules s'allongeraient, épuisant de caresses la mer en attente. La mer l'attendait, ponctuelle. Serait-elle encore capable, après ce long hiver, de nager ? « Quand on a appris un métier, ma petite princesse, on ne l'oublie plus. Mimmo te le dit, lui qui sait aussi comment fabriquer des tables et repriser... C'est pareil pour toi. Maintenant que tu as appris à nager, personne ne peut plus t'enlever ce savoir-faire, Carlo te l'a dit. »

— Oh, pardon, princesse, vous dormiez ? Je vous laisse vous reposer ! Pardon, mais Pietro m'a rapporté que vous vouliez vous entretenir d'urgence avec moi. Je reviendrai une autre fois. Quand voulez-vous que je revienne, princesse ?

Mademoiselle Inès, plantée comme un piquet dans l'encadrement de la fenêtre, parlait de s'en aller mais ne bougeait pas. Toute raide, sa silhouette se découpait dans les dernières lueurs du ciel.

— Pardon, Inès, mais je suis très fatiguée.

— Bien sûr, princesse, je m'en vais, excusez-moi encore.

Cette silhouette, dessinée sur les vitres, s'élargissait à la taille, aux hanches. « Tu ne me jouerais pas un tour par hasard, Mody ? Il faut que tu maigrisses, d'autant que ton origine se manifeste quand tu es grosse comme ça, mange moins, jeune fille, si tant est qu'il s'agisse de cela ! »

— Non, attends, Inès, de toute façon tu m'as réveillée maintenant. On ne peut jamais rester en paix dans cette maison !

— Mais Pietro...

— Jeune fille, allume la lumière. Je dois te dire deux ou trois petites choses, et il vaut mieux le faire tout de suite, étant donné la situation.

Éclairée par la lumière électrique, je pus enfin l'observer, mais elle tenait la tête baissée et je ne pouvais voir ses yeux.

— Allons, il est inutile que tu te tiennes là, contrite comme une petite madone en bois. Approche et assieds-toi sur ce fauteuil. Ou plutôt, va là-bas et prends-moi un peu d'eau, je meurs de soif.

Je me redressai sur le lit, m'appuyant au dossier comme faisait Gaia. Une grande vieille, cette femme-là ! Elle se tenait paralysée dans son lit comme sur un trône. Je suivais des yeux les mouvements de la jeune fille. C'était vrai, la taille et les hanches alourdies avaient balayé ces gestes élégants de *lady like* et son origine paysanne se révélait. Une sympathie pour cette fille, que je ne me soupçonnais pas jusque-là, me saisit et j'aurais éclaté de rire... quand je rencontrai ses grands yeux, égarés, pleins de larmes retenues. Ces larmes l'enlaidissaient. Non, ces yeux-là n'étaient pas mes yeux d'autrefois, il me fallait être prudente.

— Alors, jeune fille, il me semble voir qu'entre le prince et toi les choses sont allées plus loin que l'amourette que Pietro, dans son ingénuité, m'a rapportée.

Je n'avais pas fini de parler que l'autre (non, ce n'était vraiment pas moi !) se jette à genoux, là devant moi, en se mettant à pleurer si fort – des larmes éclaboussaient la pièce de tous côtés – avec des sanglots mêlés de phrases si incohérentes que, de peur qu'elle n'ait l'idée de se jeter sur moi, je bondis hors du lit. Sans la toucher – elle me faisait de la peine mais je ne pouvais perdre mon autorité – je tentai de regagner mon bureau en disant :

— Allons, allons, jeune fille, ne te désespère pas ainsi ! Recompose-toi ! Bois toi aussi un verre d'eau et puis assieds-toi ici, que nous parlions calmement, voilà, comme ça, bien !

Avec le bureau entre nous – c'était un bouclier qui m'empêchait de la prendre dans mes bras et de la consoler –, je cherchai un compromis en moi-même entre Modesta et Gaia pour que se calme ce tremblement de sa bouche et de ses mains, suivi, comme si cela ne suffisait pas, du tremblement de ses boucles. Je cherchais encore un compromis, quand mademoiselle Inès, probablement terrorisée par mon silence, se remit à pleurer et à parler en gesticulant comme une actrice amateur. On ne comprenait pas ce qu'elle disait. Elle s'essuyait les yeux avec un petit mouchoir blanc plein de dentelles, pour ensuite le martyriser entre ses paumes ou l'enfiler dans le décolleté de sa robe... Voici qu'elle le tirait dehors à nouveau et roulant des yeux se le pressait sur sa petite bouche charnue en forme de cœur. C'était un spectacle horripilant ! Exactement comme il m'arrivait au théâtre, sonnée, aplatie sur mon fauteuil, j'attendais seulement que finisse la grande scène dramatique. Le comédien de Diderot ! C'était vrai, et pas seulement sur scène. C'était vrai là aussi, dans cette pièce. Cette mauvaise actrice se laissait trop entraîner par l'émotion et perdait le détachement voulu, rendant sa passion désagréable à regarder et à entendre. Comme au théâtre, je décidai d'attendre patiemment et d'essayer, négligeant l'interprétation, de comprendre au moins le texte.

— Moi-même, je serais venue tout avouer ! Aujourd'hui, aujourd'hui même ! Même si Pietro n'était pas venu... Je ne l'accuse pas. Il faisait son devoir, mais moi, moi... je serais venue aujourd'hui, demain ! Ce que je vous ai fait, ce que j'ai fait à votre maison est horrible, horrible ! Je serais... je serais venue tout avouer avant de disparaître, de m'en aller.

Je commençais à comprendre, le texte était exécrable lui aussi.

— T'en aller où, jeune fille ?

— Et qu'en sais-je ! N'importe où, cacher ma honte, mon péché.

— Essayons de raisonner, mademoiselle Inès. Calmez-vous, je vous crois : vous seriez venue, vous vous repentez, mais s'il vous plaît, calmez-vous, d'accord ?

Le mouchoir disparut de nouveau dans le décolleté de la robe. Les mains pressées l'une contre l'autre restaient agitées, mais au moins elle ne pleurait plus et me regardait presque sereine.

— Merci, princesse. Vous êtes bonne, je le savais, mais je ne profiterai pas de votre générosité et de votre grandeur d'âme, je n'en suis pas digne. Je disparaîtrai demain matin !

Cette idée de disparaître était une fixation, mais il fallait que je sois prudente parce que si cette fille disparaissait, à qui est-ce que je l'offrais, moi, mon prince Ippolito ?

— Inès, nous nous connaissons depuis déjà bien longtemps. Je vous estime. Pourquoi continuez-vous à vous tourmenter ainsi ? Que celui qui n'a pas péché jette la première pierre, ainsi est-il écrit. Ce n'est pas moi qui dois vous pardonner. Dieu vous pardonnera ! Ce n'est pas à moi de juger.

L'effet de ce langage fut immédiat en elle et en moi : elle me sourit humblement, presque radieuse, et je perdis toute sympathie pour cette petite tête bêlante couverte de boucles.

— Ooh ! Ooh ! princesse, vous m'enlevez un poids de la conscience. Ooh ! Ooh !

Cela faisait tout l'après-midi que j'enlevais des poids de la conscience des autres, je n'en pouvais plus !

— Bien sûr que cela n'atténue pas ma faute et je demanderai à Dieu avec des prières sans fin le pardon que vous m'avez accordé avec tant de bonté.

— Bien, Inès, bien, prie ! Ne fais rien d'autre, ne t'agite pas, ne pleure pas, ne disparais pas, mais prie ! Cela seul compte !

— Alors je peux rester ici ?

— Cela fait une heure que j'essaie de te le dire, Inès.

— Oh, princesse, merci, merci !

Je m'accrochai solidement au bureau pour être sûre qu'il soit là à me défendre de l'extase de gratitude qu'elle me balançait dessus.

— Bien, jeune fille ! Mais malheureusement nous devons maintenant parler de ton état. Il n'y a pas de temps à perdre. À combien de mois en es-tu ?

— Trois, princesse, je crois. Oh, Dieu ! J'ai honte, j'ai honte !

— Je t'en prie, Inès, ne recommence pas. Ce n'est rien de terrible, avec un bon médecin c'est une plaisanterie.

— Un bon médecin, princesse ? Oh, non, vous êtes trop bonne ! Un médecin est un luxe quand on accouche, il suffit d'une sage-femme. Chez moi les femmes...

— Mais qu'as-tu compris, Inès ? (Aussi bien Modesta que Gaia commençaient à perdre patience.) Tu voudrais garder l'enfant de la...

— Oui, princesse, je sais ! C'est l'enfant de la faute, je le sais !

— Mais il est bien question de faute, Inès, reviens à toi ! C'est l'enfant d'un mongolien, sapristi ! Tu es infirmière, tu sais ce que ça veut dire, non ?

— Bien sûr, princesse, mais c'est aussi une âme qui palpite à l'intérieur de moi. Et si pour me punir Dieu veut qu'il naisse tel que son père, ce sera le signe que je dois expier, non seulement par la prière, mais aussi en l'ayant devant les yeux. Cet enfant sera ma croix, et je la porterai comme notre Rédempteur.

« Nous devons expier, Modesta, prier. » Depuis des années je n'entendais plus la voix de mère Leonora. Au fur et à mesure que les mots glissaient lentement de cette petite bouche en forme de cœur, comme les grains usés d'un rosaire entre des doigts moites et parfumés d'encens, une salive âcre et amère me fit serrer les lèvres pour ne pas vomir là sur la table. Je baissai la tête. L'encrier était fermé, les stylos rangés, les lettres et le papier timbré attendaient. Il fallait que je travaille, il fallait que je travaille au moins une heure. Ravalant avec effort salive et rosaire dégoulinant, je me mis debout d'un bond.

— Ça suffit, jeune fille ! Des pleurs et des excuses tu es en train de passer à l'arrogance la plus inouïe. Finissons-en ! Tu ne vas pas prétendre que je te laisse mener à terme un enfant du prince mon mari ? Je ne parlais pas d'un médecin pour l'accouchement, je parlais...

Je ne parvins pas à achever ma phrase : se levant d'un bond avec une agilité imprévue, elle se mit à courir à travers la pièce comme une chauve-souris aveuglée par la lumière. Ce coup de théâtre était assez réussi, il parvenait à me faire taire, ainsi que Gaia, d'autant plus que, agitée de la sorte et virevoltante, elle était assez gracieuse et vivante. Je posai mes coudes sur la table, le menton dans les mains, et je la regardai : je voulais décidément voir combien de fois elle réussirait à faire le tour de la pièce en jacassant des mots et des exclamations comme : « Ooh Dieu ! Péché ! ooh ! Tuer une âme ! ooh, je me tuerais plutôt... dans la mer ! Me jeter dans la mer, plutôt que... »

Cette espèce de fugue dansée, précédée du petit mouchoir blanc m'enchantait le regard comme au cirque le costume pailleté de l'écuyère. Elle se défoulait et je pensais : je l'arrête ? Je lui donne une paire de gifles et la renvoie chez elle ? Et Ippolito ? Qu'est-ce que je fais d'Ippolito ? Et puis au fond elle est mignonne et, même si c'est à sa façon, elle combat pour sa folle volonté de vie comme je l'ai fait autrefois. Ce n'était pas une lâche comme je l'avais pensé. À sa façon, chère Gaia, elle sait qu'elle est nécessaire à la bonne marche de la maison et elle nous a fermé la bouche : échec et mat ! Et puis il faut un beau courage pour faire l'amour avec la « chose » ! Qui sait si j'aurais eu alors ce courage !

Un dernier cri et plaf ! je la vis s'écrouler sur le tapis. Je savais qu'il y aurait un évanouissement, il devait arriver tôt ou tard, c'était une figure obligée. Elle n'était pas tombée avec trop de grâce, mais cela me permettait d'observer la ligne de ses jambes, parfaite, et deux beaux bras pleins qui se terminaient en deux fins poignets à la peau transparente comme celle d'un petit enfant. À l'un de ces poignets elle portait une montre minuscule, très, très jolie. J'essayai de la soulever, mais elle pesait trop lourd. Je ne savais que faire. Je ne m'étais jamais trouvée avec une « demoiselle » évanouie dans les bras. « Si vous vous sentez mal, mademoiselle, regardez, il suffit de soulever l'accoudoir et vous trouverez les sels. » Prendre des sels ? Je n'en avais pas. Peut-être de l'eau froide. Ses épaules et ses bras qui de loin paraissaient de marbre avaient, entre les miens, un moelleux attirant. Il avait du goût, le prince mon époux ! J'avais – comme vous du reste – douté que l'enfant fût de la « chose » et je m'étais promis de vérifier. Mais ce petit visage décoloré, abandonné sur mon bras, me donnait la sensation que, oui, elle avait sa volonté folle à elle, cette Inès, mais pas le courage de mentir. J'essayai de la secouer doucement, mais il n'y avait rien à faire. Cette chair tendre, parfumée de talc m'attirait, et s'il n'y avait pas eu l'autorité que je devais garder avec elle et les autres, je l'aurais pressée contre mon sein et je l'aurais couverte de baisers. Attention, Modesta ! Les demoiselles sans défense ont toujours été un danger... J'allais l'étendre de nouveau sur le tapis et appeler Vif-argent, quand cette petite tête d'agneau en sucre se redressa d'un coup et, s'agrippant à mon cou, me fixa de deux yeux égarés et brillants.

— Non, non, princesse, ne me chassez pas ! Je serais venue tout avouer ! Je serais venue, je le jure !

— Mais oui, Inès, j'en suis sûre, mais maintenant relève-toi. Tu pèses, petite fille... Debout !

— Mais où suis-je ? Qu'est-il arrivé ? Mon Dieu ! Me trouver les jambes complètement nues devant vous !

Eh, certes, ses cuisses pleines et fermes se terminaient, elles aussi, en deux chevilles minces, ravissantes.

— Ce n'est rien, Inès, un petit évanouissement. Tu as eu beaucoup d'émotions.

— Des émotions, dites-vous, princesse ? De la peur, princesse, de la peur et de la honte !

— D'accord, Inès. De la peur, comme tu veux. Mais maintenant c'est fini. Reprends ton calme et va t'étendre sur ton lit et...

— Comme vous êtes bonne, princesse !

— Et pense bien à ce que tu veux faire, parce qu'après je ne veux pas de gémissements et de larmes, tu as bien compris ? Si tu veux garder cette créature qui palpite à l'intérieur de toi...

— Oh oui ! princesse, oui !

— Mais penses-y bien parce que c'est l'enfant d'un idiot.

— Le prince n'est pas du tout un idiot, princesse, il est bon et il comprend énormément de choses.

Elle était offensée maintenant : son petit minois redressé, l'air distant et sévère. Elle s'offensait de ce qu'on ait seulement touché à l'objet de son amour.

— Et puis Eriprando est sain et intelligent.

Voilà qui me clouait le bec. Gaia grondait tellement à l'intérieur de moi que je m'entendis dire :

— Bon, Inès, ça va. Mais nous devons nous entendre. Avec vous, les femmes, on ne sait jamais : accords clairement établis et inimitié éternelle !

— Inimitié, avez-vous dit, princesse ?

— Je voulais dire, amitié, Inès... Donc, tu te souviens que le docteur Civardi a conseillé, maintenant qu'Eriprando commence à prendre connaissance du monde extérieur, d'éloigner le prince son père et d'échafauder un petit mensonge quant à son infirmité parce que l'avoir toujours devant les yeux peut troubler l'équilibre de l'enfant ?

— Oui, je m'en souviens.

— Bien, alors les accords entre toi et moi sont les suivants : si cet enfant naît sain...

— Avec le pardon de Dieu !

— Bien sûr, bien sûr... S'il naît sain tu me le donnes, pour son bien également. Un petit frère ou une petite sœur ne peut que faire du bien à Eriprando. S'il naît comme le prince, nous le mettons dans quelque institut pour retardés mentaux ou...

— Mais que dites-vous, princesse ! Je ne refuserai jamais la croix que Dieu voudra m'infliger pour ma faute.

— On verra, Inès, ne mettons pas la charrue avant les bœufs, comme on dit. On verra ! Penses-y tout demain. Et tiens compte que, enfant ou pas enfant, d'ici un mois vous irez habiter la petite villa que je t'ai montrée et qui s'est finalement libérée.

— Mais elle est loin !

— Loin d'ici, mais plus proche de Catane, Inès... Mais pourquoi ne vas-tu pas de temps en temps au cinéma, grand Dieu ! Ou t'acheter un ruban, un livre, que sais-je...

— Une femme ne sort pas seule !

— Mais il y a Vif-argent, cette autre emmurée vivante, vous pourriez sortir ensemble.

— Mais deux femmes, princesse, c'est la même chose sinon pire.

— Oh, ça suffit ! Faites comme vous voulez ! Pietro viendra avec vous, naturellement, mais il fera la navette, parce que j'ai peut-être plus besoin de lui ici que n'en a besoin le prince. Le prince est calme, non ?

— Oh, c'est un ange ! Il n'a plus donné aucun souci.

— Bien, si tu ne te laisses pas prendre par des manies et des mélancolies comme tu l'as fait durant cette heure... Ça fait une heure, oh, sinon davantage !

Que disais-je ? Ah, oui ! Je verrai avec maître Santangelo combien nous pouvons nous permettre. Comme cela, même dans le cas où le prince mourrait...

— Oh, que cela n'arrive jamais !

— Et cela n'arrivera jamais ! Arrête ! Je parle pour ton bien, sapristi ! Et arrange ton décolleté, tu as toute la poitrine dehors. Donc, qu'arrive ce qui doit arriver : moi aussi je peux mourir demain... Non, tais-toi ! Je te laisse une petite rente et la villa. Tu as compris ?

— Oh, princesse, comme vous êtes bonne, généreuse.

— Tais-toi ! Ça suffit ! File ! J'ai déjà perdu suffisamment de temps avec toi. Ils m'attendent en bas et je dois encore m'habiller. Non, arrête, ce n'est pas la peine de me baiser la main. Pense à tout ça et donne-moi la réponse demain.

49

Elle sortait, contrite, par la porte et je sentais encore la chaleur de cette petite bouche sur ma main. Mon mari avait du goût, mais moi j'avais mon autorité à maintenir. Cette sensation de chaleur qui m'envahit de la tête aux pieds quand la porte se ferma derrière elle me fit passer nausée et vomissement. L'autre fois aussi, enceinte d'Eriprando, je n'avais d'attirance que pour les femmes. Se serait-il agi d'une sorte de défense de l'organisme rassasié d'humeurs masculines et ayant plus besoin de tendresse que d'une pénétration, qui peut-être pouvait déranger la formation de ce petit être que nous portions à l'intérieur de nous ? C'est sûr que cette douce chaleur faisait du bien. Il aurait été délicieux de rester là à se souvenir de cette chaleur, mais il fallait que je descende dîner... il fallait que je le fasse pour faire plaisir à Beatrice. J'avais eu mon compte de pleurnicheries féminines pour cet après-midi.

— Au secours, Modesta, au secours !

— Qu'y a-t-il, Beatrice ? Que se passe-t-il, par pitié ? La foudre est tombée ?

— Oh, non, plût au ciel ! Plût au ciel que ç'ait été ça.

— Et alors, qu'y a-t-il, Beatrice ? Tu es pâle comme une morte. Tu vas me donner une attaque. Et parle au lieu de geindre comme un agneau.

— Carlo, Carlo !...

— Eh bien ?

— Il m'a embrassée, Modesta ! Oh ! aide-moi, serre-moi contre toi. Il m'a embrassée sur la bouche exactement comme tu fais toi.

Imprévisible Pouliche, non seulement elle avait ouvert la porte toute grande sans frapper, elle toujours si discrète, mais elle avait aussi allumé toutes les lumières. De pâle qu'elle était, elle était devenue toute rouge comme lorsqu'elle avait de la fièvre. Et bien que je lui aie tenu les bras solidement – je ne voulais pas qu'elle m'enlace –, elle parvint à me saisir la tête et me couvrit d'une quantité de petits baisers. En un instant elle m'enlace et me baise le front, la bouche, le cou, cependant que des larmes coulent entre elle et moi. D'en haut, sans lâcher ma tête – comment se fait-il qu'elle soit si grande, plus grande que moi ? –, elle me murmure :

— Moi, au début, je suis restée tellement surprise que je l'ai laissé faire. Qui aurait pu penser ça d'un garçon aussi comme il faut que Carlo, hein ? Tu l'aurais pensé ? Mais tout de suite après, crois-moi, Modesta, tout de suite je l'ai chassé, et je ne veux plus jamais le revoir ! Qui aurait pu l'imaginer ? Il m'embrassait exactement comme tu fais toi. Ma grand-mère avait raison, ils sont tous pareils, les hommes !

Au milieu de la porte grande ouverte, Vif-argent, les yeux dilatés de curiosité, nous fixait sans oser entrer ni refermer la porte. Elle aussi était pâle comme une morte. « Quelle sensibilité ces petites femmes, elles pâlissent et rougissent à leur gré et à force de pleurs et d'évanouissements elles te manipulent comme un pantin. » Eh, cher Mimmo, on les éduque à ça, comme dit le cher camarade Bebel. Il faut prendre patience.

— Qu'y a-t-il, Vif-argent ? Aurais-tu vu un fantôme, par hasard ? Qu'y a-t-il, on peut le savoir ?

— Rien, rien, princesse, c'est juste que le docteur est parti comme une furie.

— Il aura eu à faire.

— Eh oui, bien sûr. Un monsieur tellement comme il faut, mais c'est que le soufflé...

— Au diable le soufflé ! Mangez-le à la cuisine et file !

— Mais le dîner ?

— Ferme la porte et file ! Tu ne vois pas que Beatrice se sent mal ?

— Mais...

— Pas de mais ! Ce soir on ne dîne pas. Personne n'en mourra ! Nous sommes tous adultes et bien nourris, Vif-argent. Veux-tu bien fermer cette maudite porte et nous laisser en paix ?

— Bien sûr, princesse, bien sûr, excusez-moi.

Voilà bien une autre petite femme ! Toute une affaire pour son soufflé retombé.

— Je t'ai dit de t'en aller ou je te chasse aussi de la maison !

La voilà qui sourit humblement et disparaît derrière la porte enfin fermée. Tandis que mon estomac, par un mouvement autonome, voyage là à l'intérieur de moi en ricanant comme un vieil ivrogne. Non, ce n'était pas mon estomac. Pouliche, me serrant de plus en plus, était agitée de soubresauts contre moi, le visage plongé dans mon cou. Imprévisible Pouliche, elle était redevenue petite dans mes bras. Comment faisait-elle pour paraître grande et minuscule à son gré ? Elle riait tant qu'elle paraissait étouffer.

— Qu'est-ce qui te fait rire, maintenant, hein ?

— Je ris parce que je pensais à la tête de Vif-argent quand tu criais. Comme elle est drôle quand elle a peur, son visage devient tout rond, comme un œuf, et sa bouche devient une ligne qui s'incurve vers le bas. Oh, mon Dieu, comme elle est drôle ! On dirait un de ces visages que dessine partout Eriprando. Avant, tu me faisais peur à moi aussi, et puis j'ai compris que tu es exactement comme grand-mère Gaia, ouah, ouah, et puis... Mais tu fais bien. Tu te fais respecter, moi je n'y arrive pas. Et si tu n'étais pas là, elle me prendrait jusqu'aux clefs de la ceinture, et alors adieu ! D'un côté à l'autre de la maison à faire la loi encore un peu plus.

Eh oui, c'est vrai, Pouliche gardait les clefs des tiroirs, des armoires, passées dans un grand anneau d'or qu'elle portait à la ceinture à côté de fanfreluches d'or, d'argent et d'ivoire. Il y avait aussi un cornet de corail, une tête de Maure avec son turban, une petite main d'ivoire... non, cette petite main n'était pas en ivoire, elle était en argent. Comme dans les temps anciens avaient fait sa tante, sa grand-tante, sa grand-mère. Sa taille frêle se redressait orgueilleusement quand elle portait cet anneau à la ceinture. Les clefs étaient les médailles, les décorations d'une guerre impalpable, le signe de son pouvoir sur nous tous.

— Tu pèses sur moi, Pouliche !

— Oh, que c'est bien, tu m'as appelée Pouliche, que c'est bien, redis-le. Ça faisait si longtemps que tu ne m'appelais plus comme ça !

Comment pouvait-elle aimer ce surnom qui pour moi sonnait comme une condamnation ?

— Oh, Modesta, redis-le, allez ! C'est si doux quand c'est toi qui le dis !

— Bien, entendu, Pouliche, seulement tu me pèses sur la poitrine et je suis fatiguée. Ne serait-ce pas que cette petite Pouliche aurait projeté, dans sa petite tête étourdie mais obstinée, de me faire rester debout toute la nuit, au milieu de cette pièce ?

— Tu me laisses dormir avec toi, Modesta ? Oh, laisse-moi dormir avec toi. Ça fait des mois que tu ne veux pas. Ce soir j'ai si peur, je t'en prie !

— Peur de quoi, Pouliche ?

— Oh ! Peur de me rappeler la déception que m'a donnée Carlo ce soir.

— La déception, pourquoi ?

— Je le prenais pour un homme sérieux ! Je n'arrive pas à oublier l'effronterie avec laquelle il m'a embrassée. Ça a été terrible et j'ai peur ! Laisse-moi dormir avec toi !

— Bien, d'accord. Déshabille-toi et vite au lit. Vraiment je n'en peux plus !

Elle se déshabilla en un instant. Elle réapparut avec l'une de mes chemises de nuit et prudemment se glissa sous les couvertures.

— Je peux t'embrasser ?

La tête dans le creux entre mon cou et mes épaules, les cheveux légers qui m'effleuraient le menton, la main posée sur mon sein... *E si Beatrice nun voli durmiri coppa nno' culu sa quantu n'ha aviri...* Non, je ne devais pas chanter cette berceuse. Sa main reposait tranquille sur mon sein, et pas un tremblement ne venait de cette paume fraîche. Elle n'avait pas soif, je n'étais plus sa nounou, mais sa sœur. C'était bien comme ça. Et je devais parler en sœur.

— Écoute, Pouliche, vraiment ce baiser de Carlo...

Elle ne répondait pas. Je la regardai à la lumière de la lampe : elle dormait sereine comme Eriprando, naguère, après la tétée de six heures.

J'éteignis la lumière, c'était bien comme ça.

Un cri aigu de lumière voltigea au plafond. Le soleil était né, et dans sa lumière les faïences et les cuivres de la salle de bains resplendissaient de joie. Mais ce soleil mentait et luttait avec la langueur qui de mon ventre se diffusait dans ma poitrine, mes bras, mes joues. Je devais faire vite. Bientôt cette langueur atteindrait ma tête avec sa folle volonté de vie, et il serait inutile de s'y opposer. Je pris un bain chaud et m'habillai pour sortir. Je revins dans la nuit qui, paresseuse, s'attardait encore autour du frêle corps pelotonné de Beatrice. Elle n'avait pas bougé, ou seulement le peu qu'il fallait pour prendre le coussin dans ses bras. Dormait-elle ?

— Non, Modesta. Oh, tu es déjà habillée ? Viens ici à côté de moi, il est tôt, je suis si fatiguée !

— C'est le matin, Beatrice, et nous étions déjà au lit à neuf heures.

— J'ai faim !

— Je le crois. Tire la clochette, un bon petit déjeuner nous fera du bien.

— Oh, je n'y arrive pas, fais-le toi-même, Modesta, je suis si fatiguée !

Ce n'était pas le moment d'entamer des discussions ou de se faire obéir. J'étais pressée, il fallait que je cherche ce médecin que Gaia m'avait conseillé naguère ou bien un autre.

— Bonjour, princesse. Oh, vous avez déjà ouvert les rideaux ! Je suis désolée. Si vous aviez attendu un instant je l'aurais fait moi-même, je suis désolée...

— Bien sûr, Vif-argent, bien sûr ! Tout va bien, ne t'inquiète pas. Laisse le plateau et retourne en bas. J'ai dit retourne en bas. Je suis pressée ! Et laisse les vêtements. Tu mettras de l'ordre plus tard. Je t'ai dit que je suis pressée, allez, file !

— Comme vous voulez, princesse.

Sous les rayons de soleil les cheveux de Beatrice s'allument de mille couleurs. Elle ne veut pas lever le visage.

— Il y a trop de lumière, Modesta, ça me fait mal aux yeux. Oh, s'il te plaît, ferme les rideaux comme avant. Mais pourquoi les as-tu ouverts tout grands comme ça, pourquoi ?

Je refermai les rideaux. Il fallait être prudent. Comme je l'avais prévu, sa voix s'était faite jacassante et monotone, signe de la dépression et de la tristesse qui étaient en train de s'emparer d'elle. Bientôt elle recommencerait à errer sans poids dans les pièces comme la fois où Carlo avait disparu. Je ne parviendrais pas une seconde fois à supporter ce petit visage qui en une seule nuit – comment était-ce possible ? – s'était amaigri comme après des jours et des jours de jeûne.

— Allez, Beatrice, regarde cette merveille de petit déjeuner ! Il y a même de la confiture d'orange avec les petits bouts d'écorce confite dedans comme tu aimes... Non, non, moi je prends seulement du café.

— Pourquoi seulement du café ? Tu me laisses manger seule. Prends au moins un peu de pain et de beurre, ça m'attriste de manger seule, oh là là !

— Bon, d'accord. Regarde cette grosse tranche que je me prépare, ça te va comme ça ?

Je n'y arriverais pas, encore dix minutes et je la jetterais par la fenêtre.

— Modesta, j'ai réfléchi, tu sais ?

— Réfléchi à quoi ?

— Eh bien... à Carlo. Bien sûr, ce qu'il a fait hier soir est inadmissible, c'est un comportement inadmissible de la part d'un homme de bien, mais... Je, je, il faut que je sois sincère avec toi, Modesta, je l'aime.

Je n'en croyais pas mes yeux, était-il possible que tout se soit résolu aussi vite ?

— Je l'aime tant. Et même si je sais que jamais, au grand jamais, grand-mère Gaia ne me pardonnerait si je te laissais... Te laisser, toi qui t'es tellement sacrifiée pour nous, et puis je suis boiteuse et...

Je ne l'avais jamais entendue parler autant de quelque chose qui la concernait personnellement. Parler lui ravivait les traits et elle redevenait jolie. Bien sûr, si c'était une fille, cet être qui du ventre me montait à la poitrine, aux épaules, elle serait jolie. Une petite fille frêle et élégante comme Carlo... Je détachai le regard de ces yeux de plus en plus lumineux et de plus en plus grands qui attiraient comme le fond de la mer, et fixant le fond lointain de mon avenir je lus que cette langueur serait un garçon né de Beatrice et de Carlo. Non, je ne voulais pas de cet enfant. J'admirais Carlo, mais un enfant de lui, c'était autre chose.

— Tu ne me réponds pas, Modesta ? Tu penses que ça aussi, ce serait impossible ?

— Pardon, Beatrice, j'étais distraite. Je n'ai rien fait hier de toute la journée et aujourd'hui j'aurai le double de travail. Excuse-moi, que disais-tu ?

— Oui, bien sûr, je le sais, que tu as tant de pensées qui t'occupent, c'est à toi de m'excuser. Je disais qu'on pourrait, ou plutôt, que tu pourrais parler avec Carlo et lui faire comprendre comment vont les choses et qu'on pourrait rester amis. Ou ce qu'il a fait te semble trop grave ?

— Mais non, il n'y a rien de grave, les temps changent, Beatrice, et s'il t'a embrassée...

— Oh, ne dis pas ce mot !

— D'accord. Mais s'il a fait ce qu'il a fait, c'est parce que, j'en suis sûre, il t'aime et pas parce que c'est un sale bonhomme immoral, comme aurait dit grand-mère Gaia. J'en suis sûre. Carlo est un homme d'honneur, Beatrice, intelligent, médecin, travailleur, et s'il voulait t'avoir comme...

— Oh, non, Modesta, non !

— Et pourquoi non, si tu l'aimes ?

— Tu sais pourquoi non ? Parce que non ! Et puis il n'est pas noble, qu'est-ce qu'on dirait à Catane...

— Et nous, comme dit toujours oncle Jacopo, encore une fois, laissons-les se scandaliser. Mieux, nous nous amuserons à les voir scandalisés comme lorsque nous les rencontrions à l'Opéra. Tu te souviens de ces visages comiques et confus ? Ils ne savent pas s'ils doivent nous regarder, nous saluer. Tu te souviens comme nous riions les premières fois avec Carlo ?

— Oh oui, c'est vrai. Puis ils se sont habitués. Alors tu parles avec Carlo, n'est-ce pas ? Tu parles avec lui... Mais simplement de l'amitié, il faut que tu insistes, simplement de l'amitié. Fais-le revenir, Modesta.

— Bien sûr, Beatrice. Je parlerai avec Carlo. Même si je suis sûre que, comme oncle Jacopo l'avait dit autrefois, tu te souviens ?

— Non, qu'avait-il dit ?

— Il avait dit : notre Beatrice trouvera elle aussi un homme digne d'elle.

— Oh, c'est vrai ! Il l'avait dit au Carmel, mais j'étais alors si petite ! J'avais oublié, tant de temps est passé. Toi qui as tellement de mémoire, comment te l'a-t-il dit précisément ? Raconte, Modesta, raconte...

— Écoute, Inès. Cela fait deux heures que nous discutons et je suis très fatiguée. Le temps presse, et si comme le médecin l'a dit... Tu pouvais au moins compter les mois, non ? Vraiment vos mères ne vous apprennent rien !

— Je suis orpheline, princesse.

— D'accord. Si comme dit le médecin tu approches du cinquième mois, il peut être dangereux d'interrompre la grossesse. Il faut que tu te décides. C'est dix heures, et à midi j'ai un rendez-vous d'affaires à Catane. Je suis prise aussi à dîner, et je ne sais pas si demain nous pourrons nous voir, parce que si le dîner se prolonge je resterai dormir chez maître Santangelo.

— Oh, princesse, je ne sais que faire ! J'ai peur, si peur ! J'ai entendu au couvent des choses horribles tant sur l'accouchement que sur l'avortement, princesse, et je n'arrive pas à me décider.

— Bavardages de bonnes femmes, Inès ; sois raisonnable, les temps ont changé. Avec un bon médecin et une bonne anesthésie, l'avortement n'est rien. Quant à l'accouchement, toutes les femmes accouchent. Moi aussi, j'ai accouché, non ? Et je me tiens devant toi en bonne santé et bien vivante, ne te semble-t-il pas ?

— Oh, certes, princesse.

— Je te répète que tu seras assistée comme il convient, que tu décides ou pas de faire cet enfant. Mais souviens-toi que si tu ne le fais pas tu commets un péché.

— Je suis déjà en état de péché désormais !

Incroyables, ces petites créatures de Dieu ! Elles jetaient et rattrapaient ce mot de péché comme les jongleurs du cirque les balles blanches et légères. Si je n'avais pas eu le médecin qui m'attendait, j'aurais pu m'amuser à observer les mille tours de ces petites balles. Péchés qui de ses mains délicates sautaient sur la tête, la poitrine, les bras pour revenir ensuite, obéissantes, dans les petites mains ouvertes de mademoiselle Inès, orpheline, née à Acireale et finalement échouée on ne sait comment dans un collège de Turin.

— Et tu voudrais ajouter un péché mortel à un péché mortel ? Et puis je pense que, peur pour peur, mieux vaut celle de l'accouchement. Sois raisonnable, garde cette peur pure, sans tache, et suis la volonté de Dieu. Souviens-toi que l'avortement est quelque chose de monstrueux pour l'âme et pour le corps.

Mais regardez un peu ce que me faisait dire mademoiselle Inès ! D'autre part je ne pouvais faire autrement. Comme Carlo l'avait dit, ignorant à combien de mois elle en était, elle pouvait mourir sous les fers.

— Oh, princesse, on voit que vous êtes une vraie chrétienne ! Moi, moi, la mère supérieure me le répétait tout le temps, du reste, moi, je ne suis pas bonne. Même si je prie, je prie sans cesse, je n'arrive pas à être...

— Et alors remets-t'en à moi.

— Oui, oui, comme je m'en remettais à mère Antonia, oui !

— Bien, va, alors, et que Dieu t'assiste, mon enfant. Non, pas de baisemain, et file, je suis en retard.

Malgré le bureau, que désormais je mettais toujours, même dans le sommeil, entre moi et mademoiselle Inès, elle essayait toujours de me toucher. Je me levai d'un bond pour qu'elle n'approche pas, et je la vis enfin se diriger toute raide vers la porte. Sa main était déjà sur la poignée blanche et délicate comme sa peau, quand elle se retourna hésitante :

— Et... pour ce legs, princesse, cela me gêne, mais je suis orpheline et vous avez promis...

— Tout est réglé, Inès, ce n'était pas qu'une promesse. Tu iras demain avec Pietro à Catane chez maître

Santangelo. Il te fera lire et signer un document privé pour la petite villa et la pension et un paragraphe de mon testament qui te concerne, au cas où se présenteraient des complications dans l'avenir.

— Oh, votre testament aussi ! Qu'il n'arrive jamais que vous puissiez...

— Et cela n'arrivera jamais, Inès ! Ne t'inquiète pas.

Ce visage endeuillé, qui dès qu'il ne souriait plus devenait sombre, me glaça. Cela ne m'était jamais arrivé, mais dès qu'elle fut sortie je me retrouvai à faire les cornes et à toucher du fer. Et cela d'autant plus que m'attendaient une petite chambre bien propre avec des glaïeuls roses et ce brigand de docteur Modica.

50

Après un long silence Beatrice accepta formellement la demande en mariage de Carlo, mais à condition que tout, sur cela elle fut inébranlable, se déroule de façon conforme à la tradition.

— Je ne peux le voir tout de suite. Porte-lui le message. Qu'il ait l'âme tranquille parce que je t'ai promis d'être sa femme, à toi qui es pour moi un père, une mère et une sœur aînée. Je le verrai dans trois jours, comme il se doit, en ta présence et en présence d'un notaire qui rédigera l'acte de fiançailles. Puis, après la cérémonie, il faudra que je m'en aille tout de suite.

« Après cette cérémonie, il pourra revenir tous les jours pendant trois mois, mais toujours l'après-midi, à la lumière franche du jour et non dans l'obscurité, mauvaise conseillère. Et seulement pour deux heures, en ta présence ou en la présence de quelqu'un que tu chargeras de te représenter, si tu as quelque chose à faire. Nous devrons, au cours de ces trois mois, parler sérieusement de notre avenir et faire connaissance. Bien sûr, trois mois, c'est peu. Mais étant donné qu'il n'y a pas eu de deuil récent dans la famille et que, comme tu le dis justement, les temps ont changé, et que Carlo et moi nous connaissons un peu, j'accepte ces trois mois de fiançailles.

« S'il arrive qu'au cours de ces trois mois Carlo et moi nous apercevions que nous n'avons pas des idées communes pour affronter notre avenir – l'époux et l'épouse doivent devenir une seule pensée et un seul cœur –, alors il faudra rompre les fiançailles, sans qu'il y ait de faute ni pour lui, ni pour moi, ni pour notre famille, ni pour la sienne.

Beatrice et Vif-argent ouvraient le grand coffre de la dot et comptaient draps, taies d'oreiller, couvertures, couvre-lits, avec les précautions qu'on prend pour manier le verre. Elles les rangeaient dans de grandes valises pour le jour où il faudrait quitter sa propre terre et son propre sang.

— Tu vois cette couverture, Modesta ? Ma nounou et moi y avons travaillé ensemble au crochet. Ç'a été la première, c'est pour cela que je m'en souviens ; je n'avais que sept ou huit ans ! Tu vois ces points moins précis que les autres, tu les vois ? Ce sont les miens...

Toute sérieuse, Beatrice parlait avec Carlo sans jamais le regarder dans les yeux comme elle le faisait auparavant. Elle lui parlait d'elle en énumérant ses défauts et ses qualités. Elle lui demandait s'il désirait avoir des enfants. Carlo, éberlué, la fixait, rayonnant, et acquiesçait à tout, il répondait à toutes ses questions. Si parfois son regard se faisait trop intense, Beatrice se levait avec une autorité pleine de réserve et tendant un plateau, sans le regarder, lui disait :

— Voulez-vous encore un petit gâteau, Carlo ?

Quand dix-neuf heures sonnaient, de quoi qu'on ait parlé, quelque musique qu'on ait été en train de jouer, Beatrice se levait avec grâce, saluait Carlo et me donnait un baiser sur le front avant de disparaître.

— Je voudrais que Vif-argent reste avec toi. Tu te sentiras très seule quand je partirai.

— Mais Beatrice, Catane est à vingt minutes de voiture.

— Oui, je sais, mais je me tourmente pour toi. Je ne peux t'imaginer seule, garde Vif-argent.

— Jamais de la vie ! Elle t'est trop attachée, elle ne fait que pleurer pour toi. Et puis tu sais qu'avec moi elle ne parle pas. Ne sois pas blessée, Beatrice, mais moi, Vif-argent m'agace un peu. Je trouverai une cuisinière.

— Vraiment ? Si tu m'assures que ça ne t'ennuie pas, pour moi ce sera un grand réconfort de l'avoir là-bas, dans cette maison étrangère.

Carlo ne devait pas voir la maison que sa femme lui préparait, même si la distribution des pièces, la disposition du mobilier et même l'emplacement des vases étaient décrits et soumis à son approbation durant les deux heures de conversation au salon.

Tout entière enfermée dans des gestes tranquilles, Beatrice s'éloignait de moi. Elle rajeunissait dans ce chemin solitaire, ses yeux devenaient de plus en plus grands et étonnés, elle se lavait de toutes les émotions passées pour arriver sans tache à son époux.

Et jamais je ne l'avais vue aussi rayonnante et « pure », comme le dit Carlo, que ce matin-là dans l'éclat du soleil et de ses voiles blancs de mariée. Mais devant la porte de l'église, je m'arrête, parce que je ne me rappelle plus qu'un grand ennui à supporter, qui est celui de tous les mariages, baptêmes et premières communions auxquels j'ai été obligée d'assister. Et je rentre à la maison juste à temps, car l'exaspération de cette longue cérémonie avait réveillé dans ma chimie interne une haine latente que, je ne sais comment, j'avais réussi à tenir en respect durant ces mois de formalités, de traditions, de rites. Certes, la beauté et la sérénité de Beatrice heureuse avaient été une compensation, mais encore dix minutes d'encens, d'embrassades et de larmes, et je la détestais pour ma vie entière.

À peine la grille franchie, le parc me sembla aussitôt immense et solitaire. Quand j'entrai dans le salon, un silence de tombeau se propagea entre les divans, les chaises, le piano. Sur le piano, la tête gigantesque du Maure n'était plus qu'un crâne. Il me fallait, comme Beatrice l'avait toujours fait, le remplir de fleurs ou jeter ce vase sans vie. Dans le jardin je cherchai des roses et des pampres, mais l'obscurité était tombée, effaçant les couleurs, et mes doigts ne trouvèrent que des épines. Pas un bruit ne venait du premier, ni du second étage. Peut-être aux cuisines y avait-il quelqu'un, mais elles étaient loin. Et je me retrouvai à pleurer, suçant le sang du bout de mes doigts, avec de petites larmes sans douleur... Caprice des émotions ! J'aurais voulu courir là-haut auprès d'Eriprando et me faire prendre dans ses bras, le faire rire et jouer, mais à cette heure Eriprando dormait. Dans le sommeil, autonome, il s'éloignait de moi.

Le bout de ses doigts ne saignait plus. Modesta pouvait enfin se libérer de ce vêtement de cérémonie et, en robe de chambre, essayer de terminer ce petit conte mettant en scène une algue et un poisson, qu'elle avait commencé pour Eriprando. Mais devant son écriture menue – comment se faisait-il qu'elle écrive aussi petit ? – elle renonça et, inclinant la tête sur les bras, elle écouta le silence qui des arbres du parc pénétrait dans le salon, montait les marches et maintenant posait ses paumes muettes contre la porte. Elle avait peur. Une peur nouvelle, inconnue. Dans la plaine elle avait craint les colères de sa mère, l'indifférence de Tuzzu. Au couvent elle avait craint de rester prisonnière et après, dans cet autre couvent de soie, elle avait eu peur de Gaia, de Vif-argent, de Beatrice même. Voilà ce que c'était : elle n'avait jamais été seule dans une maison vide, libre d'aller et de venir à son gré. Voilà ce qu'était cette peur qu'elle avait failli prendre pour une nostalgie de Beatrice et même de Vif-argent. Non, elle ne les regrettait pas, elle regrettait seulement un mode de vie si longuement gravé dans ses émotions, qu'elle ne pouvait en changer d'une heure à l'autre. Elle devait accepter cette peur, et peu à peu s'habituer à cette solitude qui désormais, c'était clair, apportait avec elle le mot de liberté. Pour se donner une preuve que cette solitude était une richesse par rapport au vice de l'habitude, elle bondit du lit et alluma toutes les lumières de la pièce. Elle enfila une jupe, un corsage, elle mit son châle. Et, chose qu'elle n'aurait jamais pu faire sans craindre d'affliger Beatrice, elle prit avec elle le pistolet pour s'élancer loin de la maison, du parc, avec Menelik tout heureux de courir devant elle, aboyant à l'écume de la mer et aux palmiers – tours – châteaux – dos de bisons ressuscités par la lune parmi les dunes de sable qui sur des kilomètres et des kilomètres déroulaient l'imagination toujours en éveil de la nuit.

Une fois sa joie épuisée, Menelik haletant fixait le linceul que la lune avait étendu sur la mer. Ou comme moi, une fois épuisée la joie de la course, il avait été pris lui aussi de l'envie de voir le soleil apparaître sur le théâtre de l'horizon, armé de bouclier et de cimeterre, et mettre en déroute ce visage blafard qui avec ses orbites vides provoquait deuils et folie ?

Des bruits sourds et feutrés dans mon dos me firent me retourner en même temps que l'aboiement furieux de Menelik. Je n'avais pas peur. Menelik était un chien sûr, et plus d'une fois je l'avais vu mordre sans pitié. Déjà il s'élançait vers l'ombre, mais étrangement, aux pieds de cette ombre, il se calma. Cette ombre était un cheval et, levant les yeux, je vis les boucles blanches qui avançaient vers moi aimantées par la lune.

— Gentil Menelik qui m'a reconnu ! La mémoire appartient aux chiens, pas à l'homme. Tu as vu comment me regarde la petite patronne ? Qu'en dis-tu, je lui dis bonjour ou pas ?

— Je t'ai reconnu, Carmine. Que fais-tu par ici ?

— Eh, cela fait trois nuits que je rôde par ici !

— Et pourquoi ?

— Pour te voir.

— Et tu ne pouvais pas frapper à la porte ?

— Carmine ne frappe pas aux portes. Il attend un signe du destin.

— Et pourquoi voulais-tu me voir ?

— Je suis condamné, ma fille, là, à la poitrine : angine. Et dans le temps qu'ils m'ont donné, trois, quatre mois, la fantaisie m'est venue de te revoir, si toutefois tu me reconnais.

— Je te reconnais, Carmine. Mais je t'ai tué à l'intérieur de moi.

— Je le sais. Et c'est aussi pour ça que je suis là. Ma mort t'appartient. J'ai dû te faire du tort et m'en faire autrefois, mais rien ne finit et Carmine a tenu à toi. Et maintenant que je t'ai vue et que je t'ai parlé, je retourne chez moi satisfait parce que ta voix m'a répondu avec douceur. Adieu, padroncina, et que Dieu te bénisse ! Allez, Orlando, vieux, c'est l'heure de partir !

La lune était tombée derrière la montagne et je voyais à grand-peine la blancheur des boucles et le large dos qui s'éloignait vers l'ombre gigantesque du cheval. Il faisait sombre, mais l'aube guettait déjà quelque part entre les taches basses des dunes, parce qu'un froid glacé me fit brusquement claquer des dents et trembler. De mon passé, ces épaules puissantes et ce pas lent revenaient démesurément agrandis. « Condamné », avait-il dit. Pas un signe de cette condamnation, ni dans le sourire calme sous la lune, ni dans le pas sûr qui déjà déployait entre nous une distance impossible à combler.

— Retourne sur tes pas ! Je veux te voir, Carmine !

Lentement l'ombre revint vers moi.

— Je suis là, regarde-moi.

— Il fait sombre.

— Mais je te vois. Tu as peur, que tu trembles ainsi ?

— J'ai froid, Carmine.

— C'est le froid de l'aube, ma fille, rentre chez toi.

— La maison est loin. Comme tu me l'as dit une fois : descendre est facile, mais remonter...

— Tu t'en souviens ?

— Je me souviens de tout. Tu m'as débusquée dans les champs comme un lièvre.

— Eh, c'est que tu courais comme un lièvre.

— Ramène-moi à la maison sur Orlando, comme cette fois-là.

— À vos ordres, padroncina.

— Nous n'avons jamais été à cheval de nuit, Carmine.

— Non.

— C'est beau, de nuit. Dommage que nous ne l'ayons pas fait avant.

— Il est toujours temps de le faire, au moins pour toi.

Ses bras serraient et son thorax me brûlait l'échine, et déjà des gouttes de sueur me coulaient du cou dans le dos. Il se taisait et allait lentement, pourquoi ? Je voulais le voir ; à la lumière, je voulais le voir.

— Pourquoi vas-tu aussi lentement ?

— Un peu pour être avec toi, un peu pour ce pauvre Menelik. Tu l'entends, comme il se traîne à côté d'Orlando ?

— Eh bien, laisse-le en arrière. Il connaît la route et j'ai sommeil et froid.

Je le vis sous le porche éclairé par la grande lampe en forme de lune, une lune pâle toujours allumée du crépuscule à l'aube.

— Te voici chez toi. Je te laisse.

Non, cette lumière n'était pas suffisante, et moi je voulais voir, épier.

— Et que veux-tu voir, ma fille ? Ce n'est pas bien que tu reçoives un homme à cette heure de la nuit.

— Je suis la maîtresse ici. Entre.

— Vu que tu m'as fait entrer, je peux fumer un peu ?

— Bien sûr que tu peux.

— Feu la princesse ne le permettait pas. Elle disait qu'ensuite tout sentait mauvais.

— Mais moi j'aime l'odeur du tabac.

Tandis qu'il sortait le sachet et remplissait sa pipe, je le regardai. Pas un signe de cette condamnation. Je cherchais en vain dans ses traits, dans les rides de sa peau. Pas une tache, pas une ride plus profonde ou un tremblement de mains. Cet homme de fer occupé à tasser le tabac avec le pouce comme si le temps était resté le même temps, lent et rythmé, que celui où il n'avait pas encore pris rendez-vous avec la mort, était là devant moi comme hier, et comme hier le fixer me communiquait un sentiment de protection et de crainte. Il ne parlerait plus, ni ne lèverait le regard sur moi jusqu'à ce qu'une petite braise apparaisse entre ses longs doigts appliqués. « Une chose à la fois, ma fille. En courant comme ça à droite et à gauche, on perd la saveur de la vie : une bonne tasse de café, le tabac, ta salive... Je veux la goûter doucement, ta bouche, doucement. »

Aurait-il menti ? Non, Carmine était un homme d'honneur. Il fallait que je m'approche, que je le regarde de près, mais des nuages de fumée cachaient son visage. Au moins le toucher, ce visage.

— Tu me veux, ma fille, que tu me touches comme ça, comme si tu ne me voyais pas ? Tu me veux encore ? Jamais je ne l'aurais espéré ! Moi je te désire tant, mais je ne veux pas aller contre ton intention.

Clouée par la surprise – comment pouvais-je le savoir s'il ne me le disait pas ? – je ne puis ni bouger, ni parler. Je l'ai tué et je veux son corps chaud pesant sur le mien. Il faut que je le chasse, que je frappe de mes poings levés sur ce visage que j'avais effacé et qui revient devant moi souriant. Mais j'ai laissé passer l'instant, et déjà ses bras me soulèvent, légère, la haine s'éloigne, ne laissant qu'une douce fatigue dans mes bras et dans mon esprit.

— Et que fais-tu, ma fille, tu pleures ? Autrefois tu te mettais en colère contre moi et tu me griffais. Tu as souffert à ce point ?

— Je n'ai pas souffert et je te déteste !

— Et c'est justice. Mais n'aie pas honte. Il n'y a pas de honte à souffrir quand le destin nous contrarie. Moi aussi, et j'étais vieux pourtant, j'ai souffert de devoir te faire ce tort de te laisser toute toute chaude, comme tu m'avais grandi dans les mains. Mais maintenant, durant ces trois nuits où j'ai tourné dans les parages, j'étais sûr qu'il y avait quelqu'un auprès de toi, et je n'espérais pas. C'est aussi pour ça que j'ai été prudent et n'ai pas frappé à la porte.

— Lâche, et pas prudent, lâche, Carmine ! Va-t'en auprès de tes fils ! Que signifie revenir comme ça à ton gré ? Tu fais et défais ton devoir de père comme ça t'arrange ?

— Non, ma fille. C'est la mort qui décide. La mort m'a libéré, et libre je suis revenu à toi.

Une tendresse jamais éprouvée pour ce grand corps qui pèse doucement sur le mien pousse mes mains vers sa bouche. Le faire taire parce que sa voix, libérée par la mort, réveille dans mon ventre une chaleur oubliée et mes mamelons durcis me font mal au contact de sa veste.

— Tu me veux, Modesta, je le sens sous mes mains.

Sa bouche me parle entre mes doigts. Inutile de nier la pluie ou le vent ou le soleil. Il n'y a qu'à accepter l'ardeur de l'été, la glace de l'hiver. Je ne réponds pas et de ma main, comme il avait fait autrefois quand je ne savais pas encore, je guide sa bouche sur ce condensé de plaisir et de douleur que sont devenus mes seins. Sans mémoire, mon corps attend et mes cuisses s'ouvrent sous lui, mais une lame de glace s'insinue entre les vagues chaudes de la jouissance et, malgré moi, oblige ma main à arrêter cette pulsation aveuglante qui donne la vie.

— Qu'y a-t-il, ma fille, que tu m'arrêtes comme ça ? La colère t'a tant glacée que tu ne peux pas pardonner ?

Une tendresse jamais éprouvée pour ce grand corps qui, nu, déçu, pèse sur mon ventre et mes cuisses serrées, me pousse presque à laisser aller son pénis. Mais ma main ne m'obéit pas et reste écrasée entre son sexe et le mien, glacée.

— Qu'est-ce qu'il y a, Modesta ? Qu'est-ce qu'il y a ? Tu peux parler à Carmine. Si tu as tant souffert que tu ne peux pas pardonner, Carmine peut le comprendre.

— Non, non. C'est que j'ai peur, Carmine, peur !

— Peur de quoi, petitoune ? Je ne te comprends pas.

— Il y a de la jeune sève dans le vieil arbre, Carmine, je le sens dans mes mains.

— Ah, ce n'était que ça ! Mais tu as raison. Pardonne-moi, ma fille. J'aurais dû y penser, mais je t'ai trop désirée et je n'ai pensé qu'à mon plaisir.

Avec douceur il se détache de moi et retombe à mon côté.

— Tu as raison. Je ne veux pas te compliquer la vie avec une autre grossesse, mais ne me laisse pas comme ça. J'ai mal, sens comme ma bite est dure. Voilà, comme ça, avec les mains et la bouche donne-moi du soulagement. Mais quand tu sens que je jouis, éloigne la bouche que je ne veux pas te dégoûter.

De sa main précautionneuse comme autrefois il guide mes caresses. Jamais je ne l'avais baisé ainsi, et une tendresse nouvelle chasse la glace d'avant. Une ardeur se ressaisit de mon corps et fait osciller mes sens avec les siens. Et maintenant que sa vie monte en vagues entre ma langue et mon palais, je ne peux le laisser et je jouis avec lui en buvant cette semence inconnue qui du plus profond de son être vient désaltérer ma bouche brûlée par une soif ardente. Saveur âpre et douce, résine d'arbre, ou lait caillé d'homme né lui aussi pour allaiter.

Le sexe redevenu petit se couche inerte sur les poils durs et frisés. Du doigt, je m'amuse à le déplacer. Comme dans le temps, il n'oppose plus de résistance, et comme dans le temps, bizarrerie des émotions, je me mets à rire.

— Qu'est-ce qui te fait rire, fille effrontée ?

— C'est qu'il est drôle si petit et sans force ! Et puis, comment ça se fait, Carmine, je ne m'en étais pas aperçue avant, que là les poils soient foncés et qu'il n'y ait même pas un fil blanc ?

— Si tu regardes bien il devrait y en avoir quelques-uns.

— Mais non, Carmine, rien, pas un seul ! On dirait les cheveux d'Eriprando.

— Ah, il a pris notre couleur ? Ça me fait plaisir.

— Mais comment ça se fait, Carmine, que tu aies les cheveux tout blancs et les poils, là, foncés ?

— Qu'est-ce que je peux te dire ? C'est peut-être que je suis à moitié vieux et à moitié jeune, qu'est-ce que je peux te dire ?

— Et aux aisselles ? Fais-moi voir, lève le bras.

Je voyage lentement sur son corps. Au creux de l'aisselle aussi tout est foncé, mais sur sa poitrine il y a quelques poils blancs.

— Quelle poitrine velue tu as, Carmine ! Velue et bouclée, et sur tes bras par contre les poils sont lisses et doux.

Je descends lentement sur ce grand corps. Je veux revoir les poils d'en bas. Je veux voir s'il est vrai qu'ils sont aussi foncés que ce qu'ils m'avaient semblé l'être avant que je ne monte vers les épaules.

— Tu me montes et descends dessus comme un petit chat, fillette ! Tes cheveux me chatouillent. Que cherches-tu ?

Après ce long voyage des épaules aux chevilles, je posai la tête sur les boucles sombres. Je suis fatiguée, je ferme les yeux et je recommence à jouer avec sa bite qui, satisfaite, me tient presque dans la paume de la main.

— Avant elle était toute grande, et maintenant elle est toute petite. Comment cela se fait-il, Carmine ?

— Eh, va demander à l'olivier sarrasin, qui s'est amusé à faire des bizarreries. Carmine n'y connaît rien à la nature.

— Rien. Il n'y en a pas un, tous les poils sont foncés, Carmine. Mais quel âge as-tu, maudit vieux ?

— J'aurai cinquante-trois ans, si j'arrive au Jour des Morts.

— Tu es né le 2 novembre ?

— Exactement, ma fille. Ma mère disait que cette année-là, comme cadeau, les morts avaient apporté Carmine. Et qui sait pourquoi cette belle vieille riait et s'amusait à cette idée-là. À moi, au début, l'idée ne me plaisait pas, et pendant des années j'ai dit à tout le monde, en dehors de la maison, que j'étais né le 3. Et puis peu à peu je n'y ai plus fait attention, et comme ma mère, j'ai ri et des morts et des vivants et de Dieu et du diable !

Jamais je ne l'avais entendu parler autant. Je tenais sa bite dans mes mains, et cette voix berçait. Je ne voulais pas qu'elle se taise.

— Comment était ta mère, Carmine ?

— Je te l'ai dit : belle, grande et forte comme un homme. Elle ne savait ni lire ni écrire. Et quand l'un de nous ne filait pas droit, sans attendre mon père, comme font les femmes, allez, elle nous flanquait une bonne correction. Plus d'une fois je lui ai dû un œil au beurre noir. Après ça, avec mes camarades, je devais inventer que je m'étais battu à coups de poing avec mes frères. Eh quoi, est-ce que je pouvais dire qu'une femme m'avait mis dans l'état d'un boxeur après un match ? D'autant qu'en plus je voulais le devenir, boxeur.

— Et qu'en savais-tu, toi, de la boxe ?

— Un oncle boxeur en Amérique, couvert d'argent et de femmes, m'avait appris quelque chose du noble art la dernière fois qu'il est venu nous rendre visite. J'avais cette idée fixe, et je n'arrivais pas à m'appliquer sur les chiffres et les mots. Et de temps en temps j'allais voir mon père, je lui demandais la permission d'aller en Amérique chez oncle Antonio et de devenir boxeur. Il faut que tu saches qu'oncle Antonio n'avait pas d'enfants et me réclamait souvent à mon père.

— Et ton père ?

— Ah, il ne répondait pas et me disait : « Demande la permission à ta mère. »

— Et elle ?

— Sans répondre ni oui, ni non, elle m'administrait une raclée et je la respectais et nous n'en parlions plus de quelques mois.

— Et puis ?

— L'obsession du ring me reprenait. Les champs devenaient pour moi sans saveur, et j'allais voir mon père, et il m'envoyait voir ma mère et elle me faisait passer ce caprice en me rossant.

— Mais tu étais petit ?

— Eh bien... quatorze, quinze ans.

— Et tu te laissais battre ?

— Je te l'ai dit : je la respectais. Et puis elle nous lavait, nous cuisinait les choses, elle cuisinait toujours en riant et chantant. Et je t'assure que jamais je n'ai mangé de *maccu* [1] aussi bon que le sien, après sa mort !

Il se tait maintenant. Dans le silence sa respiration calme dessine des dunes de sable légères aux yeux de l'esprit. Doucement, je pose l'oreille là où, sous le regard envieux de la lune, il m'a indiqué de son poing fermé que la vieillarde chauve avait déposé ses œufs. Mais dans la lente pulsation de son cœur rien ne se révèle, pas un cri, pas une plainte. Le voile du silence se fait pesant et je ne veux pas dormir.

1. Soupe épaisse à base de fèves.

— Comment se fait-il que tu parles, maintenant, Carmine ? Avant tu restais toujours silencieux.

— Ça te dérange, petiote ? Si ça te dérange je me tais.

— Non, au contraire, j'aime entendre ta voix. Mais comment cela se fait-il ?

— Et qu'est-ce que j'en sais, pitchounette ! Ou peut-être que je le sais. Tu vois, ma fille, depuis que ces types là-bas à Catane m'ont dit que je pouvais durer trois, quatre mois, des souvenirs de choses bonnes et mauvaises, de visages aimés et disparus depuis longtemps et d'endroits magnifiques que j'ai vus me sont revenus à l'esprit. Comment est-ce que je peux t'expliquer ? C'est comme une nostalgie des belles choses et des printemps que le destin et la chance m'ont accordés. Carmine a été un homme heureux, et même dans le malheur il a pleinement vécu. Et alors, à ce mot de fin, un grand désir m'a pris de la revivre, cette vie. Rien que pour te donner un exemple, cette nuit encore, quel vieux dans les parages et dans le monde entier pouvait avoir la chance de sentir sur lui un beau poids comme toi ?

— Et tu n'as pas peur ?

— Peur de quoi, ma fille ? Mon père est mort tranquille. Lui aussi, il avait eu de la vie donnée à pleines mains par le sort. Il avait accumulé maisons et terres pour nous et pour ma mère qui s'en est allée, bien âgée, il y a seulement six ans. Bien sûr, comme disait mon père, si on naît fragile d'esprit et de corps, et qu'on se laisse entuber par toutes ces imaginations de prêtres, alors forcément la *Certa* donne de la terreur. Mon grand-père, mon père et moi, pour obtenir ce qu'on a, nous avons dû nous faire respecter avec nos mains et notre fusil. Je l'ai frôlée bien souvent, la *Certa*. Et comme le fusil ou le couteau sifflaient dans la nuit ! Mais je suis ici avec toi, et je ne m'en soucie plus.

— Mais alors tu ne crois pas en Dieu ?

— Et qu'est-ce que Dieu a à y faire ?

La voix libérée par la mort, seul signe de la condamnation, me souffle dans les cheveux et me jette au milieu des récifs de l'émotion. Pour ne pas me noyer, je m'agrippe à son cou et de ma bouche ferme la sienne.

— Eh non, minette, si tu fais comme ça l'envie me reprend, et puis toi – je vous connais à vous les femmes – tu m'arrêtes avec la main. Et moi, même si tes lèvres sont du miel, je veux t'entrer dedans jusqu'au cœur.

— Et alors, comment faisons-nous ?

— Carmine y pense, à ça, demain il fait le nécessaire, mais maintenant, sois sage. C'est un caprice, ça. Un caprice d'effrontée de gamine ! Tu es morte de sommeil, et moi je dois partir.

— Mais tu reviendras ?

— Bien sûr que je reviendrai. Quand la maison reposera, comme cette nuit, je reviendrai.

51

Chaque nuit, quand la maison reposait, Carmine revenait. Comment ce vieux pouvait-il traverser le parc, trouver l'entrée et ensuite, dans le labyrinthe des couloirs et des escaliers, prendre le bon chemin jusqu'à ma chambre ?

— Carmine est habitué à l'obscurité et à se souvenir des portails et des ruelles et des buissons où le danger peut se cacher.

— Il y a un danger dans cette maison ? Pourquoi es-tu revenu ?

— Parce que j'ai oublié ma pipe.

— Je ne te la donne pas, il est inutile que tu la cherches, je ne te la donne pas !

— Et pourquoi, voyons un peu ? Pourquoi ne veux-tu pas me la donner ?

— Parce que tu sais l'allumer et pas moi. J'ai essayé et je me suis brûlée. Seul un liquide amer en sortait et pas de la fumée comme à toi.

— Et que signifie ce discours ? Tu es une femme, qu'est-ce que tu as à faire d'une pipe et de tabac ?

— Il signifie quelque chose, contrairement à ce que tu penses ! Je ne te la donne pas si tu ne m'apprends pas à l'allumer.

— Qu'est-ce qu'il faut entendre ! Une fille avec une pipe à la bouche !

— Une seule fois, Carmine, fais-moi voir comment tu fais.

— Bon, d'accord. Mais une seule fois ! Je te connais, tu es obstinée comme un roc, et moi sans ma pipe je ne vis pas ! Selon ces types en blouse blanche je ne devais plus fumer, ni boire, ni... laissons tomber ! Et tout ça, pour quoi ? Pour grappiller deux misérables journées de vie en plus. Laissons tomber !... Viens, que je t'apprenne. Oh, ma fille, je te passe ce caprice, mais ce n'est pas que tu vas te mettre à fumer comme un garçon ?

— Et pourquoi pas ?

— Et pourquoi ? Dis-le-moi, alors, pourquoi ?

— Parce que je suis aussi un garçon !

— Elle est bonne, celle-là ! Tu es un garçon ?

— Oui. À moitié garçon à moitié fille.

— Et qui te l'a dit ?

— Je l'ai deviné. Dans mon avenir je l'ai vu, que je tirais et fumais et courais comme Carmine quand il était jeune. Je t'ai vu, tu sais, quand tu étais jeune, et puis je me suis vue vieille comme tu es maintenant, mais plus vieille, bien plus vieille. Tu dois mourir, mais moi je vivrai trois fois ta vie, mon avenir me l'a dit.

— Et bravo, si monsieur ton avenir te l'a dit je ne parle plus ! Viens, regarde, tu dois la remplir comme ça. Le tabac est tendre, doucement, doucement, tasse-le... Voilà, comme ça. Je te jure que tu me fais rire avec cette pipe à la bouche ! Et maintenant voyons. Passes-y le feu et aspire... Attention, que la fumée ne doit arriver que dans la bouche ! Oh, tu ne vas pas vomir ? Oh, n'aspire pas fort ! Mais regardez-la ! Quelle fantaisie t'a pris de fumer ? Et maintenant que tu l'as allumée, tu me la donnes ?

— Eh non, je la garde !

— Fillette, tu vas me faire sortir de mes gonds. Pardieu qu'on dirait mon fils ! *Lazzarolu et cocciu di tacca* comme Mattia.

— Que veut dire *lazzarolu et cocciu di tacca*, Carmine ?

— Ah, nous étudions tant que nous oublions notre propre langue, hein ?

— Je t'ai demandé ce que veut dire *lazzarolu* !

— Jeune, beau et sans jugeote, aussi.

— Et *cocciu di tacca* ?

— Jeune encore, audacieux, c'est comme de dire : grêlon de feu.

— Ah ! Ton fils est comme ça ?

— Je crois. Une fois il paraît beau, mais inconsistant, une autre fois il paraît plein de feu et d'audace. Qui sait ? On peut tout connaître, sauf son propre sang. Et maintenant ne me mets pas en rogne et donne-moi cette pipe, ou d'une bonne gifle, comme à Mattia, je t'apprends à te comporter comme il faut !

— Non ! Je te la donne seulement si tu me promets

que quand la maison reposera, tu m'en apporteras une autre comme celle-là.

— Écoute, Modesta, il faut des années pour faire brûler une pipe comme il faut.

— Très bien, tu me l'apportes et moi avec les années je la ferai brûler comme il faut. Et comment se fait-il que maintenant tu m'appelles Modesta ?

— Eh ? Je t'appelle Modesta ? Je ne m'en étais pas aperçu.

— Eh oui, d'abord ma fille, et maintenant Modesta.

— C'est vrai. Et il y a une raison, mais je ne sais pas si je peux te la dire... Tu veux bien me la donner cette pipe, oui ou non ?

— Je te la donne si tu promets...

— Bon, ça va, je promets. Demain je t'en trouve une bonne, de toute façon discuter avec toi c'est comme discuter avec le vent. Tu es têtue et tu es belle ! Donne-la-moi !

— Oui, mais c'est moi qui dois te la mettre à la bouche. Tu ne dois pas la toucher.

— Ça me va tout à fait.

— Non, ne bouge pas les bras. Je te la mets à la bouche et je te l'enlève.

— Et qui bouge quoi que ce soit ! Tu ne sens pas que je te tiens la taille ? Quelles hanches douces, Modesta ! Tu ne pèses rien, mais tu as les cuisses pleines et le ventre aussi. Regardez comme elle me fait fumer ! Et si le feu s'éteint ? Il s'éteint facilement, Modesta : comme le feu de l'amour, il faut le soigner et le protéger.

— Encore une fois, tu m'as appelée Modesta, comment cela se fait-il ? Dis-le-moi enfin ! Pourquoi ne veux-tu pas me le dire ?

— Ne pose pas de questions et enlève-moi cette pipe ! Laisse-toi caresser... tu es toute chaude, mes mains commencent à transpirer.

— Alors ! Dis-le-moi !

— Mais c'est une sottise ! Une erreur que j'ai faite avec toi. Et ce n'était pas la première fois.

— Quelle erreur ?

— J'avais une femme, épouse et mine d'or. Et cette mine d'or que le destin m'avait mise dans les mains sans que j'aie à faire d'efforts, sans que j'aie à la conquérir, autrement dit, me semblait une chose due. Et je piochais, je piochais l'or offert par ses lèvres et son enlacement, mais sans reconnaissance et sans attention pour elle. Et après qu'elle m'avait déjà donné deux fils, je me suis mis à désirer un nouvel enfant : une fille. Et je ne voulais que cela, sans penser à elle. J'aurais dû le savoir que j'en demandais trop, parce qu'elle était épuisée et pâle. Mais je ne voyais rien d'autre. Et c'est ainsi qu'elle est morte sous les fers. C'est ce qu'on m'a écrit. C'est alors seulement que j'ai compris ce que j'avais perdu.

— Comment, on t'a écrit ? Et où étais-tu ?

— En Amérique, à cause du testament d'oncle Antonio, attaqué et combattu par une femme moitié sicilienne moitié américaine, qui ne voulait rien nous donner de ce qui nous revenait. Mais laissons tomber. Ce sont des saletés, laisse-toi embrasser.

— Tu as tourné tout autour de ce que tu voulais dire, mais tu n'as rien dit, Carmine.

— Et comment ça se fait que tu ne comprennes pas ? Quand je suis revenu, le cercueil était déjà sous terre. Si au moins j'avais pu l'embrasser morte, je me serais fait une raison dans ma chair. Mais là, je l'ai vue devant moi vivante, avec ses yeux cernés et fatigués, pendant des années et des années... et j'évitais les visages des étrangères qui voulaient prendre sa place.

— Et alors ?

— Et alors rien. J'ai fait la même erreur avec toi.

Tu me semblais une gamine de rien du tout, du haut de mes années et de mon expérience. Et embarrassé par mes fils qui m'étaient revenus – Carmine n'a pas honte de l'avouer – je t'ai laissée sans hésitation. Mais au bout d'une semaine, je te cherchais la nuit, et le jour je te voyais dans les champs. Et allez, à me cogner la tête contre les murs, à courir chez les *vellute* [1] qui te font jouir pour de l'argent. Mais pour jouir un peu, je répétais ton nom dans mon esprit. Et comme ça maintenant tu le sais. L'éloignement instruit : j'ai appris ton nom. Plus je le disais et plus belle tu me grandissais dans l'imagination. J'ai trop parlé. Tu ne comprends pas ? Ou c'est la jeunesse qui t'empêche de comprendre, que tu dors toute tranquille sur mon épaule ?

— Je ne dors pas, Carmine, c'est que j'aime rester ainsi à entendre combien tu m'as désirée et me désires encore et à ne pas te donner tout de suite ce que tu veux.

— Eh, tu es bien une femme ! C'est pour cela que je ne voulais pas parler. Mes mots t'ont donné du pouvoir et maintenant tu veux te venger. Mais Carmine peut te donner la satisfaction de le faire attendre.

— Et avec ces *vellute* tu disais mon nom ?

— Modesta, je disais, et je ne les regardais pas.

— Dis-le encore.

— Modesta !

— Encore.

— Modesta !

— Encore.

— Ma Modesta, tu me rends fou !

— Et maintenant dis : Modesta, ma mine d'or.

1. Par transposition – d'un tissu à l'autre – on pourrait dire « les soyeuses ».

— Ma mine d'or, Modesta, je veux entrer en toi jusqu'au cœur.

Le mot cœur prononcé par sa voix perd la signification ambiguë qui me l'a fait détester. Et je vois mon cœur, œil et centre, horloge et valve de mon espace charnel. Dans l'obscurité, j'écoute avec mes paumes sa pulsation violente qui, de ma poitrine à mes tempes mouillées, crie de joie et ne veut pas s'apaiser.

— Qu'y a-t-il, Modesta, que tu te touches la poitrine et gardes les yeux ouverts ? Avant l'amour t'endormait. Si c'est la crainte de tomber enceinte, rassure-toi parce que j'y ai pensé comme je te l'avais promis.

— Non, non ! Peut-être qu'hier j'avais peur, mais maintenant... maintenant tu m'appelles Modesta et tu m'es arrivé jusqu'au cœur. Je l'ai vu, mon cœur, tu sais.

— Et comment était-il ?

— Comme la roue de bois à laquelle les garçons mettent le feu à la Pentecôte et qu'ils tirent jusqu'en haut de l'Etna. Moi je ne l'ai vue que d'une fenêtre, il y a bien longtemps. Je ne pouvais sortir hors des murs à cette époque. Par ici, on ne le fait pas, ce jeu de la roue, Carmine, pourquoi ?

— Eh non ! Cette terre est toute plate ! Qu'en savent-ils ici des champs de seigle et de blé ?

— Tu l'as vue de près, la grande roue ?

— Eh, bien sûr, et non seulement je l'ai vue, mais pendant trois ans, à l'âge où le premier poil m'a poussé au menton, comme mon père et mon grand-père – jusqu'aujourd'hui nous autres Tudia nous avons tous été de grande ossature ! – j'ai eu l'honneur, avec un Mussumeci – autre famille de grande stature, mais noire de poil et d'âme – d'allumer et de tirer la roue pour aider le soleil à nous donner cette chaleur qui nourrit le blé et le seigle.

— Ah, c'est pour ça ? C'est ça, la signification ?
— Bien sûr ! Vieille coutume !
— Mais vous ne vous brûliez pas ?
— Eh, c'est là qu'il faut être habile ! Quand lâchée elle s'enflamme sur la descente et comme une bête furieuse s'enfuit en tous sens, il en faut de la rapidité de la main et des réflexes pour esquiver les flammes, il en faut une bonne connaissance du vent. Même quand l'air paraît immobile comme du verre, il faut comprendre la direction du vent. Une fois je me suis retrouvé avec tous les cheveux en cendres ! C'est pour ça que, nous les gars de la roue, on restait pendant trois années presque avec la boule à zéro.
— Mais comment la poussiez-vous ?
— Ça me donne de la surprise que tu ne comprennes pas, Modesta.
— De loin, on ne comprenait pas, parce qu'on ne voyait que la roue.
— Mais les filles et les femmes viennent voir quand on fabrique cette roue.
— Mais moi j'étais au couvent, Carmine, ne l'oublie pas.
— Tu vois une roue de charrette ? Chaque année on charge le meilleur artisan d'en faire une, la plus grande possible, avec au centre un essieu d'un bois si dur qu'on croirait du fer. Et comme ça un garçon d'un côté, un de l'autre, avec cet essieu dans les mains, la poussent ou la freinent suivant le terrain, comme tu peux imaginer.
— J'ai peur, Carmine !
— Ce n'est pas de la peur, Modesta, tu as sommeil.
— Parce que le sommeil donne peur ?
— Eh, bien sûr, le manque de sommeil et de pain donne froid et aussi des bizarreries qui peuvent sembler de la peur. Le corps affaibli ne fait pas obstacle aux

mauvais souvenirs, et s'abandonne aux fantômes de l'esprit. Dors maintenant, et tu verras que demain matin tu ne t'en souviendras pas. Dors tranquille parce que Carmine, comme il te l'avait promis, n'a rien laissé en toi, en te faisant jouir.

Quand c'est l'aube Carmine s'en va... Dans le sommeil je le vois s'éloigner comme une ombre. Comment faisait-il pour apparaître et disparaître et être toujours présent ?

— C'est que tu m'as dans le cœur, Modesta. C'est pareil pour moi aussi. Je m'en vais, et je te porte là avec moi.

— Tu as une poche dans le cœur, pour me porter avec toi ?

— Eh, certes ! Le cœur est une grande poche, une grande corbeille, qui peut tout contenir.

— Oui... tout ! Et puis il se brise comme il va faire pour toi.

— Quand il se brise, ça veut dire qu'il a porté suffisamment de poids et de douceur.

— Mais pourquoi t'en vas-tu ? Aux premières lueurs de l'aube, tu t'en vas. Même si je dors, je sens que tu t'en vas.

— Maintenant à vrai dire je suis revenu.

— Tu es revenu parce qu'il fait nuit, mais après, dès que je m'endors tu en profites et tu t'en vas. Tu ne dors jamais ?

— Bien sûr que je dors.

— Hier tu dormais là à côté de moi, et puis quand je me suis réveillée tu n'y étais pas. Comment fais-tu pour sentir dans le sommeil que la lumière est en train d'arriver ?

— C'est que toute ma vie je me suis réveillé à l'aube.

— Et alors va-t'en tout de suite, si tu dois t'en aller. Va-t'en maintenant !

— Mais maintenant il fait nuit, et Orlando est tout trempé de sueur. Laisse-moi me reposer moi aussi.

— Tu te reposes et puis tu t'en vas, mais pourquoi ?

— C'est des caprices tout ça, ma fille !

— Et ne m'appelle pas ma fille !

— Quand tu fais des caprices et des simagrées, tu deviens ma fille pour moi.

— Pourquoi dois-tu toujours t'en aller ?

— Pour ne pas troubler ta maison et la mienne.

— Et qu'est-ce que ça fait !

— Tu as acquis une bonne réputation là-bas, à Catane. Ils t'estiment pour la façon dont tu as mené les choses.

— Mais je ne les vois jamais, et quand je les vois ils me regardent avec des yeux noirs.

— Les femmes, sûrement ! Elles t'envient, n'y fais pas attention, elles comptent pour rien. Mais les hommes t'estiment pour la façon dont tu as traité les affaires et tu t'es occupée de ta famille.

— Ce n'est pas vrai.

— Et si ce n'est pas vrai, c'est quoi, voyons un peu ? Comment ça se fait-il que tous les Brandiforti et les autres sont venus au mariage de Pouliche, hein ?

— Ne l'appelle pas Pouliche ! Ma Beatrice est grande, et c'est une femme heureuse.

— Ça me fait plaisir. Et justement à cause de ce que tu dis, pourquoi est-ce que nous devrions les troubler elle et les autres avec un moment de folie ? Et là-bas aussi chez moi au Carmel, pourquoi faire scandale, quand nous avons nos nuits ? Laisse-toi caresser.

— Tu avais raison, Carmine, le sang m'est revenu. Comment as-tu fait ? Je veux toujours te le demander et j'oublie toujours.

— Tant de temps est déjà passé, Modesta ? Laisse-toi caresser, que déjà tant de temps est passé et on croirait que c'était hier.

— Mais comment as-tu fait ?

— Laisse. Ce sont des affaires d'homme.

— Va, dis-le-moi.

— J'ai retenu mon souffle !

— C'est ça, ton souffle ! Tu me fais rire.

— Eh bien ris. Tu es vraiment comme ma Linuzza ! Toujours à vouloir savoir, à questionner...

— Ne dis pas ce nom, ou je te fracasse la tête !

— Oh, tu es vraiment comme elle ! Elle était jalouse de ma mère et toi d'une morte.

— Je ne veux pas le savoir.

— Elle est morte, Modesta.

— Et si elle était vivante, ce serait une vieille femme maintenant.

— Moi aussi je suis vieux, et pourtant tu me veux.

— Tu veux dire par là que si elle était vivante tu la voudrais plus que moi ?

— Je ne veux rien dire. On ne peut pas dire ce qu'on ne vit pas.

— Elle est morte jeune pour te garder toujours lié à elle.

— Et ça pourrait bien être le cas si tu me le dis, parce que tu es obstinée et femme comme elle, et pour sûr tu la comprends mieux que moi.

— C'est moi ta mine d'or, et tu ne dois penser qu'à moi, maintenant que c'est moi ton bien.

— Tu ne le sens pas que je te tiens dans mes mains comme l'or de ma vie ?

Il creuse entre mes cuisses et l'or de ma jeunesse vient à la lumière entre ses mains. Le jour, seule, dans le souvenir de son visage entre champs et soleil, la nuit entre ses bras embaumant le foin et le tabac.

— Le tabac, dis-tu, Modesta ? Eh, certes, je ne fais que fumer ! Il ne me reste que le tabac.

— Et moi ?

— Toi, c'est autre chose.

— Qu'est-ce que je suis ?

— Tu es ma jeunesse qui ne veut pas me quitter. Elle s'accroche à la peau, la jeunesse ! Même si on a conscience des années, elle vous appelle et on est obligé d'aller la chercher. Et il suffit d'un rien pour vous donner l'illusion de la trouver, et on se laisse aller à cette illusion. On ne peut faire autrement.

— Je suis jeune, n'est-ce pas, Carmine ?

— Bien sûr ! Et que voudrais-tu être ?

— Quelquefois je me sens vieille.

— Condition propre à la jeunesse, justement ! Plus on est jeune et plus on se sent vieux, parfois. Mais il faut faire attention parce que se sentir vieux fait devenir vieux. C'est comme mon fils Vincenzo qui m'était revenu de la guerre sain et fort et qui m'est devenu en un an vieux et triste, auprès de cette demoiselle toute sèche, toute grimaces et évanouissements.

— Entendez-le ce méchant vieux qui fait comme si c'était la faute de son fils ! C'est toi qui l'as marié à cette petite Modica. Ils sont tous comme ça les Modica, secs et tristes, tu ne le savais pas, par hasard ?

— Mais cette Modica nous a apporté de grands domaines. Et lui doit le savoir, le pouvoir qu'il en a reçu, la joie et l'orgueil de renforcer avec l'argent de sa femme mon effort et celui de mon père et de mon grand-père. Mes fils sont les nouveaux maîtres aujourd'hui et...

— Les Tudia prennent la place des anciens maîtres, entendez-le ! Et avec le temps et d'autres sacrifices vous deviendrez même nobles, vous les Tudia, pas vrai ?

— Eh, bien sûr ! Un Tudia doit être fier de chevaucher de l'aube au crépuscule sans jamais sortir de ses domaines, et de ne pas se laisser abattre par des simagrées de bonnes femmes. Chevaucher et chercher ailleurs son plaisir.

— Je te hais, Carmine !

— C'est une nouveauté ? Ça a toujours été ainsi entre nous.

— Et ce sera toujours ainsi ! Pourquoi ris-tu, hein, maudit vieillard ? Qu'est-ce qui rit dans tes yeux ?

— Ta haine, ma fille. Si j'avais eu une fille comme toi !

— Qu'est-ce que ça veut dire ?

— Que tu me hais parce que, comme feu la princesse l'avait compris...

— Qu'avait-elle compris ?

— Que Mody est exactement comme Carmine. Deux gouttes d'eau.

— Je ne suis pas comme toi, Carmine ! Les temps changent, et j'espère que tes enfants, tes petits-enfants et tous les autres jeunes vous feront sauter têtes et domaines !

— Entendez-la ! Et qui t'a mis ces idées en tête, ton beau-frère ? Ou tu l'as lu dans les livres ? Et quel intérêt y aurais-tu, hein ? princesse Brandiforti ?

— L'intérêt de prendre un bon fou rire.

— Ces idées sont des idées étrangères, Modesta. Et jamais rien de bon n'est venu du dehors pour notre île. Tu as bien fait de prendre pour parent quelqu'un de valeur qui demain peut devenir ami de nos amis.

— Carlo ne se vendrait jamais !

— Je t'assure que je croirais voir Mattia ! Toujours à vous enflammer pour quelqu'un, pitchounets que vous êtes ! Toi avec ce Carlo, socialiste, et lui avec ce Mussolini. Ce sont des étrangers ! Ce matin même je lui ai ôté d'une bonne raclée cette chemise noire de la peau et de l'âme, à Mattia ! Il faut donner de l'argent, certes, parce que ce Mussolini est le seul qui puisse remettre de l'ordre – c'est un vrai Crispi, pardieu ! – mais pas son âme... Il s'est adressé aux jeunes avec une belle adresse, et il a enflammé leur imagination contre les vieux. Ça a été malin, parce que depuis que le monde est monde, les jeunes gens ont vite fait de prendre feu et flamme. Eh ! donnez à un garçon un Roland ou un Renaud, faites-le rêver avec des mots nouveaux et de nouveaux uniformes, faites-lui croire qu'il va être le maître, et il deviendra votre esclave sans le savoir.

— Il y a du vrai dans ce que tu dis, Carmine, mais il y a aussi du vrai dans ce que dit Carlo. Et sa vérité me convient davantage.

— Soit ! Mais ces vérités, ils les disent trop bas, trop de mots détrempés leur sortent de la bouche. La jeunesse, depuis que le monde est monde, a besoin de mythes et de héros. C'est ça qui me préoccupe pour Mattia. Il faut qu'il raisonne, qu'il regarde son intérêt et qu'il ne se laisse pas attraper.

— Je m'en moque de ton Mattia, de toi et de tous les vieux comme toi ! Je sais que Carlo a raison ; tu ne peux pas comprendre.

— Et je comprends, au contraire, et je sais lire, Modesta, me mets pas en rogne ! Leurs plans sont trop grandioses, et ils les mènent avec trop de mollesse.

— Pas en Russie. Là-bas les têtes sont tombées, Carmine.

— Eh ! la Russie est bien loin ! Et elle doit rester bien loin de notre île. Je répète ma question, ma fille : quel intérêt y aurais-tu ?

— Je te l'ai dit, celui de prendre un bon fou rire.

— Et comment te débrouillerais-tu sans ton argent ? Que laisserais-tu à ton fils ?

— Je ne laisserai rien à mon fils. Il étudiera, il travaillera comme fait Carlo.

— Et toi ?

— Moi aussi je travaillerai, je te l'ai dit et je te hais !

— Et qui est-ce que tu aimes ? Ce Carlo ?

— Si besoin est je travaillerai. Tu ne peux pas comprendre.

— Et au contraire, Carmine peut comprendre. Et il ne s'étonne que d'une chose.

— De quoi ?

— Avec ces idées en tête tu n'aurais pas mieux fait de rester au couvent et de te faire religieuse, ma fille ?

— Je te hais, Carmine.

— Ça a toujours été comme ça entre nous.

— Non ! c'est une vraie haine, cette haine-là, Carmine. Ce n'est plus que tu m'impressionnes : j'ai grandi et je sais que tu es mon ennemi.

— Qui te les a dites ces choses, ton ami de Milan ?

— Qui me les a dites ? Un homme qui n'est pas un maître !

— Si j'ai bien compris, tu aimes Carlo mais tu me veux. Comment ça peut-il se faire, Modesta ?

— J'aime Carlo, et ma nature te veut. J'ai appris à ne pas contrarier ma nature : je la paie mais je ne lui donne pas mon âme, comme tu dis. Je la paie de tes baisers, je la rassasie et quand elle est rassasiée je libère mes pensées et elles te laissent de côté. Pourquoi crois-tu que je t'aie fait revenir ? Tu crois, dans ton orgueil de maître, que je t'ai fait revenir pour être pour toujours ta mine d'or ? Non ! C'est pour terminer la discussion que tu avais interrompue suivant ton bon plaisir. Pour te prendre ce que tu me devais et puis te laisser partir.

— C'est ce que je veux moi aussi. C'est pour cela que je me laisse battre et insulter. Je veux me rassasier de toi, et m'en aller rassasié. Je suis condamné, ma fille. Ne l'oublie pas.

— Ce n'est pas vrai ! Je n'en ai pas trouvé un signe durant ces mois ni sur ton corps, ni dans tes pensées. Ça a été un mensonge pour revenir.

— Si tu veux le croire, si ça te calme, crois-le. Mais tu es toute trempée de sueur maintenant, laisse-toi embrasser.

— Ne te fais pas agneau, Carmine, tu es un loup ! Prends ce que tu peux prendre sans faire semblant de demander. Embrasse-moi tant que ma nature te réclame parce que, après, ça peut être dans un mois, dans une heure, je laisse fuser la condamnation que j'ai prononcée contre toi à l'intérieur de moi-même. C'est moi qui te tue, pas la *Certa* ! Je suis jeune, tu l'as dit, et je n'aurai jamais de maîtres !

— C'est ça que j'aime en toi. Mais ne joue pas avec l'homme parce que, si je veux, je te rive à moi avec un enfant. Et alors pour un an au moins tu seras bien obligée de penser à moi.

— Tu t'es trompé dans tes calculs, Carmine. Tu crois que j'aurais été aussi tranquille durant tous ces mois si je n'avais pas moyen de rester libre ?

— Bon, mais ce dont tu parles là provoque de la souffrance et souvent la mort.

— Je t'attendais là ! Pas pour qui a de l'argent, Carmine, de l'argent et du savoir. Tu m'as trouvée malade ou enlaidie la nuit où tu es revenu ?

— Je t'ai trouvée plus belle et plus forte, laisse-toi embrasser.

— Et moi, quelques jours avant, dans une petite chambre propre et sans souffrir, par une simple opération, je me suis libérée d'une malédiction. Et je le referai si l'intention te prend de me *river*. Modesta n'a pas de maîtres.

— Modesta est forte et rusée. Et Carmine se déclare battu... Tu veux te mettre sur moi ? Reste-moi dessus et prends-moi. Carmine est vieux, il a appris la sagesse de perdre.

— Il est facile de s'offrir le luxe de faire l'agneau, quand la nature vous a accordé la faveur de naître loup.

Sur lui, agneau, je donne le rythme et je jouis avec lui. Mais maintenant je sais que ma haine cache de l'envie.

— Tu m'enseignes, Carmine, la sagesse de perdre ? J'ai parfois trop de colère dans le corps, et je voudrais apprendre.

— Eh, on peut enseigner tant de choses : monter à cheval, faire l'amour, mais on ne peut donner à personne sa propre expérience. Chacun doit se composer la sienne, avec les années, en se trompant et en s'arrêtant, en revenant en arrière et en reprenant le chemin.

— Et pourquoi ?

— Eh, si on pouvait enseigner l'expérience nous serions tous pareils !

— Sais-tu, Carmine, que parfois je pense qu'il serait beau de naître vieux et de mourir enfant.

— Quelles pensées tu as ! J'aime comme tu penses, Modesta. Pour sûr, ce serait beau, et ça fait du bien de rêver. Mais la nature en a décidé autrement.

— Alors je t'ai battu, Carmine ?

— C'est justice. Il faut se rebeller. Si Vincenzo s'était rebellé contre moi, je le dis pour de vrai, je ne la faisais pas entrer dans notre maison, cette Modica. Moi, en mon temps, rapport à ma femme, je me suis opposé à la volonté de mon père. Et vu que j'étais ferme sur ce point, et que je l'avais toujours vaillamment servi, en travaillant et maniant le fusil pour quatre, il a dû s'incliner. C'était un grand homme, mon père ! On sentait toujours quand il était sur le point d'arriver. Et quand il sortait par la porte il restait encore présent parmi nous.

— Toi aussi tu es comme ça.

— Ça, les autres le sentent et peuvent le dire, moi je ne dois pas le savoir.

— Je te l'ai dit.

— Si toi tu l'as dit, je l'accepte.

— Ne te fais pas brebis, Carmine, que le sang me monte aux yeux et la colère me reprend. Maintenant que tu m'as donné du plaisir je ne veux pas te haïr.

— Et comme ça, tu t'es débarrassée d'un enfant, Modesta ? Je ne te demande pas de qui était cette graine.

— Oui.

— Sans souffrir ? Comment ça peut se faire ?

— Les temps changent, Carmine, la science découvre plein de choses. Et cela, en notre faveur à nous, les femmes. Avec l'aide des médecins et du savoir la femme se libérera bientôt de bien des condamnations dont l'ont accablée la nature et les maîtres.

— Ce sont les mots de ce Carlo, médecin ? C'est comme ça qu'il parle ?

— Oui.

— Et c'est pour lui que tu dis ce mot si difficile à dire ?

— Quel mot ?

— Amour.

— Oui.

— Il t'a appris tant de choses ?

— Oui, beaucoup de choses, et même à nager.

— Ne me fais pas rire, Modesta. Ce n'est pas possible, on n'apprend pas si on n'est pas petiot. Moi j'ai essayé autrefois, mais j'étais trop grand, c'était trop tard : l'eau me faisait peur.

— Parce que tu n'avais personne pour t'apprendre. Moi j'ai appris.

— D'un côté je te crois et d'un autre côté je ne te

crois pas, Modesta. Tu ne le dirais pas seulement pour prendre l'avantage sur moi, et me rendre jaloux de cet homme ?

— Je vais tout de suite te débarrasser de ce doute, viens...

J'ai peur, mais il faut que je l'étonne. La mer, sans le soleil, est devenue profonde et hostile comme autrefois. Peut-être en suivant le chemin que la lune trace, brillant, dans cette masse sombre, je pourrai vaincre ma peur. Carmine, sur la rive, le pantalon replié jusqu'aux cuisses, me suit d'un regard soupçonneux. Des vagues légères comme des branches de palmier me caressent déjà les épaules. Je frissonne, mais au risque de perdre la vie il faut que je l'étonne. Jamais je ne pourrais me retourner et affronter ses yeux rieurs de loup. Je tremble, mais je détache les pieds du sable et, ne fixant plus que le sentier de la lune, j'avance vers l'horizon. Au large, pour que ma victoire soit complète, je me tourne vers le ciel et je fais la planche. Peut-être si je me laisse aller mon tremblement se calmera. Avec des yeux qui n'y voient pas, des yeux de mort, je fixe la lune qui sans regard sourit en se balançant... Quelqu'un crie du rivage. Ce doit être lui. Je ne peux répondre. Et si je ne revenais pas ? Il a appelé trois fois, et peut-être a-t-il fait beaucoup de pas vers moi parce que maintenant qu'il me recueille la lune jette les vagues contre le blanc de sa chemise.

— Ça suffit, Modesta ! Tu m'as effrayé ! Oh, ma fille, ce sont des plaisanteries de cureton ! Quel besoin avais-tu d'aller si loin ? Je te promets que tu m'as fait peur ! Et si tu avais eu un malaise ? Tu es toute froide et tremblante ! Et moi rivé à la terre, impuissant, à regarder !

Revenue à la vie, je me laisse transporter dans ses bras.

— Partons. Il est inutile que je te mette ta robe. Tu sais ce que je vais faire ? Je t'enveloppe dans la couverture d'Orlando. Oh, même Orlando piaffe, je te jure que même lui a eu peur !

— Lui et toi vous avez eu peur... Moi j'ai seulement froid.

— Eh, forcément ! Voilà pourquoi je t'enferme bien comme il faut dans la couverture. Laisse-moi faire, voilà, comme ça.

— Tu as vu comme je sais nager ?

— Eh oui, que je l'ai vu ! La foudre aurait dû tomber sur ma tête quand je t'ai provoquée ! Tu es dangereuse, fillette ! Allez, laisse-toi bien envelopper.

— Je me laisse envelopper, mais toi, dis : « Modesta sait nager. »

— Modesta sait nager, mais maintenant il faut aussi qu'elle se calme. Et elle doit se laisser porter à la maison par Carmine, gentiment, comme une bonne petite fille.

Revenue à la vie dans la chaleur de la couverture, bercée par ses bras et par le profond battement de son cœur, je ne veux pas m'endormir. Je ne veux pas manquer un seul de ses pas qui résonnent démesurément agrandis par la nuit. Dans l'épaisseur du bois la lumière de la lune s'éteint et l'obscurité du palmier s'étend sur mes paupières, mais je ne veux pas m'endormir. Avec effort je soulève le visage jusqu'au cou de Carmine et saisis de mes doigts ses boucles dures, immobiles dans le vent léger qui s'est brusquement levé. Pour résister au sommeil je n'ai qu'à attraper entre mes dents l'oreille cachée dans les épais favoris et sucer.

— Chante, Carmine.

— Je ne sais pas chanter, petiote.

— Combien de chemin avons-nous fait, Carmine ?

— Beaucoup, Modesta.

— Et combien en reste-t-il ?
— Beaucoup.
— Et tu ne dois pas mourir, n'est-ce pas, Carmine ? Tu as dit un mensonge pour avoir l'excuse de revenir.
— Ça se peut, Modesta. Qui peut savoir ?
— Tu peux me le dire, à moi, Carmine, parce que je t'ai reconnu quand tu es revenu... Quand es-tu revenu ?
— Ça fait un siècle !
— Dis-le-moi que ce n'est pas vrai. Tu peux me le dire, parce que tu sens bien que, durant ce siècle, j'ai été heureuse avec toi.
— Je ne peux rien te dire. Mais si ça te fait du bien de rêver, rêve et dors. Les rêves et le sommeil nourrissent plus que le pain.
— Je ne veux pas dormir.
— Et alors ne dors pas.
— Tu as vu que je sais nager ?
— Eh oui que je l'ai vu ! Mais ne le refais pas, ni de nuit ni de jour, du moins pas devant moi qui suis de l'arrière-pays.
— Tu as eu peur, hein ?
— Pour sûr !
— Et si tu as eu peur comment se fait-il que ton cœur ait tenu ? Tu ne réponds pas ? Je sais pourquoi tu ne réponds pas.
— Voyons ? Pourquoi est-ce que je ne réponds pas ?
— Parce que ce n'est pas vrai que tu dois mourir.
— Et au contraire je ne réponds pas parce que j'essaie de freiner mon imagination. Je n'aime pas tomber dans les dessins incertains que l'imagination propose à mon esprit.
— Qu'est-ce que ça veut dire ?
— Ça veut dire que Carmine n'aime pas les ruelles sombres de l'esprit où la lame du soupçon jaillit brutalement et peut vous frapper dans le dos.

— Tu dis des paroles obscures, Carmine.

— Parce que de l'obscurité m'est tombée sur les yeux depuis que je t'ai vue au milieu de la mer. Et maintenant dors. Je te borde. Ne m'attends pas demain, je ne viendrai pas.

— Et pourquoi ne veux-tu pas venir ?

— Parce que je dois m'enlever du crâne ces nuages qui te rendent étrangère à moi. Dors maintenant, ne t'en occupe pas.

— Non, je ne dors pas si tu ne me dis pas la raison de cet éloignement qui t'a pris envers moi.

— Carmine, fillette, n'est pas habitué à questionner, à chercher les raisons des choses. Il laisse ça aux cognes. Mais s'il n'y voit pas clair, il change de chemin... Laisse-moi partir ! Il est inutile que tu t'accroches à moi. C'est trop facile d'insinuer d'abord des soupçons et puis avec des grâces d'essayer d'effacer l'insinuation.

— Non, ce n'est pas encore l'aube, tu ne t'en vas pas ! Tu vois que j'ai raison, et qu'il n'est pas vrai que tu doives mourir, si tu peux reprendre ta route avec tant de force et m'oublier comme si vingt ans de vie t'attendaient encore.

— Je n'ai jamais entendu que la conscience de sa propre mort rende lâche.

— Maudit vieux ! Va-t'en avec ton doute !

— C'est tout ce que je demande, fillette ! Enlève-moi ces bras du cou, je ne veux pas te faire mal.

— Mais pourquoi est-ce que je ne peux pas te chasser ?

— Tu le sais.

— S'il est vrai que tu sais regarder, cette façon que j'ai de rester attachée à toi devrait te parler.

— Et elle me parle en effet, mais tu dois le confirmer de ta voix. Il n'y a que comme ça que je saurai si mon doute était une imagination trompeuse d'amant.

— Je pensais à toi, Carmine, quand Carlo m'étreignait. Et quand il s'en allait je me caressais et je disais ton nom.

— Ouvre les cuisses, que je veux t'embrasser là où tu te caressais en pensant à moi... Ton corps est plein d'odeurs.

— Je dois partir, Modesta, le bois commence à trembler, il m'est resté tout juste le temps de fumer.

— Je veux fumer moi aussi.

— Prends ta pipe. Je te l'ai portée pour quoi faire ?

— Non, je fume la tienne et toi la mienne.

— À vos ordres, *padroncina*.

— Pourquoi ne voulais-tu pas m'appeler *padrona*, Carmine ?

— Parce que tu étais une gamine de rien du tout, je te l'ai dit.

— Et maintenant, qu'est-ce que je suis ?

— Une femme forte et dangereuse... Mais regarde un peu ce qu'il faut voir ! Je dois fumer avec cette petite pipe... Rends-moi la mienne !

— Pourquoi m'en as-tu apporté une aussi petite ?

— La pipe doit être à la mesure de la main, Modesta. Ma grand-mère en fumait une comme ça, devant la maison, dans les soirs d'été sous le mûrier.

— Ta grand-mère fumait ? Ça me surprend.

— Eh oui, elle et ses sœurs. Je ne sais pas de quelles contrées elles étaient venues avant de débarquer sur l'île, chargées d'or et de pierres précieuses, avec leur père et leurs frères. Je ne sais pas grand-chose parce qu'on ne pouvait pas parler beaucoup de ça chez nous.

— Et puis ?

— Puis mon père et son frère sont allés vite, et ont rivé à cette terre-ci deux de ces filles, chargées d'or comme des madones.

— Et les autres, les hommes ?

— Bah ! Du peu que j'ai pu tirer de la bouche de ma mère en je ne sais combien d'années, ils ont repris la route... Des nomades, des commerçants... des voleurs, qui peut savoir ? Pardieu, je dois dire que cette pipe te va bien ! Mais dis-moi, Modesta, pourquoi as-tu employé ce mot ? Amour est un mot précis, et il faut l'employer avec précaution.

— Pour te blesser, vieillard. Et je t'ai blessé. Pour deux heures au moins je t'ai tenu empalé au doute et je t'ai fait souffrir, comme moi j'ai souffert de ton absence. Comment ne l'as-tu pas compris ? Tu n'es pas si fort, Carmine.

— L'amour suce notre substance, il fait devenir comme du verre ! C'est pour ça que je te fuyais au Carmel. Qui m'a cherché alors jusqu'au seuil de ma maison ?

— Moi, Carmine. Si je n'étais pas venue, tu ne m'aurais pas cherchée ?

— Qui peut dire ce qui n'est pas arrivé ? Mais presque sûrement, connaissant ma nature, non. Tant de fois, détournant le regard d'un balcon plein de frangipaniers où j'avais fixé deux yeux de feu le jour d'avant, j'ai fui devant ce mot qui peut vous démolir la vie plus que le vin et le jeu.

— Alors tu m'aimes ?

— Je l'ai dit.

— Non ! Il faut que tu le dises : Je t'aime, Modesta.

— Je n'aime pas dire ce mot, ne m'emmerde pas !

— Il est inutile que tu te lèves, je ne te laisse pas partir si tu ne dis pas : je t'aime.

— C'est sûr que si tu t'agrippes à moi de cette façon et me fais passer entre les lèvres le souffle de ta vie, je vais devoir te le dire.

— Et dis-le, alors.

— Je t'aime, Modesta.

— Combien de fois l'as-tu dit dans ta vie, Carmine ?

— Deux fois avant toi, ma fille, et avec toi ça fait trois. Et je remercie le destin de ne pas m'avoir fait trouver cet homme près de toi.

*
* *

— J'avais peur que tu ne reviennes pas.

— Et pourquoi, Modesta ?

— Hier dans la nuit tu as menacé de le faire.

— Mais regardez-moi cette petitoune ! Et elle pleure, même.

— Mais tu as menacé de le faire !

— Avant, bien sûr, mais après tu ne te souviens pas que nous avons fumé ensemble ?

— Alors tu reviendras toujours, Carmine ?

— Bien sûr ! Et où devrais-je aller ? J'ai l'idée que même mort je reviendrai pour te regarder. Je reviens du sommeil éternel, je te regarde, je te porte des cadeaux et je surveille que personne ne s'installe à côté de toi.

— Tu ne me trompes plus, vieille fouine, tu ne mourras jamais.

— Et ça se peut, tout se peut. Nous les humains nous ne savons rien... Mais pourquoi tu ne m'embrasses pas ? On ne fait pas comme ça. Je me suis habitué. Les pitchounets et les animaux, il faut toujours les traiter de la même façon, sinon ils sont malheureux.

— Mais tu n'es ni un pitchounet ni un animal.

— Et en fait si, nous sommes tous, moi y compris, des pitchounets et des animaux. Tu veux bien m'embrasser ?

— Je n'en ai pas envie.
— Et pourquoi ?
— Parce que tu n'es pas revenu.
— Oh, je suis là ! Tu ne me vois pas ? Ou tu veux me contrarier par caprice ?
— Je veux te contrarier parce que j'ai rêvé que, passant par là avec Orlando, tu détournais le regard de ma fenêtre et t'en allais de ton côté.
— Et qu'est-ce que j'ai à faire, moi, avec les tableaux que ton imagination te compose dans le sommeil ?
— Tu ne m'as pas dit qu'on peut fuir l'amour ?
— J'aime comme tu penses, Modesta. Mais ce que tu viens de me dire n'est pas de toi. Ça ce sont des pensées de petite femme évaporée, et pas de femme forte comme tu es. On peut tout fuir si on apprend à reconnaître ce qui ne peut vous faire que du mal.
— Et le destin, alors ?
— C'est un mot pour rassurer les malheureux ! Le destin, tu peux le manipuler comme tu veux, si tu en as la force.
— Je le pense moi aussi.
— Et alors pourquoi me parles-tu de manière différente de comment tu penses ?
— Pour en avoir confirmation par toi.
— Diablesse de fille ! Tu me fais gâcher du souffle au lieu de m'embrasser.
— Et aussi parce qu'un doute m'était venu sur ma façon de penser.
— Voyons.
— Carlo...
— Ne dis pas ce nom !
— Eh bien, ce garçon-là, j'aurais pu l'aimer si je n'avais pas pensé à toi.
— Quelle découverte ! Tant pis pour lui s'il n'a pas su être à ma hauteur.

— Maudit que tu es ! Voilà ce que je voulais t'entendre dire. Alors, si après toi je ne trouve personne à ta hauteur ?

— Tant pis pour toi si tu ne sais pas le trouver !

— Et tant mieux pour toi qui voudrais m'avoir toujours en main ?

— Eh, bien sûr ! Depuis que le monde est monde, ça a toujours été ainsi quand on possède quelque chose de précieux.

— Si tu pouvais, tu m'emmènerais avec toi dans la tombe, pas vrai ?

— Ça non ! Je t'aime vivante. Un corps sans vie est répugnant, même pour les morts. Et vu que c'est une nuit de paroles, et pas d'étreintes, il faut que tu me promettes une chose. Si demain, ou après-demain, tu ne me vois pas arriver avec la nuit...

— Tu as dit que tu reviendrais toujours, ne mens pas.

— D'accord. Si dans mille et mille nuits tu ne me vois pas, promets-moi de ne pas venir me chercher.

— Et pourquoi ? Tu as l'intention, comme autrefois, de t'en aller ?

— Non, si je m'en sors, je viendrai te retrouver pour cent ans. Mais si tu ne me vois pas ça veut dire que, comme « ils » ont dit, mon cœur s'est arrêté. Promets-moi de ne pas me chercher. Je ne veux pas que tu me voies mort.

— Pourquoi ?

— Je veux rester vivant à tes yeux ! Tu ne réponds pas ? Carmine ne t'a jamais rien demandé, et tu pourrais au moins lui accorder cela. Réponds, Modesta, ton silence m'entre comme une épine dans le cœur, et avec cette épine je ne peux pas t'embrasser. Promets à Carmine.

— Une promesse est une promesse, Carmine, et entache à mort qui ne la tient pas.

— Promets, Modesta, si tu m'aimes un peu.
— Je promets, Carmine, et j'espère rester sans tache.

52

Comme si son être n'attendait rien d'autre de moi que cette promesse, je ne le vis plus. C'est ce que voulait Carmine pour attacher mon imagination à son corps vivant. De fait, du crépuscule à l'aube j'arpente la pièce, les escaliers, le parc, en me répétant : il est mort. Mais à chaque ombre, au moindre bruit je le vois vivant devant moi, et sa voix souffle à mon oreille : « Si au moins j'avais pu la voir morte ! Je me serais fait une raison. »

L'aube blanchit déjà les murs comme pour confirmer sa mort, mais je parle avec lui qui fume calmement, assis devant moi. « La promesse trahie est un crime impardonnable pour nous les gens de l'île, pas vrai, Carmine ? » « Eh oui, Modesta, tu as promis et tu dois respecter ta promesse. »

Carmine, étendu dans le grand lit de Gaia au Carmel, sourit les yeux baissés. Tu espérais me cacher ta honte, mais je t'ai débusqué, Carmine. Celui qui meurt a tort, seul celui qui vit a raison. Et vivante, je te regarde, beau vieillard de marbre, et rien ne me soumet, ni lois, ni promesses, ni condamnations...

Dès que la petite vieille ratatinée qui m'a fait entrer dans la pièce disparaît derrière la porte, et bien que les jambes me pèsent, j'avance vers le lit imposant pour mieux voir sa mort. Répugnant, ce front de cire suintant n'a plus sa couleur. Pour aider ma jeune chair à oublier, pour lui en donner une raison, je presse les lèvres sur son front et sa bouche. Une sueur glacée, nauséeuse, me parcourt le dos. Mais j'attends que ma nature imprime bien dans sa conscience charnelle que Carmine est mort et ne pourra plus revenir.

— C'est un grand honneur pour notre maison que votre présence, princesse. Je m'excuse si vous avez dû rester là, toute seule... C'est que Nunziata avait oublié de me prévenir. C'est une vieille femme que Nunziata, et bouleversée par la mort de son maître.

Deux hommes de haute taille me fixent dans la pénombre. « Nous les Tudia, nous avons tous été des hommes de grande ossature jusqu'aujourd'hui. » Cette voix lente, cultivée malgré l'affectation du dialecte n'est pas la voix de Carmine, mais en levant les yeux je rencontre un regard si vibrant d'ironie bleue que je l'aurais cru ne pouvoir appartenir qu'au vieux. Pour cacher ma stupéfaction je me tourne vers l'autre homme, à peine plus grand que le premier, mais courbé – la tête brune inclinée ne fait plus attention à moi – occupé maintenant, comme épouvanté, à fixer le corps immobile sur le lit.

— Pardonnez mon frère, princesse, mais il a trop souffert de cette tragédie.

De nouveau l'ironie bleue de cette voix cingle la pénombre, m'obligeant à le regarder dans les yeux. « Personne ne peut connaître la chair de sa chair, Mody. »

Un instant, dans la dureté de ces yeux qui ne donnent pas signe de se baisser devant les miens, je lis le regard qu'aura Eriprando dans dix, quinze ans... Eriprando sera un étranger pour moi ? Ou le vieux mentait-il ?

— Tu es Mattia ?

— Je n'espérais pas que Madame me reconnaisse.

— Carmine vous avait toujours dans le cœur, toi, Mattia, et toi, Vincenzo. À travers son cœur, je vous ai connus.

Vincenzo, à ces mots, tourne un instant le regard vers moi, mais des larmes l'obligent à baisser la tête.

— Et je suis heureux de constater que c'étaient des bruits sans fondement que ceux qui affirmaient qu'entre les Tudia et les Brandiforti il y avait de l'hostilité.

— Des bruits sans fondement, en effet, Tudia. Carmine était un homme d'honneur, et il nous a rendu de grands services à nous autres Brandiforti. Ma présence ici confirme ce que je dis. Et pour que ce soit connu de tous, allons là où a lieu la veillée.

Autour de la table ovale, assise entre Mattia et Vincenzo, avec le pain et le sel, l'eau pour les femmes et le vin rouge pour les hommes, les miroirs éteints par les châles de soie noire, j'écoute les actions et les joies et les douleurs de Don Carmine, tandis que par la porte toute grande ouverte hommes et femmes chargés de fleurs et de fruits se succèdent sans interruption jusqu'à la nuit.

La nuit venue, je peux saluer ceux qui restent et m'en aller.

— Repartir seule, dites-vous, princesse ? C'est bien trop dangereux ! Pas plus tard qu'hier on a attaqué une voiture entre Malpasso et Doria, et de ce qui était une famille ne sont restés que quelques os carbonisés. Eh oui, princesse, vous devriez le savoir que c'est ainsi qu'on procède par ici : on vole, et par sécurité on brûle ce qui reste...

— Mais j'ai un revolver.

— Ça peut servir, bien sûr, si on a une seule personne devant soi. Mais ces gens-là vont toujours s'amuser à plusieurs. Permettez-moi d'insister. Vous ne pouvez repartir seule.

Je ne peux supporter, après des heures de silence hostile, que ce garçon soit encore près de moi un seul moment. Il n'est pas comme Eriprando, ou s'il l'est je n'ai pas le courage de scruter dans mon avenir. Avec effort, bien que mes jambes, glacées, pèsent comme du plomb, je me dirige vers ma voiture. Mais il n'y a rien à faire. D'un bond rapide la voix d'Eriprando, insouciante maintenant, perçante, surgit devant moi : « Et non ! Non et non, maman ! Aujourd'hui je sors avec ma belle Elena. C'est décidé. »

Rien ne peut faire plier la volonté obstinée de ce jeune Carmine. Il est exactement tel que je l'avais rêvé cette nuit-là. Ou bien je l'avais vu filer, la tête dressée, ses boucles rougies par le couchant, sur Orlando ?

— À cheval, dites-vous, princesse ? Eh non ! C'est à moto que je me promène, moi. Le voici, mon animal à moi. C'est autre chose qu'Orlando ! Ce machin-là possède le souffle de cent chevaux réunis.

Ou la fatigue et le froid de ce baiser contre nature qui s'est imprimé dans ma chair me troublent, ou ce garçon, qui rit maintenant en caressant les flancs brillants de son cheval de fer, n'est pas un lâche comme tu l'insinuais, Carmine.

— Vous ne tenez pas debout, princesse, permettez-moi de vous soutenir jusqu'à votre voiture.

Sa main refermée sur mon bras me tire de cette divagation de l'esprit qui me tient depuis des heures, ses doigts ont la même chaleur sèche que ceux de Carmine.

— Tu le sais, jeune homme, que tu es le portrait de ton père ?

Qu'est-ce que je dis ? Un profond frémissement secoue à présent son corps, et comme importuné il s'éloigne dans le noir.

— Et qu'est-ce que ça vient faire là, ça, maintenant ! Il faut que je vous raccompagne et c'est tout... et puis...

— Cela te déplaît de ressembler à Carmine, pour que tu changes d'humeur ?

— Ressembler à Carmine ? Et comment était Carmine ? Selon ma mère, ma défunte mère, c'était un dieu ! Peut-on arriver à la hauteur d'un dieu ? Écoutez, princesse, vous ne tenez pas debout et il faut que je vous raccompagne chez vous. Je vois que vous n'avez pas d'aversion pour ma moto. C'est délicieux de la caresser, hein ? Elle a la peau toute, toute lisse.

— Et pourquoi devrais-je en avoir de l'aversion ?

— Toutes les femmes ne l'aiment pas.

Il me défie maintenant exactement comme Eriprando quand il veut me provoquer à la compétition. Il faut que je relève le défi pour savoir comment sera Eriprando... et je m'entends dire :

— Pourquoi ne me raccompagnes-tu pas sur ta moto ? J'enverrai prendre ma voiture demain.

— Une femme en moto ? Et où a-t-on jamais vu ça ? C'est dangereux, il faut savoir se tenir.

— Tu m'apprendras, est-ce une affaire ?

— Il faut avoir de bons muscles.

— Je sais monter à cheval, ne t'inquiète pas.

— Bien sûr, bien sûr ! Mais n'est-ce pas que vous voulez maintenant et qu'après vous allez vous effrayer ? Je les connais, les femmes... Mais voyez un peu cette situation ! Et cependant ça me fait envie, cette affaire, ne serait-ce que pour la raconter à mes petits-enfants.

— Voilà, très bien ! Comme ça tu auras quelque chose à raconter quand tu seras vieux.

— Et vous avez de l'esprit aussi ! Là-bas, à la maison, vous aviez l'air d'une morte. Pourquoi tant de douleur pour une mort étrangère, princesse ?

— Ne contourne pas l'obstacle, Mattia, avoue que tu as peur d'emmener une femme en moto.

— Mattia n'a peur de rien !

— On ne le dirait pas.

— Je vais te faire voir, princesse. Allez, à califourchon derrière moi, et on va voir. Tenez-vous bien, tenez-vous bien, surtout, vous sentez comme vibre le moteur ? Et ce n'est rien encore ! Je ne voudrais pas vous perdre, que vous alliez tomber là dans l'escarpement.

Je regardai la route : elle serpentait le long d'une horrible, profonde obscurité à peine tachetée de lune. Mes jambes durcies par l'effort ou par le cahotement de cette bête tremblaient déjà et, me repentant presque, j'allais l'appeler quand un arrachement furieux me fit sauter le cœur à la gorge, affolé par la peur. De toute la force que je pus rassembler je m'agrippai à lui comme quelqu'un qui se noie tandis qu'une avalanche d'air transmutée par prodige en lave coupante me frappait à la tête, me faisant donner de la bande.

— Tenez-vous bien, tenez-vous bien, pour l'amour de Dieu, princesse !

La voix de Mattia me parvient comme un sifflement très lointain. En haute mer, pensé-je, nous sommes en haute mer en proie à une tempête... Que dit-il maintenant ? Je crie moi aussi mais ma voix lointaine se brise, ou c'est mon cœur qui bondit hors de moi ? Enfin je le sens, ce cœur, se ranimer comme si des doigts de feu l'avaient extrait et massé avec violence. Et pour le sentir vivant, délivré du deuil, je fixe les yeux sur l'abîme sans fond qu'est devenue la nuit devant nous... abîme aspirant dans le remous d'un grondement de souffles, cuivres déchaînés à l'unisson en un chant métallique jamais entendu qui m'emporte dans son crissement violent.

— C'est magnifique, Mattia ! Magnifique !

— Vous êtes sans peur, princesse ! Si je puis me permettre, vous ressemblez à une petite fille à présent.

— Oh, c'est magnifique ! Retournons là-haut et tournons toute la nuit. Et puis tu vas m'apprendre à la conduire, n'est-ce pas ? Demain tu reviens et tu m'apprends.

— Demain ? Eh, qui sait où nous serons demain ! Mais vraiment vous vous sentiriez de la conduire ?

— Et pourquoi pas ?

— Alors c'est vrai que...

— Que quoi ?

— Ce que mon père disait, non pas avec des mots mais avec les yeux, quand on parlait de vous... Je vous baise les mains, princesse. Mais une seule chose, sans vous offenser. Vous faites comme ça avec tous les hommes ? Vous ne devriez pas, si je peux me permettre, vous faire accompagner aussi facilement par un homme seul.

— Et alors pourquoi n'as-tu pas voulu que Vincenzo vienne avec nous ? Il l'avait proposé. Qu'est-ce qui te prend ? Pourquoi me regardes-tu ainsi ?

— Je cherche à comprendre...

— À comprendre quoi ?

— Je cherche à comprendre, comme j'ai dit.

— Il n'est pas besoin d'épier, Mattia ! Arrête de me regarder comme ça, que veux-tu savoir ? Tu ne réponds pas ? J'ai eu une longue histoire avec ton père.

— Vieux loup ! Sale Carmine ! Il t'avait, et non content d'avoir démoli Vincenzo, il voulait me donner une autre crétine, à moi aussi.

— Mais tu n'as pas obéi, et il a dû s'incliner. Pourquoi cries-tu ?

— Je crie parce que je le déteste et te déteste !

Crie-t-il, Mattia, en courant vers la moto, et d'un

coup de pied il éperonne le moteur qui en un éclair commence à piaffer. Je devrais rentrer, fermer la grille et laisser ce garçon à sa douleur. Lui aussi l'aimait s'il peut pleurer ainsi... Je le vois de loin replié sur son cheval d'acier blanc de lune. Carmine ne comprenait rien, ni de lui-même ni des autres, et je dois revenir à ma vie. Mais la masse noire du bois qui vient à ma rencontre exhale un souffle de mort et de solitude si fort qu'il réveille dans ma chair le froid glacial de ce dernier baiser.

— Pourquoi n'entres-tu pas chez toi ?

— Et toi, pourquoi ne pars-tu pas au lieu de forcer ainsi le moteur ?

— Je l'ai éteint, le moteur. Tu n'entends pas le silence ? Tu as l'air d'une morte à présent...

— Ne crie pas, Mattia, ne perturbe pas ma maison !

— Si je pouvais perturber ta maison comme tu as perturbé la mienne ! Je te hais, princesse ! Pourquoi donc as-tu voulu mettre mon père entre mes mains, en me disant...

— Tu savais tout, Mattia.

— Une chose est supposer, une autre savoir. Tu me l'as tué une seconde fois.

— Personne ne pouvait le tuer. Carmine s'en est allé quand il l'a décidé.

— Ne dis pas ce nom !

— Attention, Mattia, ce que tu prends pour de la haine est de l'envie, de l'envie à l'égard de ton père.

— Et qu'est-ce que tu en sais ?

— Moi aussi je croyais le haïr, et ce n'était que de l'envie. Parce que la façon dont il est mort, elle aussi, m'inspire de l'envie et me fait éprouver de la rage.

— Tu n'es pas une femme. Tu es un démon de lave.

— Je suis une femme, puisque Carmine m'a aimée.

— Ce n'est pas vrai ! Il n'a aimé que ma mère et nous, ses enfants !

— Avant. Mais après la mort de ta mère, il a aimé une autre femme pendant des années.

— Ce n'est pas vrai !

— Elle s'appelait Assunta, si tu l'ignores. Une fille qui est tout son portrait se promène dans les rues d'Acireale. Et un autre enfant de lui dort à cette heure ici dans cette maison.

— Tais-toi, ou je te tue, là, tout de suite, et te le fais rejoindre, lui que tu désires tant.

— N'approche pas, j'ai un pistolet à la main.

— Alors c'est vrai, comme il le disait, que rien ne peut t'effrayer. Qui es-tu ?

— N'approche pas ! Ou je te brise une jambe, Mattia, je t'ai averti ! Va-t'en chez toi jusqu'à ce que te passe la haine qui te tient.

Je devrais, le tenant en joue, reculer de trois pas et fermer la grille mais, malgré moi, je me retrouve en train d'avancer.

— Comment te permets-tu, toi, gamin, d'émettre des jugements sur ma vie et celle de ton père ? Tu voulais entendre un mensonge, hein ? Tu me déçois. Je croyais parler avec le fils de Carmine. Et je me retrouve à discuter avec un blanc-bec qui ne cherche que de sottes paroles. Tourne les talons et va te faire consoler par les femmes !

— Non ! C'est toi qui dois me consoler.

— Et comment ?

— Mon cœur a changé envers toi. Tu m'as dit tout de suite la vérité. Tu dois me consoler.

— Personne ne peut nous consoler.

— Laisse-moi te toucher comme il te touchait... fais-moi savoir...

Brusquement, sa main sur la mienne, sans éloigner le pistolet, allume une chaleur oubliée dans ma chair glacée, tandis qu'il murmure doucement :

— Tire, allez, tire !

— Tu l'aimais à ce point, Mattia ?

— Il a détruit ma vie et celle de ma mère avec ses ordres. Il m'a fait laisser une femme qui était un ange, mais je croyais en lui, en sa parole.

— Quelle parole ?

— Qu'il n'avait aimé que nous de toute sa vie. Mais tu dis que le vieux mentait.

— Nous mentons tous.

— Non ! Lui non ! Ton pistolet est tombé, princesse.

— Ramasse-le. C'est une nuit de mort, Mattia. Quand quelqu'un meurt, il appelle avec lui tous ceux qu'il a aimés.

— Mais que fais-tu maintenant, tu t'en vas ?

— Je retourne auprès de mon fils.

— Qui est aussi « son » fils.

— Son portrait, devrais-tu dire.

— Ce n'est pas vrai !

— Eh bien, reviens demain avec le jour, je te le ferai voir mon Carmine enfant.

— Attends. Je te crois... Avant d'entrer, dis-moi la vérité. Si ce que tu as dit est vrai, tu dois savoir...

— Quoi ?

— Comment ma mère est morte.

— En accouchant. C'est ce que disait le vieux.

— On m'a dit à moi qu'elle s'était tuée... tuée de façon ignoble... avec de la mort-aux-rats... et en maudissant Carmine et ses fils.

— Je ne sais rien de cela, Mattia, va-t'en ! C'est horrible, ce que tu dis.

— Horrible, hein ! Mais tu devrais les savoir, ces choses, s'il est vrai que tu as été avec lui. Laisse-moi entrer avec toi, je dois savoir à tout prix.

— Entre, je ne t'ai pas chassé.

— ... Il venait ici ?
— Chaque nuit.
— Et pourquoi t'allonges-tu maintenant ?
— Je suis fatiguée, Mattia, je n'ai pas dormi depuis hier. Je l'ai attendu debout toute la nuit.
— Il devait venir là la nuit dernière aussi ?
— Oui.
— Et toi, quand tu ne l'as pas vu, tu es venue le chercher ?
— Pour le voir mort.
— Tu le savais ? Il se confiait à toi, une étrangère ! J'ai mis le pistolet sur la table, princesse, il peut te servir, à la façon dont je vois que tu vis. Tu ne réponds pas ?
— J'ai sommeil, Mattia, et froid. Et puis il est inutile de parler avec toi. Tu as peur de savoir la vérité et tu insultes.
— Si ma mère n'était pas morte comme ça...
— Qui te l'a dit ? C'est peut-être un mensonge.
— Non ! Sa sœur me l'a dit... et elle a même dit... Ou c'est toi qui as raison, tu es une femme et tu sais ces choses... Tu es belle quand je te regarde dans les yeux. Ou tu as seulement de beaux yeux... Qui es-tu ? On dirait un sphinx. Quel âge as-tu ? Laisse-toi caresser. Je veux savoir.
— Savoir ?
— Comment est-il possible que tu me plaises comme ça ? Tu es chaude et dense... Tu m'as plu dès le premier instant... Tu as les cheveux comme de la soie. Il te caressait ? Et te parlait ?
— Après, oui.
— Après quoi ?
— Quand il a su qu'il allait mourir. Mais avant il était toujours silencieux.

— Toi aussi, il t'a fait souffrir ?
— Il est mort, Mattia.
— Tu penses à lui, que tu ne me regardes pas ?
— Il est mort, Mattia, faisons-nous une raison.

— J'ai dormi, Modesta ? Comment cela se fait-il ?
— Tu étais fatigué.
— Il est vraiment mort alors, si je me suis endormi en toi.
— Oui, mais nous sommes vivants, mon fils. Tu as senti comme nous sommes vivants ?
— Pourquoi m'appelles-tu ainsi ? Et pourquoi pleures-tu maintenant ? Je ne peux pas voir pleurer une femme. Tu pleures pour lui ?
— Aussi. Ça va me passer.
— Et pourquoi te touches-tu le ventre, la poitrine ?
— J'essaie de savoir si je vais avoir un autre enfant, de toi. Pour une vie qui meurt une autre naît.
— Et c'est ça qui te fait pleurer ?
— Non. J'aimerais donner une vie contre une mort.
— Ne dis pas de paroles obscures, et caresse-moi les cheveux comme tu faisais tout à l'heure. Je l'ai senti, pendant que je dormais. Jamais personne ne m'a caressé comme ça.
— Il n'y avait personne pour te servir de mère ? Cette tante dont tu m'as parlé ?
— Elle l'aurait voulu peut-être, même si elle était dure et froide comme son frère.
— Ah ! C'était la sœur de Carmine ?
— Oui, c'était sa sœur et elle lui obéissait comme une esclave. Il disait que personne ne pouvait prendre la place de sa femme, et le dimanche, après la messe, il nous emmenait dans sa chambre, restée telle quelle... On sentait encore son parfum – c'était ce qu'il disait – et il ouvrait les armoires pleines de ses vêtements. À genoux, à moi et à Vincenzo qui tremblait toujours, il

nous faisait penser à elle... qu'est-ce que je peux te dire ? comme une prière, au moins pendant cinq minutes, mais on aurait dit des siècles. J'ai l'impression d'avoir passé toute mon enfance comme ça. Puis je me suis rebellé, et quand je les voyais, lui et Vincenzo, s'enfermer dans cette chambre, un désir effréné me prenait de partir en courant, bien loin. Et je courais pendant des heures dans les champs jusqu'à m'épuiser. Pourquoi, Modesta, pourquoi ?

— Tu as les cheveux drus et bouclés comme...

— Comme qui ?

— Comme Eriprando, mon fils.

— Ah ! Il s'appelle comme ça ? Je n'ai jamais entendu ce nom-là, il doit être étranger.

— Je ne sais pas ce qu'il va devenir, ce fils, avec ce nom.

— Ça te préoccupe ? Vincenzo aussi, qui est mon frère, me paraît parfois un étranger.

— Ton père disait la même chose de toi.

— Il est vraiment mort, Modesta, si mon cœur peut entendre cela sans se briser.

— Il est mort, Mattia. Le bois commence à frémir. Il fera bientôt jour, il faut que tu t'en ailles.

— Pourquoi ?

— Tu ne peux pas rester ici.

— Tu as un autre homme ?

— J'ai un enfant.

— Et qu'est-ce que ça signifie ?

— Il ne faut perturber personne.

— Tu parles comme Carmine : ne pas perturber ! Mais les faire, quand même, les saletés, hein ?

— Ne crie pas !

— Dis la vérité ? Tu as un autre homme ?

— Non, Mattia, un peu de bon sens, nous ne nous connaissons pas ! Demain, viens demain. Nous devons bien réfléchir...

— Elle va au lit avec un homme et nous ne nous connaissons pas, qu'elle dit !

— Je t'ai dit de ne pas crier ! Cet autoritarisme est ennemi de ma maison.

— Mais pourquoi est-ce que je n'arrive pas à me détacher de toi ? Avec lui aussi tu avais peut-être ce pouvoir ? Pourquoi est-ce que je n'arrive pas à m'en aller ?

— C'est la même chose pour moi, mais nous devons attendre.

— Ce n'est pas ce que tu disais cette nuit.

— C'était une nuit de gel.

— Plus je te regarde et plus tu me sembles belle. Tu me laisses revenir ?

— Avec la nuit, tu peux revenir quand tu veux.

— Et comment est-ce que je passe la grille ?

— Dans le trousseau de ton père tu peux trouver les clefs.

— Tu lui as même donné les clefs !

— Ton père et moi nous nous sommes aimés, mon garçon.

— Aimés ? Et si en fait, comme je le pense, il venait chez toi simplement parce que tu ouvres ta porte à tout le monde une fois qu'il fait noir ?

— Je n'aime pas la façon dont tu parles. Nous ne nous entendons pas, tous les deux. Reprends ta route et laisse-moi à la mienne.

— J'y crache, moi, sur cette route !

Crie-t-il, Mattia, en se mettant debout. Son corps nu dans le miroir de l'aube éblouit mes pupilles. Il ne faut pas que je fixe la beauté de ces membres. Dans les mouvements de son dos compact, écorce de jeune arbre, je scrute un futur qui m'est étranger. Et même si le désir est fort de l'appeler et de le serrer contre moi, je ferme les yeux : je ne dois pas laisser son image se glisser dans mon être. Carmine a raison : on peut détourner les yeux et rester maître de soi. « Avec ce mot d'amour il faut être prudent, c'est un piège que la nature pose dans les herbes les plus parfumées où même les animaux les plus rusés peuvent tomber. » Que de lièvres, de lapins, nous trouvions pris au fond, à l'aube, n'est-ce pas, Carmine ? quand aux premières lueurs nous nous réveillions et courions voir dans le bois. Mais quoique la même lumière ait en un instant envahi la pièce, Carmine ne viendra pas sous la fenêtre appeler Modesta et Beatrice qui doivent apprendre à manier le fusil comme de vrais hommes. « Comme vous voulez, princesse ! Pour la *padroncina* je n'ai pas de doutes, mais la *principessina* tremble tout entière et je ne... » Entre les arbres et le ciel Carmine s'éloigne... Ou c'est son fils qui à pas lents franchit déjà la grille ? Derrière les fenêtres je suis ces pas jusqu'à ce qu'ils disparaissent, absorbés par la verdure.

Le soleil levant m'envahit le cerveau, serein, comme libéré d'un poids d'angoisse qui depuis des mois et des mois me faisait tressaillir à la moindre ombre, au moindre bruit, et un calme jamais éprouvé m'envahit. J'ai envie de sortir, de courir dans ce soleil joyeux qui répète : tu es libre. Douceur de ne plus attendre, de ne plus dépendre d'une autre volonté. Personne ne m'enlèvera plus cette douceur, Mattia. Aux bords du sentier des fleurs minuscules ont percé, en une nuit ? Et moi, prise par ta volonté, vieux Carmine, je n'ai pas senti le travail du printemps qui frappait contre la terre pour sortir ?

— Modesta, Mody ! Oh, princesse, heureusement que tu es éveillée !

— Qu'y a-t-il, Pietro ?

— Descends, descends, oh, Mody, quelle affaire !

— Il est né, Pietro, pour que tu balbuties comme ça d'émotion ?

— Il est né, oui, il est né !

— À ton sourire je vois que c'est un garçon.

— Oui, Mody, un garçon ! Deux médecins et monsieur Carlo l'ont examiné. Il est sain et fort, pardieu ! Un géant qu'il a fait, mon prince. Il est né les yeux ouverts, Mody !

— Bien, Pietro. Maintenant, calme-toi, je m'habille et nous y allons tout de suite.

— Oh, oui, Mody, tout de suite, tout de suite...

Je craignais que dans sa joie Pietro ne se soit trompé, mais devant ces quatre kilos et demi que mademoiselle Inès nous avait pondus, un rire d'orgueil me monta aux lèvres, d'avoir ainsi joué la nature. Mais cela ne se faisait pas ; pressant le mouchoir contre ma bouche, j'essayai de masquer ce rire. Deux médecins et une infirmière me fixaient avec sérieux et mademoiselle Inès exténuée dans son lit criait :

— Non, non ! Je n'en veux pas ! Oh, princesse, quel pétrin ! Et quelle douleur ! Dites-le-leur, dites-le-leur, vous qui avez accouché, que je ne peux pas allaiter. Quelle nuit d'enfer, avec eux qui criaient : « Pousse, pousse ! »

Dans le lit, grasse et molle, l'œil exorbité, Inès me parlait, mais elle regardait le plafond.

— Ça a été un accouchement difficile, princesse. Nous l'avons fait dormir après. Malheureusement, l'action du somnifère a cessé maintenant. Mais je vous supplie de croire qu'elle s'est réveillée depuis peu.

— Donnez-lui donc un autre somnifère.

— Mais il faudrait qu'elle allaite...

À ces mots Inès se remit à s'agiter dans tous les sens et à hurler :

— Si j'avais su que c'était comme ça je ne l'aurais jamais fait ! Jamais plus, jamais plus !

Elle avait eu une telle peur qu'elle ne recommencerait pas ; ça valait mieux.

— Mais laissez-la tranquille ! Vous ne voyez pas qu'elle ne veut pas le prendre dans ses bras ? Ma sœur, emmenez cet enfant.

— Comme vous voulez, princesse. Nous vous avons attendue pour prendre une décision...

— Mais oui, mais oui. Faites-la dormir et portez-moi l'enfant par ici. Il faudra tout de même que j'arrive à le voir au calme ! Bon Dieu, je vous assure que cette pièce me donne l'impression d'être un abattoir et pas une clinique.

Juste à temps, je m'enfuis dans le petit salon : malgré le mouchoir, je n'arrive plus à contenir mon rire.

— Que ne faut-il pas voir ! Crier comme cela contre la bénédiction d'un enfant que Dieu lui envoie !

— Nous ne vous avons pas demandé votre avis, sœur Clara. Faites voir l'enfant à la princesse et épargnez-nous vos commentaires ! Oh, Modesta, enfin on se revoit. Mais que fais-tu avec ce mouchoir sur la bouche, tu te sens mal ?

Sœur Clara nous fixait avec des yeux pleins de fureur.

— Mettez-le dans son berceau et laissez-nous seuls.

— Oh, Carlo ! Heureusement que tu l'as mise dehors, je n'en pouvais plus.

— Mais que fais-tu, tu ris ?

— Et que devais-je faire ? Un tel *fou rire** m'a prise, attends, ça va passer.

— Toujours imprévisible, Modesta. À te regarder, l'envie de rire me vient à moi aussi. Quelle joie de te voir !

— Pourquoi, ça fait longtemps que nous ne nous sommes pas vus ?

— Eh, je dirais, princesse ! Ça fait des mois...

— Mais nous nous sommes vus...

— Oui, au milieu d'autres... J'avais envie de te parler, comme au bon vieux temps.

Carlo, sa mèche noire sur ses yeux attentifs, me regarde avec reproche, ses mains délicates serrent les miennes. Dans son regard tranquille je comprenais combien il m'avait manqué durant tous ces mois. J'étais revenue d'un voyage lointain qu'on ne peut raconter. Sa voix, sa façon de parler, le contraste entre ma langue assombrie de passion et la sienne – claire et élégante – que j'aimais tant, mais que je ne parvenais pas à raccorder à mon imagination, me fit entrevoir le combat qu'il me faudrait affronter dans l'avenir. Réussirais-je jamais à harmoniser les pôles de cette ambivalence qui m'avait empêchée d'aimer Carlo ?

— J'y arriverai, Carlo ?

— La voilà bien là, ma Modesta, qui en une fraction de seconde change déjà de visage et d'humeur. J'arriverai à quoi ?

— Oh, si je pouvais te parler !

— De quoi, Modesta ?

— De choses si obscures en moi... Des obstacles de l'esprit, des émotions difficiles à exprimer.

— On peut toujours tout dire. Je l'ai appris de toi.

Avec désespoir, je lus dans ses yeux que mon image serait toujours coupée en deux par une ligne blanche de plâtre.

— Qu'y a-t-il, Modesta ?

— Carlo, j'ai besoin d'être aidée.

— Tu peux parler avec moi, tu le sais.

— Je le sais, merci. C'est tout ce que je voulais t'entendre dire.

Les mains dans les mains, enfermés dans un cercle, nous prenions, lui de moi, la confiance, moi de lui, la conscience de n'être pas seule.

— Qui pleure, Carlo ?

— Comment, qui pleure, Modesta ? Tu es étrange. Je ne t'ai jamais vue ainsi, tu es comme rajeunie mais lointaine.

— Il est normal, n'est-ce pas, Carlo ?

— Tout ce qu'il y a de plus normal ! Viens le voir, et puis, si tu veux le garder, il te faudra aussi choisir une nourrice. Il y en a déjà trois qui attendent.

— Et pourquoi pleure-t-il ?

— Mais, Modesta, il a faim ! Tu as eu un enfant toi aussi, tu as oublié ? Viens le voir.

— Je le garde !

— Mais tu ne l'as pas vu.

— Et qu'importe ? Tu l'as vu, toi, ça me suffit.

— Non, là-dessus je dois être ferme. Tu dois le voir et t'assurer par toi-même qu'il est normal. Il semble plus robuste qu'Eriprando.

— Mais Eriprando n'est pas le fils d'Ippolito.

— Cela, tu me l'avais déjà dit. Dis-moi un peu, Modesta, tu as encore peur du mongolisme de son père ?

— Je suis moi aussi la sœur d'une mongolienne.

— Ah !

— Mais personne ne le sait, pas même Beatrice.

— C'est cela qui te tourmente ?

— Absolument. Je te l'ai dit parce que pour la première fois de ma vie je sais qu'avec toi je peux parler de tout. Et je me sens heureuse de t'avoir confié l'un de mes secrets comme tant d'autres que j'ai dû sceller en moi. Les choses non dites pourrissent à l'intérieur de nous.

— Modesta, tu m'émeus.

— Comme il pleure doucement... Eriprando hurlait comme un possédé.

— Mais si nous continuons à parler sans lui donner

à manger tu vas l'entendre hurler d'ici peu ; viens le voir. C'est un magnifique spécimen, on dirait que la nature a voulu se faire pardonner ses crimes passés.

Dans le petit lit, à la place de ce poupon de chair informe qu'était Eriprando, un visage bien modelé aux tempes pensives repose sur le coussin.

— Pietro a raison, il a les yeux ouverts ! Eriprando a mis plusieurs semaines avant de les ouvrir.

— Oui, mais les nouveau-nés commencent à être assez nombreux dans ce cas.

— Il nous voit ?

— Je ne pense pas.

— Il a aussi le menton qui avance un peu... Il ressemble à...

— À qui, Modesta ?

— Il ressemble à Jacopo, l'oncle de Beatrice.

À ce nom à peine murmuré, les yeux clairs, un léger nuage gris, me fixèrent. Bien sûr, il n'y voyait pas, mais la conviction qu'il m'avait reconnue me fit m'incliner sur le petit lit et tendre les mains.

— Mais que fais-tu ?

— Je le veux, tout de suite !

— Folle que tu es ! Tout à l'heure tu ne voulais pas le voir et maintenant...

— Maintenant je l'ai vu, je suis tombée amoureuse et je l'emporte avec moi. Je le vole, et je l'appelle Jacopo. Jacopo ! Tu ne vois pas qu'il répond par un regard ? C'est son nom.

— Quelles folles, les femmes ! J'ai compris, enveloppe-le bien et allons-y. Je t'accompagne chez toi, où j'espère que tu le feras manger.

— Oh ! pour la nourrice, ne t'inquiète pas. Il y a deux jours Stella a eu un fils elle aussi, et je suis sûre qu'elle plaira à Jacopo. Stella est la plus belle paysanne des environs.

53

Carlo, attentif à la route, conduisait doucement comme l'autre fois pour éviter les accidents de terrain, les tournants trop brusques, la brusque apparition d'un chien, d'une bicyclette. Il accélérait prudemment pour dépasser une charrette, un troupeau de moutons qui transformait l'air en une mer de poussière. Il ne pleuvait pas depuis des mois. Mais bientôt, à un signal invisible, les grands nuages blancs suspendus sur les dunes de chaleur brûlante exploseraient en de frais pleurs de fin d'été.

Comme l'autre fois, par moments, dans le petit miroir du rétroviseur ses yeux me fixent et m'aident à porter une vie dans les bras. Pour la première fois depuis que j'étais au monde je me mis à parler d'un tronc pesant que j'avais dû traîner, d'une masure perdue dans une mer de boue, d'un feu jeté par mes mains contre une porte...

— Tu m'as appris à nager, Carlo, à parler, apprends-moi à penser comme toi. L'avenir est dans les hommes comme toi.

Du miroir, son regard sans pesanteur est comme un baiser léger sur mon front, mais dans ses yeux une tristesse nouvelle apparaissait et disparaissait, nuage ou pluie de fin d'été.

— Tu es triste parce que tu vois que je ne pourrai jamais devenir comme toi, Carlo ?

— Non, Modesta, je suis triste parce que je crains que quelque erreur irréparable n'ait été commise par nous, les hommes du futur, comme tu dis. Je t'écoute et je n'ose plus, comme je l'aurais fait ne serait-ce qu'il y a un an, te parler de certitudes. Regarde là, devant le troupeau. Ici aussi, des fanions comme à Rome, avec cette phrase : « Je m'en fous[1]. » En un an, cet accroissement anormal de crânes et de tibias croisés... Il a pris la balle au bond, *l'onorevole* Benito Mussolini. Aucun programme pour son parti : « Avant d'être parole, nous sommes action ! » La crise du charbon, les débiteurs retardataires de l'Angleterre, pour sauver la situation il faut conclure un prêt avec les États-Unis... Tout pour arriver à ce chantage : « Révolte fasciste contre l'intolérable régime bolchevique. »

— C'est à cause de ça que tu es triste ?

— Non, je n'ai pas de crainte, ils n'y arriveront pas... Je suis triste pour nos erreurs passées, et cette confiance en moi que tu as m'effraie un peu. Toi, plutôt, ne change jamais, n'imite pas les hommes. Je sens obscurément qu'il y a une force nouvelle en toi et en Beatrice.

— Tu me traitais d'immorale, avant, et...

— Je ne comprenais rien, avant... Qu'y a-t-il, Modesta, pour que tu te remettes à rire ?

— Je ris parce que ce Jacopo a une force incroyable. Il va vraiment bien ! Nous n'aurons pas de problèmes comme avec Eriprando.

— Quels problèmes, Modesta ?

— Eh, il ne voulait pas téter !

— Et c'est ça qui te fait rire ?

— Je voudrais que ce trajet ne finisse jamais, Carlo ! C'est merveilleux de se laisser ainsi conduire par toi. Beatrice m'a dit que souvent vous allez vous promener au pied de l'Etna.

1. « Je m'en fous », « Je m'en tape » : *me ne frego*, devise fasciste.

— Oui, souvent.

— C'est ça aussi qui l'a fait devenir si robuste et sereine. Et elle s'appuie à ton bras quand vous vous promenez ?

— Bien sûr.

— Je l'envie, Carlo.

— Et moi j'envie cette façon que tu as de pouvoir dire « je l'envie ». Ne change pas, Modesta ! Ne nous imite pas !

— Mais pourquoi n'est-elle pas venue ?

— Comme si tu ne la connaissais pas ! Tu t'en es lavé les mains, et maintenant tu questionnes, impudente !

— Ça m'amuse de t'entendre dire ce que je sais. C'est ta femme et c'est à toi de t'en occuper. Elle t'a donné bien de la peine, hein ?

— Pour le moins qu'on puisse dire ! Pendant des mois elle n'a pas voulu accepter ne serait-ce que l'idée d'avoir un neveu de cette plébéienne d'Inès.

— Je croirais l'entendre !

— Après quoi, par peur de toi, essentiellement, on a au moins pu commencer à en parler. Mais elle n'est pas venue. Sur ce point, il n'y a rien eu à faire. « Moi à la clinique comme une petite-bourgeoise quelconque ? Jamais ! »

— Et où est-elle maintenant ?

— Chez toi, Pietro ne te l'a pas dit ? Le pauvre ! Elle l'a méchamment chassé quand il est venu porter la nouvelle. « Uniquement pour ne pas offenser Modesta, j'irai la saluer chez elle. Mais jamais, au grand jamais, je ne poserai mes yeux sur un bâtard ! »

— Oh, Carlo, comme tu l'imites bien ! Tu me fais mourir de rire, refais-la, je t'en prie !

— « Jamais, au grand jamais, Modesta ! Tu ne peux me demander de l'imiter, jamais ! Oh là là, jamais ! »

Devant la grille

Pietro va et vient avec une rapidité inimaginable pour ce corps immense, s'essuyant par moments le crâne, un crâne brillant de sueur, sous les yeux effarés de mademoiselle Elena qui, immobile et muette, cherche à grand-peine à contenir un tremblement inhabituel des lèvres et des mains :

— Oh, princesse, heureusement vous êtes là ! Je n'en peux plus ! Pardonnez-moi, mais je ne supporte pas, je ne supporte pas cette tension ! Regardez-le, il ne s'est même pas aperçu de votre présence. Il est hors de lui, ça fait peur !

— Mais qu'y a-t-il, Pietro ? Allons, qu'y a-t-il ?

— Oh, Mody, Beatrice m'a de nouveau chassé ! C'est le signe que vraiment elle n'en veut pas ! Elle n'en veut pas, de l'enfant de mon prince.

— Qui est le maître dans cette maison, Pietro ?

— Vous, princesse.

— Et alors calme-toi. Ici on fait ce que je décide.

— Oui, oui, Mody, mais dans le désaccord, si Beatrice ne le veut pas, dans le désaccord ! Jamais il n'y a eu de désaccord dans la maison des Brandiforti !

— Mais que dit-il, princesse ? Ça fait une heure qu'il ronchonne. Je vous signale que cette tension trouble Eriprando. Je l'ai envoyé juste à temps jouer sur la plage avec Nunzio...

— C'est exactement ce que dit Pietro avec d'autres mots, Elena.

— Mais c'est lui qui a commencé à crier avec Vif-argent.

— Et pourquoi avec Vif-argent ?

— Je vais te le dire, moi, pourquoi, Mody : elle ne comprend rien, cette fille du continent ! C'est elle, Vif-argent, qu'au lieu de jeter de l'eau sur le feu et calmer

Beatrice, lui emboîte le pas. Ça, c'est injuste ! C'est pardieu vrai qu'elles sont injustes, elle et Beatrice ! Beatrice, passe encore ! Mais elle, pourquoi souffler sur le feu ?

— Et nous, nous allons l'éteindre, ce feu, ne t'inquiète pas, Pietro, calme-toi !... Prends-le, toi, qu'il me pèse. Tu ne vois pas que je l'ai dans mes bras ? Voilà, amène-le à Stella, sinon il va mourir de faim.

— Mais moi, je ne sais pas le tenir, moi ! Et s'il me tombe des mains et se casse en morceaux ? Mademoiselle Elena, prenez-le, vous...

— Allez, Pietro, ne fais pas d'histoires !

— Excusez-moi, princesse, et vous aussi, Mademoiselle, mais j'étais ému parce que j'avais décidé de m'en aller si on ne faisait pas ce qui est juste. Et quitter sa Mody et sa Beatrice aurait été un pas terrible pour Pietro.

— Comme tu le vois, tu n'as pas à le faire, ce pas ; va !

— Oh ! Il pleure, Mody ! Ce n'est pas que je lui ai fait mal ?

— Non, Pietro, je t'ai dit qu'il pleure parce qu'il a faim.

Dans le salon

Dans le salon plongé dans l'ombre, Beatrice debout attendait avec Vif-argent à deux pas. Ces rideaux fermés recomposaient la lumière et les émotions d'il y avait bien longtemps.

— Cette maison est devenue une caserne, Modesta ! Rideaux grands ouverts, meubles laissés sans soin, pas un bouquet de fleurs ! Je n'aime pas cette mademoiselle Elena, on dirait un carabinier. Je me suis permis de le lui dire, et je me permets de te le dire à toi aussi.

— Ce n'est pas la faute de mademoiselle Elena, Beatrice. C'est moi qui ai ordonné d'ouvrir les rideaux.

— Comment, ce n'est pas sa faute ? Je lui avais tellement dit de faire attention ! C'est une femme, non ? Et l'on sait que toi, comme Carlo, vous avez tellement de choses à penser que c'est à nous, les femmes, de prendre soin de votre santé et de tout ce qui concerne la maison.

— Si cela t'angoisse à ce point, Beatrice, nous en parlerons.

— Eh, bien sûr que cela m'angoisse ! J'ai dû suivre mon mari, et je me sens en faute quand je vois tout cela.

Sous les yeux épouvantés de Carlo, je me précipitai pour la soutenir. Dans la douce pénombre d'autrefois, agrippée à moi, elle pleure. Et comme autrefois je me retrouve avec sa taille fine entre mes mains.

— Oh, Modesta, serre-moi contre toi ! Tu ne m'en veux pas, n'est-ce pas ? Je suis si méchante ! Je t'ai laissée seule. Et avec Pietro aussi j'ai été méchante. Je l'ai vu me regarder avec horreur. Il ne m'a jamais regardée comme ça, et il a raison parce que j'ai été injuste. Et toi aussi, méchante Vif-argent, va-t'en, je ne veux plus te voir !

— Sors, Vif-argent, laisse-nous seules.

— Oui, oui, chasse-la ! Méchante, elle aussi. Au lieu de me calmer. Même avec Carmine j'ai été méchante. C'est terrible, Modesta, il est mort ! Je ne savais pas qu'il allait mourir.

— Personne ne pouvait le savoir, Beatrice.

— J'aurais dû aller le voir, au moins pour la dernière fois.

— J'y suis allée, moi ; et aussi pour toi.

— Toi, oui, tu agis comme il faut. Tu y es allée... moi, moi, j'ai eu peur... Et celui-là, celui qui est né ?

Tu ne l'as pas pris, n'est-ce pas, Modesta ? Dis-moi que tu ne l'as pas pris.

— Eh si, il a fallu que je le prenne. J'y ai été obligée.

— Obligée, toi ? Tu me fais rire, qui peut t'obliger, toi, à quoi que ce soit ?

— Oncle Jacopo.

— Comment ?

— Oui, il est revenu, mais pas en rêve comme avant. En chair et en os, tout petit, avec son regard. Il est ressuscité.

— Et comment le sais-tu ?

— Je l'ai regardé. Et je parie que si tu le regardes, tu le reconnaîtras toi aussi.

— Oh, allons-y, ça me semble incroyable ! Où est-il ? Où est-il ? Je veux le voir !

Dans la chambre avec Stella

— Tu as raison, Modesta, c'est son portrait, mais la couleur des yeux, non. Ça, tu ne peux pas le savoir. Oncle Jacopo avait les yeux bleus, tandis que ce Jacopo a les yeux gris comme grand-mère Gaia. Tu me le laisses prendre, Stella, maintenant qu'il a mangé ? Oh, qu'il est grand ! Mais tu auras assez de lait pour tous les deux ?

— Oh, princesse, c'est une bénédiction, ce pitchounet ! Regardez, mon sein éclate.

— Et regarde ses petites mains, Modesta : toutes longues avec les ongles ovales ! Ses mains, Modesta. Heureusement que tu l'as reconnu tout de suite, heureusement ! Et toi, Vif-argent, arrête de pleurer et va t'excuser auprès de Pietro. Tout ça est de ta faute ! Mais oui, on le sait, que vous autres du continent vous ne comprenez rien ! Comme grand-mère Gaia sera heureuse de ce retour. Tu ne sais pas comme elle aimait oncle Jacopo. Ils se disputaient tout le temps, mais ils s'aimaient infiniment.

Vif-argent et Pietro discutaient dans un coin, ou mieux Pietro inclinait sans cesse la tête sous l'avalanche de paroles que déversait la bouche de Vif-argent.

— Bon ! Vous avez fait la paix, tous les deux ? Oh, Modesta, ces deux-là se disputent tellement que j'ai idée qu'il y a une amourette là-dessous. Quel couple ! Ma seule douleur reste la perte du Carmel, parce que nous aurions eu de quoi remplir, maintenant, la chambre d'oncle Jacopo, comme grand-mère le désirait toujours, et pas seulement celle-là... Et si maintenant que Carmine est mort nous la rachetions, cette villa, qu'est-ce que tu en dis, Modesta ? Pense comme grand-mère serait heureuse ! Eriprando dans la chambre d'en haut, Jacopo dans la sienne. Et si Dieu le veut !... Viens, tu ne t'es rendue compte de rien ? Mets ta main sur mon ventre. Tu ne sens pas ?

— Depuis combien de temps, Beatrice ?

— Cela fait deux mois que je ne perds plus de sang.

— Et Carlo le sait ?

— Non. Comme le veut la tradition, c'est toi qui devais le savoir la première. Pose tes paumes, comme ça, et va, bénis ce petit être.

— Je te bénis, Beatrice.

— Oh, si Dieu pouvait me donner un fils ! Ignazio doit revenir. Il était si beau, Ignazio, c'était le plus beau !

— Ignazio reviendra, Beatrice, mais la villa du Carmel doit rester aux Tudia.

— Pourquoi dis-tu cela, Modesta ?

— Parce que nous ne pouvons faire offense à Carmine maintenant qu'il est mort, et tu le sais.

— Je le sais. Maintenant qu'il est mort, il faut respecter Carmine.

54

— Il pleure jamais, ce pitchounet, princesse. Il m'émerveille ! Il ouvre les yeux, il boit son lait, et il dort tout tranquille. Regardez-le ! J'arrive pas à m'y faire : on dirait un homme adulte, ce Jacopo... Je devrais pas le dire, mais rien qu'en trois mois, il est devenu plus mon fils que ce 'Ntoni qu'il est jamais rassasié.

— Mais il est beau, ton 'Ntoni, Stella !

— Eh... beau, oui, princesse ! mais têtu et capricieux ! Son père tout craché. Je le sens que comme à lui il me fera souffrir.

— Ce n'est pas dit, Stella, si tu sais l'élever différemment.

— Ça signifie qu'à votre avis, princesse, on peut changer un destin ?

— On peut tout changer, Stella.

— Et il pleut toujours pas ! Il veut jamais finir, cet été ! Mon père a dit qu'il y a trente ans la chaleur étouffante et la canicule ont duré jusqu'au Jour des Morts. « Mauvais signe ! il a dit. Les morts ont soif. » Et on a eu de grands maux cette année-là. Si l'eau pouvait tomber pour laver les cœurs... Les hommes sont comme frappés de folie, et dans l'île, et sur le continent avec ces garçons tout habillés de noir. Il faut toujours s'attendre à des malheurs en provenance du continent !

— Tu es préoccupée pour tes frères, Stella ?

— Si ça n'était que pour eux ! Même Melo, ces fascistes l'ont envoûté avec leurs bavardages, et il s'en est allé à Rome avec eux. Je ne peux pas y penser. Pas vraiment à Rome, dans les environs, dans un village qu'il s'appelle Tivoli.

— Melo ? Mais je croyais qu'il était allé en Amérique.

— Tout juste ! Mais il s'est d'abord arrêté à Rome... il pleut là-haut, il a écrit... et puis il va embarquer à Naples. Si seulement il pouvait pleuvoir ici aussi !

— Il va pleuvoir, Stella. Et ne t'inquiète pas pour les hommes. Le mari de Beatrice aussi a dû aller à Rome. Melo et Carlo reviendront, ne te tourmente pas. Tu ne voudrais pas que ton lait se change en eau ?

— Vous avez raison. Nous les femmes nous ne devons pas trop nous inquiéter d'eux. Qui peut les comprendre avec ces façons de courir et s'en aller partout ? Et Stella est une femme, et elle se calme, elle sait qu'elle n'a qu'à faire son devoir.

— Bonne nuit, Stella.

— Et à Madame aussi, qu'elle trouve sans peine le sommeil.

Stella sourit, et le peu de lumière qui éclaire son visage se fait plus intense. Encore un regard à la grande pièce plongée dans l'ombre, à deux petits lits placés côte à côte dans le fond, où reposent Jacopo et 'Ntoni, et Modesta – comme chaque soir – peut retourner à la paix de sa chambre. Sur la table, au milieu des livres, luit une petite pipe blanche, elle la garnit. Et assise devant la fenêtre, elle fume dans l'obscurité en regardant le ciel. « La fumée rassemble les pensées heureuses de la journée et chasse les pernicieuses comme *'u marranzanu*[1]. » La voix de Carmine se déploie

1. La guimbarde : ancien et rudimentaire instrument de musique.

autour de la fumée sans faire frémir Modesta. La douceur de cette voix était le signe de la condamnation qu'elle avait en vain cherché dans sa poitrine, dans ses yeux. Et peut-être, pense Modesta, cette paix aussi qui depuis des mois et des mois accompagne chacun de mes gestes est le signe que la *Certa* a décidé d'interrompre mon voyage... Un éclair lointain suivi d'un sourd coup de tonnerre déchire les bastions de chaleur, faisant tressaillir les arbres. Ces coups de tonnerre et ces éclairs muets lâchés sous le grand chapiteau de la nuit déroulent des arabesques et des guirlandes compliquées comme les feux d'artifice qui à la Pentecôte enchantent Eriprando. Prise comme lui par ces figures pleines d'invention, je n'entends quasiment pas la porte qui doucement s'ouvre derrière mon dos. C'est lui !... Est-ce que quelqu'un qu'on a rencontré comme dans un cauchemar peut reparaître devant vous, vivant ? Ou je me suis remise à rêver ? Lentement Mattia se dresse devant moi dans l'obscurité, je ne le vois pas mais je reconnais son silence... un silence sombre de chien ou de bête hostile. Ou c'est la jeunesse qui respire ainsi ? À présent il avance et moi aussi je suis obligée de rejoindre la table qui nous sépare et de saisir d'une main le pistolet tandis que de l'autre j'allume la lumière.

— Que fais-tu ici, dément que tu es ? Comment es-tu entré ? Loin de moi, Mattia ! Encore un pas et je te fais sauter la cervelle !

— Je ne m'approche pas. Je suis juste venu te rapporter les clefs. Voilà, il y en avait trois. Je les ai détachées du trousseau de mon père. Les voici, princesse, l'une à côté de l'autre, la clef de la grille, de la porte d'entrée, de votre chambre.

— Et tu ne pouvais pas me les envoyer ou venir en plein jour ?

— Mattia est ainsi ! Il aime faire des surprises. Et puis un espoir m'était resté.

— Quel espoir, dément que tu es ?

— Que tu mentais. Nous les Tudia sommes jaloux de nos souvenirs, presque plus jaloux des souvenirs des morts que des vivants. Mais le souvenir ne doit pas être entamé par le doute et tu m'as fait douter. Et ainsi, en ouvrant de mes propres mains les serrures, j'ai voulu suivre « son » trajet pour avoir une certitude. C'est la vérité que tu as dite, et Carmine a menti à ses fils depuis toujours.

— Laisse reposer les morts et oublie. Modesta a tout oublié.

— Bravo ! Elle arrive d'abord comme une folle dans la maison d'autrui. Elle vous met en émoi par les suppositions que font naître ses demi-phrases et puis elle oublie ! Pourquoi es-tu venue au Carmel ? Tu venais voler ? Pourquoi l'as-tu embrassé ?

— J'ai pris ce que ton père me devait.

— Tu l'aimais tant que ça ? Tu ne réponds pas ? Tu l'aimes encore ? Je t'ai épiée tous les jours, je t'ai suivie de loin. Tu n'as pas d'hommes comme tu me l'avais laissé penser. Tu es seule et tu penses à lui.

— Modesta l'a oublié.

— Moi aussi, tu m'as oublié ?

— Toi aussi. Va-t'en ! Que veux-tu de moi ?

— Je te veux.

— Il y a tant de femmes, Mattia.

— J'ai essayé, mais je voyais tes yeux dans les leurs. Regarde-moi dans les yeux et laisse ce pistolet.

Sur la table, dans le cercle de la lampe, trois clefs alignées – la grille, la porte d'entrée, ma chambre – étincellent en murmurant à mon esprit un message précis, un trajet affronté dans la nuit sans hésiter. Nunzio est toujours de garde. Lupo et Selassié veillent.

— Les chiens, dis-tu ? Eh, Mattia s'y connaît en chiens et en gardiens ! Il n'y a que toi dont il ne sait rien, et crois-moi, Mody, il t'appelait ainsi, n'est-ce pas ?

— Comment le sais-tu ?

— Je le sais... et crois-moi, j'ai essayé d'effacer cette nuit de gel, comme tu l'as appelée, mais plus je l'effaçais et plus le froid me gagnait et plus je cherchais la chaleur de ton corps.

Comme hypnotisée, ma main froide ne peut qu'écouter cette voix chaude qui supplie, et elle pose le pistolet sur les clefs.

— Tu es plus belle que ce dont je me souvenais ! Je t'ai comprise, j'en ai trop demandé.

— Tu n'y arriveras pas, Mattia. Tu es trop jeune, et tu recommenceras à réclamer et troubler la quiétude de cette maison.

— Mets-moi à l'épreuve.

Sa main sur la mienne dans le cercle de lumière brise la vague de paix qui depuis des mois berçait mes sens. Il y a un danger dans la chaleur de cette main. Je le regarde droit dans les yeux.

— Je me perds dans tes yeux, ne me chasse pas... Tu as dans les yeux comme un vent qui emporte.

Il y a un danger dans ce regard blond comme le blé. Le vent de ses yeux m'emporte vers lui, et même si mon corps immobile résiste, ma main se retourne pour rencontrer sa paume. Dans le cercle de lumière la vie de ma main se perd dans la sienne et je ferme les yeux. Il me soulève de terre, et dans des gestes connus l'enchantement de mes sens ressuscite, réveillant à la joie mes nerfs et mes veines. Je ne m'étais pas trompée, la Mort me surveille à distance, mais juste pour me mettre à l'épreuve. Il faut que j'accepte le danger, si seul ce danger a le pouvoir de rendre vie à mes sens, mais avec calme, sans tremblements d'enfance. Et quand, dans l'aveuglement de sa jeune chair, il essaie d'entrer en moi, je l'arrête avec douceur.

— Qu'y a-t-il, Modesta ?

— Si tu es un homme, Mattia, et pas un garçon auquel on ne peut se fier, tu connais ton devoir.

— Tu as raison, Modesta. Mais je t'ai tellement désirée ! Serre au moins les cuisses et fais-moi jouir.

Avec force je serre les cuisses et il jouit. Je recueille sa semence avec mes paumes, j'en enduis mon ventre, je monte à ma poitrine, et je jouis moi aussi. Il a la même odeur que Carmine, la même odeur âpre et salée de vie mûrie au soleil. La *Certa* sourit ; elle attend. Elle veut seulement emporter le deuil et cette part de moi, morte désormais, qu'il me faut abandonner. Pour faire cela je dois accepter ma jeunesse, ce garçon aux joues compactes, que ni le vent ni la pluie n'ont éprouvées. Sans hésiter je saisis de mes paumes ma jeunesse dans cette chair insolente et tendre.

— Tu me permets de revenir ?

— Oui, Mattia, tu me plais quand tu es comme ça.

— Tu me plais ! Quels mots... Tu dois m'aimer !

— Du calme, Mattia, ne gâche pas tout.

Avec lenteur il enfile les trois clefs dans les siennes, en me regardant et se laissant regarder. Je pourrais être heureuse en le regardant sans cesse, à l'aube, au crépuscule, la nuit, en tenant dans mes bras ce corps jeune comme le mien.

— Tu me permets de revenir ?

— Tu as enfilé mes clefs dans les tiennes, que demandes-tu là ?

— Alors tu ne dormais pas ?

— Non, je te regardais.

— Mais tu avais les yeux fermés.

— Je te voyais quand même ; tu es beau, nu.

— Ne dis pas ça que l'envie de toi me reprend.
— Demain, Mattia, tu dois t'en aller maintenant.
— Tu me mets à l'épreuve ?
— Tu l'as demandé.
— Mes mains tremblent tellement je te désire encore. Mais je saurai surmonter l'épreuve.
— Espérons-le, Mattia.
— Tu verras !

Il était clair désormais qu'une part de moi leur appartiendrait toujours, à eux, à ce langage profond de passion qui tantôt rendait pure et chaude la voix de Stella, tantôt l'assombrissait comme une mer obscure en attente de la tempête :

— Cela ne vous fait pas peine, princesse, si Prando m'appelle maman ? De toutes les façons j'ai essayé de lui faire passer cette mauvaise habitude, mais Prando est têtu et obstiné, si possible plus que 'Ntoni.
— Et pourquoi, Stella, est-ce que ça devrait me faire de la peine ? Laisse-le faire. S'il t'a choisie pour mère, quel mal y a-t-il à cela ? Alors Prando, combien de mamans as-tu ?
— J'ai deux mamans, et deux tantes aussi.
— Mais entendez-le ! Et qui c'est cette deuxième tante ?
— Elena jolie !
— Et tu as aussi des frères ?
— Non !
— Et celui-là qu'il te regarde ? C'est pas ton frère, Jacopo ?
— Celui-là est à toi !
— 'Ntoni est à moi... Mais Jacopo ?
— Non !
— Laisse-le, Stella, il dort à moitié. Laisse-le chercher son chemin tout seul dans le sommeil. Et dis-moi, Stella, je te vois préoccupée, ton père t'inquiète ?

— Il s'est pas résigné à l'idée que je suis mieux ici qu'à la maison. C'est Melo qui m'inquiète. Comment ça se fait-il qu'il est pas encore rentré et qu'il ne m'écrit pas ? Monsieur Carlo, ça fait longtemps qu'il est revenu de Rome.

— Mais après Rome Melo devait partir en Amérique. Il a dû s'embarquer.

— Sans envoyer un mot ? À Rome il y a eu des morts et des blessés, je l'ai entendu. Je ne sais pas lire les journaux, mais je l'ai entendu. Monsieur Carlo est revenu amaigri et triste.

— Mais Carlo est de l'autre bord, Stella, il est juste attristé par le succès de ces idées de Mussolini.

— Mais qu'est-ce qu'il veut celui-là qu'il a séparé nos hommes ? Melo est mon homme, je devrais pas le dire, mais il a le caractère violent, et je peux pas lui faire confiance. Si, comme Madame me dit, monsieur Carlo est de l'autre bord, il doit avoir raison, c'est un homme juste, monsieur Carlo. S'il pouvait parler avec Melo quand il reviendra !

— C'est ça qui te tourmente ?

— Eh ! Si monsieur Carlo pouvait le raisonner !

— Quand Melo reviendra, nous le ferons parler avec Carlo, Stella.

— Cette frénésie masculine, je ne peux plus la supporter ! Quel besoin il avait de courir à Rome et puis dans cette Amérique encore plus lointaine ?

— Pour l'héritage, Stella.

— Et quel besoin y en a-t-il ? Nous ne sommes pas pauvres. L'éloignement de la chair de votre chair entraîne un véritable éloignement !

— Il reviendra, Stella.

— Madame me rassure, comme ces larmes d'anges que Dieu a décidé de nous envoyer du ciel. Il fait une fraîcheur de paradis ! Jacopo ne transpire plus, pauvre pitchounet !

Stella au visage à peine embrumé par l'appréhension, Stella aux longs yeux : deux fentes jetant des éclats scintillants, deux étoiles riantes même dans le fracas de l'orage. La pluie secoue les murs de la maison, tantôt furieuse, tantôt légère. Les couloirs, les escaliers glissent, silencieux, sous mes pas. Un court instant pour repenser à la journée, à la façon dont Prando a grandi en quelques semaines – l'arrivée de Jacopo l'a fait grandir d'un seul coup – et Mattia ouvre doucement la porte en souriant. Il sourit toujours maintenant.

— Je ne t'ai pas entendu, Mattia, comment es-tu venu ?

— Avec Orlando. Je me suis dégoûté de la moto ! Mon père avait raison : tout ce bruit dérange l'oreille et t'empêche d'entendre le pas de l'ennemi. Il fait de vous une cible facile pour qui vous hait. En trois jours seulement, Orlando m'a préservé d'un guet-apens précis.

— Qui était-ce ?

— Les mêmes qui avant visaient Carmine. Je suis le maître, maintenant, et je dois être prudent. La vie change quand votre père meurt. Mattia s'est fait vieux en quelques heures, et il lui faut replanter tout seul ses racines dans la terre, tu dois m'aider, Modesta, tu dois m'apprendre !

— Que veux-tu savoir, si tu es à la hauteur de ton père ?

— Tu m'as compris.

— Carmine ne te faisait pas confiance.

— Et toi ?

— Moi, je sens en toi la force de Carmine, mais je n'arrive pas à effacer de mon esprit les doutes qu'il avait sur toi.

— Et penser que c'est moi qui ai voulu le faire douter !

— Mais pourquoi ?

— Et qu'est-ce que j'en sais ? C'était comme pour me faire valoir, qu'est-ce que j'en sais ? Le faire au moins douter de moi, faire vaciller cette certitude de maître qu'il avait avec tout le monde. Et maintenant qu'il est mort, qui aurait pu le penser ? je sens retomber ses doutes sur moi. Maintenant il n'y a que de toi que je puisse savoir, et peut-être pas même de toi. Je n'ai personne.

— Et Vincenzo ?

— Vincenzo ! Si Carmine pouvait vivre pour voir qui était son chouchou ! De tout doux qu'il était, c'est devenu une furie.

— Et comment cela se fait-il ?

— On voit qu'il ne le respectait que par crainte, autrefois. Depuis qu'il est mort, il ne fait que blasphémer contre sa mémoire. Il a commencé à boire le jour des obsèques. Et maintenant il a abandonné sa maison. J'ai froid, Modesta.

— Embrasse-moi, je vais te réchauffer. Mais qu'y a-t-il, Mattia ?

— Ne me regarde pas. Je n'arrive pas à retenir mes larmes, je ne suis pas un homme, Modesta, ne me regarde pas.

Pour la première fois j'ai de la compassion pour sa jeunesse et la mienne, un instant seulement, parce que je perçois tout de suite les pièges que cache cette tendresse. « La jeunesse est plus rusée que la vieillesse et sait employer tous les moyens possibles. » Un instant seulement et déjà il en profite.

— Dis-moi que tu m'aimes, Modesta.

— S'il te plaît, Mattia.

— Dis-le !

— Tu me demandes un mot, Mattia, dont il ne faut user que prudemment.

— Mais moi je t'aime.
— Tu as besoin de moi.
— Et ce n'est pas de l'amour, ça ?
— On verra avec le temps, Mattia.
— Tu me rends fou, Modesta ! Je ne suis pas digne de toi, dis-le ?
— J'ai deux fils et un mari, Mattia, ne l'oublie pas.
— Un mari ! Cet animal ! Un seul mot et je te débarrasse de cette croix.
— Que veux-tu dire ?
— Je te le tue et je t'épouse.
— Essaie de le faire et je te fais sauter les mains !
— Si tu m'épouses, les terres reviennent en ta possession, et avec toi à mon côté je pourrais défier n'importe qui. Épouse-moi, je t'ai donné tant de preuves d'amour ces derniers mois.

C'était vrai, mais sa jeunesse n'était pas mon avenir et je ne voulais pas de terres. On ne se marie que par besoin... Ces preuves n'étaient que les habituelles cordes de soie pour lier, ensuite, plus solidement. Je le percevais à la violence autoritaire de ses mains qui involontairement me brisaient presque les poignets. Ne perds pas l'équilibre, Modesta, n'écoute pas la chaleur de ces mains, regarde-le dans les yeux, où déjà une prison obscure se dessine dans le miel de genêt de ses prunelles. Et pour échapper à ce miel qui nourrissait mes sens, je cours voir Carlo :

— ... Quand je pense, Carlo, que lorsque je t'ai connu je croyais que tous les jeunes gens étaient comme toi. Quelle illusion ! Je voyais mon avenir au milieu d'un tas de Carlo avec lesquels parler, grandir, faire l'amour.

— Eh bien, il y en a quelques-uns, José par exemple. Lui et sa compagne sont différents. À Milan, ils étaient notre modèle, notre admiration, comment dire, notre orgueil. Aujourd'hui même il m'a écrit une petite lettre entre sérieux et facétieux où il me traite en douce de traître pour mon rêve « puccinien » de mariage : « *Un bel di vedremo...* » Il dit aussi qu'entre les deux maux spécifiquement *italiotes* il continue à préférer D'Annunzio•.

— José, José ! On dirait un refrain ! Et les autres ? Pourquoi ne me parles-tu pas de tes autres camarades ? Ils sont tous comme ce Pasquale qui est tout le temps avec toi, et tu ne veux pas me le dire ?

— Pasquale est un bon camarade, Modesta. Ne perdons pas de vue la réalité : nous sommes en Sicile !

— Mais tu l'as vu chez lui avec sa femme ? Tu as vu comment il la traite ? Que dis-je ? Il ne la traite pas. Durant les courts instants où elle apparaît, elle semble transparente, la pauvre Elisa !

— Oui, à vrai dire tu me l'as fait remarquer...

— Tu t'assombris, Carlo, pourquoi ?

— Parce qu'il me faut admettre qu'avant de te connaître je ne remarquais pas ces choses-là... Si j'y retourne en souvenir, tu as raison, il me faut admettre que là-haut, à Milan, c'était aussi la même chose, sauf que je ne m'en apercevais pas. Il y avait tellement de choses plus urgentes à quoi penser.

— Tu trouves que le problème que j'évoque est trop personnel ? Dis la vérité.

— Non. C'est qu'à présent aussi il y a des choses plus importantes à affronter.

— Tu as raison.

— Ce que tu cherches, Modesta, viendra plus tard. Quand à la place de *Cuore'* il y aura un livre de Bebel, quand, comme dit Maria, à la place des saints sur le calendrier, il y aura les noms de Marie Curie, de Pasteur...

— Et si cela n'arrive pas, Carlo ?

— Nous continuerons à cultiver notre jardin, comme dit Voltaire, et nous attendrons que la semence fructifie. Regarde ce crépuscule, Modesta ! Allons nous promener avant que la divine Beatrice, suivie de sa servante – tu sais que Vif-argent est devenue charmante ? – ne sorte des cuisines et ne nous submerge de mets délicieux. Elle apprend à cuisiner. Elle dit qu'elle veut cuisiner elle-même pour l'enfant qui va naître. Ma mère aussi, je m'en souviens...

— Le vent s'est levé, Carlo, courons ! J'aime le vent, là-haut chez les religieuses il n'y avait jamais de vent, tout était immobile, comme tombé dans une eau dense et grise. Peut-être n'étions-nous que des poissons blafards dans un aquarium.

— Voici que le poète qui sommeille sous la dure écorce de fille de l'arrière-pays se réveille. Et ton visage change aussi, mais comment fais-tu ?

— Carmine disait que je lui semblais être un conteur, et Tuzzu aussi, je crois... Les souvenirs se perdent, Carlo, c'est terrible !

— Les conteurs ne sont pas des poètes, peut-être ?

— Dès que j'aurai obtenu mon diplôme, je ne ferai qu'écrire des poèmes et courir dehors m'abreuver de tout le vent qui remue, vivifie, éveille – que les mots sont beaux, Carlo ! –, oui, voilà : qui féconde et fait renaître toujours nouvelle cette île, avocats, notaires et professeurs mis à part.

— Comment ça va à la Faculté ?

— Si je dois te dire la vérité, Carlo, c'est quelque chose d'horrible : on me regarde comme si j'étais un phénomène de cirque.

— Même les professeurs ?

— Eh, certes ! Ils sont tellement ahuris de voir un petit animal femelle dans ce lieu sacré que, quasiment, ils ne m'interrogent pas. Tout ce que je dis est bien. Ce ne sera pas difficile d'obtenir mon diplôme.

— Tu m'as tout dit de toi... Mais pourquoi veux-tu à tout prix avoir ce diplôme ?

— C'était l'un de mes rêves quand j'étais au couvent, et il faut garder précieusement les rêves de l'enfance. Et puis, s'il y a un « après », j'irai enseigner comme on fait en Turquie. Atatürk• a envoyé tout le monde enseigner dans les campagnes.

— Moi, enseigner m'a toujours ennuyé.

— Avec les enfants, c'est tout autre chose ! Si tu savais comme je m'amuse avec Eriprando ! J'attends impatiemment l'heure de rentrer à la maison et de lui écrire pour demain une merveilleuse histoire que j'ai imaginée.

— De quoi est-il question cette fois ?

— Du voyage aventureux d'un gecko le long du désert d'un mur.

55

— Tu lis encore à cette heure, Modesta ?

— Je ne t'avais pas entendu, Mattia.

— Tu fais tes comptes ?

— Non, j'écrivais.

— Et tu ne m'embrasses pas ?

— Garçon borné, si tu me tiens comme ça par-derrière comment puis-je t'embrasser ?

— Tu es froide.

— Non, c'est juste que j'étais en train de penser...

— Tu es peut-être fâchée parce que ça fait une semaine que je ne viens pas ?

— Et pourquoi ? Il en a toujours été ainsi entre nous durant ces mois.

— Je te désire tant.

— Je suis indisposée.

— Et qu'est-ce que ça fait ? Le sang est une chose naturelle. Et puis si tu veux, si ça ne te fait pas mal – je le sais que parfois ça vous fait mal –, je peux t'entrer librement dans le petit fourreau, ça donne plus de plaisir... Mais comment t'est venue l'idée de l'appeler ainsi ?

Il ne fallait pas que je prononce le nom du vieux Carmine, c'est lui qui l'appelait ainsi, une terrible dispute éclatait quand on disait ce nom.

— Qu'est-ce que j'en sais ! Tu as eu beaucoup de femmes, Mattia ?

— J'en ai eu une seule pour de vrai, quand j'étais soldat, une qui m'a fait comprendre bien des choses ! Avant je n'étais qu'un gamin, un chichiteux... Et puis le front s'est déplacé et j'ai dû la laisser ; la guerre se déplace lentement, mais elle efface tout, elle fait de tout un désert : maisons, cultures, sentiments.

— Comment est la guerre, Mattia ?

— Répugnante ! Que de sang j'ai vu ! Répugnante, mais aussi enthousiasmante parfois. C'est un étourdissement excitant, un grand défi à soi-même et à la nature entière, quand on sort de la tranchée, j'entends, et qu'on va tous ensemble à l'attaque. Puis vient le grand calme de la tranchée, de la boue, de la poussière, comme une somnolence qui couve le désir de l'action. Pendant qu'on attend, on croit se reposer, être content du silence, mais quand les autres commencent à tirer on comprend qu'on n'attendait que ça, qu'on avait faim de cris et d'explosions de grenades. Eh ! C'est beau, aussi, la guerre ! Parfois cette vie me semble n'être qu'une attente dans une tranchée boueuse. Pas quand je suis près de toi, Modesta. Quel âge as-tu ? Tu m'as l'air d'une gamine à présent, mais ne serais-tu pas une sorcière ? Sorcière, diablesse de lave, pourquoi ne veux-tu pas de moi ?

— Comment, je ne veux pas de toi ? Tu es en moi, Mattia, je te serre dans mes bras.

— Tu me veux avec ton corps, mais ton esprit ? Où s'en va ton esprit ? Que cherche-t-il ?

— Tu le sais, ce que je cherche.

— Oui ! Des prétextes, tout ça ! La liberté, l'absence de liberté ! C'est que tu ne m'aimes pas.

— Pas du tout, je t'aime, garçon borné.

— La nuit ! Mais moi je te veux à toute heure.

— Mais tu peux venir à toute heure, je te l'ai dit.

— Oui, c'est ça ! Prendre le thé comme un étranger.

— Pourquoi un étranger ? Un ami.

— L'amitié n'existe pas entre un homme et une femme. Ça aussi ça me rend fou !

— Ne recommençons pas avec Carlo, Mattia !

— S'il n'y avait que Carlo ! Et ce Pasquale, qu'est-ce qu'il vient faire ici, hein ? Et cette moitié-femme moitié-garçon qui sort seule et t'accompagne à l'Université. Que veut-elle de toi ? Est-ce qu'elle ne viendrait pas même jusqu'ici ? Oh, Modesta, embrasse-moi, par moments j'ai l'impression de devenir fou !

— Ne me serre pas comme ça, laisse-moi, tu me fais mal !

— Tu vois que tu me détestes ? Mais pourquoi es-tu aussi froide, maintenant ?

— Je te l'ai dit bien des fois, Mattia. Quand tu fais comme ça, le désir me passe.

— Je m'en vais, ou je te tue ! Le désir, tiens ! Je te tue, aussi vrai que Dieu est Dieu ! toi et tous tes amis. Je m'en vais. Tu ne dis rien, démon de Judas ? Avant au moins tu te mettais en colère...

Le désir s'effaçait à cette voix coupante. Au fur et à mesure que les mois passaient, j'espérais de plus en plus ne pas le voir apparaître, mais je n'avais pas la force de ne pas saisir dans mes bras ce corps à la peau lisse et compacte à peine sortie de l'adolescence.

— ... Toujours dans l'eau à barboter, hein, Modesta ? J'aime ce corps foncé, je n'aurais jamais cru. Avant j'aimais les peaux blanches, maintenant ces corps me semblent insipides à côté du tien. Pars avec moi, allons au nord où le soleil est tendre et l'eau douce. J'aime la mer de Capri, d'Ischia. Y as-tu jamais été ? Nous faisons un voyage de noces anticipé et puis nous nous marions... Où étais-tu hier soir ? Je t'ai attendue deux heures.

— Je t'avais laissé un billet.

— Je ne l'ai pas vu.

— Sûrement parce que tu n'as pas bien regardé, il était sur le bureau.

— Je le déteste, ce bureau, et tous ces livres. Quand tu n'y es pas, tout m'est hostile ici. Où étais-tu ? Avec Prando ? Il faisait des caprices comme l'autre fois ?

— J'étais à Catane chez Beatrice qui a accouché. Ça a été dur, Beatrice a le bassin étroit : le travail a été long et je ne pouvais pas la laisser.

— Ah ! Mais tout a bien fini puisque tu souris.

— Bien, oui, mais elle doit rester au lit, et tranquille.

— C'est un garçon ou une fille qui est né ?

— Une petite fille délicate et très belle, elle m'impressionne, on dirait une femme miniature.

— Dommage ! J'imagine ton beau-frère...

— Pourquoi, dommage ? J'ai dit qu'elle était délicate, mais elle est en bonne santé.

— Ce n'est pas ça. On dit que si une fille te vient en premier, elle en appelle deux ou trois autres. Et pour avoir un garçon il faut se donner du mal. Mais qu'est-ce qu'il y a, Modesta ? Pourquoi est-ce que tu trembles maintenant ?

Je tremblais devant cette phrase qui venait d'être prononcée par une bouche méprisante. J'essaie de comprendre la raison de ce mépris insensé que naguère, dans mon combat pour la survie, j'avais sous-évalué, ou mieux, accepté comme quelque chose de naturel, comme l'Etna, la mer, les saisons. Mais maintenant je ne parviens pas à refréner un élan de haine aveugle pour cet homme qui me fixe étonné en répétant :

— Mais qu'y a-t-il, Modesta ? Qu'ai-je dit ? Qu'ai-je fait ?

— Va-t'en, s'il te plaît, je ne me sens pas bien. Si tu viens demain, de jour, quand tout est plus clair, je pourrai peut-être t'expliquer.

— Beatrice est en danger ?

— Ce n'est pas ça, Mattia, je ne sais pas où j'en suis. Je t'en prie, va-t'en, j'ai besoin de rester seule.

— D'accord. C'est que tu étudies trop, Modesta, tu es fatiguée... D'accord, je m'en vais, seulement ne me regarde pas comme ça. Je la connais maintenant, ma princesse. Oh, Modesta, demain je vais à Modica, j'y resterai une semaine, j'ai une affaire à régler, mais dès que je serai de retour tu me verras arriver... Tu n'es pas contente que je t'avertisse de ce que je fais ? Ça devrait te faire plaisir...

Je ne veux pas le haïr. Et comment pourrais-je le haïr, lui, Carmine, Tuzzu et Mimmo lui-même, quand seulement la veille, de mes propres yeux, j'ai assisté à la façon dont est accueillie, jusque par une mère, l'arrivée d'une petite fille ? Mattia me donne un baiser léger et s'éloigne sans bruit avec son corps compact et solide de mâle sûr de lui. Je ne le vois plus, mon attention s'est maintenant fixée sur le visage désespéré de Beatrice en larmes :

— Mais Beatrice, quelle importance ? Je ne te comprends pas, elle est belle, c'est un être vivant et... et puis elle est comme nous, Beatrice ! Je t'en prie, ne te mets pas dans un état pareil !

— Oui, oui ! Tu peux en parler à ton aise, toi qui as eu tout de suite un garçon.

— Mais c'est la même chose, Beatrice ! Moi, à ce moment-là...

— Menteuse ! Tu le dis pour me consoler. Menteuse !

Je ne veux pas la haïr, mais ce « menteuse » qui depuis des jours et des jours me poursuit, me contraint à repartir dans le passé, à exhumer de nouveau, douloureusement, toutes les phrases de mère Leonora, de Gaia, de ma mère, phrases que j'avais préféré ensevelir avec leurs corps morts. Mais on n'ensevelit personne tant qu'on n'a pas compris jusqu'au bout ce que ces personnes disaient. Et que disaient-elles ? La femme est ennemie de la femme comme l'homme, et autant que lui.

*

* *

— Madame n'arrive pas à dormir qu'elle vienne nous trouver ? Regarde ta maman, Prando. Tu la réclamais tout à l'heure, et maintenant qu'elle est là tu te caches. Qu'est-ce qu'il y a que tu ne réponds pas ? Y a pas moyen de lui faire dire un mot quand il a décidé de rester muet. Il dormait si bien, mais après y s'est réveillé. Madame veut du café ?

— Appelle-moi Modesta, Stella.

— J'ai essayé, j'essaie de le faire, mais ça me vient pas... Mais regardez-les ! C'est toujours comme ça entre mère et fils. Ils sont liés par des racines cachées, les jumeaux aussi, qu'on dit. Qui t'a réveillé, Prando ?

— J'y sais pas !

— Et Madame ? À moi un pressentiment m'a réveillée, ou cette lune forcenée qui appelle les fous, les veuves, les âmes en peine. Quand elle brille comme ça, je ne l'aime pas. C'est une année de grands changements que cette année-ci ! D'abord sécheresse, puis torrents d'eau qui emportent les champs. Et maintenant cette lumière glacée qu'elle confond la nuit avec le jour ! Qu'est-ce que tu fais maintenant, Prando, que tu me tires comme ça ? Tu veux me venir dans les bras ?

— Non ! Je veux aller dans les bras de Modesta !

— Et tu me le dis à moi ? Eh, vas-y, qu'est-ce que tu attends ?

— Plus maintenant. Maintenant je retourne au lit, mais après je reviens ici.

— Comment va Beatrice ? Elle s'est remise ?

— Très bien, Stella.

— Et la pitchounette ?

— Bien elle aussi, espérons-le du moins.

— Comment est-ce qu'ils l'ont appelée ? Vous me l'avez dit, mais j'ai oublié. Je veux parler à Prando de cette petite cousine... Ida, vous avez dit ? Quel beau nom ! Alors la maman de monsieur Carlo s'appelait comme ça ?

— Oui, Stella, mais il l'appelle déjà Bambolina, comme toi tu appelles mon fils Prando.

— Seulement parce que cet Eriprando sonnait trop dur et trop long. J'aurais pas dû ?

— Au contraire, tu as bien fait. Tu ne vois pas comme il s'est tout de suite emparé de ce nom ?

— Je m'appelle Prando. Et aussi Eriprando. J'ai deux noms, moi, deux.

— Et t'as aussi une petite cousine maintenant, Prando.

— Une petite fille comme à toi ?

— Oui.
— Et comme maman ?
— Oui.
— Pourquoi est-ce que tu tiens toujours Jacopo dans tes bras, jette-le !
— Parce qu'il est petit. Debout, seul, comme à toi, il sait pas se tenir.
— Ah ! Alors je suis plus fort ?
— Eh, pour sûr, et plus vaillant.
— Qu'est-ce que c'est, vaillant ?
— Grand comme un homme, fort et habile.
— Et lui n'est pas vaillant ?
— Eh non, il est petit et sans force encore.
— Tu me le fais toucher ?
Eriprando entraîné par Stella acceptait de caresser Jacopo.
— Comment fais-tu, Stella, pour connaître le secret de parler à ces garçons ?
— Six frères, que j'ai eus, et elle me fait pas impression cette autorité qu'est rien que du vent, cette fumée de paroles qui ressemble à du feu et qu'en est pas.
— Pourquoi dis-tu « j'ai eus », Stella ? À ce que je sais, ils sont encore vivants.
— Vivants, mais séparés par des rancœurs. Tant que ma mère était vivante, elle les calmait et on parlait ensemble. Et puis ce qu'elle m'a dit trois jours avant sa mort s'est réalisé. C'était pas de la prophétie, c'était de la connaissance de la vie. Elle m'a dit : « Aime-les, Stella, même si l'orgueil et la soif de l'argent vont les séparer. Fais un effort. La femme doit rester impassible devant les cris et les disputes. Avec le temps, les querelles calmées, ils reviennent. Et c'est à nous de les accepter et de panser les blessures. » Une femme sage, que c'était ! J'en ai un peu appris, mais je suis pas à sa hauteur. Il y a qu'avec les petiots que j'arrive à

écouter sa voix qui m'indique le chemin, mais avec Pietro et Rinaldo et Melo et mon père, la fatigue me prend. Je devrais pas le dire, mais maintenant que Melo écrit ces lettres que Madame me lit, j'ai l'impression que c'est un étranger, et le remords me prend de ne pas avoir la patience de savoir l'attendre comme à ma mère.

— C'étaient d'autres temps, Stella ! Tout change !

— Madame sait toujours me dire des paroles justes. Tout change à chaque heure, à chaque jour. Quand j'étais petitoune, pour venir du village à Catane c'était un long voyage, et maintenant on arrive en quelques heures.

— Mais il y a des avantages à ce changement, Stella.

— Des avantages ? Pour eux, pour leur agitation masculine. Mais pour nous ?... Prando s'est endormi. Il veut tout le temps être ici ! Mademoiselle Elena ne va pas se vexer ? Ça me porterait peine. Je veux pas la contrarier. Elle sait tant de choses ! et elle a promis d'enseigner à mon 'Ntoni comme à Prando, qui déjà si petitou parle et s'exprime comme un grand. Vraiment, Elena ne va pas se vexer ?

56

Les chiens aboient à la grille, ça ne peut pas être Mattia. Selassié et Lupo connaissent son odeur. Peut-être la pleine lune qui danse forcenée parmi les cimes des arbres a-t-elle éveillé les chiens ? Derrière la grille, dans l'obscurité, deux hommes portent un sac.

NUNZIO : Que se passe-t-il ? Princesse, restez en arrière ! Qui êtes-vous ?

PASQUALE : Calme les chiens, Nunzio, je suis Pasquale !

Ils traînent un sac, un vêtement neuf ou un mannequin ? Je n'ose ni questionner ni regarder. Je suis seulement le trajet que tracent les pieds, des signes obscurs le long de la pelouse. Je ne veux pas reconnaître ces chaussures noires et je cours en avant.

PASQUALE : Vite, Nunzio, cours chez le médecin ! Portons-le en haut dans la chambre de Beatrice.

Stella, sur sa chemise de nuit, porte un châle noir, Elena, sa robe de chambre de flanelle claire ; muettes, elles nous regardent passer. À la première marche, Pasquale dit :

— Doucement, José, prends-le par les aisselles qu'on puisse le porter en haut... Voilà, bien ! Tu soutiens sa tête, il ne faut pas de secousses. Voilà, comme ça, tout doucement.

Je ne veux pas voir, mais dans l'escalier il n'y a pas d'arbres qui font obstacle à la clarté de la lune, et je ne peux pas ne pas rencontrer le visage tuméfié, ensanglanté de Carlo, qui me fixe avec des yeux brillants et me semble sourire. Il sourit, en effet, étendu maintenant sur l'oreiller rose de Beatrice : draps, taies de soie bleus ou vert pâle, les mêmes que dans sa chambre de jeune fille au Carmel. Ici aussi elle veut garder sa chambre intouchée. La tradition de dentelles légères et tenaces se déploie sous mes yeux. Il ne fallait pas que j'accepte les conditions de Pouliche. Pour ne pas voir ce rose bonbon, vomitif, je ferme les yeux.

Le médecin va et vient dans la chambre. Il transpire, et à intervalles réguliers il enlève ses lunettes, les essuie avec un mouchoir de lin blanc, peut-être. Comment s'appelle-t-il ? Ah oui ! Licata : le camarade Antonio Licata, de Messine, c'est pour cela qu'il me tutoie... Qu'attendons-nous ? Carlo parle. D'un pas, d'un pas seulement – il faut qu'il puisse respirer – nous avançons vers le lit. Il faut que je regarde. Elena est là. Comment a-t-elle fait pour s'habiller si vite ? Elle seule a su précautionneusement dégager de sa mèche noire le front de Carlo. Son visage maintenant lavé de son sang et de la terre est presque intact. En remettant ses lunettes, le médecin – comment s'appelle-t-il ? – me murmure :

— Je comprends ton inquiétude, mais tu vois que j'avais raison ? Il n'y a pas de commotion cérébrale. Tu l'entends ? Il parle, et son regard est clair.

Je n'arrive pas à croire à ce qu'il dit, il faut que j'écoute Carlo.

Carlo : Merci, Elena, il faudra que je me décide à me couper les cheveux un de ces jours. Le matin, j'y pense toujours, mais je dois l'avouer : j'ai une véritable aversion pour les coiffeurs... Oh, mais vous êtes tous là ! J'ai dormi ? Il y a de la lumière dehors.

Licata : Il faut que tu restes immobile, Carlo, ne t'agite pas.

Carlo : Je vois. Mais puisque je vous reconnais, je dois en déduire que ces messieurs ont eu la gentillesse d'épargner ma tête.

Licata : Chut, Carlo, tu ne dois pas te fatiguer.

Carlo : C'est entendu ! J'ai toujours préféré parler à n'importe quoi.

Licata : Je le sais, mais maintenant tout le monde dehors !

Carlo : Même Elena ?

Licata : Non ! Elle reste ici, précisément parce que je sais qu'elle ne te fera ni remuer ni ouvrir la bouche. Allons, les enfants, on y va !

Carlo : Oh ! Eux, tu peux les emmener avec toi, mais laisse-moi aussi Modesta.

PASQUALE : Toujours la même ingratitude ! Il nous préfère la compagnie féminine, à nous les garçons, hein ?

LICATA : Tais-toi, Pasquale, n'entre pas dans son jeu. Hors de cette chambre ou je me mets en rage, par Dieu !

CARLO : Tu ne me dis rien, Modesta ? Tu as eu peur ? Pardonne-moi.

MODESTA : Non, non, Carlo. C'est que... c'est que je suis heureuse de t'entendre parler, et...

LICATA : Allez, ça suffit, Modesta ! Allons-y, j'ai dit allons-y !

Le camarade Licata avait raison. Que disais-je ? Pourquoi est-ce que je balbutiais ? Je ne trouvais pas un mot adéquat pour lui. Comment cela pouvait-il se faire ? Pour la première fois de ma vie, derrière une porte fermée, entre trois hommes étrangers, je sanglotais décomposée et n'avais pas honte de me laisser transporter sur un fauteuil.

LICATA : Non, Modesta, non ! Il pourrait t'entendre, et ça ne l'aiderait pas.

MODESTA : Mais il est en morceaux, docteur, massacré !

LICATA : Il est jeune, Modesta, et nous allons l'aider. Par Dieu, Modesta, calme-toi, cela ne te ressemble pas !

PASQUALE : Nous n'aurions peut-être pas dû l'emmener ici, mais c'est lui qui l'a demandé avant de s'évanouir. Que pouvions-nous faire, Antonio ?

LICATA : Tu as très bien fait, Pasquale. Où voulais-tu l'emmener ? Aux urgences, où c'est plein de chemises noires ? Maudit pays ! D'un jour à l'autre ils sont tous devenus fascistes.

PASQUALE : C'est ce que nous avons pensé avec José. Excuse-nous, Modesta, que pouvions-nous faire ? Ou chez toi ou chez sa femme.

LICATA : Pour l'amour de Dieu ! Beatrice ne va pas bien, et malheureusement il va falloir l'avertir... Modesta, j'exige qu'elle ne le voie pas ! Nous savons tous ce qui se passerait. Entre évanouissements et gémissements, ce serait un enfer !

Que faisais-je ? Comme un coup de cravache, les derniers mots du camarade Antonio me ramenèrent à la réalité et enfin je les vis : Pasquale avec le bras en écharpe, bras et main broyés, José les yeux gonflés comme un boxeur. Je rougis de honte.

LICATA : Mais quelle honte, de quoi s'agit-il, Modesta ! N'exagère pas à présent ! Tu as été très courageuse, toute la nuit à faire des pansements et donner des soins. Oh, pardieu, je me serais cru dans un hôpital ! Et maintenant que tu souris, ou je vais m'allonger pour au moins deux heures, ou je sens que moi aussi je vais me mettre à pleurer. Par Dieu ! une chose est de soigner des personnes qui vous sont étrangères, une autre... passons ! À demain... Aujourd'hui j'ai une journée complète à l'hôpital. Je t'envoie Guido, il est sûr. Et au point où tu en es, Modesta, fais-en encore un peu plus : garde ici ces garçons jusqu'à ce que là-bas à Catane les eaux se soient calmées. Maria est en sûreté en prison, mais on a mis le feu au journal. Je pars maintenant. Courage, les gars, à demain soir. Reposez-vous !

Enfin je les voyais : ils étaient jeunes et se moquaient du manque de sommeil et des blessures. Les lèvres de José, de tuméfiées qu'elles étaient, commençaient à reprendre au bout d'une nuit le dessin délicat et ironique de ses photographies. Il en serait de même pour Carlo : « Il est jeune, il s'en sortira. » Le camarade Licata, le médecin, l'avait dit.

MODESTA : Tu es José, le fils de Maria ?

JOSÉ : Oui, comment m'as-tu reconnu ?

MODESTA : Ils ne font que parler de toi. Carlo a une photo de toi à côté de celle de Bambolina.

PASQUALE : Tu t'étonnes, José ? Tu espères encore passer inaperçu avec cette allure longue et sèche et...

JOSÉ : Mon grand nez ? Mais dis-le, Pasquale. Il est jaloux, Modesta, de ce nez qui me donne un charme tout particulier auprès des flics et des jeunes filles. Ce n'est rien que de la jalousie parce que mère nature, avare mais sage, m'a fait laid mais intelligent, et lui trop beau et...

PASQUALE : Crétin, dis-le !

JOSÉ : Non, pas vraiment crétin, mais d'une intelligence d'un niveau tout juste normal.

MODESTA : Il plaisante comme Carlo, n'est-ce pas, Pasquale ?

PASQUALE : Exactement ! Quand ils sont ensemble, il vaut mieux s'enfuir. Ils ne t'épargnent rien.

MODESTA : Et quand es-tu arrivé, José ?

JOSÉ : Juste à temps pour le festin. Et par chance le train a eu du retard ! Je te l'ai raconté, Modesta.

MODESTA : Ah oui ? Je ne me rappelle rien de cette nuit.

PASQUALE : Je l'attendais au train... il a eu deux heures de retard. Et quand je pense que j'avais du remords de ne pas être à la réunion. En fait ce retard nous a fait arriver à temps. Je ne peux pas y penser, mais si nous avions tous été là-haut, à la réunion, ils l'auraient achevé.

MODESTA : Mais ils n'ont pas entendu, là-haut ?

PASQUALE : Et comment auraient-ils pu le faire, Modesta ? Trois types isolés l'ont agressé d'abord. Comme toujours tous les rez-de-chaussée et les fenêtres étaient verrouillés, à neuf heures du soir, les maudits ! Maudite Catane !

JOSÉ : Ne t'en prends pas à Catane, Pasquale ! Dans

le Nord c'est la même chose, avec la circonstance aggravante que nombreux sont ceux qui interviennent contre nous. Et s'ils donnent l'alarme, ce sont les flics qui arrivent pour protéger les chemises noires.

MODESTA : Mais pourquoi Carlo, pourquoi justement lui ?

JOSÉ : À ce que je vois ici aussi le mot d'ordre est : sus aux communistes ! L'ex-camarade Mussolini connaît fort bien ses petits frères socialistes. Il les laisse jacasser, il les effraie avec quelques raclées ou il les purge doucement avec de l'huile de ricin comme des enfants anxieux. Ils passent en foule dans ses troupes. Et à ceux qui font de la résistance à ses invites il promet souvent des postes de commandement. Déjà beaucoup des meilleurs ont cédé. Comme ça, patiemment, il peut nous éliminer un à un, nous autres communistes, qui restons isolés.

PASQUALE : Ils n'y arriveront pas, José, jamais !

JOSÉ : Tu l'entends, Modesta ? Ils n'y arriveront pas, dit-il. Qu'est-ce que ça veut dire, ils n'y arriveront pas ? Parce qu'on ne peut pas arrêter le progrès ? L'histoire maîtresse de vie ? Maîtresse seulement en poursuite des mêmes erreurs, semblerait-il. Vous n'avez pas raté une seule erreur, vous autres socialistes ! Mais comment ne comprends-tu pas ? Même si tu es jeune, Pasquale, tu devrais connaître l'histoire... Les mêmes erreurs qu'en mai 1898. Le même Turati avec son « Ne faiblissez pas » en paroles. Et cependant le succès du Soviet nous a clairement parlé. Mais c'est vrai, j'oubliais que tu ne lis qu'*Avanti*• : « Tous unis contre les crimes du Soviet. »

PASQUALE : Mais la violence appelle la violence !

JOSÉ : Parfait, Pasquale ! Continue à te promener avec cet évangile socialiste en poche à la place d'un revolver, et que ton Dieu, auquel tu dis ne pas croire, t'aide. Explique-moi, comment aurions-nous fait pour libérer Carlo de ces cinq énergumènes si je n'avais pas tiré ?

MODESTA : Ah, tu as un revolver ?

JOSÉ : Bien sûr, Modesta, bien qu'à moi aussi, malheureusement, on ait inculqué la non-violence. J'en ai blessé deux, mais aux jambes, ne t'inquiète pas.

MODESTA : Je ne m'inquiète aucunement. J'avais donné un revolver à Carlo et il m'avait promis de le prendre.

JOSÉ : Il est clair qu'il ne l'avait pas.

MODESTA : Mais pourquoi, José, pourquoi ?

JOSÉ : Tu connais Carlo, tu sais quelles sont ses idées.

MODESTA : Pardonne-moi, José, je ne peux m'empêcher de demander ce que je sais. C'est que je n'arrive pas à comprendre, pardonne-moi. Dis-moi, tu as reconnu qui c'était ?

JOSÉ : Il faisait noir, et puis il y a longtemps que je ne suis plus à Catane. Pasquale peut-être...

PASQUALE : J'en ai reconnu trois, Modesta.

MODESTA : Dis-moi leurs noms, Pasquale.

PASQUALE : Ce ne sont pas des affaires de femme, laisse tomber.

MODESTA : Ou tu me dis ces noms ou je ne t'adresse plus la parole. Et je te tiendrai à l'œil d'heure en heure, comme un traître !

PASQUALE : Mais je le fais pour te protéger, Modesta. En le sachant, tu cours un danger... Bon ! Il y en avait deux que je ne connaissais pas, ou je n'ai pas eu le temps de bien les observer, mais l'un d'eux était Ciccio Musumeci avec son frère Turi, et l'autre ce Tudia qui se promène en moto. Je l'ai vu clairement parce que, quand José l'a blessé à la jambe, il m'est tombé dessus et j'ai dû le repousser pour me relever et m'enfuir.

MODESTA : Tu dis que José l'a blessé à une jambe ?

PASQUALE : Et comment ! Et bien blessé, je pense, parce qu'il s'est vraiment écroulé sur moi. Comme tu sais, c'est un géant, une blessure légère ne l'aurait même pas fait chanceler.

MODESTA : Tu as vu ses cheveux ?

PASQUALE : Non, il portait son bonnet de motocycliste.

Mattia ! « Je t'aurai, même s'il faut pour cela faire le désert autour de toi ! Je m'en vais ou je te tue, toi et tous tes amis ! »

Depuis des heures j'attendais à la fenêtre, scrutant à travers ces rayons glacés de lune qui blessaient mes paupières brûlées par le doute et les larmes. Le bois s'étendait, tranquille, exhalant un silence indifférent. « J'ai une affaire à régler à Modica, nous ne nous verrons pas d'une semaine... » Viendrait-il ? Pourquoi cette information ? Jamais auparavant il ne m'avait parlé de ses déplacements. « Nous les Tudia sommes faits comme ça, quand une chose nous fait obstacle, nous la démontons peu à peu, patiemment, avec douceur ou dureté suivant le cas... » Qui est ton fils, Carmine ? Qui est ce garçon qui comme un chat, un lièvre, sait glisser ainsi entre les arbres et la lumière en réduisant la masse de son corps à une ombre rapide et sans poids ?

— Que se passe-t-il, Modesta, pour que tu sois debout tout habillée, tu m'attendais ?

— Je t'attendais, Mattia.

— Et pourquoi ce revolver à la main ? Je l'ai senti, dès que je suis descendu de cheval, j'ai senti que cette maison n'était pas comme les autres jours. Pourquoi cette lumière au premier étage ?

— Dis-moi plutôt quand tu es revenu ?

— Tu es jalouse, Modesta ? Abaisse ce revolver, je veux t'embrasser... Tu es jalouse, dis la vérité, et tu veux m'effrayer.

— Comment va ton frère Vincenzo ?

— C'est ça que je voulais te dire. J'ai tardé parce que ce soir à mon retour de Modica je l'ai trouvé au lit.

— Avec une jambe brisée.

— Comment le sais-tu ?

— Mon beau-frère l'a vu.

— Ton beau-frère dans une taverne à la Civita[1] ? Et qu'est-ce qu'il y faisait ?

— Il n'était pas à la Civita, Mattia ! Ton frère t'a menti, et d'après ce que j'ai entendu, il se sert de ta moto.

— Oui, quelquefois, oui.

— Il t'a menti, Mattia, il était via dei Tipografi.

— Il était quoi ? Ne me mets pas sur les charbons ardents, ne me torture pas, parle, que s'est-il passé ?

— À cinq, ils ont agressé Carlo, et il se débat entre la vie et la mort dans la pièce que tu as vue éclairée.

— Et mon frère aurait été parmi ces cinq ? Je n'y crois pas, qui le dit ?

— Ton frère était parmi ces cinq. Carlo lui-même, mon beau-frère, l'a vu. Il a reconnu un Tudia parmi ces cinq garçons !

— Un Tudia ? Alors ton beau-frère et toi m'avez aussi soupçonné ? Tu ne réponds pas ? Abaisse ce revolver.

— Non, pas tant que tu n'as pas posé mes clefs sur la table.

— Alors tu me soupçonnes encore, comment est-ce possible ?

— Trop de menaces, Mattia ! Les menaces rongent comme un ver.

1. Le plus ancien quartier – et le plus mal famé – de Catane.

— Abaisse ce pistolet, tu as raison, Mattia est un fou, il ne sait pas se contenir. Je pensais juste à cela en venant ici. Maudite nature que j'ai ! Toujours à amener les autres à douter de moi. Et plus je les aime et plus... Adieu, Modesta ! Un rideau de ténèbres m'est tombé devant les yeux. Jamais rien ne m'a dit que tu ne m'aimes pas comme ce visage figé que je te vois et ce doute qui te dévore. Adieu, je vais auprès de ce sang de Judas, je le fais parler et, si ce que tu dis est vrai, je le tue et je me tue, aussi vrai que Dieu est Dieu !

— Modesta, enfin ! Mais pourquoi me traitent-ils comme si j'étais un enfant ? Ils m'interdisent tout ! Il faut que je parle avec toi.

— Pourquoi, pourquoi ! Si souvent tu nous as traités, nous, comme des enfants, maintenant c'est ton tour, n'est-ce pas, Antonio ? Tu croyais peut-être que le fait d'être médecin t'épargnerait de rester allongé dans un lit à attendre des ordres ? Nous nous vengeons de cette façon, n'est-ce pas, Elena ? Pour toutes les fois où tu...

— Que tu es gentille, Modesta ! Tu as raison. Mais je t'en prie, il faut que je reste au moins un moment seul avec toi. Je t'en prie, renvoie-les.

Son visage, quelques heures auparavant encore intact, commençait à se couvrir de stries et de taches tantôt rouges tantôt bleuâtres. Que signifiaient ces tressaillements des veines ? Que disaient ces petits serpents blêmes qui de son front à son cou couraient comme des animaux pris de folie ? Et si Antonio sortait, faisant signe à Elena de le suivre, cela voulait peut-être dire que désormais il était inutile de lui faire garder le silence ?

— Écoutons un peu cet enfant. Qu'y a-t-il de si urgent, Carlo ? Mais parle doucement, ton thorax te fait mal.

— Plus que la douleur, une obsession oppresse ma poitrine, Modesta, une obsession qui m'empêche de respirer.

— Quelle obsession, Carlo ?

— Je me sens en faute, Modesta, envers toi, envers Beatrice, et envers cette petite fille qui est née.

— Comment cela ?

— Je n'ai pas voulu me servir de ton revolver. Tu avais raison, Modesta, mais je n'ai pas pu ! Je le regardais chaque matin, j'entendais ta voix, mais l'aversion était la plus forte et je refermais le coffret.

— Peu importe ; maintenant tu dois seulement penser à guérir.

— Je ne supporte pas la violence, Modesta. Il doit y avoir un autre chemin. Je suis certain que d'ici cinquante ou cent ans l'humanité trouvera un autre chemin.

— Bien sûr, Carlo.

— Et si je devais mourir... non, Modesta ! Ne pâlis pas ! Je n'ai aucune intention de rencontrer la *Certa*, comme vous dites. Cette dame ne m'est guère sympathique, mais si ça arrivait...

— Si ça arrivait, Carlo ?

— Protège-moi de ces robes noires, de ces croix et de ces chants lugubres, si possible, encore plus lugubres que l'idée de la mort.

— Bien sûr, Carlo. Comme tu as vu, aucun prêtre n'est entré ici. Ils ont essayé, tu sais ? Mais José a chassé celui qui est venu.

— Ah oui, il l'a chassé ? Mais comment le savaient-ils ?

— « Ils ont un flair consommé et il n'y a pas moyen de se dérober à leurs ailes... » comme tu me l'as si souvent dit.

— Oh, Modesta, tes paroles me rassurent. Protège-moi de Beatrice, y compris après. Beatrice est forte, Modesta, c'est elle que je redoute.

— Mais tu sais, Carlo, que je suis plus forte qu'elle.

— C'est pour cela que je me suis fait amener ici ; promets-moi.

— Je te le promets, Carlo.

— Merci. Maintenant je suis en paix.

— Maintenant tu dois te taire et dormir.

— Oui, bien sûr. Mais demain tu me liras quelques lignes ?

— Bien sûr. Quel livre voudrait ce médecin déchu au rang de malade ?

— Modesta, ta façon de plaisanter me réchauffe le cœur... J'ai eu si froid.

— Tu m'as appris à plaisanter, tu te souviens comme j'étais sérieuse et muette ?

— Eh, certes que je m'en souviens ! Tu me faisais une de ces peurs !

— Ne parle plus à présent.

— Mais demain tu me fais la lecture ?

— Oui. Quel livre voudrais-tu ?

— Tu as encore *Niels Lyhne*• ?

— Bien sûr, je le garde toujours sur ma table de nuit.

— Moi aussi, à la place de la Bible de grand-mère Valentina.

— Ne parle plus, demain je viens et je te lis ça.

— Oh oui, ce passage où il découvre sa tante sur le divan et en tombe amoureux. Tu te souviens ?

— Oui ; dors maintenant. José nous fixe comme un carabinier, nous n'avons que trop profité de ta douceur, n'est-ce pas, José ?

— Eh, certes ! Ça suffit maintenant, tout le monde au lit ! Ne t'inquiète pas, Carlo, dans quatre heures mademoiselle Elena va revenir, ne t'inquiète pas. Je sais qu'elle a ta préférence, mais pour ces quatre heures il va falloir que tu te contentes de moi.

Silence et toux, et brusques somnolences interrompues de convulsions et de sang empêchèrent que je lui lise la moindre ligne. Elena tenait dans ses mains la cuvette. À la place de José il y avait Antonio Licata.

— Il est condamné, Antonio ? Tu peux me le dire, à moi.

Antonio se tait, occupé à essuyer ses lunettes. Silence et toux répondent pour lui. Je détache mes yeux de la cuvette ensanglantée. Je pose le livre sur la table de chevet : Carlo pourrait ouvrir les yeux comme hier, que du moins il le voie.

Dans mon bureau, Pietro, immobile avec son béret à la main, regarde par la fenêtre.

— Oh, Mody, maintenant j'ai compris pourquoi vous avez relevé les rideaux : c'est beau de regarder dehors... C'est pour monsieur Carlo que Madame m'a fait appeler ?

— Tu as compris, Pietro.

— Madame a quelques indices qui puissent indiquer la voie à Pietro ?

— Pas d'indices, des certitudes.

— Je le savais, Mody. Dis-moi les noms.

— Turi et Ciccio des Musumeci, et Vincenzo Tudia.

— Et les autres ? Ils étaient cinq.

— Les autres ont échappé à notre regard.

— Nous les ferons réapparaître.

— Avec le temps, Pietro. Maintenant nous allons nous occuper de ces trois noms. Je te les répète ?

— Pietro n'a pas besoin de répétitions.

— Tu as su pour Beatrice, Pietro ?

— J'ai su. N'y pouvant croire, que tant de douleur puisse entrer dans nos maisons, j'ai voulu la voir.

— Elle a perdu la raison, Pietro. C'est pour cela qu'elle rit. Et c'est peut-être mieux pour elle.

— Peut-être... Mais ça déchire, cette façon de parler de Carlo, de préparer les bouquets et le dîner pour le soir. Je l'ai laissée qu'elle s'habillait pour aller au théâtre.

— Et Vif-argent ?

— Elle est courageuse. Elle suit les instructions du docteur Licata et elle le seconde sans pleurer ou trop parler comme avant. Je l'ai laissée qu'elle peignait les cheveux de Beatrice.

— Laissons, Pietro. Nous, maintenant, nous devons nous occuper de ces noms.

— Nous devons considérer ça comme une vengeance de famille, Mody ?

— Non, Pietro, pas de mutilations. Seulement trois balles entre les yeux : une pour Turi, une pour Ciccio, une pour Vincenzo. Il faut qu'on sache que ça a été un crime politique. Combien cela peut-il coûter ?

— Si c'est un crime politique, il faut un fin tireur. C'est assez cher, ma Mody.

— Il n'y a pas de prix pour une vie qui meurt.

— J'y vais. Et quand le soleil tombera, je trouverai mon homme à la Civita. Si pendant deux ou trois jours tu n'as pas de mes nouvelles, ne t'inquiète pas. Faut être prudents, personne de la famille ou des amis de Carlo ne doit rien soupçonner ; ces garçons, ne les laisse pas s'éloigner de la maison jusqu'à ce que je revienne. Sache-le, toi, le jour, je dormirai chez Donna Carmela. Que Dieu vous bénisse, princesse !

— Que Dieu t'accompagne, Pietro, et te protège.

— Ah, autre chose, Mody.

— Quoi ?

— Je n'ai pas confiance en Nunzio. Ça reste un homme d'herbe, toujours près des graines et des fleurs.

Madame ne doit pas s'offenser : il faut ici un homme d'armes. Si je peux me permettre, à Nunzio j'y adjoindrai mon neveu Celso qu'est revenu de son service militaire. Ça coûtera peu d'argent, et ce sera une grande tranquillité pour Pietro.

À peine Pietro est-il sorti qu'entre mademoiselle Elena.

— Qu'y a-t-il, Elena ? Qu'y a-t-il ? Carlo va mal ?

— Non, non, au contraire, il s'est même rendormi, son visage est plus clair, c'est Stella qui...

— Stella quoi, Elena ? Tu as été si forte et courageuse, je t'en prie, ne te laisse pas gagner par la peur à présent.

— C'est que je ne sais pas si je dois vous le dire ou non. Stella m'a fait jurer de ne pas le dire, mais j'ai peur pour elle, et je ne peux pas, je ne peux pas !

— Qu'est-ce que tu ne peux pas ?

— J'ai peur, après ce qui est arrivé à Beatrice. Elle semblait si forte, et puis...

— Calme-toi, Elena ! Qu'est-ce qui t'inquiète chez Stella ?

— Je ne la comprends pas, elle est tellement fermée, pas un mot sur...

— Sur quoi ?

— Elle m'a fait jurer de ne pas le dire tant que monsieur Carlo n'irait pas bien. Oh Dieu ! Je ne comprends pas ces serments et ces silences.

— Parle, j'en prends sur moi la responsabilité. Que s'est-il passé ?

— Il s'est passé que hier son père est venu...

— Eh bien ?

— ... avec la nouvelle qu'on a repêché Melo dans le port de Naples, noyé. Je n'ai pas bien compris... attaché à de grosses pierres.

— Crime mafieux.

— Non, Stella a dit seulement « *cinniri* », je ne sais pas...

— Cocaïne, Elena, drogue. Il travaillait à l'évidence avec eux.

— Ah, mais c'est terrible ! Et elle, impassible comme ça !

— Ce sont des histoires d'hommes, Elena, et nous ne devons pas perdre notre calme. Comment l'as-tu su ?

— Elle me l'a dit.

— Elle te l'a dit ? Elle t'aime bien, alors.

— Ah ! Ça signifie qu'elle m'aime bien ?

— Ça signifie qu'elle a confiance en toi, c'est tout un ici chez nous.

— Oh, Dieu, qu'ai-je fait, alors ? Elle n'aura plus confiance en moi, à présent.

— Ne t'inquiète pas, tu as bien fait. Je vais aller la voir. Mais toi, silence, hein ? Ne t'inquiète pas, tu ne m'as rien dit.

En scrutant cette silhouette pleine de tenue, je sus qu'Elena s'était inquiétée à tort. Mais je sus aussi que j'étais restée trop longtemps éloignée de cette pièce.

— Votre visite me donne du réconfort, princesse. Je m'étais habituée à vous voir le soir... Eh, faut croire aux signes du destin puisque j'étais juste en train de penser à faire le café que vous aimez tant.

— J'aime comme tu le fais, Stella, et pas cette eau chaude que me prépare Elena. Si tu veux le savoir, mes visites sont intéressées.

— J'ai essayé d'apprendre à Elena, mais elle rit et dit qu'elle a pas la patience. Le café, faut le faire à feu lent ! Eh, c'est vraiment vrai que les signes du destin ne mentent pas, c'est vaine lutte de le combattre ! Moi, quand je suis entrée dans cette maison, que Madame le croie ou non, j'ai su que je resterais de nombreuses années entre ces murs.

— Je te crois, Stella, mais comment se fait-il que maintenant tu en sois sûre ?

— Eh, à cause de la façon dont Jacopo me sourit et des caprices de Prando... des caprices pleins d'imagination ! Vous savez qu'hier il a tapissé le sol de cette chambre-ci avec un tas de feuilles sèches de toutes les couleurs ? Et quand je suis entrée il m'a dit : « Tu as vu la surprise pour toi ? J'ai fait le tapis de sainte Rosalie. »

— Il te donne du mal, Prando, hein ?

— Mais qu'est-ce que vous dites ! La seule douleur c'est qu'ils grandissent, et quand ils ont grandi, leurs amis et ces règles de l'honneur vous les enlèvent. Si j'avais pu avoir une petite fille, princesse !

— Elena te l'a dit, que bientôt nous aurons une petite fille ici avec nous ?

— Non, mais je le pensais, avec votre parente prise par l'âme des morts, je le pensais bien que nous allions avoir Bambolina.

— On l'amène demain matin.

— Pauvre fifille, effacée par les yeux de sa mère ! Et pour le lait comment va-t-on faire ?

— Ne t'inquiète pas, Stella. Carlo a fait arriver du lait en poudre de Suisse.

— Et comment ça se peut-il ?

— Ça se peut, Stella. Il semble que ce lait soit plus léger. Non seulement elle ne le vomit pas comme elle faisait avant même avec le lait d'ânesse, mais en huit jours ses vomissements ont cessé et elle a pris du poids.

— Ces nouveautés me font peur, à moi...

— Alors, Stella, tu as toujours l'intention de me faire ce café ?

— Oh, Sainte Vierge ! Je le fais tout de suite !

— Dis-moi ce qu'il y a. Ton père a recommencé à te tourmenter ? Il veut que tu retournes auprès de lui ?

— Non, princesse. Il est venu, oui, mais pour me dire qu'y se mettait en route avec mes frères pour venger une mort. Et comme ça l'histoire recommence, comme quante j'étais petite. Ils partent, ils reviennent blessés ou ils reviennent plus. Mais je voudrais ne plus en parler. Je veux pas faire comme ma mère, pleurer et attendre seulement d'apprendre leur mort.

— Tu as peur pour Melo, Stella ?

— Je n'ai plus peur ! J'ai pleuré et prévu sa mort pendant des années en assistant à sa vie de fou furieux. Et maintenant, si vous voulez encore de moi, je voudrais plus avoir que de la paix ici avec ces petits.

Le livre reste fermé sur la table de chevet. Carlo le fixait dans ses rares moments de trêve, en souriant.

— Demain nous lisons quelques lignes, n'est-ce pas, Modesta ?

— Bien sûr, Carlo, demain.

Demain... Demain... quinze jours dura l'agonie de silences, toux et brusques somnolences aussitôt interrompues de convulsions et de sang rouge entre les dents blanches. Quinze jours de combats sans jamais désespérer ou se rendre devant l'obscurité qui heure après heure envahissait ses yeux. Carlo mourait de la difficile mort de l'athée comme le héros qu'il avait tant aimé.

Déjà on murmurait autour de moi : « Mort de héros », mais celui qui meurt a tort, il s'est trompé. Je détache les yeux de cette erreur pour suivre le chemin de Pietro qui annonce de loin :

— Ciccio Musumeci descendu devant la sortie du cinéma *Mirone*.

Turi Musumeci retrouvé avec une balle entre les deux yeux dans le petit bois de la villa Pacini.

Vincenzo Tudia est encore au lit à cause de sa jambe, mais à sa première sortie on l'attend, Mody.

J'attends patiemment en fixant le visage serein de Carlo. Quelqu'un murmure :

— Il est comme rajeuni !

Il rajeunissait en mourant, sa mèche noire dilatait le lac humide de ses cernes, donnant au visage pâli une expression d'étonnement enfantin.

— On dirait un enfant ! s'exclamait Elena stupéfaite.

Je détache les yeux de cet enfant pour écouter Pietro qui annonce enfin :

— Vincenzo Tudia, derrière sa propre maison, la jambe plâtrée et la canne à la main, s'abat à terre à sa première sortie.

À chaque nom José sourit et me regarde.

— Merci, Modesta, je pars demain après l'enterrement. Je n'étais venu que pour Carlo, pour le convaincre d'agir ou de s'enfuir à l'étranger. Je repars là-bas. Ça m'a fait du bien de te connaître. Je repars là-bas et j'en tue autant que je peux. Et si nous perdons, je franchis les montagnes, et je me réfugie en Suisse.

Je voudrais détacher les yeux de ce cercueil mais il faut que je regarde parce que, au milieu du rouge des drapeaux, des œillets et des chemises des camarades de Carlo, qui portent à tour de rôle sur leurs épaules le cercueil de leur héros, un point noir prend soudain la place de José. Le trop fort soleil me trouble-t-il la vue ? Ou cet homme de grande ossature est Mattia des Tudia, en grand deuil pour la perte de son frère Vincenzo ? Ce n'est pas le soleil, c'est le rouge des œillets qui me trouble la vue. Quand dans la nuit de la via dei Crociferi – il faisait toujours nuit dans ces ruelles – le cercueil fait halte un moment, José se détache de moi et reprend la place de Mattia. Ils ont la même stature. Sans tressaillements le cercueil reprend sa route et Mattia se glisse à côté de moi.

— Vous ne devez pas vous étonner, princesse. Je suis venu rendre hommage à un homme d'honneur, comme vous avez eu la bonté de le faire avec mon père Carmine des Tudia.

Celso vient se placer à côté de Mattia :

— Mille excuses, Don Mattia, mais j'ai ordre de rester à deux pas de la princesse. Il fait mauvais dans nos rues ces temps-ci.

— Tu fais bien, Celso, et je te réponds tout de suite que Don Mattia n'est pas venu déranger la cérémonie, mais honorer ce cortège.

— S'il le dit, c'est qu'il en est ainsi, Celso ! Remercions et demandons à Don Mattia s'il voudra venir boire ensuite à la maison un verre de vin avec nous.

— Avec plaisir et douleur, j'accepte, princesse.

57

— J'ai attendu trois mois, Modesta. Trois fois j'ai vu croître la lune et je l'ai vue décroître à la lenteur d'une condamnation à perpétuité. Pourquoi veux-tu me condamner à cette solitude, pourquoi ?

— Je ne condamne personne. Je n'ai plus l'esprit à écouter qui que ce soit, mon cœur est devenu un désert, désormais le nom des Tudia s'est imprimé en moi comme un signe de mort.

— Infâme Vincenzo qui s'est mis entre toi et moi ! Je me sens comme un loup en cage, pourquoi a-t-il fait ça ?

— C'était un fasciste.

— Un fasciste, lui ? Il était devenu fou ! Ce matin-là avant d'aller vers sa mort – la mort fait parler, oh ! – il m'a dit des choses... des choses innommables sur notre père, que je ne supporte même pas d'évoquer.

— Tu vois que le souvenir est encore trop frais entre nous ? Attendons encore. Peut-être dans un an, peut-être... Si du moins Beatrice sortait de sa folie et sa fille, Bambolina, pauvre innocente, parvenait à avaler ne serait-ce qu'une gorgée de lait sans le vomir. Bambolina dépérit, cela ne cesse de m'angoisser. Va-t'en !

— Trois mois, je suis resté nuit et jour avec ton visage imprimé au fond de mes yeux. Pars avec moi ! En dehors de cette île de préjugés il y a d'autres pays, je les ai vus... Je ne suis pas comme eux qui me regardent de travers parce que je ne venge pas Vincenzo, je n'ai même pas voulu savoir qui ça a été et qui ça n'a pas été. Je ne veux plus rien en savoir, je m'en fous !

— Ne dis pas ce mot !

— Eh bien si, je le dis ! Et je te veux même si ça a été un de tes amis qui a tué Vincenzo, même si ça a été ce José...

— José n'a pas bougé d'ici ne serait-ce qu'un instant.

— Tu le défends, hein ? Dis-le que c'est à cause de lui que tu as changé, dis-le ! Depuis qu'il a mis le pied sur cette île tu as changé.

— J'ai changé à cause de la mort de Carlo, Mattia, essaie de raisonner un peu.

— Non ! La mort d'un beau-frère ne peut pas faire changer à ce point !

— C'était un ami.

— Non ! Je n'y crois pas. C'est ce José, et si tu veux le savoir, c'est pour le voir, juste pour le voir que je suis venu aux obsèques.

— Eh bien ?

— J'ai vu ! Mattia ne se trompe pas, celui-là a ce qu'il faut pour te plaire. C'est un homme, pardieu, avec lequel on aimerait se mesurer ! Fier et dur comme un roc, et moqueur ! Si ce n'était par égard pour toi, j'aimerais bien lui demander deux ou trois petites choses !

— Il est parti, Mattia, ne délire pas. Je ne le verrai plus, j'ai lu sur son visage que je ne le verrai plus.

— Tu ne m'abuses pas.

— ... Comme j'ai lu dans tes yeux ce jour-là au chevet de ton père, que la mort pouvait me venir de toi. Je ne le verrai plus.

— Et elle le redit, et elle le redit en pleurant presque ! Tu le vois qu'il t'a prise au moins en imagination ?

— Ça suffit, Mattia, va-t'en !

— Non ! comme ça, non, maudite diablesse de lave ! comme ça, avec cette condamnation sur moi, non ! Pour toi alors je serais un signe de mort, hein ? Et lui, qu'est-ce qu'il est ? Il est la vie, lui, hein ? Avec ce que je t'ai aimée ! Je te déteste ! Je te déteste !

Il ne faut pas que je me tourne... Je n'achève pas ma pensée que je me retrouve avec le revolver en main. Du contrecoup qui secoue mon poignet jusqu'à l'omoplate, je sens que j'ai tiré moi aussi, tandis qu'un éclair blanchâtre gifle mon visage et m'oblige à me courber... C'est moi qui me jette au sol ou c'est l'herbe qui vient vers moi en levant ? La figure au sol je tire encore sans pouvoir viser parce qu'un liquide chaud descend maintenant sur mes yeux. Des cris et des coups de feu retentissent derrière moi, et les mains appuyées par terre j'essaie de sortir la tête de cette vague noire qui me submerge. La nuit, la mer est noire s'il n'y a pas de lune... Mais maintenant la lune est là... là en haut elle me fixe de son regard calciné, mais elle ne crie pas. C'est Elena qui crie et ces jambes minces, ces jambes de lièvre, appartiennent à Celso. Cela semble impossible mais Celso court comme Tuzzu... il a des jambes de chasseur, ce Celso. Il le tuera. Je me retrouve à espérer que Mattia réussira à échapper au chasseur... il n'y a plus qu'à espérer que Mimmo m'ait vue... il a de longs bras, Mimmo. Et même si ma tête désormais cogne rapidement, de plus en plus rapidement aux parois du puits, il ne reste qu'à espérer...

« Espère et pousse, Modesta, pousse, comme ça tu t'aides et tu l'aides ! »

« La position est bonne !... Ne fais pas obstacle à la vague de douleur, ne t'y oppose pas, suis-la de tout ton corps et de tes sentiments, ce n'est qu'ainsi que tu y arriveras ! »

Avec tout mon corps et mes sentiments je pousse, mais cet amas de chair qui à intervalles réguliers, comme la succession du jour et de la nuit, s'éveille et cogne aux parois de mon ventre ne veut pas sortir. C'était Prando, informe, qui luttait à l'intérieur de moi ou c'était moi, informe, qui luttait en creusant entre les sutures métalliques de mon front pour sortir ? Sans trêve je cognais pour renaître... Et en une aube de brouillard à peine nuancée du rouge de la canicule je naquis mise au monde par moi-même, comme si la grande vague de la douleur charnelle, en passant sur ma tête et retombant derrière, loin derrière mon dos, avait emporté toutes les peines, les amertumes, les projets de joie, naufragés désormais contre le récif de la mort de Carlo. Cela faisait très mal, la déception pour ces projets brisés en quelques heures. Cela faisait très mal, alors, quand Carlo agonisait dans son lit, quand Beatrice, les yeux riants de folie, répétait :

— Mais pense jusqu'où peut arriver l'envie des gens, Modesta ! Ils continuent à dire que Carlo est mort, quand il y a juste deux minutes il était ici – tu sais comme il fait ? – de temps en temps il descend de son cabinet pour me parler. Et même, avant que je n'oublie, il m'a dit que ce soir nous allions à l'Opéra. Tu veux venir toi aussi ? Ce n'est que de l'envie de dire partout qu'il est mort, alors que, tu n'entends pas ses pas au-dessus de nous ? Écoute, il s'est levé de son bureau, maintenant... Quand il se lève, sa chaise fait du bruit sur le marbre. Il faudrait mettre un tapis, mais Carlo dit que ce n'est pas sérieux de...

Cela faisait très mal alors... quand ? Il y a un, deux ans ? Quand Modesta enfant, pleine de l'espérance intacte de la jeunesse, sûre de son avenir, avançait sans soupçon, les yeux bandés... Quand confiante, elle se promenait main dans la main avec Carlo, s'abreuvant de sa voix, de ses idées, de sa présence comme de quelque chose d'éternel qui serait toujours auprès d'elle comme l'Etna, le ciel, la mer. Que de fois avec Carlo vivant, ou avec Jacopo mort, elle avait discuté, disserté sur la contradiction qui est le pivot de la nature. Mais quand cette contradiction s'est révélée dans la mort, irréversible, la désillusion, comme une avalanche qui emporte confiance et joie, peut vous faire entrevoir dans votre propre fin une route plus sûre. Et si la témérité des jeunes gens, leur façon de se précipiter dans des jeux mortels, leurs morts précoces si fréquentes n'étaient que le résultat de quelque première désillusion-contradiction ? Elle avait cherché sa propre mort en affrontant Mattia cette nuit-là, elle le savait désormais, et peut-être seul celui qui a été aussi proche de la mort peut oublier puis renaître comme Modesta renaît jour après jour, fixant dans le miroir de l'aube cette cicatrice rouge, serpentine, qui partage son front en deux.

— Il faudra trois ou quatre ans, Modesta, pour qu'elle éclaircisse.

Qu'importaient les années quand on commençait à comprendre ? Cette cicatrice qui coupe en deux son front est là maintenant pour démontrer la soudure de son être autrefois divisé. Modesta renaît mise au monde par son propre corps, arrachée de la Modesta d'avant qui voulait tout, et ne savait pas supporter le doute, ni de soi ni des autres. Elle renaît dans la conscience d'être seule. Et jour après jour, heure après heure, elle accepte la douleur du retour de Beatrice de son long voyage à travers la folie.

Elle en est revenue sereine, mais avec les cheveux tout blancs. À sa façon, Beatrice est heureuse, enfermée dans ses souvenirs, vêtue de ses vêtements de deuil avec le médaillon de son époux bien-aimé suspendu à un ruban de velours noir autour de son cou. Bien sûr, Bambolina souffre un peu dans cette maison, entre sa mère et Vif-argent qui ne font que parler du passé. Mais au fond elle ne fait qu'y dormir parce que le matin Pietro, par une entente tacite avec sa Mody, l'emmène à la villa Suravita, et son petit visage triste se ranime tout de suite au milieu de Prando, Jacopo, 'Ntoni et quelques garnements de leurs amis ramassés dans les champs.

— Que d'enfants ! – crie-t-elle, heureuse, et elle ajoute toujours : – Il faut que je dise à ma maman de venir les voir...

Elle parle déjà... Et pourtant on dirait que c'était hier, cette nuit de lune calcinée restée dans sa mémoire... Sa blessure palpite au souvenir de Mattia. Lui aussi voulait mourir, et puis il a choisi de partir pour l'Amérique, du moins est-ce ce qu'a dit Pietro. Et José ? José après s'être battu dans le Nord a été arrêté avec Pertini•.

— Des arrestations par centaines, ma Mody ! Mais ce qui marque le plus l'esprit, ce qui le jette dans l'obscurité la plus noire, c'est cette absence de nouvelles que donne la presse, ce silence sur tout. On court partout à la recherche de nouvelles, pardieu ! comme un chien cherche un os sans viande ou un affamé un quignon de pain sec.

— Oui, Antonio, arrestations et indifférence.

Tout bruit de rébellion solitaire tombe sans bruit dans le lac d'indifférence qui, lent mais obstiné, envahit chaque rue, chaque recoin à chaque pas de l'Histoire : assassinat de Matteotti•, lois d'exception, accords du Latran•...

— Histoire d'hommes, princesse, ils la font et ils la défont à leur convenance.

— Bien sûr, Stella.

Je la regarde, mais elle n'a plus de charme pour moi, cette douceur, cette résignation que je prenais avant pour de la sagesse... Avant... quand Bambolina n'était pas parmi nous. Mais maintenant que Bambolina commence à courir derrière Prando, pourquoi l'arrêtent-elles et les séparent-elles ? Il faut que je laisse mes livres et que je descende. Elle pleure désespérée sur la pelouse, tandis que Prando disparaît tout joyeux en direction du bois.

— Mais qu'y a-t-il, Stella, Elena, pourquoi les séparez-vous ?

— Mais elle courait comme un garçonnasse, princesse ! Elle va tacher sa petite robe.

Voilà comment commence la division. Selon elles, Bambolina, à cinq ans seulement, devrait déjà bouger différemment, rester bien sage, les yeux baissés, pour cultiver en elle la demoiselle de demain. Comme au couvent, lois, prisons, histoire édifiée par les hommes. Mais c'est la femme qui a accepté de tenir les clefs, gardienne inflexible de la parole de l'homme. Au couvent, Modesta a détesté ses geôlières d'une haine d'esclave, haine humiliante mais nécessaire. Aujourd'hui, c'est avec détachement et assurance qu'elle défend Bambolina des garçons et des femmes, elle ne tient qu'à elle, en cette enfant elle se défend elle-même, elle défend son passé, la fille qui un jour pourrait naître d'elle... Tu te souviens, Carlo, tu te souviens, quand je t'ai dit que seule la femme pouvait aider la femme, et que toi, dans ton orgueil d'homme, tu ne comprenais pas ? Tu comprends maintenant ? Maintenant que tu as eu une fille, tu comprends ?

Dans le miroir, il y avait si longtemps que je ne me regardais pas, le visage de Carlo me fixe. Ou peut-être est-ce l'habitude de parler avec lui qui rappelle à la vie ses traits, transformant mon sourire et mon regard en les siens ? Pouvoir du désir de garder en vie qui l'on aime. En moi, vivant, dans le miroir il renaît souriant... Je comprends ton sourire, Carlo, les morts ne veulent pas qu'on meure avec eux, mais qu'on les garde en vie, dans nos pensées, notre voix, dans nos gestes. De ses mains, je tire et fais tomber sur mon front une mèche de cheveux... être comme lui !

Depuis ce matin où je me suis réveillée toute tondue à cause de ma blessure, j'ai les cheveux courts. Les laisser pousser de nouveau ? En quelques années je pourrais avoir à nouveau les tresses auxquelles je tenais tant quand j'étais enfant. La nostalgie de ces tresses toujours menacées par les ciseaux du couvent me poussa à aller les revoir. Pouliche les avait à l'époque gardées dans quelque tiroir... Les voici là, longues, épaisses, d'une couleur si vive que pour un peu mon cœur tressaille de peur quand je les touche. Mais dès que je les prends en main, un dégoût pour cette part morte de moi-même me les fait jeter dans la corbeille. On ne retourne pas en arrière. Et puis, à cette époque-là, je ne savais presque pas nager ! Je me souviens de ces tresses encombrantes dans l'eau et sur l'oreiller, des pinces, des épingles, des peignes, du travail que ça demandait. Non, je préfère ce nouveau visage au cou dégagé, ce visage de garçon, comme celui de Carlo. Je voulais continuer à nager sans bonnet, comme lui. Et tout au plus, en rejoignant le rocher du Prophète, comme lui, d'un geste rapide des doigts, ramener en arrière cette mèche rebelle avant de m'étendre au soleil.

TROISIÈME PARTIE

58

Quiconque a connu l'aventure de doubler le cap des trente ans, sait combien il a été fatigant, âpre et excitant d'escalader la montagne qui des pentes de l'enfance monte jusqu'à la cime de la jeunesse, et combien a été rapide, comme une chute d'eau, un vol géométrique d'ailes dans la lumière, quelques instants et... hier j'avais les joues fraîches des vingt ans, aujourd'hui – en une nuit ? – les trois doigts du temps m'ont effleurée, préavis du petit espace qui reste et de la perspective finale qui attend inexorablement... Première, mensongère terreur des trente ans.

Qu'avais-je fait ? Avais-je gaspillé mes jours ? Insuffisamment joui du soleil et de la mer ? Ce n'est que par la suite, à l'âge d'or des cinquante ans, temps plein de force calomnié par les poètes et par l'état civil, ce n'est que par la suite que l'on sait combien de richesse il y a dans les oasis sereines où l'on se retrouve avec soi-même, seul. Mais cela vient plus tard.

Alors, l'anxiété de perdre l'hier et le demain me prit avec force : que faisais-je dans ce bureau ? Quelle signification avaient cette recherche de mots et tous ces écrits, poèmes, notes, brefs récits ? Étais-je, sans le savoir, sur le point de tomber dans la condamnation mystique de devenir un poète, un artiste ? Étais-je, sans le savoir, en train de suivre le chemin de Beatrice, qui pour avoir une consistance à ses propres yeux et aux yeux des autres, s'était composé une statue sacrée de veuve inconsolable, belle et respectée ? Étais-je en train, avec la même implacabilité et volonté qu'elle, d'élever inconsciemment un temple à l'intérieur de moi-même, et mourrais-je comme elle, plutôt que d'écarter le subtil poison de la tradition ?

Enfermée dans la prison du deuil comme le veut la tradition, peu à peu et avec une affreuse douceur, Beatrice tomba malade, comme son mari, « de la poitrine », et en quelques mois cette poupée de cire mue par un ressort qui depuis tant d'années évoluait entre fleurs et livres s'arrêta : le ressort cassé. Que faisais-je au milieu de ces stylos et de ces crayons alignés sur mon bureau ? Ou était-ce un autel ? J'avais commencé par jeu... Mais en regardant en moi-même je vis mon avenir : prise dans ce traquenard, les jambes coupées par le piège « d'être quelqu'un ». J'avais fui le couvent ; mais la religiosité jetée par la fenêtre resurgissait par quelque trou de ma chambre, chevauchant le rat de l'esthétique. Je le vis, le rat mystique. Les yeux couleur de rouille de l'insatiabilité scrutaient, voraces, des recoins ombreux. Ils épiaient ma jeune chair, ma poitrine, pour trouver une fissure et entrer en moi et ronger l'ossature de mon squelette soudée par la joie. L'arrêtant net, je sus que je m'étais justement méfiée, et que quelques instants d'inconscience encore m'auraient fait tomber hors de la réalité en proie à cette drogue nommée « artiste », drogue plus puissante que la morphine et que la religion. Il comprit et il détacha son regard du mien pour s'enfuir.

Dans l'effort de lire dans mon avenir, ma cicatrice battait, et dans le miroir je la vis serpenter, rougie, durant quelques secondes. Message de ma profondeur de siècles, qui m'enjoignait de me garder de moi-même et de courir au soleil. Je ne reprendrais plus cette recherche de poésie jusqu'à ce que j'aie par moi-même la preuve que c'était un jeu et rien qu'un jeu, comme de cueillir des fleurs ou de chevaucher Morella...

Près de la vieille Morella, Bambolina attendait patiemment. Sa frange noire légère comme une ombre tombait sur son regard d'un bleu à peine plus intense que la prunelle de Beatrice. Je la cherche sur la pelouse, peut-être est-elle juste cachée derrière une haie et tarde-t-elle à paraître afin de rendre plus précieux son brusque éclat de rire.

— Tu n'as pas envie d'aller à cheval, ma tante, pour regarder la mer comme ça ? Si tu n'as pas envie, ça ne fait rien, tu es peut-être fatiguée.

La même voix attentive, l'attention prudente, prévenante de Carlo... La cicatrice bat à mon front, retenant mes larmes, et je ne peux pas ne pas l'embrasser et la soulever en l'air. Je veux qu'elle rie, je veux réentendre le rire de Pouliche.

— Oh, que c'est bien, ma tante, tu me fais voler ! Il y avait si longtemps que tu ne me faisais pas voler comme ça ! Mais comment fais-tu pour être aussi forte ?... Ah ! Arrête, arrête, tu me chatouilles, arrête, Modesta !

Quand je suis sérieuse, elle m'appelle ma tante, quand je joue avec elle, Modesta.

— Oh, que c'est bien, Modesta ! Mais comme tu es forte !

— C'est toi qui es une pitchounette de rien du tout !... Tu pèses cent grammes !

— Mais Prando n'arrive pas à me soulever.

— Tu verras dans quelques années ! Si tu ne fais pas attention il t'expédiera tout droit dans un grand vol tourner autour de la lune.

— Oh, que ce serait bien, Modesta ! Quand je serai grande moi aussi tu m'apprendras à voler ? J'aime tant les avions. Tu m'apprendras, hein ? comme tu m'as appris à monter à cheval et à nager ?

Voilà que maintenant, abandonnée l'attention prudente de Carlo, elle parle vite vite avec l'enthousiasme de Beatrice. Que dit-elle ? Elle parle de photographies qu'elle a trouvées...

— Et qui est cet homme si beau ? Avec Jacopo nous avons ouvert une malle là-haut dans le grenier. Il a pris plein de livres et un... Comment s'appelle cette chose où l'on regarde et on voit tout agrandi ?

— Un microscope.

— Et moi les photographies. Qui c'était, cet homme si beau à côté de l'avion ? Prando a dit que c'était mon papa, mais il plaisantait parce qu'il n'était pas aviateur, hein ? Et alors, qui c'était ?

— C'était Ignazio, l'oncle de ta maman.

— Et tous ces avions étaient à lui ?

— Ah, non ! Lui les pilotait, c'était un aviateur.

— Que c'est bien ! Moi aussi quand je serai grande je serai aviateur !

— Bien sûr, Bambolina, et maintenant au galop avant que le soleil ne prenne feu. Allez, courage, au galop !

Pietro m'attendait dans le bureau : le béret à la main, inchangé (quel âge avait-il ?). Peut-être l'âge de cette roue de feu que Carmine faisait dévaler sur les flancs de l'Etna.

— Veuillez me bénir, princesse, et pardonner à Pietro de venir vous déranger. Mais il y a une raison urgente.

— Ne t'excuse pas, Pietro. Je sais que ce n'est pas sans raison que tu viens t'entretenir avec moi.

— Voici l'affaire, ou plutôt les deux affaires. L'une de grande joie pour Pietro et sa femme. L'autre douloureuse qui assombrit la joie que j'ai dans le cœur.

— Parle, Pietro ! Parle librement dans la douleur et dans la joie... Mais que se passe-t-il, tu te tais et tu deviens tout rouge ?

— Madame a compris : Vif-argent, la femme que Madame a eu la bonté d'accepter de me donner, après deux ans, et qui donc l'espérait encore, Mody... est... est...

— Attend un enfant, Pietro ? Tu me fais l'impression d'être un gamin !

— Eh, certes, Mody, un enfant éloigne la mort et la vieillesse. Avec un enfant à faire pousser, comme disait mon père, c'est plus facile de fermer les oreilles aux sirènes des vieilles femmes, ces esprits de lave, qui chantent les douceurs d'abandonner la lutte, et de se laisser aller à la paix de la *Certa*.

— J'en suis heureuse, Pietro. Et comment va Vif-argent ?

— Au mieux. Elle chante et jacasse du matin au soir, mon petit moineau ! Et elle prépare le trousseau avec mademoiselle Inès qui a eu la délicatesse de broder avec elle... Bien !

— Et pourquoi t'assombris-tu maintenant, Pietro ? Y a-t-il quelque doute, quelque ennui qui t'empêche d'être heureux de cette bonne nouvelle que tu m'as apportée ?

— Le second point, comme je l'ai annoncé, princesse. Et j'ai hâte et je redoute de le dire parce que je crains d'avoir agi inconsidérément, même si c'était par respect pour Madame et sa tranquillité.

— Voyons cela, Pietro, expose l'affaire et puis nous verrons.

— Madame se souvient de cet ami de notre regretté

monsieur Carlo, de ce républicain de Bartolomeo Inzerillo, malade de cœur, que monsieur Carlo soignait avec attention et grand soin ?

— Eh bien ?

— Deux ans après la disparition de monsieur Carlo, il m'a fait appeler, il était sur le point de mourir. Le remords tue, Mody, si l'on n'est pas tout à fait un diable de lave.

— Je sais ce que tu veux me dire, qu'avant de mourir il s'est déclaré repenti, qu'il s'était détaché des fascistes, que Mussolini les avait trompés...

— Et pas seulement ça ! Il m'a avoué qu'il était parmi les cinq qui ont agressé monsieur Carlo, et il m'a donné le nom du cinquième, un certain Serge Greco, journaliste.

— Ce doit être Grecò, Pietro : un Français.

— Il n'était pas français, c'était le traître Sergio Grécot, un expatrié. Son père était Giovanni Greco de Piana dei Greci, aujourd'hui Piana degli Albanesi. Maintenant dis-moi, Mody, que pouvais-je faire, venir là déranger ta personne, affligée pour notre Beatrice qu'elle se consumait ? J'ai pensé qu'il était bien de le suivre à distance dans ses déplacements et, quand j'en ai eu l'occasion, je l'ai rivé à l'île, six pieds sous sa terre : il voyageait trop !

Six pieds sous ma terre je me débats dans le noir pour sortir du manteau de lave du souvenir que Pietro m'a jeté dessus. Je le regarde et je vois le rat de la vengeance s'élancer de son regard d'homme esclave des lois de l'homme, d'être stratifié dans la montagne millénaire de l'île. Je ne veux pas le haïr, mais la répugnance pour ce regard me jette en dehors de la chape de lave, en dehors de l'île.

— Tu es contrariée, Mody, que tu ne me regardes plus ?

— Cela ne suffisait-il pas, Pietro, trois morts pour un seul ?

— Une vie qui meurt n'a pas de prix, princesse, vous l'avez dit et avec conviction !

— Un enfant va te naître, Pietro ; si tu m'es attaché, oublie et sois heureux de cette joie que t'a donnée le destin.

— Je suis heureux, mais l'offense à venger passe en premier.

— Qu'y a-t-il d'autre, Pietro ?

— J'ai su par des amis dignes de confiance que ce Pasquale qu'il se disait ami de notre monsieur Carlo, et maintenant a été fait préfet par les fascistes, était au courant de l'agression de cette nuit maudite. Il doit mourir, Mody, il doit mourir !

— Ça suffit, Pietro ! Tous les amis de Carlo sont passés du côté des fascistes, sauf ceux qu'ils ont tués ou emprisonnés. Quant à Pasquale, je te dis ce qu'aurait dit Carlo : soit on se rebellait tous ensemble – parce qu'il est ici question de politique et non de vengeance familiale – et il peut arriver qu'on se rebelle tous ensemble dans cinq, dix ans et qu'on se débarrasse d'eux tous, mais pas de vengeance privée ! À l'époque j'ai consenti à ces justes morts parce qu'on espérait encore. Mais tuer Pasquale aujourd'hui serait une vengeance personnelle sans aucun sens. Et pas seulement : cela compromettrait des quantités d'amis qui résistent intellectuellement. Et puis Pasquale, en vertu d'un remords ancien, protège ces amis. Nous, comme de vrais hommes, et pas des petites femmes hystériques, nous faisons semblant de croire à sa fidélité partielle à nos idées, nous l'exploitons, nous nous servons de lui. Qui aurait sauvé Maria de l'Ucciardone[1] ? de la char-

1. Prison de Palerme.

mante Villa Mori, comme on l'appelle à Palerme, où on torture, on tue sans procès ? Ce n'est pas un temps d'action, Pietro, c'est un temps d'hiver, un temps de léthargie. Et quand viendra la belle saison, ne t'inquiète pas que nous ne manquerons pas de donner une désillusion à Pasquale qui croit nous acheter pour l'éternité avec les quelques petites faveurs qu'il nous fait. Notre reconnaissance sera une balle entre les deux yeux comme pour Tudia et les autres, ne t'inquiète pas.

— Tu as parlé longuement, Mody, et peut-être que je t'ai comprise. Mais tu es contrariée par Pietro, si tu ne m'as jamais regardé en parlant.

De l'obscure profondeur de l'île son cœur percevait chaque légère ombre qui tombait, chaque légère modification des nerfs et des veines.

— Si j'ai fait erreur, Mody, parle ! Pietro ne mérite pas une condamnation muette.

— Tu as confiance en moi, Pietro ? Alors écoute-moi. Les temps changent, et il faut être prudents : les observer et voir comment il faut agir.

— Ah ! C'est pour cela alors que tu as tant de fois traversé la mer ? J'avais un peu compris, parce que, aussi, le prince Jacopo faisait comme tu fais. Et il acquérait grande sagesse dans ces voyages.

— Oui, Pietro, et je suis de plus en plus clairement convaincue que l'île, notre terre, doit sortir de son isolement.

— Sortir, dis-tu, Mody, de notre manière de penser ? Accepter façons et usages du continent ?

— Avec le train, l'avion et la radio le monde est devenu petit, et il peut nous tomber dessus et nous emporter s'il nous trouve impréparés.

— Le prince aussi disait comme à ça, mais feu la princesse n'était pas d'accord.

— Gaia était une grande vieille, mais dépassée, Pietro, sans offense pour les morts, dépassée ! Le fascisme peut durer cent ans, mais il peut finir en un instant et le monde de Carlo peut revenir. Et alors nos enfants doivent être préparés à se frayer un chemin par eux-mêmes, à se débrouiller seuls, aussi bien matériellement que moralement.

— C'est pour cela que tu les envoies à l'école publique ? Maintenant je comprends.

— Et l'été à l'étranger, Pietro. Ils doivent savoir.

— Les vieux disaient qu'on perd ses racines en errant de par le monde. Le prince Jacopo rentrait de ses voyages de plus en plus courbé.

— On perd ses racines pourries, et lui se courbait sous l'incompréhension qu'il trouvait ici à ses problèmes.

— Tu m'as parlé et je vois que ça n'est pas Pietro qui t'a contrariée, mais le vieux cœur de Pietro. Et j'accepte de me tromper. Je suis vieux, et je tremble pour ce combat que tu mènes. Je comprends ton intention, mais je ne vois pas la route, et parce que je suis ignorant et parce que je suis avancé en âge. Mais j'ai confiance en toi. En premier, parce que tu es instruite. Et en second, parce que tu es la maîtresse et que j'accepte tes ordres sans objection.

— Alors tu as compris, Pietro ? On laisse Pasquale où il est. Il n'est pas temps d'agir, tu as compris ?

Troublé mais tranquille Pietro s'incline pour me baiser la main. Je dois le regarder dans les yeux, on n'échappe pas au cercle de son regard, ni en traversant la mer, comme il dit, ni en fixant de la fenêtre d'un train les étendues infinies de forêts et de cultures ordonnées, artificiellement alignées, dépourvues de fantaisie : villages et villes carrés et nets, visages blancs aux yeux délavés et sans sourire. Bouches sans dents pour mordre le pain. J'avais espéré... j'avais espéré en traversant la mer retrouver ce que disait Tuzzu : « Il y a des villes riches de tous les biens de Dieu, de grands ports où les paquebots vont et viennent, chargés de trésors. »

Mais derrière la façade bien peinte de bâtiments somptueux, les mêmes rues tordues dans des spasmes de faim, la même misérable litanie de pauvreté et de contrainte, juste un tout petit peu plus cachée et plus résignée. En suivant la silhouette courbée d'oncle Jacopo, je reparcourais les étapes de ses voyages, pour revenir avec quelques programmes de théâtre en plus, quelques livres en plus, quelques rubans ou tissus pour Stella qui après des années de deuil, pour son mari d'abord puis pour son père, caresse les soies et les velours, assoiffée de couleurs. Enserrés dans le deuil, ses longs membres pleins s'étaient comme amaigris, conférant à ses gestes lents une incertitude d'adolescence. Stella renaissait du travail de détachement de ses morts. Ou était-ce l'habitude de discuter avec les enfants, de les fixer dans les yeux et de prévenir leurs besoins qui remplissait son regard, sa voix, de cet enthousiasme et de cet étonnement enfantins ? Jamais Modesta n'avait assisté dans sa vie à une métamorphose aussi complète. Stupéfaite, elle fixe cette nouvelle Stella qui rit en déployant sur le tapis le long fleuve de soie turquoise parsemé d'une quantité de soleils d'or.

— Mais que c'est beau ! Oh, quand Bambolina reviendra, elle sera contente !

— À vrai dire, Stella, c'est pour toi que je l'ai pris.

— Oh, Mody, tu crois que je peux ? Je pourrais...

— Bien sûr que tu peux !

— Mais mon frère aîné va mal ! Ça vaut peut-être pas la peine de quitter le deuil pour ensuite, d'ici...

— Oh, sottises ! Tu l'as suffisamment porté, ce deuil ! Et puis il faut que tu penses aux enfants.

— C'est vrai ! Hier, pas plus tard qu'hier, Prando m'a dit : « Ou t'enlève ce noir ou je m'en vais. » Et moi : « Et où que tu vas ? » Et lui : « Avec Mody, à l'étranger, où les femmes s'habillent de vingt-six mille couleurs ! »

— Tu vois, Stella ?

— Oui, oui, bien sûr... mais celui qui m'a surpris, ç'a été Jacopo. Il a l'air de jamais remarquer ces choses, toujours à lire, ce pitchounet.

— Qu'a fait Jacopo ?

— Tout sérieux il fait : « Eh oui, Stella ! Il était temps que Prando en parle. Je m'en vais moi aussi. »

— Bref, une mutinerie ?

— Qu'est-ce que ça veut dire, Mody ?

— Une rébellion.

— Oh oui, et mon 'Ntoni, lui aussi : « Je ne veux pas d'une maman toujours vêtue de noir. Regarde cette photographie, comme ça, je te veux ! » Mais pense, Mody, c'était la photographie d'une actrice toute blonde et décolletée. Jésus Marie, ces petits tout le temps au cinématographe ! C'est-y pas que ça serait mal, Mody ? Je ne sais pas que penser. C'est vrai qu'elle est belle, cette soie, on dirait un morceau de ciel !

— Bien, alors avec ce morceau de ciel tu te feras une robe pour la fête du 15 août, tu verras le succès auprès des enfants !

— Oui, Mody. Je me fais violence, j'oublie les regards de mes belles-sœurs... oh, j'ai l'impression de les voir, mais je les oublie. Stella se fait violence et accepte ce tissu. Oh, Mody, mes mains tremblent à le plier, ça n'est pas que ce serait mal ?

— Mal, Stella ? Quel mal peut-il y avoir dans les couleurs ?

— Quel mal peut-il y avoir dans la joie de mes

enfants ? Comme disait ma mère : « Quante tu donnes de la joie aux enfants, ils te la rendent tout de suite au centuple. » Elena était heureuse ici avec eux.

— Oh, elle connaît un autre bonheur à présent, je pense.

— Du bonheur, Mody ? Pour l'amour de Dieu ! Hier elle est venue, elle pleurait, pas même un an de mariage et elle pleurait déjà, triste, tendue, effrayée de tout et par tous. Il m'a semblé... de me voir comme j'étais autrefois, de me toucher. J'en ai eu de l'effroi ! Et eux, mes frères, je veux dire, qui voudraient me marier une autre fois ! Il se passe pas un mois sans qu'ils se présentent avec un parti, et ils insistent, ils disent que j'ai changé, que je parle étranger, que... Mais qu'est-ce qu'ils veulent de moi ?

— Ils croient le faire pour ton bien, tu es jeune...

— Jamais ! Qui y est passé une fois à servir un homme, jamais ! Et puis donner à mon 'Ntoni un beau-père, je...

— Bien, bien, Stella, calme-toi, on verra avec le temps. Et pourquoi maintenant rougis-tu comme une petite fille ?

— C'est que maintenant tu vas te mettre en colère, Stella le sait. Ça fait une heure que tu es revenue et maintenant tu vas te mettre en colère.

— Et pourquoi devrais-je me mettre en colère ?

— C'est que cette petite... Mela, celle que les fascistes lui ont tué père et mère...

— Oui, je sais, celle que nous avait envoyée Pasquale. Eh bien ?

— Oh, il a bien fait, Pasquale, de l'enlever de ce couvent où ils l'avaient emmenée dans un premier temps, il m'a raconté de ces choses ! Et penser qu'elles sont religieuses, oh ! on y croirait pas !

— Je sais tout, Stella. Je t'en prie, que veux-tu

dire ? Pourquoi est-ce que tu tergiverses avec tous ces discours ?

— Tu entends le piano ?

— Mais qu'est-ce que le piano a à y faire, Stella ! Je vais me mettre en colère pour de bon cette fois ! Bien sûr que je l'entends, je ne suis pas sourde. C'est un ami ou un autre de Prando qui joue aussi bien, ce n'est assurément ni Bambù ni 'Ntoni, qui n'ont aucune disposition pour la musique.

— C'est Mela.

— Elle ? Elle est encore là ? Mais Pasquale avait dit...

— Eh oui, mais c'est difficile de trouver une école décente sans argent, Mody !

— Justement ! Nous n'avons plus d'argent, Stella. Tout va de mal en pis, c'est aussi la raison pour laquelle je suis revenue... et qui sait quand je pourrai repartir ! Ne fais pas cette tête. Penserais-tu, comme Prando, que je suis avare ?

— Non, Mody, avisée...

— Qui nous l'aurait dit, hein, Stella ? que même offrir un morceau de pain deviendrait un luxe ! Et ce piano qui ne s'arrête pas !

— Tu disais qu'elle jouait bien.

— Et comment !

— Alors qu'est-ce que tu en penses, nous allons la voir ? Elles sont devenues tellement amies avec Bambù, il fallait une fille pour Bambù ! Toujours au milieu des garçonasses. Tu veux faire sa connaissance ?

— Non, je ne veux pas la voir ! Elle doit s'en aller et voilà !

— Mais que fais-tu à présent, tu t'en vas ?

— Bien sûr que je m'en vais !

— Tu pars ?

— Mais non ! Je vais dans ma chambre. Mon humeur a tourné, entre jacasseries de femme et soucis d'argent. Il faut que je trouve de l'argent !

— Je te l'ai dit, Mody, j'ai ma maison, mon domaine, je pourrais...

— Ne dis pas de bêtises ! On ne touche pas à ton argent ni à celui de Bambolina. À plus tard, Stella.

— Mody !

— Qu'y a-t-il encore ?

— Attends, je... je ne t'ai pas tout dit. J'ai à te dire ce qui se passe quante tu n'y es pas...

— Que s'est-il passé d'autre, voyons un peu ?

— Le fait est qu'il y a une autre femme, une dame qui...

— Une autre femme ?

— Eh oui, elle est arrivée il y a quatre jours. Je l'ai mise dans la pièce de mademoiselle Elena.

— Ah non, ça suffit maintenant ! Je téléphone tout de suite à Pasquale, il faut qu'il s'arrête de nous envoyer des gens. Que le diable l'emporte, il exagère !

— Mais voilà le hic ! Ce n'est pas monsieur Pasquale qui l'a envoyée, c'est monsieur José.

— José ?

— C'est du moins ce qu'a dit cette dame. Elle a dit : « J'ai une lettre de monsieur José Giudice pour la princesse. »

José ! Même si en ce soir lointain j'avais lu dans le sourire avec lequel il avait pris congé de moi que nous ne nous reverrions pas, je l'avais continuellement cherché dans mes voyages, en déviant souvent de kilomètres et de kilomètres à chaque nouvelle de lui que je parvenais à saisir. À Basilea, dans cette pièce pleine de poussière des journaux, saturée de plomb et de pétrole, du fracas de la rotative :

— Le directeur est parti, madame. Vous venez

d'Italie ? Désolé, mais nous n'avons pas le droit de dire à des étrangers... Désolé, madame !

À Paris, dans la boutique de coiffeur du camarade Reggiani de Padoue :

— Ah, tu es la célèbre princesse ! Alors c'est vrai ! Dire que nous ne voulions pas y croire. Excuse, camarade, mais qui y croit encore, aux princesses siciliennes ? C'est vraiment de la malchance, il est parti depuis une semaine. Où ? Tu vois comme ça peut être commode, avec José, de savoir où il crèche !

— Tu ne veux même pas lire la lettre, Modesta ?

— Mais si, Stella, mais si.

L'enveloppe une fois ouverte, quelques lignes seulement : « Chère amie, je te recommande ma quasi-sœur Joyce. Elle a beaucoup souffert de la perte de ses parents, elle-même te racontera tout. Prends bien soin d'elle, chère amie. Dans l'assurance de ta compréhension, je te prie d'accepter l'affection et la reconnaissance de ton ami fraternel. José. »

— Pardonne-moi, Mody, je te vois perdue dans tes pensées. Je ne devrais peut-être pas, mais c'est vraiment l'écriture de monsieur José ?

— Oui, Stella, oui.

— Bien sûr, je devrais pas...

— Tu ne devrais pas quoi, Stella ?

— C'est que cette dame est curieuse, très curieuse !

— En quel sens ?

— Qu'est-ce que je sais ? Étrange, à la regarder on est tout désorienté. Je sais pas comment dire... Oh mon Dieu, la voici ! Regarde, regarde ! C'est toujours comme ça ces jours-ci, comme une horloge. Toute la journée enfermée dans sa chambre, et puis à cette heure-ci elle sort se promener dans l'ombre.

— Appelle-la.

— Oh non, Mody, regarde-la, regarde-la bien !

— Eh bien ? Qu'y a-t-il d'étrange, Stella ? Tu sais que je ne supporte pas les préjugés. Combien de fois faudra-t-il que je te le dise ? Elle est juste beaucoup plus grande que les femmes de chez nous. C'est cela qui t'étonne peut-être ?

59

C'était ce complet gris perle à fines rayures blanches, ravivé par une élégante cravate blanche de soie, qui faisait peur à Stella ? Ou le grand chapeau à la Robin Hood qui, ainsi, de loin, dissimulait ses yeux, son expression ?

— S'il n'y avait que le chapeau, Modesta, mais elle porte un pantalon !

À l'ombre du lourd rebord de feutre marron, les yeux – deux grands yeux obliques – s'étiraient, sombres, vers le flou obscur des tempes. Ces yeux ne souriaient pas, ni alors qu'elle avançait vers moi, ni quand elle prit la place de Stella qui, ignorée, s'enfuit précipitamment. En une fraction de seconde ce fut comme si s'était matérialisé devant moi l'un des objets précieux de ces salons parisiens où nos réfugiés politiques, entre une boisson et une autre, affichaient une amertume retenue et courtoise sous les regards excités de dames finalement ravies d'avoir trouvé un dérivatif à leur perpétuel ennui... J'essaie de comprendre le son que sûrement ces lèvres produisent, mais je n'arrive à en percevoir que le mouvement lent, l'élégante articulation. Ou elle parle à voix très basse, ou un orage lointain dérange le fil imaginaire, tendu sur des kilomètres, qui me porte la voix tremblante de Bambolina un peu émue par la nouveauté d'avoir le téléphone... « Tu es à Rome ! Oh, ma tante, je ne peux pas y croire, que tu me parles d'aussi loin ! C'est une merveille ! Ça me fait presque peur. Ici il y a Jacopo et 'Ntoni qui me tirent, ils veulent parler eux aussi. Reviens, reviens vite, nous nous ennuyons sans toi ! » Bientôt, dans dix, vingt ans... on verrait sûrement aussi le visage, volant à travers des milliers de kilomètres, sur un petit écran posé sur la table de nuit entre une lampe et un cendrier... La terre était en train de se réduire à la dimension d'un poing fermé tandis que le parfum âcre et doux de ce tabac turc effaçait la grande table de bois brut et le cuivre flamboyant des marmites de Stella qui fuyait maintenant. Je pouvais m'enfuir à sa suite et oublier ce salon bondé de petites femmes à demi nues qui, nonchalamment, tendant leurs jolis bras, soutenaient des abat-jour aux couleurs profondes et éclatantes, ou croisant leurs longues jambes minces comme des jambes d'adolescentes, écoutaient extasiées et émues les malheurs de notre patrie martyrisée, évoqués par la voix mélancolique de quelque pâle Jacopo Ortis•...

« Mais qui t'y a menée ? Qui va mettre le pied dans ces endroits-là ! Juste quelques punaises de faux antifascistes laquais de la bourgeoisie. Tu as raison, ils jouent à faire les héros sans danger. Mais ne te laisse pas fourvoyer, Modesta, la résistance au fascisme existe ! Elle est ici, dans les usines, dans nos boutiques de coiffeurs, de boulangers ! Crois-en le camarade Reggiani. »

Je pouvais m'enfuir chez le camarade Reggiani mais c'était inutile, je ne rencontrerais jamais José. Et José par contre me disait que je devais répondre à cette femme même si ses longues cigarettes exhalaient une odeur qui étourdissait. Dans le cendrier que Stella avait improvisé avec un dessous de pot, gisaient trois mégots blancs et or. Et déjà les longs doigts en palpaient une autre lentement, presque avec reconnaissance. Mais comment s'appelait-elle ? La lettre de José laissée sur la table disait le nom de cette femme, mais il aurait été impoli de la rouvrir devant elle.

— Princesse, vous êtes vraiment telle que José vous a décrite. Et je vois qu'il l'a fait pour mon bien. Toujours prévoyant, ce José !

— Pour votre bien ?

— Un avertissement concis mais extraordinairement utile pour moi : « Ne fais pas attention aux brusques absences de Modesta, Joyce, ou tu risques de glisser dans le lac d'indifférence que toujours, au moment où tu t'y attends le moins, cette petite princesse arrive à déployer entre elle et la personne qui parle. » Pardonnez-moi d'insister, princesse, mais vous n'avez pas répondu, et cela me jette dans une angoisse insupportable. Peut-être parce que vous pensez qu'il est désormais impossible de trouver le moyen de passer en Amérique du Sud, comme le camarade Alessandro Giudice l'a fait il y a deux ans ? Vous pensez que maintenant...

— Si cela a été possible une fois, ça le sera une autre, ne vous inquiétez pas ! À condition bien sûr d'avoir beaucoup d'argent. J'étais alors en mesure de subvenir aux besoins d'Alessandro, mais désormais cela m'est impossible, tout va de mal en pis et il me faut faire attention.

— Ah, si c'est pour cela, c'est différent pour moi. Alessandro est pauvre et il était en mission en Italie. En ce qui me concerne, mon cas est moins édifiant : je suis riche, et ma venue en Italie n'a été qu'un choix émotionnel et, comme tel, erroné.

— Si on a de l'argent, c'est chose faite ! Il ne s'agit plus que d'attendre le bateau voulu.

— Il faudra beaucoup de temps ? Je suis sur les charbons ardents, et même si j'apprécie votre discrétion, princesse, mon sentiment de culpabilité, qui est immense, croyez-moi, m'oblige à mettre au clair ma position : j'avais cru, malgré les avertissements de José, pouvoir passer inaperçue. Le fait de n'avoir pas d'antécédents politiques en Italie... Je vous explique : je vis à Paris et je ne suis entrée au Parti que depuis deux ans. J'ai cru pouvoir accourir au chevet de ma sœur mourante. Et bien sûr, si j'étais repartie tout de suite, comme José me l'avait recommandé, mais la mort de Joland... Pardonnez-moi, princesse, ce n'est pas mon habitude de parler de moi, mais je dois le faire pour me justifier auprès de vous que peu ou prou je mets en danger par ma présence.

— Calmez-vous, Joyce ! Comme le sait José – ce n'est pas un hasard s'il vous a envoyée à moi –, ici en Sicile tout est moins grave.

— Cela n'empêche pas que j'aurais dû, dès la mort de Joland, disparaître ! Mais le spectacle de sa mort déchirante, la conscience qu'elle avait dû, en cette dernière année, supporter sans aucun secours maladie et solitude... Ou peut-être, je ne sais pas... Tout cela m'a happée comme une morsure, et pendant trois mois je suis restée comme folle de douleur et de remords, je ne raisonnais plus ! Seule la nouvelle qu'on me recherchait m'a réveillée, et la peur de ma faiblesse. J'ai réalisé que s'ils me prenaient je ne parviendrais pas à résister aux moyens qu'ils utilisent. Et malheureusement j'ai connaissance de beaucoup de noms et de faits. Je suis arrivée à faire perdre mes traces à l'*Ovra* [1],

1. *Organizzazione di Vigilanza Repressione dell' Antifascismo* (Organisation de Surveillance et répression de l'antifascisme) : police politique fasciste.

mais uniquement par peur, je suis sincère avec vous. Je dois à ce seul sentiment d'être sortie d'un état de prostration qui était quasiment sur le point de me perdre, en entraînant avec moi un grand nombre de personnes de valeur.

— Mais la peur, la terreur que vous semblez tant mépriser, Joyce, portent en elles le germe du courage.

— Cette pensée que vous exprimez, bien qu'elle ne me convainque pas, a le pouvoir de me calmer, princesse. Je vous en suis reconnaissante.

— Je ne l'ai pas dit pour vous calmer, je n'ai pas une vocation de consolatrice. Simplement, je ne crois pas aux héros.

— Exactement comme José me l'avait dit.

L'ombre et le rebord du chapeau étaient maintenant sur le point de se confondre, quand brusquement ces lèvres s'ouvrirent en un sourire imprévu qui ravivait l'obscurité du feutre, des yeux, des ombres. Stella avait raison : cette femme désorientait. Il fallait que je m'échappe à la suite de Stella et que je fuie cette voix profonde pleine de chaudes pauses soulignées par de longs regards distraits, qui rendaient évidente à mes propres yeux la gaucherie de mes gestes et de ma façon de m'exprimer. Quand elle dit une nouvelle fois : « Pensez, princesse... », l'incongruité que prenait ce titre devant son élégance me dérangea au point que, agrippée à ma chaise, je m'entendis dire de ma voix perçante :

— Je vous en prie, Joyce, ne m'appelez pas princesse ! C'est à peine si je le supporte à la banque et avec les avocats.

— Je vous comprends... Pour moi aussi, quand José me parlait de vous, cela paraissait dissonant. Mais, comme José me l'a dit : « Avec elle, ce titre perd la nuance odieuse que l'usage et la tradition ont donnée au mot pour retrouver toute la magie de l'enfance. »

Se moquait-elle de moi ? Ou influencée par son José – brusquement je sentis que je le haïssais pour le pouvoir qu'il avait visiblement sur elle –, elle ne remarquait pas mes vêtements négligés, ma tignasse en désordre, ma voix odieuse ? Je la fixai exprès dans les yeux avec hargne. Non, elle ne se moquait pas de moi, mais elle m'observait comme un jouet inhabituel.

Pleine de haine pour elle et pour son José, je ne répondis pas. Me levant, je la saluai d'un signe de tête, sans sourire de ce sourire hébété que depuis des heures je sentais flotter sur mes lèvres. « Je te conseillerais de moins sourire, Mody. Tu as un très beau sourire, mais quand tu te mets à le décocher à toute occasion, tes origines populaires réapparaissent. Fais attention ! »

*

* *

— C'est vrai, Modesta, pour moi aussi ça a été la même chose. Depuis le premier instant j'ai eu l'impression que nous nous connaissions depuis toujours.

Elle m'avait appelée Modesta pour la première fois et, dit par elle, ce nom affreux me sembla presque beau. Eh, cher Carmine, j'ai suivi ton conseil de fuir un visage en tournant la tête ou en ne passant plus par un chemin où une fenêtre entrouverte vous parle d'ombres attirantes. À Palerme, j'étais arrivée à échapper à ces roses persistantes qui chaque matin à l'hôtel relançaient leur chant rouge au soleil. À Paris, avec ce Michel aux yeux d'émeraude, il avait été facile d'avancer le départ de quelques jours. À présent aussi il aurait suffi de lui remettre le billet de Pietro – en attente sur mon bureau –, où le nom d'un bateau et une date auraient fait taire cette voix qui, un après-midi après l'autre, remplissait la maison de légendes, de paysages, d'histoires encore plus enthousiasmants que les aventures de sainte Agathe et sainte Rosalie. Mais comment interrompre la description de cette villa de bois blanc découpé en dentelles qui, lorsqu'on revenait au crépuscule de longues promenades en barque, se reflétait immense et éblouissante dans l'eau couleur de plomb du Bosphore ?

— ... Pour nous faire peur, Nazim répétait doucement que c'était le fantôme de notre maison qui à cette heure-là sortait de la mer pour saluer le soleil mourant.

Non, elle ne donnerait pas la confirmation à Pietro. Plus tard peut-être, au prochain bateau.

— Je vous vois pensive, Modesta, je vous ennuie peut-être avec mes histoires d'enfance ?

Et puis elle non plus ne demande plus à partir. Même à Stella elle ne le demande plus. Et sans attendre ma réponse elle ajoute :

— C'est curieux, Modesta, mais depuis que je suis ici – je ne sais pas si c'est grâce à votre sérénité ou grâce à Stella, à cette maison –, toute angoisse a cessé en moi. J'en ai honte, mais je suis bien ici comme alors avec Nazim dans ce qui était la maison de notre enfance.

Vous voyez ? Elle non plus ne veut pas partir, et je déchire mentalement le billet de Pietro avec le nom du bateau, du commandant et tout.

— Eh oui, heureuse comme alors ! Et peut-être qu'en parlant avec vous je commence à en comprendre la raison. Je n'avais jamais été en Sicile et je ne pouvais pas imaginer.

— Quoi donc, Joyce ?

— Combien votre pays était semblable au mien. La lumière, les visages sévères des paysans, les fantômes !

— Les fantômes ?

— Oui, ici chaque chemin, chaque palais, peut-être

est-ce votre baroque austère et naïf, même si cela peut sembler un contresens, vos fontaines, les vieilles mélodies, je ne sais pas, tout évoque fantômes et voix connues. Souvent, quand je me promène, j'ai la sensation précise d'entendre la plainte du muezzin et je me retrouve à lever les yeux à la recherche de ce cri de pierre lancé contre le ciel, qu'est pour les religieux en Turquie le minaret. Pour moi ce ne sont que des cris pétrifiés par la terreur de ce ciel impitoyable qui écrase au sol l'âme apeurée... Comme j'aimerais prendre un bateau, Modesta, et vous faire connaître l'Anatolie !

Vous voyez ? Elle a même prononcé le mot de bateau, mais sans faire la moindre allusion au *San Giovanni Decollato* qui, samedi à l'aube, comme je le lui ai laissé entendre, partira sans faute pour l'Amérique du Sud.

— Vous faire connaître Istanbul ! Permettez-moi de rêver, Modesta, il y a si longtemps que je ne le faisais plus, et puis, comme je vous l'ai dit, c'est la faute de vos arbres, de votre ciel, de votre lumière. Vingt jours à Istanbul, en faisant un saut à Edirne où se trouvent les plus belles mosquées de Turquie. Et puis allez, des mois et des mois à travers le grand cœur âpre et épique du haut plateau d'Anatolie. L'Anatolie ! Une terre sans sentimentalisme. Istanbul ? Non, Istanbul, comme toutes les capitales, trahit la véritable essence du pays qu'elle représente. Les capitales – je ne comprends que maintenant ce que me disait Nazim – sont condamnées à une vie différente qui les rend étrangères – peut-on dire ça ? – aux campagnes, aux montagnes et aux fleuves de leur pays. C'est peut-être pour cela qu'Atatürk, après la révolution de 1923, a fait d'Ankara la capitale... Peut-être. Je n'en ai jamais parlé avec Nazim et maintenant c'est trop tard. Il entre et sort des terribles prisons turques, comme tous nos camarades du reste. Nous ne pourrons pas prendre le bateau pour Istanbul, Modesta ! Moi du moins, exilée, en plus de l'Italie, de ma seconde patrie.

Sa voix s'éteint avec la lumière en une tristesse qui me fait pleurer comme Bambù quand elle écoute le soir les histoires tristes et douces de Stella. Mais comme Bambù je décide de dormir un peu, et de modifier dans le sommeil le douloureux destin de mon héros Giufà-Joyce... Comme Bambù ce sera moi qui irai dans la forêt reconquérir la peau de renard que de méchants hommes ont volé à Giufà quand il s'est mis à piquer un roupillon. Sans sa peau de renard qui le camoufle dans la forêt, Giufà ne peut se procurer de quoi manger en chassant les mouches, les moustiques, et les petits vers qui constituent sa nourriture...

— Bambù a deux vies, maman, une le jour et une la nuit. C'est pour ça que je lui obéis toujours... si tu savais tout ce qu'elle fait la nuit ! Elle résout tous les problèmes : il est juste que ce soit elle qui commande. Moi, la nuit, je dors ! Si elle n'était pas là, je serais toujours à regarder des images ou à lire. Rien ne me vient à l'esprit, aucun jeu. Tandis qu'elle, elle fait une chose et elle en invente cent autres !

Jacopo a raison. Bambolina est comme sa mère. Qui sait ce que pense Pouliche de cette Mela qui joue tous les morceaux que je lui jouais au Carmel ? Elle a du talent, cette petite ! Il a suffi de dire à Stella qu'elle jouait bien pour que son toucher se fasse d'un jour à l'autre plus sûr et plus puissant. Que devrais-je faire, Beatrice, je devrais la réexpédier dans un collège ? C'est le moment d'économiser, maintenant, maître Santangelo a raison.

« Toi, Modesta, tu donnes raison au bon sens d'un vieux bourgeois ? Tu me surprends ! »

Feignant l'indignation, Pouliche m'entoure de ses bras et me murmure à l'oreille :

« Nous avons les greniers, les couloirs pleins des tableaux d'oncle Jacopo. Tu sais qu'ils valent une fortune, Mody ? C'est pour cela que je les ai conservés à l'époque. »

— Je sais, je sais, Pouliche, mais il faut les porter à l'étranger et nous avons besoin pour cela de quelqu'un d'astucieux, de raffiné et de commun en même temps. Bref, d'un connaisseur. Qui est-ce que ça pourrait être, maître ? Trouvez-moi quelqu'un.

— Mais c'est de la contrebande, Modesta ! Je ne comprends pas pourquoi risquer des ennuis avec la loi quand il y a toutes les propriétés que Carlo a laissées à Ida.

— Non, on ne touche pas à l'argent de Bambolina ! Une femme est perdue sans argent !

— Mais pourquoi, diable de Judas ? Elle a contribué elle aussi, il me semble, et elle contribue encore à le manger, ton argent, non ? Et puis de quoi t'inquiètes-tu ? Ida est une fille ravissante, elle fera un beau mariage !

— Eh non ! Elle ne se mariera pas de cette façon, mon cher vieux libéral.

— Elle travaillera, alors ! C'est toi qui soutenais que les femmes doivent travailler, il me semble ?

— Avant, mon cher ami, avant, quand on croyait que la révolution était à nos portes, mais vu comment se présentent les choses, non ! Bambolina ne travaillera que si elle le veut.

— Ah, bien ! En voilà une nouveauté. Serait-ce l'idée de quelque anarchiste présent chez toi ? Tu veux en faire une femme paresseuse et oisive ?

— Si ça peut te faire plaisir, Bambolina sera paresseuse et oisive !

— Quoi qu'il en soit, je ne peux pas t'aider, trouve-le par toi-même, cet homme !

Un connaisseur ! Il faut que ce soit un connaisseur ! Ou j'irai moi-même ? Une aventure comme une autre. Mais d'abord je dois m'informer sur la technique de la contrebande... Les techniques... les arts... Technique du piano, technique de la contrebande, technique de l'endormissement... Si je ne reprends pas ma technique d'énumérer – pas les moutons, s'entend ! – les belles visions rencontrées durant le jour : nuages au crépuscule, grosses vagues furieuses se brisant sur les rochers... expressions de Stella, Bambolina... que de gestes bizarres a Bambolina ! et Stella, qui à cause de la chaleur remonte ses cheveux, imitant inconsciemment ses antiques sœurs des monnaies de Syracuse. Ces monnaies aussi... Oui, rien que ces monnaies valent une fortune.

60

Je ne m'étonnais pas quand, lorsque j'ouvris les yeux, Stella m'annonça que j'avais dormi presque deux jours d'affilée, de même qu'elle ne s'en étonnait plus.

— Mais c'est une bonne chose, Mody, une bonne chose ! Pourquoi que tu t'angoisses comme ça ? Carlo aussi disait que ce sommeil te faisait du bien. Quelle frayeur la première fois ! J'avais peur que tu meures de faim ! Et lui à sourire... Tu le sais ce qu'il disait quante je m'effrayais des nouveautés ? Il disait : « Eh, l'ignorance, Stella, l'ignorance ! » Comme il avait raison ! Ah ! J'oubliais madame Joyce... Elle vient juste de me demander si elle pouvait monter te voir.

— Madame Joyce ?

— Oui, je me suis renseignée. Elle est mariée, et

veuve : elle me l'a dit. Et elle a dit aussi qu'elle ne porte pas toujours son anneau parce que quelquefois à le regarder elle se souvient de la douleur que... Oh, la pauvre, comme elle parle ! On dirait un livre, mais elle n'est pas aussi antipathique qu'il nous semblait, Mody ! Ces jours-ci elle est venue à la cuisine prendre le café, comme tu fais toujours, et tu sais ce qu'elle a dit ? « Ça t'ennuie si je vole un instant la place de Modesta, Stella ? » Si seulement elle enlevait son chapeau ! Mais pourquoi qu'elle le garde toujours ? Oh, tu sais ce qu'a dit Bambù ? Qu'elle est peut-être chauve !... Oh, mon Dieu ! Bambù qui m'attend !... J'y vais... Alors je la fais monter ou non ?

Et moi qui depuis des semaines m'étais creusé la cervelle pour trouver un moyen de la faire monter chez moi. Laisserais-je maintenant partir Stella sans saisir cette occasion unique ? M'agrippant à la couverture, je criai presque à la porte qui déjà se fermait :

— Non, Stella, fais-la monter, elle se vexerait.

Stella m'avait-elle entendue ou pas ? J'aurais le temps d'aller dans la salle de bains pour au moins me laver les dents et me coiffer ? Brusquement je réalisai ma situation. Stella était parvenue à me mettre au lit, à m'enlever ma jupe et ce qui serrait trop, comme Carlo l'avait recommandé. Mais depuis deux jours j'étais avec ce pull sous les couvertures... Je portai les mains à mes cheveux et les trouvai trempés de sueur et collants. J'étais déjà horrible et gauche, lavée et avec un pull nettoyé, alors, qu'est-ce que ça devait être après deux jours au lit. Je priai presque un dieu quelconque que Stella ne m'ait pas entendue. Mais Stella avait l'oreille très fine, et la porte s'ouvrait déjà. C'en était fait ! Je tirai la couverture sur moi : qu'on me voie le moins possible, et je fermai les yeux. Dans l'obscurité « la voix », j'appelais ainsi désormais en moi-même ce qui était la seule voix digne de ce nom, résonna, chaude, au-dessus de mon pauvre corps.

— Oh, Dieu, Stella ! Elle s'est rendormie. Vous êtes sûre, Stella, qu'il n'y a pas de mal à ce sommeil prolongé ? Ça lui arrive souvent ? Je suis inquiète !

— Non, elle ne dort pas, ça lui plaît de faire comme ça à ma Mody. Ou elle tourne comme une toupie et s'affaire toute la sainte journée, ou elle se prélasse... Ayez la bonté de vous asseoir et d'attendre. Ah, je laisse le plateau.

« La voix » s'inquiétait pour moi. Cette découverte m'ôta complètement l'appétit. Et moi, indigne d'elle, gauche et sale, avec ce vilain pull et ces ongles mal taillés ! Dès que Stella sortit de la chambre, j'ouvris les yeux pour la revoir. Je la fixe comme si je ne la voyais pas depuis des années. Mais comme il advient après une absence trop longue, le désir de voir le visage aimé se fait si fort qu'il aveugle, et moi, ainsi, aveuglée, je la fixe mais je ne la vois pas.

Fume-t-elle ? Les mains blanches émergent lentement d'un rideau de brouillard. Non, elles n'émergent pas, elles semblent plutôt posées sur un coussin de velours. Les mains grandes et fines, coupées, avec leurs ongles parfaits de statue de sainte. Comment diable s'appelle cette sainte ? Agathe ? Non ! À sainte Agathe on avait coupé les seins, pas les mains. Et pourtant mère Leonora m'avait si souvent raconté l'aventure de ces mains transparentes et fortes, assez fortes pour résister à toutes les tortures sans que les jointures s'abîment, sans que les ongles se cassent. Les miennes devaient être sales, tandis qu'elles retenaient sur moi la couverture...

— J'ai eu tort d'insister auprès de Stella. Je vois que je vous dérange, Modesta, excusez-moi, mais j'étais un peu triste. Nous nous verrons plus tard.

Le coussin bougeait déjà sous mes yeux... Deux infidèles noirs, plus noirs que l'enfer, le soulevaient pour l'apporter au Grand Chien plus noir que ses esclaves, lequel de ses horribles mains de poix massacrerait ces chastes doigts.

Oubliant mes ongles sales, je m'élançai pour saisir le coussin.

— Oh, mon Dieu, Modesta ! Vous souffrez et ne voulez pas le dire. Craignez-vous que Stella ne s'inquiète ? Mais si cela vous réconforte de tenir ma jupe, je reste ici, ne vous inquiétez pas ! Cependant, je suis désolée d'insister, mais personnellement j'appellerais un médecin.

Mais que disait-elle ? Je n'avais jamais entendu une sottise pareille. Depuis quand disait-on que les médecins pouvaient venir en aide à un amoureux ? Mimmo disait, lui aussi, qu'il n'y a pas de remède à cette peste pernicieuse que pour ne pas effrayer on appelle l'amour. J'entendais Mela qui s'exerçait à monter et descendre sur les graves du clavier. La netteté ordonnée de ces notes et un rire léger et profond de « la voix » dissipèrent la brume devant moi. Et je la vis. Quelle sotte, cette Stella ! Non seulement elle n'était pas chauve, même si chauve elle aurait été très belle, mais elle riait en écartant de sa joue une masse souple de cheveux noirs. Voilà quelle était la raison : « la voix » avait des cheveux plus beaux et plus noirs que Stella, et Stella était jalouse.

— Mais bien sûr, bien sûr, je reste, Modesta ! Maintenant que vous avez plaisanté, votre plaisanterie me rassure. Comme vous avez raison ! Aucun médecin, aucune science n'a le moyen de soigner cette terrible maladie que les sots, comme vous avez dit, appellent l'amour.

Non seulement Stella est jalouse de ses cheveux,

mais aussi du fait que sans pantalon pour les cacher, deux mollets minces et lisses allaient se terminer en deux chevilles si fines qu'elles semblent de verre. Laissant la jupe, j'allais en saisir une pour m'assurer si elle était vraiment en verre, quand cette envieuse de Stella entra, me ramenant à la réalité. Elle était envieuse, mais elle avait de l'affection pour moi. Et son : « Ces dames veulent-elles que je monte du café ? » m'évita de continuer à aligner une sottise après l'autre.

La preuve en fut que, ayant repris le contrôle de moi-même par la seule grâce de la petite tasse chaude bien réelle entre mes paumes, je découvris un sourire tendre et plein de compassion que je n'avais jamais vu aux coins de la bouche de Joyce redevenue sérieuse. Comme si ce sourire nouveau chez elle ne suffisait pas, elle ajouta :

— Pardonnez-moi, Modesta, mais depuis que je vous connais une curiosité indiscrète m'oblige à vous demander quelque chose. C'est la faute de José et de son absolue incapacité à saisir l'aspect réel d'une personne, d'un pays, d'un objet. Tout devient abstraction, rapporté par José. Pour vous donner un exemple : on lui demande ce qui l'a frappé chez quelqu'un, comment sont ses cheveux, de quelle couleur sont ses yeux ? Et lui : « Mais que veux-tu que j'en sache ? Ces détails inutiles ne m'intéressent pas. Je t'ai dit qu'elle était belle et intelligente, ça ne te suffit pas ? Toujours à rechercher les commérages ! » Et c'est ainsi qu'à votre propos il ne m'avait parlé que de votre force, de votre intelligence. Et je m'attendais à trouver une femme, sinon vieille, du moins très adulte, et pas une toute jeune fille. Excusez-moi, Modesta, mais quel âge avez-vous ?

Couverte de honte, c'était clair maintenant : je n'avais fait que des maladresses, j'entendis ma voix – ou était-ce la voix de Carlo ? – incertaine, défaite :

— Je suis du 1er janvier 1900. Avec moi il est facile de faire le compte, comme le répétait la sœur au couvent.

C'était si facile que Joyce, les yeux écarquillés et surpris comme devant un nain ou la Femme à barbe, s'exclama :

— Mais non, Modesta ! Allons, vous plaisantez ! Je suis contente parce que si vous plaisantez c'est que vous n'allez pas mal. Mais il n'est pas possible que vous ayez trente-trois ans.

La honte disparue – je n'étais pas Carlo, qui ne se mettait pas en colère et admettait toujours qu'on se moque de lui pour cette absurdité d'avoir vingt-huit ans et d'en paraître dix-neuf tout au plus – je n'étais pas comme Carlo, et très en colère, j'insistai :

— Je ne plaisante pas, j'ai trente-trois ans et ce n'est pas du tout une plaisanterie !

— Mais c'est incroyable, vous n'en paraissez pas plus de vingt ! Et quand vous devenez sérieuse comme en ce moment, vingt-cinq au maximum.

Par bonheur, elle était directement passée de la stupéfaction au récit de ce que José lui avait dit de moi et fixait, comme toujours quand elle parlait, quelque chose d'extrême importance pour elle qui voltigeait au-dessus de ma tête. Par bonheur ! Car je ne parvenais pas à faire taire cette Modesta de huit ans que la « voix » ressuscitait en moi, et qui maintenant – mais que faisait donc cette petite ? – maintenant, commençait à pleurer de l'humiliation de n'être pas assez grande pour ce Tuzzu qui, depuis qu'il fumait, s'était fait plus imposant et suffisant. J'essaie de calmer Modesta, mais elle continue à pleurer comme Bambù – tous pareils, ces enfants – quand son Prando la laisse pour aller s'entraîner en bicyclette avec ses amis :

« Je ne pleure pas parce qu'il s'en va, Stella, je

pleure parce que depuis que maman lui a acheté un vélo de course, même quand il est là il me considère comme une moins que rien.

— Mais il t'aime, Bambolina, il le dit toujours, Prando.

— Peut-être, mais pas comme moi je l'aime lui.

— C'est ça que tu veux dire ? Et sommes-nous dans une droguerie, à peser le sucre et le café ? Tu le sais ce qu'a répondu Jacopo à cette idiote de cuisinière qui l'asticotait en lui disant que toi, oui, toi, tu aimais plus Prando qu'à lui ?

— Non, je ne sais pas. Qu'est-ce qu'il a dit ?

— Il a dit : "L'important, c'est combien moi j'aime Bambolina. Laisse-moi en paix !" Ces petiots d'aujourd'hui, Modesta, ça fait peur comme ils parlent ! On dirait des personnes adultes !

— Et comment Bambolina a-t-elle réagi, Stella ?

— Elle s'est tout de suite calmée et elle est partie chercher Jacopo. »

Jacopo avait raison, et maintenant Modesta, elle aussi, ne pleure plus. Elle a décidé de jouir de son amour pour cette femme même si elle sait que celle-ci ne pourra jamais l'aimer, prise comme elle est par son ami Nazim, poète et héros turc, par ce Silone•, écrivain et grand antifasciste, par ce José... Elle ne fait que parler de lui. Serait-elle amoureuse de ce grand échalas au nez tordu ?

Mela a repris ses exercices. Cette fille a le pouvoir de transformer les touches mécaniques du piano en cordes vivantes de harpe.

Joyce rit pour la seconde fois, éloignant pour un instant la cigarette de ses lèvres.

— José, marié ? Amoureux ? Enfin voyons, Modesta ! Il a en horreur ces mots plus encore que vous et que moi. Et si vous avez défini l'amour comme une maladie, lui va jusqu'à dire que c'est une drogue encore plus puissante que la religion. Oh, mon Dieu ! Je me souviens du visage irrité d'Angelica quand il...

— Qui est Angelica ?

Si l'idée de tous ces amis hommes qu'elle avait me rendait folle, à ce nom féminin je bondis presque du lit pour m'enfuir.

Par bonheur je m'étais seulement soulevée du coussin, et pour justifier mon sursaut j'allumai la lumière. Elle souriait encore, mais elle détourna la tête du cône lumineux qui rendait la blancheur du drap éblouissante pour regarder le crépuscule. Se cachait-elle ? Que cachait-elle en répondant :

— Vous ne connaissez pas Angelica Balabanoff• ? Je croyais que vous la connaissiez, c'est une grande amie de Maria Giudice•.

— Non, je ne l'ai pas connue. Elle est belle comme Maria ?

— Oh non, plutôt laide, je dirais, mais très intéressante, et d'une intelligence qui épouvante chez une femme, comme dit José.

Réconfortée par ce « plutôt laide », je me laissai aller sur les coussins.

— Eh oui, surtout quand elle se met en colère, et José a le pouvoir de la mettre en colère tout le temps.

— Et comment ?

— En piquant sa *pruderie**. Vous connaissez Maria, vous pouvez comprendre. Ce sont des femmes extraordinaires mais d'une autre génération, et ainsi José, comme je vous le racontais, ce jour-là – Dieu, que de temps est passé ! –, à la question discrète d'Angelica du genre : « Alors, mon garçon, tu n'as rien de nouveau à annoncer à ton Angelica qui est navrée de te savoir seul ? Je te vois de plus en plus débraillé. Est-il possible que tu n'aies pas encore trouvé une compagne qui recouse tes boutons ? », il a répondu clair et net : « Et va, Angelica, ce ne sont pas mes boutons qui te préoccupent, tu t'inquiètes de mon appareil viril qui pourrait rouiller comme toutes les machines dont on ne se sert pas. » Et elle, si vous l'aviez vue, Modesta, confuse et rouge comme une petite jeune fille : « Je parlais d'amour, José ! » « Laisse tomber avec l'amour, Angelica ! Par bonheur il existe les précieuses hétaïres, seules vraies femmes, seules rebelles, les seules femmes qui sachent donner et réclamer à un homme sans sentimentalisme et sans chichis. » Pauvre José ! Avec l'humour il se met comme il peut à l'abri de l'amour libre d'Angelica ou de l'amour légal de la bourgeoisie, mais en fin de compte il s'y laisse prendre lui aussi : je l'ai vu, Dieu sait si je l'ai vu !

Voilà, elle l'avait dit. Même si elle n'en était pas amoureuse, lui était amoureux d'elle ! Qui pouvait rencontrer Joyce sans en tomber amoureux ? Pour la première fois de ma vie je dormis le cerveau rongé par le ver de la jalousie, qui jusque dans le sommeil me tenait éveillée, me faisant m'agiter jusqu'au matin, quand tant bien que mal je pouvais compter les heures qui me séparaient d'elle.

61

La lumière de l'aube, que j'avais tant cherchée en me débattant dans le noir, vint polir et lustrer les formes des meubles, les livres d'oncle Jacopo, qui, libérés de leurs prisons de verre, répétaient leurs récits sereins. Depuis qu'il était revenu parmi nous, afin de ne pas confondre ce petit enfant au regard réfléchi d'adulte avec le visage tourmenté qui me fixait sur la photographie, je m'étais mise moi aussi à l'appeler oncle. Mais ce ver continuait à ronger les voûtes osseuses de ma chambre mentale, me faisant me lever et me remettre au lit, ouvrir et fermer les tiroirs, les fenêtres. On étouffait dans cette pièce, mais quand j'ouvris les persiennes me vint au visage la glace unie, sans fissures ni nuages dans le ciel, le ciel compact et brillant de l'été au cœur de l'hiver. Comme j'avais désiré cette brillance lisse dans les longs hivers de mes voyages dans le Nord ! Non, je ne repartirais pas. C'était elle qui devait s'en aller en emportant avec elle ce ver ; même si je n'ai pas le courage de l'avouer à haute voix, je sais qu'il a un nom : jalousie. Je l'ai dit, et ce mot, dont auparavant je ne connaissais pas la signification, se détache de mes émotions pour un instant, et je le vois, je peux le toucher comme un vase, un verre, un objet que l'on peut tourner et retourner et observer de tous les côtés. Voilà l'utilité de dire les choses : ce ver matérialisé par ma voix est plus sournois, plus informe et plus mou que toutes les émotions que j'avais éprouvées jusqu'aujourd'hui. Et, chose qu'auparavant je n'aurais jamais imaginée, c'était une émotion charnelle, une douleur sourde et continue comme celle d'un dard empoisonné, d'un mal de dents... Ce Nazim, ce Turc héros du prolétariat malgré sa noble origine, en prison et dans la misère malgré son enfance riche et puissante dans cette villa sur le Bosphore avec son amie Joyce, fille d'un ambassadeur italien et d'une femme de la noblesse turque... Étant donné qu'elle tient tant à être inaccessible, qu'elle s'en aille ! Elle ne sait pas que, même si j'ai déchiré le billet, le bateau n'est pas encore parti. Et avertir Pietro et la faire accompagner au port est une chose de rien du tout.

— Entrez, Joyce, c'est ouvert.

— Oh, Modesta ! Juste un instant, j'ai vraiment besoin de vous parler. Il faut que je parte, pardonnez-moi d'insister, mais il faut que je parte ! Il faut que je rejoigne de quelque façon que ce soit José à Paris. Le *comfort* physique et moral, la gaieté de vos enfants, quels enfants merveilleux ! et ce 'Ntoni de Stella aussi, si élégant et intelligent, c'est la preuve vivante de ce que nous, marxistes, nous savons : c'est le milieu qui fait l'homme... La douceur de Stella et de ces pins et de cette mer, allait me faire oublier mon devoir envers José et mes camarades. Jusqu'à cette nuit terrible de cauchemars ! Je n'arrive toujours pas à oublier le visage torturé de José qui me regarde... Je ne me pardonnerais jamais de n'être pas aux côtés de José dans ce moment de lutte jusqu'au sein de notre parti. Silone, Tresso•, Leonetti• exclus ! L'intransigeance, le sectarisme envers les socialistes ont séparé, égaré les forces antifascistes, ne faisant que rendre un bon service au capitalisme, qu'au Ve Congrès, à cause de la crise, nous avions déjà donné pour liquidé. Que d'espoirs pour la cause, que de vraies conquêtes avaient fleuri devant nous dans notre vieille Europe ! Nous les croyions solides. En quelques années tout a été balayé ! Le virage d'Atatürk, le mouvement spartakiste pulvérisé, Rosa Luxemburg• assassinée ! Et maintenant ce petit-bourgeois de Hitler dont tout le monde se moquait jusqu'à son putsch de la Brasserie, prend « démocratiquement » le pouvoir en gagnant les élections. Une nuit d'enfer, Modesta ! Comme si quelqu'un s'était amusé à projeter dans ce rêve tout mon long passé, toutes mes presque quarante années ! J'ai revu la joie de ma mère qui me répétait en m'embrassant : « Toi du moins tu seras libre, ma fille ! Une nouvelle ère s'ouvre pour les femmes turques. À partir d'aujourd'hui tu voteras et tu seras maîtresse de ton destin. » Et puis en un instant, son visage vieilli, amaigri, en exil à Paris, et à côté d'elle, le visage martyrisé de... Oh, Modesta, il faut que je parte ! La paix et la sérénité de cette maison ne nous conviennent pas, à nous, vieux survivants, déracinés et peut-être vaincus. À nous qui, comme dit José, ne retrouvons une raison d'être que dans le combat.

— Je pourrais, Joyce, vous trouver un bateau, mais seulement si je savais la vraie raison de votre désir de partir. Vous avez longuement parlé de beaucoup de choses, mais sans me faire comprendre qui vous êtes, je veux dire : comme personne. Et ce « nous, les vieux, qui ne retrouvons de raison d'être que dans le combat », me pousse à ne pas vous laisser partir. Vous dites que vous êtes vieille, Joyce, mais vous êtes seulement fatiguée, et, pardonnez-moi cette impertinence, hors de vous. Comment pourrais-je prendre la responsabilité de vous faire embarquer dans cet état ? Nous ne sommes plus en 22 ou en 24, nous sommes en 33. Je ne vous laisserai partir que si vous me dites que vous attend quelqu'un capable de prendre soin de vous.

Pour la première fois Joyce me regarde longuement dans les yeux. Maintenant qu'elle a perdu l'abri de son rideau de paroles, elle incline la tête pour cacher son visage dans ses bras. La masse noire de ses cheveux se répand sur la table entre elle et moi : une nuit brillante d'été...

« De quoi est faite la nuit, Tuzzu ?

— Et qu'est-ce que j'en sais, moi ?

— Si tu me fais grimper sur tes épaules je la touche et je te le dis.

— Alors, voyons ? Maintenant que tu l'as touchée, de quoi est-ce qu'elle est faite ? »

— Si personne ne vous attend, Joyce, je ne vous laisse pas partir.

Ses cheveux accueillent ma caresse, ou c'est juste mon bras qui l'empêche de bouger ? Je retire la main et déjà elle redresse ses épaules libérées. Ma main déçue est restée en arrêt au milieu du bureau.

— Quelles belles mains vous avez, Modesta, je ne m'en étais pas aperçue. Non, laissez-la ainsi, vos caresses ont apaisé mon cœur comme lorsque j'étais petite et que ma mère me caressait.

Je ne me rendis pas compte du long trajet que j'avais parcouru autour de la table, jusqu'à ce que je sois assise à côté d'elle et que je voie mon autre main glacée disparaître elle aussi dans les siennes.

— Et comme elles sont petites, ainsi, d'aussi près ! Vous êtes étrange, Modesta, parfois vous paraissez grande, forte, parfois comme à présent petite et fragile comme une enfant. Avant, quand vous m'avez dit : « Je ne vous laisserai pas partir », je me suis sentie libérée comme lorsque, petite fille, je savais pouvoir me fier à la décision de quelqu'un de plus grand et de plus fort que moi. Cela faisait tellement longtemps que je ne pouvais me fier à personne. Bien sûr, il y a les camarades, José a toujours été proche de moi. Mais une amie femme est différente, et je sens en vous une amie. Je n'ai jamais eu d'amie, Modesta.

Mes mains redevenues vivantes dans les siennes reprenaient force et décision. Je laissai la chaleur de ses paumes et lui entourant la taille je m'entendis dire avec la force qu'elle réclamait en cet instant (ou j'exagérais et elle allait s'éloigner ?) :

— Une amie, Joyce, bien sûr. Vous devez vous fier à moi et vous abandonner, vous reposer.

Obéissant à mon ordre, elle laissa aller sa tête sur mon épaule.

— Et José qui m'attend ? Que pensera-t-il de moi ? Il faudrait que je l'avertisse, mais comment faire ?

— J'écrirai à José.
— Mais c'est dangereux ! Les postes...
— Non, non, je trouverai un autre moyen pour lui faire parvenir ma lettre.
— Quelle paix ici, Modesta, après les visages soupçonneux, les demi-mots, les gestes d'alarme à chaque sonnerie de téléphone, là-bas, à Milan, dans les rares maisons d'amis qui ne m'ont pas fermé la porte à la figure. Ça a été terrible ! Deux seulement de tant de vieux camarades et amis m'ont reçue... Et l'un d'eux rien que quelques secondes ! Je ne l'oublierai jamais, c'était un samedi, en chemise noire, tremblant, juste le temps de me dire bonjour avant d'aller au rassemblement.
— Ne les jugez pas. Le Duce les a tous conquis avec l'aide de son élégant Arturo Bocchini•. Il ne se passe pas un jour sans qu'on assiste à la transformation d'un ami, d'une connaissance. Ou simplement en entrant dans un magasin on voit au regard résolu d'un vendeur qu'il est passé de l'autre côté.
— Même ici en Sicile, Modesta ?
— Oui, ici aussi, même si c'est plus paisiblement que dans le Nord.
— Mais vous êtes si calme, si tranquille !
— Il n'y a pas de raison de perdre ses forces dans une crainte inconsidérée. Il suffit de prendre garde...
— Prendre garde ? Vous m'avez soupçonnée, n'est-ce pas, Modesta ?
— Bien sûr, et je vous soupçonne encore parce que quiconque se présente aujourd'hui – fût-ce avec une lettre d'un ami sûr – peut être un envoyé de ce cher Bocchini.

Elle ne répondit pas mais sa tête se fit plus lourde sur mon épaule. Je ne comprenais pas le langage muet de ces gestes. Personne jusqu'à ce moment-là ne m'avait parlé ainsi. Ou cette femme, peut-être envoyée pour espionner, était plus rusée que je ne l'avais pensé, ou son abandon était sincère. Pour sortir de ce silence parfumé de jasmin je la serrai contre moi – qu'elle dise quelque chose ou s'éloigne.

— Vous ne m'avez jamais parlé de Carlo, Modesta.

— Vous ne me l'avez jamais demandé, Joyce.

— José m'avait dit d'être prudente, de ne pas rouvrir votre blessure. Il m'a dit combien vous aviez souffert de la mort de Carlo. A-t-on jamais su quelque chose des assassins ?

— José avait raison, il est trop amer pour moi d'en parler.

— Vous me soupçonnez encore, Modesta ?

— Quelques secondes seulement sont passées, Joyce, pourquoi devrais-je cesser de vous soupçonner ?

— Pardonnez-moi d'insister, mais vous m'avez démontré une telle sympathie dès le premier instant, que je n'arrive pas à m'y retrouver, et je ne me rends compte que maintenant que jamais un nom ne vous a échappé durant nos conversations.

— Et jamais un nom ne m'échappera, soyez tranquille. Comme ça, si vous étiez une espionne, vous vous en iriez avec la seule découverte que « peut-être » je suis une antifasciste, puisque je vous ai donné asile et puisque vous avez pu constater qu'il n'y a dans cette maison ni le portrait du Duce, ni du Roi, et que mes enfants ne vont pas aux rassemblements du samedi et ne portent pas l'uniforme. Mais tout cela est connu de tous à Catane, comme est notoire que je suis une extravagante et peut-être un peu toquée. C'est une prérogative des Brandiforti.

— Et malgré ce soupçon vous me tenez par la taille et vous me caressez les cheveux comme une sœur ?

— Je ne vois pas pourquoi une espionne ne devrait pas avoir de sœur.

Son éclat de rire long et profond balaya l'odeur de jasmin comme un vent soudainement levé. Non, ce n'était pas le vent. Elle s'était levée et l'empreinte chaude de sa taille m'était restée entre les bras et me troublait. Je me levai moi aussi, mais sans m'approcher. Riant et allant vers la fenêtre, Joyce redevenait grande, austère, inaccessible.

— Être près de vous, Modesta, me rend une gaieté que je croyais perdue pour toujours. « Même les espionnes ont une sœur ! » Quel beau titre ce serait pour un roman ! José m'a dit que vous écrivez.

— Oui, mais pas sur la politique. Je regrette de vous enlever tout espoir, même là vous ne trouveriez rien, ni un nom ni un fait. Ou mieux, vous trouveriez tant d'obscurités qu'elles ne feraient que confirmer ma bizarrerie.

— Comme votre mode de vie, n'est-il pas vrai ? En effet, que pourrais-je dire ? Pas de tables mises ni pour déjeuner ni pour dîner, tout le monde qui va et vient quand et comme chacun le veut. Des enfants riches et nobles obligés de mettre le couvert et de se servir tous seuls, et parfois obligés aussi de cuisiner si par caprice ou autre ils décident de manger à des heures différentes des horaires de la cuisinière... Et cette Mela au visage d'oiseau, maigre comme un clou, toute en yeux, à côté d'une jeune demoiselle aussi élégante que votre Bambù, et que vous faites étudier à vos frais avec les meilleurs concertistes. Oh, Modesta, en plus de la gaieté m'est venue une faim terrible !

— Une faim d'informations ou de nourriture ?

— Une faim, une faim, comme je n'en avais pas depuis des années ! Arrêtez de travailler pour aujourd'hui et allons manger quelque chose ensemble, Modesta, je vous en prie. Oh, regardez ! Quel spectacle extraordinaire ! Regardez comme l'orage approche !

— C'est la Tropea qui crie sa fureur, la Tropea aux cheveux écarlates qui gouttent de sang et de vent.

Il fallait bien fermer la fenêtre ou la tempête l'ouvrirait toute grande et personne ne nous sauverait de la pluie qui approchait, poussée par le soleil : feu et eau fauchaient les pins, décapitant les oiseaux et les fleurs. Juste à temps, forçant de tout mon corps, je réussis à fermer les persiennes, les fenêtres, les volets, les rideaux. Nous étions dans l'obscurité à présent, mais dehors les poings et les ongles de cette femme prise de fureur cognaient, essayant d'entrer.

— Comme vous êtes forte, Modesta ! Vous m'étonnez toujours.

— On voit que je suis née pour étonner, c'est un refrain qui me poursuit depuis que je suis au monde. Ne vous étonnez pas, je vous en prie, et allumez la lumière.

— Oh, Modesta, regardez le lampadaire : la maison tremble !

— La fureur de la Tropea passe vite, le temps de fumer une cigarette. Pourquoi ne fumez-vous pas ?

— C'est terrible... Comme vous l'avez dit, on croirait les hurlements d'une folle.

— Ce sont les arbres et la mer qui répondent à ses cris, et peut-être y a-t-il eu une légère secousse de tremblement de terre. Mais rassurez-vous, ça passe en quelques instants.

— Cela arrive souvent, pour que je vous voie aussi calme ?

— Au moins une fois par an cette femme se souvient de torts anciens et livre bataille à l'Etna. Nous autres gens de l'île nous avons des femmes guerrières dans notre mémoire, des femmes qui avec leur épée font un carnage de ceux qui les ont offensées.

— Ce ne seraient pas des saintes ?

— Pas du tout ! Des paladines vaillantes et sans peur, à la hauteur de Roland pour manier leur Durandal.

— Les marionnettes ? José m'en avait parlé. Mais il ne m'avait rien dit de ces marionnettes-là.

— Je vous emmènerai voir ces héroïnes au profil délicat comme celui de Stella et aux nerfs solides. Vous verrez comme elles sont terribles dans leur fureur guerrière ! Depuis des siècles l'Église essaie de les chasser, comme dit Insanguine, notre montreur de marionnettes. De la même façon que le fascisme veut nous enlever nos morts, et avec eux la mémoire de nos traditions vitales.

— Vos morts, Modesta ? Je ne comprends pas.

— Oui, ils ont déclaré que la seule fête pour les enfants doit être la *Befana*, l'Épiphanie, la *Befana* fasciste comme dans le Nord. Et cela a fortement blessé les gens de chez nous qui pour vivre tranquilles ont, en apparence, accepté. Mais ils continuent à se souvenir et à ouvrir, la nuit du 1er novembre, la porte à nos morts qui entrent sur la pointe des pieds dans les maisons pour porter des cadeaux et des messages à nos enfants. Des gâteaux et des jouets pour qu'ils n'oublient pas que la mort existe, et qu'eux dans la mort même sont vivants.

— C'est pour cela qu'à Noël vous n'avez pas fait l'arbre ! Quand j'ai demandé à Jacopo si ça ne l'ennuyait pas, il a répondu : « Mais ce sont des histoires, ça ; nous, les cadeaux, les morts nous les apportent de leurs mains. » Je vous avoue, Modesta, que j'ai eu une telle peur de ces mots prononcés par un enfant, que je n'ai rien osé demander. J'ai pensé qu'il plaisantait. Jacopo est tellement ironique que parfois il vous met dans l'embarras. Mais maintenant que je me rappelle, Bambù, elle aussi, quand je lui ai demandé qui lui avait donné ce magnifique collier d'ambre qu'elle porte souvent, m'a répondu : « C'est papa et maman qui me l'ont donné cette année. »

— Bien sûr, comme ça Bambolina se souvient de son père, de ceux qui l'ont tué, mais sans terreur.

— Elle était sereine en effet.

— Tous les enfants de l'île, le 2 novembre, en jouant, parlent de leurs morts, qui ne se trouvent ni à l'enfer ni au paradis, mais avec eux. L'Église elle-même a toujours dû fermer les yeux sur cette coutume païenne. Et c'est la première fois qu'un roi ou un chef étranger a osé essayer d'abolir cette tradition. Mais si en novembre ni vous ni moi ne nous trouvons en prison, je vous emmènerai à Catane et vous verrez la grande *Plaine des Morts*, la *Chiana dei Morti* qui chaque année continue à se rallumer, à revivre avec des luminaires et des flambeaux, des montagnes de biscuits et de jouets, en se moquant des étrangers et de la mort.

— Oh, mon Dieu, Modesta, qu'est-ce que cette *Plaine des Morts ?*

— C'est la grande place centrale de Catane où tous les parents, les frères, les oncles, riches et pauvres, toute la nuit, au milieu des étals colorés, des magasins illuminés, des cafés et des restaurants pleins de monde, cherchent – entre un verre de vin et un autre – les cadeaux pour les plus petits pour le compte de leurs chers morts.

— Je serais heureuse d'aller avec vous voir les marionnettes, et aussi cette étrange fête des morts. Si tant est en effet qu'on ne nous arrête pas d'abord ! Et même si, je l'avoue, l'idée de la mort m'effraie beaucoup, quelle qu'elle soit. Mais vous aussi vous m'effrayez, Modesta. Je suis sincère, depuis que l'orage a éclaté vous avez changé avec moi. J'ai beaucoup apprécié vos récits, mais j'ai senti chez vous comme une hostilité à mon égard. Ou c'est la Tropea qui vous inquiète ?

— Non, Joyce. Nous sommes habitués aux tempêtes et aux tremblements de terre. C'est une phrase que vous avez prononcée qui m'a blessée, comme elle aurait blessé Stella et toutes les femmes du monde. Mais peut-être que j'exagère, n'y faites pas attention. Nous sommes soupçonneux, nous les gens de l'île.

— Je ne comprends pas, j'ai dit quelque chose de blessant pour vous et pour Stella ?

— Cette lumière artificielle est lugubre, Joyce. Si vous voulez vous pouvez rouvrir la fenêtre à présent.

— Mais la tempête ?

— Ouvrez, vous dis-je.

— Oh Dieu, Modesta, comment avez-vous fait pour comprendre ? Tout est bleu à présent, et calme. Ce silence est plus effrayant que le tonnerre et les éclairs. Je ne connaîtrai jamais la paix, Modesta, ni ici ni ailleurs !

Je ne l'avais jamais vue trembler. Ou peut-être a-t-elle juste froid. Même le blanc de sa chemise tremble.

— Vous avez froid, Joyce, venez près du feu.

Elle se recroqueville, tremblante, sur le divan, comme pour se cacher. Et moi qui depuis des heures la torture avec des récits sinistres et des insinuations. Son désespoir se communique à moi en infinis frissons de plaisir. Il faut qu'au moins je la prenne dans mes bras.

— Je suis indigne de votre amour de sœur, Modesta !

Que veut-elle dire ? Le feu de l'âtre me brûle la bouche. Non, ce n'est pas le feu, ce sont ses lèvres qui se pressent sur les miennes, et sa langue s'insinue dans ma salive. Je veux saisir cette langue entre mes dents, mais :

— Oh, Modesta, je suis indigne, indigne !

Que dit-elle ? J'essaie de la poursuivre mais je ne trouve que la porte fermée sur sa fuite. J'ai la tête, le front en flammes, tandis qu'un rire de joie me monte de la poitrine aux joues. C'était là tout le mystère, les demi-confessions, les craintes qui la faisaient trembler. Et moi qui pensais que c'était une espionne !

62

Je ne sais combien de temps je restai là, la tête contre la porte, à rire d'émotion de mon ingénuité, quand des pas pressés montant les escaliers m'arrachèrent à mes rêveries. C'était elle qui revenait ? J'aurais fait la même chose. Mais ma main tomba de la poignée à la voix de Stella qui demandait d'entrer. Sûrement Jacopo et Bambù s'étaient fait mal en se courant après. Non, pas Bambù, Jacopo ! C'est lui qui est fragile. Il ne fait que rester enfermé à lire et à étudier.

— Mody, Mody, c'est Stella, ouvre, pour l'amour de Dieu !

— Mais qu'y a-t-il, Stella ? Ne me dis pas que Jacopo s'est fait mal, parce que cette fois je le roue de coups ! Comme ça nous verrons s'il se décide à faire un peu de sport, et à arrêter de courir derrière Bambù !

— Non, Mody, non ! C'est la dame étrangère, elle souffre, et moi, moi... Comme je me repens d'avoir pensé du mal d'elle !

— Qu'est-il arrivé ?

— Je ne sais pas ! Elle m'a appelée et elle paraissait

tranquille. Comme j'ai vu ses valises au milieu de la pièce j'ai pensé : « Elle veut qu'on l'aide... Le moment de partir est venu. » Elle ne devait pas partir, Mody ? Mais en fait elle m'a dit qu'elle voulait dormir et qu'elle ne voulait pas être dérangée jusqu'à demain matin. Mais tandis qu'elle se glissait dans son lit j'ai vu qu'elle pleurait. Quand je me suis retrouvée à la cuisine ces pleurs ne voulaient pas me disparaître de devant mes yeux. Alors je suis revenue frapper à sa porte, elle voulait peut-être quelque chose de chaud.

— Vite, Stella, que s'est-il passé ?

— Elle ne m'a pas répondu. Je frappe et refrappe cent fois, rien. J'ai peur, Mody ! Peut-être que cette dame va mal.

— Oh, mon Dieu ! Princesse, l'eau est toute rouge, c'est du sang !

Nunzio hurle comme un possédé. Je ne l'ai jamais vu dans cet état. Il a abattu deux portes : chambre et salle de bains. Tandis que je tiens la tête de Joyce, Nunzio après l'avoir tirée de l'eau l'étend sur le lit en murmurant :

— Mais qu'est-ce qui faut pas voir ! Une femme si belle qui veut pas vivre ! Avec la permission de la princesse, j'y déchire ce drap et je la bande. Faut y aller fortement... comme ça ! À voir la couleur de l'eau elle a pas perdu beaucoup de sang... Oh ! elle y est allée fort avec le rasoir !... Comme au front, un gars de Milan qui, va savoir pourquoi, s'est rendu une nuit le même service, sans baignoire naturellement. Il dormait dans le lit au-dessus de moi et le sang sur ma figure m'a réveillé. Je le souhaite à personne ! J'en ai connu des vertes et des pas mûres dans la tranchée, mais ce réveil-là, il m'a marqué plus que l'éclat des grenades.

Alors il n'y avait pas que moi qui la voyais belle à travers le filtre d'amour qui dès le premier jour m'était descendu sur les yeux, puisque Nunzio répétait lui aussi : « Belle, belle... », tout en aidant Stella à la défaire de sa chemise de nuit trempée d'eau ensanglantée.

— Voilà, comme ça, sous les couvertures ! Ou plutôt, il faut lui sécher les cheveux maintenant...

Stella lui séchait les cheveux qui, mouillés, semblaient plus longs. Ils étaient légèrement ondulés, ces cheveux, et il était naturel que secs ils paraissent plus courts.

Elle ouvrit les yeux à l'instant exact où venait de sortir le docteur Licata.

Au regard serein dont elle effleurait les murs, les rideaux, les valises encore fermées au milieu de la pièce, pour s'arrêter sur le visage de Stella souriante, je compris qu'elle ne parlerait plus de départ et malheureusement pas davantage de baisers, ceci dit entre nous. Mais quelle importance cela pouvait-il avoir pour cette petite Modesta qui à l'intérieur de moi-même exultait de la voir, vivante et tranquille, répondre au sourire de Stella ? Dans le grand fauteuil où j'avais attendu des heures et des heures, je me sentis encore plus petite face à ce sourire. Était-ce parce que, ainsi étendue nue sous les draps, elle semblait plus grande et plus épanouie que lorsqu'elle marchait à mon côté dans ses pantalons qui l'amaigrissaient à un point insoupçonnable ? Les seins pleins et les hanches larges avaient une densité de statue de femme adulte. Voilà ce qu'il en était : habillée, elle semblait une Diane légère, et ainsi étendue une Vénus. Cette déesse avait deux profils, deux façons d'être, deux façons de penser, comme tout le monde du reste. Ma cicatrice palpitait sous ma frange et cette palpitation m'indiquait qu'aussi bien il pouvait aussi y avoir trois profils : il existait en effet des vases en forme de visage avec trois profils...

— Oh, Modesta, vous êtes là vous aussi ? Mais que s'est-il passé ?

— Rien, Madame, vous avez eu un malaise dans la salle de bains.

Je n'aurais jamais imaginé tant de délicatesse en Stella et je la regardai avec reconnaissance. Elle aussi espérait que Joyce avait oublié. Mais, comme le médecin l'avait prévu, il n'en était pas ainsi et déjà Stella regardait la seringue prête sur la table de nuit : « Si au réveil elle est prise d'une crise de désespoir, donnez-lui ce sédatif et appelez-moi. »

— Oh, Dieu ! Princesse, Stella, mes poignets...

— Laissez, Madame, laissez-les sous les couvertures, ce n'est rien !

Mais elle avait déjà sorti les bras de sous le drap et, les ayant laissés retomber, elle fixait maintenant les bandes blanches qui lui coupaient les mains. Stella et moi attendions la crise que Licata avait prédite. Mais quand Joyce se remit à parler Stella reposa la seringue qu'elle avait déjà prise dans sa main.

— Ce bandage est l'œuvre d'un médecin. Vous avez même dû appeler un médecin ! Quelle honte !

— Ne vous inquiétez pas, Madame, le médecin est un ami fraternel de Mody et de cette maison !

— Je suis indigne de votre confiance et de la confiance de José. Mon Dieu ! Comment ai-je pu oublier dans mon désespoir qu'en mourant je vous aurais mises en danger ?

— En danger, vous dites ? De la honte ? Oh, Sainte Vierge, pourquoi souffrir comme ça sans parler ? Nous sommes des femmes, des amies...

C'était le moment de faire partir Stella. Je cherchais un moyen de la faire sortir de la pièce, quand elle-même :

— Parlez avec ma Mody, Madame, elle sait tout

comprendre... moi je m'en vais maintenant, je dois passer voir les petitous juste un instant avant qu'ils s'endorment, surtout Jacopo, qu'après il me devient pénible le matin si le soir je l'embrasse pas sur le front. Bonne nuit à vous, Madame, et à toi, Mody.

Une fois Stella sortie, la Modesta enfant qui pendant des années avait sommeillé en moi, bien que j'aie essayé de l'ignorer, s'effraya de rester seule avec cette grande femme aux yeux douloureux qui fixait encore ses pansements.

— Il vaut mieux que je m'en aille aussi, Joyce, le médecin a dit que vous deviez vous reposer, et il me gronderait demain s'il savait que je vous ai tenue éveillée.

— Quelqu'un vous gronder, vous, Modesta ?

Embarrassée, j'essayai de réparer la gaffe de cette enfant.

— C'est un vieux camarade, et je lui donne la permission de me gronder quelquefois.

— Enfin vous me parlez de quelqu'un qui fréquente cette maison. Vous ne me soupçonnez plus, Modesta ?

— Non, Joyce !

— Pour cette sottise que j'ai faite ? Venez là à la place de Stella, pourquoi restez-vous si éloignée ?

— Le médecin a donné des consignes précises.

— Rien que quelques instants, le peu qu'il faut pour me faire comprendre que vous ne m'en voulez pas, alors même que vous en auriez pleinement le droit.

— Je ne vous en veux pas, Joyce. Vous sentez bien que je ne vous en veux pas.

— Oui, je le sens. Merci.

Dans la faible lumière j'attendais qu'elle continue à parler, qu'elle me dise quelle douleur – et ce devait en être une grande – l'avait poussée à vouloir s'ôter la vie, mais elle se taisait. Je me levai du fauteuil et la regardai : elle dormait. Sa respiration régulière et profonde était rassurante... Devais-je éteindre la lumière tamisée de la table de chevet ou non ? Il valait mieux pas. Licata avait dit qu'il ne fallait pas la laisser seule au moins pour cette nuit : « Souvent, quand le désespoir est si grand qu'il a pu vaincre une fois la peur, on se rend compte comme la mort est facile et à portée de main, et l'envie vient de recommencer. À moins que le sujet, au moment du réveil, n'ait une réaction vitale de peur devant ce qu'il a fait. » Mais Joyce n'avait montré aucune peur de cet acte. Juste de la honte et du remords envers nous.

— Mody, oh, Mody ? Tu veux que je vienne la surveiller, moi ?

— Non, Stella. Tu as tant à faire demain. Je suis très bien dans ce fauteuil, je m'étais presque endormie.

— Comme tu veux, Mody, mais...

Je n'entendis pas le reste de la phrase. Je sombrais dans le sommeil. Quelqu'un me couvrait de quelque chose de chaud et d'enveloppant, quelque chose que j'avais connu des années ou des siècles auparavant, avant de naître peut-être, mais que j'avais oublié dans la précipitation de la vie.

Je ne m'étonnai pas, en ouvrant les yeux, d'avoir aussi bien dormi dans un fauteuil, ni de la couverture que quelqu'un avait posée sur moi, ni de la joie furieuse qui me prend en rencontrant le regard souriant de Joyce. Ce sourire est pour moi, me dis-je. Et dans la fureur de la félicité j'ai envie de bondir de ma couche et de la couvrir de baisers. Un instant la conscience de mon corps adulte m'arrête, mais elle continue à sourire. Alors, oubliant mes jambes et mes bras trop vite grandis, je cours dans le sentier que ce sourire ouvre devant moi et j'inonde d'une pluie de baisers – selon ce qu'elle me dit ensuite – ses yeux, son front, ses joues. Elle me laisse faire, toujours en souriant des yeux, mais cela ne me suffit pas. Je veux qu'elle soit heureuse, et je ne m'arrête que lorsque ses lèvres, elles aussi, s'entrouvrent sereines comme son regard, son front, son cou qui déjà palpite d'un rire muet. Maintenant mon bonheur n'a pas de limites et je peux retourner à mon fauteuil.

— Non, Modesta, non ! Restez ici ! Votre proximité me donne une joie que je n'ai jamais éprouvée.

Si elle l'a dit – non seulement de la voix, mais en me faisant une place –, je peux m'étendre : moi au-dessus des couvertures, elle au-dessous.

— Vous devez avoir eu une enfance heureuse si vous pouvez donner tant de sérénité à vos enfants comme à moi... Vous ne m'avez pas répondu, Modesta. Vous étiez heureuse enfant, n'est-ce pas ? Quand vous êtes comme maintenant il me semble vous voir enfant dans une maison heureuse comme celle-ci, avec une mère sereine comme Stella.

— Non, Joyce, non. Ma mère est morte tôt, et j'étais extrêmement pauvre avant d'entrer dans la famille Brandiforti.

— Mais comment est-ce possible ?

Déjà le sourire s'effaçait de son regard, mais je ne voulais pas la troubler avec des histoires tristes et j'ajoutai en hâte :

— Les faits comptent peu. J'ai toujours été heureuse, comme vous l'avez justement deviné, du moins jusqu'aujourd'hui. Avec le temps, si vous voulez, je vous raconterai mes aventures.

— Vous avez raison, les faits ne comptent pas. J'ai toujours été riche. Ma mère est morte il y a seulement deux ans, quand j'étais déjà adulte et en mesure d'accepter cette perte. Voyez-vous, Modesta, j'ai le devoir de vous assurer que ma faiblesse d'hier ne se répétera pas, au moins dans cette maison. Mais j'ai également le devoir de vous mettre en garde contre moi. Malheureusement, depuis que ma sœur est morte...

— Joland ?

— Oui, ma sœur, mais pas par la chair. Voyez-vous, mon père et ma mère... Mais ne parlons pas de moi, c'est vous qui m'intéressez. Dites-moi, peut-être dans la pauvreté même aviez-vous des frères, des sœurs qui...

— Non, j'étais seule.

— Incroyable ! Vous seule, pauvre ! Vous, si sociable et assurée au milieu de cette foule d'enfants exceptionnels, dans cette élégance austère ! Un jour vous me raconterez, n'est-ce pas ? Vous surprendriez beaucoup l'un de mes vieux amis et maîtres auquel je dois – du moins jusqu'à l'acte honteux que je viens de commettre – la santé mentale qui m'a soutenue durant ces dernières années. Il faut que je vous dise, Modesta, que dans ma première jeunesse, alors que je vivais avec mon père et ma mère, j'ai déjà eu la tentation de mourir. Cette tentative de suicide m'a poussée à trouver ma voie dans les études, je voulais découvrir la raison des souffrances non seulement physiques, mais psychiques. J'ai étudié la médecine, puis la psychiatrie à Milan. À la Faculté de médecine, j'ai rencontré Carlo.

— Ah ! Comment se fait-il que Carlo ne m'ait pas parlé de vous ?

— Nous nous étions séparés en plutôt mauvais termes... Combats idéologiques. Il ne vous a jamais parlé de Jò ?

— Ah, oui, Jò ! Mais je croyais qu'il s'agissait d'un garçon ! Il faisait allusion à quelqu'un qui était ensuite allé se perfectionner en Allemagne. Alors c'était vous, cette Jò ?

— Oui.

— Mais pourquoi Jò ?

— Parce que, comme je vous l'ai dit, je n'ai jamais eu que des amis garçons. En cela Carlo et José sont identiques, abstraits ou distraits, comme vous voulez. Avec le temps, à l'intérieur d'eux-mêmes, ils me sentaient homme, probablement.

— Mais pourquoi ne pas me l'avoir dit tout de suite ? À présent je me souviens de ce Jò... Ce petit nom vous va bien.

— Oh, voici Stella avec le petit déjeuner ! Modesta, je vous en prie, retournez vous asseoir sur le fauteuil.

— Pourquoi pâlissez-vous ainsi ? Qu'y a-t-il de mal ? Nous sommes deux femmes.

— Mais... vraiment, je... Bonjour, Stella.

— Bonjour à vous, Madame. Oh, Mody, tu es là ? Tant mieux, ça me faisait peine de t'imaginer sur ce fauteuil. Que c'est beau, ma Mody et ma chère madame qu'elles se retrouvent à papoter comme deux petites sœurs ! C'est un soulagement de vous voir aussi colorée, Madame, je parie que vous avez faim ?

— Grand faim, Stella.

— Voilà une autre bonne nouvelle ! Et maintenant je vous laisse. Ah, comme j'ai toujours désiré d'avoir une sœur ! Mais ma regrettée mère ne faisait que fourguer des garçons, Dieu l'ait en sa sainte garde !

Cette rougeur que je ne comprends pas abîme le visage de Joyce. Et moi je la veux toujours belle dans l'ivoire compact de son front qui, serein ou triste, n'avait jamais été troublé de rides d'incertitudes ou de taches de honte. Maintenant je comprenais pourquoi un visage parfait pouvait paraître laid, comme un visage irrégulier beau. C'était la cohérence qui comptait. Le triangle informe de Mela où l'on ne pouvait dire beaux que les yeux, quand il se couvrait de rougeur, rendait plus attrayante sa petite figure. Cette rougeur était en quelque manière la continuation logique de l'incertitude et de l'insécurité que cette petite fille portait en elle.

— Pourquoi vous éloignez-vous, Modesta ?

— Je ne m'éloigne pas. Je voulais seulement regarder la mer. Elle est toute calme et sereine comme si la fureur d'avant n'avait jamais existé. Impassibilité de la nature, ou absence de remords. Elle déchaîne terreur, mort, et puis...

— Votre capacité de fuir au loin alors que vous êtes à deux pas de moi, comme hier pendant l'orage, est renversante, Modesta. Aurais-je dit encore une fois quelque chose qui vous a blessée ?

— Non, Joyce.

— Ou alors vous êtes déçue de mon choix, comme Carlo et José ?

— Quel choix ? Je ne comprends pas...

— Ils n'ont jamais approuvé que, négligeant la politique, je me consacre corps et âme à l'étude de la psychanalyse. José surtout était furieux. Il disait que seule la révolution peut soigner les âmes, et que ces imaginations fascinantes, plus poétiques que scientifiques, n'étaient que les habituelles géniales inventions que sort la bourgeoisie pour distraire les intelligences du problème principal. À présent, où qu'il soit, il va exulter en apprenant que Reich•, lui aussi, pas plus tard que l'an dernier, a publié un travail où il soutient que ce que nous autres psychanalystes appelons instinct de mort est un produit de la société capitaliste. Encore un élève qui trahit le maître. Que de discussions nous avons eues ! Pour ma part, j'ai toujours clairement vu l'impossibilité de fondre ensemble marxisme et psychanalyse. Et cependant, que ce soit dans mes études ou dans ma vie privée, j'ai gâché des années et des années dans cette tentative. Et aujourd'hui, à presque quarante ans, je ne suis en mesure ni de faire de la politique ni de soigner. Il fallait que je ne fasse qu'étudier. Oh, Modesta, apprenez-moi à être heureuse ! Parce que vous avez choisi d'être heureuse. Quand vous avez dit : « Les faits comptent peu », j'ai senti que votre sérénité a été un acte de volonté. Et comment pourrait-il en être autrement ? Vous avez subi des pertes peut-être plus graves que les miennes... Prando m'a dit que le prince votre mari, après quelques années de mariage, a été frappé d'une terrible maladie et que vous êtes restée seule. Qu'était-ce ? Je ne l'ai pas demandé à Prando, il est si jeune, mais j'ai imaginé qu'il s'agissait de la syphilis. C'était un coureur de jupons, à ce que tout le monde dit... Paralysie progressive, j'imagine. Mais pourquoi me regardez-vous ainsi ? Je ne devais peut-être pas ?

Pour la première fois dans ma vie, le désir de m'abandonner à quelqu'un qui ne fût pas moi-même me prit avec fureur. Joyce attendait en me regardant, et un instant je doutai : continuer avec elle d'être comme avec les autres ? et peut-être elle-même me voulait-elle ainsi – ou lui dire comment j'étais en réalité et la perdre ? Je fermai les yeux.

— Pourquoi fermez-vous les yeux, Modesta ? Mais que dis-je ? Vous devez être fatiguée, une nuit dans ce fauteuil...

Dans l'obscurité de mes paupières closes je mesurai chaque note, chaque pause ou reprise légère de cette voix, et je décidai que cette profondeur sonore pleine d'anfractuosités n'admettait pas, du moins pour moi, de choses dites à moitié, de jeux infantiles ou de cachotteries.

Sans hésiter davantage, rouvrant les yeux, je versai dans son regard qui, comme un vase, recueillait émotions, larmes, duretés et douceurs sans se fêler, toutes les étapes joyeuses et difficiles de ce qui m'apparaissait alors comme ma longue vie.

63

Quand ma voix se tut, une faiblesse infinie m'obligea à m'arrêter au milieu de la pièce et à chercher du regard un point d'appui. Durant mon récit, j'avais probablement erré de la fenêtre au lit maintenant vide, où l'empreinte du corps de Joyce demeurait encore. Elle aussi s'était levée et me regardait d'une distance si insondable qu'elle me fit penser un instant : je l'ai perdue. Mais après cet instant de désarroi, déjà la chaleur de sa joue contre la mienne m'arrache à ce vertige d'éloignement.

— Je ne peux pas vous embrasser, Modesta.

Elle ne peut pas m'embrasser peut-être parce que ses poignets lui font encore mal ? Mais je peux, moi, poser mes paumes sur ces douces épaules, le dos arqué sans dureté, et, refermant les bras, serrer contre moi cette vie assez fort pour avoir la certitude de ne la perdre jamais.

— Malheureusement on se perd, petite fille ! La vie sépare même les êtres qui se ressemblent le plus. Nous sommes aussi parfois divisés par nous-mêmes, *déchirés**... Vous m'écarterez, Modesta.

— Pourquoi dites-vous cela, Joyce, pourquoi ?

— Quand vous saurez...

— Mais j'ai confiance en vous maintenant, je vous l'ai démontré.

— Avez-vous su quelque chose par nos camarades ?

Cette allusion aux camarades m'irrite. Je lui ai tout

raconté de moi. Pourquoi ne fait-elle pas la même chose à son tour ? Elle fait tout pour que j'apprenne toujours les choses par les autres, de l'extérieur. Pourquoi ? Pourquoi ne lui dis-je pas ce que m'a prescrit le camarade Cianca, qui cette fois n'est pas venu me voir seulement pour prendre l'argent habituel :

— Vois-tu, Modesta, dans ce curriculum de Joyce, il n'y a pas une allusion à quelque faiblesse ni à quelque évanouissement que ce soit. Elle est décrite comme une femme d'un courage et d'une force extraordinaires. C'est impressionnant comme elle a travaillé pour la cause. Nous avons calculé que, un peu ici un peu là, elle a fait un bon peu de prison. Si elle a tenté de se suicider ça veut dire qu'elle s'est usée, elle a cédé... Dix ans de lutte, de persécutions, ce n'est pas rien. Combien nous en avons vu ! Tu te souviens, non ? de Franco. Qui s'y serait attendu à ce que, sorti de prison, au premier avertissement donné de ne pas dormir chez lui parce qu'il y avait du danger, non seulement il dorme chez lui, mais qu'à l'aube par la faute d'une fausse alarme il se jette par la fenêtre, se fracassant le crâne, les membres, sans remède... Oh ! comprenons-nous bien : encore faut-il que ce soit elle, naturellement... D'après ta description, il semble vraiment que oui. Ici il y a écrit qu'elle devrait avoir des cicatrices sur les seins parce qu'elle a été torturée : ce petit jeu d'éteindre dessus les cigarettes, tout en interrogeant.

— Oui, Joyce, et j'ai aussi avec moi ici sur ce billet le nom du bateau qui lèvera l'ancre lundi pour Buenos Aires. Ils veulent que vous partiez, Joyce.

— Oh, tant mieux, Modesta ! C'est une chance, cela. Depuis un an je ne suis plus la même. Vous ne pouvez pas me croire, mais je n'étais pas comme ça ! C'est comme si quelque chose s'était brisé en moi. Je ne suis plus maîtresse de mes nerfs. Mais tous ces mots sont inutiles eux aussi. Le fait est que désormais je représente un danger pour tout le monde et que je dois partir.

— Et moi je vous dis, au contraire, que vos paroles n'ont pas été inutiles. Il y a écrit ici que vous devriez partir lundi, selon eux... Et, je le vois, également selon l'absurde requête que vous vous faites à vous-même.

— Quelle absurde requête ?

— D'être à tout prix une héroïne, ou de mourir.

— Mais !...

— Pas de mais. Moi, comme je vous l'ai déjà dit, je ne crois pas aux héros, ni morts ni vivants, et je ne vous laisse pas partir. Pas seulement, comme vous le pensez, parce que je vous aime, Joyce, mais aussi parce que je ne laisserais partir aucun camarade dans votre état. Si vous m'aidez, vous êtes ici en sûreté. Vous reprendrez de la force, vous verrez, et avec le temps, si vraiment votre devoir vous pousse à retourner au combat, je vous accompagnerai. Mais seulement si vous me donnez la preuve d'avoir retrouvé la force et le calme que vous aviez avant.

— J'ai peur, Modesta, j'ai peur de moi-même !

— Aidez-moi, Joyce, défions la condamnation que les vrais et faux camarades vous ont infligée. Défions-la ensemble et je vous aiderai ! Démontrons-leur qu'ils ne sont pas si infaillibles, décevons leur attente gourmande d'un autre martyr à ajouter à leur liste déjà bien fournie, n'écoutez pas les flatteries : un Carlo ou une Joyce n'auront jamais que leur nom en petit sur une stèle tombale. Alors que si vous vivez, après, je sais que tout finira, après vous pourrez reprendre la lutte, vivante, et démasquer ceux qui, je les entends déjà, se serviront du nom de Carlo, de Gramsci et de tant d'autres. Les morts ont tort si après leur mort il n'y a pas quelqu'un pour les défendre.

— Vous êtes impitoyable et vous avez peut-être raison, mais je ne suis plus sûre de moi. À présent je sens que je pourrais me faire aider de vous en vous aidant, comme vous dites... Mais quand je suis seule, la nuit, ou comme hier soir ? Je n'y arrive pas, Modesta ! Si dans un moment de faiblesse, ici... vous, Stella, les enfants... c'en serait fait de vous.

— Eh bien, je prends sur moi ce risque également. Regardez-moi dans les yeux. Si vous me trahissez, non comme camarade mais comme être humain, en vous suicidant, je vous enterrerai dans le jardin comme n'importe quel traître, à six pieds sous terre, sans déranger fossoyeurs ni camarades.

— Vous feriez cela, Modesta, toute seule ?

— Je ne suis pas seule. Pietro me suit, attentif et tranquille.

— Et mes bagages, ma présence ici ?

— Les bagages brûlent facilement, et vous : un hôte qui est parti et dont on ne sait plus rien.

— Et Stella ? Que diriez-vous à Stella ?

— Stella ne pose pas de questions. Tout au plus, elle dira comme elle a fait pour José : « Il avait l'air d'un jeune homme si bien élevé ! Qui l'aurait cru qu'il ne se serait plus manifesté, même pas avec une carte postale. »

— Depuis que je suis dans ce pays je ne comprends plus rien. Si quelqu'un, par le passé, m'avait parlé comme vous me parlez à présent, je n'y aurais pas cru et j'aurais été effrayée, et là au contraire votre décision m'apaise incompréhensiblement.

— Parce que je vous laisse ouvert le choix de vivre ou de mourir. Si on nous enlève la liberté de mourir, l'obligation de vivre devient une prison atroce. Vous êtes libre ici, Joyce, parce que ni votre vie ni votre mort ne pèseront à personne dans cette maison. Déchirons ce bateau, ce capitaine qui contraint à vivre. Mieux, jetons-les dans les flammes ! Venez près du feu, regardez comme ça brûle facilement, le papier, le bois, l'obligation ! Que de bateaux avec capitaines et équipages j'ai brûlés comme ça !

— Vraiment, Modesta ?

— Au moins quatre ! Le dernier, ça a été avec Pietro. Je déteste les bateaux ! J'aime la mer, j'ai appris à nager, mais je suis restée une fille de l'arrière-pays. Et personne ne me convaincra qu'un morceau de fer grand comme un immeuble puisse flotter... Vous m'aiderez, Joyce ?

— Alors vous n'avez jamais voulu que je parte ?

— Jamais !

— Si tu m'aides, Modesta, je sens que j'y arriverai.

— Maintenant que tu me tutoies, bien sûr que nous y arriverons, Jò. Je peux t'appeler Jò ?

— Bien sûr.

— Il faut que tu me montres ta poitrine, Jò.

— Je ne comprends pas.

— Tu devrais avoir des marques.

— Oh !

— Eh, non ! Tu ne peux pas t'éloigner ainsi et serrer ta robe de chambre autour de toi.

— J'ai honte !

— Et qui me dit que c'est de la honte, ou que tout simplement tu n'es pas Jò ?

— Oh, mon Dieu, Modesta, non, je ne peux pas ! Jamais personne ne m'a vue nue !

— Mais les flics ont dû te voir si tu es Jò.

— Oh, oui ! Quelle honte, Modesta ! La honte brûlait plus que ces cigarettes !

— Et pourquoi pleures-tu ? Quelle honte y a-t-il dans un corps nu et beau comme le tien ? Tu ne le sais pas, qu'il est beau ? Regarde la belle peau de tes hanches, de ton ventre. Qu'est-ce que cette honte ?

— Je ne sais pas. Ça a toujours été comme ça. Même avec ma mère, toujours.

— Laisse-moi voir tes seins. Je ne peux pas forcer sur tes bras, je pourrais te faire mal aux poignets... Voilà, enlève ta robe de chambre, ta chemise, ce n'est rien de terrible. Pourquoi te couvres-tu le visage comme une enfant ? Je veux seulement regarder avec amour les marques qui me donnent la preuve que tu es bien ma Jò. Voici les cicatrices ! C'est de ces cicatrices que tu as honte ?

— Non, non ! Ça a toujours été ainsi, toujours, même avant !

— Tu avais peut-être peur d'être laide ?

— Oh, oui, avec cette peau si blanche. Et puis avec toutes ces blessures...

— Elles sont belles, Jò ! Ce ne sont que des veinures dans le marbre et elles attirent les lèvres... À chaque blessure un baiser... Un baiser dans chaque entaille où la douleur en se cicatrisant rend le plaisir plus profond.

— Oh, Modesta, tes lèvres me rendent folle.

— Moi aussi j'ai une blessure. Depuis qu'on me l'a faite, c'est devenu le point le plus sensible de mon corps.

Maintenant qu'alarmée elle ouvrait les yeux pour savoir, ce tu d'abord étranger se réchauffe, filtrant à travers son regard qui scrute le mien. Mes vêtements brûlent, me sciant la taille, les hanches.

— Oui, oui. Où ? Toi aussi... Mais où ?

— Non, Jò, pas sur les seins... Sous ma frange, tu la trouveras, mais ce n'est rien d'héroïque.

— Oh, voilà ! Une blessure longue et fine, on la croirait faite par un couteau.

— C'est juste le coup de revolver d'un amant, comme on dit.

— Et moi je l'embrasse quand même, comme tu as fait pour moi. Cent, mille baisers le long de ce serpent de douleur.

Dans les baisers j'oublie ses blessures. Oublier un instant et puis redécouvrir plus nets les traits que l'on aime. Sentir avec plus d'acuité le parfum de sa peau. Se retrouver enlacées après une longue absence. Pour en être sûre elle me touche le front de sa paume. Je prends ses doigts dans les miens... Ne la perdre jamais ! Plonger le visage entre ses seins est tout ce qui me rassure.

— Comme tu devais être jolie, petite, Modesta !

— Je ne pense pas.

— Et moi je pense. Tu n'as pas une photographie ?

— Non, je déteste les photographies !

— Pourquoi ? J'aurais aimé te voir petite.

— Imagine, c'est la même chose. Moi, je n'en ai pas besoin : je ferme les yeux et je te vois comme tu étais.

— Comment étais-je ?

— Prends-moi dans tes bras et je te fais voir... Non, non, pourquoi t'éloignes-tu, tu ne veux pas ?

— Si, mais c'est juste que...

— Tu as froid ?

— Non.

— Tu as honte ? Tu recommences à avoir honte ? Bon. Je ne veux pas te voir rougir. Ne t'inquiète pas, je ne te regarde pas, je t'aide à t'habiller, mais je ne te regarde pas.

— Tu ne m'avais pas parlé de cet amant, Modesta.

— Je l'avais oublié comme tant d'autres. Je t'ai seulement raconté ce qui compte, le reste est superflu : des épisodes peut-être utiles mais pas nécessaires.

— Des épisodes ! Tu es extraordinaire, un coup de pistolet qui pouvait te tuer, tu appelles ça un épisode ?

— Il ne pouvait pas me tuer. Je savais qu'il ne pouvait pas me tuer. Comme je savais au contraire, et je te l'ai dit, que la mort de Carlo et la folie de Beatrice après sa mort pouvaient me détruire.

— Mais tu admettras que ça inspire de la curiosité, un homme capable de te laisser cette blessure, et quelle blessure !

— Si ce n'est que cela, moi non plus je n'ai pas été en reste.

— Tu l'as tué ?

— Non ! Moi non plus je ne pouvais pas le tuer. Je lui ai juste laissé un petit souvenir. On m'a dit qu'il a une blessure tout autour du poignet et qu'il lui manque un doigt.

— Et tu ris ?

— Je devrais pleurer ?

— Mais comment s'appelait-il, qui était-il ?

— Je n'ai pas envie de me souvenir. Je t'ai tout dit, Jò, tout. Et puis que t'importe ? De toute façon nous ne le verrons plus. Je n'ai pas envie de parler. J'ai seulement envie d'entendre ta voix. Quand tu fais un récit on a l'impression d'écouter un conte. Quelle vie aventureuse tu as eue ! Tu ne parles pas ? Tu es jalouse de ce garçon ?

— Ah ! Il était jeune. Je l'avais compris.

— Oh, comme j'aimerais que tu sois jalouse comme je l'ai été de toi.

— Toi, jalouse ?

— Bien sûr, avec toutes ces personnes importantes que tu as connues. Tous ces pays que tu as vus. Qui sait combien d'hommes et combien de femmes t'ont aimée. Et ce José ? Je le déteste ! Tu l'as aimé, dis la vérité ?

— Jamais de la vie ! Aimer ma conscience de révolutionnaire manquée serait un comble. Je suis masochiste, mais pas à ce point.

— Alors c'est lui qui t'a aimée et qui t'aime encore, je le sais. Je ne peux même pas supporter l'idée de quelqu'un qui te désire.

— José amoureux de moi ? José amoureux de la fille d'un ambassadeur et d'une noble Turque ? José cherche quelque chose de plus héroïque. Si tu savais comme il se moquait de moi ! Avec affection, certes, mais il n'y avait pas de réunion où il ne m'ait accueillie en disant : « Oh, voici notre Jò qui, allez savoir comment, entre un bain parfumé et une visite dans quelque atelier du faubourg Saint-Honoré, trouve le temps de s'occuper de nous. » Il plaisantait, et en attendant c'était le seul à savoir reconnaître la coupe d'un vêtement ou d'un chapeau.

— Tu vois qu'il était amoureux ? Ce sont les phrases typiques d'un amoureux qui affecte le mépris pour cacher ses sentiments.

— Pourquoi t'éloignes-tu, petite fille ? Ta tête me réchauffait. Reviens t'étendre sur moi. Parfois tes yeux luisent dans l'ombre comme ceux de Mehmet.

— Qui est Mehmet ?

— Mon chat siamois. Si cela peut te rassurer, la seule personne que j'ai vraiment aimée. Reviens ici, petite Mehmet, et laisse-toi caresser. Mais lui aussi a ses faiblesses.

— Qui, Mehmet ?

— Non, José.

— Ah, raconte !

— José peste contre l'amour, le sentimentalisme, l'idéalisation de la femme, *Cuore*... Dieu, comme il détestait le *Libro Cuore !* José a toujours soutenu que les seules femmes qui méritent d'être considérées comme des rebelles sont les belles Otéro, parfois les actrices, les danseuses, les femmes fatales qui exploitent l'homme et le poussent au suicide. Thèse séduisante et non dépourvue d'un fond de vérité, même s'il s'agit d'une vérité plus anarchiste que communiste. Selon lui ces femmes sont les seules qui subvertissent l'ordre établi et font la révolution.

— Eh bien, Gramsci également, d'une certaine manière...

— Oui, oui. S'il ne s'agit que de cela, on pourrait aussi lire quelque chose de ce genre chez les héroïnes de Stendhal. Pense à la Sanseverina, à l'Abbesse de Castro, jusqu'à Madame de Rênal qui en tombant amoureuse de Lucien prend conscience des contraintes subies. Mais le fait est que lui, ne se contentant pas comme nous tous, les intellectuels, de théoriser ces idées, mais cherchant à les appliquer dans sa vie, pauvre José ! lui aussi s'est trouvé en face d'une réalité différente de celle qu'il avait imaginée. On serait porté à sourire s'il n'avait pas tant souffert depuis sa jeunesse dans sa belle villa de Parme. Il a commencé par exclure les petites jeunes filles de son monde, si *girlish*, comme il disait, et à chercher une aide à l'inspiration dans les lupanars et sur les routes. Et fatalement, avec sa tête pleine de romantisme, il est tombé amoureux d'une certaine Moira – nom d'artiste, je crois –, qu'il avait rencontrée dans une maison de plaisir à Ferrare. Il semble qu'il ait maigri de dix kilos à force d'étudier, de faire de la politique, et surtout de courir retrouver cette Moira qui avait subi – elle devait avoir une dizaine d'années de plus que lui – tant d'humiliations et de mauvais traitements de sa petite enfance jusqu'au moment de sa rencontre avec José. « Elle a tout surmonté, sans jamais céder aux préjugés, continuant son travail, sans honte, entretenant de façon parfaite ses deux enfants, etc. etc. » « J'ai trouvé la femme de ma vie », criait-il dans les rues. Et dès qu'il a eu un peu d'argent il est allé la trouver pour l'emmener et en faire la compagne de sa vie, selon ce qu'il disait, mais en fait, comme Carlo et moi le pensions, pour la *racheter*. En en parlant à présent avec toi, Modesta, je me rends compte que toute sa génération a cette vocation sentimentale pour les prostituées. Cela doit venir de la grande diffusion et de l'enthousiasme qu'il y a eu après guerre pour la littérature russe.

— Mais maintenant aussi...

— Oui, bien sûr, mais avec plus de prudence. À l'époque, les traductions de *Slavia* passaient de main en main comme des bonbons, chez les adolescents ! Eh oui, le romantisme russe, et pas seulement chez les écrivains mineurs comme Artsybachev• ou Kouprine•, mais chez Dostoïevski avec ses pures, saintes prostituées. Et Tolstoï ?... Comme cela fait du bien de parler avec toi, Modesta. Tu te souviens de *Résurrection' ?* Je l'avais presque oublié. J'ai un grand désir de le relire. Il n'y a rien à faire, comme disait ma mère, tous les dix ans il faut relire les livres qui nous ont formés si l'on veut mener à bien quelque chose.

— Tu me parlais de José. Qu'en a-t-il été de José et Moira ?

— Ah oui, Moira...

— Elle s'est laissé *racheter ?*

— Et comment ! Sauf qu'elle exigeait un rachat absolument légal, sans rien de révolutionnaire, parfaitement petit-bourgeois, avec mariage à l'église et tout le reste.

— Mais non ! Et José ?

— « Je l'ai laissée parler, et puis avec un : je me suis trompé sur ton compte, Moira, je lui ai tourné le dos et je suis sorti de la pièce », voilà ce qu'il racontait partout.

— Et puis ?

— Et puis rien, je crois, jusqu'à sa rencontre avec

Olga, de Padoue, il y a cinq ans, sur un trottoir de Paris. Olga est très belle, épanouie et délicate comme le sont parfois les filles moitié italiennes moitié françaises. Un long cou, un petit visage parfaitement modelé, deux yeux de feu et un sourire de pure marque italienne. Tu vois ces *vendeuses** qui arrondissent leur salaire avec quelques rencontres le soir, et qu'on peut voir dans le *métro** occupées à lire des poèmes, peut-être même rien que des poèmes français, mais jamais des romans roses pour demoiselles.

— Ah ! Alors cette fois ça a été une bonne rencontre ?

— Oh, oui ! Pendant un an, un an et demi, cette Olga a été parfaite pour le rêve de putain prolétaire que José poursuivait depuis l'adolescence. Cette fille, pour le passé et le présent, avait les papiers en règle : un père cheminot, donc de l'aristocratie ouvrière, et pas l'un de ces êtres malcommodes, indéchiffrables, du sous-prolétariat, qui se pressent dans les métropoles en raflant les restes d'un bien-être concentré et distrait. Elle suivait José d'un regard extasié, elle écoutait patiemment nos conversations en vidant les cendriers et en affirmant, avec des regards entendus et de rares sourires d'approbation, avoir enfin découvert la voie de l'émancipation et de la lutte. Elle rougissait avec fierté quand José la présentait comme sa compagne... et je dois dire que nous sommes tous restés abasourdis à la nouvelle de ses fiançailles avec François Gidot, futur dentiste à la mode, fils du déjà richissime arrangeur de dents Albert Gidot.

— Et comment avait-elle fait sa connaissance ?

— Par José... Tu ne l'as pas connu, François ? Tu ne perds rien, même si José l'a considéré pendant des années comme l'un de ses meilleurs amis, dans cet inter-monde des orgueilleux démocrates parisiens qui, quoique n'étant pas au Parti, ont du moins assimilé la Révolution et la *clarté** sans pareille qui leur permet de disséquer minutieusement et sûrement chaque problème éthique, esthétique et surtout œnologique.

— Mais c'est incroyable ! Et José ?

— Oh, rien, il a pris conscience de la réalité avec non moins d'olympienne clarté révolutionnaire : *clarté** contre *clarté**. Et s'il n'est pas allé au mariage, il n'en a pas moins envoyé un grand bouquet de fleurs à la jeune madame Gidot. Maintenant, entre une réunion et une autre, il a sûrement recommencé à rêver *about* à qui sait quel autre visage de jeune fille éprouvé par l'injustice de la société. Il n'y a rien à faire avec nous autres vieux névrotiques. Comme moi qui n'arrive pas à renoncer au vice de téter le lait empoisonné de cette cigarette, hypothétique sein d'un encore plus hypothétique amour maternel que je n'ai jamais eu, lui continuera à agir selon son rêve enfantin qui probablement lui permet d'affronter seulement des amours légers, marginaux, comment dire ? courus d'avance et donc contrôlables. Il n'y a rien à faire avec ces névroses caractérielles, il est à conseiller de n'y pas toucher. Le risque est trop grand si l'on tente de les soigner, mieux vaut conserver ces petits problèmes tant que le moteur fonctionne tant bien que mal... Qu'y a-t-il, petit Mehmet, pour que tu te sois dressé de tout le corps et que tu me fixes de ces grands yeux étincelants ? Tu es scandalisée, comme José, de mes théorisations, ou la pensée te trouble qu'un héros comme lui puisse avoir des faiblesses ?

— Je te l'ai dit et répété, je ne crois pas aux héros. Et ce que tu me dis de José, loin de me scandaliser, résonne pour moi comme quelque chose que j'avais toujours pensé en quelque recoin de mon cerveau. C'est comme si tu m'avais ouvert une fenêtre sur un paysage que j'avais connu à un moment donné et puis oublié. Sauf que tu utilises des mots, des expressions, que je ne connais pas... Je suis tellement ignorante, Jò !

— Toi ignorant, Mehmet ? Ne dis pas cela ! C'est moi qui abuse de ma spécialisation et qui deviens ennuyeuse. Et puis je te parle de théories nouvelles. Freud a découvert que l'âme n'est pas une étoile fixe éternelle et immuable à l'intérieur de nous. Mais une lumière qui tourne en suivant les pulsations des veines et des nerfs, qui s'obscurcit et s'éclaire, et – comme le cœur, la vue, le foie – est passible de maladies guérissables ou mortelles. Sa découverte est un coup cinglant à l'assurance de l'homme du passé. C'est pour cela que des intellectuels, des hommes politiques et des médecins même y font obstacle avec tous les moyens à leur disposition, avec la calomnie, la dénégation et, je n'ose le penser, pourraient même arriver jusqu'à la torture, comme il en fut pour Galilée. Pour l'instant ils se contentent de brûler ses livres. Et ce bûcher de mots et de concepts vivants ne peut qu'être le prologue de futures véritables tortures. Freud a dit que l'Europe n'est plus désormais qu'une immense prison, et il espère seulement que la cellule de l'Autriche y reste extérieure. Mais ce n'est pas de cela que nous parlions. Mon Dieu, je suis insupportable ! Quand j'attaque un sujet je n'arrive plus à m'arrêter.

— Mais je suis heureuse ! Oh, Joyce, dis-moi qui est ce Freud. Apprends-moi à le connaître, enseigne-moi ses théories, parle-moi de lui.

— Nous chercherons ses livres. Tu lis le français et je vois que vous avez ici dans la bibliothèque Marx et Lénine. Dans le Nord, on arrête ceux qui possèdent ces livres.

— Ici pas encore, du moins pas nous, les riches.

— Ah oui ! Tu le dis sans honte, Modesta.

— Et toi tu as rougi. Pourquoi ?

— Alors il ne te reste qu'à aller les chercher à Catane, ou à te les faire expédier de Paris.

— Oh, je les trouverai ! Tu vas me faire une liste, n'est-ce pas ? Et si en les lisant il y a quelque chose que je ne comprends pas, tu me l'expliqueras, n'est-ce pas ?

— Bien sûr, bien sûr, mon tout petit...

64

Si la « voix » prononce ces mots de « mon petit », Modesta rapetisse et elle est obligée de courir dans les bras de Joyce. Ou si, quand elles lisent l'une à côté de l'autre ces livres rares, rendus plus précieux par les longues, difficiles recherches et le danger que représente le seul fait de les posséder, Modesta ne saisit pas un terme, Joyce de sa voix mélodieuse démêle tout obstacle, révélant un monde imprévu de mots neufs, de mythes revisités, d'émotions, de faits, de passions radicalement arrachés à l'ancienne culture et glissés sous la limpide plaquette scientifique de l'analyse freudienne... La mémoire comme clef de la nouvelle vision devient maintenant le premier moyen de permettre le voyage à rebours dans les forêts souterraines des souvenirs apparemment oubliés, mais qui, ramenés à la lumière, réordonnés, nettoyés de leurs moisissures et de leurs croûtes, révèlent des mosaïques de pierres éblouissantes pour la compréhension de votre propre vie et de celle des autres. Modesta, déçue par le vieux système de pensée idéaliste et par le positivisme, plus jeune mais déjà décrépi, ne peut pas ne pas sentir la nouveauté et la vérité que Joyce a amenées dans l'île, et ne pas chercher à les faire siennes pour survivre dans un monde où de fausses idoles barbares viennent se substituer à l'ancien Dieu dans les rues, sur les places, dans les jardins publics. Sortir, voyager n'est plus désormais qu'absorber un poison de phrases vides, un poison de faux ordre et d'héroïsme bouffi, tandis que là, à côté de cette lueur nouvelle d'intelligence qui émane du visage de Joyce immobile devant elle, les heures, les mois, les années filent sur les rails huilés d'un voyage encore plus enthousiasmant que le déplacement concret.

Durant ce voyage, Modesta fut toujours attentive à épier la plus légère ébauche de sourire ou de tristesse sur le visage aimé. Et chacune de ses volontés, chacun de ses gestes, chacune de ses pensées, fut absorbé par le soin de scruter, prévenir les désirs, repousser la douleur latente qui, toujours aux aguets, venait ponctuellement troubler ce visage d'amour. Non, Carmine, il ne suffit pas de prendre son propre plaisir et de s'en aller, libre, chevaucher à travers ses possessions de terre et d'esprit. Ce mot, amour, avait des échéances qu'on ne pouvait proroger, certaines comme la naissance et la mort, et il fallait l'accepter avec la conscience de ne pas savoir pourquoi il existait, quand et comment et où il advenait, ni vers quelles plages arides ou quels prés verdoyants il allait nous entraîner.

Vers où menait le léger sourire de Joyce, assez prometteur pour combler les jours et les mois d'une exaltation jamais éprouvée ? Vers quoi poussait l'accent si persuasif et assuré de ce « mon petit », parfois si autoritaire qu'il inspirait une terreur profonde, un désarroi sans issue ? Que visait-elle en se dégageant d'un enlacement sans parler ? Et ces brusques retours de pudeur qui la faisaient pleurer sans plus remarquer même la présence de Modesta ? Ou quand, revenue près d'elle, le grand arc lunaire de son front l'incitait à se souvenir, à associer images, mots, faits, visages, pour donner un sens aux explosions capricieuses d'un rêve apparemment sorties de la bizarrerie d'une imagination survoltée ?

Dans le sable encore chaud du couchant on creusait un trou jusqu'à ce que les doigts trouvent l'eau de mer :

— L'or ! L'or !... Bambù a été la première à le toucher !

— Oui, mais Mela est celle qui a le plus creusé, Joyce ! Viens voir cette mine. Plonge toi aussi les mains dans l'eau limpide et tu seras riche, toujours !

Joyce ne rougit plus à ce mot mais ne veut pas toucher l'or de la mer.

— Tu ne veux pas être riche pour toujours ? Allez, courage ! Il faut que les mains soient recouvertes par l'eau jusqu'aux poignets... Voilà : Mela et moi voulons que tu aies toi aussi ta part de ce trésor, pas vrai, ma tante ? Et maintenant, on va se préparer pour le grand spectacle de ce soir. La grande pianiste Mela Bruno, que c'est laid ce « Bruno », Mela ! Ne te fâche pas. Il faut te trouver un nom d'artiste. Est-ce qu'une pianiste comme toi, grand Dieu, peut s'appeler Bruno ? Bruno, Bianchi, Smith ! Il faut que nous trouvions un nom à Mela... Vous vous en fichez ? Bon, eh bien, je le trouverai toute seule. Bambù doit penser à tout ! Et soyez gentils, tout le monde doit être en vêtements de soirée. Je veux que ce soit comme au Conservatoire. Quel succès ça a été, pas vrai, ma tante ? Jacopo s'occupera des lumières. Il faut que nous reproduisions exactement tout à l'identique pour Joyce qui n'y était pas.

L'Europe est une grande prison et Jò peut aller et venir dans la villa, dans les environs, mais avec beaucoup de prudence. Aller jusqu'à Palerme, au Conservatoire, aurait été une folie. Est-ce pour cela que son visage devient de plus en plus triste et pâle ? Ou est-ce parce que, même l'été, elle ne descend jamais dans le jardin la tête découverte ? Aux larges bords de feutre de l'hiver, elle substitue de brillantes toiles d'araignée de paille beige. Son visage plongé dans l'ombre s'éloigne de nous : ombre indéchiffrable au milieu de silhouettes de face et de dos exaltées par la lumière d'août. Après qu'elle eut couru le long de la plage poursuivie par Jacopo et 'Ntoni, la nostalgie de cette ombre fait retourner Modesta sur ses pas pour scruter ce regard qui semble être sur le point de fuir au loin.

— Où t'en vas-tu, Jò, où pars-tu ?

— Je n'ai pas bougé d'un centimètre, mon petit.

— Ils ne m'ont pas attrapée, tu as vu ? Regarde 'Ntoni, comme il est essoufflé ! Et Jacopo ! Au bout de dix mètres il a abandonné. Et dire que j'ai trente-six ans, Jò ! J'aime les défier. Je suis très fière de mes jambes et de mon souffle.

— Et tu as raison. Je te regardais pendant que tu courais, tu avais l'air d'une adolescente.

— Ah, tu me regardais ? Alors tu ne fuyais pas ? Répète-le que tu me regardais.

— Et même avec admiration, si tu veux le savoir.

— Trente-six ans ! Il me semble que c'est hier que je suis revenue de Catane avec tous ces livres de Freud, tu te souviens ? Quelle peur j'avais de ne plus te trouver ici à mon retour.

— Mais tu m'y as trouvée.

— Oui, oui, mais j'ai toujours peur.

— La faute en est à ton enfance, pas à moi.

— Peut-être, mais je ne suis pas si sûre, Jò, je ne suis plus si sûre de vos théories, à vous, les psychanalystes. Ne te fâche pas, mais tant de choses ne collent pas, et pas seulement avec moi. Tu as entendu Bambù il y a un instant ? Elle parlait comme grand-mère Gaia, et sa voix ! Sa voix est impressionnante, elle prend le timbre de celle de cette grande vieille. Et elle ne l'a jamais connue.

— Tu lui en auras parlé.

— Jamais ! Depuis que j'ai décidé d'enfreindre les traditions, c'est-à-dire depuis que je suis sortie du Carmel, jamais ! Et si tu peux avoir raison pour Beatrice : elle a été victime de son enfance ou, comme vous dites, de sa névrose de destinée... quel beau titre ce serait pour un roman !

— Très beau, mais tu ne travailles pas, Modesta ! Tu as beaucoup de splendides idées, mais tu ne travailles pas.

— Je ne travaille pas ? Mais je t'aime, je cours avec Jacopo, je travaille, et comment ! Un dur travail, mais plein de joie. Tu ris ? Enfin ! Ne me fais pas de reproches, Jò, je suis si heureuse ! Et maintenant allons nous habiller, je ne veux pas subir en plus les reproches de Bambù qui est toujours d'une grande élégance, qui sait le nom qu'elle trouvera pour Mela... C'est un génie, cette petite.

Bambolina attend près de la porte. Sa taille fine à peine raidie par l'indignation se tend comme un arc prêt à décocher sa flèche, mais Prando incline sa tête couverte de boucles compactes comme celles d'une statue d'airain en murmurant :

— Je ne me pardonnerai jamais ce retard, Ida, jamais !

— Allez, Prando, n'aggravons pas les choses.

— J'ai eu un pépin à ma moto.

— Tu es tout couvert d'huile et de boue comme...

— Bambù, s'il te plaît...

— Mais tu es le plus beau de tous, et je te pardonne.

— Merci, petite cousine, mais moi je ne me le pardonnerai jamais !

— Allez, allez, va prendre place ! Tu ne vois pas que tout le monde est assis ? Le pauvre Jacopo perché là-haut aurait le droit de te balancer dessus le projecteur.

Mais Jacopo, conscient de l'importance de sa tâche d'éclairagiste et non plus de figurant, sentinelle muette dans la représentation de *Hamlet* qui eut tant de succès quelques mois seulement auparavant, ne détache pas son regard sérieux de la main de 'Ntoni prêt à lever le rideau. Lui seul sait saisir dans le silence des spectateurs l'instant de saturation qui réclame l'ouverture des deux pans. 'Ntoni sait tout du théâtre désormais :

— Non, j'ai laissé passer le moment voulu, Bambolina !

— Mais puisqu'ils rient tous comme des fous !

— C'était trop ! Maître Musco• a raison, ils ont trop ri, je les ai fatigués et après ça ils n'ont pas applaudi comme l'autre fois.

— Oh là là, 'Ntoni ! Depuis que tu fréquentes ce clown tu es devenu tatillon et casse-pieds.

— Angelo Musco n'est pas un clown, demande à Modesta et à Joyce qui ne sont pas ignorantes et provinciales comme toi. Angelo Musco est un grand artiste ! Et si tu te permets de répéter une chose pareille je m'en vais, et j'aimerais bien voir quel beau spectacle sortira de vos mains ! Amateurs !

Ils devaient s'être réconciliés plus rapidement que d'habitude. En général, après une dispute, Bambù et 'Ntoni ne se parlaient plus de deux, trois jours. Ou était-ce l'imminence de l'entrée en scène qui les avait rapprochés en seulement quelques heures ? 'Ntoni, déguisé en Giufà, avait demandé son avis à Bambolina, et Bambolina lui avait déposé un baiser sur le front avant que le premier spectateur n'entrât dans la salle. Le premier à arriver, fraîchement rasé et tiré à quatre épingles, dans son habit des jours de fête, avait été Pietro. Et par crainte peut-être de son énorme masse, à peine entré il s'était assis au dernier rang avec sa toute petite fille à côté de lui.

Comment ferait-elle pour voir la scène, cette enfant, en ayant devant elle la muraille de toutes ces têtes de garçons et de filles du voisinage ? Chaque année ces amitiés se multipliaient, et il n'y avait pas une place vide dans le petit théâtre malgré l'absence de beaucoup d'amis... de Paolo, d'Andrea, de Franco appelés sous les drapeaux, appelés à combattre pour l'Empire. Seule la différence de quelques années avait évité à Prando de les suivre, mais rien ne pouvait le consoler de la mort de Franco, pas même la médaille d'or à sa mémoire que sa mère lui avait montrée en disant :

— Un héros ! Tu as été l'ami d'un héros, Eriprando, et tu dois en être fier.

— Vous êtes une abrutie en plus d'être une femme, *donna* Emanuela di Valdura, et ne vous offensez pas si un Brandiforti ne vous salue plus. Et si vous êtes offensée, envoyez-moi cet autre abruti qu'est votre fils pour laver l'offense.

Le curé était venu voir Modesta pour lui rapporter les faits et protester, mais l'offense n'avait pu être calmée pour le moment qu'à coups de couteaux. Devant elle, au premier rang, la joue de Prando à peine fendue par une entaille qui de l'orbite allait mourir au menton, rendait plus parfait et plus éclatant ce profil de marbre. La blessure sous la frange de Modesta palpitait devant la violence contenue de ce profil. Prando grandissait, étranger mais précieux à sa vie. Bambù grandissait, et même le doux Jacopo était devenu trop grand pour qu'on le prenne dans les bras...

La lumière s'était éteinte. Comment allait faire la fille de Pietro, si petite, pour y voir maintenant que le rideau se levait ?

— Pourquoi te tournes-tu sans arrêt, Modesta ?

— Je regarde la fille de Pietro, Joyce, qui est là-bas au fond. Regarde, regarde, il se l'est mise à califourchon sur les épaules. C'est sûr que comme ça elle y voit encore mieux qu'au premier rang... Comme il est bien, Pietro, avec sa fille !

— Il me fait peur, à moi.

— Et moi je ne sais pas ce que je donnerais pour l'avoir pour père.

— Parce que tu n'as pas eu de père.

— Eh si, j'en ai eu un, et je veux le ravoir. Et même, sais-tu ce que je vais te dire ? À partir d'aujourd'hui Pietro est mon père, et ce petit être... on dirait une poupée sur ses épaules... est ma sœur !

— Chut, mon petit, allons ! Et regarde quelle splendeur, Mela dans cette tunique. Qui l'aurait cru ?

— Et tu vas entendre, tu vas entendre !

Comme Modesta l'avait lu autrefois dans les yeux de Mela, le triangle mal ordonné de son visage, sous la lumière du projecteur, se recomposait en une entité abstraite et intense. Un ange musicien ? L'image flottante d'une idée ? Joyce aurait dit : « Un ange onirique, évocateur d'espaces, d'émotions jaillies des profondeurs. » Modesta ne s'étonne pas quand les applaudissements fondent sur le silence absolu des mains immobiles sur le clavier, sûres comme une fleur de lave. Elle ne s'étonna pas alors, ni au Conservatoire de Palerme. Parce que, du temps de leur rencontre, les nerfs et les veines de son corps savaient lire dans l'avenir, tandis que maintenant, perdue, Modesta fixe la blessure de Prando, le sourire de Jacopo, Bambù rosissant de fierté du succès de sa protégée, sans qu'une image, une intuition se fraie un chemin dans ses sens engourdis par la mélancolie de ne plus pouvoir les tenir dans ses bras. Ils s'en vont, les retenir serait les contraindre à haïr. Depuis longtemps 'Ntoni hait Stella et la fuit.

— Pardonne-moi, Modesta, avec toi on peut parler... Ce n'est pas que je ne veuille pas la voir, c'est qu'elle me pèse avec ses : « Mon pitchounet... mon pitchounet à moi ! » Hier encore je lui fais connaître un garçon de mon âge, je ne dis pas un homme, un garçon comme moi. Et elle, par le sang de Judas, elle lui fait ses recommandations pour moi : « Et fais attention que 'Ntoni il prenne pas froid, il est délicat de la gorge ! » Insupportable ! Dès que j'en trouve l'occasion, je décampe, je ne sais pas où mais je décampe.

L'occasion était venue : la compagnie d'Angelo Musco. En septembre, 'Ntoni partait, engagé pour la tournée. Mieux valait une troupe de comiques qu'un régiment. Ciro, l'amoureux éconduit de Bambù, s'était enrôlé comme volontaire pour la guerre d'Espagne, rien que pour échapper à cette autre abrutie qu'était sa mère. C'était Prando qui appelait ainsi presque toutes les femmes adultes, Stella comprise : « Tu es gentille et adorable, Stella, mais abrutie comme toutes les femmes de ton âge ! Maman dit que c'est une question d'éducation, mais moi j'ai des doutes. »

— Qu'y a-t-il, mon petit, tu n'applaudis pas ?

— Je t'en prie, Joyce, ne m'appelle pas comme ça, du moins en public.

— Mais personne ne nous entend. Pourquoi n'applaudis-tu pas ? Ne me dis pas qu'elle a été meilleure à Palerme.

— Non, non, c'est juste que...

— Mais pourquoi te tournes-tu sans arrêt pour regarder Pietro ? Tu n'as rien fait d'autre pendant l'exécution du morceau. Ce n'est pas aimable pour Mela.

— Maintenant la farce va commencer, Jò. Tu vas voir comme 'Ntoni est drôle ! Il va nous raconter l'histoire de Giufà, et qui sait comme la fille de Pietro va rire... Regarde, regarde comme elle fixe le rideau fermé, probablement Pietro lui a annoncé l'arrivée de Giufà.

Pietro a tout de suite remarqué mon regard qui cherche dans la foule. Après d'éternelles secondes d'indécision qui le font transpirer, il se décide à se lever avec son immense corps, attentif à ne pas piétiner tous ces vêtements délicats qui bruissent à ses pieds.

— Regarde, Jò ! Pauvre Pietro, on dirait un éléphant obligé de marcher entre les plates-bandes d'un jardin.

— Et tu lui ris au nez ! Que vous êtes bizarres, il va se vexer, vraiment je ne vous comprends pas.

— Se vexer, Pietro ? Mais que dis-tu ?

— Votre entente fait peur.

— Mody !... Madame aurait-elle besoin de mes services ?

— Je vois que tu as réussi à ne faire tomber aucune tête, Pietro !

— Eh, Dieu sait comment que j'ai fait ! À l'air libre cette masse me sert à tenir éloignés les traîtres et les vipères, mais au milieu de ces santons de crèche c'est un désastre ! En quoi puis-je vous servir ?

— Il faut que tu retournes sur tes pas pour m'amener une chose précieuse.

— Madame veut son éventail ? Elle a soif ?

— Non ! Qu'y a-t-il de plus précieux pour toi ?

— Crispina est ce qu'il y a de plus précieux pour Pietro ! Ah, vous voulez la prendre dans les bras ? Oh, bien sûr, Mody, elle sera heureuse. J'y vais et je reviens.

Un peu mortifié, Pietro s'apprête à refaire ce parcours difficile. Cette fois il trébuche... Il a failli tomber !

— La voici, Mody, la plus petite de cette belle assemblée.

— Et qui est la plus belle ici, Crispina, hein, qui ?

— Moi belle et toi belle et maman belle.

— Et ton papa, comment est-il ?

— L'est fort.

— Parce qu'il te porte à califourchon, il est fort ?

— Non ! Moi je suis petite, c'est que mon papa... Oui, mon papa... je sais plus... Quante il arrive, Giufà ?

— Il arrive tout de suite. Et Giufà, il est fort comme ton papa ?

— Non, il est bête !

— Pourquoi est-ce qu'il est bête ?

— Il est bête, et les oiseaux ils ont pas peur de Giufà. Et lui il apprend de l'agneau, du renard et du moineau.

— Alors, Mody, c'est vrai que tu as à cœur Crispina et que tu tiendras ta promesse ?

— Tu en doutais, Pietro ?

— C'est pas que je doutais de toi, Mody, c'est que la nature est bizarre ! Et toi sans que ce soit de ta faute tu pouvais ne pas avoir d'inclination pour cette petiote. J'étais préoccupé ! Dans un an elle doit aller à l'école. Crois-moi, Mody, si ç'avait été un garçon je ne te donnais pas ces ennuis : je l'emmenais aux champs. Mais une fillette, c'est mieux qu'elle s'aguerrisse en apprenant à lire et à écrire, comme tu sais. Oh, ils commencent ! Je te l'enlève, avec la chaleur qu'il fait.

— Non, non, laisse-la-moi, Pietro, je te la rends après le spectacle, ne t'inquiète pas. À partir de demain Crispina viendra ici tous les matins, Jacopo s'occupera de cette demoiselle, je lui en ai déjà parlé... Crispina, regarde, regarde comme Jacopo te fixe !

— C'est lui Giufà ?

— Non, Giufà est derrière le rideau. Chut, chut maintenant, j'entends qu'il se lamente. Tu entends comme il pleure et soupire ?

— Il pleure toujours, Giufà !

— Non, maintenant il pleure, mais après tu verras... Regarde, regarde comme il s'arrache les cheveux et se cogne contre les arbres et les murs.

— Y en a pas, d'arbres !

— Bien sûr, il fait semblant, tu vois ces portemanteaux ? Ce sont les arbres, et ces draps, les murs. Pauvre Giufà ! Et maintenant on se tait parce que d'ici peu il va se mettre à parler.

65

GIUFÀ-'NTONI : Oh ! malheur, malheur ! Le premier malheur ne suffisait pas, il en faut un deuxième. Et après, jamais deux sans trois.

L'ARBRE-BAMBÙ : Mais de quel malheur parles-tu, Giufà ? Je te vois bien portant et fringant au possible, tout élégant dans cet habit couleur caca de vache avec des nuances jaune-vomi de moineau à ton chapeau.

GIUFÀ : Mon chapeau était d'un vert verdissime sans tache. C'est que la vache m'a fait caca dessus. Tu parles d'un moineau ou d'un canari... une vache !

L'ARBRE : Depuis que le monde est monde la vache se tient bien à plat sur la terre. Comment la vache a-t-elle pu te faire caca sur la tête, Giufà ?

GIUFÀ : C'est que je souffre ! Je souffre ! Et auparavant je souffrais encore plus et dans ma douleur je me suis endormi près de l'étable, et avec ce chapeau vert que j'avais sur la tête la vache m'a pris pour un pré.

L'ARBRE : Et c'est cela le malheur qui te tourmente, Giufà ?

GIUFÀ : S'il n'y avait que celui-là ! Bien d'autres choses fort douloureuses tourmentent le cœur de Giufà. Et elles l'ont tant tourmenté que maintenant je me rends compte avec la plus grande terreur que je suis devenu aveugle.

L'ARBRE : Mais tu n'es pas aveugle, Giufà. C'est la nuit qui est tombée.

GIUFÀ : Tu me bernes, étranger ! Je suis aveugle ! Et la preuve en est que tu me parles mais que je ne te vois pas. Eh ! Giufà a de la logique, il est fin ! Et la logique dit que si tu me vois c'est qu'il doit y avoir du soleil.

L'ARBRE : C'est la nuit, Giufà, crois-m'en.

GIUFÀ : Tu dis ? Ah, c'est la nuit ? Et comment peut-il se faire que Giufà, dans sa grande douleur, ait dormi pendant dix heures ?

L'ARBRE : Garçon de peu de foi et de peu d'esprit. Tu me vois et ne me reconnais pas. Je suis un arbre et j'ai la faculté de consoler, comme tous les êtres de pierre et de verdure. J'appartiens à la race de ceux qui regardent, et non à la race de l'homme qui s'agite et pète et n'est jamais en paix.

GIUFÀ : Oh, Arbre, pardonne ! Mais n'ajoute pas le malheur au malheur. Appelle-moi si tu le veux garçon de peu d'esprit, mais ne m'accuse pas d'être un homme de peu de foi, parce que Giufà est toute foi et confiance en toi, arbre, et roche, et fontaine. Laisse-moi à mon désespoir. Je ne veux que souffrir, même si je ne suis pas aveugle. Je te crois, c'est la nuit, pas le jour, mais je veux patauger dans cette douleur sans espoir.

L'ARBRE : Voilà que tu retombes dans ton erreur d'homme. L'herbe médicinale t'a fait t'endormir pour donner consolation à ton mal.

GIUFÀ : Ah, surprenant prodige ! J'apprécie tout ça, mais rien ne peut consoler Giufà.

L'ARBRE : C'est à cause de ton cocu de père que l'herbe n'a pas eu la force de te donner la paix ?

GIUFÀ : Pire, pire !

L'ARBRE : Le gendarme, alors ? Le gendarme te cherche ?

GIUFÀ : Pire, pire encore !

L'ARBRE : Je vois que ton mal est sérieux. Alors, il faut recourir à l'instant à qui a une puissance supérieure à la nôtre.

GIUFÀ : Et qui est-ce donc ?

L'ARBRE : Voici qu'elle vient en s'ouvrant à la faux un chemin dans le mur de la nuit.

GIUFÀ : Oh, Arbre ! Tu n'aurais pas appelé par hasard la Mort consolatrice ? N'exagérons pas, Giufà souffre, mais il n'a guère de sympathie pour la *Certa*.

L'ARBRE : Mais que dis-tu ? L'arbre immortel n'a rien à faire avec cette harpie. L'arbre appelle la lune ou les étoiles ou le soleil. La voici, la lune, elle vient ! Elle est tout juste née, mais elle a un savoir millénaire. Parle-lui.

LA LUNE-MELA : Giufà, Giufà, tu ne peux toujours déranger mon voyage nocturne. Je dois tout contrôler alentour ! Je te concède une minute avant d'aller trouver la comète et le dauphin.

GIUFÀ : Oh, Lune ! Quelle voix légère tu as !

LA LUNE : Je suis à peine née et j'ai tant à faire.

GIUFÀ : Pardonne-moi, madame la Lune, mais Giufà eut à subir une grande offense.

LA LUNE : Comme la fois des figues et de la Vierge ?

GIUFÀ : Pire !

LA LUNE : Il faudra qu'une nuit ou l'autre je m'entretienne avec ta mère.

GIUFÀ : Oh oui, entretiens-toi avec elle en ma faveur. Parce qu'elle donne des ordres, elle dit mot à mot à Giufà ce qu'il doit faire, mais quand mot à mot, consciencieusement, Giufà s'est exécuté, elle reste mécontente et se met en colère comme une furie.

LA LUNE : Elle est trop précise. Il me faut mettre un peu de désordre dans ses pensées. Mais que s'est-il passé, raconte ?

GIUFÀ : À l'aube, ce matin, elle s'habille toute belle, tirée à quatre épingles, et me dit, mot pour mot : « Range toute la maison, arrose le potager, puis habille-toi tout beau tout propre – ne me fais pas perdre la face – et viens à l'église, que c'est aujourd'hui la Sainte Rosalie et à la messe il y a toute notre famille au complet. Mais souviens-toi, Giufà, avant de sortir, tire derrière toi la porte, des malandrins et des voleurs rôdent dans le coin ! N'oublie pas, tire la porte derrière toi. »

LA LUNE : Et alors ?

GIUFÀ : Trois heures j'ai travaillé à détacher la porte, et puis je la lui ai portée sur mes épaules, toute lourde comme elle était. Et elle sur la place quand elle me voit elle se met en rage et hurle contre moi, hurle vers le ciel, furieuse ! Bien sûr, j'étais en retard de trois heures et la messe était terminée. Mais la porte pesait, pardieu, je t'assure ! Quel besoin y avait-il de crier pour mon retard ? Qui peut les comprendre, les femmes ? Lune, je suis désespéré !

LA LUNE : Eh, Giufà ! Pauvre Giufà !

GIUFÀ : Renier son fils pour un retard ! Elle menaçait de me casser la tête.

LA LUNE : Et qu'est-ce que tu as fait ?

GIUFÀ : Affligé, la porte qu'elle voulait tant, je l'ai balancée au milieu de la place ! En plus de la douleur, je redoutais ses coups et ses griffures. Tu trouves ça juste ?

LA LUNE : Quand je serai une lune pleine et forte, j'irai la trouver dans son sommeil et je la ferai un peu déraisonner. Allez, je veux te consoler, saute sur mon dos et oublie ces choses. Pour cette nuit je t'emmène te promener avec moi parmi les étoiles.

GIUFÀ : Oh, comme il est doux d'être à califourchon sur toi, Lune ! Je me sens déjà tout consolé !

LA LUNE : Nous nous détachons de la terre ! Salue ton ami l'arbre.

GIUFÀ : Oh, Lune, comme nous montons ! D'un mètre déjà, de deux mètres ? Oh, Lune, il y a pas de danger que je tombe ?

LA LUNE : On tombe en gardant les pieds sur terre, en raisonnant trop, et pas avec moi qui ai les yeux pleins de nuages et de comètes.

GIUFÀ : Oh, la comète ! Adieu, ami arbre, chère forêt ! Et ces lumières qu'éclaboussent si belles là au fond de la mer, qu'est-ce que c'est ?

LA LUNE : Ce sont les dauphins qui bondissent sur mon sillage, saisis par la gaieté de ma lumière d'argent...

Toute prise par le petit corps de Crispina qui se tend vers l'envol de Giufà, Modesta ne perçoit pas le silence qui s'est fait à côté d'elle, jusqu'à ce que Crispina retombe contre elle en soupirant :

— Giufà a disparu ! Il a disparu là derrière, pourquoi ?

Comment se pouvait-il que je n'aie pas entendu Joyce se lever ? Cette petite fille pèse et la chaleur de son petit corps fait transpirer Modesta.

— Oui, oui, Pietro, prends-la.

— Je vais pas avec Giufà, père, je reste avec toi !

— Tu restes avec moi, sûr. Quel beau spectacle, oh ! Je n'en ai jamais vu, moi, des théâtres, mais...

— Laisse-moi passer, Pietro.

— Oh, mille excuses ! C'est pour madame Joyce que vous vous agitez ainsi ? Il y a un moment qu'elle est partie. Peut-être à cause de la chaleur, Mody. Et puis Giufà est pour les pitchounets.

Modesta ne peut se joindre aux applaudissements qui tantôt s'atténuent, tantôt gonflent comme une chaude vague. Fendant cette mer agitée qui entrave ses mouvements, en quelques secondes elle se trouve devant la chambre de Joyce. Les paumes sur la porte, elle hésite. Et si elle n'était pas là non plus ?

— Joyce, je peux entrer ?

Elle est là, en train de fumer. Peut-être cette disparition n'a-t-elle aucune signification particulière, peut-être Joyce voulait-elle seulement fumer, étant donné que les enfants, pour que tout soit « absolument comme dans un vrai théâtre », avaient suspendu aux murs de grands écriteaux : « Il est formellement interdit de fumer. »

— Entre, mon petit, la porte est ouverte.

Assise sur le fauteuil tourné vers la fenêtre, elle tient la tête inclinée sur son épaule gauche, comme toujours lorsqu'elle fume. Sur la petite table basse quatre ou cinq cigarettes à peine commencées et éteintes. Les longs cheveux noirs se dessinent immobiles sur la vitre enflammée par le crépuscule. Elle fume et regarde dehors tandis que Modesta tremble encore de cette place vide à côté d'elle.

— Qu'y a-t-il, mon petit ? Assieds-toi ! Comme ça tu m'enlèves la vue du ciel : un magnifique coucher de soleil.

— Pourquoi as-tu disparu ainsi ? Je t'ai dit que je ne supportais pas ces disparitions. Tu m'en veux ? Mais pourquoi ne cries-tu pas, ne te mets-tu pas en colère plutôt que de disparaître ainsi ? Tu le fais exprès, tu sais que tu me tortures et tu le fais exprès. Et pourtant je t'ai expliqué que depuis ce jour où nous t'avons retrouvée...

— Mais allons, Modesta, des années ont passé depuis lors. Et non seulement il n'est plus rien arrivé, mais...

— Mais je ne supporte pas quand tu fais ça !

— Je n'y peux rien faire, je te demande de me croire. C'est dans mon caractère, c'est plus fort que moi.

— Même quand tu sais que cela me terrorise, me...

— Justement, tu ne peux pas le savoir, mais avec toi je me retiens et j'essaie, je t'assure, j'essaie de ne pas suivre cette impulsion. Mais crois-moi, ce que tu appelles des disparitions ne cache rien de grave. Tout au plus, de petites idiosyncrasies dues à mon caractère ou peut-être à ma détestable éducation.

— Mais tu ne peux pas le faire pour moi ? J'ai changé tellement de choses de ma vie pour toi.

— Je n'en ai pas l'impression.

— Tu vois qu'il y a quelque chose de grave et pas seulement des petites idiosyncrasies, comme tu dis. Qu'ai-je fait ? Je t'ai blessée ? Mais pourquoi ne parles-tu pas ? Je préférerais t'entendre hurler, recevoir des gifles, plutôt que ces guerres silencieuses, ces phrases hypocrites ! Je t'ai tout dit, tout, de moi, tu me connais comme personne.

— C'est la première fois que tu me traites d'hypocrite, Modesta. C'est un mot bien dur.

— Oh ! Jò, pardonne-moi. Je ne le pensais pas. Je te jure que je ne le pensais pas. Je suis si bouleversée ! Embrasse-moi, Jò, tu sens comme je tremble ?

— Je sais que tu ne le pensais pas, mon petit, mais ce mot blesse tout de même.

— Oh, pardonne-moi, je me punirai pour ce mot et je t'embrasserai jusqu'à effacer la blessure. Oh, Jò, serre-moi fort, serre-moi, fais-moi mal, mais ne disparais pas !

— C'est toi qui me fais mal, mon petit, tu me mords.

— Oui, oui, je te mords... le cou, les lèvres... Je te fais mal, pas vrai ? Comme ça... dans le cou, comme ça tu devras te couvrir tout entière pour qu'on ne le voie pas. Ça fait mal, dis ? Ça fait mal ?

— Oh, Modesta, oui, mais une douceur aussi... Mords, mords !

— Je te mange, Jò, tout entière à l'intérieur de moi, tes seins aussi à l'intérieur de moi ! Et tu ne pourras jamais disparaître, enfermée à l'intérieur de moi, jamais !

Dans leur étreinte, Jò et Modesta ne perçoivent pas l'aile noire qui tombe à l'horizon.

— Il fait déjà nuit, Modesta.

— Et derrière la nuit Giufà vole, vole à cheval sur la lune.

— Nous avons fini sur le tapis. Comme le passage du jour à la nuit est rapide ici !

— Il n'y a que dans tes bras que je n'ai pas peur de te perdre, Jò, pourquoi ?

— Je n'arrive pas à m'habituer à cette brusque obscurité. Je regarde le tomber du soleil mais la nuit me surprend toujours, comme si l'obscurité aux aguets attendait le moment de vous sauter dessus. Ce n'est pas comme ça en Turquie, du moins à Istanbul.

— Nous sommes bien plus bas, Jò... On descend vers le cœur brûlant de la terre d'Afrique. À Scicli, au milieu des pampres de mûrier, la nuit, on sent l'odeur de l'Afrique, sèche, effilée comme une épée, une Durandal qui coupe le laurier.

— Tu as fermé la porte, Modesta ?

— Oui, et puis tu sais bien que personne n'oserait entrer. Je suis la maîtresse ici.

— Mais ils pourraient espionner.

— Personne n'espionne le maître ici dans l'île.

— Vous êtes incroyables ! Et les enfants ? Ils nous cherchent peut-être.

— Mais non ! Dans la gaieté générale, ils nous ont sûrement oubliées.

— Comment peux-tu dire cela, Modesta ?

— Parce que c'est la vérité.

— Ils sont ingrats.

— Pourquoi devraient-ils nous avoir de la gratitude ?

— Mais tu les nourris, tu les protèges.

— Voilà le hic, dirait Pietro. La possibilité que j'ai de les nourrir me met dans le rôle du patron, du patron, Jò ! Et pourquoi devraient-ils avoir de la gratitude pour un patron ? Tu m'accuses de paternalisme avec Pietro, et puis tu voudrais que j'en fasse usage avec mes enfants. Se considérer comme indispensable à de jeunes êtres humains, sans défense, simplement parce qu'on les nourrit, est le plus atroce des paternalismes.

— Et cependant j'entends que quelqu'un est en train de monter nous chercher. Ce doit être Bambù, ou Prando qui a remarqué ton absence.

— Non, ils ne la remarqueraient que si je les laissais sans pain et sans jeux.

— C'est atroce, ce que tu dis.

— C'est dans la nature. L'enfant est obligé de t'aimer parce que tu le nourris. Carlo voulait créer un syndicat des petits-enfants contre les grands-mères indignes. Moi, je créerais un syndicat des enfants contre ce duo terrifiant que sont le père et la mère qui, pour un bout de pain et un jouet, réclament un prix d'amour trop élevé pour n'importe quelle personne normale.

— Tu exagères, Modesta, on frappe. Tu vas voir que c'est Bambù.

— Non, c'était le pas de Pietro.
— Pour vous servir.
— Princesse, veuillez excuser...
— Va dans la salle de bains, Jò. Je crains que ta robe ne soit toute déchirée.
— C'est toi, Modesta.
— Va te changer.
— Un moment, Pietro, je mets une robe de chambre et je t'ouvre.
— Quoi, vous n'allez pas bien, princesse ?
— Non, Pietro, c'est juste un gros mal de tête, mais j'ai dormi un peu et c'est passé.
— Comme je vous comprends, ils font un de ces remue-ménage, ces petits ! C'est beau de voir leur gaieté, mais ça fatigue... C'est Stella qui m'a envoyé vous avertir que notre Bambolina a décidé de servir le dîner sur la plage. Oh, pareil que sa mère, elle fait une chose et elle en invente cent autres ! Et comme ça ils sont tous allés faire leurs préparatifs à la baie du Prophète. Et elle a aussi décidé d'attendre l'aube pour voir si du sang va couler des cheveux du Prophète au lever du soleil. C'est l'époque de ce mirage ! Stella voulait savoir si Madame est d'accord.
— Mais bien sûr. Ils sont en vacances et c'est leur fête. Stella sait qu'ils sont libres de faire ce qu'ils veulent.
— Alors je vais la rassurer, qu'elle était inquiète.
— Va.
— Nous nous verrons à la baie, n'est-ce pas, Mody ? C'est fini, tu vas mieux ?
— Je vais très bien, Pietro. À tout à l'heure.

66

Au lieu de la légère robe de *voile**, une longue tunique de soie blanche recouvrait les épaules et les bras de Joyce. Sous cette blancheur palpitaient les marques de mes morsures. Se soulevant sur la pointe des pieds, Modesta embrasse Joyce... Elles brûlent, ces lèvres aux contours pleins qui vont mourir à leurs coins en deux petites virgules semblables à des larmes.

— Tu as deux petites virgules aux commissures des lèvres, Jò. Ou ce sont deux parenthèses ?

— Ce sont deux rides, Modesta.

— Ce n'est pas vrai ! Ce sont deux parenthèses qui ajoutent du sens à la phrase de ton visage.

— Quel sens, voyons un peu ?

— Je ne sais pas. J'essaie de comprendre, mais je n'y arrive pas.

— C'est juste un avertissement du temps, qui me dit que je serai bientôt vieille.

— Ce n'est pas vrai, tu ne seras jamais vieille.

— Personne ne peut arrêter le temps.

— Pourquoi n'as-tu pas d'enfants, Jò ? Ou tu en as, et comme presque tout de toi tu me le tiens caché ?

— Qu'est-ce que les enfants ont à voir là-dedans ?

— Que, comme le dit Shakespeare, si le temps ne peut être arrêté, on peut le prolonger dans des enfants qui, en bien ou en mal, peu importe, témoigneront de toi devant le monde.

— Je ne me soucie pas du monde !

— Ou alors, comme le damoiseau de ses rêves ou la femme brune des *Sonnets*, tu es avare ? Tu es avare, Jò ? Je commence à le penser.

— Peut-être que par rapport à ce que tu es, je peux t'apparaître avare.

— Et qu'est-ce que je suis donc ?

— Mon père, hobereau de l'austère Todi, aurait dit gaspilleuse.

— Mais tout le monde m'accuse d'avarice ! Ce pauvre Prando, quand il a dû se donner du mal pour avoir sa moto... Comme il est beau, Prando ! Je n'arrive pas à y croire : ni Carmine ni moi... Mais il ne me plaît pas, on dirait une statue. Il te semble intelligent ? Il est tellement fermé sur lui-même que parfois je pense qu'il est stupide.

— Il n'est pas stupide, un garçon aussi passionné et cohérent ne peut pas être stupide.

— Tu as raison. C'est mon côté mère qui m'empêche de reconnaître son intelligence seulement parce qu'elle est différente de la mienne. Mais, par le sang de Judas, mère ou pas mère, comment peut-on comprendre une intelligence ou une passion, comme tu dis – et tu as raison, la passion est intelligence –, pour les moteurs et la vitesse ?

— Mais il étudie, il dessine des voitures : des voitures improbables, mais...

— Mais il ne lit que des bandes dessinées. Bandes dessinées, cinéma et vitesse ! Je me trompe, n'est-ce pas ? Comme t'avoir à côté de moi me fait du bien, Jò !

— Je crains au contraire que ça ne te fasse du mal.

— Mais que dis-tu ? Ces dernières années, avec ton aide, ma tête s'est ouverte, comme aurait dit Mimmo. Ou comme dit 'Ntoni : « Les coulisses de mon cerveau se sont ouvertes toutes grandes. » Pourquoi m'a-t-il dit ça ? Ah oui, quand il est allé à Palerme voir Zacconi• dans *Les Spectres*. Il ne lit plus qu'Ibsen depuis ce jour-là.

— Comme il est bizarre, 'Ntoni ! Et quel talent ! Tu

as vu l'émotion qu'il y avait dans sa façon d'interpréter Giufà ? Dommage que Stella ne le comprenne pas. Elle pleure tout le temps depuis que 'Ntoni a décidé d'être un acteur comique. Elle voit les acteurs comme des voleurs dissolus. Toi aussi, tu minimises l'intelligence de Prando parce qu'il la reverse sur les moteurs et pas sur les livres.

— Tu as raison, Jò. Belle, belle Jò ! Mais que faisons-nous ici à parler de 'Ntoni ? L'envie m'est venue de le voir, qui sait qui il imite en ce moment, allons-y !

— Oh ! Regarde, regarde comme il est drôle !

— Mais il imite Mussolini !

— Oui, oui, tu ne l'avais jamais vu ? Le discours sur l'Empire. C'est ce discours qui lui a valu l'engagement avec Angelo Musco.

— Mais Angelo Musco n'est pas fasciste ?

— Non, il accepte qu'avant la représentation on joue la marche royale et l'hymne fasciste : « Soleil qui surgit de la merde », comme il dit. Et toujours pour parler comme lui : il « se contient » en l'écoutant... en cette époque où il n'y a que comme ça qu'on sauve sa peau.

— Attitude odieuse.

— Odieuse, peut-être, mais c'est la même que celle de Petrolini•, de Pirandello•, de Croce•, de... Oh, Jò, tu as raison, mais laisse-moi écouter 'Ntoni. Et puis, odieux pour odieux, vu les temps que nous vivons, je préfère continuer à écouter Musco, Pirandello, perdue dans la foule d'un parterre, plutôt que de les savoir muets sous une belle tombe d'albâtre. Mais que fais-tu ? Tu t'enfuis de nouveau ?

— Je ne m'enfuis pas, Modesta, c'est que...

— C'est ?

— Je n'en peux plus ! Toute cette paix, cette joie,

cette façon de plaisanter sur Mussolini, tandis que le fascisme triomphe partout !...

— Et que voudrais-tu ? La maison en deuil et ces enfants tristes, ou mieux, obligés à pleurer avec nous ? Parce que nous, je dis bien nous : toi, moi, José, Carlo, nous n'avons pas été capables de faire la révolution ?

— C'est terrible, même la Russie fait les yeux doux à Mussolini. Chamberlain, passe encore, mais Staline...

— Et alors ? Tu le découvres ce soir ?

— Non, non ! Mais plaisanter, donner des fêtes...

— Pas seulement plaisanter, Jò, mais ridiculiser ! C'est une façon d'écorner un mythe pour eux qui sont si jeunes, un exorcisme pour ne pas l'assimiler et pour se préparer à le piétiner un jour. Un jour dont je crains que nous ne le voyions pas. Et puis tu les offenses, Jò ! Tu sais bien qu'eux tous, y compris Bambù, ne se contentent pas de le tourner en dérision mais... Joyce, attend ! Mais qu'y a-t-il, qu'est-ce qui te prend ?

— Laisse-moi, Modesta ! Laisse-moi m'en aller, je ne me sens pas bien.

— Ah non, tu sais !

— Tu me fais mal au poignet !

— Je te le casserai, ce poignet, si tu n'arrêtes pas de t'enfuir et de te taire.

— Laisse-moi, ils pourraient nous voir.

— Et même si ça arrivait ? Tu t'es couverte comme une momie pour quelques baisers.

— Modesta !

— Oh, ça suffit ! J'ai envie, si tu veux savoir, de délacer ce nœud de charmeuse honteuse d'elle-même et de t'obliger à montrer à tout le monde les marques de mes baisers.

— Tu vois que j'ai raison ?

— Tu vois quoi ? Tu as raison de... quoi ? Parle ! Comment est-ce que je fais pour savoir ce que tu penses ?

— Je pense que dans cette façon de vouloir me montrer à tout le monde il y a un désir de légaliser un rapport qui ne pourra jamais être légalisé.

— Mais qui peut être vécu au milieu des autres sans cette honte qui t'enlaidit. Qu'est-ce que tu as, honte ou peur ? Enlève ce foulard ! Qu'ils sachent tous, ou plutôt qu'ils soient obligés de reconnaître à haute voix ce qu'ils savent.

— Mais tes enfants, Modesta !

— Mes enfants ! Mes enfants sont grands, et ce serait une façon de les mettre face à la réalité et de voir s'ils supportent cette réalité, ou de les perdre.

— Tu es folle !

— Je ne suis pas folle, Jò, et je ne le ferais jamais si tu n'avais pas honte même quand nous sommes seules. Si tu n'avais pas tout le temps honte, jusque avec toi-même. Je ne comprenais pas, d'abord, la raison de ces larmes après les baisers et les caresses. Ces larmes, cette façon de ne pas me voir, de me fuir, qui m'ont tenue dans une alternance de hauts et de bas d'angoisse pendant des années. Mais maintenant je sais : c'est toi qui ressens notre rapport comme une faute, et tu me fuis dès que tu as eu du plaisir comme si mon visage était le symbole de ta faute. C'est toi qui – chose encore plus grave – voudrais, et pas inconsciemment, légaliser notre rapport. Ça t'a échappé une nuit, il t'a échappé, ce : « Si seulement j'étais un homme ! »

— Ça suffit, Modesta, ça suffit !

— Si seulement j'étais un homme ! Vas-y, va ! Va pleurer dans ta chambre. Ça me fait rire rien que d'y penser : si tu étais un homme, ou si Beatrice avait été un homme ! Je t'aime parce que tu es une femme et en femme. Et que fais-tu là maintenant, immobile ? J'ai laissé ton poignet, non ? Va ! Je veux aller écouter 'Ntoni, ou au moins dîner, par le sang de Judas !

— Mais pour moi, c'est la première fois, Modesta, la première...

— Qu'est-ce qui est la première fois ? Je ne comprends pas.

— La première fois que... que j'ai des rapports intimes avec une femme.

De furieux applaudissements éclatent au fond de la baie. Le Duce a conclu son discours de victoire, et le bras levé dans une attitude de licteur il tourne lentement sur l'axe de son échine d'acier. Comme sur les photogrammes du *Cineluce* [1], la dernière phrase du discours est couverte par la grêle forcenée qui jaillit, hystérique, de milliers et de milliers de bouches... Ils tournent aussi la masse en ridicule, ces enfants. Ou ils se préparent (encore une victoire des « faisceaux ») à courir eux aussi sur les places pour assouvir leur soif d'être comme les autres, de se réjouir ou de pleurer avec les autres, et à laisser tomber l'effort solitaire d'être différents ?

« C'est dur ! Je n'arrive pas à détester Cesare même s'il a pris le train avec les autres *avanguardisti* [2] pour aller applaudir Mussolini à Rome. Et puis il est pauvre et le voyage est gratuit. »

Dans les campagnes et les villes fleurissent des foules d'enfants du nom d'Italo, de Benito, d'Edda, de Romana. De nouveaux saints prennent la place de Rosalie, d'Agathe, de Joseph. Quelque « Libero » restant a demandé en prenant la carte du parti d'être appelé Ardito...

Joyce renoue son foulard. Qu'a-t-elle dit ? La grêle d'applaudissements a couvert sa dernière phrase.

1. Journal d'actualités, alors projeté au cinéma avant le film.
2. Dans les diverses formations pour jeunes inventées par le fascisme, celle des *avanguardisti* accueillait les adolescents italiens dès 14 ans.

— Comment as-tu défini notre amour, Jò ? Il me semble avoir entendu « rapports intimes », ou je me trompe ?

— C'est la première fois pour moi, Modesta.

— Qu'est-ce que ça signifie ? Quand on aime c'est toujours la première fois.

— Oh, Modesta, laisse-moi m'en aller, je me sens mal !

— Je ne te tiens plus, tu es libre.

— Mais tu questionnes !

— Moi-même, Joyce, n'y fais pas attention.

— Tu es pâle comme une morte.

— Pour moi, c'est la première fois que je suis malheureuse dans notre rapport, comme tu l'appelles.

— Mais comment ! Tu as dit toi-même il y a un instant que je t'ai toujours tenue dans une succession de hauts et de bas d'angoisse.

— La corde de l'amour oscille toujours attachée de l'arbre de l'angoisse à l'arbre de la peur. Comme la vie, l'amour a en lui le souvenir constant de la mort sur qui remporter la victoire, et pas ce vide envers toi qui m'a prise maintenant. Aide-moi, Joyce !

— Et comment le puis-je, mon petit, comment le puis-je ?

— Ne m'appelle pas mon petit. Autrefois cela m'attendrissait mais à présent que j'ai compris, ta gêne m'humilie.

— Oh, Modesta, que puis-je y faire si j'ai honte ? D'être au monde aussi, d'être vivante, j'ai honte. Pourquoi m'a-t-on mise au monde, pourquoi ?

— Ne te suffirait-il pas de penser qu'il t'est échu d'être au monde pour me rendre plus riche, pour me donner la joie de te tenir dans mes bras ? Tu ne réponds pas ? À moi, cette pensée m'a suffi, pendant ces années de galère.

— Toi aussi tu as ressenti ces années comme une galère.

— Et comment pourrait-il en être autrement ? Mais en n'oubliant pas cependant que les vraies prisons sont ailleurs : ce sont celles qui engloutissent dans leurs boyaux obscurs des centaines de personnes comme nous.

— Monte avec moi, Modesta.

— Non ! Je commence à te connaître. Tu veux que je monte avec toi pour pleurer, pour refuser la joie de ces enfants. Tu aspires à te retrouver dans une vraie cellule, mais moi j'ai faim ! Et au silence qui s'est fait il est clair que Bambolina a ordonné d'une voix perçante : « Et maintenant tous à table ! » Je la vois d'ici ! Comme sa mère, le doigt levé, sa taille mince chancelante... Elle ne boite pas comme Beatrice, mais elle a la même grâce dans ses mouvements. Tu vois ? Elle a fait de la lumière comme elle, avec les lampes à acétylène. Et sûrement, sur les caisses, les nappes de lin brodées qu'elle aime tant exaltent l'argent des couverts, le cristal des verres. À moi, tout ce faste est indifférent, mais pas la joie des lumières volées à l'obscurité, à l'obscurantisme des années que nous vivons. Excuse-moi, Joyce, mais Beatrice s'irrite si l'on est en retard pour le dîner et elle a raison. Le festin languit si une place est vide.

Bambù : Quel plaisir, ma tante, de te voir manger avec tant d'appétit ! Mais Joyce n'est pas là ? Elle a de nouveau mal à la tête ? Prando, pourquoi ne vas-tu pas voir si elle a besoin de quelque chose ?

Prando : Mais allons, ma chère et belle petite cousine. Si belle que je te promets, à condition que tu ne mochisses pas comme Teresa qui à ton âge était une sylphide et qui est devenue un véritable pot à tabac, je te promets, si personne ne veut de toi, de t'épouser. Ou c'est défendu entre cousins ? Jacopo, toi qui sais tout, c'est défendu ?

JACOPO : Je crois qu'il faut une dispense de l'Église.

BAMBÙ : Oh là là, quelle conversation désagréable ! De toute façon je ne me marierai jamais ! Je t'avais demandé, s'il te plaît, d'aller voir si Joyce...

PRANDO : Ah ! Je vois que le livre de maman a fait mouche, petite cousine.

JACOPO : Quel livre ?

PRANDO : Un certain petit livre de huit cents pages sur les femmes et le socialisme.

BAMBÙ : Je t'ai seulement demandé d'aller voir si Joyce...

PRANDO : Mais Bambù ! C'est inutile ! Tu sais bien que quand elle a mal à la tête... et quand ne l'a-t-elle pas ? Qu'en penses-tu, Jacopo, on va dire un dimanche oui, un dimanche non ? À condition, bien entendu, qu'il n'y ait pas trop de lumière ou trop d'obscurité ou qu'il ne fasse ni trop chaud ni trop froid.

BAMBÙ : Ne parle pas comme ça de Joyce, Prando ! Tu es vulgaire quand tu fais ça.

PRANDO : Mais regardez comme elle se dresse pour la défense de cette dame, notre Bambù ! Qu'est-ce qui se passe ? Serait-ce par hasard que toi aussi tu es amoureuse, comme toutes les femmes de cette maison, de la belle dame étrangère ? Oh, Jacopo, tu sais que tout le monde l'appelle Greta Garbo ? La femme fatale qui nous vole nos mères et nos cousines.

JACOPO : Et les cousins aussi, s'il s'agit de cela.

PRANDO : Ah ! toi aussi, *Jacopone mio*, tu es tombé à ses pieds ? Ne me dis pas ça.

JACOPO : Je l'adore, Prando.

PRANDO : Bien qu'elle soit toujours si pâle et souffrante ?

JACOPO : Peut-être justement pour cela.

PRANDO : Comme c'est romantique !

JACOPO : Et je suis d'avis que Bambù a raison. Qu'en penses-tu, maman, je vais voir si je peux la convaincre de nous rejoindre ?

MODESTA : Non, Jacopo, ne te lève pas. Elle ne viendra pas. Joyce ne veut pas être dérangée. Même si, comme dit Bambolina, quand Prando fait comme ça il est vulgaire et ennuyeux.

PRANDO : Merci, maman.

MODESTA : De rien. Et ne me regarde pas de cette façon !

PRANDO : Je ne te plais pas, hein, maman ? quand je fais comme ça...

MODESTA : Non !

PRANDO : Et dire que je le fais exprès.

MODESTA : Et pourquoi ?

PRANDO : Parce que toi, au contraire, tu me plais quand tu te mets en colère. Ce n'est pas vrai, Bambù, qu'elle est splendide quand elle est furieuse ? Tu te souviens de ce jour où nous nous sommes disputés et où elle est arrivée comme une furie et nous a bourrés de gifles ? Et Cesare et Ciccio aussi, qu'est-ce qu'ils en ont pris !

BAMBÙ : Tu penses si je m'en souviens ! Je sens encore la brûlure de ses doigts sur mes joues quand tu le dis.

JACOPO : Je ne m'en souviens pas.

'NTONI : Moi non plus.

PRANDO : Et comment pourriez-vous vous en souvenir ? Vous aviez encore le lait maternel à la bouche !

JACOPO : Je n'ai jamais vu maman battre personne, et toi, 'Ntoni ?

'NTONI : Ne lui tends pas la perche, Jacopo, laisse tomber !

PRANDO : Bien sûr qu'elle ne court pas battre les

agneaux comme vous, mais les loups comme Bambù et moi.

BAMBÙ : Je ne suis pas un loup !

PRANDO : Tu es plus loup que moi, petite cousine chérie ! Sauf qu'étant une fille tu t'habilles de tissus souples pour cacher le pelage hirsute que tu as dans l'âme.

BAMBÙ : Oh, ça suffit, Prando ! Pourquoi es-tu comme ça ? Toujours à faire le trouble-fête.

MELA : Laisse Bambù tranquille, Prando ! Tu ne vois pas qu'elle pleure ?

PRANDO : La voilà, la musicienne muette qui vole au secours de sa petite amie ! Il y a trop de filles dans cette assemblée, Jacopo ! Et maintenant que 'Ntoni s'en va et moi aussi, que vas-tu devenir ?

BAMBÙ : Tu vas arrêter, oui ou non ? Mais qu'est-ce qui te prend ?

PRANDO : Regardez quels yeux de feu a notre petite cousine ! Ce n'étaient pas des larmes d'agneau, alors, hein ?

BAMBÙ : De rage, Prando, de rage ! Je te déteste quand tu es comme ça ! Et pourquoi regardes-tu ta mère pendant que je te parle ?

PRANDO : Parce que ça fait un siècle que je ne l'ai pas vue.

La blessure de Prando s'enflamme, violacée. Un vrombissement s'élève de la mer, dessinant une faux lumineuse sur le noir du ciel.

BAMBÙ : Un avion ! Un avion est passé ! Comme un éclair, ma tante, tu l'as vu ?

PRANDO : Il n'y a pas à avoir peur, Bambù. De grandes routes s'ouvrent dans le ciel, à présent. On croirait Stella qui a encore peur du train.

BAMBÙ : Mais il y en a tellement qui passent depuis quelque temps.

PRANDO : Allez, allez ! Donne-moi la main et tu n'auras plus peur. Pardonne ma vulgarité de tout à l'heure, petite cousine, mais tout va de travers dans ma tête depuis que...

BAMBÙ : Depuis que quoi, mon beau Prando ?

PRANDO : Mais oui ! Tous en chemise noire ! Ce matin encore, je ne voulais pas vous le dire, pour ne pas gâcher la fête, mais Carlo, lui aussi...

BAMBÙ : Carlo, le fils de Lo Preti ? Mais il était socialiste !

PRANDO : Mais oui, oui, Bambù, lui aussi ! Il dit que sans la carte du parti il ne peut pas participer aux *Mille Miglia* [1], il dit qu'au fond de lui-même il en rit mais...

BAMBÙ : Et alors ?

PRANDO : Alors, je n'y crois plus à ces rires. Ils rient, mais en attendant aucune domination étrangère du passé n'a mis autant de racines dans notre terre que ce maudit Duce ! Mais allez, allez ! On est assez restés à table. Il y a une surprise pour toi, Bambù, et pour toi, Mela.

BAMBÙ : Quelle surprise ?

PRANDO : Et comment, sur cette île, un festin de minuit pourrait-il se poursuivre sans...

BAMBÙ : Les mandolines ! C'est ça ?

PRANDO : Concert improvisé par don Ciccio, coiffeur, et les garçons de sa boutique : mazurkas, valses, concours de chansons. Et celui qui en invente le plus reste le seul à taquiner les étoiles et a droit au chaste baiser de la plus belle !

JACOPO : Qui est donc la plus belle, Prando ? Qui ?

PRANDO : Va savoir ! Le joueur de mandoline gagnant choisira le gardénia le plus blanc éclos dans la

1. Course automobile pour voitures de sport sur les routes publiques entre Brescia et Rome. La première eut lieu en 1927.

chaleur de cette nuit. Les voici, allons à la rencontre des musiciens.

67

... Et celui-ci, c'est don Donato de Santa Ninfa avec ses gars, il ne manquait que lui. C'est le plus âgé, et c'est le guitariste. Tu vois, Alberto, nous avons trois boutiques au complet...

Prando explique à un visage attentif, fin, sûrement un nouvel ami de l'Université :

— ... le coiffeur en chef et les garçons coiffeurs assis en cercle, comme dans les après-midi ensoleillés devant le magasin vide – c'est là la beauté du métier ! – le matin à retoucher coupes de cheveux et moustaches en aiguisant le rasoir, travail d'adresse, pas de force, et après, jusqu'au soir – toujours en attente de quelque client – sur le trottoir ombragé par les acacias et les chênes, à s'exercer les doigts sur les cordes de la mandoline, délicates et fines comme des rasoirs. Un maçon, un porteur, un docker ne peuvent pas plier sur les cordes leurs poignets déformés. À Catane, à Palerme, à Messine s'est perdue la tradition qui n'éclôt qu'à l'ombre de chênes centenaires. Pour entasser immeubles sur immeubles on a coupé les arbres, mais ici, chez nous...

Serrées en groupes, un instant les trois boutiques de coiffure se font face en silence. À un signe invisible, le grand concours de mélodies et de rythmes improvisés fend la nuit, tandis qu'un vol d'oiseaux effrayés s'enfuit derrière les notes, révélant aux regards l'argent des étoiles.

MELA : Que d'étoiles, Bambù, je ne m'en étais pas rendu compte !

BAMBÙ : La légende dit que la mandoline a le pouvoir de les multiplier.

MELA : Et comme ils jouent, c'est autre chose qu'au Conservatoire ! Je crois que j'aurais mieux fait d'étudier avec eux.

BAMBÙ : Mais que dis-tu, Mela ?

MELA : Chut, chut, Bambù. Je veux me remplir de cette légèreté. Oh, si j'arrivais à la leur prendre et à l'insuffler à mon piano ! Le piano est sourd, par Judas !

BAMBÙ : Que dis-tu ?

MELA : Chut, Bambù ! Mais où prennent-ils tous ces thèmes ?

BAMBÙ : Ils les savent par cœur, c'est ce qu'a dit Prando : par cœur. Ils se les transmettent de père en fils.

Le matin à la mer, Mela et Bambù ne craignent plus de perdre la pâleur fascinante de leur peau, ni ne craignent de « manquer de tenue » comme on disait autrefois : là, sur cette plage privée, dans cette petite république où seuls les garçons du voisinage et quelques sœurs de ces garçons évolués, étudiants riches et pauvres, osent venir, défiant l'opinion publique. Et cela simplement en vertu de l'argent... « L'argent fait l'homme. De fait, aucun pauvre n'est considéré comme ayant de la valeur et honoré. » Carlo riait, et ensuite Alceo mettait en cause Platon : « La République ! Facile, de la bâtir sur la peine et le sang des ilotes ! Tu sais ce que je te dis, Modesta ? Ce Platon est plus réactionnaire que... »

JACOPO : Tu es triste, maman ?

MODESTA : Non, Jacopo, j'écoute la musique.

JACOPO : Alors je ne parle pas. C'est juste que je voulais te poser une question. De quel livre parlait tout à l'heure Prando à Bambù ?

MODESTA : Oh, ce n'est rien... ou plutôt c'est un livre fondamental pour les femmes.

JACOPO : Ah, oui ? Il est d'un Italien ?

MODESTA : Non, il est d'Auguste Bebel, un socialiste allemand, tu sais ? de l'entourage de Rosa Luxemburg.

JACOPO : Ah ! Et il parle des femmes ?

MODESTA : Le titre te le dit : *La Femme et le socialisme.*

JACOPO : Et qui te l'a donné, à toi ? Ta mère ?

MODESTA : Oh, non. Ma mère ne savait ni lire ni écrire, tu l'oublies toujours. Je l'ai trouvé dans les livres d'oncle Jacopo. Je t'ai parlé du trésor d'oncle Jacopo, tu ne te rappelles pas ?

JACOPO : Mais si, bien sûr. Mais je croyais... c'est-à-dire... tu ne me l'as jamais donné, à moi, parce que je suis un garçon ?

La vibration douloureuse des cordes du dernier joueur de mandoline se répercute dans les yeux tristes de Jacopo, révélant une injustice à Modesta. Injuste Modesta ! Dans le désir de protéger la future femme qui repose en Bambù, elle a négligé Jacopo, Prando, 'Ntoni.

JACOPO : Tu ne réponds pas, maman, pourquoi ? C'est un livre rien que pour les femmes ?

MODESTA : Non, Jacopo, je m'interroge. Ce que tu as dit m'a révélé une erreur que j'ai faite. Bien sûr, c'est un livre qui s'adresse aux femmes, mais il est écrit par un homme et j'aurais dû le conseiller aussi à Prando et à toi.

JACOPO : C'est cela que je voulais comprendre, maman. Tu as toujours dit que les hommes et les femmes doivent lire les mêmes livres, les mêmes journaux... Je me souviens, tu sais, de la colère que tu as prise contre Stella parce qu'elle ne voulait pas que Mela lise *L'Avventuroso*• et...

MODESTA : Bien sûr, Jacopo... J'ai fait une erreur. Mais nous pouvons la réparer. Tu le trouveras parmi les autres livres d'oncle Jacopo, les vieux qui sont dans mon bureau, mais ne l'emporte pas à l'école ou dehors parce que c'est un livre interdit.

JACOPO : Ah, celui-là aussi ?

MODESTA : Eh oui ! Et ils ont raison... de leur point de vue... Il dit deux ou trois petites choses sur la condition de la femme qui ne plaisent pas du tout aux fascistes et aux nazis.

JACOPO : C'est l'un de ces innombrables livres qui ont été brûlés ? Mais quelle quantité on en a brûlé, oh ! Je le lirai aussi parce que j'espère qu'il me fera un peu comprendre Bambolina et Stella. Eh ! je ne comprends vraiment pas les filles, moi, mais pas comme Prando, lui dit que les femmes sont un mystère insoluble. Mais parfois elles me font peur... je ne sais pas, quand Stella accuse 'Ntoni... ce n'est pas qu'elle crie ou quelque chose comme ça, mais elle me fait peur.

MODESTA : Moi aussi, Jacopo, je te fais peur ?

JACOPO : Avec toi c'est différent... toi tu fais plutôt peur comme Pietro ou comme Prando. Tu sais que 'Ntoni dit toujours qu'il sent mathématiquement qu'il est ton fils et pas celui de Stella ?

MODESTA : Peut-être parce que Stella est ignorante. Ne l'oublie pas, Jacopo : la culture est un privilège et lui, désormais, il est trop instruit pour Stella et pour son âge aussi.

JACOPO : Peut-être. Mais il y a autre chose, je crois, il y a autre chose ! Moi j'adore Stella et je voudrais être comme 'Ntoni.

MODESTA : Pourquoi comme 'Ntoni ?

JACOPO : Voilà, maman, j'ai tant de fois rêvé que tu n'étais pas ma mère... Enfin, comme on dit, la mère qui vous a fait, comme Stella a fait 'Ntoni.

MODESTA : Et alors ? Continue, pourquoi trembles-tu ?

JACOPO : J'ai honte... Mais je rêve que tu m'as recueilli tout petit, enveloppé dans une couverture... parfois dans un coin de la Civita, parfois sur la plage.

MODESTA : Et ce rêve t'attriste ?

JACOPO : Oh, non ! Au contraire, c'est ça qui me plaît. Il me semble qu'en m'ayant choisi sans m'avoir eu, tu... je ne sais pas m'expliquer : j'ai l'impression, voilà, d'un choix et pas d'un destin. C'est pour cela qu'il me semble aussi que tu m'aimes plus que les autres. Ce n'est pas bien, ce que j'ai dit ?

MODESTA : Pourquoi « pas bien », Jacopo ? Les rêves sont beaux. Et puis, comme toujours, il y a quelque chose de vrai dans les rêves parce que si tu n'étais pas né de moi je t'aurais choisi entre mille.

JACOPO : Oh, maman, ça fait si longtemps que je voulais te le dire, mais j'avais peur. Je peux poser la tête sur ton épaule ? Cette mandoline commence à me donner mal à la tête, pas à toi ?

MODESTA : Laisse aller ta tête et ferme les yeux, le son s'éloignera.

Encore quelques notes que rend désormais délirantes de joie la conscience d'être resté le dernier joueur de mandoline à atteindre le voisinage des étoiles, et la tête de Jacopo se fait lourde. À sa respiration Modesta devine qu'il est tombé dans le sommeil comme Crispina qui, enveloppée dans un châle, dort sur la poitrine de Pietro, assis là où le sable s'arrête et où le rocher apparaît. Rocher sur rocher, Pietro fixe hypnotisé les feux d'artifice de ces notes... C'est là sa musique. Il sait, lui, comment s'abandonner au magnétisme de la *guimbarde*, comme Modesta maintenant que Jacopo se tait.

La dernière note se détache de la vitre noire du ciel et tombe – étoile filante – révélant le silence.

JACOPO : Comme je suis furieux, maman, je me suis endormi ! Qui est la plus belle ? Le premier mandoliniste a choisi ?

MODESTA : Non, mais nous le saurons bientôt. Tu vois comme il regarde autour de lui ?

JACOPO : Mais pourquoi met-il tant de temps ? C'est si facile !

MODESTA : Ça fait partie du rite, Jacopo, et puis peut-être est-il véritablement indécis. Regarde-les : moi non plus je ne saurais pas juger. Bambù, comme tu le dis, est dans son moment de fée, mais Emanuela... qui l'aurait cru, hein ? En un an elle est devenue plus belle que sa mère.

JACOPO : Une grande personne peut aussi être choisie, maman ?

MODESTA : Bien sûr. Tu étais trop petit pour t'en souvenir : Stella a été choisie trois années de suite.

JACOPO : Et elle est peut-être encore la plus belle, mais je saurais...

MODESTA : Chut, Jacopo, on ne doit pas faire de bruit. Pietro nous regarde de travers. Il n'y a que dans le silence que naît la juste décision, comme il dit. Approchons-nous, il ne choisira pas si le cercle autour des musiciens n'est pas complet.

Le mandoliniste vainqueur parcourt le cercle au complet, une, deux fois. Au troisième tour il s'arrête en regardant Bambù et Mela qui se tiennent par la main. Puis il fait un pas en arrière, mais seulement pour rendre sa décision plus évidente, et enlevant le gardénia de la boutonnière de sa veste il étend lentement le bras. Tous suivent le trajet silencieux de cette étoile blanche qui s'en va faire halte sous le menton de Mela. Bambù lâche sa main et recule avec les autres.

PREMIER MANDOLINISTE : Avec certitude et pondération je vous dis que la jeune Mela est la plus belle !

Tous, sauf Mela, applaudissent ce choix. Jacopo saute de joie en criant :

— Je le savais ! Je le savais ! Bravo, mandoliniste !

Mela murmure :

— Mais pourquoi moi, pourquoi ? Où est-ce que je mets le gardénia, maintenant, où est-ce qu'il faut le mettre ?

PREMIER MANDOLINISTE : Sur la poitrine, enferme-le dans ton âme de musicienne et joue pour nous et nos enfants et nos petits-enfants, à jamais !

Crispina rit, ses yeux lourds de sommeil ne voient rien, mais elle rit de joie des applaudissements. Cette joie, même si elle l'oublie plus tard, est destinée à nourrir son être, pour toujours.

Dans le salon, le cercle se recompose autour du piano et Mela lutte seule sur le clavier contre bien trois boutiques. Aucune lumière ne l'éclaire, mais elle est la plus belle. Ses bras, son buste fragile, remplumés par la nourriture, ont perdu leur triste maigreur d'autrefois. Habillée par Joyce, coiffée par Bambolina, nourrie par Modesta, cette blouse grise suspendue à un porte-manteau qu'elle était à son arrivée s'est dissoute avec le passé.

— Oh, ma tante, tu te souviens comme c'était horrible, cette blouse ? Je ne les avais jamais remarquées, moi, les orphelines, mais ce que tu disais est bien vrai : on dirait des prisonnières ! Depuis que Mela est arrivée ici chez nous, j'ai compris et je les observe quand je les croise dans la rue, en colonne, toutes grises, elles me font une peine ! Et comme elle mangeait dans les premiers temps ! Tu sais que quelquefois elle se réveillait la nuit et me demandait la permission d'aller à la cuisine ? Une fois elle a mangé tout un pot de confiture avec sa cuiller à soupe, comment est-ce possible ?

PIETRO : Un grand honneur pour notre Mela, hein, Mody ? Je te vois triste, ou ce n'est que de la fatigue ?

MODESTA : Non, Pietro. Je m'inquiète pour l'argent, nous sommes à sec. J'ai arrêté la vente des murs. Vendre, oui, mais pas rester sans toit. En cela maître Santangelo a raison. Il faut trouver cet homme, Pietro...

PIETRO : Il n'y a qu'un homme, un seul. Mais la princesse ne veut pas en entendre parler ; ou cette mélancolie qui t'a prise, peut-être, est un enseignement de sagesse ?

MODESTA : Je ne sais pas, Pietro...

PIETRO : Cette incertitude me dit que Pietro a eu raison de se permettre de hâter ta décision par un acte... Je porte au lit Jacopo et Crispina : ils se sont endormis comme deux petits agneaux, et après je reviens près de toi et nous voyons.

« Comment nous as-tu sauvées du feu, Tuzzu ?

— Une sous un bras et une sous l'autre, comme deux agnelles endormies. »

Pietro fend la vague des sons, portant en lieu sûr Jacopo et Crispina. Modesta le suit. Mais arrivée à la grande baie vitrée il lui faut s'arrêter. Ce n'était pas une hallucination, Mimmo monte maintenant les escaliers du Carmel... son grand corps moulé de velours vert foncé...

BAMBÙ : Qui est-ce, ma tante ?

MODESTA : Mimmo le jardinier, tu ne vois pas la grande ossature et le vêtement de velours sombre des hommes de l'arrière-pays ?

BAMBÙ : Tu plaisantes toujours, ma tante. Un jardinier, lui ! Stella dirait qu'il est habillé comme un vrai monsieur.

MATTIA : Je vous baise les mains, princesse, et j'espère ne pas déranger toute cette gaieté.

MODESTA : Sois le bienvenu ! La gaieté doit être à

tous comme le pain. Je te présente ma nièce Ida, Mattia.

MATTIA : Très honoré, mademoiselle. La gaieté, comme le pain et les larmes, doit être partagée avec tout le monde. C'est ce que Pietro m'a dit il y a deux minutes. Et ce n'est qu'à cause de cela que je me suis permis de me joindre à votre compagnie.

MODESTA : Tu as bien fait, Mattia. Mais comment se fait-il que tu sois par ici ?

MATTIA : À vrai dire, j'ai fait plusieurs fois le tour de la villa depuis que je suis revenu d'Amérique, mais je ne savais pas si le temps avait mis un baume d'apaisement sur le passé des Brandiforti et des Tudia.

MODESTA : Le temps a toujours des baumes apaisants pour nous autres Brandiforti.

MATTIA : Et je m'en réjouis. Et je me réjouis aussi de constater que le temps et la nature ont offert la compensation de la santé et de la beauté à la fille de notre regrettée princesse Beatrice.

BAMBÙ : Je m'en vais. Ils se sont arrêtés de jouer et peut-être ont-ils faim ou vont-ils l'avoir, nous avons encore tant d'heures devant nous. Je vais aider Stella. Ravie de vous avoir rencontré, monsieur...

MATTIA : Tout le plaisir est pour moi, mademoiselle... Je vois que tu as été fidèle à nos usages dans l'éducation de ces petiots.

MODESTA : Il faut être fidèle aux bons usages et rejeter les mauvais.

MATTIA : C'est juste. Voici Pietro... Sa présence est réconfortante, hein, Modesta ?

MODESTA : Veux-tu te joindre à notre compagnie et attendre l'aube avec nous en toute sérénité ?

MATTIA : Avec plaisir, princesse.

MODESTA : Espérons que le Prophète se montre pour que ça finisse en beauté. Qu'en dis-tu, Pietro, l'attente des enfants va être satisfaite ?

PIETRO : Le ciel est comme du verre, et cette transparence promet du bon, mais une folie de s'agiter a pris le monde. Et il suffit d'un de ces vilains oiseaux de fer pour effrayer le ciel, les moineaux et les consciences... Le voilà qu'il revient, le maudit !

La mort par folie de s'agiter. Prando, la motocyclette. Le cheval de fer de Mattia. La cicatrice palpite. C'est dans le regard de feu de Mattia, dans ce coup de feu que la *Certa* se niche ? Puisqu'il la couve du bleu marqueté de cuivre de ses prunelles, Modesta doit lever les yeux et l'affronter...

MATTIA : Tu me regardes enfin, Modesta, et maintenant je sais combien je t'ai aimée. Je me suis toujours souvenu de tes yeux durant ces années... La jeunesse égare. Prenant alors la passion pour une prison, je luttais contre toi au lieu de me laisser aller à la rare douceur d'aimer.

Il n'y a plus de mort dans ce calme regard qui envahit ses cernes, ses joues, son sourire. Le sourire de Prando se changera avec le temps en cette quiétude que Carmine portait en lui, adulte. Bientôt Prando, lui aussi, aura des copeaux blancs dans ses boucles, signe que le feu s'est apaisé. Reconnaissante de cette révélation, Modesta tend les mains vers Mattia. Dans les grandes paumes chaudes elle sent les siennes devenir petites... les mains de Crispina ?

MATTIA : Merci, Modesta. Mais maintenant il nous faut parler de ces tableaux. Pietro m'a touché un mot...

MODESTA : Mais tu n'as pas perdu un doigt comme on le disait ?

MATTIA : Un doigt ? Je l'ai entendu dire moi aussi. Si on disparaît un moment, les légendes naissent. En vérité j'ai failli perdre non pas le doigt mais la main entière, s'il s'agit de cela. Mais seul un bracelet m'est resté comme souvenir de ton coup de feu. Regarde, regarde sous ma manchette !

MODESTA : Et moi j'ai failli perdre la tête ! Regarde, regarde sous ma frange.

MATTIA : On dirait un petit serpent...

MODESTA : C'est un petit serpent, Mattia. Le serpent que j'ai dans le corps, comme tu le disais, et tu l'as fait sortir à la lumière.

MATTIA : Et il s'est calmé ?

MODESTA : Au contraire, il s'agite et me fait m'écarter du droit chemin à chaque pas. Je ne me calmerai jamais, Mattia, il n'y a rien à faire. Mais maintenant allons à la plage. Tout à l'heure je n'avais pas envie d'attendre l'aube, mais maintenant oui ; allons.

MATTIA : Et ces tableaux ?

MODESTA : Nous en parlerons demain : les détails avec le jour. Maintenant je veux te montrer Prando et Jacopo... Oh, mais pardon, tu n'as pas d'enfants ?

MATTIA : Non.

MODESTA : Et tu le regrettes ?

MATTIA : Les détails, comme tu les as appelés, demain avec le jour. Allons-y, Modesta.

JACOPO : Comme je suis furieux, maman, je me suis endormi ! Et puis la lumière m'a réveillé, je suis furieux ! Il est apparu ?

MODESTA : Voici Jacopo, Mattia. Jacopo, je te présente Mattia.

JACOPO : Enchanté, monsieur, enchanté... Il est apparu ? Eh, 'Ntoni, il est apparu ?

'NTONI : Non.

JACOPO : Quel dommage !

'NTONI : Mais puisque tu dormais...

JACOPO : Eh ben ! Tu pouvais me le raconter. Tu sais tout imiter.

'NTONI : Imiter un mirage, ça, je n'y avais jamais pensé. Pas mal comme idée.

PRANDO : Oui ! Et pourquoi pas avec l'accompagnement de Mela au piano, a-t-on jamais entendu un truc pareil !

'NTONI : Et pourquoi pas, Prando, s'il te plaît ? Toujours à faire le défaitiste.

PRANDO : Oh là ! Tu devrais savoir que « défaitiste », c'est comme « je m'en fous ». Ce sont des termes fascistes et vulgaires, comme dit maman, il vaut mieux ne pas s'en servir. Comment dis-tu, maman ? Ah, oui : quand on utilise les mots des fascistes on finit par les absorber, peu à peu ils te travaillent de l'intérieur et un beau matin tu te retrouves fin prêt pour eux, avec chemise noire et pantalon à la zouave. Il m'a toujours semblé que c'était une exagération, mais... Mais pourquoi ne réponds-tu pas, maman ? Je n'ai pas bien rapporté ta pensée ?

Le sourire de Mattia a effacé en Modesta toute irritation envers ce profil de pierre, parfait même après une nuit sans sommeil. 'Ntoni a les traits amaigris comme après un accès de fièvre. Mela, les yeux rapetissés, paraît porter à nouveau sa blouse disgracieuse. Bambolina, toute pâle, presque endormie, s'appuie à la barque et tremble peut-être. Ce profil impassible de Prando et cette voix dure ne sont que de la force. L'irritation qu'elle éprouvait envers lui n'était peut-être que de la peur.

PRANDO : À ce qu'il semble, mon cher 'Ntoni, si jusque-là ma beauté de mère, même si elle ne daignait pas nous regarder, parlait, du moins, elle a maintenant décidé de nous ignorer du tout au tout.

MODESTA : Tu as parfaitement rapporté ma pensée. Les mots nourrissent, et comme la nourriture, il faut bien les choisir avant de les avaler.

PRANDO : Comme maman s'est réveillée de bonne humeur ce matin ! Ou c'est qu'elle n'a pas dormi ?

Prando doit avoir senti la peur de Modesta cachée sous l'irritation, il doit l'avoir perçue depuis qu'il est enfant, pour aller aussi loin. Il n'est pas donné par la nature de réparer en une heure une erreur commise pendant des années, et Modesta est obligée de rester comme avant en attente que le temps apporte un apaisement.

MODESTA : Tu es insupportable, Prando, et je t'interdis de jouer les trouble-fête, comme dit Bambù !

BAMBÙ : Mais oui, ma tante, ne t'en occupe pas ! Avec moi aussi il fait tout le temps comme ça, il aime faire le méchant.

'NTONI : Tu veux dire le dur, Bambolina. C'est la faute du cinéma. Il est tombé amoureux de Jean Gabin.

BAMBÙ : Oh, c'est vrai ! S'il n'avait pas ces traits parfaits, il ressemblerait à Jean Gabin.

'NTONI : C'est sûr ! Je l'ai vu, à la sortie du cinéma, il imitait sa démarche.

PRANDO : Crétin ! Je n'imite personne, moi !

BAMBÙ : Mais tu es trop beau, mon petit cousin, pour devenir un dur comme lui.

PRANDO : Oh, ça suffit, Ida, arrête de répéter sans arrêt que je suis beau ! C'est offensant pour un homme.

BAMBÙ : Et depuis quand est-ce offensant ?

PRANDO : Allez au diable, vous, et moi qui m'abaisse à rester avec des gamins ! Je vais faire un tour en moto.

BAMBÙ : Je viens avec toi, Prando.

PRANDO : Mais tu meurs de sommeil !

BAMBÙ : Ça m'est passé, emmène-moi avec toi.

PRANDO : Mais tu trembles de la tête aux pieds !

BAMBÙ : J'ai froid, ne pars pas ! J'ai froid ! Tu me prends dans tes bras ?

PRANDO : Oh, maman, j'ai l'impression que cette fête va s'achever à l'hôpital. J'ai comme l'idée que demain tout le monde sera au lit avec de la fièvre.

'Ntoni : Les pêcheurs ! Les pêcheurs arrivent !

Jacopo : Allons préparer le feu. Qui sait combien il va y avoir de poissons ! J'ai une de ces faims ! Tu verras comme la soupe est bonne quand ce sont eux qui la préparent.

Prando : Entendez-le, notre petit Jacopo qui m'informe que la soupe des pêcheurs est bonne, comme si je ne le savais pas ! Quelle patience il faut avec ces pitchounets, hein, Pietro ? Et toi, petite cousine chérie ? Petite colombe blanche, tu t'es réchauffée ? Tu vas arriver à marcher ?

Bambù : Bien sûr que j'y arrive ! Mela, Stella, les pêcheurs !

Modesta : Ils s'en vont, Mattia, regarde... Ils s'en vont !

Mattia : Ils essaiment vers l'horizon comme les moineaux après qu'ils ont appris à voler. Mais tu les as nourris et cela doit te consoler. Dis-moi la vérité, diablesse de lave, Prando est le fils de Carmine ?

— Oui.

— Il ne me ressemble pas, mais c'est le portrait de mon père quand il était jeune.

— Il te ressemble à toi aussi.

— Tu trouves ?

— J'ai joué au jeu de hasard en te les présentant. J'ai observé tout le monde pour voir s'ils s'apercevaient de quelque chose, y compris Stella. Mais personne n'a saisi la ressemblance.

— Tu aimes jouer aux jeux de hasard, hein ?

— Oui, j'aime ça... Personne ne l'a remarquée, c'est incroyable !

— Quand on ne sait pas, personne ne devine, les devins n'existent pas... Bon, alors, comme je t'ai dit, il n'y a qu'à enlever les cadres et rouler les toiles – je vais t'envoyer un spécialiste –, elles doivent entrer chacune dans un cylindre comme celui-là. Comme tu sais, j'ai tout un passé de voyages dans ce pays, et, ce qui compte le plus, de voyages honnêtes.

— Tu m'as également dit que tu ne voulais pas retourner en Amérique.

— Je ne voulais pas parce que ce pays est lié dans mon imagination au deuil que je porte, mais en fait je n'attendais que l'occasion. New York est la plus belle ville du monde si on a de l'argent.

— Ah ! Antonia est morte quand tu étais là-bas ?

— Oui, je suis resté trop longtemps cette fois-là, et ma femme, accablée de tristesse peut-être, ou ce n'est que de l'imagination, a voulu me punir en mourant avec l'enfant. Ou peut-être que c'est un destin, comme pour mon père. Il était distrait par les voyages, le deuil l'a surpris comme à moi. Ou peut-être encore, nous les garçons Tudia – tu as entendu ton Prando ? – nous portons au-dedans de nous un égoïsme si absolu qu'il tue ceux qui ne sont pas assez forts pour répliquer au coup par coup à cette fureur qui nous possède toujours.

— Carmine ne s'est libéré de ce que tu appelles fureur qu'avant de mourir, et il était serein.

— Veux-tu par ces mots me dire, Modesta, que la Mort est proche pour moi puisque je doute de la justesse de cette fureur ?

— Non, ton père n'a jamais prononcé le mot de doute, et il sentait la mort comme une libération de ses devoirs. Tu n'es pas malade, ni vieux comme lui.

— Non, et cependant je doute, comme tu l'as compris.

— C'est bien, Mattia.

— On m'a enseigné que dans le cœur d'un homme il n'y a pas de place pour le doute.

— Cela, on vous l'enseigne pour vous enfermer,

vous les garçons, dans une cuirasse de devoirs et de fausses certitudes. Comme pour nous les femmes, Mattia : autres devoirs, autres cuirasses, de soie celles-là, mais c'est la même chose.

— Tu dois avoir raison parce qu'une espèce de mélancolie nouvelle m'a pris et me tient depuis que j'ai fait connaissance avec ce mot de doute.

— C'est par crainte de cette mélancolie que l'homme se recouvre de certitudes et impose ses credo. Mais l'homme est encore trop enfant pour savoir, il a tout juste appris à lire et à écrire. Et ce qu'il croit être des dieux, ne sont que des idoles qui réclament des sacrifices humains.

— Cet hiver je me suis trouvé à Berlin. Je n'y étais pas allé depuis des années, Modesta, et j'ai vu des hommes et des femmes qui marchaient dans la rue au bas du trottoir alors que le trottoir était libre. Sur le moment je n'y ai pas fait attention et puis je les ai bien regardés, ils portaient tous un signe sur le bras. Marqués comme chez nous on marque le bétail. Les voitures les frôlaient, ils se hâtaient, en rasant le trottoir... J'ai fait la guerre, moi, et on ne me trompe pas. À quoi pensent-ils ? Vers quoi poussent-ils ce troupeau marqué ? Je n'ai rien demandé, alors que je rencontrais le même signe sur des portes de maisons et des magasins, mais j'ai pris le premier train et je ne suis plus retourné dans ce pays que je me rappelais propre et insouciant.

— C'est cela qui t'a fait douter ?

— Aussi, oui... ou peut-être, comme tu l'as dit, c'est parce que j'ai appris à lire et à écrire, tandis que Carmine, à part les chiffres et sa signature, ne savait pas le faire... Est-ce que tu penses que ma femme et mine d'or et mon enfant, je les ai perdus parce que, comme disaient les anciens, si on ne les soigne pas et ne les protège pas par sa présence, l'œil attentif, on les expose à la grêle, au vent et à la Mort ?

— Peut-être, Mattia, peut-être...

68

Peut-être que Joyce, seule dans sa chambre, abandonnée à sa douleur, n'a pas résisté aux appels insidieux de la *Certa*. Il n'était jamais arrivé à Modesta d'oublier aussi complètement la présence de son amie. Quand elle découvre cela, une anxiété pleine de remords la fait se précipiter dans l'escalier. La porte poussée lui confirme que Joyce l'a attendue. En effet la petite demi-lune d'opaline rose allumée sur la table de nuit éclaire un visage immobile, blanc, de pierre. Tremblant de cette blancheur anormale, Modesta s'incline sur le lit jusqu'à entendre une respiration si légère et si parfumée qu'elle la transporte loin, à rebours dans sa mémoire, au temps où Prando n'était qu'un tendre petit poupon de chair. À ce souvenir, incompréhensiblement, des larmes se pressent à ses paupières... Jò respire doucement, regardant à l'intérieur d'elle-même quelque rêve serein. Pourquoi, alors, dès que le soleil apparaît, un masque secret de tristesse tombe-t-il sur son visage ? Pourquoi ?

« Le sphinx, Mody, le sphinx ! Si tu la regardes bien, elle cache sûrement sous ses lèvres vivantes des dents d'or avec un diamant serti dans sa longue canine. »

Une terreur insensée me fait m'enfuir dehors. Et ce n'est que lorsque je me sens loin de cette pièce, marchant en long et en large sur la plage déserte à peine effleurée par les rayons du soleil, que je parviens à sourire de cette terreur infantile des monstres, des sphinx, des prodigieux mirages qui toujours, à l'aube, se pressent, selon Tuzzu, dans les vignes, sur les immenses rochers de lave en surplomb, sur les dos squameux des Morts bleues de la mer... Maintenant encore, au milieu de myriades de mouettes éveillées et affamées, la petite île du Prophète semble une grande tête convulsée à demi recouverte par la mer... elle va être engloutie, ou comme le raconte Stella, elle va être réaspirée par l'île mère. Le dos appuyé à la cabane de bois, Modesta peut se vider de ses pensées, de son passé et de son avenir, pour suivre les plaintes des mouettes, le sombre grondement du ressac, la stridulation or-argent des rayons du premier soleil. Et elle ne prête quasiment pas attention à un chuchotement étouffé derrière les planches. Ce doit être les mouettes, pense-t-elle, mais, tout doucement, quand elle rapproche la tête... N'est-ce pas la voix claire de Bambolina ?

— Tu n'as pas entendu des pas, Mela ?

— Non, ça doit être les mouettes qui finissent en beauté les restes de notre festin.

— Pourtant...

— Elles ont droit à une fête, elles aussi, non ?

— Comme tu es belle, Mela, quand tu souris !

— Toi, tu es toujours belle ! Et d'une vraie beauté même quand tu ne souris pas.

— Non, c'est toi la plus belle, toujours.

— Si tu veux... Viens sur moi, comme ça nous nous emmêlons et nous ne faisons plus qu'une seule beauté, Bambù.

— Tu penses qu'en se serrant fort on peut devenir une seule personne ? Nous l'avons fait tant de fois et ce n'est pas arrivé, Mela !

— Et qui te dit que ce n'est pas arrivé ? Je l'ai senti, moi.

— Quelle merveille, Mela, serre-moi, serre-moi, je veux le sentir moi aussi.

— Il faut que tu fermes les yeux et que tu penses à moi, rien qu'à moi.

— Oh oui, je te sens, Mela, je te sens !

Modesta a froid, mais Beatrice la recouvre de ses cheveux de soie : « Eh oui, Mody, la soie réchauffe plus encore que la laine. Mais tu ne peux pas les savoir, toi, ces choses-là. Je parie que c'était interdit même d'en parler au couvent.

— Oui.

— Mais vous vous embrassiez ? Vous vous donniez des baisers comme nous le faisons nous ? Tu ne réponds pas ? Ça aussi, c'était défendu ?

— Absolument.

— Les pauvres ! Oh, Mody, ne t'en va pas... Jouons la scène du page Fernand : tu es le page Fernand et tu me regardes dans les yeux, voilà, oui, comme ça, tu me regardes et tu verras que nous nous sentons même sans nous embrasser. Comme c'est beau, pas vrai, Mody ? Maintenant restons serrées l'une contre l'autre et parlons, j'ai tant de choses à te dire. »

— Comme c'est beau, Mela ! Je t'ai vraiment sentie à l'intérieur de moi, tu sais ? Non, ne t'habille pas, c'est trop tôt. Ne t'habille pas, comme ça je te caresse, et tu me dis ce que tu sens.

Pourquoi ne peut-on pas être toujours heureux ? Le journal retrouvé de Beatrice le répète : « Pourquoi ne peut-on pas être toujours heureux ? Est-ce le destin des Brandiforti, Modesta ?

— Ce n'est pas le destin. C'est que chacun ne fait que chercher à être malheureux dans cette maison, et le soupçon me vient que même quand ils sont heureux ils ne veulent pas le reconnaître.

— Mais nous sommes heureuses, n'est-ce pas, Modesta ? Même si grand-mère crie et que nous ne pouvons pas aller à Catane, je suis heureuse, heureuse auprès de toi ! »

Oui, Beatrice, toujours, toujours heureuse comme ces voix paisibles qui murmurent derrière la porte.

Peut-être l'effort de retenir sa respiration fait-il pleurer Modesta recroquevillée contre le bois : des pleurs muets montent lentement à ses lèvres et bientôt se transformeront en un cri. Pour ne pas déranger le vol silencieux des mouettes, doucement, Modesta s'éloigne. Ce n'est qu'en franchissant le seuil de sa chambre, protégée par l'obscurité de ses murs, qu'elle peut se laisser aller.

— Où as-tu été ? C'est presque sept heures... et pourquoi sanglotes-tu ainsi ?

— Oh, Jò, excuse-moi.

— Tu as l'air d'une folle ! Pourquoi sanglotes-tu ainsi ?

— C'est la nostalgie, Jò, ne t'inquiète pas, rien que de la nostalgie.

— De la nostalgie ? Je ne comprends pas, tu as l'air de sortir d'une séance de torture.

— Non, aide-moi, Joyce ! Tu es heureuse avec moi ? Nous avons été heureuses, n'est-ce pas ? Pourquoi ne réponds-tu pas ?

— Je suis restée éveillée toute la nuit à t'attendre.

— Ce n'est pas vrai ! Quand je suis montée je t'ai vue dormir, et sereine. Pourquoi ce masque maintenant ?

— Mais que dis-tu ? Allons, mets-toi au lit, tu es fatiguée.

— Aide-moi, Jò.

— T'aider dans tes folies ? J'ai essayé. Tu te gâches, Modesta. Tu gaspilles ton temps, ton argent. Tu sais comme j'ai essayé de te ramener à un peu de raison. Tu n'as même pas réussi à rassembler tes poèmes, nous aurions maintenant un volume prêt à être publié.

— Que viennent faire là les poèmes, maintenant ? Je te l'ai dit et redit, les mots écrits ne me servent qu'à jouer.

— Et alors pourquoi as-tu tellement poussé Mela à étudier ?

— Mais parce qu'elle est pauvre ! Et elle devra, pauvre gosse, compter uniquement sur son talent si elle ne veut pas finir mariée à un petit employé, ou...

— Mais toi parce que tu es riche tu gâches ton talent.

— Oh, Jò ! À vingt ans je me suis débarrassée des terres parce que je ne voulais pas devenir l'employée de mon patrimoine. À trente je me suis débarrassée de ce mot d'artiste parce que je ne voulais pas devenir l'employée de mon talent. Je te l'ai dit et je te le répète, et puis ce matin j'ai découvert pourquoi Mela est si sereine, et Bambù aussi depuis que Mela nous est arrivée à la maison.

— Qu'as-tu découvert ?

— Si tu m'embrasses et me souris je te le dis.

— C'est incroyable, après ces larmes tu n'as même pas les yeux rouges et ton visage est frais comme si tu avais dormi toute la nuit.

— C'est parce que tu me tiens dans tes bras et me souris.

— Alors voyons, qu'as-tu découvert ?

— Embrasse-moi d'abord, embrasse-moi. J'ai tellement envie de te sentir nue. Si nous nous étreignons nues nous serons une seule personne. Ce matin j'ai vu le mirage, les arbres m'ont dit que... Oui, viens sur moi, et serre-moi, serre-moi.

— Que t'ont dit les arbres, mon petit ?

69

— ... Elles faisaient l'amour dans la cabane ? Et qu'as-tu fait ?

— Rien. Pourquoi deviens-tu aussi pâle, Jò ? Ne t'inquiète pas, j'ai fait tout mon possible pour ne pas me faire remarquer, puis je suis revenue à la maison.

— Mais tu les as espionnées, si tu as pu me rapporter tout ce qu'elles disaient.

— Espionnées ? Qu'est-ce que ça signifie ? J'ai été foudroyée par leur bonheur, elles étaient si belles enlacées, nues.

— Tu les as vues, aussi ?

— Un instant, avant de m'éloigner.

— Quelle horreur !

— Quoi, quelle horreur, Jò ? Moi, qui selon toi les espionnais ? Ou leur étreinte ?

Le masque énigmatique de douleur se fissure sous le choc de la vague de rougeur qui du cou au front se déploie furieuse, venant frapper de plein fouet le regard de Modesta, qui maintenant fixe la désagrégation, l'effondrement qui décomposent ces traits de marbre. Autrefois elle aurait respecté le silence qui toujours revient recomposer ce visage.

— Quoi, quelle horreur, Joyce ? Quelle horreur, nous deux enlacées, nues, il y a quelques instants ?

— Oh, nous ! Nous sommes perdues, Modesta, mais Bambolina, si jeune... Ah, cette Mela ! Elle ne m'a jamais plu, jamais ! Il faut l'éloigner !

Le manteau de silence enlevé, la voix se brise elle aussi.

— Perdues, nous ? Mais qu'est-ce que tu dis ? Perdues pour quoi ?

— Pour la normalité, pour les lois de la nature...

— Mais que dis-tu, Jò ? Qui connaît la nature ? Qui a établi ces lois ? Le dieu des chrétiens ? Ou Rousseau ? Réponds, Rousseau, qui a enlevé Dieu du ciel pour le fourrer dans un arbre ?

— Mais qu'est-ce que Rousseau ou Dieu ont à y voir, j'ai peur pour Bambù ! Oh, Modesta, tu ne peux pas savoir. À Paris, dans ces boîtes d'homosexuels... des corps émaciés amassés, des visages jaunes, congestionnés, marqués par la honte, entre la fumée et l'haleine chargée d'alcool... une véritable antichambre de l'enfer, si l'enfer existait ! Tu ne peux pas savoir.

— Je sais, au contraire, parce que j'y suis allée et...

— Toi ! Moi, jamais... une fois seulement, et je me suis enfuie.

— Tu as eu tort, parce qu'en restant vraiment avec eux et en parlant j'ai compris ce qu'ils cherchaient dans cette antichambre de l'enfer, comme tu l'as appelée.

— Que peuvent-ils chercher ? Ils se mélangent et se droguent pour oublier.

— Non, Jò ! Ils cherchent l'enfer, le vrai, pour expier leur péché.

— Mais que peuvent-ils faire d'autre quand la société les refuse, les montre du doigt ?

— Eux, rien. Mais seulement parce qu'ils sont ignorants et bourrés de préjugés exactement comme la société qui les montre du doigt. Et ils n'exhibent leurs blessures que pour demander la clémence à cette société qu'eux aussi, eux surtout, ressentent comme juste et sainte au lieu de la combattre. Jò, reviens à toi ! De quoi avons-nous parlé, alors, durant toutes ces années ? Je vois que nous avons seulement aimablement conversé de progrès, de science, comme on le fait dans les salons évolués, mais au premier petit accrochage avec la réalité tu veux m'entraîner dans la panique qui te prend comme tous les intellectuels rien qu'à l'idée de mettre en pratique les théories si souvent énoncées.

— Je ne comprends pas.

— Tu comprends très bien, au contraire ! Selon toi je devrais éloigner Mela, non ?

— Je ne...

— C'est ce que tu as dit. Mais tu ne comprends pas qu'en faisant cela je ferais sentir à ces petites qu'elles commettent un péché ? Je les stigmatiserais, moi qui représente, qui suis pour elles la société, comme dit ton cher Freud ? Et après, que pourraient-elles faire sinon finir vraiment dans ces endroits dont nous parlions ? Et un soupçon me vient, Jò... Toi, qui t'a marquée de cette honte ? Tu n'as jamais été dans un couvent.

— Jamais, tu le sais très bien.

— Oui, c'est l'une des rares choses que je sache de toi. Alors, c'est ta mère ?

— Non !

— Ton père, alors ?

— Mon père ! Mon père se définissait comme un libre penseur et ne se souciait pas de nous.

— Et alors, qui ?

— Oh, laisse-moi, Modesta, je n'en peux plus !

— Non ! C'est terminé, le temps du silence et de l'omission. C'est terminé pour moi et tu dois parler. Tu as fait une analyse qui t'a sauvée, m'as-tu dit.

— Oh, laisse tomber l'analyse et Freud, il est question ici de l'avenir de Bambolina.

— Et l'avenir de Bambolina et de Mela n'est pas lié, peut-être, à nos idées et aux quelques conquêtes que l'on a faites ? Ou veux-tu que je leur enseigne le vieux vice commode de parler d'une façon et d'agir d'une autre ?

— Mais Bambù, mon petit, sera un être inutile comme je le suis, moi !

— Et comme je le suis, moi, dis-le si tu le penses.

— Oh, toi c'est différent, je ne te comprends pas et tu fais peur, parfois. Tu as eu un enfant, des hommes...

— Toi aussi tu as été mariée.

— Non, ça suffit ! Ça suffit avec cet interrogatoire ou je me tue, je me tue !

— Et moi je dis : ça suffit avec ce chantage au suicide.

— J'aurais mieux fait de mourir ce soir où...

— Tu n'es pas morte et je t'aime, Joyce ! Parle, qu'est-ce que cet anneau que tu portes au doigt ?

— Un mensonge, Modesta, comme les divers faux passeports pour passer les frontières.

— Je comprends, mais tu as eu...

— Tais-toi, tais-toi ! Ne dis pas ce mot, je hais les hommes, je les hais !

— Mais tu as bien essayé.

— Non ! Je les hais ! Ils me font peur, toujours, depuis que je suis petite. Ne me torture pas, Modesta. Depuis que je suis enfant je les ai toujours détestés.

— Comme tu détestes les femmes. Tu as dit cela une fois.

— Je les détestais avant de te connaître, mais tu es une exception.

— Mais tu as eu des amis comme Carlo, José...

— Voilà, tu es comme eux.

— Alors pour toi je suis comme un homme, c'est cela que tu veux dire quand tu me définis comme une exception ?

— Oh, je ne sais pas, je ne sais pas !

— Et alors si je suis comme un homme, une exception, tu l'es toi aussi, me semble-t-il comprendre. Va pour une exception, mais deux ne confirment plus la règle. Deux dans cette maison, deux autres dans une autre maison, et qui sait combien en combien d'autres. Carlo m'a dit une fois : « Ne nous imite jamais, Modesta. » Cela ne te dit rien ?

— Non.

— À moi si, maintenant. Tu veux exister comme un homme, tu les imites, comme il disait, c'est cela qui te fait te sentir un être mutilé. Cela me fait de la peine, Jò ! Jò ! Je ne prononcerai jamais plus ce nom mutilé. Joyce, tu es entière et tu es femme.

— Je ne suis pas une femme. Je suis un être déviant. Pendant des années j'ai essayé de corriger cette déviation avec l'analyse, mais nous avons échoué, lui et moi...

— Qui, lui ? Ton médecin ? Ton médecin essayait de corriger une déviation ?

— Oui, par les saines règles de la nature, Freud lui-même le dit.

— Mais Joyce ! À part que ce n'est qu'une indication, et puis ton Freud cherchait, se démentait, réclamait qu'on le corrige avec le temps. Il ne fait que répéter : « J'ouvre seulement un chemin encore imparfait pour ceux qui viendront après moi. » Joyce, tu le prends pour un dieu, lui qui détestait aussi la philosophie. Ton Freud est un brave vieux médecin fatigué, malade depuis des années d'un cancer de la bouche. Décidons-nous, pour une fois, de le faire descendre de son piédestal et de regarder ce cancer et, pourquoi pas, de lui appliquer ses propres théories, comme il a fait pour Léonard ? Qui sait si ce cancer n'est pas une façon de se punir à la bouche parce qu'il a trop parlé, qu'il a brisé des tabous, des codes, des religions... Tu me regardes et tu recules comme mère Leonora quand elle lisait muettement dans ma pensée que je niais son Dieu. Vraiment, vous ne pouvez pas vivre sans une religion... Où vas-tu ? Te suicider ? Ne le fais pas. Je t'aime, Joyce, mais souviens-toi qu'à partir d'aujourd'hui je te guetterai, je guetterai chacun de tes mouvements – ton tourment ne doit pas atteindre Mela et Bambolina, parce que c'est une maladie contagieuse.

— Tu ne m'aimes plus, Modesta, si tu parles ainsi.

— On peut aussi aimer en espionnant, je ne suis pas à la recherche d'absolus.

— Tu ne m'aimes plus !

Joyce attend, la main sur la poignée de la porte. Hors du cercle lumineux de la table de nuit Modesta ne distingue qu'une ombre à peine plus foncée que l'obscurité de cette nuit artificielle. Derrière les rideaux fermés, le soleil est certainement en train de nettoyer de leur sang les longs cheveux du Prophète pour ensuite remodeler son profil pensif. Dans une heure ou deux une bonne nage nous amènera sur cette île minuscule – pas vrai, Tuzzu ? –, fille, elle aussi, de la grande, et toutes allaitées par cet immense sein qui nourrit de feu, lait de soleil.

« Et combien de filles a la grande île, Tuzzu ?

— Tant et tant, elle n'est qu'un grand ventre. Et là où Castrogiovanni apparaît bien haut au milieu des nuages et des montagnes chauves, il y a son nombril qui descend tout en bas, tout en bas, jusqu'à l'origine de la vie et de la mort.

— Et tu l'as vu, Tuzzu, ce nombril ?

— Non, personne ne peut. Même le plus vaillant est pris de vertige. Là se prennent ses décisions et personne ne peut les pénétrer.

— Mais pourquoi ?

— Parce que l'île est femme comme la lune. Comme ta mère et ma mère qui ont la science de te voler ta semence et de la faire germer dans leur chair. À juste raison mon père et mon grand-père m'ont appris à les redouter.

— Je n'ai pas peur de ma mère.

— Quelle découverte ! Tu me fais une découverte à la Giufà. Tu n'as pas peur parce que tu es femme, et même si tu n'es qu'une petiote tu connais ton pouvoir. »

En effet, le visage serein de Joyce quand elle est à table feint la gentillesse, mais elle connaît son pouvoir, et Jacopo en a peur. 'Ntoni est terrorisé par les larmes de Stella. Et peut-être Prando cache-t-il par l'exercice de la colère la terreur que je lui inspire.

Pourquoi, Joyce, ne veux-tu pas reconnaître ton pouvoir ?

*

* *

— Modesta, enfin tu t'es éveillée ! Cette curieuse façon que tu as de dormir me fait peur.

— Mais je me suis à peine endormie.

— Tu as dormi tout hier, et il est déjà presque midi.

— On dirait que c'est hier, non, Joyce ? que le sommeil m'a prise et que tu es montée. Et penser que depuis des semaines je cherchais un stratagème pour te faire venir dans ma chambre. Ça a été comme un rêve. On s'endort en espérant quelque chose et au réveil le cadeau vous arrive... Un rêve. Et maintenant encore je m'éveille et tu es revenue.

— Ce sommeil n'est pas sain.

— Comment, il n'est pas sain, quand il me donne cadeaux et appétit ? J'ai une faim de loup.

— Je disais qu'il n'est pas sain psychiquement.

— C'est la première fois que tu me dis que quelque chose en moi n'est pas sain. Et avec un sérieux qui m'épouvanterait, si je n'avais pas aussi faim.

— Stella m'a donné le plateau.

— Oh, tant mieux ! Comme ça je n'ai même pas à attendre.

— Alors je te laisse à ton petit déjeuner.

— Mais non, reste là, tu peux prendre un peu de thé. Et puis il ne me semble pas gentil de me laisser après m'avoir dit que j'étais malade. Tu ne me l'avais jamais dit avant.

— Et cette façon de t'agripper à moi, ce n'est pas sain non plus ; on croirait une enfant.

— Comment ça, pas sain, si je t'aime ?

— L'amour ! Il n'existe peut-être pas entre un homme et une femme, alors, tu penses, entre deux personnes du même sexe.

— Mais que dis-tu, Joyce ?

— L'amour est une illusion !

— Entendu, je te rejoins : *La vida es sueño*. Mais cela n'empêche pas que nous la vivions, la vie, et que je t'aime.

— Tu crois m'aimer, mais c'est un simple transfert. Tu m'identifies à ta mère. Et pas seulement : l'ayant perdue si vite et de ton propre fait, tu te sens en faute et tu as sans cesse peur de me perdre.

— Et même si cela était ? Qu'y a-t-il de maladif dans le fait de rechercher une joie que l'on a connue ou seulement imaginée ? La sérénité qu'il y avait entre Beatrice et moi, je l'ai aussi recherchée en toi et je l'ai retrouvée. Oh, Joyce, pourquoi brusquement ce ton professionnel entre nous ?

— Pour ton bien, Modesta. J'ai été faible, je l'avoue, et je t'ai pris des années et des années de ta jeunesse en t'entraînant dans un rapport sans avenir pour toi, et en tant que tel, malsain.

— Mais l'avenir n'existe pas, ou du moins l'inquiétude pour l'avenir n'existe pas pour moi. Je sais que seulement jour après jour, heure après heure il deviendra présent. Et dans ce présent que nous avons eu – et avons – tu m'as donné bonheur, conceptions nouvelles, tu m'as fait grandir mentalement et puis... Pourquoi as-tu dit « rapport malsain » ? Joyce, tu ne veux pas reparler de Mela et Bambolina ? Tu ne réponds pas ? Regarde, tu m'as coupé l'appétit, et ça, oui, c'est malsain ! Attends, tu as également dit « un rapport sans avenir », n'est-ce pas ?

— Oui.

— Alors, pour tenter de te comprendre... Parce que je pars du principe que tous les rapports sont sans avenir, vu qu'on change et qu'en même temps que nous changeons les rapports vieillissent en nous, et qu'on a besoin d'émotions nouvelles. Et même, à réfléchir là-dessus, les gens vieillissent peut-être précocement parce qu'ils s'obligent à n'avoir que quelques rapports consacrés et quelques paysages toujours identiques. Mais pour tenter de te comprendre... pourquoi notre rapport est-il sans avenir ?

— Tout rapport homosexuel est sans avenir.

— On y revient ! Il fallait m'y attendre. Tu as repris au point où elle en était la tirade d'hier.

— D'avant-hier.

— D'avant-hier, d'accord. Et pendant que je dormais tu en as changé les termes, ou plutôt tu les as peints de teintes psychanalytiques pour ne pas avoir à abandonner ta conviction profonde qui aujourd'hui m'apparaît plus clairement qu'avant : le rapport homosexuel n'a pas d'avenir parce qu'on ne peut pas le proclamer devant tout le monde, autrement dit en se mariant à l'église. Et il ne donne pas les fruits que sont les enfants, c'est ça ?

— En partie.

— Mais Joyce, c'est du conformisme !

— Tu as cette assurance parce que tu as eu des hommes et des enfants.

— Un enfant.

— Un enfant, et maintenant...

— Et maintenant je t'aime, toi, une femme. Et je ne me soucie ni de mon passé ni de mon avenir.

— Tu es une exception.

— Et Beatrice ? Nous nous sommes aimées pendant des années et puis elle a aimé Carlo. Et pareil pour qui sait combien de femmes et d'hommes. Je le sais de beaucoup, et tu en as rencontré un à la fête.

— Qui ?

— Le premier mandoliniste, il aimait un de ses cousins et maintenant il a un fils et aussi...

— Non, arrête ! On ne peut pas parler avec toi. C'est horrible !

— Mais tu n'as jamais essayé d'embrasser un hommc ?

— Même si je ne supporte pas cette façon que tu as d'interroger depuis quelques jours, je te réponds : non, jamais ! L'idée seule m'en dégoûtait.

— Tu m'as interrogée pendant des années, Joyce, et ça m'a aidée à comprendre mon passé, à en tirer les conséquences logiques et à l'exprimer. Alors pourquoi cet éloignement depuis que je t'ai posé quelques questions ?

— Parce que tu es malade, malade au moins autant que moi et que j'ai le devoir de te le dire, parce qu'un jour cette maladie éclatera comme...

— Comment, dans une tentative de suicide ? Comme pour toi ?

— Quand tu prendras conscience d'avoir perdu ton temps, de n'avoir pas exercé ton talent, de n'avoir rien construit.

— Peut-être as-tu raison de dire que je suis malade, Joyce, mais pas de ta maladie. C'est toi à présent qui t'identifies à moi, ta maladie a d'autres origines.

— Et quelles sont donc ces origines ?

— Le pouvoir, Joyce, le pouvoir acquis en imitant les hommes. Ton mépris pour la femme, dont j'ai d'abord cru que c'était le mépris habituel absorbé avec l'éducation, le mépris de la vieille Gaia, de Beatrice, de Stella, à force d'imiter les hommes, de te joindre au chœur des mâles savants, s'est enraciné en haine.

— Eh bien ? Je ne vois pas où tu veux en venir.

— C'est simple, en te joignant à leur *élite** qui te répète : « Tu es une exception, tu es digne d'entrer dans notre Olympe... »

— Je ne vois toujours pas...

— Tu es passée de leur côté, et le vieux préjugé dicté par la loi de nos mères et de nos sœurs, s'est changé chez toi en haine pour ton côté femme, parce que, que tu le veuilles ou non, tu as des seins et des règles – une haine assez grande pour te stériliser les seins et le ventre.

— Je ne supporte pas ce langage anatomique !

— Et c'est pourtant le moment de revenir à ce langage, le seul précis pour l'instant. J'y ai pensé, que crois-tu ? Tu t'es stérilisée, mutilée. Mais toute mutilation réclame une compensation. Et il ne t'est resté, à toi, exactement comme aux hommes, que la compensation d'exercer le pouvoir, de modeler, de donner des ordres. Parce qu'il n'y a pas que la femme qui veut un pénis, qui se sent mutilée. L'homme aussi a sa mutilation.

— Et laquelle ?

— Il ne peut pas créer charnellement une vie. Et alors il essaie de donner vie à des idées. Pense à Pygmalion, à Zeus qui supplée à sa mutilation en s'octroyant une grossesse dans sa boîte crânienne et en portant en lui, non pas un petit être nu et informe, mais un splendide guerrier-femme armé de casque et de bouclier. Et cela parce que l'homme est une mère exactement comme la femme, sauf que je n'avais jamais rencontré une mère-homme de ta puissance. Comparé à toi, Carmine est une tendre petite maman.

— Et tu ris ?

— Transfert maternel ! Peut-être bien, maman Jò, peut-être bien !

— Ça suffit avec ces rires ! Tu me tapes sur les nerfs, comme tes théories d'amateur.

— Et que fais-tu maintenant, tu t'en vas, maman Jò ?

— Sale ignorante !

— Enfin ! C'est la première fois que tu perds le contrôle, qu'arrive-t-il, tu nous deviens vulgaire ?

Joyce s'élance sur Modesta et la frappe à plusieurs reprises de ses poings. Jamais une femme ne m'a battue, Beatrice sous mes gifles tremblait et pleurait, mais moi, cette légère douleur aux joues n'a que le pouvoir de me donner encore plus envie de rire.

70

Quand vidée par la colère Joyce se laisse tomber sur le tapis en se pressant les mains, Modesta la rejoint et la prend dans ses bras.

Peut-être s'est-elle fait mal comme elle quand elle frappait le visage et les épaules de Carmine.

— Tu t'es fait mal, Joyce ?

— Oh, oui !

— Tu as les mains trop délicates pour frapper comme ça.

— Et toi la tête dure comme du marbre !

— Carcasse de l'arrière-pays. Têtes et cœurs et pensées de pierre. Tuzzu disait : « Qui sait avec qui t'a faite ta mère. » Tu as les mains glacées, je te les masse.

— Oh, elles me font mal !

— J'y vais doucement... Et toi ? Qui sait avec qui ta mère t'a faite.

— Avec un mannequin glacé et élégant. Et dire qu'à l'étranger on ne fait que parler de la chaleur, de l'humanité des Italiens. En comparaison de mon père, n'importe quel Anglais que j'ai rencontré m'a toujours semblé être un Napolitain.

— On ne peut jamais être sûr de qui on est l'enfant, Joyce. Il n'y a que la mère qui le sache, mais la plupart du temps elle se tait.

— Oh, pour moi et Renan je suis sûre.

— Et qui est Renan ?

— Ma sœur.

— Mais elle ne s'appelait pas ?... Excuse-moi, tu l'as appelée d'un autre nom, ou vous étiez trois sœurs ?

— Non, non, Modesta ! Ne m'interroge pas, ne m'interroge pas !

— Je ne t'interroge pas, Joyce, c'est juste que je t'aime. Quand on aime on a envie de savoir comment l'autre était il y a dix ans, vingt ans, ce n'est que cela, crois-moi. Oh, Joyce, j'ai déjà vécu ce moment.

— Quel moment ?

— Nous deux, assises ici sur ce tapis en train de parler, la lumière qui décline, et... à toi aussi ça t'arrive d'avoir déjà vécu certains moments, non ? Si nous arrivions à nous souvenir nous éviterions toutes les erreurs que nous sommes obligés de faire, parce que je suis certaine que ces moments déjà vécus sont des avertissements.

— Imaginations, Modesta !

— Peut-être... Alors, pour revenir à ta sœur, Renan, tu as dit ? D'elle, tu es sûre ?

— Sûre de quoi ?

— Mais allons, pour plaisanter... sûre qu'elle est la fille de ton père ?

— Oui.

— Et l'autre, celle qui est morte à Milan ? Comment l'appelais-tu ? Ah, oui... Joland.

— Oui... elle aussi.

— Mais quelle famille *bien* ! Quelle mère comme il faut ! Trois filles avec le même homme. On voit que c'étaient d'autres temps ! Les femmes avaient une de ces patiences !

— C'est pour Timur que j'ai une certitude absolue. Ce n'est pas le fils de mon père.

— Timur ? Tu as aussi un frère ?

— Il est arrivé hier.

— Et où est-il ?

— Je l'ai renvoyé.

— Et pourquoi ? Pourquoi ne me l'as-tu pas dit ?

— Tu m'as parlé, toi, peut-être, de ce Mattia qui est revenu ? Bravo, Modesta, tu es vraiment forte pour décrire les gens, tu pourrais être un excellent écrivain si seulement tu le voulais, il est exactement tel que tu me l'avais décrit.

— Oh, ça suffit, Joyce, je suis aussi forte pour ça que toi pour passer les choses sous silence. Comment pouvais-je te parler de Mattia quand depuis que je me suis réveillée tu n'as fait que m'agresser, me dire des méchancetés. Ou c'est le retour de Mattia qui te dérange ?

— Vu que tu es restée une nuit entière avec lui il me semble que...

— Oh, Joyce, quelle idiote je suis ! C'est cela qui t'a changée comme ça, le retour de Mattia ? Bien sûr, j'aurais dû te le dire, mais je t'assure que ça m'était sorti de la tête. Tu es jalouse ? Ça expliquerait ta dureté. Oh, s'il en est ainsi, toutes ces choses méchantes que tu m'as dites ne sont rien, je me sens libérée. Si c'est de la jalousie, ça va. Moi aussi je serais jalouse... Dis-moi qu'il s'agit de ça et je te jure que si sa présence te fait souffrir je le chasse d'ici. Embrasse-moi, Joyce, embrasse-moi !

— Ne sois pas mélodramatique. Je ne supporte pas ces scènes. On ne te demande aucun sacrifice, et puis... Laisse-moi me lever, j'ai mal partout à force de rester allongée par terre. Il est temps d'allumer la lumière. On perd le sens de la réalité avec toi.

— Mais de quelle réalité s'agit-il ?

— Lève-toi du sol ! Depuis quelque temps tu ne fais que passer de comportements puérils à des attitudes sentimentales.

— Réponds, de quelle réalité s'agit-il ?

— Tu le sais parfaitement. Gramsci est mort. Encore un. Nous sommes en train de tout perdre. L'Europe oscille entre la guerre et une paix plus atroce que toutes les guerres, et nous deux nous sommes là à nous prélasser dans cette cage dorée.

— Ce sont des alibis, Joyce ! Ne dissimule pas ta jalousie.

— De la jalousie ? Je suis trop vieille pour des sottises pareilles.

— Et depuis quand te sens-tu si vieille ? À te regarder, tu fais dix ans de moins que lorsque nous nous sommes rencontrées. Eh non, Joyce, tu pouvais t'épargner le chantage à la vieillesse, ça oui, c'est vraiment mélodramatique. Comme tu vois, on n'échappe ni au sentimentalisme ni au ridicule quand on aime. Ou tu me prépares à présent le cadeau de me dire que moi seule, durant ces années, je suis tombée dans ces banalités de l'amour ?

— Oh, ça suffit ! Je n'en peux plus de rester ici,

impuissante, pendant que les camarades pourrissent dans les prisons ou se battent à mort. La fin de Gramsci m'apparaît comme le symbole de notre destin. Pourrir ! Pourrir dans l'impuissance !... Il était comme décomposé sur cette photographie, il n'avait pas l'air de quelqu'un de tombé au combat, il était décomposé.

— Cela, je le comprends. Comme je te l'ai dit à l'époque : si un jour tu reprends tes forces, tu pourras y aller. Maintenant tu es si forte que je ne tremblerais plus de te voir partir. Mais pourquoi renier toutes ces années qui t'ont permis de retrouver la santé et la force ?

— Je ne comprends pas.

— Je t'explique : pourquoi ne m'as-tu pas dit tout de suite que c'était pour toi le moment de partir, au lieu de m'accuser, moi, d'accuser ces années et toi-même ? C'est de l'ingratitude !

— Comment ?

— Mais oui, envers la vie... Le soupçon me vient – je commence à voir clair en toi, Joyce – que, pour pouvoir t'emplir de la force que tu n'as pas, tu essaies de te dire que ces années ont été des années perdues, honteuses. On dirait Franco.

— Qui ?

— Cet ami de Prando qui est parti comme volontaire en Espagne. Pour ne pas se dire qu'il voulait s'évader de son milieu, quitter sa mère, il s'est inventé d'un jour à l'autre une conviction fasciste. Et j'en ai vu tant d'autres partir comme ça. Souvent ils s'enrôlent pour échapper à la misère – mais ce n'est pas assez noble pour un homme – et ils se convainquent d'avoir un idéal. Oui, c'est ainsi, soldat Jò ! Mais dis-moi, qu'est-ce qui a ré-attisé comme ça ton sens du devoir, ton frère, le frère dont tu m'as parlé ? Comment as-tu dit qu'il s'appelait ?

— Il s'appelle Timur.

— Alors c'est ce Timur qui t'a changée de cette façon ?

— Non, c'est José.

— José ?

— Oui, Timur m'a apporté une vieille lettre de José.

— Eh bien ? Il te rappelle auprès de lui ?

— Non, il s'agit bien de cela ! Il m'avertit qu'il est parti pour l'Espagne avec les Brigades internationales et me dit de ne pas bouger... Comme si je ne pouvais agir sans sa protection !

— Et tu pars avec Timur ?

— Absolument pas ! Je n'ai pas besoin de protections masculines, moi !

— Pas comme la fragile petite Modesta qui rappelle Mattia pour se procurer de l'argent, hein ?

— Exactement ! D'autant qu'il n'en était vraiment pas besoin. Tu savais pouvoir compter sur l'argent que j'ai encore en Suisse.

— Mais pourquoi devrais-je dépenser ton argent à toi, Joyce ? Il peut toujours te servir. Pourquoi ne devrais-je pas essayer de vendre mes tableaux ?

— Mais s'abaisser au point de se faire aider par un être apolitique, un mafieux...

— Mattia n'est pas un mafieux ! J'accepte de l'aide de la main que je trouve loyale et forte, que cette main soit celle d'une femme ou d'un homme. Si j'avais voulu me faire protéger fémininement, pour employer tes termes, il suffisait de l'épouser il y a des années.

— Mais tu es déjà mariée !

— Mais je te l'ai dit ! Il l'aurait liquidé, mon cher Ippolito, dont j'espère bien qu'il vivra cent ans ! Ton orgueil est un faux orgueil qui vient tout droit d'un sentiment d'infériorité... Mais comment ne t'en rends-tu pas compte ?

— Épargne-moi tes diagnostics de bas étage.

— J'ai appris de toi à diagnostiquer. Mais je vois pour la première fois que nous ne nous entendrons jamais là-dessus. Et je vois aussi que l'apparition du fantôme de ton frère a fait tomber un mur entre nous.

— Ce n'est pas un fantôme. Il est vivant et très dangereux. Je l'ai chassé, mais il reviendra, je le connais. Nous sommes une famille épouvantable, Modesta. Si j'avais pu n'être jamais née, n'être jamais venue ici chez toi pour gâcher votre vie !

Des pleurs sourds glissent sur le visage rigoureux de Joyce. Comment Beatrice faisait-elle pour passer des larmes au rire dans le court trajet qui séparait le fauteuil du divan ? Elle pleurait, recroquevillée, et brusquement, à un signal invisible, elle volait sur le tapis vers Modesta en souriant. Et comment Joyce pouvait-elle, tout en restant immobile, dissoudre dans ces larmes l'indifférence de son visage ? L'émotion d'amour revenait, toujours la même et toujours imprévisible. Sauf que, s'épanouissant dans la joie d'autrefois, elle était la vie même ; mais si maintenant elle portait avec elle ce vide, alors, c'était que l'heure avait sonné. Joyce n'avait-elle pas dit : « Il est temps d'allumer la lumière » ? Il n'y avait qu'à s'éloigner d'un pas et l'étudier, étudier cet autre qui a décidé, consciemment ou non, de s'en aller, de partir seul. J'allai à la rencontre de cette petite mort qu'elle avait décidée pour nous et je lui pris les mains. Je ne parlerais plus. Un bon avocat sait quand la cause est perdue.

— Si Timur revient, Modesta, il ne faut pas que tu le voies, il est dangereux. Il est à Taormina avec une mission archéologique dans la suite de Himmler.

— Avec Himmler ?

— Ce n'est pas le fils de mon père, je te l'ai dit. Il est le fils d'un homme qui est venu après sa mort, un cousin, disait ma mère. Il venait déjeuner tous les jours et puis il restait à parler avec elle au salon. C'était lui qui nous entretenait. Il était très riche, l'un des plus gros banquiers de Vienne. Il vivait à Istanbul parce qu'il avait les poumons fragiles. Quand il est mort, il a tout laissé à Timur qui avait alors six ans. Un an plus tard, ma mère a envoyé Timur faire ses études dans un collège autrichien. Plus tard, beaucoup plus tard, j'ai appris que ce « cousin » voulait épouser ma mère, mais elle s'y était opposée pour rester fidèle à la mémoire de mon père. Belle fidélité ! Avec moi elle a essayé de toutes les manières possibles de faire passer Timur pour le fils de mon père. Mais un beau jour je suis parvenue à découvrir la vérité, toute seule... Notre famille est épouvantable, épouvantable ! Et pendant ce temps Timur, au collège en Autriche, avec cette éducation, est... je ne peux pas, c'est horrible !

— Il est devenu nazi ?

— C'est affreux, Modesta ! Comment Timur a-t-il pu ?

— Pouvait-il faire autrement ? Je tremble pour Prando même s'il a notre exemple, notre aide. Est-ce qu'un enfant, un jeune homme peut supporter d'être toujours différent des autres ? Et jusqu'où le peut-il ? Il y a quelques jours il m'a demandé d'aller à Palerme pour les *Littoriali* [1], pour voir ce que c'est. Quand ces jeux se déroulaient à Naples, il était encore trop petit pour que ça l'intéresse.

— Et toi ?

— Qu'il y aille ! Empêcher quelque chose est nocif, mais je tremble... Dis-moi, alors Timur est l'un de ceux-là ?

1. Sorte d'Olympiades nationales, auxquelles les jeunes Italiens étaient appelés à participer.

— Il a été appelé par Himmler pour des fouilles, peut-être insensées. Himmler insiste, il dit qu'au temps des Sicules... mais que m'importent Himmler et ses fouilles ! C'est Timur que je crains. S'il revient, il ne faut pas que tu le voies !

71

Timur avance vers moi en me fixant, très calme dans son costume impeccable. À peine plus grand que Joyce, il se meut dans ce vêtement civil comme s'il était en uniforme.

— Je ne sais, princesse, comment vous exprimer ma gratitude d'avoir accepté mon invitation.

— Mais vous parlez italien...

— Mon père était italien, princesse, et j'aime beaucoup notre pays.

C'est à lui de parler et je n'ai pas la moindre intention de perdre l'avantage. Durant le long silence que j'impose, aucune ombre d'incertitude ou d'attente ne trouble cet élégant contrôle des mains et du visage. La même ligne cohérente, du menton fort au front haut, fait fusionner la blancheur innaturelle du visage au noir des cheveux coupés en brosse. Je ne m'étais pas trompée, même chauve Joyce aurait été très belle. Ses joues sont marquées de cicatrices : plus que des blessures fortuites, on dirait des incisions précises opérées par la main d'un chirurgien-sculpteur. Même si j'ai connaissance du rite de la *Mensur*[1], c'est la première fois que

1. Combat d'étudiants à l'arme blanche, répandu dans les pays germaniques.

je vois ces marques de près et je commence à les compter : une, deux, trois... En comptant je rencontre le regard de Joyce, la même intensité obscure.

— Le patron de cet hôtel a été hardi et génial d'ouvrir ces grandes baies vitrées en faisant abattre les murs sacrés de ce couvent. Et sa hardiesse a été récompensée. Ce panorama est sans égal ! J'ai remarqué que même les clients les plus bruyants se taisent en entrant dans ce salon. Le passé sacré des murs les saisit et ils sont absorbés par ce silence, hypnotisés, dirais-je, par la vision du paysage âpre et doux qui descend vertigineusement à l'infini... regardez là au fond... et puis remonte sur les flancs de l'Etna. Si l'on n'avait pas la sensation des murs solides et sûrs derrière notre dos cette vue serait un gouffre. On dit comme ça ? Voulez-vous vous asseoir ? Préférez-vous prendre quelque chose ?

— Non, merci, pas pour le moment.

— Comme je vous le disais, je suis né à Berlin, mais notre père était italien et mon rêve est de finir mes jours dans notre villa de Todi. Au collège, en Autriche, mon amour pour l'Italie s'est comme renforcé et je considère aujourd'hui l'italien comme ma langue maternelle. Bien sûr, tous les Allemands adorent l'Italie, mais pour moi c'est différent. Dès que je passe la frontière et que mon œil se pose sur notre terre, la certitude des trésors d'art et de civilisation encore cachés ou protégés... peut-on dire protégés ? sous les oliviers et les douces collines d'Ombrie, de Toscane, me saisit avec une force différente de celle du vers trop souvent cité de Goethe. C'est cela qui m'a poussé à étudier l'archéologie. Ma sœur n'a certainement pas eu l'occasion de vous parler de mes études et de mes choix. Ce n'est pas dans son caractère. Quand je n'étais presque encore qu'un enfant, il fallait que je la soumette à un véritable interrogatoire pour savoir qui étaient ses amis à l'Université. Je savais qu'ils étaient nombreux et intelligents et rien d'autre, et cela me tourmentait. Adolescent, j'étais, malheureusement, extrêmement jaloux, je n'ai pas honte de vous le dire, à vous qui avez accueilli et protégé notre Joyce... Il faut que je vous avoue qu'une fois je l'ai suivie.

— Vous n'avez pas à avoir honte, tous les adolescents sont jaloux.

— Vous avez des enfants ?

— Oui.

— Permettez-moi de vous remercier pour ce que vous avez fait pour ma sœur. Préparé, peut-être, par cette gratitude, dès que vous êtes apparue j'ai eu l'impression de vous connaître depuis toujours.

— J'ai eu cette impression moi aussi.

— Et alors, en tant que vieille connaissance, puis-je vous demander de déjeuner avec moi, ou êtes-vous pressée ?

— Je ne le suis pas.

— J'en suis ravi ! Vous préférez le salon ou la terrasse ?

— La terrasse. Comme vous l'avez observé avec pertinence, le silence de ces murs et les grands yeux de cette baie vitrée hypnotisent...

En plein air, l'obscure intensité des yeux de Timur se transforme brusquement en un bleu dense, presque violet, le bleu compact et hautain des lacs du Nord.

— Comment en sommes-nous arrivés à parler du lac de Garde ? Ah, oui ! la mer, la nostalgie ! Le peuple allemand cache une profonde nostalgie sous une apparente dureté. Dans ce collège j'ai appris à les connaître et à connaître la grande nostalgie qui traverse leur magnifique poésie. Parfois, à moi, méditerranéen d'origine, il m'a semblé découvrir la source de cette nostalgie dans l'absence de la mer : la mer comme liberté, jeunesse, possibilité d'aventure. Pour nous, habitués à la toucher, à la regarder, même si nous sommes longtemps retenus dans les forêts du Nord, cette nostalgie n'est jamais aussi absolue, atroce, comment dire ? désespérée, voilà ! Encore quelques jours de cette béatitude et il me faudra retourner à Berlin. J'aspire à être à Berlin même si je sais qu'une petite part de cette nostalgie m'y attend. Je la boirai tout doucement en attendant de revenir.

— Vous reviendrez ici ?

— Oh, non ! On ne m'a appelé que pour donner le départ aux fouilles, un collègue plus jeune s'en occupera. Sans fausse modestie, on a considéré comme du gaspillage de m'employer à une entreprise comme celle-là.

— Un collègue plus jeune ? Mais vous êtes très jeune vous-même !

— Les jeunes sont la force du Troisième Reich.

— Bien sûr.

— Je vois que vous étiez au courant, pour les fouilles. J'en déduis que c'est ma sœur qui vous en a parlé.

— Oui.

— Alors j'espère qu'elle vous a également donné la lettre... Je vois à votre embarras qu'elle ne vous l'a pas donnée. Pardonnez-moi, princesse, il est intolérablement mal élevé de profiter de l'amabilité de quelqu'un pour le mêler à des affaires intimes de famille. J'espérais que Joyce aurait eu la gentillesse de nous éviter cette désagréable *impasse**. Et elle ne vous a pas dit si elle a l'intention d'écrire ?

— Elle ne m'a rien dit.

Le bleu inaltéré de ses yeux s'assombrit comme la surface d'un lac en attente de l'orage. Je n'aime pas les lacs et leur fureur contenue dans un espace insuffisant m'angoisse. Je veux revenir à la mer. Tuzzu ne parlait jamais des lacs, puits profonds secoués par des serpents noirs en lutte permanente...

— Votre visage a changé, princesse, et votre tristesse a un son de reproche, pardonnez-moi ! Mais ce n'est que de l'impolitesse de la part de Joyce, croyez-moi, et n'avait été ma mère je ne serais jamais venu ajouter mon impolitesse à celle de ma sœur... Étant donné qu'elle en a décidé ainsi, je suis obligé, moi au moins, de vous expliquer mon comportement. Plusieurs fois, ma mère, après qu'elle eut découvert le refuge de sa fille – et ce ne fut pas facile, pauvre vieille femme ! –, ma mère m'a poussé à venir en personne chercher Joyce et lui demander pourquoi elle ne répondait pas à ses lettres. Ça m'est pénible, mais il me faut répondre à votre regard, oui, le sentimentalisme de certaines situations est pénible et plus encore le fait de devoir vous les raconter. Voilà, quand mademoiselle Joland s'est suicidée et que Joyce a disparu, ma mère a eu une attaque qui l'a paralysée de la taille aux pieds. Sans cette contingence, elle serait venue elle-même. Elle n'est pas femme à se servir de quiconque, pas même d'un fils. La preuve en est que durant toutes ces années elle ne m'a demandé que deux fois d'aller chercher Joyce, et c'est maintenant la troisième. Oh, non, pas pour la forcer à rentrer à la maison. Vous ne connaissez pas ma mère et j'ai le devoir de vous la montrer sous son vrai jour. Ce n'était pas un égoïste besoin de sa fille, elle ne nous a jamais demandé une heure de notre liberté. C'est cela qui indigne. Mais pourquoi ne répond-elle pas aux lettres ? Pourquoi ? Avec le temps, à cause de l'immobilité à laquelle elle est contrainte, l'idée de Joyce est devenue comme une obsession pour ma mère. Dernièrement elle en est arrivée à soupçonner que Joyce était morte et que nous lui mentions par pitié. Il est insupportable, terriblement insupportable d'assister à la douloureuse dégradation de cette femme forte et belle. Et c'est ainsi que, ayant été envoyé en Sicile, je n'ai pu lui refuser encore une fois de la satisfaire, même si cela comportait pour moi un sacrifice sans espoir. Je savais que Joyce ne me recevrait pas. Elle m'a dit lors d'une rencontre décisive entre nous que j'étais mort pour elle. À l'époque, cette sentence a presque été pour moi une libération des refus continuels qu'elle opposait à mon affection. Le fait de comprendre la raison de ce refus m'a longtemps tourmenté. Peut-être parce qu'en naissant j'avais pris la place de Renan morte ? Ou peut-être s'agit-il d'une antipathie instinctive qui peut naître aussi entre frères et sœurs ? Mais bientôt je me suis résigné à ne pas avoir de sœur. Et pour un garçon enfermé dans un collège, il est mélancolique de perdre la douce image d'une sœur qui, même si elle n'écrit pas, ne vient pas le trouver, existe, tout de même... Bon, il suffit maintenant avec les larmes de famille ! J'ai vidé mon sac. On a plus de propension à la mélancolie après un délicieux déjeuner comme celui-ci, devant – puis-je me permettre, princesse ? – les yeux les plus beaux et les plus lumineux qu'on ait jamais rencontrés. Votre regard contient les immenses espaces de ce – de nôtre – grand ciel.

À l'école de Joyce, mes émotions doivent avoir appris à rester impassibles, car je ne tressaille pas à ce sourire que n'annonçaient ni les discours qui l'ont précédé, ni les cicatrices ordonnées : brutalité ordonnée qui défile impassible sous le soleil du *Cineluce*.

— Le soleil a rejoint notre table, princesse. Nous déplaçons-nous pour le café ? Vous prenez du café, j'espère ? Je vous avoue que le déjeuner et le dîner, pour moi, quand je suis en Italie, ne sont qu'un prélude à notre incomparable café. Ou préférez-vous que nous restions ici et fassions ouvrir le parasol ?

Le sourire de Joyce, qui vivement éclôt et s'éteint aussi vite, s'attarde plus longtemps parmi ces cicatrices en suivant le garçon en veste blanche qui de quelques gestes précis dessine autour de nous une ligne d'ombre verte.

— Je vous avoue, princesse, que je n'en finis pas de m'étonner de l'élégance de notre peuple. Parfois je me suis surpris à contempler, oublieux d'un rendez-vous, les gestes essentiels et aériens que le moindre agent de police a chez nous pour diriger la circulation. Cela peut paraître exagéré, mais ces gestes m'ont toujours rappelé plus les gestes d'un grand chef d'orchestre que ceux d'un soldat. Et ainsi vous – ce n'est pas de l'indiscrétion, croyez-moi, mais seulement de l'admiration qui me force à vous fixer ainsi –, vous avez une grâce antique, solennelle, si rare en cette époque qui tout entière tend à rendre la femme robuste et athlétique pour la mettre en mesure de marcher du même pas que les hommes dans les défilés. Mais tout progrès, malheureusement, requiert un sacrifice ! Et c'est avec justesse que notre Führer, comprenant la valeur de la femme si longtemps gaspillée à l'ombre du confessionnal, l'a appelée au devoir envers tout notre peuple et l'a éveillée de la conviction individualiste erronée de n'embrasser de ses ailes d'ange protecteur que le cercle limité, bien que sacré, de sa propre famille. Hitler a vu avec perspicacité le caractère limité de cette mission jusqu'à hier imposée à la femme, et l'a désignée comme attitude ennemie du progrès et de l'avancée de nos peuples. Et les femmes ont accouru à son appel. Les Olympiades de Berlin ont été une révélation enthousiasmante. Sacrifiées, les tresses contraignantes : leurs têtes libres étaient dignes de celles de nos antiques Dianes ! Ne vous attristez pas, je vous comprends parfaitement. À moi aussi, éduqué par une culture épuisée et corrompue, il m'a coûté de me libérer de ces esthétismes et ces mollesses, et je ne crains pas de vous avouer que parfois, dans le long travail de rééducation que je me suis imposé, à la lumière de l'absolue vérité des nouvelles idées vitales et non plus contemplatives, la nostalgie d'un monde destiné à périr me saisit. Mais je sais comment étouffer ces légères migraines et me remettre sur le sûr chemin de l'action enfin tracé ! À quoi servions-nous, nous autres petits ou grands intellectuels, nous complaisant dans d'abstraites élucubrations poétiques, tandis que notre peuple continuait à moisir dans la maladie et dans l'impuissance ? Sans fausse modestie, je sais, moi, comme d'autres jeunes gens, entrevoir dans les discours du Führer le but vers lequel il nous pousse : l'Europe sera un seul grand peuple guidé par des technocrates, par des intellectuels qui enfin n'auront grandi que pour servir leur propre État et non leur propre narcissisme stérile. Qui suis-je ? Que sont cinquante ans, cent ans pour l'Histoire ? Les hommes comme nous seront balayés et à notre place des hommes et des femmes grandiront, intègres, et forts d'une seule volonté ! Si Joyce avait permis il y a des années qu'un dialogue ait lieu entre nous ! Des hommes comme Carl Gustav Jung ont mis leur science au service de l'Allemagne. La Russie est disposée à cohabiter avec nous... Veuillez me pardonner ce long discours, princesse, inspiré seulement par la coupe de vos cheveux, en tel contraste avec votre façon de bouger, avec votre beauté antique. Toute votre personne m'avait induit en erreur... Il faut du temps pour dater correctement un vase, une main, un torse mutilé. En observant l'absence de ces cheveux longs qu'évoque votre profil, j'avais pensé, comment dire ? à une mutilation. Mais peu à peu, durant cette heure que vous m'avez aimablement accordée, j'ai entrevu la hardiesse d'*Artémis toxotis* dans la ligne de votre menton et de votre cou, très sûrement voulue par ce grand sculpteur qu'est la nature... Ne soyez pas gênée, ce ne sont pas des compliments, mais juste l'appréciation détachée du connaisseur. Et si esthétiquement j'ai compris l'intention du sculpteur, psychologiquement, vos cheveux sacrifiés à la liberté des gestes me poussent à rêver que vous n'êtes pas perdue pour notre cause. Nous avons besoin de femmes comme vous, comme Joyce... Joyce, sœur ingrate ! Malheureusement, même des heures comme celle-ci s'achèvent, et il me faut retourner au camp. Maintenant que je vous ai rencontrée, la conviction de Himmler, qu'à partir de flèches et d'outils remontant au temps des Sicules ou à plus tôt encore, on pourrait déduire une présence germanique dans cette île, ne me paraît plus aussi privée de fondement qu'au début. Je nourrissais des doutes parce que le génie allemand, quand il s'éprend éperdument d'un pays, d'un visage, ne se résigne pas à admettre qu'ils ne sont pas de la même souche que lui. Dans le cas présent, Himmler est tellement séduit par cette île qu'il essaie de rendre réel le rêve d'amour qui le possède. Mais qui sait ! Allons, Timur, le devoir t'appelle... Garçon, l'addition ! La présence de Joyce, hélas, m'empêche de vous raccompagner, princesse, et de... vous revoir, mais je vous en prie, au nom de ma mère, convainquez-la d'écrire quelques lignes pour rassurer cette femme, lui dire que sa fille est vivante et rendre moins affreux ses jours de maladie. Me promettez-vous de le faire ?

— Bien sûr. Je ferai tout mon possible, rassurez-vous.

— Merci. Je ne doutais pas de votre compréhension.

Princesse, peut-être ne nous verrons-nous plus. Mais je garderai dans mon esprit votre profil, parmi toutes les monnaies siciliotes que j'étudie, comme le plus beau de tous. *Adieu** !

Dans le vert touffu du jardin la voix de Timur où s'est apposé le sceau de son sourire persiste au milieu du scintillement des ceinturons noirs serrés comme des corsets parmi la blancheur des tables. Quelques couples d'officiers restent là en patiente attente. Vues de loin, leurs bottes massives semblent réduire la grâce des orangers à la dimension de fragiles miniatures.

72

Quand je revins à la maison, à l'entrée du parc je faillis presque renverser Joyce cachée derrière la grille, mais je ne m'arrêtai pas. Ce n'est que sur le seuil du salon que, réconfortée par la quiétude des livres, des tables, des fauteuils, je sentis l'angoisse s'en aller. Pour ne pas déranger, je me laissai doucement tomber sur le petit divan proche de la porte-fenêtre. Mela, de dos, la sourdine mise, faisait courir ses mains silencieuses sur le clavier. Jacopo toujours plus grand et plus maigre, penché sur la table, guidait la petite main de Crispina sur une grande feuille couverte de signes. Prando étendu sur le divan semblait dormir. Les yeux à demi fermés, il suivait les anneaux de fumée s'élevant dans l'air : une cigarette entre les doigts. C'était la première fois que je le voyais fumer. 'Ntoni allongé sur le tapis feuilletait un gros volume. Bambolina, tournant autour de la table ovale, contrôlait son chef-d'œuvre : tasses, petits gâteaux, napperons, mais surtout le milieu de table plein de fleurs. Après s'être approchée pour en relever une elle s'éloigne encore d'un pas pour mieux observer...

BAMBÙ : Oh, ma tante ! Ça te plaît ?

MODESTA : Beaucoup.

BAMBÙ : Tu prends le thé avec nous ?

MODESTA : Bien sûr.

JACOPO : Chère maman, je t'annonce que Crispina a une capacité d'apprendre stupéfiante, comme dirait le professeur Montaldo.

BAMBÙ : Oh, ma tante, il nous a fait rire à en crever avec le professeur Montaldo. Allez, Jacopo, refais-le !

JACOPO : Je regrette, chère Bambù, mais Paganini ne donne pas de bis. N'est-ce pas, 'Ntoni ?

'NTONI : Jamais ! Les bis gâtent les spectateurs, et puis ce sont des trucs de théâtre à l'ancienne. Aujourd'hui on tend à faire en sorte de ne pas gâcher l'atmosphère avec des applaudissements et des bis. Pensez qu'autrefois Giovanni Grasso• avait l'habitude de bisser la grande scène d'une œuvre dramatique comme *La morte civile*.

MELA : Et pourquoi pas ? Comme à l'Opéra.

'NTONI : Mais c'est du théâtre à l'ancienne, Mela, pardonne-moi d'insister.

BAMBÙ : Théâtre à l'ancienne ou pas, Jacopo doit faire à sa mère l'imitation de son professeur... Qu'est-ce qu'il te disait, Jacopo ?

JACOPO : ... Stupéfiante, jeune Brandiforti ! Stupéfiante, ta capacité d'apprendre, certainement liée à l'anormale élévation de ta taille. Si, pour des raisons évidentes, je n'étais pas au courant de ton jeune âge, je serais induit à penser que tu es un vieux savant déguisé en enfant.

BAMBÙ : Cela en juin ; en octobre, si tu continues comme ça, il lui faudra lever les yeux comme moi pour te regarder en face.

JACOPO : En face ? Stupéfiante, charmante petite

fille, votre impropriété de langage ! Parler de face est presque aussi vulgaire que parler de museau ! Il fallait dire visage, saperlipopette ! Et puis ce n'est pas vrai, Bambù, tu n'as pas le droit de m'alarmer ainsi, satanasse de fille ! Tu ne peux pas jeter ainsi cette insinuation entre un petit gâteau et un sourire. Ou j'ai vraiment grandi ? Oh, Dieu ! Je vois le tapis comme d'un avion. Prando, lève-toi ! Ah, regarde Prando, Bambù. Il est encore plus grand que moi.

BAMBÙ : Pour une vingtaine de jours encore, peut-être. Mais ensuite, adieu le record. Prando devra te le passer. Mais regardez-le, pourquoi est-ce que tu te courbes comme ça ? Moi, j'aime les gens grands.

JACOPO : Donne-moi une autre tasse de thé, tu m'as gâché mon après-midi ! Moi, je n'ai pas cette rage de grandir, Bambù. On est si bien ici avec vous. Parfois je rêve que quelqu'un me mesure dans l'antichambre du proviseur, imagine ! et ensuite m'ordonne de vous laisser, vous et cette maison.

PRANDO : Mais qu'est-ce que tu rêves, Jacopo !

JACOPO : Et comme si ça ne suffisait pas, je pleure dans mon rêve.

PRANDO : Mais alors Joyce a raison ! Ou elle t'a influencé avec ses discours ? Je n'y crois pas, moi, à cette histoire des rêves.

JACOPO : Et moi si, au contraire. Quand elle me l'a dit, j'ai compris que c'était vrai et que cette façon que j'ai de me tenir courbé est le signe que je ne veux pas grandir.

PRANDO : Tu parles ! C'est que tu es paresseux.

JACOPO : Pourtant j'essaie de me donner courage et de me tenir droit. De toute façon on n'y échappe pas, on devient grand et puis vieux et puis... à bien y penser, peut-être, pour moi du moins... voilà, j'ai peur de devenir grand parce que j'ai peur de mourir.

PRANDO : Moi aussi, à ton âge, maintenant que je me

rappelle, j'avais peur de grandir, mais pas dans mes rêves. J'avais peur le jour, avec tous ces discours sur les guerres, sur des guerres inutiles. J'avais peur d'être expédié en uniforme dans un endroit lointain pour tirer sur des garçons comme moi.

'NTONI : Toi aussi, Prando ? C'est incroyable ! Moi, au contraire, j'ai toujours eu une furieuse envie de grandir, même maintenant je suis impatient d'arriver à mes vingt ans.

PRANDO : Toi, 'Ntoni, sans t'offenser, tu es un inconscient comme tous les artistes. Regarde Mela, à peine parle-t-on de choses réelles, elle suit du regard ses thèmes musicaux.

MELA : Ce n'est pas vrai, je suivais...

PRANDO : Mais comme elle est devenue jolie, notre Mela, pas vrai, Bambù ?

'NTONI : Oh, Prando, ça suffit, tu ne peux pas me traiter d'inconscient comme ça ! On ne recueille qu'ingratitude dans le monde ! Et dire que je t'ai élu comme modèle de la non-peur.

PRANDO : Et tu as fait une belle erreur, mon cher 'Ntoni, parce qu'aujourd'hui encore, inconsciemment, comme dit Joyce, cette peur m'est restée. Andrea me l'a fait remarquer.

BAMBÙ : Qu'est-ce qu'il t'a fait remarquer, ce trouble-fête ?

PRANDO : Et voici notre Bambolina qui part à l'attaque ! C'est précisément parce que je prévoyais ton antipathie pour lui que je ne l'avais jamais fait venir ici. Et puis, une fois qu'il est venu, il a été déçu.

BAMBÙ : Déçu de quoi, voyons un peu ? déçu de moi ?

PRANDO : Ne t'inquiète pas, Bambù, pas de toi. Qui ne tombe sous ton charme ? D'homme à homme, il m'a averti que lorsque je suis ici avec vous je deviens stupide, et je parle et agis comme un enfant gâté, voilà.

BAMBÙ : Tu vois que j'ai raison ? Tu vois qu'il est antipathique et met la zizanie où il passe, ton Andrea ? Un sale vieux aigri, voilà ce qu'il est ! Mais pourquoi vas-tu avec ces amis tellement plus âgés que toi ?

PRANDO : Je constate à ta réaction qu'Andrea a raison quand il dit que c'est le côté sain de mon caractère qui m'a fait chercher autre chose en dehors de la maison, pour échapper à votre abêtissement. On ne grandit pas dans cette maison, pardieu !

BAMBÙ : Andrea n'a pas raison ! Tu nous insultes parce que tu lui es soumis d'une façon qui me déçoit, Prando. Ton Andrea n'est qu'un envieux antipathique, voilà ce qu'il est !

PRANDO : Il n'est pas antipathique ! C'est qu'à toi, et heureuse es-tu si tu peux garder ce caractère, est antipathique tout ce qui est sérieux. Ce n'est pas un reproche que je te fais. Je t'aime comme ça et tu mets de la gaieté dans ces temps sinistres. Mais il faut que tu fasses attention à ne pas juger superficiellement, d'autant plus que, en jugeant ainsi Andrea, tu m'impliques moi aussi dans ton jugement. C'est dur d'avoir vingt ans aujourd'hui, Bambolina !

BAMBÙ : Tu n'as pas vingt ans.

PRANDO : Dix-sept, c'est pareil ! Tu me fais perdre patience, Bambù, par le sang de Judas ! Et si moi, et toi, Jacopo, et toi, 'Ntoni, nous avons eu le privilège d'être entourés d'antifascistes, Andrea, Fausto, Ardito n'ont eu que la possibilité d'être à cinq ans *balilla* [1], à dix fascistes et à dix-sept fascistes enragés. Malgré cela, par leur propre mérite, en payant de leur personne, en payant de leur peau, contre leurs familles et l'école,

1. Dans le cadre des formations fascites pour la jeunesse, l'embrigadement ne commençant jamais trop tôt, après avoir été *fils de la louve*, on devenait *babilla* dès 8 ans.

ils ont commencé à douter et du doute, il y a quelques mois, aux *Littoriali* de Naples, ils sont passés à l'opposition. Tu sais quel est leur slogan pour les *Littoriali* de l'an prochain ici à Palerme ? « Antiracisme dans une perspective anti-allemande. » Et tu sais ce que ça signifie de penser et d'agir en conséquence pour des étudiants pauvres ou presque et sans aucune protection ? Ils sont revenus de Naples enthousiastes rien que parce qu'ils avaient rencontré quelques jeunes comme eux. C'est pour ça que je me suis décidé à demander à maman la permission de participer aux *Littoriali* de Palerme, même si je sais qu'elle n'est pas d'accord.

Bambù : Mais tu devras te mettre en uniforme, prendre la carte du parti !

Prando : Oh, ça suffit, ce chantage, Bambù ! Et toi aussi, maman, ça suffit !

Modesta : Qu'est-ce qui suffit, Prando ?

Prando : Ça suffit avec ce chantage du doute avec lequel vous, les vieux, vous épiez tous nos gestes. Le doute avec lequel vous devriez juste considérer votre passé d'échec, vous le reversez sur nous ! Vous n'avez pas réussi à vous opposer au fascisme et maintenant vous craignez pour nous seulement parce que vous nous jugez à travers votre impuissance d'autrefois. Et vu que je ne voulais pas, je vous jure que je ne voulais pas faire un meeting, mais que c'est arrivé, je te dis tout de suite qu'au prix même de prendre ma carte et de revêtir l'uniforme j'irai à Palerme. Je veux rencontrer ce Trombadori•, ce Melograni• dont Andrea ne fait que parler. Et il a raison, il n'est plus temps de lutter de l'extérieur, pris pour cibles comme des rats et jetés en prison... par centaines, on en arrête, par centaines ! C'est à l'intérieur, à l'intérieur même des structures du fascisme qu'il faut lutter !

Le poing qui s'abat sur la table fait sursauter Crispina qui ne sait si elle doit rire ou pleurer. Ses yeux écarquillés passent du visage de Prando à celui de Jacopo.

JACOPO : Ne t'effraie pas, Crispina, ils discutent, c'est tout, viens dans les bras de ton oncle et voyons comment finit cette discussion.

BAMBÙ : Mais Prando, à taper sur la table avec les poings comme ça, tu l'as terrorisée.

MELA : Elle ne me semble absolument pas terrorisée. J'étais plus effrayée, moi, ici, les premiers temps.

BAMBÙ : Mais tu étais grande, Crispina est petite, il ne faut pas !

JACOPO : Mais si, il faut, pas vrai, Crispina ? Il faut, c'est l'oncle Jacopo qui te le dit. C'est bien comme ça. Et même, plus tôt tu les entends discuter et meilleure tu seras plus tard pour discuter toi aussi et répondre.

MELA : Tu as bien raison, Jacopo ! Moi, depuis que je suis sortie de l'orphelinat, j'ai fait beaucoup de progrès, mais maintenant encore, maintenant je sais ce que je voudrais dire mais ça ne sort pas... Je n'arrive pas à dire tout de suite ce que je pense. Plus tard, au lit, aussi bien, la réponse me vient, mais c'est trop tard.

JACOPO : Eh, musicienne de mon cœur ! Cela dépend, je le crains, en plus du fait de t'être insuffisamment exercée dans le passé, aussi – et beaucoup, je dirais – de la vocation peu accentuée qui est la tienne pour la science du langage.

MELA : Voilà, tu vois, Bambù ? Là encore tu saurais répondre sur le même ton à Jacopo, mais moi je me trouble, je me vexe et... et je ne trouve pas les mots pour lui rabattre le caquet, comme il dit.

JACOPO : Mais vous avez la musique, mademoiselle, la musique ! L'art sublime des sons, un langage universel. Vous serez comprise par tout le monde.

MELA : Oui, et en attendant tu te moques de moi et je reste comme une idiote.

JACOPO : On ne peut pas tout avoir, chère enfant ! Viens, Crispina, il commence à faire noir et ton papa doit déjà être dehors, tout inquiet pour toi. Oh, maman, c'est incroyable comme Pietro tremble pour sa fille. Pouvoir de la paternité ! Petite Crispina, je t'aime beaucoup, mais ton oncle ne tombera jamais dans le piège de ces angoisses paternelles qui ont le pouvoir de saisir même un géant à toute épreuve comme ton père. J'allume la lumière, les enfants ?

BAMBÙ : Oh non, merci, c'est si beau de suivre cette ombre tout doucement jusqu'à ce que l'obscurité s'installe, pas vrai, Prando ?

PRANDO : Très beau, *Bambuccia*, surtout quand on sait, comme nous le savons maintenant, que le caprice d'un homme, d'un signe bref de la main, peut nous arracher la paix, les crépuscules et la quiétude.

S'arrêter dans cette quiétude que la voix de Prando transmet au crépuscule ? Se contenter d'être appelée vieille, signe clair qu'on a donné la vie et avec la vie la rébellion ? Il ne sait pas la joie que sa résolution m'a donnée. Mais Prando ne peut se contenter d'entendre la voix qui murmure à l'intérieur de moi : « Il est des nôtres. » Sa jeune vie a besoin de s'acharner pour grandir. Et aujourd'hui encore, dans le souvenir, je n'ai pas le droit de sortir de cette pièce et de fermer les yeux sur cette journée fatigante. Même si j'ai terriblement sommeil, il me faut rester là...

PRANDO : Et vous savez qui a donné son pouvoir à cette main qui d'un ordre peut balayer des années de conquêtes ?

BAMBÙ : Le capitalisme, cher cousin, l'Angleterre, la France, nous le savons.

PRANDO : Tu le sais, hein, Bambolina ! Bien sûr, mais aussi notre sectarisme à nous, les communistes. Depuis un an mes yeux se sont ouverts : un sectarisme forcené qui a poussé les socialistes et toutes les forces démocratiques dans les bras du fascisme.

BAMBÙ : Si tes yeux se sont ouverts en écoutant Andrea, tu pouvais aussi écouter Daniel, il me semble.

PRANDO : Ce ridicule intellectuel moitié italien moitié français ?

BAMBÙ : Lénine aussi était un intellectuel, et ton Andrea aussi, tu te contredis, Prando.

PRANDO : Mais Andrea est un fils d'ouvriers, et ton Daniel n'a que son Rosselli• à la bouche, et des pleurs et des larmes pour les erreurs du comité international. On était convaincus, étant donné la crise économique, de la fin du capitalisme. On pensait que la révolution était aux portes, etc. Pendant ce temps, les forces antifascistes s'éparpillent, se divisent. C'est facile de pleurer un mort, Bambù !

BAMBÙ : Je ne pleure aucun mort, je ne pleure même pas mon père et tu le sais. C'est toi qui me mets en colère, à présent. Si des erreurs ont été commises, on peut les réparer, voilà ce que disait Daniel. Et il me semble qu'il donnait diverses directives, non ? C'est toi, là, maintenant, qui t'acharnes et pleurniches sur le passé.

PRANDO : Je ne pleurniche pas, mais je ne veux pas oublier les erreurs pour ne pas y retomber. Et puis, si tu veux le savoir, ce n'est pas aussi facile, aujourd'hui, que ton Daniel le pense, en venant ici de Paris pour une semaine, tout propret et tout élégant, de conseiller de faire volte-face. Comme s'il s'agissait d'un numéro du magicien Bustelli• ! Parle avec les communistes ici en Italie, et tu verras comme il est facile de les dégager du sectarisme auquel ils ont été rivés pendant des années ! À Lentini, à Carlentini, dès que tu fais une allusion aux socialistes, tu vois quelqu'un qui crache et quelqu'un d'autre qui fronce le nez. Tu vas dire que ce sont des paysans, d'accord. Mais prenons Joyce, je dis bien votre Joyce, et dire que je l'adorais ! Que me fait-elle ? Je lui amène des garçons tout prêts, désireux de savoir, et elle fait la grimace : un libéral ! un républicain ! Comme s'il y avait un pré immense couvert de fleurs où il suffirait de choisir ! Nous avons besoin de tout le monde, tout le monde, et pas pour la chimère tant désirée de la révolution, mais pour survivre. Toi et ta Joyce, chère maman, vous parlez tant et plus de fascisme, mais vous êtes fascistes vous aussi ! Le même fanatisme, la même façon de vociférer dans les discours.

JACOPO : Ah, vous avez recommencé ? Bien. Mais comme il fait noir ! J'allume, Bambù ?

PRANDO : Oui, Jacopo, allume, c'est mieux.

JACOPO : Pardon, mais moi, les crépuscules me flanquent une mélancolie terrible. Oh, Mela s'est endormie ! Et toi, 'Ntoni ? Qu'est-ce que c'est ce visage lugubre ?

'NTONI : C'est que... Eh bien ! J'ai peur que Prando n'ait raison. Sauf que ça m'indigne de l'entendre traiter sa mère de fasciste et, aussi vrai que Dieu est Dieu, Prando, je te taperais dessus si ce n'était pas un truc de fascistes.

PRANDO : Ne t'échauffe pas, 'Ntoni, d'autant que, comme tu le vois, ma mère ne s'est pas démontée à ce qu'elle estime certainement être d'informes bredouillis de nourrisson.

MODESTA : On arrête avec les malentendus ?

PRANDO : Et de quelle façon, maman ?

MODESTA : Premièrement, tu sais que je vous ai toujours laissés discuter sans intervenir.

PRANDO : Et alors ?

MODESTA : Deuxièmement, cet après-midi beaucoup de choses jusque-là passées sous silence ont été dites, qu'il me semblait juste de comprendre avant de répondre.

PRANDO : Et pourquoi ne dis-tu pas maintenant ce que tu en penses ?

MODESTA : Parce que je sens que tu es décidé à ne

pas me croire, Prando. Mais voyons : tu me crois si je te dis que je suis d'accord avec toi ?

PRANDO : Bof, en paroles ! Quand je t'ai demandé de participer aux *Littoriali* tu as fait une tête...

MODESTA : Parce que j'ignorais la raison qui te poussait à le faire.

PRANDO : Tu vois que tu m'as suspecté ?

MODESTA : Je ne t'ai pas suspecté, j'ai eu peur, c'est différent.

PRANDO : Toi, peur ? On y croit !

MODESTA : Peur, les *Littoriali* sont l'écurie des pur-sang fascistes, non ? Comment pouvais-je savoir la raison pour laquelle tu voulais y aller si tu ne me la disais pas ?

PRANDO : Tu aurais dû être sûre de moi !

MODESTA : Tu réclames un acte de foi que je n'ai pour personne, pas même pour moi.

PRANDO : Mais à ce qu'il semble tu l'as pour ton amie Joyce. Tu veux une cigarette, maman ? Tu es très tendue...

MODESTA : Je n'aime pas les cigarettes, tu le sais.

PRANDO : Je ne le sais pas. Elle fume tellement, je pensais que...

MODESTA : Prando, je ne suis disposée à te répondre que si tu parles clairement.

PRANDO : Ce n'est peut-être pas le moment.

MODESTA : Mais précisément, si ! Tu n'es plus un petit garçon, et je suis obligée de te rappeler, comme à tout le monde du reste, que dans cette maison on n'espionne l'intimité de personne. Suis-je jamais entrée dans ta chambre sans frapper ?

PRANDO : Non.

MODESTA : Ai-je jamais ouvert une lettre adressée à toi ou à Bambù ?

PRANDO : Jamais.

MODESTA : Et alors je t'interdis d'outrepasser l'espace de liberté auquel j'ai droit comme y ont droit 'Ntoni, Bambolina, Mela et Jacopo. Et non ! Tu ne peux pas rougir comme ça, Prando, tu es un homme, ou préférerais-tu que je t'appelle encore « mon bébé » ? Je ne pense pas. Et alors sache, et sachez vous aussi, que, de la même façon qu'à ton âge je ne me suis pas soumise au chantage des plus âgés, aujourd'hui, vieille à tes yeux, je n'ai pas l'intention de me soumettre au chantage des jeunes !

PRANDO : Je ne fais pas de chantage, maman.

MODESTA : Eh si, parce qu'au nom de ta jeunesse et du fait que je suis ta mère tu me dis que je devrais me consacrer à toi, uniquement à toi ! Tu me demandes maintenant, par ton insinuation au sujet des cigarettes, de choisir entre Joyce et toi, et je rejette ce chantage en te répondant que je ne suis ni ta propriété ni la sienne, comme toi-même tu n'es pas la propriété absolue de Modesta. Si nous pouvons nous aimer de façon dépassionnée, aimons-nous, mais si cette tension de propriétaires terriens continue à monter, je te conseille de t'éloigner pendant quelque temps et de réfléchir là-dessus. C'était vrai quand tu disais avoir besoin de camarades plus adultes, et ces *Littoriali* peuvent en être l'occasion. Tu peux prendre un appartement à Palerme à partir du mois prochain, si tu veux. Non, laisse-moi terminer. Tu as parlé tout l'après-midi et maintenant c'est mon tour, et ne crois pas que cela m'amuse de le faire. Toutes les cohabitations créent des tensions, à la longue, et il n'y a pas de liens de sang ou autres sottises qui puissent les résoudre. Par bonheur, nous ne sommes pas pauvres, et nous pouvons nous permettre d'y trouver remède pour chacun de nous. Demain je téléphone à maître Santangelo, pour qu'il t'ouvre un compte à Palerme. Tu rêves toujours de Palerme, non ? Prends un bol d'air frais, Prando, et à ton retour apporte-nous de bonnes nouvelles.

En sortant du salon j'entrevois le visage de Joyce. Ou il appartient à Timur, ce regard profond de puits qui fixe un instant au-dessus de mes épaules le silence des enfants ? Mes bras et mes jambes pèsent, mais même dans l'obscurité je connais le chemin qui conduit au sommeil. Peut-être n'est-ce qu'un sommeil à peine plus long de mourir, un repos reconstituant sans terme, enfin... Je n'ai pas le temps de me jeter sur le lit que la voix de Prando crie derrière la porte.

— Si tu n'ouvres pas, je me tue, maman, je me tue !

Il vient vers moi, grand, plus grand que dans le salon. Ou c'est la petitesse de la pièce qui le fait paraître plus grand que Carmine ?

— Et tu voudrais dormir après m'avoir chassé comme ça ? Je vais te tuer, ou je vais me jeter par la fenêtre pour ne pas te rompre les os !

À la fenêtre, je le saisis par les bras, il ne s'élance pas pour de vrai... Il suffit de le retenir sans forcer et voici qu'il s'arrête, appuyant sa tête contre la vitre. Il pleure à présent, c'est juste un léger frémissement des épaules robustes, des pleurs muets d'homme adulte. Les hommes ne savent pas pleurer, ou ils en ont été empêchés ? Peut-être cette interdiction nourrit-elle en eux le sourd despotisme avec lequel, dès qu'il s'est assuré de la tendresse de mon geste, il me regarde, hostile ? Ces larmes ravalées avec effort ne sont pas celles d'un fils maltraité, mais des larmes d'homme repoussé ; le même regard que Mattia : « Tu ne m'aimes pas, Modesta ! » Je ne détache pas les mains de ses épaules, mais je pousse la caresse jusqu'à son cou où se retrouve la même peau de caillou poli que chez Mattia.

— Ce n'est pas moi qui t'ai chassé, Prando, tu le sais. C'est toi qui es clairement lassé de vivre entre des morveux et des vieux, comme tu l'as dit.

— Tu n'es pas vieille ! C'est pour cette phrase infâme que j'ai dite que je voudrais mourir. Tu es la plus belle, maman, la plus belle ! Même Andrea le dit... Je ne sais pas, je ne sais pas ce qui m'a pris. Parfois j'ai l'impression de te détester, parfois je ne supporte pas de ne pas te voir. Race maudite que celle des Brandiforti, maudite ! J'en ai contre tout le monde, je deviendrai un fou et un idiot comme mon père !

— Ton père n'est ni fou ni idiot. C'est la maladie qui en a fait ce qu'il est. Tu n'es pas malade, n'est-ce pas ? Ou il est arrivé quelque chose et tu as peur ?

— Non, rien, par le sang de Judas ! J'y fais attention, que crois-tu, que je suis dingo ? Mais qu'est-ce que j'ai alors, qu'est-ce que j'ai ?

— Je le sais, moi, ce que tu as.

— Et qu'est-ce que c'est, maman ?

— C'est que nous deux nous nous aimons trop et nous ressemblons trop.

— Tu crois ? Maintenant que tu me tiens dans tes bras, ça me semble vrai.

— C'est vrai, Prando. Est-ce que tout le monde ne te dit pas que tu es mon portrait quand tu souris ?

— Oh, maman, embrasse-moi !

— Tu vois comme nous sommes pareils, Prando ? Nous commençons par hurler, nous insulter, et maintenant je ne me souviens plus de rien, et toi ?

— C'est vrai, moi non plus je ne me souviens plus de rien... Enfant aussi c'était comme ça.

— Tu te souviens de ce que tu me disais toujours quand tu étais petit, quand tu as découvert que papa était trop malade pour vivre avec nous ? Tu disais toujours : « Ne sois pas triste, maman, parce que quand je serai grand je t'épouserai, moi. »

— C'est vrai, je m'en souviens à présent. Je croyais l'avoir rêvé...

— Moi aussi, Prando, je t'épouserais, si tu n'étais pas mon fils.

— Tu m'épouserais ? Allons donc ! Tu n'as aucune estime pour moi.

— Ça recommence ?

— Mais vraiment, tu as de l'estime pour moi ? Regarde-moi dans les yeux et répète-le.

— Je t'estime, Prando, mais il faut que tu ailles à Palerme et que tu restes un peu seul, que tu regardes autour de toi. Tu le sais, qu'à Palerme les filles sont très belles ?

— C'est ce que dit Andrea, mais toi, comment se fait-il que tu remarques ces choses ?

— C'est que je suis un peu homme moi aussi, Prando, eh ! qu'en penses-tu ?

— C'est sûr que lorsque tu fais comme tout à l'heure tu es vraiment terrible. Si tu avais vu !

— Quoi ?

— Ça me donne envie de rire.

— Pourquoi ?

— 'Ntoni, quand tu es sortie, a fait de ses mains le geste d'applaudir.

— Mais non !

— Après quoi il a dit que tu aurais été une grande actrice. Et je lui ai donné un coup de poing, pauvre 'Ntoni ! Mais je lui ai tout de suite demandé pardon et je lui ai mis un bifteck sur l'œil et je lui ai longuement parlé, et... J'ai très envie de dormir, maman, comment est-ce que ça se fait ? Je peux dormir un peu ici avec toi ?

À sa tête qui se fit pesante sur mon sein je compris qu'au moins mentalement il m'avait possédée. Mais je brûlais tout entière. Qui sait combien je l'avais désiré sans le savoir !

73

Puissance de l'imagination ! Autant je m'étais sentie laide en entendant le mot vieille, autant, plongée maintenant dans l'eau froide du bain, avec Prando qui dormait dans la pièce voisine, je me sentais belle et satisfaite comme une jeune mariée de roman rose en voyage de noces... Beatrice après son mariage devenait chaque jour plus belle et plus fière... Je ne jouis pas longtemps de cette extase sereine. J'eus à peine le temps de sortir du bain que la voix de Prando me parvint, troublée.

— Oh, maman ! Où es-tu ?

— Je suis là.

— Qu'est-il arrivé ?

— Tu t'es endormi.

— Mais non ! Comment est-ce possible, dis-moi ?

— C'est possible parce que tu es comme moi. D'abord tu te mets en colère, tu cries, et puis tu t'endors. Tu imagines Jacopo s'endormant après s'être disputé avec Bambù ?

— Tu penses ! Qu'est-ce que ça dure chaque fois ! L'autre semaine, après cette discussion avec Bambolina, il m'a harcelé pendant trois jours. Il se fixe sur quelque chose, et salut !

— Il nous semble que ce sont des fixations, Prando, mais c'est juste qu'il est différent de nous.

— C'est sûr ! Et combien ai-je dormi ?

— Peu de temps.

— Et toi, qu'est-ce que tu as fait ?

— J'ai pris un bain.

— C'est toi qui m'as mis dessus ce plaid ?

— Bien sûr, d'abord je t'ai couvert et puis...

— Tu as pris un bain... Quelle jolie robe ! Ça faisait si longtemps que tu ne la mettais plus, c'est celle que je préfère.

— Je le sais.

— Pourquoi t'es-tu faite aussi belle ? Tu t'es faite belle pour ce Tudia qui vient dîner ?

— Ça recommence, Prando ?

— Pourquoi est-ce que tu t'es mise à le fréquenter ?

— Pour affaires, comme maître Santangelo et les autres, tu le sais.

— Oui, mais ce type-là n'est pas vieux et il te regarde d'une façon qui me met en rage. Je suis tout en nage, oh ! Tu me permets de prendre une douche dans ta salle de bains ? Ce petit somme m'a fichu dans un état de paresse... Je resterais bien ici, mais j'ai faim. Qu'est-ce que je fais, maman ? Qu'est-ce que je fais ? Je prends une douche ou un bain ?

— Comme tu préfères.

— Si je prends un bain, tu me laves le dos ?

Combien de temps était passé ? On aurait dit que c'était hier que Prando pouvait se noyer dans la baignoire comme dans un lac, et Modesta devait faire attention, alors, très attention... Maintenant les grands pieds de statue jouent avec la chaînette du bouchon.

— Quelle faim ! Qui fait la cuisine ce soir ?

— Jacopo et 'Ntoni. Je crois que c'est leur tour.

— Oh, malheur ! Qui sait quelles cochonneries ils vont faire !

— La dernière fois ce n'était pas si mal.

— Mais pourquoi ne suivent-ils pas les conseils de Stella ? Moi non plus je n'ai aucune disposition, mais je me conforme aux conseils de Stella. Oh, maman, tu sais que l'autre semaine chez Andrea j'ai eu un grand succès avec le rôti ? Nous étions dix, et puis Andrea a voulu apprendre à le faire. Même lui, un communiste !

En attendant, avant, il ne savait même pas se faire des œufs au plat.

— Ça, c'est de la faute des mères qui font mystère de la cuisine et les pourrissent avec leurs bons petits plats. Moi aussi j'ai mis longtemps à apprendre. Il n'y avait pas moyen de déloger de la cuisine Vif-argent et ta tante Beatrice.

— Comme tu es belle, maman ! Mais je parie que toi non plus tu n'as pas envie de manger les essais de 'Ntoni et de Jacopo.

— 'Ntoni n'est pas mauvais en cuisine.

— Peut-être, mais dis la vérité, tu n'en as pas envie, hein ?

— Pas le moins du monde.

— Alors écoute : si tu me donnes de l'argent, je suis à sec, cet engin n'est pas une moto, c'est un gouffre qui engloutit l'or ! Si tu me donnes de l'argent, je t'emmène dîner dans un nouveau restaurant à la Plaia[1]. J'aime quand nous entrons et que tout le monde se retourne. Si tu me donnes l'argent, je me taille un beau succès là-bas et toi tu manges bien.

— Eh, tu me tentes, j'ai une faim !

— Magnifique ! Allons... Comme tu es légère, maman, combien pèses-tu ?

— Et qu'est-ce que j'en sais !

— Une plume !

— C'est toi qui as une force effrayante ! Allez, allez, repose-moi par terre. Tu me fais tourner la tête.

— J'ai une plume en fait de mère, pardieu !

— Ce doit être la faim. Allons-y, dépose-moi par terre, Prando ! Tu as faim toi aussi, non ? Va avertir Stella et vite à la Plaia, comme ce géant le commande !

— Et si nous n'avertissions personne et nous filions ?

1. Grande plage de sable au sud de Catane.

— Ce serait bien, mais nous ne pouvons pas, tu le sais.

— Bon, d'accord, je le dis à Stella, mais toi, attends-moi en voiture sans te faire voir, comme ça nous ferons au moins semblant de nous sauver...

Puissance de l'imagination ! Il lui semblait vraiment s'enfuir dans la nuit à côté de ce garçon muet, tout entier concentré sur sa conduite, comme Carmine à la seule écoute des muscles d'Orlando, attentif à changer doucement les vitesses pour ne pas alarmer ou blesser la course de sa bête. « Le moteur est un organisme vivant, fort et délicat, Jacopo, cherche quelqu'un d'autre pour t'apprendre à conduire. Tu n'as pas la main pour les choses vivantes, c'est une torture chaque fois que tu changes de vitesse, par le sang de Judas ! »

Ce silence connu communique une force de protection vierge de pensées. Grandi près de la mer, ce garçon a gardé le silence grave de l'arrière-pays. Il ne dira plus rien jusqu'à ce qu'il arrive à la fin de son trajet.

— Nous voici arrivés, maman, pense, nous avons mis exactement vingt minutes ! Quelle belle dame tu fais avec cette robe, je voudrais que tu la portes toujours.

— Toujours ennuie, Prando.

— Pas moi ; moi, je préfère les choses connues aux nouveautés.

— Pourtant ceci est un endroit nouveau.

— Eh, vu que je sais bien à quel point madame aime les nouveautés, au contraire, j'ai fait un effort. Ça te plaît ?

— C'est magnifique ! Et quelle grande promenade... On dirait un bateau !

— Ils ont essayé d'étendre le plus possible la

Rotonde[1]. Nous dînons sur la Rotonde, non ? Ou tu vas avoir froid ? Si tu as froid, dis-le-moi, je te donne ma veste.

Je n'ai pas froid, mais le désir de sentir ses bras autour de mes épaules me fait dire :

— C'est vrai qu'il y a un peu de vent ici.

— Je le savais. Toujours comme ça, les femmes, pour être belles elles ne se couvrent pas assez et puis... Mais ça me fait plaisir. Qu'est-ce qu'il y a, maman ? Tu es devenue toute triste.

Juste à côté de nous, un flot de cheveux noirs ondulés caresse un visage de garçon. Pour l'instant Prando ne la regarde pas, mais bientôt sa veste couvrira ces épaules étroites à peine effleurées par une soie sombre et tendre comme cette nuit. Je suis jalouse, je lève les yeux et le regarde dans les yeux : jalousie nouvelle, jalousie de mère qui me fait détester sa jeunesse.

— Qu'y a-t-il, maman, pourquoi est-ce que tu ne manges pas ?

— Bien sûr que je mange, Prando, c'est juste que je suis jalouse.

— Toi, jalouse ? Mais que dis-tu – de qui ?

— De toutes les filles auxquelles tu couvriras les épaules de ta veste. Et je veux te dire ce que j'ai découvert ce soir pour te mettre en garde contre moi, d'homme à homme ou de femme à homme, comme tu veux.

— Et qu'as-tu découvert ?

— Que ce que nous appelons jalousie de mère existe, et qu'il vaut mieux le reconnaître.

— Que veux-tu dire ?

— Rien... je t'avertis que probablement je serai tou-

1. Construction qui, traditionnellement, en Italie, avance en effet sur la mer.

jours jalouse de n'importe quelle femme dont tu tomberas amoureux.

— Mais que vas-tu penser, je n'ai aucune intention...

— Eh non, Prando, ne fuis pas, nous avons décidé il y a bien des années d'être différents de toutes ces maisons où l'on fait semblant de s'aimer et où en réalité on ne fait que s'opprimer les uns les autres.

— Oui, bien sûr ! Et de mon côté, tu le sais, j'ai essayé de te comprendre et j'ai aussi accepté de respecter Bambolina... Mais qu'est-ce qui t'a prise ? Est-ce que j'aurais fait quelque chose qui ne va pas ? Tu veux me donner une paire de gifles comme l'autre fois ?

— Non ! L'autre fois je t'ai donné une paire de gifles parce que tu prétendais que Bambolina te serve comme une esclave et que tu refusais qu'elle parle avec tes amis. Pourquoi agissais-tu de cette façon, Prando ? Tu es grand maintenant, pourquoi ?

— Oh, par exemple ! D'abord parce que tous mes amis agissaient de cette façon, et ça me semblait normal. Et puis parce que j'étais jaloux.

— Voilà, maintenant c'est moi qui me donne une paire de gifles parce que j'ai découvert qu'en moi aussi la tendance à faire comme toutes les mères que nous connaissons est si forte que... il faut y remédier et tu dois m'aider.

— Mais moi, à te dire la vérité, ça me fait plaisir que tu sois jalouse.

— Mais à moi, non ! Et tu dois m'aider.

— Par exemple ! Et comment ?

— Tu ris, hein, Prando ?

— Eh oui, je ne m'attendais pas à une sortie pareille de ta part.

— Moi non plus, je ne m'y attendais pas.

— Et que pouvons-nous faire, maman ?

— Rien ! Ton rire m'a rendu l'appétit... Oh, les spaghetti sont froids !

— Les miens aussi. Nous nous en faisons refaire ?

— Bien sûr ! Il ne s'agirait pas de plaisanter !

— Que tu es sympathique !

— Oui, mais pleine de défauts, Prando. Comme toutes les mères. Et je veux que tu saches mes défauts, que tu te gardes de moi dans l'avenir.

— Diablesse ! Et tu sais aussi qu'en parlant ainsi tu me fais t'admirer de plus en plus, à tel point que les autres femmes me paraissent des petites bécasses, y compris Bambù.

— À cela je ne peux porter remède. C'est le prix à payer... Moi aussi, ayant connu un homme comme Carlo, je pourrais difficilement le remplacer. Ça, ce sont tes oignons ! Mais je t'ai averti et : homme avisé est à moitié sauvé. Oh, enfin les spaghetti !

*

* *

— Je n'ai plus froid, ce devait être la faim. Reprends ta veste, Prando.

— Et avec Jacopo, tu es jalouse ?

— Non ! Mais avec toi non plus, quand tu étais petit, je ne souffrais pas si tu étais dans les bras de Stella, de tante Beatrice. Tu te souviens de Beatrice ?

— Oui, et puis il y a les photographies. Mais elle était plus belle que sur les photos, n'est-ce pas ? Je me souviens de ses cheveux blonds si légers...

— Tu les lui tirais tout le temps... Mais je ne crois pas qu'avec Jacopo, même quand il sera plus grand, je serai jamais jalouse.

— Et comment te l'expliques-tu ?

— Et qui y comprend quelque chose à ces affaires-là ! La mer est montée, tu l'entends ? Elle bat contre les pilotis.

— Pense, maman, comme ce serait beau si par magie la Rotonde se détachait du sable et la mer nous emportait au loin.

— Que d'établissements, Prando ! Quand tu étais petit il n'y en avait que cinq ou six.

— Vraiment ? Mais qu'est-ce qui se passe ?

Cent voix grondent dans l'obscurité qui brusquement est tombée sur la blancheur de la nappe.

— La lumière a sauté, Madame. Ce n'est pas notre faute ! Regardez, elle a sauté sur tout le littoral. Je vais tout de suite y remédier. Nous apportons des bougies.

En un éclair cent flammes fluettes sur les tables changent la joie d'avant en une agonie d'attente.

— Cela ne m'était jamais arrivé, capitaine, je suis désolé. Bien sûr, je vous apporte l'addition tout de suite !

— *Danke schön.*

— Un officier allemand, maman, je ne l'avais pas remarqué.

— Moi non plus.

— Tu te souviens de la Grande Guerre, maman ?

— Pas beaucoup, Prando. J'étais enfermée dans un couvent à cette époque.

— Mais comment est-ce, la guerre ? Comment est-ce que ça commence ? Parfois j'ai envie que la guerre éclate.

— Parce que tu es jeune et que la jeunesse a besoin d'aventure.

— Oui, peut-être.

— Tu te souviens que tu voulais devenir corsaire, quand tu étais petit, puis explorateur ? Apprends à douter de tes émotions. La guerre n'est pas une aventure, l'aventure est ce que quelqu'un choisit pour lui-même, pas quelque chose à quoi on l'oblige.

— On dit que si la guerre éclatait tout serait détruit. On dit que les Allemands ont des armes nouvelles, extrêmement puissantes.

— Daniel, tu te souviens ? nous a parlé de villages entiers détruits par l'aviation en Espagne.

— Oui, mais c'est un froussard ! J'ai entendu des récits différents sur la guerre en Abyssinie, par exemple.

— Faits par des fascistes, Prando, ne t'y fie pas. Je suis certaine qu'un jour, que peut-être ni moi ni toi ne verrons, la guerre sera considérée comme une infamie.

— Mais vous aussi vous parlez de guerre.

— De révolution, c'est différent ! Une révolution, cela signifie une légitime défense contre ceux qui vous agressent avec l'arme de la faim et de l'ignorance. Combien nous en avons parlé, Prando ! Je t'en prie, demande l'addition et rentrons à la maison. La lumière ne revient pas et j'ai l'impression que cette obscurité pourrait durer pour toujours, rentrons à la maison.

— Bien sûr, maman. L'addition, s'il vous plaît !... Mais qu'y a-t-il, tu trembles, tu as froid ?

— Non, je vais être franche avec toi, Prando. Ton désir d'aventure m'a énervée. Achète-toi la voiture que tu voulais et reprends la compétition avec des garçons comme toi, ou pars pour l'Amérique, vole, bref, fais ce que tu veux ! mais que tout vienne de toi et pas d'un ordre du roi, du Duce, ou du Führer ! Désirer la guerre est déjà infléchir le futur, et pas seulement le tien, vers le malheur. Tu veux bien le comprendre, oui ou non ? C'est la dernière fois que j'essaie de me faire comprendre de toi et des garçons hâbleurs comme toi. Tu n'appartiens ni à l'État, ni à moi, et ne va pas t'imaginer que je donne des ordres. Par le sang de Judas ! Mais que faut-il faire pour vous faire comprendre que bien des désirs vous sont inculqués d'en haut pour vous utiliser ? Je comprends que ce soit difficile pour un pauvre qui doit arriver à se nourrir et apprendre à lire avant de savoir qui il est et ce qu'il veut. Mais toi, tu as du pain et des livres, et on ne peut pas te donner de circonstances atténuantes. Tu es responsable de toi-même et de ceux que demain tu peux entraîner avec toi. Et que fais-tu maintenant sans bouger avec le moteur allumé ? On s'en va à la maison, oui ou non ? J'ai sommeil !

74

La villa Suravita tout éclairée vient à notre rencontre au milieu des vagues des pins comme un vaisseau en fête. La grille est grand ouverte, les chiens muets tournent autour d'une ambulance. Prando freine et se gare au bord de l'allée envahie de lumière et du rapide battement des portières, suivi par le hurlement d'acier de la sirène.

La porte grand ouverte comme pour un festin. Dans le salon vide cinq silhouettes errent, disséminées. Seules Mela et Bambù se serrent l'une contre l'autre sur le velours rouge du divan. Sur les fauteuils, des masques, des perruques, un domino de soie noire comme au Carnaval.

STELLA : Oh, Mody, enfin ! Pietro vous a cherchés partout !

MODESTA : Oui, oui, mais que s'est-il passé ?

JACOPO : Nous nous amusions à faire du théâtre, maman, après-dîner...

MODESTA : Et alors ?

STELLA : J'avais porté en haut à Madame un thé avec des biscuits... Il arrive si souvent qu'elle ne dîne pas, je ne pensais pas...

MODESTA : Mais que s'est-il passé ? Tais-toi, Stella, laisse parler Jacopo ! Il me semble être le seul à n'avoir pas perdu la tête.

JACOPO : Vers onze heures, Bambolina est allée chez Joyce, elle avait besoin de son domino pour un numéro, et elle a trouvé la porte entrebâillée et la lumière de la table de nuit allumée. Elle a frappé à la porte de la salle de bains, mais personne n'a répondu. Puis elle a remarqué que de dessous la porte sortait de l'eau, et... elle en tremble encore, pauvre Bambù ! Heureusement qu'il y avait Mattia ! Nous avons dû, ou plutôt il a dû faire sauter la serrure d'un coup de revolver et... c'est terrible ! Il y avait du sang, maman ! 'Ntoni s'est évanoui.

MODESTA : Et où est Mattia maintenant ?

JACOPO : Il est parti dans l'ambulance. Mattia s'est proposé pour la transfusion. Oh, maman, espérons qu'elle soit sauvée ! La chose qui m'a fait le plus peur, c'est que Bambù hurlait en descendant l'escalier, mais en tenant le domino de Joyce serré dans ses bras. Comment est-ce possible ?

BAMBÙ : Je te l'ai dit, Jacopo, le domino se trouvait sur une chaise et je l'ai pris. Je l'avais à la main quand je me suis aperçue...

JACOPO : Mais pourquoi le tenais-tu aussi serré ?

BAMBÙ : Quelle frayeur, ma tante, quand je pense que j'aurais pu ne me douter de rien ! Par chance, j'ai senti le tapis gonflé d'eau sous mes pieds et j'ai frappé à la porte. Oh, Mela, quelle chose horrible ! Je ne veux pas que Joyce meure, Mela, je ne veux pas !

PRANDO : Assieds-toi, maman, tu es pâle comme une morte, assieds-toi ! Tu veux que j'aille à l'hôpital ?

MODESTA : Non.

BAMBÙ : Antonio aussi a dit de rester ici, parce que si elle meurt il faut la ramener ici à cause des fascistes. Il l'a dit tout bas à Mattia, mais je l'ai entendu. Oh,

Prando, embrasse-moi ! Mais où étiez-vous ? Ça fait deux heures que Pietro vous cherche dans tous les restaurants, où êtes-vous allés ?

PRANDO : Eh, j'ai eu une bonne idée ! Dans un restaurant nouveau.

JACOPO : Quel silence, maman ! Je n'en peux plus.

STELLA : Un silence de fin d'été, Jacopo. Ça arrive tous les cent ans.

BAMBÙ : Qu'est-ce qui arrive tous les cent ans, Stella ?

STELLA : Ce silence-ci ! Le jour nous bougeons et nous ne l'entendons pas, mais il est là ! Et la nuit il s'empare de tout. Il y a des années, on est arrivé jusqu'en décembre dans cette attente.

BAMBÙ : L'attente de quoi, Stella ?

STELLA : De l'eau du ciel, ma *Bambuccia !* Après des mois et des mois de canicule les bouches des torrents et des rivières deviennent muettes dans l'attente de l'eau. Mais hier vers trois heures du matin j'ai vu les premiers éclairs secs à l'horizon, c'est bon signe.

JACOPO : Toi à la fenêtre à trois heures du matin, Stella ?

STELLA : J'aime la nuit. La nuit fait voir tant de choses.

JACOPO : Je n'en peux plus, maman, de je ne sais pas quoi !

Tous les cent ans... Cela fait cent ans que le serpent du silence a rampé autour de la maison tandis que Carlo luttait pour sa vie. Une façon molle et puissante de ramper autour de murs qui, hypnotisés par ces ondulations, se taisent en fixant les écailles du serpent...

JACOPO : Une voiture, maman, une voiture !

BAMBÙ : Ce n'est pas possible, les chiens n'ont pas aboyé.

STELLA : Mais il y a Nunzio à la grille, il les aura calmés, allons voir.

Stella avait raison. Dès que nous fûmes dehors, de grosses gouttes furieuses comme des larmes longuement retenues nous frappent le front, les joues, presque sans les mouiller. De la portière grande comme une porte Mattia remet un petit balluchon dans les bras de Pietro.

JACOPO : Elle est vivante, maman, Mattia sourit !

Les mains coupées par les bandes sur le drap blanc n'ont plus, ni ne donnent plus, d'émotion, répugnantes reliques sur le plateau d'argent gardé dans la châsse bénie. Quel sculpteur a plié son talent à divulguer cette douleur sans vie et sans espérance ?

— Pardonne-moi, Modesta, je voulais seulement mourir.

— Je le sais.

— Pourquoi ne m'avez-vous pas laissée mourir ?

— Un hasard, Joyce. Je n'étais pas là. Bambolina est montée par hasard et Mattia a enfoncé la porte.

— Mattia ? Alors que j'étais nue dans la baignoire ? Quelle honte ! Je te dégoûte, Modesta, je le sais.

— Non, tu m'inspires juste un sentiment d'impuissance et beaucoup de tendresse.

— Quand m'a-t-on ramenée ?

— Cette nuit à trois ou quatre heures, je ne me souviens pas. Je me souviens qu'il avait commencé à pleuvoir, par bonheur. Regarde comme ça tombe ! Stella dit que c'est une bonne chose.

— Oh, Stella ! Je me suis mal comportée avec elle.

— Stella comprend. Elle était juste préoccupée parce que tu ne voulais pas boire ton bouillon.

— Ah oui ?

— Oui, et si nous arrivons à renvoyer en bas cette tasse vide, tu verras que Stella ne se souviendra plus de ton peu de gracieuseté.

— Gracieuseté ! Comme votre façon de parler est étrange.

— Alors, nous la buvons, cette tasse de bouillon, pour effacer le peu de gracieuseté ?

— Oh oui, j'ai tellement soif !

Cuillerée après cuillerée entre les lèvres craquelées de gerçures, matinée après matinée du lait, des biscottes, un peu de confiture, jusqu'à cet après-midi de soleil après une semaine de pluie où Joyce, assise près de la fenêtre, peut porter de ses mains la tasse de thé à ses lèvres guéries.

— Prando est venu me dire au revoir comme s'il partait pour l'Amérique. Il a beaucoup changé, ce n'est plus un petit garçon, mais il me semblait serein.

— Il aura une maison à lui, avec sa clef, il faut qu'il soit maître d'aller et de venir, de faire ce qu'il veut.

— Et 'Ntoni ? Ça fait des jours que je ne le vois plus.

— Eh, il s'est passé bien des choses ! La mort d'Angelo Musco a fait échouer son plan de fuite, et maintenant il travaille comme un fou parce qu'il a découvert qu'il y a une école de théâtre à Rome. Tu en as entendu parler ?

— Je ne me suis jamais trop occupée de théâtre.

— Bah, ça n'a pas d'importance. L'important, c'est qu'en passant un examen il peut être admis à en suivre les cours, même jeune comme il est. Et s'il est bon, avoir aussi une bourse d'études.

— Et quand passera-t-il ces examens ?

— Le mois prochain.

— À Rome... Et nous deux, Modesta ?

— Nous quoi, Joyce ?

— Je parle, je pose des questions, mais sans m'intéresser à rien. C'est terrible, c'est comme si j'étais morte et enterrée dans ton jardin, comme tu le disais en plaisantant. Si j'avais pu mourir le matin où tu as failli me renverser dans le parc ! Je croyais que tu revenais du repas habituel avec maître Santangelo et...

— Et ?...

— J'ai compris que tu avais vu Timur. Est-ce vrai ?

— Oui. Je te l'aurais dit.

— Oh, va-t'en, va-t'en ! C'est comme si tu m'avais tuée. Je vous déteste tous, va-t'en !

— Et moi qui espérais, maintenant que tu vas mieux, te parler d'une grande joie que j'ai eue.

— Quelle joie ?

— Prando n'est pas fasciste ! Il m'a enfin parlé, et si un garçon comme lui, avec notre entourage, a pu y arriver, cela donne de l'espoir. Et je te le dois aussi, si je suis parvenue à ne pas le faire finir...

— Comme Timur, dis-le, comme Timur ? Il t'a tout dit.

— Oui, tout.

— Ce n'est pas vrai ! Ce n'est pas moi qui ai poussé Renan au suicide. Je l'aimais plus que moi-même. Ce n'est pas moi qui lui ai fait des reproches ce jour-là. Et puis c'était ma jumelle, nous nous ressemblions comme deux gouttes d'eau. Dans tous les pays où nous avons été enfants, un chœur d'admiration nous accueillait. On nous appelait les deux diamants. Regarde, tu vois ce solitaire ? Papa en a acheté un pour moi et un pour Renan cette année-là à Sofia... Et puis qu'en sait-il, lui, que peut-il en savoir ? Il n'était pas encore né. Comment se permet-il de répéter des commérages, des rumeurs ? Qu'en sait-il ? Quand il est né, papa était déjà mort. Et avec lui, aussi, tous ces voyages sans répit ! Trois ans ici, deux là. Et toujours de nouvelles langues auxquelles se confronter, des amitiés provisoires. On n'avait pas le temps de nouer une amitié, d'apprendre une langue, qu'il fallait déjà partir, on n'avait pas le temps de finir d'installer une maison qu'on reprenait le train... Et cette Sofia ! La plus horrible des villes, anonyme, provinciale, avec tous les yeux fixés sur les deux jumelles de l'ambassadeur. Et puis était-ce ma faute si Renan, sauf pour le physique, était si différente de moi ? Que pouvais-je y faire si dans chaque ambassade elle flirtait avec le commis, elle s'ennuyait, elle n'arrivait pas à apprendre les langues, elle ne lisait pas ? Et « eux » tellement enfermés dans leur amour ! Je n'ai jamais vu mon père regarder avec admiration la moindre femme, pas la moindre ! Il n'y avait qu'elle et ses danois qu'il regardait avec amour... Nous, rien qu'en passant, aux départs et aux arrivées, comme pour contrôler qu'il ne manquait aucun de ses bagages. Et qui aurait pu penser que le premier dimanche dans cette ville nouvelle, dans cette immense maison, glacée, inhabitée depuis dieu sait quand, avec ces poêles qu'on n'arrivait pas à faire marcher... Je lisais dans mon lit, et dans le sien Renan fumait. Quand papa sortait, elle prenait ses cigarettes et fumait. Mon père m'avait ordonné de le lui interdire, mais je n'ai jamais rien dit, je te le jure ! Ce jour-là je lisais *La Fosse aux filles* de Kouprine. Il était interdit de lire ce livre, mais je l'avais pris dans la valise de maman. Et tu sais comme il est captivant, je voulais le terminer avant qu'ils ne reviennent pour le dîner. Je ne me suis même pas aperçue... Après, après seulement je me suis souvenue qu'à un certain moment Renan s'était mise à marcher en long et en large. Mais pourquoi dans toutes ces maisons si grandes nous faisaient-ils toujours dormir ensemble ?... Elle s'est mise à faire les cent pas et puis elle a voulu s'étendre à côté de moi. Le lit était petit, oui, il était petit et elle m'embêtait en me trifouillant les cheveux. Puis elle m'a dit : « On va se promener ? » Que pouvais-je savoir, moi ? C'était le premier dimanche, nous ne connaissions pas le chemin. Je n'ai pas été désagréable, crois-moi, j'ai juste dit : « Papa l'a interdit, c'est dangereux. » Puis l'obscurité est venue et j'ai allumé la lumière pour lire les dernières lignes. Renan n'était pas là et il devait être très tard... Je n'ai jamais lu ces dernières lignes parce que je savais que papa et maman pouvaient rentrer d'un moment à l'autre et j'espérais que Renan allait revenir de sa promenade. Elle avait dit : « Alors, j'y vais seule. » J'ai attendu à la fenêtre de la voir réapparaître. Cette place misérable avec ces bancs sales et ces tristes arbustes alignés sans grâce... Je la vois toujours, cette place ! Jusqu'à ce que le majordome frappe à la porte pour le dîner et... je tremblais à l'idée de ce dîner, nous trois, sans Renan, je tremblais au silence de mon père et j'ai pensé à aller me laver les mains, qu'au moins mes mains soient propres et qu'il ne se mette pas en colère pour cela aussi. Dans la salle de bains j'ai trouvé Renan qui pendait à l'un de ces gros tuyaux de chauffage. Tu sais, les tuyaux qui réchauffent ces salles de bains grandes comme des salons... Oh, Renan ! Modesta, embrasse-moi, serre-moi, j'ai peur !...

Je ne peux pas ne pas l'embrasser, même si ce Renan murmuré dans l'obscurité qui tombe me glace les os, les pensées. Devenue toute petite entre mes bras, elle tremble, agrippée à mon cou.

— Calme-toi, Joyce. Tu as raison, ça a été un accident.

— Non ! Ça n'a pas été un accident ! Toujours à lui faire des reproches, et, ce qui est le plus horrible, des reproches muets... Que t'a dit Timur, que t'a-t-il dit ?

— Tout, Joyce, mais je ne l'ai pas cru.

— Ce n'est pas vrai !

— Joyce, je te répète que je ne l'ai pas cru, j'ai seulement eu peur. Tu avais raison, Timur est dangereux.

— Tu vois, tu vois ? Et puis, si vraiment ils pensaient tant de mal de Renan, pourquoi nous faisaient-ils dormir dans la même pièce ? Pourquoi, toujours, ces lits identiques, ces vêtements identiques ?

— Et Joland ? Ce n'était pas ta sœur ?

— Tout, il t'a tout dit. Le salaud !

— Pourquoi m'as-tu dit que Joland était ta sœur ?

— Un mensonge, d'accord ? Un mensonge comme tout le reste, comme... Va-t'en, va-t'en !

— Comme tu veux, je m'en vais. Sauf que Timur m'a priée de te demander d'écrire à ta mère. Ta mère n'est pas morte, Joyce... Ne me regarde pas comme ça, essaie de me comprendre aussi, je suis effrayée, tu avais dit que ta mère était morte. Moi, moi... mais peu importe, nous en parlerons demain. Tu vas écrire quelques lignes à ta mère ?

— Jamais ! Que veut-elle de moi ? Elle ne m'a pas assez torturée ? Elle n'a pas assez torturé Joland ?... Oh, Joland, pourquoi as-tu fait ça, pourquoi ?

— Qu'a-t-elle fait ? Parle, libère-toi ! En parlant ensemble on peut essayer de s'en sortir.

— Se sortir de quoi ? Parler de quoi ? Parler, parler, quelles sottises !

— Mais pourquoi me dire que ta mère était morte ?

— Elle est morte, voulez-vous bien le comprendre ! Morte ! J'ai juré sur le cadavre de Joland que pour moi elle était morte. Elle haïssait Joland, elle n'a jamais voulu l'accepter. J'ai essayé de toutes les façons de lui faire comprendre combien elle m'était chère, mais elle, rien, elle restait enfermée dans sa désapprobation. Et pourtant elle savait dans quelle solitude je me débattais, elle savait tout de moi... et puis elle m'avait mise au monde telle que je suis, anormale... C'est elle qui m'a donné ce livre, j'avais douze, treize ans, ce livre qui parlait de cas comme le mien... Si au moins elle avait accepté Joland, nous n'aurions pas été aussi seules. Mais elle, belle, parfaite, avec sa vie réussie, comment pouvait-elle accepter un lien aussi aberrant ? comme elle a dit. Si au moins elle nous avait acceptées, je n'aurais jamais abandonné Joland... Et elle, seule, pauvre petite, sans défense, oh, si j'avais pu mourir !

— Facile, Joyce, facile. Comme de se faire torturer et d'aller en prison pour la cause.

— Que veux-tu dire ?

— Tant que des gens comme toi iront au massacre pour apaiser leur sentiment de culpabilité, la cause sera perdue dès le départ. Je n'ai plus aucune confiance en toi, ni en aucun héros du futur comme toi. Ne pleure pas, Joyce, c'était prévisible. Nous ne sommes que deux meurtrières comme tant d'autres, comme tout le monde peut-être. Sauf que j'ai tué par nécessité personnelle, et le crime, s'il est nécessaire, n'est pas découvert, et toi, par contre, comme mère Leonora ou Gaia, pour le compte de tiers, en te faisant armer le bras par les sentiments éternels et les devoirs.

— Si je pouvais être morte !

— Tu es morte, Joyce, parce que tu as enfin rencontré une personne exercée à tuer, et plus habile que toi. Et pas une Joland ou une Beatrice formée au sentiment, comme on disait... que dis-je ? Comme on dit encore.

— Ça suffit, ça suffit !

— Ne pleure pas ; même si la victime t'a échappé des mains, ne désespère pas. Je t'aime, pas pour l'éternité, mais je t'aime encore. Et maintenant d'égale à égale, de meurtrière à meurtrière.

— Où vas-tu maintenant ?

— Bah, me laver les mains. C'est huit heures du soir et j'ai faim. Je t'enverrai une infirmière pour te surveiller. Je ne voudrais pas connaître l'échec de donner raison aux camarades en t'enterrant dans mon jardin.

QUATRIÈME PARTIE

75

Enfermé dans son silence viril, Prando hâte la séparation en libérant avec fermeté son cou des bras de Bambolina désespérée. Que contiennent ce désespoir et cette façon de se mordre les lèvres qu'a Mela en me fixant, muette ? Une accusation ? Elles perdent par ma faute leur préféré ? Je voudrais entrer en eux et les suivre, mais ce n'est pas permis. Il y a une limite précise dans l'aide apportée aux autres. Au-delà de cette limite, invisible à beaucoup, il n'y a que volonté d'imposer sa propre façon d'être... Le mensonge contenu dans les mots est un puits sans fond, et Modesta décide de se taire et de rester à la merci de cette place vide, le soir, autour de la table ovale de leur enfance – qui vue d'en haut de l'escalier ouvre un précipice. Je ne peux descendre cet escalier. Si du moins je pouvais m'appuyer au bras de Prando, mais Stella pleure et appelle d'en bas. Non, elle ne pleure pas, elle est seulement agitée :

— Modesta, je t'en prie, descends ! Depuis que Prando est parti il n'y a plus de paix dans cette maison.

— Qu'y a-t-il, Stella ?

— Et qu'est-ce que j'en sais ! Chaque jour y a quelque chose de nouveau ! Ils étaient si tranquilles avant. Depuis le départ de Prando...

— Ça suffit avec ce départ, Stella ! Ne m'énerve pas, j'ai demandé ce qu'il y avait et c'est tout !

— Il y a que Jacopo depuis... eh bien, depuis quelques jours n'est plus lui-même, et depuis ce matin il ne mange plus, ne bouge plus de sa chambre et n'a même pas voulu descendre pour donner sa leçon à Crispina, et la petiote s'est mise à pleurer. Il a fallu mille et une histoires pour l'apaiser ! Maintenant encore où c'est le moment de manger il ne veut pas descendre... Tu y vas ? Oh, heureusement !

Je connais bien la chambre que s'est choisie Jacopo, mais je n'avais jamais remarqué que les immenses baies vitrées circulaires s'en vont presque toucher le grand palmier qui pousse pour entrer. Aux murs, dans la semi-obscurité, de grands tableaux noirs avec des chiffres, des dessins, des mots grecs alignés. La lampe déverse une lumière jaune sur la table, sur les étagères, sur le squelette qui appartenait à l'oncle Jacopo, exhumé du grenier et soigneusement épousseté.

« Mais c'est horrible ! Je ne viendrai plus dans ta chambre si tu ne te débarrasses pas de ce machin effrayant !

— Quelle sottise, Bambù ! Il est extrêmement utile, au contraire, bien plus que des livres ! Il n'y a que comme ça qu'on apprend. C'est fascinant de savoir comment nous sommes fabriqués à l'intérieur.

— Mais vois un peu, avec toutes les merveilles qu'il y a au grenier, lui, il va y prendre un squelette !

— Mais moi, il m'intéresse, ce monsieur. Je l'appellerai Yorick, comme Hamlet. Peut-être que chaque homme doit avoir son Yorick... Et puis tu m'embêtes, Bambù ! Je te dis quelque chose, moi, quand tu ramènes en bas ces dentelles et ces soies qui te plaisent et qui me rendent triste ? »

Quand de mes mains je touche les épaules bien

vivantes de Jacopo sous sa chemise légère, je me rassure, même s'il ne bouge pas et s'obstine à rester tapi contre le mur. Il a toujours fait comme ça, même quand il était petit...

— Ne m'appelle pas petit !

— Tu as raison, tu es grand maintenant.

— Ce n'est pas pour cela, et tu le sais !

— Qu'est-ce que je sais, Jacopo ?

— Que je ne suis pas ton enfant.

« ... J'ai rêvé que je n'étais pas ton enfant, et que tu me trouvais dans un panier déposé par on ne sait qui sous l'olivier sarrasin. »

— Voyons donc, où t'ai-je trouvé cette fois ? La dernière fois c'était dans une barque au bord de la mer et tu n'étais pas triste quand tu me le racontais.

— Je n'en peux plus, je veux mourir !

— Ou alors ce rêve t'a toujours fait souffrir et tu le cachais, comme tu le fais aussi pour le mal de dents, pour ne pas te faire plaindre ? C'est ça, Jacopo ? Je sais que tu n'aimes pas faire comme 'Ntoni qui profite même d'un bouton pour se faire choyer.

— Non, non... Le rêve n'a rien à y voir, excuse-moi, mais je dois rester seul. J'ai donné ma parole d'honneur. Je t'en prie, descends dîner, il faut que je reste seul !

Parole d'honneur, parole d'homme, silence viril. « Un homme qui est un homme sait se taire quand il en a fait le serment. »

— N'avions-nous pas décidé, Jacopo, de ne pas écouter les bavardages des gens et de parler de tout, ensemble, comme nous l'avons toujours fait ?

— J'ai juré sur l'honneur, n'insiste pas ! Et puis je vais déjà mieux, si tu le veux vraiment, je descends, je viens dîner, comme ça nous en finissons !

Qui pouvait demander à Jacopo sa parole d'honneur

et l'obtenir ? « Un homme qui est un homme ne donne pas sa parole à droite et à gauche. » Une seule personne en avait le pouvoir, quelqu'un qui était passé sur la pointe des pieds dans notre vie, une personne à l'aspect inoffensif qui y avait fait halte un instant avant de disparaître sans bruit. L'apparition de ce visage riant dans les coulisses du passé, suave visage qui promettait de supporter pour le bien de son enfant la croix que Dieu lui imposait, me reporta à une haine depuis longtemps oubliée. Méprisable Inès ! Femme ennemie des femmes et de l'homme, femme méprisable, incapable d'accoucher... Après la mort de Carlo elle a avorté quatre fois avec toujours plus de facilité ; par cet exercice, par ce calvaire elle a cru avoir racheté sa faute... Et dans les coulisses je la vois souriante et suffisamment purifiée pour récupérer le fruit sacré de son sein.

— Pourquoi as-tu permis que je naisse, pourquoi ?

— Et comment pouvais-je ne pas te laisser naître ? Inès était belle, en bonne santé, comment pouvais-je la contraindre à avorter ?

La pâleur de Jacopo se tache de violet, son long corps a des tressaillements, il se lève soudain et va s'enfuir. Je ne peux pas le suivre. Il est seul à souffrir et il doit trouver seul le chemin pour se tirer de là... Il tourne comme un fou dans la pièce jusqu'à ce qu'il retombe sur le lit, la tête dans ses mains fines aux jointures rougies par le désespoir.

— Alors c'est vrai ?

— Tu aurais préféré que je te dise qu'Inès avait menti ?

— Non, non, je le sais, qu'elle n'a pas menti.

Je ne peux ajouter au crime d'Inès celui de tuer son image en Jacopo en dénonçant la bassesse de cette femme. Jacopo me croirait, bien sûr, mais je ne peux permettre à mes mains de massacrer la part d'Inès qui vit en lui, part douce et riante qu'année après année j'ai vu fleurir, greffée sur la souche dure et sèche de Gaia et d'oncle Jacopo.

— Elle m'a fait jurer de ne jamais te le dire, mais toi, comment l'as-tu compris ?

— C'est ta mère, et elle aura éprouvé le besoin que tu le saches.

— Mais c'est ignoble ! C'est ça qui me rend fou ! Pourquoi ne m'a-t-elle pas gardé avec elle à l'époque ? Pourquoi attendre quinze ans pour... Tu vois, avant je l'aimais, je l'appelais ma tante, mais maintenant qu'elle voudrait même que de seul à seule je l'appelle maman, eh bien, je ne peux plus la voir, je la déteste. C'est horrible de détester, je n'ai jamais détesté personne.

Il se lève, Jacopo, pour se délivrer par le mouvement de cette haine qui le fait aller et venir dans la pièce, droit comme il ne l'a jamais été.

— Mais est-ce que je suis un poupon qu'on peut se passer d'une main à une autre ? Est-ce que je n'ai pas d'yeux pour voir et d'oreilles pour entendre, comme dit Pietro ? Est-ce que je n'ai pas compris ?... Allons, maintenant j'assemble beaucoup de choses que Pietro ne pouvait pas dire exactement ! Elle a pris une somme d'argent, et pas petite, pour me céder à toi. Et tu sais ce qu'elle a eu l'impudence de me dire ? Qu'elle me la laissera... qu'elle me la laissera à moi, tu comprends ? Comme si j'avais besoin de son argent ou du tien. Je travaillerai et je ne veux rien de personne. Et puis... c'est ça aussi qui me rend fou de haine contre la vie ! Je n'aurai même pas tellement besoin d'argent parce que maintenant...

— Parce que, Jacopo ?

— Je sais que je ne devrai pas avoir d'enfants, jamais ! Cette maladie est héréditaire, c'est pour ça que tu ne m'as pas parlé d'Inès, je le sais. Je suis né quand il avait déjà la syphilis, et pas comme Prando qui est né avant. Oh, maman, pourquoi, pourquoi ?... Et pourquoi pleures-tu ? Ne pleure pas ! Je n'aurai jamais d'enfants, mais je n'appellerai jamais maman cette femme, jamais ! C'est toi, ma mère, n'est-ce pas ? Tu le disais, et je ne le comprenais pas, que Bambolina était plus ton enfant que Prando, que 'Ntoni était ton neveu même si Stella n'est pas ta sœur... Tu es ma mère, n'est-ce pas ? Embrasse-moi, maman... Et tu le seras toujours, n'est-ce pas ? Dis-le !

Il pleure enfin dans mes bras, et pour calmer le tremblement de désarroi qui l'a pris, je peux dire ce mot dépourvu de sens qui a le pouvoir, si on l'emploie dans un juste dosage comme certains poisons, d'alléger la douleur.

— Toujours, Jacopo, ta mère, toujours près de toi.

Je me retrouvai à sangloter sur sa poitrine, et ses bras me soutenaient. Comment Jacopo pouvait-il paraître si fragile un moment auparavant et maintenant si fort ? J'avais pleuré ainsi une autre fois, mais je ne me souvenais plus... Ç'avait été sur une plage, la nuit, et la lumière des lampes avait éclairé deux yeux humides de chien reconnaissant. Ou ç'avait été quand on avait porté à la maison l'enveloppe vidée de Carlo ? Ce mannequin auquel pour plaisanter on avait mis la veste, le pantalon, les chaussures de Carlo. Ensuite je n'avais plus pleuré comme ça.

— La dégoûtante ! Et je devrais appeler maman une femme qui te fait tant pleurer ?

— J'ai peur, Jacopo ! Mais pourquoi tout le monde cherche-t-il tout le temps à nous rendre malheureux ?

— N'aie pas peur, maman, je suis là près de toi.

— Tous ces derniers jours tu as souffert seul, et j'ai peur. Je t'en prie, si la douleur te reprend, ne la cache plus, parle avec moi, comme pour les dents, tu te souviens ? Tu avais mal mais au moins on était ensemble.

— Tu me tenais la main.

— Voilà, tu vois ? C'est la solitude qui rend la douleur terrible. Les autres profitent de la solitude pour blesser davantage. Promets-moi, promets-moi, il faut combattre unis.

— Je te le promets, et pour mettre tout de suite en acte ma promesse, j'ai une autre douleur à te confesser.

— Qu'y a-t-il encore ?

— J'ai mal à l'estomac, ce doit être la faim ; j'ai honte, mais j'ai faim.

— Moi aussi.

— Mais comment cela peut-il se faire, maman ? On a faim même quand on souffre ?

Tandis que nous mangeons le rôti de Stella, la douleur semble avoir disparu.

— Que c'est bon, maman ! Je n'arriverai jamais à le faire aussi bien.

— Moi non plus.

Mais une fois la faim apaisée, la douleur revient traquer son regard qui fuit, cognant contre les murs de la cuisine. Dans le silence, cette douleur a un sourd bruissement de cuivres, ou c'est le battement étouffé de son cœur qui pousse contre son thorax pour le défoncer ? Il doit accoucher de lui-même ou mourir de ce corps étranger qui s'est glissé en lui. Dans son combat, il débarrasse la table en cherchant secours dans les objets, dans les gestes familiers.

— Je suis content d'arriver à cuisiner quelque chose. Avant-hier, tu n'étais pas là, Stella avait à faire, Bambù et Mela travaillaient, et j'ai été heureux de savoir faire un œuf battu au lait pour Crispina qui avait faim.

Son regard hypnotisé sur la grande table vide.

Jacopo ne peut que cogner des poings sur le bois avant de retomber assis, la tête entre les mains, fixant avec hostilité mon visage. Sur mon visage s'est posé pour une seconde le masque d'Inès, et il ne trouve pas le chemin pour arriver à moi. Peut-être ce masque aura-t-il pour lui, dans son avenir, le pouvoir de tomber sur chaque visage de femme, l'enfermant dans le cachot de la méfiance envers la vie. Il a prononcé le nom de Crispina, peut-être ce petit visage peut-il se faufiler entre les barreaux qu'Inès a plantés tout autour de lui.

— Crispina a pleuré, aujourd'hui.

— Je le sais, je le sais, et j'en suis désolé, mais je ne pouvais pas la voir !

— On nous fait souffrir injustement, et nous, au lieu de mettre un terme à cette injustice, nous la perpétuons avec ceux qui sont plus petits et sans défense ?

— Tu as raison et je le sais ! Je voulais faire un effort aussi pour elle, mais l'autre, l'autre... Oh, maman, elle est méchante, cette femme ! Et maintenant que je sais que c'est ma mère, c'est comme... comme si j'avais découvert que tout le monde est méchant, tout le monde !

— Pourquoi dis-tu qu'elle est méchante, Jacopo ?

— Parce que ! Non seulement elle a dit ce que désormais elle n'avait pas le droit de me dire, mais elle n'a fait que critiquer, te critiquer, toi, Bambù, nous. Elle a dit que tu es une folle. Que pour vivre comme il te plaît tu as gaspillé tout l'argent et...

— Elle n'est pas la seule à nous critiquer, Jacopo.

— Je sais... Pourquoi est-ce que ça me fait tant de mal, maman ?

— Parce que tu as peur d'être méchant toi aussi maintenant que tu sais que tu es son fils. Mais elle n'est pas méchante, elle est ignorante. La bonté, la non-méchanceté est un luxe. Les pauvres, j'ai été pauvre et je le sais, les pauvres n'ont pas le temps d'être bons. Comment peut-on être bon si l'on est obligé de lutter pour un bout de pain ?

— Mais Stella est bonne.

— C'est une exception, Jacopo ! Et puis, pas vraiment, même. Stella est fille de paysans aisés. Elle est restée ici par son propre choix et elle y restera tant qu'elle voudra, mais elle n'y est pas obligée, c'est différent ! Mais Inès, elle, a grandi dans un orphelinat, elle est fille de parents inconnus.

— Je ne le savais pas.

— C'est cela que je voulais te dire, Jacopo, chacun de nous est le résultat d'un passé précis et d'une éducation, et Inès a eu la pire des éducations.

— Alors tu penses qu'elle n'est pas méchante ?

— Elle est seulement ignorante... et peut-être a-t-elle un caractère plus faible, qu'en sais-je ? que Stella, que moi. Si je te disais, pour te donner un exemple, que Bambolina élevée autrement pourrait avoir des côtés égoïstes, entêtés, tu serais étonné ?

— Oh, non ! Je n'y avais jamais pensé, mais c'est vrai. Mela est plus forte, même si elle n'en a pas l'air.

— Tu vois ? Et Prando ? Cherchons un peu de vérité, Jacopo. Qu'en dirais-tu, d'un Prando laissé libre de commander et de donner des ordres ?

— Oh, mon Dieu !

— Moi non plus, je ne suis pas bonne ou mauvaise. Je suis bonne quand je peux l'être et méchante quand je dois me défendre ou te défendre, ou défendre Crispina contre toi... Toi-même tu as été méchant, pour employer ce vilain mot sans appel, envers Crispina.

— C'est vrai.

— Et alors ? Ça arrive, mais on peut y remédier.

— Je lui demanderai pardon.

— Demander pardon ou se repentir convient avec

les grands, mais avec les petits il faut agir, faire quelque chose qui leur fasse oublier le tort subi.

— Tu sais ce que je vais faire demain avec l'argent que tu m'as donné pour les leçons ? Je vais lui acheter un cadeau. Qu'est-ce qui peut plaire à une petite fille, maman ?

— Ne pense pas que c'est une petite fille, pense à ce qui te plairait à toi.

— Demain je demande à 'Ntoni, il est excellent pour ces choses-là. Demain, aujourd'hui ! Regarde, maman, c'est l'aube ! Comment est-ce possible ? Et je n'ai pas sommeil... comment est-il possible que je n'aie pas sommeil ?

— Parce que tu souffres, Jacopo. Moi aussi, quand il m'est arrivé de souffrir, je perdais le sommeil.

— J'ai souffert d'autres fois, maman ? Je ne me souviens pas.

— Eh oui. Tu te souviens quand Bambù a eu la diphtérie ? Tu étais petit, mais tu t'es aperçu de tout et tu pleurais tout le temps.

— Ah, oui, oui. Mais Prando, où est-ce qu'il était, à ce moment-là ?

— Ici.

— Et alors il souffrait lui aussi ?

— Non, Prando est différent. Nous sommes tous différents, c'est ça qui complique les choses. Prando a cru au mensonge d'Antonio, mensonge de médecin pour éviter de vous effrayer. Mais tu l'as compris et il n'y avait pas moyen de te calmer.

— Comme la lumière monte ! Nous allons dehors pour voir ?

— Sûrement, mais courons, parce que le soleil a vite fait de sortir de l'eau.

— Voyons si c'est lui qui va sortir en premier ou nous qui allons arriver en premier au rivage.

76

Nous courons sur le sable blanchi par la gelée de l'aube : du verre transparent s'élève devant nous comme une pâle paroi ininterrompue.

— Cours, maman, cours, on va y arriver !

— Cours, Jacopo, cours, ça va t'aider.

« Comment échappe-t-on au destin, Mimmo ?

— En courant en esprit contre ce qu'il a résolu sans jamais se retourner ! Il faut être rapide, jusqu'au moment où on le sème derrière soi, saleté de destin qu'il court comme un lièvre ! »

— On y est arrivés, maman ! Tout est blanc. On n'y voit rien, même la tête du Prophète a disparu. Ou c'est moi qui n'y vois pas ? Serait-ce que je vais devoir porter des lunettes, comme dit Antonio ?

— Non, Jacopo, on n'y voit rien ! Quel froid ! Ou c'est moi qui vieillis ? Je déteste la vieillesse presque autant que toi les lunettes.

— Mais qu'est-ce que tu racontes avec ta vieillesse ! C'est que nous n'avons pas dormi, mais Jacopo est prévoyant, regarde.

— Eh non ! Tu veux me distraire pour voir en premier l'œil du soleil.

— Jacopo est prévoyant... Regarde l'horizon tant que tu veux, mais lève les bras pour que je t'enfile le pull-over.

— Oh oui, je meurs de froid !

— Voilà... Mais regardez-moi ça, elle ne se tourne même pas pour me remercier.

— Eh non ! Je ne tombe pas dans le piège, si je me tourne tu vas le voir d'abord...

— Le voilà !

— Misérable ! Tu as réussi à me distraire.

— Mais qu'est-ce qui te prend, pourquoi me frappes-tu, maman ?

— Tu le demandes ? Tu as été déloyal, bien sûr que je te bourre de coups.

— Et moi je t'arrête, chère maman ! C'est fini, le temps où tu pouvais me battre comme il te plaisait. Allez, voilà, dos au sol, et maintenant, bouge si tu le peux... Tu te rends ou pas ? Attention, si tu ne te rends pas, je te cloue sur cette plage avec quatre piquets et il faudra que tu appelles au secours.

Il n'y avait pas moyen de bouger. D'où avait poussé toute cette force ? Jusqu'à hier il soufflait derrière moi à chaque course. Et où a mûri ce rire de triomphe qui lui veine d'argent le gris de ses yeux ? Oncle Jacopo souriait à peine derrière ses lunettes sur sa photographie. Ce rire haut, ouvert, ces boucles noires, cette lueur d'argent qui de ses prunelles se communiquait à sa voix étaient issus des veines d'Inès.

— Il faut que tu le répètes trois fois !

Dans la lutte, la douleur s'apaise, mais tout de suite après elle revient et change ce rire en un murmure glacé :

— Maman, je la déteste, cette femme, et je sais que c'est mal... J'ai si froid maintenant.

— Moi aussi.

— Allons à la maison, je vais te faire un bon lait chaud.

Ce lait chaud, au fur et à mesure qu'il apaisait rapidement le froid de nos nerfs, révélait dans mes jambes et ma tête toute la fatigue d'une nuit sans sommeil.

— Je n'en peux plus, Jacopo, j'ai sommeil à en mourir ! Emmène-moi en haut, pardieu, j'ai l'impression que cet escalier est le mont Blanc !

— Appuie-toi sur moi, nous allons l'escalader. Oh, maman, ou tu as maigri, ou je continue à grandir... Jusqu'à quand grandit-on, maman ?

— Jusqu'à ce qu'on meure. Oh, je t'en prie, Jacopo, ferme les volets ! Je n'en peux plus de cette lumière !

— Tout de suite, maman. C'est mieux comme ça ?

— Quelle invention magnifique que le lit, Jacopo !

— Je peux m'étendre moi aussi ?

— Oui, si tu m'enlèves mes chaussures, je te le permets.

— Quels petits boutons ! C'est difficile de les délacer.

— Comme si ça ne suffisait pas avec les prêtres et les philosophes, les chausseurs s'amusent eux aussi à compliquer les choses pour ne pas être en reste.

— Tu as dit qu'on continue à grandir jusqu'à ce qu'on meure ?

— Et peut-être même après.

— Comment, après ? La seule chose sur laquelle Joyce et Andrea soient d'accord, c'est sur le fait qu'après il n'y a rien.

— Ah, s'il s'agit de cela, notre Antonio aussi, grand médecin et grand professeur.

— Athée...

— Ça y est, tu as prononcé le mot magique !

— Qu'est-ce que ça veut dire ?

— L'étiquette de luxe comme celle des chaussures à petits boutons, c'est Joyce qui me les a offertes, en effet...

— Mais excuse-moi, maman, tu n'es pas athée, toi ?

— Oh, Jacopo, pourquoi veux-tu me coller une étiquette toi aussi ?

— Mais, pour nous comprendre, pour manier les mots...

— Les mots mentent, à peine as-tu dit un mot qu'il

te retombe dessus comme le couvercle d'un cercueil. Si tu veux vraiment que je dise un mot je peux te dire : agnostique. Maintenant que tu es grand, tu sais ce qu'il signifie, non ? Ces gens du continent, sans offenser personne, disposent de toute cette assurance parce qu'ils ne sont pas entourés par la mer, et ils ne savent pas qu'eux aussi se trouvent sur une île, puisqu'ils sont entourés par l'espace. Tu sais, j'ai l'impression qu'ils n'ont même pas encore compris Galilée, bien qu'ils voient les avions voler au-dessus de leurs têtes.

— Et qu'est-ce que ça a à voir avec l'athéisme, ça ?

— Ça a à y voir ! Excuse-moi, Jacopo, mais une négation absolue n'est-elle pas exactement de même valeur qu'une affirmation absolue ? Je n'y entends rien en mathématiques, mais toi, par le sang de Judas, tu m'épuises !

— C'est vrai ! Voilà pourquoi j'avais si peur de la mort. Pourquoi ne me l'as-tu pas dit avant ?

— Eh, Jacopo, moi aussi, pour mériter ma mort, j'ai encore beaucoup à grandir.

— Maman, j'ai sommeil, tu me laisses dormir un peu ici ? Je n'ai pas le courage de redescendre le mont Blanc, je peux ?

Dans le sommeil la douleur se calme. La pulsation des veines s'apaise, recomposant le dessin léger qui de son front descend le long de sa joue où affleurent des touffes clairsemées de poils. Il a les cheveux d'Inès et la barbe blonde d'oncle Jacopo.

Une fois assouvie sa faim de sommeil, le serpent de la réalité revient, inchangé, lui étrangler la poitrine. Un sursaut et ses yeux s'ouvrent tout grands, fixés sur un point lointain dans le vide. Jusqu'à hier les paupières pensives hésitaient comme pour savourer les tendres lèvres de la lumière. « C'est un plaisir de réveiller Jacopo, Modesta ! Il est là les yeux fermés, et puis il se met à sourire. »

— Cette femme est méchante, maman.
— Que veux-tu me dire, Jacopo ?
— C'est tellement horrible !
— Il y a autre chose ?
— Elle a dit que tu étais une putain.
— Bien ! Cette bonne Inès, j'ai peur que quelque sympathique qu'elle me soit, tu aies raison de dire qu'elle est un peu méchante.
— Et tu ne t'offenses pas ?
— Et de quoi ? Ai-je jamais posé avec vous à la petite sainte ?
— Non !
— Et alors ? C'est juste que pour elle une femme normale est une putain. Que puis-je te dire ? Ou ça te fait souffrir parce que tu l'as aussi entendu dire par d'autres gens ?
— Mais que dis-tu ! Les autres critiquent, bien sûr, il y en a qui disent que tu es une excentrique. Les amis de Prando disent que tu es une femme fatale.
— Oui, Greta Garbo...
— Mais comment est-il possible que tu ne te sois pas offensée, maman ?
— S'offenser est un préjugé, oh ! Tout ce monde qui s'offense de n'importe quoi ! J'essaie de comprendre pourquoi elle t'a dit ça.
— Parce qu'elle le pense.
— Qu'elle le pense, elle ou les autres, je m'en moque royalement. Chacun pense et a le droit de penser comme il veut. Mais quelle idiote ! Nous sommes deux idiots, Jacopo !
— Pourquoi ?
— Mais oui, elle l'a dit parce qu'elle te veut tout entier pour elle, et elle croit y parvenir en te révélant que je suis une putain. Ainsi, tu ne peux que me mépriser, cela me semble clair, non ? Et peut-être le suis-je vraiment...

— Mon Dieu, maman, que tu es drôle !

— Des amours et des amourettes, j'en ai eu, bien sûr...

— Mais tu ne pouvais pas demander l'annulation du mariage et te remarier, maman ? Ce ne serait pas pour nous que tu ne te serais pas remariée ?

— De qui est cette sublime pensée, de Stella ? De 'Ntoni ? Ne me dis pas ça ! Mais, à y repenser, pauvre 'Ntoni, comment pourrait-il en être autrement avec Stella qui dit toujours qu'elle ne s'est pas remariée pour ne pas donner un beau-père à son fils... Ah, mon pauvre Jacopo, ça ne finira jamais !

— Qu'est-ce qui ne finira jamais ?

— Ce fascisme à l'intérieur de nous. En Russie aussi « l'amour libre » a fait demi-tour et ils sont revenus au mariage. Mais ce n'était pas ça la question... Ah, oui. Je ne l'ai pas fait pour vous, je l'ai fait pour moi, tu imagines, s'installer un maître à la maison !

— Mais tu auras rencontré des hommes différents.

— Aucun, aucun pour l'instant. Vous peut-être, les nouvelles générations... Le mariage, Jacopo, est un contrat absurde qui humilie à la fois l'homme et la femme. Pour moi, si on rencontre un homme qui vous plaît, on l'aime jusqu'à ce que, eh bien, tant que ça dure... Et puis on se laisse, si possible, en bons amis. Oh, Jacopo, parler avec toi est une fontaine d'intuitions pour ta putain de mère ! Tu sais que m'est venue une idée sur l'amour ?

— Quelle idée, maman, dis-moi ?

— Si tu étais obligé de rester toujours seul en ta propre compagnie, comment t'en trouverais-tu ?

— Oh là, je préfère ne pas y penser ! Je deviendrais fou, je m'ennuierais.

— Voilà ! Je crois que, à part l'attraction des sens qui est une chose encore plus obscure que tout ce qu'on a pu en dire... Schopenhauer, aussi...

— Ah oui, que dit-il ?

— Tu verras toi-même, je n'ai pas envie d'en parler maintenant... À part... non ! pas à part, parce que les sens suivent l'intelligence et inversement, il me semble qu'on tombe amoureux parce qu'avec le temps on se lasse de soi-même et on veut entrer en un autre. Mais pas pour cette idée magnifique mais trop fatale de la pomme de Platon, tu sais, non ?

— Oui, oui.

— On veut entrer en un « autre » inconnu pour le connaître, le faire sien, comme un livre, un paysage. Et puis, quand on l'a absorbé, qu'on s'est nourri de lui jusqu'à ce qu'il soit devenu une part de nous-même, on recommence à s'ennuyer. Tu lirais toujours le même livre, toi ?

— Pour l'amour de Dieu !

— Voilà, si tu fais ça, tu t'ennuies ! Et sans le savoir tu commences à avoir faim d'autre chose, d'autres mondes, d'autres univers. C'est sûr, un marin qui a débarqué la tête pleine de paysages peut rester un an, deux ans, à arpenter tous les chemins possibles, mais ensuite un désir de bateau le reprend et on le retrouve au port à regarder la mer avec nostalgie. Qu'en dis-tu, c'est une ineptie ?

— Je ne suis jamais tombé amoureux, mais toi, maman, combien de fois ?

— Toutes les fois où ça a été nécessaire.

— Et puis, moi... je sais que ça te met en colère, mais moi j'aime tellement l'idée de l'amour éternel entre un homme et une femme.

— Et pourquoi devrais-je me mettre en colère ?

— Bambù s'est mise en colère quand je le lui ai dit. C'est dommage, pourtant, qu'il n'en soit pas ainsi !

— Et oui, pour vous, les vieux, élevés dans l'idée de ces absolus.

— Nous vieux, maman ? Tu me fais rire... J'ai quinze ans.

— Mais tu es vieux, Jacopo, tu es plus vieux que moi. Et tu sais pourquoi ?

— Non.

— Parce que tu es plus intelligent, à tel point que l'envie me vient de te demander de m'adopter ; oui, de me prendre pour fille.

— Magnifique, maman, moi, t'adopter ?

— Tu adopterais une petite fille comme moi ? En prenant bien en compte que tu la trouverais comme dans tes rêves enveloppée d'un châle sur le seuil de ta porte.

— Oh oui, tout de suite !

L'orgueil chasse le serpent de la douleur. Le dos libéré de ses crispations, Jacopo vient vers moi dans le soleil de la fenêtre, et avec des mains sévères et douces de père il m'oblige à lever le visage vers le sien.

— Et pourquoi inclines-tu la tête, maman, tu es triste ? Tu as raison, ce ne sont rien que des préjugés. J'ai décidé !

— Quoi, Jacopo ?

— J'hésitais entre philosophie et médecine, tu le sais. Je serai médecin. Tu as raison, il y a encore trop de maux tangibles pour me perdre dans les abstractions. Je me suis souvenu, tu sais, pendant que tu parlais, ou je l'ai rêvé ? Je me suis souvenu de Bambù qui se tordait dans le lit en s'arrachant la gorge à tousser... C'était quand ?

— En 32, je crois, tu sais que je n'ai pas la mémoire des dates. Il y a eu une épidémie de diphtérie. Je me souviens que lorsque Bambù est retournée à l'école elle ne faisait que pleurer parce que, des trente-sept enfants de sa classe, il n'en était resté que cinq ou six. Tu te rappelles, en bas à la Civita, toutes les maisons avec les rubans de soie noire du deuil ?

— Oui.
— Rien que des enfants.
— Oh, maman, que tu es petite sans talons.
— C'est toi qui es devenu une perche ! Du reste, oncle Jacopo faisait un mètre quatre-vingt-dix ; absurde, pour cette île de nains ! Peut-être était-il toujours triste aussi à cause de ça.
— On dirait une petite fille... Lui aussi était athée, n'est-ce pas ?
— Hérétique, on disait hérétique, alors, par défi.
— Et Carlo, le père de Bambù, il était hérétique lui aussi, n'est-ce pas ?
— Oui, tu le sais, pourquoi me le demandes-tu ?
— Je fais le compte... Alors avec moi ça fait trois générations. C'est le début d'une nouvelle noblesse, si ce mot ne remplissait pas de dégoût. Tchekhov dit : « Interdire à l'homme l'orientation matérialiste signifie lui interdire la recherche de la vérité. En dehors de la matière il n'y a aucune expérience probante, il n'y a pas de science et donc pas davantage de vérité. »
— Oui, mais qu'est-ce que ça a à voir ?
— Il était médecin lui aussi, une nouvelle noblesse ! Je plaisante, maman. Mais comme tu es petite !
— C'est pour ça que je t'ai demandé de m'adopter.
— Et moi je t'embrasse sur le front comme un vrai papa. Oh, maman, je vois que tu ne te coupes plus les cheveux. Prando a raison, tu es bien avec les cheveux longs, comme lorsque nous étions petits. Je ne m'en souvenais pas.
— Et dire que tu ne faisais que me les tirer quand tu étais petit.
— Eh oui, maintenant aussi l'envie me vient de les tirer : ils sont si doux ! Oh, maman, ne les coupe plus, viens, regarde-toi dans le miroir, regarde comme tu es bien.

Dans son regard je me vis renaître en même temps que lui.

77

Bien des mois passèrent avant que Jacopo ne parvînt au terme de cette grossesse, et maintenant il renaissait – chair nouvelle – enfant de son intelligence. Et pendant ce temps-là je me suis oubliée moi-même, j'ai oublié Prando qui part et revient avec des cadeaux pour Stella, pour Bambù et Mela, et aussitôt repart enfermé dans son silence. Je ne m'étais pas trompée, dans cette façon de hâter chaque fois le départ en tournant les talons, irrité par les larmes de Stella, il n'y avait pas de regrets ni d'offense, mais seulement son désir de liberté. Et Joyce ?

Toujours plus belle dans sa mort apparente, elle tourne dans la maison, épie les visages, jalouse, fait des caprices. Mais nous, les gens de l'île, nous savons comment cohabiter avec les morts, les apaiser s'il le faut, mais ne jamais les croire quand ils disent :

— Nous vivions un si grand bonheur, Modesta, que s'est-il passé ?

Il s'est passé que tu ne te contentais de rien, poursuivant ton rêve de perfection, et maintenant tu gis enterrée à six pieds sous terre dans mon jardin et tu voudrais retourner à hier. Mais pour celui qui vit, hier ne sert que d'engrais pour cet aujourd'hui neuf, tangible, plein de soleil. J'ai en moi tout ce soleil et autour de mon cou, dans mes cheveux, les caresses de Jacopo.

— Et pourquoi es-tu tout le temps avec Jacopo, à présent ?

Maintenant une jalousie furieuse la prend, une jalousie de maître lui rougit les joues, et comme l'autre fois je détourne les yeux de ce désordre violacé qui l'enlaidit. Mais il faut l'excuser, elle a raison, au fond, jusqu'à hier j'étais une petite épouse fidèle, et elle, sûre de son pouvoir, s'enorgueillissait de n'être pas jalouse comme tous les mortels. Eh, Joyce, à quoi t'a servi toute cette intelligence, toute cette science, si tu n'es même pas arrivée à gratter ne serait-ce qu'un millimètre du vice de la culpabilité ? Avec quelle hauteur tu déclarais : « Ma mère ? Une masochiste qui était allée se chercher son bourreau en ce hobereau de Todi. » Je te vois avec Renan, puis avec mademoiselle Joland, en procession sur les routes de la vie à vous flageller l'une l'autre. Et j'y étais presque tombée moi-même, dans ce chemin de croix laïc de purification. Ta colère, je le vois maintenant, n'est pas de la jalousie, ce n'est que de la rage et de l'envie envers quelqu'un qui te regarde avec joie et n'accepte pas de souffrir avec toi. Je me détourne et je sors de la pièce. Il fait sombre dans cette pièce et dehors il y a le soleil...

— Et où vas-tu maintenant ? Qu'est-ce que vous faites avec Jacopo ? Tu couches avec lui ? Ce garçon a pris un air de maître, tu es capable de tout ! Tu ne m'as jamais aimée, je t'ai seulement servi de distraction dans une période d'ennui. Tu es attirée par les hommes...

Comment puis-je lui faire comprendre que je l'ai aimée tant que j'ai vu en elle une femme, tant que mes mains ont rencontré cette peau délicate, ces seins pleins, ce ventre doux. Mais maintenant que je la vois renfermée dans cette sourde dureté d'homme impuissant, tout désir m'est passé, et je cours chez Mattia qui après bien des mois est enfin revenu d'Amérique avec l'argent.

— Comment cela se fait-il, Mattia ?

— Quoi ?... Que le sommeil t'ait prise à l'improviste pendant que tu parlais ? Et qu'est-ce que j'en sais ! Qui y comprend quelque chose à ce qui passe par cette petite tête-là ! Je t'avais seulement téléphoné pour l'affaire et tu es accourue ici, tu ne m'as demandé ni quoi ni comment, avec tout ce que j'ai dû faire pour te rendre ce service, et puis tu t'es endormie.

— Qui m'a mise dans ce lit ?

— Moi. Oh, tu as dormi une nuit et un jour ! J'ai téléphoné à Stella, j'avais pris peur, mais elle m'a dit que ce n'était rien... C'est sûr que tu m'as effrayé, tu t'agitais dans ton sommeil. À un moment tu as dit qu'on voulait nous séparer. Qui y comprend quelque chose, avec vous, les femmes ! Tu ne serais pas somnambule, des fois ? Tu te souviens au moins du coup de téléphone ?

— J'ai eu envie de te voir, aussi, tu as été loin si longtemps, Mattia.

— Eh, ce ne sont pas des choses qui se résolvent en trois jours, Mody.

— Et comment se fait-il que tu m'appelles Mody ?

— Quand mon père disait Mody, une jalousie et une haine pour toi me prenaient qui maintenant me semblent étranges. Comme les choses changent quand la *Certa* passe clarifier le passé !

— Et pourquoi m'as-tu mise dans cette pièce ? Pourquoi ce silence ici au Carmel ?

— Ils sont tous morts, et j'ai tout fermé. À quoi me servaient toutes ces chambres et tous ces salons ? Je garde juste cette partie ouverte : trois pièces et une kitchenette équipée à l'électricité, comme ils en font en Amérique.

— Et qui s'occupe de toi ?

— Une femme vient, nettoie et prend garde de ne

pas se faire voir. Je ne supporte plus les repas ni les tables dressées. Cette pièce ne te plaît pas ?

— J'y ai grandi, dans cette pièce, Mattia, mais elle était différente. Je l'ai reconnue à sa grande fenêtre.

— Bah, j'ai fait enlever toutes ces saletés de miroirs, petits vases, velours ! Mais pourquoi pleures-tu ?

Il sourit en tirant sa pipe de la poche de sa veste de velours bleu et je sais qu'il ne parlera plus jusqu'à ce que la petite braise ait commencé à bien brûler. Doucement, le parfum du tabac s'élève, diminuant la taille de la pièce et la transformant en cette lointaine pièce nue de bois, embaumant de résine et des boucles blanches de Carmine. Encore un an ou deux et ses cheveux poivre et sel auront eux aussi cette vive blancheur de neige.

— Qu'y a-t-il, Mody, que tu me regardes ainsi ?

— Tu me fais tirer une bouffée ?

— C'est vrai qu'elle fume même la pipe, cette misérable ! Je l'avais oublié ! Prends-la, celle-là, je m'en prépare une autre, mais traite-la bien, que tu as en main ma préférée. Mais regardez un peu comme elle fume, comment as-tu appris ?

— Maintenant que, comme tu l'as dit toi-même, la *Certa* est passée entre nous pour clarifier les choses, je peux te le dire : ton père m'a appris.

— En te posant la question je savais la réponse, Mody. Mais tu t'es trompée en disant ton père, tu aurais dû dire Carmine-le-patron.

— Tu n'as toujours pas fait la paix avec lui ?

— Non ! Avec les patrons même la *Certa* n'a pas le pouvoir de vous faire faire la paix. Et aujourd'hui plus qu'avant je le déteste parce que – j'y ai pensé, que crois-tu ? seul, dans cette maison de morts, j'y ai pensé – pour suivre ses leçons d'avidité j'ai perdu femme et enfants. Et depuis un bon bout de temps je l'ai enterré hors de moi dans un terrain éloigné de ce cœur. J'ai tué sa voix et je ne veux plus rien posséder de ce qu'il a laissé. C'est pour cela aussi que je suis revenu te voir. Toi, sphinx que tu es, tu avais déchiffré l'erreur en moi et m'avais averti. Tu m'as refusé autrefois parce que tu ne voulais pas de maîtres et je suis revenu auprès de toi pour savoir. Oh, je ne veux pas de réponses en paroles, ce ne sont pas des choses qu'on apprend par les mots. Je t'ai regardée, j'ai regardé tes enfants et je te regarde maintenant...

— Et que vois-tu ?

— Une grande liberté d'esprit et de mouvement ! Comment as-tu fait pour conquérir tant de liberté ? Là-bas à la villa Suravita ils ne se sont même pas étonnés du fait que tu sois sortie.

— Je les ai habitués.

— Et comment ?

— En leur donnant la même liberté. Quand ils étaient petits, un peu pour ne plus les entendre, un peu pour les accoutumer à mon absence, je m'en allais à l'hôtel à Catane. Il faut mettre de la distance avec ceux qu'on aime, la distance clarifie presque plus que la mort.

— Ah, c'est pour ça que tu as éloigné Prando ?

— La mauvaise herbe de l'autoritarisme commençait à pousser en lui, et si cette herbe-là naît toujours dans le sol des Tudia, allez chercher des esclaves ailleurs, la terre est grande.

— Mais nous les Tudia nous n'aimons pas ceux que tu appelles esclaves. Ce qui nous transporte, c'est la frénésie d'assujettir qui est libre.

— Je sais. Cette tendance existe en moi aussi, mais je ne l'entretiens pas. Cela n'amène à rien, Mattia ! Quand tu as bien assujetti, tu restes esclave à garder ceux que tu as rendus incapables de se nourrir tout seuls et ils se collent à toi comme des rémoras.

— Et tu parles comme ça avec tes enfants ? Tu ne crains pas pour eux, pour leur avenir ?

— Quand on a mis de l'engrais dans le sol la plante pousse, Mattia. Tu m'as apporté de l'argent pour cet engrais.

— Je croyais que tu voulais le mettre de côté.

— Voilà que tu parles comme ton père. L'argent sert à être libre sur-le-champ, pas pour un avenir incertain.

— Une nuit à Las Vegas j'étais sur le point de perdre tout ce que Carmine avait mis de côté. Une fureur de dissiper m'avait pris et j'ai perdu, perdu, mais ensuite quelque chose m'a arrêté... comme une oppression, une rage envers toutes ces murailles de béton armé et de verre étincelant qui arrivaient jusqu'au ciel. Elles m'étaient apparues pendant des années comme de magnifiques cathédrales de puissance, et puis... Je ne sais pas, Mody... Cette nuit-là j'étais ivre mort et à la fenêtre où j'étais allé respirer – on transpirait à l'intérieur –, une brusque nostalgie m'est venue de nos vallons d'amandiers et d'orangers descendant vers la mer et durant un instant il m'a semblé tournoyer dans un parfum de fleur d'oranger. On m'a dit que je suis tombé par terre évanoui, et c'est vrai, quand je me suis réveillé, j'ai compris que ce peu de terre qui restait, je devais y mettre de l'engrais, et je suis revenu. Même si seule m'attendait cette maison de morts, les plantes étaient encore vivantes, et j'ai su que je devais donner un aliment à ce parfum.

— Tu as tant perdu ?

— Presque tout. Mais, comme tu dis, je me sens libéré et j'ai retrouvé le sommeil. Comment cela peut-il se faire ? C'est justement ça que je voulais te demander.

— Tu demandes ce que tu sais. Toutes ces richesses étaient de trop.

— Ces années-là, où j'étais bourré d'argent, toujours à m'affairer avec mes sous, sont passées sans que je garde le souvenir d'un seul jour. Maintenant, comme un mort ressuscité, je redécouvre tout, et cette soirée chez toi à la mi-août m'est apparue comme un baptême. Même si je n'étais qu'un spectateur posté pour épier, j'ai bu le son des mandolines, ton vin, votre gaieté, en entendant enfin les sons, en goûtant les saveurs. Comment cela peut-il se faire, sphinx ?

— Tu demandes qu'on formule en mots ce que tu sais, Mattia.

— Pour confirmation. Il faut toucher la pierre de vérité de l'Etna et l'eau du Symèthe des mots pour savoir ce qui est eau, ce qui est pierre, ce qui est paroles. J'ai retrouvé le sommeil. Et même le bruissement d'une douleur qui rampait doucement comme un serpent, de mon bras jusqu'à mordre là dans mon cœur, s'est endormi avec le sommeil. Qu'est-ce que ça peut être, Mody, pour que tu ne répondes pas ?

— Ça t'est passé avec le sommeil ?

— Oui.

— Et alors endors-toi, fils, car le serpent de la douleur rampe au loin dans le sommeil.

— Tu as dit fils ?

— Oui, et pitchounet.

— Hier soir, tu m'as embrassé. Était-ce par reconnaissance à cause de l'argent ?

— Non, c'était pour toucher la vérité de la pierre et de l'eau, comme tu as dit tout à l'heure.

— Qu'y a-t-il, Mody, pour que tu pâlisses ainsi ? Pour que tu trembles ? Viens, rassieds-toi.

— Oh, Mattia, il m'a semblé voir une figure blanche descendre au milieu des arbres.

— Où ?

— Là au fond, dans les branches du saule de grand-mère Gaia. Elle aimait cet arbre triste, et dans la grosse chaleur elle lisait des heures et des heures à son ombre... Elle ne dormait pas en début d'après-midi.

— Je ne vois rien, Modesta, peut-être l'as-tu rappelée dans ton esprit et elle t'est apparue. Dans le combat entre le soleil et l'ombre les morts trouvent leur chemin : c'est midi, c'est l'heure où le soleil devient noir.

— Quand j'étais toute jeune, j'avais toujours peur dans cette pièce, elle me semblait immense, et en fait elle est petite. Et le parc aussi me semblait sans limites... C'était peut-être un rayon de soleil sur l'une de ces statues blanches. J'avais oublié ces statues. Sortons, je veux les revoir.

— Allons ; j'enlève ma veste, si tu permets. Je l'avais mise parce que lorsqu'on vient du dehors il fait froid entre ces murs.

— Comme autrefois, Mattia. Moi aussi, en entrant sous le porche, je devais aller chercher un châle.

En dehors des murs, le soleil aveugle. Toujours, quand je sors, le soleil aveugle, et les statues blanches s'agitent en une furieuse danse muette : « Un, deux, trois... un, deux, trois, vite au galop vers le soleil. »

— Où cours-tu ? Tu vas transpirer et t'enrhumer, Mody ! Que cherches-tu ? Il n'y a personne. Oh, fille obstinée, où es-tu ?

Lointaine, la voix de Mattia a des notes de plus en plus aiguës. Ou est-ce Beatrice effrayée par l'heure des apparitions qui m'appelle ? Ce n'est pas grand-mère Gaia qui fait bouger les branches de son saule. Joyce, immobile, me fixe : ses yeux dilatés ne parlent pas.

— Que fais-tu là, Joyce ?

— C'est moi qui devrais poser cette question.

— Je me suis endormie.

— T'endormir t'est très utile.
— Comment es-tu venue ?
— Comme tu l'as fait toi-même, en voiture.
— Quand j'étais une petite fille, enfermée dans ce couvent, je pensais que pour arriver à Catane il fallait des jours et des jours, et puis la première fois j'ai vu Catane au bout d'une heure à peine, la mer était au coin de la rue, et je n'en croyais pas mes yeux.
— Tes histoires ne m'intéressent pas, Modesta. Adieu !
— Attends, viens en haut, je vais te montrer où j'ai grandi.
— Ne me touche pas ! Va le rejoindre, tu n'entends pas qu'il t'appelle ?
— Tu soupçonnes à tort, Joyce, attends ! Avec Mattia nous avons seulement parlé et...
Joyce tourne sur elle-même, blanche, les bras immobiles le long du corps, elle tourne sur un pivot de marbre pour disparaître dans les branches aqueuses du saule.
— Elle a disparu.
— Qui, Mody ? Oh, tu me fais peur, moi aussi j'ai vu quelque chose.
— C'est Joyce.
— Pourquoi s'enfuit-elle ?
— Elle est jalouse, ou plutôt, maintenant, elle fait la jalouse. Avant je pouvais m'en aller trois jours et elle ne s'en apercevait même pas.
— Qu'y a-t-il entre elle et toi, Modesta ?
— Tu demandes ce que tu sais : de l'amour, Mattia. En moi, un grand amour qui m'a fait croire qu'elle m'aimait aussi. Cela arrive, mais ensuite j'ai compris et maintenant elle est morte en moi... Tu avais raison, j'ai eu tort de courir, je suis en nage et j'ai la tête qui tourne.

— Si l'on court sur le fil de midi le sang peut s'affoler ! Ne bouge pas. Étends-toi, voilà, comme ça, à l'ombre, et ne parle pas.

Dans le silence, l'ombre verte des branches lutte avec la noirceur du soleil.

— Elle était là, avant, regarde l'herbe piétinée.

— Ne parle pas, calme-toi, tu es d'une couleur qui ne me plaît pas.

— Elle était là.

— Qui, Mody ?

— L'apparition... Elle était là immobile et épiait.

— L'apparition s'est évanouie, et si tu te reposes elle ne reviendra plus.

Dans le silence, l'ombre verte du grand saule s'incline sur mon front.

— Tu as les mains fraîches, Mattia, comment cela se fait-il ?

— Je n'ai pas couru et je n'ai pas vu d'apparitions. Tais-toi, Modesta. Si elle est morte en toi, oublie, ou elle viendra éternellement te tourmenter.

— Cette femme est mauvaise, comme Inès. Elles ne connaissent pas l'art d'oublier et elles se vengent sur tout le monde, sur elles-mêmes, sur les hommes et les enfants. Tu sais pourquoi elle est venue ici ? Comme sainte Rosalie, elle veut porter un manteau d'or parsemé de diamants et aussi être un homme, l'épée à la main.

— La fureur de ton sang s'est calmée.

— Et ta main est devenue chaude.

— Maintenant tu restes tranquille, que Mattia te prend dans ses bras et te porte à la maison. Nous affrontons la chaleur ensemble, et puis à la maison nous mettons une bonne compresse froide sur cette tête en ébullition.

— Tu es mieux avec cette serviette humide, hein ? Tu as retrouvé le sourire.

— Oui, et je ne veux plus sortir dans la canicule, Mattia.

— Eh, bien sûr, il ne faut pas sortir à cette heure. Il n'y a que les chiens errants qui sortent... Ils marchent le long de l'ombre étroite des murs ou ils restent immobiles comme les chèvres. Tu les as vues, les chèvres, à cette heure-ci, dans la pierraille ? Si on ne les regarde pas bien on ne les remarque quasiment pas, elles sont comme sculptées. Elles ne bougent même pas les yeux en attendant que passe l'heure de la grosse chaleur et qu'on recommence à pouvoir respirer.

En attendant que passe l'heure de la grosse chaleur et des apparitions il me serre contre sa poitrine. Quand vient le soir, la lave exsude la chaleur qu'elle a bue tout le jour, et si l'on s'y étend, elle vous réchauffe tandis que le vent devient glacial.

— Qu'y a-t-il maintenant, Mody, pour que tu trembles ? Tu as de nouveau froid ?

— Un peu.

— Je vais te chercher une autre couverture.

— Mais tu trembles toi aussi.

— Oui, mais ce n'est pas de froid. Je t'ai désirée, Modesta, ton baiser m'a fait venir le désir de toi.

— Et pourquoi l'as-tu caché ?

— On ne profite pas d'un baiser de reconnaissance, ou du sommeil ou de la douleur. Aussi, pendant que tu dormais, je suis allé calmer ma brûlure auprès d'une *velluta*.

— Tu les appelles encore ainsi ?

— Et comment devrais-je les appeler ? De ces noms méprisants que leur donnent les étrangers ?

— *Velluta*... Cela faisait si longtemps que je ne l'avais pas entendu ! Notre langage se perd, Mattia, et il laissera beaucoup de regrets dans cette île. Tuzzu disait : « Les couleurs viennent du cœur, les pensées du souvenir, les mots de la passion. »

— Qui était Tuzzu ?

— Un gars qu'il savait tous les mots et me les apprenait. Tu aimes les mots, Mattia ?

— Non, j'aime le silence.

— Et tu l'absorbes...

— Il pleuvra cette nuit, la chaleur était trop forte... Le froid t'est passé ?

— Oui, et à toi, le désir t'est passé ?

— Il a seulement relâché sa pression dans les mots, Modesta.

— Et pourquoi restes-tu loin de moi ?

— Je sais que je pourrais t'avoir maintenant, tu me l'as dit. Mais je ne veux pas tout embrouiller. Je suis encore plein des caresses de la *velluta*. Dors, et demain on verra si tu as attrapé un rhume ou si c'était seulement l'émotion des retours.

— Et où vas-tu ?

— Dans mon lit.

— J'ai peur, un silence de plus en plus profond tombe sur cette maison. Pendant que tu me faisais voler dans la chaleur j'ai vu tous les balcons, les fenêtres de cette maison déserts.

— Il n'y a personne. Des enfilades de pièces fermées sur mon vide et le vide de qui est seul. Si tu as peur, je m'étends sur le divan. Ne sois pas effrayée, je ne te laisse pas seule, dors maintenant.

Comme si le sommeil attendait son commandement pour venir donner l'oubli, je m'endors bercée par sa respiration sûre et je n'ai pas peur quand dans l'aube grise il s'incline sur moi et me dit doucement :

— Je te l'avais dit, Modesta, il a plu toute la nuit. Il fera frais pendant quatre ou cinq heures. Tu me veux ? Ou nous profitons de la fraîcheur et je t'emmène chez toi ?

— Non, je veux rester ici.

Sur le roc chaud de sa poitrine, je pose d'abord les paumes, puis les joues, et il m'étreint. Comment pouvais-je le savoir s'il ne me le disait pas que dans l'herbe de l'amitié tranquille peut aussi pousser un plaisir plus fort que la passion ? Un sûr plaisir charnel, sans déchirements, sans incertitude. Lui non plus n'y croit pas, il me regarde, surpris. Je sens ses mains explorer mon corps pour savoir, des mains d'aveugle qui voient pour la première fois. J'ai bien fait de courir loin des pleurs boueux de la plaine marécageuse, j'ai bien fait de courir près de lui. Après m'avoir regardée il se laisse retomber sur moi, lourd et léger, sûr pivot de l'équilibre de mon corps.

78

— Je croyais que tu étais partie, Joyce.

— Non, je voulais d'abord voir si tu avais le courage de m'adresser la parole. Alors ? Tu continues à prétendre que pendant tout ce temps vous n'avez fait que parler ?

— Au début, oui, mais après ton apparition nous avons commencé à faire l'amour.

— Infecte que tu es ! Je le savais que tu n'attendais que l'occasion pour revenir à la normalité.

— Je suis femme, Joyce, et pour moi la normalité est d'aimer l'homme et la femme. Si je veux avoir un enfant il faut que j'aime celui qui peut me féconder. Peut-être est-ce différent pour l'homme, peut-être peut-il, lui, penser à autre chose après avoir jeté sa semence.

— Que veux-tu dire ?

— Que j'attends un fils ou une fille, qui sait !

— Le salaud ! Dès qu'ils le peuvent ils en profitent pour vous rendre esclave.

— Tu te trompes. Il sait comment faire l'amour sans rendre personne esclave : il sait se servir du petit fourreau, comme l'appelait Carmine.

— Quelle horreur !

— Et nos baisers et nos caresses, ce n'était pas exactement la même horreur, Joyce ? C'est moi qui le lui ai demandé. Avant que ne passe ma période de fertilité je veux avoir tous les enfants que me réclament mon corps et mon caprice.

Il ne faut pas prêter attention à ce dialogue. Je mentais pour la dévoiler complètement et lui donner la force de partir. Mais à présent que, indignée et forte – certains êtres cultivés et raffinés ne trouvent la force d'agir que dans l'indignation morale –, elle est partie, je peux vous dire la vérité : ce n'est pas moi qui attends un enfant ; c'est Stella, que je vois tourner dans la maison, gonflée et rêveuse, qui attend un enfant sans le savoir. Stella depuis cinq mois se croit malade mais est sereine. Comment avais-je fait pour ne pas comprendre cette langueur humide de ses cernes, ces gestes distants, cette façon de retomber de plus en plus fréquemment dans une concentration tranquille, le visage incliné, à s'écouter soi-même ?

Pendant un mois nous avons erré dans des couloirs blancs, des portes vitrées délicatement refermées sur le mot de tumeur... De longs voyages au fond de fauteuils de velours sombre dans le fracas des rails, ce mot répété par le vent sifflant dans les rails, jusqu'au sourire amusé de ce jeune médecin là-haut dans le Nord lointain, dans cette ville immense qui faisait peur à Stella...

— Rien de grave. C'est juste qu'elle attend un bébé. Ce n'est pas le premier cas que je vois. Ici aussi – dans les campagnes, s'entend – elles croient être ménopausées et... mais je ne veux pas vous ennuyer avec des détails inutiles. Elle est en excellente santé, mais désormais la grossesse est très avancée et je crains qu'elle ne doive la mener à son terme.

— Vous craignez, docteur ? Mais si vous me dites qu'il n'y a pas de danger pour Stella, cela me semble magnifique, à moi.

— Aucun danger. J'ai pu constater qu'elle a des tissus de jeune fille malgré ses quarante-quatre ans. La seule chose que je redoute pour elle, c'est qu'elle s'effraie. Mais je pense qu'avec vous cette dame est en de bonnes mains.

— Quelle honte ! Comment ça peut se faire ? Le docteur Antonio et la sage-femme aussi m'avaient dit que j'étais ménopausée. Quelle honte !

— Ça suffit avec ce refrain ! Je suis heureuse que tu ne sois pas malade. Comment ferais-je sans toi pour la maison ?

— Et tu ne me demandes pas de qui il est ?

— Tu n'as aucune obligation de le dire si tu ne le veux pas, Stella.

— Mais je... même si j'ai honte, je dois te le dire. Si j'ai commis une faute, je dois en prendre sur moi la responsabilité. Mais il faut pas que tu le dises aux enfants. Tu le sauras, et si après tu ne veux plus me voir je m'en irai chez moi. Parce que Stella a commis une grande faute en se retrouvant enceinte de Prando. Et lui non plus ne doit pas le savoir, mais toi si, et si tu veux, comme il serait juste, te mettre en colère contre moi, tu as le droit de le faire, et même de lever la main sur moi ! Stella ne soufflera mot ni sous l'insulte ni sous les coups. Ce fut une faute, c'est vrai.

Tout en parlant, elle s'était levée lentement et maintenant, sans honte, mais triste, elle me regarde dans les yeux. Son regard m'oblige à abandonner ma stupeur et mon émotion premières et à me tenir droite devant elle... Un sot étonnement t'a saisie, Modesta. Sur son visage je lis qu'il ne pouvait en être autrement : j'avais oublié, dans l'habitude de la vie commune, sa beauté. Éblouie par ce visage parfait, je reste en extase à les imaginer, elle et Prando... Je devrais être jalouse, me dis-je, là-bas à la Rotonde de la Plaia j'avais été jalouse de Prando, mais même en le voulant je n'arrive pas à me souvenir de cette jalousie. Pour bien y voir dans mes émotions et dans les siennes je m'approche et de mes paumes j'éprouve la perfection de ses joues, de son cou...

— Tu me caresses, Mody ? Alors tu n'es pas fâchée.

De ma main, je lui ferme la bouche. Les mots détonnent sur ces lèvres parfaites et pleines de chaleur. Elle attend de moi une sentence, mais je ne peux parler parce qu'à la place de la jalousie une envie me prend à l'égard de ce garçon qui a su conquérir tant de beauté.

— Stella, tu as allaité mon Jacopo, élevé Bambolina et Prando, et le dévouement dont tu as fait preuve n'a pas de prix, tu le sais. Et tu sais que s'il y a eu une faute, comme tu dis, ce fut une faute née de l'affection, et ni moi ni personne ne peut te condamner.

— Est-ce que je pouvais refuser une consolation à ce garçon ? Peut-être aurais-je dû, mais je ne suis pas forte et j'aurais tout fait pour ne pas le voir pleurer après cette soirée-là.

— Quelle soirée, Stella ?

— Le soir que vous vous êtes accrochés, et qu'il se sentait chassé de cette maison.

La logique exacte de la vie m'apparut avec tant de clarté que je m'entendis dire :

— Les voies du désir sont infinies.

— Les voies du Seigneur, tu as dit, Modesta ? Tu veux dire que cet enfant est béni ?

— Je ne dois pas aller à l'encontre de son sentiment, elle a un Seigneur bienveillant fait de chair et d'os, cette femme aux yeux étoilés.

— Oui, Stella, pour moi cet enfant est béni.

— ... Il est arrivé, l'ambassadeur à cheval sur son chameau... Il est arrivé...

— Oh, mon Dieu ! Voilà Crispina ! Les enfants... Quelle honte ! Comment faire avec les petiots, Mody ? Quelle honte !

— Calme-toi, Stella, les enfants, je m'en occupe. Toi, prépare les valises. Des valises lourdes, calcule que nous serons à l'extérieur pendant six mois.

— Six mois, Mody ? Et pourquoi ?

— Parce que je n'ai pas confiance dans les médecins d'ici. Tu te souviens comme il était sympathique, ce jeune médecin de Milan ?

— Oh, oui, oui ! Je n'avais pas honte avec lui.

— Voilà, nous ferons comme il a dit : ton enfant naîtra en Suisse.

— Mais moi, toute seule là-bas, je serai perdue !

— Je resterai tout le temps avec toi. Jacopo et Bambolina prendront les rênes de la maison, ils sont grands désormais et il est temps qu'ils affrontent notaires et lettres recommandées. Moi aussi, j'ai besoin de repos.

— S'il en est ainsi, ça me va. Sauf que le continent est coûteux !

— Mattia a arrangé les affaires pour moi en Amérique. Il est revenu avec une fortune. De cela aussi, Bambolina aura à s'occuper... Entre, entre, Crispina, entre, Jacopo ! Vous avez fini de travailler ?

— On a tout fait, maman, enseigner à Crispina est un vrai plaisir. J'ai presque envie de me consacrer à l'enseignement... Comme tu es belle ce matin, Stella ! À voir comme ils t'ont remise d'aplomb là-haut sur le continent, je suis heureux d'avoir choisi de devenir médecin.

Les yeux de Stella me fixent épouvantés tandis que Crispina lui grimpe dessus en chantant :

— Il est arrivé, l'ambassadeur, une plume sur le chapeau ! Il est arrivé, l'ambassadeur, à cheval sur un chameau...

Stella craint les enfants, et elle a raison. Moi aussi, avec stupéfaction, je me rends compte que j'ai peur de leur jugement. Mais j'ai Gaia à l'intérieur de moi qui me chuchote : « N'entame pas de discussions pas avec eux ! Fais ce qu'en conscience tu crois devoir faire. » Jamais je n'aurais pu imaginer que la vieillesse porte avec elle de la crainte envers les jeunes. Cette crainte que je sentais en moi était peut-être un signe de vieillesse ? Quand commençait-elle ? Trop de problèmes se pressent dans ma tête au milieu des cris et des rires de Jacopo qui, de professeur qu'il était, redevient maintenant enfant, et court derrière Crispina à travers la pièce... Ils jouent aux Indiens.

Et j'y pensai en me promenant avec Stella dans l'allée somptueuse et glaciale, sans parfum, de la clinique, ou en flânant avec elle dans les chemins propres de ce petit village inodore et scintillant, plein de petits magasins qu'on aurait crus sortis d'une crèche... et j'en serais venue à bout, sûrement j'en serais venue à bout si Stella n'était pas morte en mettant au monde un poupon de chair tendre, je le sens maintenant que je le tiens dans mes bras, mais trop gros pour son cœur fragile : « Et pourtant nous sommes intervenus tout de suite !... Trop gros, princesse, presque quatre kilos... Cœur fragile ! » répète le médecin.

Cœur de petite fille, vieux cœur poignardé par la honte, ajouté-je mentalement. Bien sûr, ses « enfants » avertis par des lettres de moi – quatre lettres douces mais catégoriques – avaient répondu tout de suite avec des mots gentils. Et 'Ntoni, heureux d'avoir été reçu à l'examen d'admission à l'Académie Royale d'Art Dramatique et d'avoir obtenu une bourse d'études : « Pense, Modesta, huit cents lires par mois ! Je suis indépendant ! », était allé jusqu'à plaisanter sur l'événement en disant que le seul problème était que cela renforçait sa jalousie envers Prando qui – maudit garçon ! – s'accaparait toujours l'affection de toutes les belles femmes... Mais elle, Stella, au fond d'elle-même, que ressentait-elle ce matin-là en écoutant les réponses de ses enfants ? Elle qui ne savait ni lire, ni écrire ?

Le doute terrible que seule la honte l'ait tuée me prit si fort que pendant des mois et des mois je ne parvins plus à penser à moi-même, ni au nouveau-né que Bambolina avait voulu appeler Carlo comme son père et qu'elle ne permettait à personne de toucher... Que disent-ils, assis autour de la vieille table ovale de leur enfance, étincelante de lumières, de cristaux et de fleurs ? Ah, oui ! après six mois de deuil pour la mort de Stella, Bambolina a décidé de fêter l'arrivée de Carlo parmi nous... 'Ntoni lui-même est venu rendre hommage à son petit frère, et comme toujours, en vrai *premier rôle*, il tient le crachoir : « Ça, c'est autre chose qu'une fête autarcique, ma *Bambuccia* ! On mange, ici ! À Rome on meurt de faim. Il faut que je vous dise la vérité : plus que pour Carluzzo je suis venu pour me bâfrer, comme ils disent à Rome... L'Académie est un vrai centre de résistance au fascisme... Il y a des gens incroyables, de Silvio D'Amico•, le directeur, à Vito Pandolfi•, aux Da Venezia... J'ai enfin fait la connaissance de ton José,

Modesta, et moi qui croyais que c'était un bobard. C'est un véritable héros, il est venu me voir et il t'envoie un salut chaleureux. Il est descendu de Paris incognito pour prendre contact avec les ouvriers de Turin. »

Mais pourquoi crient-ils tant ? Je ne reverrais plus José. Ou c'est 'Ntoni que je ne reverrais plus ? Stella me manque tellement et je suis fatiguée... Chère Stella, à notre époque, on parlait doucement à table, les bougies ne faisaient pas de bruit, c'était comme une suave lumière respectueuse de la nourriture servie... Les petites lampes grincent dans mon cerveau, la radio joue de l'autre côté du salon, oubliée, le téléphone sonne : d'autres invités peut-être... Un avion vrombit très bas, depuis quelques nuits cet avion fantôme tourne régulièrement autour de la maison et eux ne l'entendent pas. Ou suis-je en train de vieillir ? Comment commence la vieillesse ? Avec des griffures de sons affûtés dans la tête ? Les vieux, en effet, ferment de temps en temps les yeux, peut-être pour écarter les sons et les lumières désormais trop violents pour leurs sens fatigués. Comment s'annonce le mot de vieillesse ? Il rend un son doux, ce mot si redouté, un son rassurant. Se laisser aller et se cacher dans les plis de ce son sans émotions ?

Elle fuit vers la vieillesse sur les escaliers lentement montés : fuite lente dans le silence de ce mot, s'enfermer dans la chambre et ne pas écouter. La porte tourne sur le gond bien huilé, révélant un puits sombre sans fond. Il faut que je saute ! Pour sortir à la lumière il faudrait que je remonte encore sur la vieille margelle corrodée et que je me laisse tomber, mais la peur reprend comme autrefois. Il n'y a pas d'arbres dans cette chambre bien rangée où Mimmo puisse se cacher pour surveiller. Sauter ou se laisser aller et oublier ? Voilà le sens caché dans le mot de vieillesse : une désertion de la vie qui réconforte, une façon de laisser le champ libre, mitraillé par le feu de voix jeunes, de jeunes émotions. Les jeunes vous rappellent qu'il vous faut vieillir, ils désirent, peut-être, votre vieillesse et peut-être aussi votre mort, et vous vous retrouvez à vous dire : ils sont fatigants, mot stupide qui cache envie et peur. Et la peur vous pousse à vous faire vieille, à leur en imposer par le feu de la sagesse. Et à les repousser ainsi, par intimidation : feu contre feu comme à la guerre. Voilà un vieux conflit auquel aucun socialisme ne pourra jamais porter remède. Je n'ai pas eu le temps de me glisser dans le lit qu'Ida frappe à la porte :

— Ma tante, ma tante, tu dors ? Je peux entrer ?

La faire entrer ? Ou comme Gaia céder à la peur et la chasser au loin par des mots durs ? Non, tu as pris un chemin méprisable, Gaia ! Je ne te suivrai pas davantage.

— Je ne dors pas, Ida, entre.

— Tu as dit peur, ma tante ? Toi, peur ? Et de quoi ?

— De tout, Ida, et tu le sais.

— Moi aussi j'ai tout le temps peur, mais comme tu me l'as appris même la peur peut servir.

— Oui, je pensais précisément à cela avant que tu n'entres.

— Alors je te laisse.

— Non, pourquoi ? Je peux continuer après, j'ai tout mon temps.

— Comme tu es belle étendue ainsi ! La lumière de la table de nuit fait paraître ta peau si délicate et tes cheveux brillants, vivants... C'est maman qui a choisi ces couleurs pour la tapisserie, n'est-ce pas ?

— Oui, Beatrice avait un goût extraordinaire pour les couleurs, comme toi du reste. Mais je crains qu'il ne faille bientôt en changer. Quand je suis revenue de Suisse, j'ai eu l'impression que tout était abîmé, vieilli.

— C'est en partie vrai ! Et si tu penses qu'on peut se le permettre du point de vue financier, ne t'inquiète pas, je m'en occuperai. Tu verras qu'avec des tissus nouveaux, plus modernes, je saurai retrouver ces magnifiques couleurs de maman et qu'ainsi ce sera tout neuf et en même temps comme avant.

— C'est ça ton rêve, pas vrai ?

— Oh, oui !

— Mais peut-être ne voulais-tu pas parler de la tapisserie.

— J'ai peur, maintenant que je suis devant toi.

— Et pourquoi ?

— Bon, si tu m'embrasses j'aurai peut-être le courage de te le dire.

Ce devait être quelque chose de très sérieux qui faisait prendre à Bambù cet air austère et ce digne maintien. Mais non ! J'oubliais que lorsque Ida parle avec Modesta, elle devient plus adulte, plus calme et sûre d'elle-même.

— J'oubliais...

— Qu'est-ce que tu oubliais, ma tante ? Tu es étrange !

— Oh, rien ! Mais qu'y a-t-il, voyons ? Tu trembles toi aussi.

— Oh, serre-moi, serre-moi contre toi et ne te fâche pas contre Prando.

— Qu'y a-t-il donc avec Prando ?

— Je te le dis si tu me promets de ne pas te fâcher contre lui. Il ne le fait pas dans une mauvaise intention, il est comme ça, c'est plus fort que lui !

— Qu'a-t-il fait cette fois ?

— Eh bien, hier matin après une promenade il m'a giflée.

— Giflée ? Mais pourquoi ?

— Voilà : il n'aime pas Mattia. Qui sait pourquoi,

d'ailleurs ! Parfois j'ai comme l'impression qu'ils se ressemblent, je ne sais pas, quelque chose dans le regard, dans la démarche. C'est pour ça peut-être... j'y ai pensé, tu sais ? C'est pour ça que je suis tombée amoureuse de Mattia.

Elle y avait pensé, Bambolina, on le voyait à l'ombre qui dilatait son regard jusqu'à déborder sur ses cernes, faisant ressortir une ressemblance impressionnante avec son père.

Et maintenant qu'elle répète à voix basse, « Sérieusement, j'y ai pensé, ma tante... », sa ressemblance avec Carlo affligé envahit également sa voix, ses gestes, jusqu'au brusque cabrement du cou, avec lequel elle dénoue leur enlacement pour être à même de regarder Modesta sans plus aucune peur, les yeux dans les yeux. C'était Modesta qui n'y avait pas pensé. Je vieillis, je deviens sourde aux autres, pour qu'une chose aussi banale ne me soit pas passée par la tête.

— Ce n'est pas une simple toquade, comme le dit Prando, ma tante. Je suis amoureuse, et pour moi aussi ça a été comme la foudre s'abattant dans un ciel serein. J'ai mis des mois à comprendre pourquoi j'étais si heureuse près de lui. Comment pouvais-je le soupçonner, il m'était apparu comme un vieux quand je l'ai vu pour la première fois à notre festin. Un vieux, avec tous ces cheveux blancs... Qu'y a-t-il, ma tante, que tu fixes la fenêtre et ne répondes pas ?

— Rien, Ida, j'ai très mal à la tête.

— Mal à la tête ? Au point de ne rien me répondre ? Je te connais, tu tergiverses parce que tu es hostile ! Toi aussi, hostile à Mattia, comme Prando, comme Mela !

— Mela aussi ?

— Oui ! Oh, pourquoi ne peut-on pas être toujours heureux, ma tante, pourquoi ?

Lorsqu'elle dit cette phrase, Beatrice ré-évoquée par

ses paroles mêmes balaie d'un coup de vent la voix de Carlo et prend possession des gestes de Bambolina, l'obligeant à retomber sur le lit en battant des poings et pleurant avec désespoir.

— Tout le monde contre Mattia, tout le monde ! Je peux comprendre Prando, mais l'autre, là, elle n'a vraiment pas le droit.

— Quelle autre ?

— Mela ! Je n'ai rien dit quand elle s'est collée à cette froide statue d'Ippolita. Elle ne voit qu'elle, elle passe son temps à travailler avec elle. Mais que veut-elle ? Maintenant qu'elle a obtenu un contrat, elle partira, elle s'en ira de par le monde ! Pourquoi continue-t-elle à critiquer mon amour pour Mattia ? Pourquoi cette dureté ? Pourquoi piétiner tous les souvenirs de notre amitié, pourquoi ? Je ne veux détester personne, personne. Oh, ma tante, aide-moi, je ne veux pas détester Prando, te détester. Aide-moi !

« Aide-moi, Modesta, aide-moi ! » Encore une fois Beatrice est revenue et pleure dans mes bras : son désespoir chaud et léger comme quand elle court dans le sable ou tourne seule tout autour des murs de soie du salon pour me montrer le pas exact de la valse. Et cependant ces petites mains tremblantes irritent, ces cheveux légers asphyxient.

— Mais que fais-tu, tu me chasses, ma tante ? Que fais-tu ?

— Je ne te chasse pas ! Je suis fatiguée, je te l'ai dit. Va au lit !

— Comme ça, sans ton consentement ?

— Tu es grande, Ida. Et tu n'as besoin du consentement de personne.

— Méchante, tu le sais, que j'en ai besoin ! En faisant comme ça, tu m'abandonnes, tu me laisses entendre que je vous perdrai. Ou vous ou Mattia, n'est-ce pas ?

Ida avait raison, et cette raison rendait son pas solennel, son visage tendu dénué de peur dans sa détermination. Ou c'est la lune qui la rend si grande et si belle ? Il faut que j'use de détours devant cette beauté soudaine qui me fait souffrir.

— Tu as raison. C'est que je suis bouleversée parce que je devrai bientôt partir.

Qu'est-ce que je dis ? Où dois-je aller ?

— Partir ? Mais où ? Tu m'effraies, ma tante.

— Voilà, je suis effrayée moi aussi, Ida, prends patience au moins jusqu'à demain.

— Ma tante, serais-tu malade et ne l'aurais-tu pas dit ?

— Non, non, je vais très bien.

— Oh, tant mieux ! Avec tout ce qui s'est passé !

— Oui, voilà, va au lit. Attendons demain. Je t'en prie, Ida, demain nous parlerons de tout.

La lune doit s'être cachée parce qu'une obscurité est tombée là où se trouvait le corps svelte, modelé sans erreur dans sa tunique blanche, d'Ida. Ce noir absolu annonce le spectre diaphane de l'aube en train d'arriver. Je ne peux trouver le sommeil, d'autant que, maintenant que la maison dort, ce bruit que je croyais avoir rêvé la nuit précédente revient frôler ma fenêtre fermée. Bruit sourd de pattes géantes qui grattent la plage lointaine : un, deux, trois longs raclements et puis un brusque silence suivi d'un grondement profond (de vague ou de moteur ?). De la fenêtre, ce grondement passe maintenant à la porte, la heurtant avec force, ou est-ce que ce sont encore les coups de pattes qui reprennent, lointains, cachés dans quelque crique de la plage ? Non, je ne rêve pas, la porte s'ouvre toute grande et deux géants entrent, silencieux, suivis d'une toute jeune fille mince et grande, parfaitement modelée dans une somptueuse robe de chambre de soie blanche. Sa mère aussi s'habillait toujours de blanc.

79

Ils ne sont pas si grands maintenant qu'ils se tiennent de part et d'autre de moi. C'est l'uniforme qui allonge les jambes et ce sont les épaulettes qui rendent ces épaules démesurées. En m'appuyant à un bras pour entrer dans la grande voiture noire, je sens des muscles d'homme, oui, mais d'un homme comme Mattia, comme 'Ntoni, pas de géant. C'est le tissu modelé pour produire cet effet qui rend énormes ces muscles du thorax, de l'échine. Pour ne pas entendre Mela qui pleure dans les bras de Jacopo, pour ne pas voir le vide de terreur qui a pris la place du regard d'Ida, je me tourne vers la vitre opposée. Cela fait bien des années que je ne sors pas à l'aube et peut-être est-ce l'occasion de savoir qui depuis deux ou trois nuits creuse dans le sable... Voilà, une fois l'angle de la maison dépassé, de grands camions allemands sont arrêtés sur la route, chargés de sable, les moteurs allumés, et dans les dunes d'immenses décapeuses descendent attraper notre farine de soleil, ainsi que Tuzzu appelait le sable. Les Allemands volent notre sable... pour faire des fortifications ?

— Je pourrais avoir une cigarette ?

— Bien sûr, princesse.

J'ai besoin de fumer, mais seulement pour ne pas sentir l'odeur de lavande de ces joues parfaitement rasées. Qui sait pourquoi j'ai tant attendu pour savourer cette chaleur odorante qui éloigne les visages étrangers dans un brouillard tranquille et concentre les pensées. Le geste lent de porter à la bouche cette petite enveloppe blanche calme la tension et on peut s'amuser à suivre le feu minuscule qui tout doucement avance vers les lèvres. Joyce avait raison quand, avec précaution, presque avec vénération, elle tirait son trésor hors de l'étui. Mais ses cigarettes n'étaient pas blanches et blondes comme celles-ci, elles étaient d'un tabac noir, enveloppées dans du papier jaune.

— Encore une cigarette, princesse ? Mais bien sûr, bien sûr, je vous laisse tout le paquet.

La grande voiture noire s'est arrêtée devant l'entrée de la Préfecture. Le voyage est fini. Ce doit être dimanche puisque, en rang par deux, tant de jupes plissées noires se pressent sur les trottoirs. « Le Duce nous a libérées des corsets et des vêtements encombrants, il nous veut alertes, les talons bas, le pas allant pour servir la patrie. »

Et il faut attendre qu'elles défilent toutes avant d'entrer par le portail.

— C'est un scandale, princesse, un scandale !

Si Pasquale le traître ne m'appelle pas par mon nom, il y a une raison et je dois l'écouter. Par ce titre il me suggère d'être royale. J'avais oublié que j'étais princesse et ce fauteuil de la Préfecture est très confortable. Ma tête est lourde, mais je chasse le sommeil et je redresse les épaules. Je ne dois pas avoir souri jusqu'ici parce que lorsque j'entrouvre les lèvres avec suffisance les deux policiers en civil me regardent perplexes.

— C'est également ce que je pense, monsieur le préfet. Et je ne m'abaisserai pas à demander la raison du dérangement que vous me causez. J'ai été dérangée et offensée !

À ces mots que je prononce les deux s'inclinent l'un vers l'autre en murmurant. Puis le plus grand me susurre désolé :

— Ordres d'en haut, princesse, mais nous pouvons vous assurer que nous en sommes navrés.

— Mais bien sûr, bien sûr. Un malentendu ! J'ai fait tout ce que j'ai pu pour qu'on ne vous dérange pas. Une princesse en contact avec ces crève-la-faim de communistes, mais quelle idée !

— Précisément, Pasquale ! Je peux te tutoyer comme en privé, n'est-ce pas ? Cela me rassure...

— Mais bien sûr, princesse, votre amitié est un honneur pour moi. Et je tiens à déclarer que je n'ai rien à voir avec tout cela. Des ordres sont arrivés de Berlin à Rome : un malentendu, certainement !

— De Berlin ?

Timur semblait si doux, mais Joyce a raison de répéter : « Il est dangereux, Modesta, dangereux comme tous les jeunes gens de gauche qui sont passés au fascisme... Ce sont les plus dangereux, comme s'ils voulaient se laver d'un passé honteux. »

— Nous sommes foutus, Modesta, foutus !

— Mais ils sont partis, Pasquale.

— Téléphoner, juste téléphoner... Foutus, nom d'un chien ! Peut-on savoir ce qui t'est passé par la tête de révéler que nous nous connaissions ? S'ils font une enquête ils vont découvrir qui j'étais.

— Justement ! C'est ce que je voulais.

— Belle reconnaissance ! Mais qu'est-ce que ça veut dire ? Tu te rends compte que ce que tu as fait est stupide, absolument stupide ? S'ils me soupçonnent, comment est-ce que je pourrai t'aider ?

— Ce n'est pas vrai ! Tu es dans la norme. Vous étiez tous avec nous, avant. Et cela, tu le sais très bien, est loin de te porter tort. Mais maintenant que j'ai déclaré mon amitié, il faudra bien que tu m'aides, que tu le veuilles ou non.

— Roublarde ! Je t'aurais sauvée de toute façon.

— Je ne t'ai jamais cru, Pasquale, ou plutôt j'ai cru à ta façon de ménager la chèvre et le chou tant qu'on pouvait penser que le fascisme ne durerait pas plus de cinq ou dix ans, mais maintenant il ne vous reste plus qu'à jeter tout le monde à la mer.

— Maudite roublarde !

— J'ai seulement voulu prendre des précautions.

— Et alors, attention, ton affaire sort de ma juridiction. La recommandation d'enquêter sur ton cas est arrivée de Berlin. Et l'un de ces deux types est venu de Rome juste pour toi !

— C'est Timur qui ?...

— Mais qui est Timur, que dis-tu ?

— Le frère de Joyce.

— Non, Joyce n'a rien à y voir, ni ce... comment as-tu dit ? Mais qu'est-ce qu'on s'en fout ! Tout ça est bien plus grave ! On a arrêté un type à Paris, un espion, un certain Marabbito qui assure que tu n'as rien fait d'autre ces années-ci que de financer les camarades à l'étranger, et d'espionner, et qu'est-ce que je sais encore !

— C'est tout ? C'est pour ça que tu t'énerves de cette façon ? Je craignais...

— Mais ça suffit pour t'expédier en prison des années et des années !

— Bah, je croyais pire.

— Qu'as-tu trafiqué d'autre, saloperie de dingue que tu es ? Qu'est-ce que tu as trafiqué ?

Pasquale crie et court dans la pièce comme une poule affolée. En quelques années il est devenu chauve. Maintenant qu'il a perdu son épaisse masse de boucles blondes – on aurait dit un angelot ! – son crâne petit et rond a l'air d'un parfait œuf d'autruche. Il n'a même pas ces quelques fils noirs que ma mère ramenait avec précision d'un côté à l'autre de la tête de Tina... Et un instant Modesta a la tentation de faire sauter ce cou mince d'un coup de couteau, le grand couteau dont sa mère se servait pour tuer la poule. Ce ne serait pas mal de voir cet œuf rouler au milieu des meubles luxueux et sinistres du salon, de savourer un peu cet amusant spectacle en fumant une cigarette, et de mettre ainsi un terme adéquat à ses exhibitions transpirantes dans les salons, en uniforme, quand il amuse tout le monde avec des plaisanteries antifascistes, et faisant un clin d'œil à une huile quelconque : « Tous les vents passent sur cette île et nous sommes d'excellents marins ! »

— Oh, mais tu es folle ou quoi ? Tu as oublié les tribunaux spéciaux ? On te soupçonne d'espionnage, tu l'as compris, oui ou non ?

— Tu me rappelles que la peine de mort a été rétablie ?

— Et tu te regardes dans le miroir ?

— Par bonheur, dans la précipitation, j'ai pris le sac de Bambù. Il est joli, hein, Pasquale ? Regarde ces ravissantes petites perles, et par chance il y a de la poudre et du rouge à lèvres ! Bambolina a raison en ces matières-là, comme sa mère. Cela fait un bout de temps que je me néglige et ce n'est pas bien.

— Mais que fais-tu, tu te maquilles ? Sache qu'à Palerme je ne pourrai pas venir. Tu seras entre les mains de ceux qui t'interrogeront, ils ne te laisseront pas un moment de répit, et la poudre, alors !...

— Pas du tout, tu te trompes : poudre et rouge à lèvres ! Je suis pas mal encore, hein, Pasquale ? Le grand me lançait de ces regards !

80

— Princesse, princesse, ayez la bonté de dormir ici pour cette nuit. Vous pouvez fermer ce rideau de séparation. Comme ça vous ne la voyez pas, celle-là... d'autant qu'elle ne fait que dormir ! Malheureusement nous n'avons eu aucune possibilité... Si jamais elle vous ennuyait, faites-moi appeler tout de suite. Mais demain vous verrez que nous trouverons une pièce rien que pour vous, princesse.

Cette voix – vous l'entendez ? – n'est pas douce comme celle de mère Leonora, mais je dois l'écouter et faire simplement ce qu'elle me suggère. Là, justement, elle me dit d'être écœurée par l'aspect de cette femme échevelée, sans âge, qui tressaille, les mains dans les cheveux, retournée vers le mur. Et, comme elle l'a dit, je fais une mine dégoûtée, mais sans trop : du dégoût combattu par une grande pitié. Je suis entre les mains de gens qui disent croire à la pitié.

— Madame est trop bonne de s'émouvoir pour cette femme-là, il n'y a pas à avoir de pitié pour une subversive communiste !

— Mais qui est-ce ?

— Une fille du continent, une malheureuse ! Elle n'est même pas maîtresse d'école comme celle de la cellule à côté dont on murmure qu'elle est un chef des rouges, une femme chef des rouges, qu'est-ce qu'il ne faut pas voir ! Oh, princesse, je vois que vous êtes troublée... Vous êtes fatiguée, je vous laisse vous reposer.

En s'inclinant légèrement, elle s'éloigne et esquisse presque un sourire en répétant : « Bonne nuit, princesse. » On comprend tout de suite qu'elle aime à m'appeler ainsi. Jacopo, Bambolina, avertissez tous vos amis qu'ils ne se fassent pas d'illusions : même en prison les princesses et les chefs sont traités différemment. À peine sœur Giuliana a-t-elle disparu derrière la porte que l'autre, là, saute sur ses pieds et me parle comme quelqu'un qui, obligé depuis des années à rester muet, se jette sur vous comme un affamé sur le pain.

— Qui es-tu ? Pourquoi est-ce qu'elle te faisait tant de grâces, cette salope de sœur Giuliana ? Et puis je ne suis pas du continent : j'suis romaine !

Sa voix est éraillée, peut-être à cause du long silence forcé, mais son visage, sous les bleus des coups de poing et les griffures (ou blessures de rasoir ?) ne semble pas laid, illuminé comme il l'est par deux yeux verts et jaunes étincelants.

— Qui es-tu ? Tu vas me répondre, oui ou non ?

Fusillée par ce regard jaune implacable, Modesta est tentée de répondre afin de pouvoir fermer les yeux et retrouver un peu d'obscurité.

« Non, Modesta, le danger est précisément dans les cellules, pour deux vrais détenus il y en a un, à l'aspect souvent plus convaincant que les autres, qui est en fait un mouchard. »

Joyce a l'expérience des prisons, et il faut faire attention quand elle en parle, ça pourrait être utile.

« On ne peut jamais savoir, Bambù.

— Mais elle est ennuyeuse quand elle attaque ce sujet, ma tante !

— Il faut écouter et se souvenir.

— Et puis, toi en prison ? Quelle idée !

— On ne peut jamais savoir, Bambù, jamais ! »

Modesta se souvient et rouvre les yeux pour observer cet être implacable qui parle, parle et questionne... Et cette façon de se tourner vers le mur en cognant des poings sur le plâtras graisseux qui le recouvre fait mal aux yeux et aux oreilles plus que le projecteur pointé entre Modesta et quelqu'un d'assis derrière le bureau :

— Pourquoi, princesse, me retenez-vous à cette table ? J'en souffre plus que vous, croyez-moi ! Sous cet uniforme il y a un homme qui souffre de vous voir aussi fatiguée, mais malheureusement c'est mon devoir. Je vous en prie encore une fois : essayez de vous rappeler quelque chose de précis. Quelqu'un aurait-il voulu se venger en vous impliquant dans des affaires d'hommes ? Un amoureux éconduit ? Avec le charme qui est le vôtre, il n'y aurait pas à s'en étonner ! Parfois les hommes que l'on repousse peuvent devenir implacables... Essayez de vous souvenir, il nous suffit de deux ou trois noms. Nous les livrons à la justice et vous retournez chez vous en moins de deux !

Derrière la grille sombre du confessionnal la voix fluette de ce prêtre de Palerme vous enveloppait comme un serpent et vous faisait trembler de dégoût et de peur plus que les cris de mère Leonora et de cet officier qui depuis trois heures tourne autour de moi dans la pièce en hurlant, fou furieux :

— Non, pas de sièges aujourd'hui ! Aujourd'hui on converse mieux debout ! Il y a un beau soleil dehors... converser... Vous êtes si belle, princesse, si jeune ! Pourquoi prolonger par votre silence cette conversation désagréable et pour vous et pour moi ?

Que fait-il maintenant ? Pourquoi s'arrête-t-il ? Je m'étais tout juste habituée au galop continu de ces jambes courtes et arquées. Mais maintenant, à intervalles réguliers, il s'arrête en claquant des talons comme s'il était à la parade.

Et les jours suivants, chaque fois que j'entrais et m'asseyais : « Non ! pas de sièges, on converse mieux debout... » Le cigare ! Pourquoi fixe-t-il à présent la petite braise de son cigare et puis me regarde-t-il longuement en le tournant entre ses doigts avec un sourire ostensible ? Les seins de Joyce, des années plus tard, portaient encore la trame d'une légère dentelle... « Désolé, je vois que vos yeux se ferment, mais nous devons converser. » Maintenant il s'assied lui aussi mais il ne fume plus... On ne m'a même pas changé de vêtements, et pourtant cela fait déjà plusieurs jours que je suis ici.

« Eh, chère Modesta, ma découverte a été terrible et plus terrible encore ma décision. Il est effrayant d'être dans une cellule et de voir revenir ces pauvres femmes battues, violées, et de comprendre avec horreur que toi, privilégiée, tu restes intouchée, dans tes vêtements intacts. Bien sûr, ils emploient les mots comme armes avec les chefs, mais il n'y a guère à en tirer gloire : les mots ne taillent pas la chair comme les lames de rasoir qu'ils utilisent si souvent.

— Et toi ?

— Au bout d'un mois, j'ai compris que j'allais perdre toute autorité auprès de mes camarades paysannes et ouvrières. Pour me faire faire ces broderies, comme tu les appelles poétiquement, il a fallu que je les insulte de toutes les façons possibles et personnellement. Ce n'est qu'ainsi qu'après des jours et des jours j'ai pu revenir dans la cellule la tête haute. Il est incroyable de lutter pour se faire torturer, mais les regards de soupçon ont enfin cessé et nous nous sommes retrouvées à nouveau unies. »

« L'autre » se tait maintenant. Sur le ferme visage incliné sur le mien, entre les projecteurs jaunes de ses yeux qui scrutent mon front, mon cou, je vois ces fines éraflures. Joyce avait raison, ils utilisent les lames de rasoir.

— Rien du tout, hein ! Jolie petite à sa maman, tien ! Tu vas et viens de là-bas sans une écorchure, les cheveux bien peignés, sans même une traînée de rouge à lèvres, hein, princesse ! Qui es-tu, moucharde ? Faut le dire à Nina ! Faut que tu parles ou je vais t'arranger de la belle manière, moi, qui es-tu ?

J'ai sommeil. J'aurais pu suivre l'exemple de Joyce mais je n'ai pas l'intention d'être une héroïne, et quand elle se jette sur moi toutes griffes dehors, je lui saisis les poignets d'une main – elle est grande, Nina, mais elle a les poignets fins – et de l'autre je la gifle une, deux, trois fois. Sous mes gifles ses entailles se rouvrent et finalement elle est obligée de se détacher de moi et de se taire.

— Cela pour que ça ne se répète plus, sache-le. Sache que ma conviction est que c'est toi, la moucharde. Toi, avec tes bleus ! Les bleus rendent les mouchardes plus convaincantes, hein ! Qui es-tu ? Parle ou je recommence avec les gifles, qui es-tu ?

— Tu me casses les couilles !

Je n'ai jamais entendu ce mot dit par une bouche féminine, et peut-être parce que sans le vouloir je souris, ou à cause de cet accent qui amortit les mots en des pauses douces, hésitantes, je reste éberluée de surprise.

— Tu casses les couilles, connasse ! Tu m'as fait saigner. Mais j'suis contente. T'es pas une moucharde si tu te mets en rogne de cette façon. Dors maintenant. Demain nous parlerons toutes les deux...

— Je vous en prie, princesse, demain nous essayerons de rendre notre conversation plus fructueuse. Pensez-y : si nous trouvons comment résoudre une ou deux choses demain, ce serait plus agréable, avec le beau soleil qu'il y a dehors, de pouvoir discuter avec vous dans un café, dans un jardin...

— T'as du souffle à revendre, princesse, que tu veuilles parler ? Garde-le pour ces messieurs. À ce qu'il semble nous aurons tout le temps pour converser.

Jamais Joyce n'avait été aussi compréhensive et souriante malgré les entailles sombres et serrées qui estompent ses traits dans la pénombre de la pièce et, portant son long doigt bien modelé à ses lèvres, elle me fait signe de me taire pour économiser mes forces après mon retour de ces discussions avec les avocats... À quelque heure que ce soit elle attend, debout ou allongée, mais toujours attentive à moi avec ses yeux immenses grands ouverts. Et elle ne s'énerve pas si je fais du bruit en cherchant mon lit.

— Merci, Jò, pour ta compréhension, merci, mon amour.

— Ils t'ont cuisinée bien comme il faut, hein, princesse ? Réveille-toi ! Qui c'est ce Jò, c'est ton homme ?

— Je l'ai tuée...

— Eh non, princesse ! Faut que tu te réveilles ! Jusque-là je t'ai accompagnée, je t'ai laissée en paix parce que tu ne délirais pas, mais c'est dangereux cette façon de dérailler ! Putain, s'il y avait une vraie petite lampe et pas cette petite lumière bleue de purgatoire, ils en ratent pas une ! Allez, assieds-toi et ouvre les yeux. Voilà, comme ça : regarde-moi bien – façon de parler ! – regarde-moi, je suis Nina et pas ton mari.

— Ah, oui !... Qu'est-ce qu'ils t'ont fait au visage ? On dirait une râpe.

— Et ne me touche pas, toi. Réfléchis voir un peu, sinon tu vas m'aggraver ce maudit chatouillement.

— Mais que t'ont-ils fait, Nina ?

— Rien, ils se sont amusés avec leur rasoir, tu sais, petits jeux domestiques... Et s'il n'y avait eu que ça, princesse !

— Et quoi d'autre, Nina, mon Dieu ?

— Ah ! Je vois que le sujet te fait toucher terre. Bien !

— Pour l'amour de Dieu, que t'ont-ils fait d'autre ?

— Réfléchis voir, quand on parle de petits jeux d'hommes en uniforme, qu'est-ce qu'ils peuvent faire d'autre pour te transformer en passoire devant et derrière, hein ?

— Et tu souris ?

— Et je devrais y pleurer dessus, en plus ? Pleurer ne remplit pas les trous.

— Et combien étaient-ils ?

— C'est bien ce que je voudrais savoir moi aussi ! J'ai l'impression qu'ils étaient trois – tu sais comment c'est dans le désordre –, mais je jurerais qu'un régiment m'est passé dessus, un régiment avec sabres et fanfares !

— Que c'est merveilleux quand tu parles, Nina !

— Eh, si tu savais, ma fille, comme ça me plaît de parler ! Comme mon père qu'était anarchiste et qui nous a appris à parler franc et à ne pas vénérer les faux prophètes. Je me rappelle, au temps de l'entrée en guerre de l'Italie, j'avais sept ans mais je me rappelle parce qu'on n'a pas fait la cuisine à la maison et j'avais drôlement faim, je me rappelle mon père qui répétait à la fenêtre en crachant : « N'y crois pas, Nina, ce ne sont pas des socialistes, ceux-là, s'ils veulent faire la guerre, ce sont des traîtres. »

— Ah, mais alors tu es jeune !

— Je suis de 1908. Tu es étonnée ? J'veux bien le croire ! Et ne me regarde pas comme ça ! Tu crois que je le sais pas, que j'ai l'air d'une petite vieille ? Mais dès que ces blessures me passeront et que je pourrai me teindre de nouveau les cheveux... ce sont ces bouts noirs à la racine qui vieillissent... Il me faudrait un peu de henné ! Demain j'en demande à sœur Giuliana, rien que pour rire !

— Qu'est-ce que c'est ?

— Eh, un baume ! Ça fait une belle couleur rousse
nais sans abîmer les cheveux comme les autres tein-
ures, au contraire, ça les nourrit parce que c'est fait
ıvec des herbes, et quand est-ce que l'herbe a fait mal,
ıein, les gars ? Mais vu que nous parlons de santé,
audrait que je te dise un petit truc, mais... je sais que
u vas avoir honte.

— Moi ? De quoi ?

— Eh oui, vous les bourgeois vous êtes pas habi-
ués. Comme disait mon père, on vous gâte. Avant
'était bien parce que de toute façon qui pouvait vous
es enlever, vos privilèges ? Mais maintenant... Qui
'aurait cru qu'à vous aussi il vous arriverait quelque-
ois de vous retrouver avec nous en prison !

— Mais que dis-tu ? Je ne te comprends pas.

— C'est que ta pudeur – je t'ai observée, qu'est-ce
ue tu crois ! – s'est communiquée à moi et que je ne
ais comment te le dire... Bon, bref, les enfants ! tu
ens le ventre dur et tendu que tu as ? On dirait un
ambour. Il faut que tu fasses caca, ma belle, il faut
ue tu fasses caca ou ta tête va partir en fumée et tes
oyaux en feu.

Est-ce ce franc-parler ou est-ce la chaleur de la main
e Nina qui palpe la surface tendue de mon ventre qui
ne fait pleurer ainsi et répéter d'une voix lointaine,
ubliée : « Je ne peux pas, Nina, je ne peux pas » ?
uand ai-je entendu cette voix enfantine résonner dans
ne pièce sombre ? Était-ce Prando qui répétait : « Je
e peux pas, maman, je ne peux pas », ou était-ce Bam-
olina ? Jacopo ne pleurait jamais, il s'assombrissait
eulement comme un petit vieux raisonnable et
onscient.

— Quand tu auras fini de pleurer – ça te fait du bien
e pleurer –, il faut qu'on le fasse, minouche ! Allez,
llez, de quoi as-tu honte ? Il n'y a que nous deux. Et

s'ils t'avaient balancée au milieu de dix femmes – toutes à devoir faire caca dans le même seau au milieu de la pièce –, qu'est-ce que tu aurais fait, hein ?

— Un pour dix femmes, Nina ? Quelle horreur !

— Et pas des femmes délicates comme toi, toutes à te fixer pour voir comment tu t'en sors.

— Épouvantable !

— Non, c'est que quand tu arrives, elles, ça fait déjà des années et des années qu'elles sont là, et là à l'intérieur on s'ennuie. Alors une nouvelle arrivante ça fait de la nouveauté, ça met de l'animation, comment te dire ? c'est de la distraction comme au cinéma. Et si encore elles se contentaient de te regarder et c'est tout. D'un autre côté, qu'est-ce qu'elles devraient faire ? Des prisonnières de droit commun, des voleuses, des putes. Oh, ce n'est pas que j'aie quelque chose contre les voleuses et les putains, la haine envers elles n'est pas dans l'esprit anarchiste. Nous, nous détestons le patron qui les réduit à voler et à se faire putains. C'est pas pour rien que le chant dit : « Les prostituées sont nos filles, les... » Mais va te faire voir ! J'essaie de m'en tenir à l'idéal, mais c'est des hyènes, qu'elles deviennent ! Si n'était pas arrivé ce miracle vivant, cette maîtresse d'école qui est dans la cellule à côté de la nôtre, elles m'auraient eue jusqu'au trognon ! C'est elle qui m'a fait passer là à l'infirmerie... Allez, allez, va ! Maintenant je me mets au lit – façon de parler ! – et je me retourne vers le mur. Tu fermes ce drap crasseux que sœur Giuliana appelle rideau et tu fais caca. Ça te va comme ça ? Non ? Fais-toi une raison comment tu t'appelles ? Sacré nom d'un chien ! – ce princesse ne me va pas... Modesta ? Putain, quel nom Et qui te l'a collé ? C'est pire que princesse. Voyez un peu si on peut appeler Modesta une aussi belle dame qui par-dessus le marché pleure parce qu'elle ne veut pas faire caca... Je peux t'appeler Mody, tu dis ? Oui 'est plus mignon... Écoute, Mody, on se décide ?)u'est-ce qui te préoccupe si je te promets que je ne te ɛgarde pas ? Le bruit que tu peux faire ? Ou l'odeur ? ;coute, pour l'odeur, tu fais comme ça, tu prends ce out de journal et pendant que tu te libères, avec cette llumette – n'en gâche pas, oh ! on n'en a pas beau-oup –, tu le brûles, le journal, dans le seau, je veux ire, et tu verras que l'odeur disparaît, d'accord ? llez, lève-toi et ne pense pas à moi, fais comme si je 'y étais pas, comme si j'étais sourde et aveugle : ɛgarde comme je fais bien la sourde et l'aveugle, je avais même faire la boiteuse au théâtre. Je voulais être omédienne quand j'étais petite... Mais qu'est-ce qu'il a, que tu me tiens ? Qu'est-ce qu'il y a ? Tu as mal ?

— Non, non, c'est que peut-être en riant, ou alors massage que tu m'as fait... Oh, Nina, quelle honte, a sort ! Je ne peux pas bouger, ça sort !

— Et tu te désoles ? C'est une chance ! Appuie-toi mon bras. Heureusement que tu ne pèses rien ! Là, oilà, enlève ta culotte... Non, je ne m'en vais pas, 'est pas la peine de t'agripper comme ça... Laisse mes anches, je ne pars pas, mais toi, s'il te plaît, libère-i, ne te retiens pas, on peut mourir de blocage intesti-al. Te retiens pas !

Par la faute de ce « ne te retiens pas » ou de la cha-ur que ses hanches communiquaient à mes bras, je e laissai aller en plongeant le visage entre ses uisses... Je me libérais et elle, debout, me caressait les eveux en murmurant :

— Bonne petite fille, bien, bien, fais-le tout entier, ut entier que ça va te sauver !...

Et, chose que je n'aurais jamais pu imaginer, tandis ue je me laisse aller une jouissance plus douce que le ssolis et la langue de Tuzzu me fait maintenant pleu-r non de honte mais de plaisir, en répétant :

— Nina, Nina, ne me laisse pas...

81

— Ne me laisse pas, qu'elle dit. En prison ! Je pro
mets que je la raconte si je sors, celle-là. Oh, quel fo
rire, on dirait une blague !

Nina rit en levant la tête, elle rit d'un rire éclatan
appel qui fend des champs infinis de seigle et de coque
licots. Un appel aux oiseaux, à l'aube lente qui s'éten
blanche, en émail, comme lorsqu'on se lève tôt pou
pétrir le pain...

— J'ai faim.

— Je veux bien le croire, avec ce que tu as évacué
Bon signe pour la santé, que je dis, mais pour l'esto
mac, c'est une autre paire de manches ! Il n'y a pas l
choix, ou mourir d'intoxication, ou... Tu avais moin
faim avant, hein ?

— Aucune faim, juste de la nausée.

— Eh, bien sûr, et après la nausée la fièvre t'aura
prise.

— J'ai faim !

— J'ai compris, me fatigue pas ! En les disant c
aggrave les choses. Moi j'ai une lame à la place d
l'estomac ! Mais c'est l'heure de la soupe... C'e
l'heure où...

— ... où le désir se tourne vers...

— Mais qu'est-ce que tu vas me sortir Dante
Belli•, notre poète ! « Quelle heure c'est ? Quelle heu
c'est ? Y a une chose qui t'afflige. Vous les entende
pas, les cloches, la mariée ? Vous le savez, l'heu
qu'il est, belle dame ? C'est l'heure où toute femme
devient une putain... »

— Je ne le connais pas.

— Mais où c'est que tu as vécu ? Je te le ferai connaître, moi, le grand poète blasphémateur. « Eux », les Jésuites, ils disent qu'il s'est repenti avant de mourir, mais ce n'est pas vrai, ils le disent de tout le monde. Quand ma grand-mère est morte, j'étais là, et elle ne s'est pas du tout repentie, elle était seulement emmerdée de devoir mourir trop vite, comme elle disait. Et elle avait quatre-vingts ans ! Ben, au bout d'un mois à peine toute la famille a dit – de quoi leur flanquer une raclée, oh ! – toute la famille a dit qu'elle s'était repentie... C'est qu'avec ces écoles, avec le crucifix, si on pouvait le descendre !

— Quoi, le crucifix ?

— Non, je voulais dire ce traître de Mussolini, et penser qu'il avait même écrit un livre contre la papauté, et c'est lui qui a fait la paix avec les Jésuites et qui a rendu notre Rome aux prêtres. Malédiction sur lui ! Mais qu'est-ce que j'étais en train de te dire ? Ah oui... Qu'est-ce qu'on peut attendre d'Ottavia, de Grazia qui ont grandi dans ces écoles, avec le crucifix sous le nez, l'heure de catéchisme et puis chez elles aussi... Avant, quand j'étais petite, si on grandissait dans une maison d'athées, il suffisait de ne pas aller à l'église pour ne pas entendre la voix du prêtre : les murs protégeaient, avant ! Maintenant ils entrent chez toi et te parlent même si tu ne veux pas.

— Ils entrent comment ?

— Ben voyons, Mody, avec la radio ! Une invention diabolique, la radio. Suppose : ma petite fille et moi on est là à cuisiner, à ranger la maison et y a un truc pas mal, qu'est-ce que je sais ? « Illusion, tu es une douce chimère. Qui fait rêver, espérer et aimer la vie entière... » Belle chanson, hein ? Bon, tu la chantonnes à côté de la radio sans rien suspecter, tu t'abandonnes, quand brusquement tu entends un chant lugubre tellement enchaîné à la chanson que t'y fais pas attention tout de suite. Et quand tu comprends que c'est la sainte messe, même si tu cours éteindre ce machin infernal, c'est fait, tu en as un peu absorbé. Et alors, Ottavia et Grazia, mes sœurs cadettes qui ont grandi avec ce poison, est-ce qu'elles se sont pas mises tout à coup à raconter – elles aussi, oh ! – que ma grand-mère s'était repentie ? Repentie ! Je te l'ai déjà raconté ? Excuse, je me répète. C'est la faim, je parle, je parle, un peu parce que ça fait trois ans que je parle à personne et un peu pour remplir ce vide à mon estomac. Excuse.

— Non, Nina, parle, ça me fait plaisir. Ma mère ne parlait jamais !

— Comment est-ce que ça se fait ?

— Peut-être qu'à force de coudre au milieu de toute cette poussière de chiffons, sa bouche s'est murée.

— Tu aimes bien plaisanter, hein ? Ta mère, coudre des chiffons ? Tu voulais peut-être dire que c'était une obsédée de la broderie ?... Ah, voilà notre sœur Giuliana ! Du potage, hein, ma sœur ? Erreur, de l'eau de vaisselle ! C'est peut-être que j'ai fait un brin de causette en bonne amitié, mais tu ne me sembles pas laide comme hier, ma sœur. Et l'odeur de cette soupe pas si mauvaise. Auriez-vous changé de cuisinier dans cette maison ? Oh, Mody, tu as entendu comment elle appelle la prison ? Maison, elle l'appelle.

— Tais-toi, malapprise, et bas les pattes ! Oh, princesse, c'est une honte ! Je l'ai fait remarquer à la supérieure, c'est une honte de vous garder là avec cette femme, mais tout est plein, toutes les pièces sont pleines !

— Et pourquoi, au point où tu en es, tu ne dis pas : « Tout l'hôtel est complet », hein, ma sœur ? Tu sais que j'ai rêvé de toi, ma sœur ? J'ai rêvé qu'on se rencontrait en enfer toutes nues et qu'on se faisait des mamours !

— Si vous étiez arrivée seulement trois jours plus tôt, princesse ! Mais le monde semble pris de folie ! C'est sans doute à cause de cette guerre qui tantôt va venir, tantôt ne viendra pas ! On nous a raconté qu'hier soir le bruit s'est répandu qu'elle avait éclaté et tout le monde s'est enfui de Palerme, tout le monde à la campagne, mais ensuite ils sont revenus... Il semble aussi qu'on distribue des masques à gaz... Mais si cette fille-là vous importune vous n'avez qu'à dire un mot et, malgré la protection de cette dame, je me charge de l'ôter de votre présence ! Vous êtes trop bonne, dites-moi la vérité, elle vous dérange ?

— Que dites-vous, sœur Giuliana ! Chez nous, femmes grandies dans l'obéissance et dans l'humilité, être seule ou non ne fait pas de différence. Et puis il faut comprendre et pardonner l'ignorance, nous sommes toutes des brebis de Dieu ! Et même Nina, je le sens, n'est pas aussi méchante, au fond, qu'elle le paraît. Je l'aiderai, et mon séjour ici est peut-être un signe du Seigneur. Peut-être ai-je été appelée pour remettre sur le droit chemin cette brebis égarée ! Je prierai au contraire la supérieure qu'elle me laisse la consolation de prendre soin de cette âme. Cela me servira à me laver de mes péchés.

— Vous des péchés, princesse ? Diffamations, j'en suis sûre, on en parlait justement tantôt avec la supérieure.

— Nous sommes tous pécheurs ! Dites bien à la supérieure que je sens devoir rester auprès de cette âme égarée jusqu'à ce qu'elle retrouve le droit chemin.

— Une sainte ! Je vous le dis, vous êtes une sainte ! Je vais tout de suite répéter...

— Fichtre alors, tu m'as presque convaincue,

Mody ! J'ai failli me mettre en colère. Ah, la revoici, c'est quoi, c'est un train ?

— Oh, princesse, la supérieure dit que vous êtes trop bonne, trop bonne ! Elle dit aussi qu'il ne faut pas que vous vous inquiétiez parce que la maîtresse d'école s'est proposée de partager sa cellule, oh, pardon, sa pièce avec Nina. Elle dit aussi... Mais non, non, ne vous affligez pas !

— Mais comment ? Vous voulez m'enlever la consolation de porter remède à mes péchés en m'occupant de...

— Mais quels péchés !

— Des péchés, oui, sœur Giuliana ! Ou vous sentez-vous sans péché ? Que celui qui n'a jamais péché lance la première pierre ! Et si Dieu m'a fait venir ici c'est le signe que j'ai failli en quelque chose. Il ne peut en être autrement, car le Seigneur voit tout.

— Oh, Sainte Vierge ! La supérieure, bien qu'elle ne vous ait jamais vue, vous a si bien comprise ! Entre âmes supérieures il en est toujours ainsi, elle parle comme vous. Elle m'a dit avec les mêmes mots : « Va et tente de la convaincre, mais tu verras qu'elle va refuser. » Et maintenant pardon, je vais demander confirmation et on en finit une fois pour toutes, parce que j'ai tellement de travail ! Nous devons terminer de coller le papier bleu pour le black-out et... Et puis il y a une confusion de fin du monde, oui, c'est la fin du monde, et pas la guerre !

La porte claquée me fait ouvrir les yeux : quand Vif-argent sort de ma chambre elle claque la porte. Non, ce n'était pas elle qui claquait les portes, elle, c'est la femme de chambre. C'est Gaia qui crie et claque les portes, et maintenant qu'elle a décidé d'envoyer Beatrice au collège il ne sera pas facile de la faire changer d'idée...

— Tout est arrangé. Oh, quelle journée ! Que Dieu me pardonne, je n'en peux plus, toute la journée à monter et descendre les escaliers ! Nina peut rester ici... Mais que faites-vous, princesse ? Non, non, je vous en prie, levez-vous !

Par terre, à genoux, les mains sur les yeux pour ne pas voir les contractions du visage de Nina congestionné par l'effort de garder la bouche fermée pour ne pas rire. C'est elle qui me donne cette envie de rire. Et ce doit être aussi le vide dans mon estomac qui me chatouille avec des doigts de vent... Ça ne peut pas être de la joie, je n'ai jamais entendu dire qu'en prison on puisse éprouver tant de joie.

— Princesse, je vous en prie, levez-vous, je ne suis pas digne !

— Dieu nous voit, sœur Giuliana, aucun de nous n'est digne et tous nous le sommes pourtant. Remerciez la supérieure et laissez-moi prier le Seigneur qui m'a concédé cette grâce.

— Priez, priez, je me sauve. Quelle humilité, quelle humilité ! Et toi, malapprise, laisse-la prier, tu as compris ? Laisse-la prier !

Pour retenir mon rire je dois m'enfoncer les ongles dans le front. C'est vraiment de la joie parce que lorsque la porte claque et qu'enfin je peux m'abandonner au rire, les murs pourris n'existent plus, ni les misérables lits de sangles, ni le seau, mais seulement le visage rouge de Nina. Maintenant que les blessures commencent à pâlir, ses traits fortement dessinés acquièrent des courbes délicates et douces. Peut-être Nina est-elle belle sous ce vilain masque déformant. Et quand – peut-être a-t-elle senti ma joie – elle se met à rire elle aussi et me dit à voix basse : « Tu m'as plu, Mody », je ne peux pas ne pas lui jeter les bras autour du cou – elle est grande et je dois me hisser sur la pointe des pieds – pour l'embrasser sur sa bouche pleine de perles menues d'une blancheur qui éblouit les yeux et les pensées. Sous mes dents ses lèvres ont la saveur âpre et douce des mûres à peine refroidies par le givre. Elle est forte, Nina, si tout en riant elle peut me soulever de terre et m'entraîner dans un tour de valse : un deux trois, un deux trois ! « Et maintenant en bas pour le grand galop final. En bas, au milieu des murs en équilibre instable, des fauteuils, des lampadaires qui oscillent au-dessus de ma tête comme autant de soleils... »

— La tête te tourne, tu as dit ? Et je le crois bien, avec le ventre vide ! On est folles de gaspiller de l'énergie de cette façon-là ! Viens, mangeons la soupe avant qu'elle refroidisse. Il faut pas gaspiller l'énergie ici dedans. Non, ce n'est pas ta faute, tu es novice, toi, mais moi... Bon Dieu ! C'est que tu m'as émue, voilà ce qu'il y a, si tu veux le savoir. Qu'est-ce qu'il faut pas voir, oh ! Nina qui s'émeut. On est bien !... Maintenant suffit, du calme, mangeons... Oh, Mody, d'un instant j'avais oublié où j'étais. Te tracasse pas comme ça ! Tu n'as pas pris de travers ce que j'ai dit ? Je ne t'en veux pas, minouche, comment faut-il que je te le dise ? J'en veux à Nina. C'est Nina qui a l'expérience de la prison et pas toi. Et maintenant obéis ! Elle est mauvaise, je le sais, mais elle nourrit... On peut pas trop faire la difficile ici, princesse, me fatigue pas, hein !

Peut-être parce que je n'ai plus la nausée ou peut-être parce que, après avoir remué la soupe, elle en prend une cuillerée et me la porte à la bouche, je m'entends dire avec conviction :

— Elle n'est pas si mauvaise et elle réchauffe, tu as raison, Nina.

— Voilà, tu l'as dit. Ici Nina a toujours raison, au

moins pour ce qui concerne, comment dire ? les faits matériels. Il faut aussi se promener en long et en large. Demain nous commençons. Se laver le plus possible, ne pas se laisser prendre par la mélancolie et pas davantage par l'euphorie. L'euphorie surtout est nuisible, sur le moment on croit que ça fait du bien comme le vin et puis, bonté divine ! ça fatigue peut-être plus que de se faire une branlette.

— On ne peut pas ?

— Bien sûr qu'on peut mais pas tous les jours. Ça crève. Il faut établir un jour précis. Eh, j'en sais quelque chose !

— Alors nous ne pourrons plus danser comme avant ?

— Tu es forte, Mody.

— Alors nous ne pourrons plus ?

— Avec circonspection... Eh non, il faut la finir toute, tout entière, ta soupe. Qu'est-ce que je disais ? Ah oui : tu es forte quand tu leur sors... Comment est-ce que tu les appelles, les flics, quand ils viennent te prendre ? « Ces messieurs !... Ces messieurs m'ont invitée à une conversation amicale. » Tu me plais, Mody, et maintenant que je t'ai trouvée je ne voudrais te perdre pour rien au monde. Faisons un pacte. Moi, comme tu as vu, j'ai compris que tu avais raison et j'ai changé de ton avec sœur Giuliana, et toi change aussi de comportement avec moi, que Nina a raison... Ah, ils arrivent pour t'inviter à converser. C'est comme si je les avais appelés, oh ! Allez, avale vite, d'un seul trait, tu dois la finir en entier.

— Si je la finis, tu m'embrasses quand je reviens ?

— Eh, bien sûr, mais avec prudence, faut pas que nous nous épuisions.

Avec cette sûre promesse qui chante à mon esprit, les cris de ces messieurs ne blessent plus mes oreilles et « converser » devient de jour en jour plus facile. Si facile qu'à certains moments ils se taisent, ahuris, dans leurs uniformes graisseux, mal cousus... Maintenant, après lumières aveuglantes, hurlements et silences, je retourne avec assurance dans l'obscurité de la cellule, j'étends les mains et je sais, question de secondes, que je trouverai deux bras chauds, ouverts, et un sein dans lequel plonger la tête sans plus penser.

— Tu as bien mis les coussins sous les couvertures ?

— Oui, Nina, comme tu me l'as appris.

Nina sait tout : mon lit est en direction du judas.

— Nous pouvons nous caresser ?

— Non, reste tranquille et dors, nous devons attendre le jour où ils nous donneront un œuf à manger.

— C'est demain qu'ils nous le donnent ?

— Je crois pas, attends que je réfléchisse, ça devrait être après-demain. Maintenant sois sage, et dors ! Demain je m'informerai...

— Mais on ne peut pas faire une exception ? J'ai tellement envie de te baiser les seins.

— Je t'ai dit non ! Et dors, m'emmerde pas !

Nina est terrible quand elle se met en colère, et que ce soit par peur ou à cause de la chaleur de ses bras qui me serrent fortement, je glisse dans un doux sommeil pacificateur.

82

Nina conserve son sucre et le mien :

— Le café, enfin, du café, façon de parler, on peut le boire amer ou aussi bien le jeter dans le seau, ce n'est que de la rinçure de plats, mais cette petite poudre blanche, précieuse, mélangée à l'œuf, en augmente la valeur nutritive de cent pour cent.

Jour après jour le sachet de papier grossit et va finir entre la poitrine et le soutien-gorge de Nina. Elle seule possède la volonté de ne pas l'ouvrir jusque dans les heures de faim les plus longues, de midi à sept heures.

— Que de sucre, Nina ! Tu es vraiment forte, moi, je n'aurais pas résisté.

Nina sourit, et mon admiration la rend plus belle. Heure après heure le vilain masque de cicatrices refermées se dissout, sous l'effet aussi de mes caresses et de mon souffle.

— Oh oui, Mody, continue, ça me soulage, si tu savais comme elles démangent, ces croûtes ! Exactement comme lorsque j'ai eu la varicelle et que ma mère m'attachait les mains au lit, un vrai supplice ! Continue ! Vu que je t'ai rencontrée, je ne veux pas avoir le visage défiguré. Avant, quand je croyais que tu étais une moucharde, je ne faisais que me gratter. S'il y avait un miroir ! Tu dis que beaucoup de croûtes sont tombées sans laisser de marques ? Oh, Mody, c'est vrai, ou tu le dis pour me consoler ?

— C'est moi ton miroir, tu peux t'y fier. Je suis le seul miroir véridique. Ta peau redevient parfaite, et sauf pour les cernes – ça semble impossible entre ces quatre murs – tu es d'une couleur ambrée exactement pareille à celle qu'on a quand on revient d'une promenade au premier soleil après l'hiver.

— Ce n'est pas pour dire, mais on a toujours admiré Nina pour sa carnation. Quant aux cernes, tu n'es pas en reste, minouche ! Nous nous sommes épuisées cette nuit.

— Tu as dit que nous pouvions.

— Ce n'est pas un reproche, aussi, c'est bien de se

souvenir en sachant qu'en quelques secondes Nina peut y porter remède... Reste tranquille un moment. Eh, c'est pas pour me vanter, mais personne ne sait monter un sabayon ou une mayonnaise comme moi. Tu aimes la mayonnaise, hein ? Moi j'en rêve ! C'est pas pour me vanter, mais aucune des femmes de chez moi ni du quartier ne saurait faire rendre autant à deux œufs. Regarde, on croirait qu'y en a dix ! Et maintenant allez, avale doucement, ça nourrit davantage.

Les yeux dans les yeux, tandis que ce liquide dense volé au soleil descend, réchauffant la langue et le palais.

— La dernière cuillerée à Mody parce que c'est la plus petite. Friponne ! Allez, mm... C'est fini !

— Comme c'était bon ! Je ne me sens plus que chaleur, tu me laisses embrasser la cachette où tu gardes le sucre ?

— Non !

— Alors laisse-moi la toucher.

— Eh, ça va, touche, mais après il faut se promener, allez, faut bouger, Mody, en plus à cette heure cette pute de sœur Giuliana peut arriver. Allez, il faut que nous allions au moins dix fois d'un mur à l'autre...

— C'est assommant !

— J'ai compris ! Ferme les yeux et imagine que Nina t'emmène promener dans un bois.

— Non, pas un bois !

— Entendez-la ! Et où c'est que tu voudrais te promener ? Suffit de demander, y en a pour tous les goûts et pour toutes les poches.

— Au bord de la mer, Nina, ça fait si longtemps que je ne la vois pas, emmène-moi à la mer cette fois. Marchons sur la longue langue de sable qui n'en finit jamais...

— Demi-tour ! Eh, non, tu ne peux pas t'appuyer

sur moi comme ça ! Allez, demi-tour et on recommence... Tu aimes la mer, hein !

— Oh, oui... ce n'est pas le mur, là... les rochers commencent ici, tu les sens ?

— J'essaie.

— Si tu y parviens, Nina, peut-être arriverons-nous...

— Nous arriverons où, minette ?

— À voir le coucher de soleil.

— Bien sûr, comme il te plaira. Allez, encore un effort et ça ira pour aujourd'hui.

— Oui, encore un effort. Regarde là au fond, tu la vois, la petite île du Prophète ?

— J'ai l'impression que ce sont des nuages.

— Parce que tu n'y vois rien.

— En effet, j'y vois pas de loin.

— Et alors fais-moi confiance et allons-y vite. Si nous avons de la chance nous verrons le soleil qui s'incline pour baiser le front du Prophète.

— Mais non !

— Et puis en un instant le soleil entraîne la tête au plus profond de l'obscurité...

*

* *

— Pourquoi t'arrêtes-tu, Nina ? On a le temps pour la soupe, la fin du jour est loin. Promenons-nous encore un peu.

— Il fait trop chaud et y a trop de lumière pour moi !

— Arrivons au moins au sommet du monticule, où il y a des arbres et de l'ombre.

— Je ne vois que des pierres blanches et des pierres jaunes, et puis encore des blanches et des jaunes. Quel supplice, Seigneur !

— Les jaunes ne sont pas des pierres, c'est du genêt, tu es vraiment myope, Nina !

— Et elle insiste, oh ! Je te l'ai dit cent fois, que j'étais myope.

— Et alors fais-moi confiance et marche, il y a des arbres et de l'ombre là-haut.

À l'ombre, Nina s'étend et ferme les yeux. Maintenant je sais que je peux m'étendre à côté d'elle et poser ma tête sur sa poitrine. Ce grand thorax ne sent pas mon poids et je peux voyager, comme autrefois, du ventre au cou sans troubler cette respiration profonde et régulière. Comment Carmine peut-il continuer à dormir tandis que je monte et descends sur son corps ?

« Tu ne pèses rien, ma fille ! Et puis comment un gros animal comme moi pourrait-il sentir le poids d'un petit minou ?

— Tu n'es pas un animal, tu es une belle colonne ! Une fois j'en ai vu de l'autre côté de l'île, elles sont étendues dans les prés et dorment au soleil. »

Ce n'est pas Carmine qui de sa main sèche de marbre caresse son petit chat. Il disait petit chat, ou minou comme cette voix qui répète :

— Que fait mon fripon de minou, il dort ou il me prépare un tour pendable ?

— Et toi, que fais-tu les yeux fermés ?

— J'essaie de prendre mon parti de cette fatigue qui m'est tombée dessus. C'est qu'à force de désirer voir le ciel, maintenant que je le vois je le reconnais pas, je le sens pas, qu'est-ce que je peux te dire ? J'arrive pas à en profiter. Eh, quatre ans de prison, c'est quatre ans ! Je ne suis pas habituée à l'air libre et les yeux me font mal. Si je t'avais pas rencontrée peut-être que j'y aurais pourri, dans cette prison, en attente du procès. Bordel, je n'y espérais plus, en une condamnation quelconque. Ça semble une blague, oh ! désirer un procès comme une récompense ! Et toi tu arrives et tout s'arrange : relégation, livres pour toi, encre, papier...

— Et pour toi laine et crochet.

— ... Le procès en deux temps trois mouvements. Tout a été si rapide, comme au cinéma, que je me sens encore désorientée. Oh, Mody, attention à l'heure ! Au coucher de soleil il faut que nous rentrions. Je n'ai pas l'intention de perdre ce ciel pour une promenade.

— C'est permis, Nina, calme-toi. Tu étais si forte en prison !

— Ben oui, faut que je m'habitue...

— Et que tu t'occupes à quelque chose.

— C'est vrai aussi. Toi, tu écris, tu enseignes, mais qu'est-ce que tu écris ?

— Des conneries, Nina, pour faire passer le temps.

— Et tu gagnes même de l'argent ! Tu n'avais pas de leçon aujourd'hui ?

— Non, je veux être libre au moins un jour par semaine.

— Friponne que tu es ! Sur une île grande comme la main elle veut être libre ! Oh, ça me fait plaisir, à moi, parce que lorsque je suis seule je ne sais pas que faire.

— Il faut que tu t'occupes.

— C'est ce dont je voulais te parler, hier là-bas au marché j'ai vu qu'on vendait des bérets rouges et bleus rafistolés tant bien que mal. Je sais me débrouiller au crochet...

— C'est justement ce que je te disais.

— Je veux tenter le coup !

— Et tu pourrais aussi faire des couvertures pour les enfants, il ne fait que naître des enfants sur cette île.

— Et mourir aussi, y a pas un jour où on ne rencontre un enterrement. Ça doit être toutes ces pierres et le manque d'eau. Je veux vraiment tenter le coup !

Hier, avec deux bérets, une vieille a ramené chez elle un litre d'eau. Il faut vraiment que je tente le coup. Et tu es sûre qu'on nous enverra de la laine de chez toi ? Et... qu'est-ce qui se passe chez toi ? Tu ne fais que recevoir des lettres, tu les lis et tu ne dis rien. Nina, c'est un de ses défauts, est curieuse, extrêmement curieuse.

— Tu peux les lire.

— Eh non, ça, non ! Mon père disait que c'est malpoli, ce n'est pas dans « l'Idée ».

— Je te dis si tu veux.

— Il était temps !

Nina est curieuse comme vous l'êtes, vous qui lisez. Excusez-moi, le fait est que vous lisez chez vous, et peut-être êtes-vous dans un temps de paix, tandis que je vis dans un temps de guerre. Maintenant encore, alors que je vous parle, des processions d'oiseaux de fer sillonnent le ciel jour et nuit, ignorant le misérable carré de terre au milieu de la mer. Où vont-ils vomir leur souffle de mort ? Certainement dans des lieux plus attrayants, pleins de gens et de vie.

— C'est pour cela qu'ils nous ignorent, Nina. Leur faim métallique est une faim de chair jeune et bien portante, et pas de quelques centimètres peuplés de corps décharnés et de regards éteints. Oh, Nina, tu as vu cet homme, si l'on peut dire, qui vend des citrons ? Il n'a pas de nez, pas de lèvres, et à la place des yeux il a deux fentes, il a l'air mangé par des insectes.

— Rien que lui, Mody ? Moi, j'en ai compté une dizaine et puis j'en ai eu assez. Ça doit être la lèpre, même si on ne le dit pas. Mais laisse ça, parle-moi de chez toi.

Vous voyez ? Bien que j'essaie d'assouvir la curiosité de Nina et la vôtre, je ne parviens pas à me détacher de mon présent. Mais vu que vous persistez à interroger à travers les yeux de Nina, je vais essayer de vous dire. Bambù vous tient à cœur, hein ? Eh, bien sûr, les belles filles douces et capricieuses suscitent toujours un grand intérêt. Et Mela ? Une artiste excite toujours l'imagination, y compris celle de Nina. Bon, il n'y a pas d'échappatoire possible pour moi, Nina attend, les yeux enfin rassérénés par l'intérêt. Elle aussi sait tout de mon passé et attend légitimement la suite.

— Mais que me dis-tu, Bambolina épouse ton Mattia ? Et ça t'embête ?

— Quand je l'ai appris cette nuit-là, il y a un siècle, on dirait, sur le moment j'en ai souffert, mais ensuite en attendant l'aube j'ai compris que cette douleur, je ne l'éprouvais pas parce que je perdais Mattia, mais parce que je me sentais battue, et vieille : quarante ans !

— Que tu aies quarante ans...

— Quarante-deux aujourd'hui, Nina.

— ... j'y croirais pas même si je le voyais écrit !

— Et pourtant je les avais cette nuit-là, je les avais tout entiers. Parce que la jeunesse et la vieillesse ne sont qu'une hypothèse.

— Qu'est-ce que ça veut dire ?

— Ça veut dire que ton âge est celui que tu te choisis, que tu te convaincs d'avoir.

— Tu penses ? Mais il y a la nature, aussi.

— Bien sûr, et la fatigue, et la misère, les privations qui font précocement vieillir. Mais pour qui a eu le privilège de se ménager comme moi, la vieillesse n'est qu'un concept inculqué comme tant d'autres.

— Tu me plais, Mody, j'aime comme tu reconnais tes privilèges.

— C'est le premier devoir, il me semble, pour ceux qui pensent comme nous.

— Mais parle-moi de cette nuit.

— Je te l'ai dit : je tombais dans le piège du lieu

commun. Eh, on a beau se rebeller, il est difficile d'envoyer promener les règles de la société qui disent : à dix ans, on est comme ça, à vingt comme ça, à quarante et avec des enfants on est vieille... J'ai honte, mais cette nuit-là j'étais en train de renoncer à la rébellion, j'étais sur le point de m'enrôler dans l'armée de moutons qui défile à travers le monde. Mais pas pour longtemps, oh ! Je l'avais compris avant l'aube, et si on ne m'avait pas arrêtée je serais partie à la recherche d'autre chose. Le monde est grand, comme disait Carmine.

— Tu y penses toujours, à ton vieux ?

— Quand ça m'aide.

— Et quand se marient-ils ?

— Non, ils ne se marient pas. Je l'ai dit pour te faire comprendre. Ils sont déjà ensemble et ça paraît bien marcher, y compris au lit. Lis ça : « Et ne te fais pas de souci, ma tante, entre Mattia et moi aussi tout va bien, je ne deviendrai jamais une de ces... légales dont parle notre ami. »

— Que signifient les points de suspension, Mody ?

— Putains. Elle ne l'a pas écrit par crainte de la censure.

— Et cet ami, c'est qui ?

— Auguste Bebel... Lis encore : « Je l'ai bien connu, je n'ai pas fait comme Mela qui faisait seulement semblant de le lire. Et aujourd'hui je sais que papa avait raison quand il disait que les mots de notre ami seront la nouvelle bible des femmes de demain. Mais ça suffit maintenant avec ces choses sérieuses. Je veux te décrire la merveille qu'est devenue la villa avec toutes ses pièces pleines de vie. Pietro et Crispina sont eux aussi avec nous à cause des bombardements. À Catane, c'est un enfer. » Et ainsi le Carmel est revenu aux Brandiforti comme l'espérait Beatrice.

— Et Mela, Crispina ?

— Crispina étudie avec un vrai maître. Quant à Mela, succès sur succès. La vie continue en Amérique.

— Toujours avec son Ippolita ?

— Toujours. Qui y comprend quelque chose, à la nature ! Je pense qu'elle n'aimera jamais que les femmes, même si pour la presse elle passe pour une vierge exclusivement consacrée à la musique. Peut-être avec le temps prendra-t-elle un mari pour lui servir de couverture... à moins que le monde ne change.

— C'est ça, demain ce monde va changer ! S'il te plaît !

— Et il pourrait changer pourtant.

— Nous sommes du même bord et nous pouvons nous le dire, Mody : où est-ce que tu vois qu'il ait changé ? En Russie ils ont écarté tout ce qui comptait pour notre liberté individuelle. Au bout de quelques années seulement ils ont oublié l'amour libre et ils sont revenus tout droit au mariage. Et s'il n'y avait que ça !

— J'aime quand tu parles comme ça, Nina.

— Et moi non ! J'en ai marre de parler bien convenablement et de lire des livres pleins de rêves. C'est vite dit, pour toi, mais moi, l'homme de ma vie, ce sont les camarades communistes qui l'ont tué en Espagne !

— Tu en es sûre ?

— Tout ce qu'il y a de plus sûre : témoins oculaires. Tu le sais bien toi-même qu'au moment voulu ils ont liquidé tous les anarchistes, et pas rien qu'eux.

— Vous étiez allés trop loin dans le rêve, Nina, l'anarchie est un point d'arrivée et pas...

— Ouais, trop loin ! Et quand est-ce qu'on se décide à faire un petit pas en avant, hein, espèce de princesse à la noix ? Et votre Gramsci ? C'est vous qui l'avez condamné ! Arminio l'a vu, mon frère, oh ! Toujours seul dans sa cellule, et dehors isolé de ses camarades et méprisé. Et les gardiens ont eu la main libre.

— Alors ?

— Alors Antonio souffrait d'insomnie et eux, toutes les heures, à frapper contre les barreaux pour le réveiller. On est foutu, en prison, si les camarades vous abandonnent. « Ils » l'ont tué !

— Mais, bien qu'il ait su ces choses, Arminio a continué le combat comme toi, il me semble.

— Eh, merci ! Il faut toujours être du côté des idées justes ! Mais les yeux ouverts, Mody, me fais pas chier !

Elle est terrible, Nina, quand elle se met en fureur, ses yeux s'allument de lumières jaunes et sa voix profonde a des échos de caverne.

— Je veux pas me mettre en colère, Mody, à cause de ces histoires du passé ! Parle-moi de 'Ntoni, il me plaît, ce garçon, d'après tes descriptions, tu ne sais rien de lui ?

— Non, je sais seulement qu'il s'est enfui après mon arrestation.

— Il y a eu beaucoup de gens arrêtés à Rome, je l'ai entendu hier au port, du navire qui décharge l'eau, ils parlaient de Rome.

— Et que disaient-ils ?

— Qu'à Rome on ne voit que des femmes, des vieillards et des enfants, et qu'on meurt de faim dans les rues...

83

'Ntoni traîne ses jambes blanches et gonflées dans les rues de Rome, bousculé par des vieillards et des femmes indifférents. Il n'est que l'un des nombreux condamnés : la chair se gonfle d'eau et la peau devient blanche et tendue, de plus en plus blanche jusqu'à ce qu'on meure de faim.

— Qu'y a-t-il, minette, que tu cries ? Ouvre les yeux, Nina est là, réveille-toi !

— J'ai fait un mauvais rêve, Nina... et j'ai mal au ventre.

— C'est rien, minette, c'est la faim.

— Tu as raison, on ne trouve plus rien sur cette île de merde !

— Ils bombardent de partout, Mody.

— Ils nous ont oubliés. Tu as vu hier, Nina, ces enfants blancs et gonflés ?

— Je t'ai dit et répété que tu ne devais pas les regarder.

— Tu as raison. C'est que, comme Carmine, mais comment est-ce que je pouvais le comprendre alors ? je me fais du souci pour mes enfants. J'ai rêvé que 'Ntoni mourait de faim à Rome.

— J'ai eu tort de te parler de Rome. Quelle conne, Nina ! Mais 'Ntoni est fort, tu as dit.

— Oui.

— C'est Jacopo, alors, qui te préoccupe ?

— Non, hier justement j'ai eu une lettre, par bonheur, on a découvert qu'il avait la tuberculose.

— Nom d'un chien, être content parce qu'un de vos enfants a la tuberculose !

— Ce n'est pas grave, et c'est toujours mieux qu'être à la guerre comme Prando.

— Nom d'un chien !

— Prando est fort. Tu as vu quelles lettres enflammées il écrit du front ? Ce patriotisme enflammé signifie, dans notre langage codé, qu'ils font tout leur possible pour accélérer la défaite.

— Souhaiter la défaite de son propre pays !

— Ce n'est qu'ainsi que le fascisme peut tomber, dit Prando. Mais lui c'est autre chose. Jacopo serait mort, Nina, mort à coup sûr.

— Mais ne pleure pas, minette.

— C'est aussi la faim.

— J'aime mieux ça ; et maintenant, s'il le faut, je t'ouvre la bouche avec un couteau, mais tu vas manger ce chat. Nina l'a mis dans la saumure : c'est de la viande de luxe, y en a qui mangent des rats...

— Oh non, Nina, non !

— Parce que tu crois peut-être que ça m'a fait plaisir ? Ça devait être le dernier de l'île ! De tout, ils mangent, comme en Russie après la Révolution, de tout, même des rats. Angelica me le racontait quand j'étais petite. Mais qu'elles aillent se faire voir ailleurs, Angelica et sa révolution ! Maintenant c'est toi qui dois te remettre d'aplomb. Après des mois de racines plus quelques lentilles, Mody, tu m'as pris une carnation à la *Traviata* qui me plaît pas du tout ! Tu aimes *La Traviata ?* Moi j'étais folle de Verdi. Quand mon père a ouvert son magasin à Rome, il m'a dit : « À Rome il y a un Opéra », et la douleur – j'étais petite – de laisser Civitavecchia m'est passée en un clin d'œil. Et il a tenu promesse. Tous les dimanches après-midi là-haut au poulailler, avec tous ces vieux originaux qui feuilletaient les partitions et chantaient à voix basse, il me disait toujours : « Et voilà, petite, pour se préparer à la révolution il faut s'abreuver de plein, plein de rêveries. » Un grand anarchiste, Ottavio ! À son cousin Nicola, un léniniste sanguinaire à outrance, pour le faire taire quand l'autre criait, il se mettait à murmurer tout doucement : « C'est pas ta faute, Nicola, c'est que tu n'as aucune imagination ! Nous sommes bien d'accord que tout réside dans l'économie, mais après ça, la vraie révolution, faut l'inventer ! » Et maintenant à nous, Mody, ou plutôt au chat ! T'enfuis pas, tu aurais préféré peut-être que je te dise un mensonge ? Et comment j'aurais fait, du reste ? Tu as des yeux pour voir, non ? Ils ont tout mangé et je peux pas leur en vouloir. Les oiseaux ont disparu... à cause des bombardements, tu dis ? Peut-être... Allez, encore un petit morceau, considère que c'est un médicament ! Tu te souviens des œufs battus ? C'était bon, hein, putain ! Qui aurait pu nous dire que nous aurions la nostalgie d'un œuf dégusté en prison, hein, Mody ? Si tu ne faisais pas cette tête épouvantée le fou rire me prendrait. Que tu es drôle ! Eh, avale ou tu vas t'étouffer ! Tu l'as mâché, au moins ? Oh, maman, elle va s'étouffer ! Pardonne-moi de rire, petitoune, mais une idée m'est venue ! Tu ne crois pas que d'ici quelque temps, vu le tour qu'ont pris les choses, avec toutes ces mines de dégoût que tu fais nous nous retrouverons à regretter même cette bestiole ?

— Rien, Nina ? Tu n'as pas vendu tes bérets ?

— Question pour question, et à toi, ils ne t'ont rien porté, ces goujats ? Pourtant ils les boulottent, tes leçons.

— Les pauvres, ils ne tiennent pas debout ! Ça me donne de la force de voir comment, malgré la faim, l'intérêt est le plus fort. Ils ingurgitent tout comme si c'était du rossolis ! Au couvent, je rêvais d'être enseignante, d'abord à cause de la chaire, de la baguette de commandement de mère Leonora... À cinq ans Jacopo rêvait d'être pape.

— Nom d'une pipe ! Il y allait pas de main morte, ton Jacopo.

— C'est à cause de l'âge, ils ont tellement d'énergie et ils ne savent pas où la mettre. Il suffit de ne pas les contrarier dans leurs rêves et avec le temps ils comprennent, rassasiés – les rêves rassasient comme une seconde vie. Après, Jacopo s'est mis à rêver de devenir boucanier.

— Moi, je rêvais de devenir chanteuse d'opéra.

— En effet, tu as une voix magnifique.

— Oui, mais à force de les voir grasses et grosses je me suis dégoûtée. Je voulais être mince !

— Tu peux être contente, là-dessus on est à point.

— Sommes-nous spirituelle ! Mais je vois un petit sachet ?

— Je t'en prie, Nina, l'habituelle petite poignée de lentilles. Et en plus il n'y a pas d'eau !

— C'est pour ça qu'ils s'en débarrassent, ces petites canailles.

— Ce n'est pas vrai !

— Mais bien sûr que ce n'est pas vrai, je dis ça pour dire quelque chose.

— Comme ils comprennent si on leur parle clairement ! Avant je pensais que les miens étaient si éveillés à cause de la façon dont je les avais élevés. Mais je vois que ce n'est pas vrai. Tous, sauf ce Mazzella qui est vraiment arriéré, comprennent, et ça aide.

— Ils comprennent même trop ! Tu sais que le curé s'est plaint, je voudrais pas qu'on nous flanque sur une île pire que celle-là, il n'y a jamais de limite au pire !

— Je n'ai plus peur, Nina. On est en pleine apocalypse, Prando avait raison, et ils ont autre chose à faire... Je te disais : je voulais devenir enseignante.

— Tu me l'as déjà raconté, petitoune, la faim ne te réussit pas.

— Si tu dis que je me répète ça veut dire que tu ne m'aimes plus, Nina.

— Mais qu'est-ce que tu dis, minette, viens là... Voilà, comme ça, sur mes genoux, ma petite minette. Tu es brûlante, oh ! Tu ne m'aurais pas attrapé la fièvre ?

— Non, non, tu ne m'aimes plus, hier déjà tu n'as pas voulu m'embrasser.

— Et maintenant Nina t'embrasse, allez ! Hier elle a fait quatre allées et venues pour les lettres, minette, ne l'oublie pas !

— Mais avant, même fatiguée, tu m'embrassais toujours.

— Et alors ? Bien sûr, toujours en ces choses-là la chair se calme peu à peu, mais en échange vient tellement de tendresse, pas vrai, minette ? Tellement de tendresse que j'en pleurerais presque... Allez, un petit baiser sur l'œil joli, sur la figure, sur la bouche bavarde, ne serait-ce que pour la faire taire...

— Et aussi sur le menton dur, arrogant, comme tu disais... Il te plaît encore, Nina ?

— Bien sûr, encore, comme ce beau front serein, à peine, à peine abîmé par une cicatrice qui change de forme, de couleur... Quelle forme a-t-elle aujourd'hui, tu le sais ? On dirait un petit ruisseau pâle plein de poussière d'étoiles.

— Oh, Nina, ne parle pas d'eau. J'ai une soif !

— Je peux te comprendre. Alors disons qu'aujourd'hui elle a la forme d'une comète. Tu m'as tout raconté, mais pas comment tu t'es pris cette cicatrice.

— Je n'en ai pas envie. J'ai juste soif.

— Et alors tu sais ce que te dit ta Nina ? C'est le moment de se remuer.

— Que tu es comique quand tu dis ça !

— Eh, remue-toi, allez, bouge le cul ! Eh, mollassonne !... C'est pas pour dire, mais nous autres Romains nous possédons un esprit vraiment raffiné, quasiment à la Eden, à la Bond Street, comme disait Arminio.

— Quelle prononciation, Nina ! Répète-le : « Striit' ».

— Mais qu'est-ce que c'est, la prononciation ? Suffit de comprendre ! Et puis je vis de reflet et je m'en contente.

— De reflet de quoi ?

— De mon Arminio qui sait les langues étrangères et le reste. Je lui tourne autour, je le regarde et je me gonfle tout entière d'orgueil, oh !

— Tu y penses toujours à ton frère, hein, Nina ?

— Comme toi à ton vieux, quand j'en ai besoin.

— Dis-moi, Nina, toi non plus tu ne m'as pas raconté pourquoi tu as cessé de faire des études.

— Bof ! Arminio dit que c'est par une vieille autodépréciation féminine. C'est vrai, je me suis laissée décourager ! Oh, pas à la maison. À la maison pour mon père nous étions tous pareils... et, nom d'une pipe, de fait, ce qu'il avait raison ! Tous morts ou en prison, hommes et femmes ! Qu'est-ce que je disais ? Ah oui, pas à la maison, mais dehors, à l'école. Il disait aussi que ça dépendait peut-être de la date de naissance, j'étais née trop tôt, et il doit avoir raison, parce que Licia, la plus jeune, fait des études et va à fond de train... Allez, bouge-toi, j'espère vraiment avoir des nouvelles d'Olimpia : elle est en bonnes mains avec Licia, mais tu sais comment c'est ! L'anxiété maternelle ne lâche pas prise. Viens, allons-y.

— Non, parle-moi d'Arminio, comment est-il ?

— Encore ? Tu devrais le savoir par cœur.

— Mais il me plaît.

— Ça va sans dire, c'est mon frère !

— C'est vrai qu'il a des yeux qui changent de couleur, ou tu inventes ?

— Regarde les miens et fais-toi une idée.

— Je le connaîtrai ?

— Et qu'est-ce que j'en sais ! Ici j'ai l'impression qu'on ne connaîtra plus personne sinon dans l'autre monde ! Viens, allons-y.

— Je me sens faible, Nina, qu'est-ce que ça peut
ètre ?

— Alors reste, moi j'y vais et tu verras qu'aujour-
l'hui sera une bonne journée. Tu verras que je vais
entrer avec plein de lettres et avec quelque chose à
nettre sous la dent.

Je suis sûre que c'est vrai. Quand Nina dit qu'elle
s'en va et revient elle dit la vérité. Elle n'a jamais été
n retard de dix minutes, ni d'une heure. Mais à cause
le la soif ou de la faim, peut-être, ou de toute cette eau
salée – même de loin on voit qu'elle est salée et
mère –, aujourd'hui j'ai peur de ne plus revoir son
visage. Pour apaiser le tremblement de mes genoux, au
prix d'avoir peut-être à me traîner sur les rochers brû-
ants à quatre pattes, je m'élance vers elle et lui saisis
a main... Je ne vois rien et pourtant c'est le plein jour.
'e sens seulement la chaleur de sa main qui tire vers
n bas où autrefois il y avait une baie tranquille d'eau
zurée avec plein de maisons blanches alignées comme
celles que Jacopo dessinait quand il avait cinq ou six
ns... Pourquoi Nina s'est-elle arrêtée ? Et pourquoi, au
ieu des habituelles rues vides et silencieuses, y a-t-il
ant de monde qui vous bouscule et qui crie ? Et pourquoi maintenant cet homme grimpé sur la corniche
rrache-t-il les murs et les lance-t-il contre nous ?

84

— Ils n'avaient rien contre nous, minette, ils fai-
aient tomber le buste de Mussolini, et ils étaient heu-
eux, eux ! Quand tu t'es abattue au sol foudroyée,
omme au cinéma, j'ai compris, nom de Dieu que Nina

l'a compris que la chose était grave ! Mais maintenan
tu es hors de danger, c'est ce qui compte.

— Quel danger ? Et pourquoi est-ce qu'il fait s
noir ?

— Parce que tes yeux te font mal. Rien de grave
c'est la fièvre et la faiblesse.

— C'est la faim, c'est ça, Nina ?

— Eh, plût au ciel ! Tu as eu le typhus, minette, e
quel typhus ! Est-ce possible que tu ne te souvienne
de rien ? Quelle peur ! À chaque heure j'avais peur qu
tu me meures entre les bras.

— Nina ? Je ne t'ai jamais vue pleurer.

— Misère de moi ! C'est toi qui me fais pleure
avec ces côtes décharnées et ces pauvres petites mains
on dirait les mains de mon Olimpia quand elle a eu
la diphtérie.

— Olimpia ! Tu as eu des nouvelles de ta fille ?

— Elle est ici avec nous... mais vraiment tu ne t
souviens de rien ?

— Je me souviens seulement que je te suivais e
qu'il faisait chaud...

Dans la pénombre je fixe le visage de Nina et j'es
saie de me souvenir. Peut-être que si elle allumait l
lumière...

— Et pourquoi la lumière, minette ? Il fait jou
encore, je t'ouvre la fenêtre.

Pour ouvrir les fenêtres Nina doit écarter des vague
blanches de *tulle** pareilles au voile que mettent le
novices pour leurs épousailles. Ce blanc vaporeux m
donne la nausée. Qui sait pourquoi Beatrice a voul
revêtir ce symbole mortel, et pourquoi Carlo ne s'es
pas rebellé ? « Personne ne peut résister à Beatrice, t
le sais bien, Modesta ! »

Elle se détache des rideaux, heureuse, et va vers l
grand miroir au cadre orné de pampres et de fleur

d'or. Qui peut résister à Pouliche ? Elle a tellement insisté pour ce miroir qu'il a fallu la laisser faire, et maintenant comme tous les matins elle se regarde dans la glace et se brosse les cheveux en contemplant sa propre image.

— C'est beau ici, ma minette, plus beau que ce que tu m'avais décrit. Eh, vous les riches ! Ou vous ne savez pas ce que vous avez ou vous vous payez la tête du monde : la maison de campagne, la bicoque, mais c'est un palais, ça, mazette !

Nina peigne ses cheveux brillants d'or bruni, ou c'est le soleil ?

— Eh, bien sûr, ta Bambù m'a procuré du henné ! Eh, ce n'est pas vrai que tout ce qui est naturel est toujours bien, parfois il faut la retoucher, la nature.

Elle a raison, cette masse soyeuse et dorée allégeant ses traits un peu plébéiens, comme aurait dit grand-mère Gaia, donne au visage de Nina « un je ne sais quoi de doux qui émeut », n'est-ce pas, Carlo ?

— *Un peu de lune, un peu de mer, un peu de musique au cœur... C'est seulement ainsi que je pourrai oublier ma douleur...*

Nina chante une chanson nouvelle.

— Ah, tu sais que j'ai fait la connaissance de ton fameux José ?

— Et où ?

— Ici, il a débarqué avec les Américains. Il nous a trouvé de la pénicilline et il est reparti. Qui pouvait imaginer ça, un Italien en uniforme américain combattant contre son pays ! Il te salue. Quel homme magnifique ! Ta Nina était tombée amoureuse pour deux jours au moins, et pas parce que c'est une béguineuse, comme disait son père. La vérité, c'est que celui-là, ça oui, c'est un homme !

— Tout le monde tombe amoureux de José.

— Mais tiens donc ! Toi aussi ?

— Non, moi non.

— Et comment ça se fait ?

— Parce que j'étais sûre de ne plus le revoir. Je ne le reverrai plus. C'est Timur que je dois rencontrer.

— Et c'est reparti avec ce Timur ! À chaque casque allemand qu'on a rencontré, tu disais que c'était lui.

— Oui, c'est la seule chose dont je me souvienne : des casques sans visage et des plaques de métal brillant sur la poitrine. Cent, deux cents, peut-être mille casques et plaques avec ce cruel emblème.

— En réalité nous n'en avons pas rencontré beaucoup, minette ! « Juste le strict nécessaire d'Allemands ! » comme disait ton Jacopo.

Une bouffée d'orgueil, quand Nina parle ainsi de Jacopo, dissipe toujours le brouillard de ma somnolence. Pour entendre parler de lui, rien que pour ça, je me fais raconter l'histoire de notre libération que je connais par cœur...

— Oui, oui, c'est lui, alors que tout le monde fêtait la chute du fascisme en s'imaginant que tout était fini, c'est lui qui le matin même, avec Pietro, a commencé à intriguer, à insister... Oui, il a convaincu votre ami Pasquale de les aider. Un timide, un indécis, tu parles. Il a organisé le voyage, affronté tout le monde. Et après nous avoir amenées jusqu'ici il est tout de suite reparti chercher là-haut à Rome mon Olimpia. Tout juste à temps, oh !

Et pour écouter encore et pour être sûre de l'admiration qu'a Nina pour mon Jacopo je n'ai qu'à demander :

— Mais est-il possible qu'il m'ait portée dans ses bras durant tout ce temps ?

— Bien sûr que oui ! Lui et Pietro, mais presque toujours lui.

Presque toujours lui !... Même s'il est loin (José l'a emmené combattre dans le Nord), je vole doucement du lit au fauteuil dans les bras de Jacopo. Et s'il ne fait pas trop chaud : « Il ne faut pas que tu transpires », a-t-il dit, avec des mains délicates il me soutient par la taille jusqu'à la lointaine fenêtre, fatigante à rejoindre mais si propre, sans punaises et sans rats qui grattent.

— On est bien ici, hein, minette ? Avec tous ces arbres, l'œil se repose. Du vert dehors, et dedans, quelle propreté ! Tu te souviens comme ils grattaient, ces rats d'égout noirs ? Tu as été vraiment courageuse de n'en jamais parler, Mody, il faut que je te le dise.

— Il n'y avait qu'à les ignorer.

— Bien sûr, mais maintenant que je vois toute cette propreté presque exagérée je comprends mieux ton courage.

— Et le tien, quand tu ne m'as jamais parlé de ton mal de mer ou de ton mal d'île, comment faut-il l'appeler ?

— J'en rêve encore de ce minuscule lopin de terre ! Eh, on ne pouvait pas lever les yeux sans voir ce liquide effrayant toujours en mouvement.

— C'est pour ça que tu gardais souvent la tête baissée. Ce n'était pas que tu avais mal à la tête, alors !

— Tu parles, moi, la migraine des demoiselles ! Mais qu'est-ce que tu dis ? C'était comme si ma tête s'allongeait et s'en allait entraînée par les vagues. Eh, ils le savent, eux, que la relégation sur une île donne ce résultat sur presque tout le monde, sauf sur toi, ma belle petite !

— Nina, embrasse-moi, tu as raison mais j'ai encore peur. Je m'en veux, mais j'ai peur !

— Allez, viens dans mes bras, tranquille, et la peur va te passer. Ce n'est pas pour dire mais Nina est maîtresse dans l'art de calmer sa minette.

Nina est maîtresse dans l'art de calmer avec de sûres caresses toute alarme sur ce front qui brûle. Et c'est pour cela qu'aujourd'hui encore je la regarde dans les yeux pour surmonter la longue attente, l'angoisse, la peur, l'absence de nouvelles, bombardée d'échos de carnages, de tortures, de massacres en masse que seuls peuvent connaître ceux qui les ont subis et qu'ils ont seuls le droit de raconter.

Mais cela vient plus tard... Maintenant, s'il n'y avait pas Nina, je resterais étendue à attendre, suspendue dans le vide de l'angoisse et de la fièvre, cherchant seulement à déchiffrer les visages fermés, scellés par la terreur, de ceux qui reviennent au milieu du brouhaha indéchiffrable et violent qui à toute heure se déverse en flots de la radio... Et rien ne peut consoler, ni la beauté de Bambolina, beauté nouvelle, son visage bronzé, fier de son travail aux champs, ni Carluzzu, le fils de Stella, qui tombe et sait déjà se relever tout seul sans pleurer, ni la naissance de la petite Beatrice – toute blanc et or –, la fille de Bambù et de Mattia, ni la vue d'Olimpia, la fille de Nina, qui joue avec Crispina.

— Elles sont tout le temps ensemble, hein, Nina ?

— C'est une force de la nature, cette Crispina ! En quelques mois elle a transformé mon Olimpia. Elle était arrivée avec des yeux d'agneau terrorisé. Elle ne parlait pas. Maintenant elle court et saute comme un cabri...

La nuit, je continue à chercher la main de Nina, la Nina brune, sérieuse de l'île qui déjà vit dans mon souvenir. Le jour, la Nina dorée, souriante, qui court dans le vert léger de la vigne au crépuscule. Enfin je peux courir à côté d'elle et m'abreuver de ses récits, de ses plaisanteries.

— Dieu lièvre, Nina ? Ça c'est une nouveauté !

— Non, petite, c'est vieux comme madone huit !

— Comment, huit ?

— Huit ! Comme le chiffre huit. Ou madone danseuse, ou si tu préfères, dieu funambule, au choix.

— Tu me fais rire, Nina, d'où les sors-tu, celles-là, tu les inventes ?

— Je les invente ? Allons donc ! Elles proviennent toutes du patrimoine familial. Faut des siècles pour arriver à ces raffinements. Mon grand-père, de pure origine viareggienne, se régalait dans sa sereine vieillesse à rassembler et collectionner les blasphèmes divers. « Maintenant qu'enfin l'Italie s'est faite », il disait, « et qu'on a chassé la papauté parasite, c'est un devoir de recueillir ces expressions de révolte spontanément nées du peuple opprimé... » Mais oui, comme les chants et les poésies populaires, il disait. Pauvre grand-père ! C'était un homme d'une trempe exceptionnelle. Je ne l'ai vu pleurer que deux fois : pour le Concordat et pour Sacco et Vanzetti•.

— Par pitié, Nina, ne repars pas sur Sacco et Vanzetti !

— Et pourtant si les Alliés gagnent, il faudra que nous y jetions un œil sur cette sale affaire, Mody *mia*.

— Non, Nina, non ! Dis-moi plutôt : aucune nouvelle d'Arminio ?

— Rien, ni d'Arminio, ni de ton 'Ntoni. Mais nous pouvons nous satisfaire de savoir quelque chose de Jacopo et de Prando. Et si je m'en satisfais, moi qui ne suis pas de la famille...

— Tu es de la famille !

— Comme ton Mattia me plaît ! Si c'était pas pour Bambolina je m'offrirais bien deux heures avec lui en tête à tête. Mais même si Nina est béguineuse, elle se passe ses caprices, d'accord, mais pas avec les hommes déjà pris.

Nina, Nina... La Nina brune, sauvage de l'île, la

Nina dorée, souriante du Carmel. Enfin je peux courir à côté d'elle, savourer des yeux son harmonie libérée, son pas qui dessine des volutes mélodieuses d'énergie vitale. Maintenant elle s'arrête pensive, elle a sûrement quelque confession à me faire.

— Faut que je te le confesse, minette, hier soir j'y suis retombée dedans, comme on dit, c'est que ce petit brun me plaisait drôlement, et puis il partait ce matin. Ben, tu le sais maintenant, ça a été plutôt pas mal...

À chacune de ses confessions l'étonnement de n'être pas jalouse me fait courir dans ses bras, reconnaissante. Comment cela peut-il se faire ? Ce que je comprends en pensant à Joyce est que la jalousie est toujours encouragée par ceux qui veulent s'en servir par manie de cruauté inutile et mortifère. Ne serait-ce que parce que, après sa confession, ses bras me serrent avec une chaleur nouvelle.

— Tu ne m'en veux pas, hein, minette ? Faut m'excuser, Nina est faite comme ça ! Elle est un peu garçon manqué, comme disait Arminio quand j'étais toute petite. Et comme il avait raison ! N'y fais pas attention, c'est des choses comme ça, à la légère, des choses qui ne font que laisser plus pur le sentiment que j'ai pour toi. Avec mon homme aussi c'était la même chose. Évidemment il faisait un peu la tête...

— Et s'il le faisait, lui ?

— Eh ben, pareil, non !

— Et si moi je le fais ?

— Pareil, minette, t'inquiète pas. Nina n'a qu'une parole.

— Mais tu me suffis, à moi.

— Mon œil ! C'est que tu ne sais pas, tu n'as pas d'expérience. Toi, Bambolina, vous êtes les premières à avoir eu un peu de liberté. Nous, pour ces choses-là, il n'y a pas à dire, on n'a pas été embêtées par ma mère, ni ma mère par ma grand-mère... Mais après tout, peut-être, à bien y penser, chacun est comme il est. Il n'y a pas de raisonnement qui tienne devant l'amour et mieux vaut ne pas en discuter. Quels moments a passés ta Nina divisée entre toi qui mourais et cette petite là-bas au loin ! Il y a que Jacopo qui m'ait comprise. Il comprend tout, ce garçon-là. Comment est-ce que j'aurais pu te laisser pour aller chercher Olimpia jusqu'à Rome ? « Eh bien, alors on y envoie Pietro », il a dit comme si de rien n'était. « Si tu nous fais confiance, écris une lettre à ta sœur et Pietro va aller la chercher. » Quels moments j'ai passés, ma minette ! avec ce géant qui ne vous regarde jamais en face. J'ai confiance, moi, mais Licia, est-ce qu'elle allait faire confiance à ce malabar ? Et alors Jacopo, comme s'il avait lu dans mes yeux : « Bon, j'y vais moi-même. Moi, qui sait pourquoi, tout le monde me fait confiance. » Qui sait pourquoi, qu'il dit : mais on croirait un ange !

— Mais Jacopo va revenir, n'est-ce pas, Nina ?

— Bien sûr, comme ils reviendront tous, Arminio aussi, j'en suis sûre.

Le baume magique de sa certitude nous pousse toutes – Nina, Bambolina – à garder en ordre les pièces du Carmel, et rien d'autre n'existe autour de nous, ni la joie effrénée de ceux qui ont retrouvé tous les leurs, ni la terreuse douleur de mort de ceux qui les ont tous perdus, et qui errent comme des aveugles au milieu des ruines, des marchés, des magasins. Et il est terrible de rencontrer leurs regards dilatés en une interrogation sans réponse.

— Ne les regarde pas, Mody, fais comme sur l'île avec les affamés. Ça ne sert ni à eux ni à nous.

Et sans regarder nous attendons l'été et puis l'hiver. Et puis encore un hiver et un autre été.

85

Cet été opulent d'or inoubliable de récolte et de lumière, comme si la terre pressentant la fin de ce déluge s'apprêtait à jouir du silence gorgé de blé qui brusquement était tombé sur les champs.

Mattia : Jamais, de mémoire d'homme, on n'avait vu une telle richesse de récolte sur l'île ! Là-bas à Catane la joie semble les avoir rendus fous. Ils célèbrent la paix comme avant ils invoquaient la guerre.

Modesta : Toujours les mêmes fous, les mêmes inconscients, Mattia. Inconscients et vulgaires, aurait dit grand-mère Gaia. Et ils ne voient pas qu'encore une fois c'est un soldat étranger qui les pousse à entretenir des espoirs insensés.

Pietro : Tout s'est arrêté, Mody...

Bambù : Plus un avion ne passe, ma tante. J'ai compris que la guerre allait éclater à tous ces avions qui passaient, surtout la nuit.

Mattia : En 18, à la fin de la Grande Guerre, nous les jeunes, nous étions heureux parce que nous croyions que désormais tout irait pour le mieux. Et ça nous choquait d'entendre les vieux qui répétaient : « Une paix a éclaté qui sera plus terrible que la guerre. »

Pietro, lui, est serein, il a fait en sorte d'empêcher au moins un préfet du passé de sauter sur scène et de recommencer à parler.

Pietro : Comme il priait, ce traître de Pasquale : « J'étais jeune quand ils ont décidé de tabasser Carlo, qu'est-ce que je pouvais savoir ? Ils voulaient juste lui donner une leçon. » Et allez, de prier et de rappeler toutes ses bonnes actions. De bonnes actions ! Cinq ans de prison pour ma Mody ! Mais lui, il était là, gras et visqueux, à répéter qu'on pouvait pas faire plus : « Comment est-ce que je pouvais la sauver de cette accusation prouvée de financement d'un parti clandestin ? » Si tout le monde avait fait comme moi et comme monsieur José l'ordonnait, sûrement que quelque chose pouvait changer. Au moins on aurait été débarrassés des vieilles têtes, même si maintenant il y en a de nouvelles qui nous arrivent d'Amérique. Hier, pour un peu je me faisais avoir. J'ai vu sur une Jeep les frères D'Alcamo, de triste mémoire.

MATTIA : Qui est-ce, Pietro ?

PIETRO : Deux mafieux laids comme l'enfer, si laids qu'avant on les appelait les anges, puis ils ont disparu. Mais comme on sait, les anges volent, et comme ils sont partis ils sont maintenant revenus dans les bras de l'étranger. Et ça, ça nous dit que rien ne va changer.

BAMBÙ : Oh, ça suffit, Pietro, ça suffit ! Oh là là, vous me faites pleurer ! Vous avez raison, vous les vieux, mais moi je veux être sereine comme ma tante, je veux espérer ! Espérer au moins que Prando, Jacopo et 'Ntoni vont revenir. Oh, ma tante, il faut qu'ils reviennent !

Dans le silence de paix indifférente qui enveloppe les champs immenses, je me retrouve à errer seule au milieu de cette luxuriance goguenarde de fruits, de légumes, de fleurs charnues qui raillent les morts ensevelis par les décombres. Comme au temps de la grippe espagnole, de gros rats (nourris par les cadavres ? pensai-je tout à coup en frissonnant) rôdent dans les étables à moitié démolies en poursuivant notre bétail. D'hier date la nouvelle qu'on a trouvé à l'aube un autre enfant aux pieds rongés par ces animaux maintenant gros comme des chats. Le fusil à la main, c'est à présent la loi au Carmel, ceux qui ont du temps vont à la chasse de cet ennemi numéro un. C'est ainsi que moi aussi, le crâne assourdi par le bruit des balles, les poignets endoloris, je vais faire un tour pour les débusquer.

Depuis dix minutes je suis tapie à fumer une cigarette, quand un bruissement sournois derrière la palissade me fait lever mécaniquement le canon du fusil.

— Mais c'est un destin, nom de Dieu ! Partout où je vais je ne trouve que des fusils pointés sur moi. Oh, Mody ! C'est comme ça que tu m'accueilles ?

— 'Ntoni ! – j'entends ma voix qui crie – Mais que faisais-tu derrière cette palissade ?

— Oh, j'essayais de me reprendre un peu avant de me présenter à vous. J'avais tant de courage en marchant ! Mais dès que j'ai vu la maison, j'ai eu honte de me présenter comme ça... Qui sait ! J'espérais qu'en me reposant un peu je serais plus décent.

— Mais que dis-tu, 'Ntoni ? Viens là, où t'enfuis-tu ?

— Mais j'ai même des poux ! Ils me torturent, Mody, ils me torturent !

'Ntoni s'enfuit, il doit avoir remarqué l'horreur qui s'est emparée de moi, folle que je suis ! À quoi est-ce que je m'attendais, à les voir revenir comme ils étaient avant ? Il ne faut pas que je me laisse effrayer par son aspect, c'est 'Ntoni, c'est bien sa voix ! Je lui cours après et je le saisis par les bras. Il n'est pas allé loin, il n'a pas de force, il a suffi que je le touche et le voilà qui me tombe dans les bras en pleurant.

— Oh, Modesta, enfin tu m'embrasses ! Tant de temps sans un visage de femme, sans des bras de femme ! Un homme ne vit pas sans cette douceur, il ne vit pas !

'Ntoni tremble dans mes bras comme enfant il tremblait dans les bras de Stella. Et rien ne peut le réchauffer, ni le bain bouillant ni la tasse de camomille au miel. *Quannu pigghia friddu 'stu carusu diventa siccu siccu cornu fussi manciatu du so stessu trimuri !... comu a so patri*[1].

'Ntoni devient de jour en jour plus maigre sous les couvertures. Et quand la nuit tombe, ce froid rappelle à son esprit des scènes atroces d'un passé qu'il est seul à connaître, qui l'oblige à crier des ordres, des invocations, des mots allemands... Ces mots tracent une frontière de glace entre lui et nous, spectateurs impuissants de ce combat.

BAMBÙ : Oh, ma tante, c'est terrible ! Il a une cicatrice, qu'est-ce que ça peut être ? Et toi, Antonio, qui es médecin ? Pourquoi est-ce que tu ne dis rien ?

ANTONIO : On ne comprend pas, ou plutôt on comprend : tortures, expérimentations... Je le sais pour d'autres, mais lui seul pourra nous le dire.

BAMBÙ : Regarde, à la hanche aussi ! J'ai l'impression qu'il bouge mal les jambes.

ANTONIO : Non, non, Bambolina, il n'a rien de paralysé, ses cicatrices sont fermées depuis longtemps. Il est seulement dans un état de grande dénutrition, et cela ne l'aide pas. Les blessures se ferment vite mais les plaies de la mémoire, non ! Ne pleure pas, Bambù, l'important c'est que... eh bien, l'important c'est qu'il n'a rien... bref, c'est encore un homme.

BAMBÙ : Hier, il a posé une question sur Stella. Il doit avoir oublié.

ANTONIO : C'est possible. Probablement son orga-

1. Quand il attrape froid ce garçon devient tout maigrichon tout maigrichon comme s'il était mangé par son propre tremblement !... comme son père.

nisme ne supportait pas cette autre douleur et l'a effacée. Cela vaut mieux ainsi !

BAMBÙ : J'ai peur, j'ai peur, Antonio ! Et Prando, Jacopo, pourquoi est-ce qu'ils ne reviennent pas ? Il y en a tant qui sont revenus...

ANTONIO : Du calme, Bambù, essaie de rester tranquille comme Nina. Elle attend, elle aussi. Il y en a encore tellement qui doivent revenir. J'ai eu les noms là-bas à la mairie, il y a de l'espoir encore.

BAMBÙ : Oh, Antonio, tout semblait terminé !

ANTONIO : La guerre est rapide à arriver et lente à s'en aller. L'Italie paraît être un tas de ruines, les champs sont encore minés. À Milan, on a attribué un kilo et demi de charbon par tête, deux fois par mois. Ils sont au chaud cet hiver à Milan, Bambù, au milieu de bandes armées qui dévalisent tout. À Naples, des bandes de gosses, il y en avait une de quatre-vingt-dix gamins ! ont attaqué un train, le plus âgé d'entre eux avait dix-sept ans.

BAMBÙ : J'ai peur, plus peur qu'avant, en pleine guerre. La maison semble vide depuis que Prando n'est plus là, et Modesta qui ne parle pas, ne sourit pas, va à Catane et en revient de plus en plus triste.

Bambolina parle de moi comme si j'étais absente, et elle a raison. Le soir, je suis là avec eux autour de la table et je porte la nourriture à ma bouche mais je n'arrive pas à parler, l'esprit fixé sur une seule grande désillusion, sur ces hommes qui à Palerme, à Catane, m'accueillent à bras ouverts en glissant comme des patineurs autour des anciens bureaux du pouvoir : les mêmes gestes, à peine adoucis par des complets gris à fines rayures blanches, les mêmes têtes, libérées seulement des couvre-chefs fascistes : « Vous êtes une héroïne, princesse, et aujourd'hui plus que jamais nous avons besoin de femmes comme vous. L'avenir appartient aux femmes ! comme en Amérique. Avec votre passé, vous attirerez à nous des foules de femmes, vous serez l'une des premières femmes députés... » À part Pasquale, et j'ai presque de la peine pour lui, ils sont tous là : les joues soigneusement rasées, parfumées à la bergamote. Et si à la maison je suis muette, là-bas au moins je m'amuse à les faire pâlir, ces joues : « Vous voulez dire la première femme payée pour collaborer ? Pourquoi, on n'utilise plus le mot de collaborateur ? Mais oui, oui, collaborer avec les propriétaires terriens, les nantis, les prêtres ? » « Mais princesse, la démocratie ! La démocratie sera instaurée ! Il faut seulement démontrer d'abord avec des élections administratives, comme l'Amérique l'a suggéré, que nous autres Italiens sommes en mesure de l'avoir, cette démocratie ! Et avec la démocratie, nous... Vous verrez très vite... Mais quoi ! vous ne virez tout de même pas au communisme, princesse ? »

— Oh, ma tante, je t'en prie, dis un mot !

— Excuse-moi, Bambù, je pensais à ce que je devais dire demain à ces messieurs.

— Tu as dit qu'avec la chute du gouvernement Parri• et les Américains en Italie il n'y aura jamais de révolution ?

— Oui, Bambù, c'est ainsi. Parri tombe et le jésuite De Gasperi• entre au gouvernement. Le jésuitisme reprend sa place, comme aurait dit José.

— Mais il y a Togliatti• !

— Tant que ça les arrange, et sûrement aussi pour écarter le danger de révolution. Ah, voilà ce que je dirai demain, j'ai envie de m'amuser.

— Tu n'as pas l'air de t'amuser beaucoup, ma tante !

— Je dirai que je suis communiste et que je ne crois qu'en la révolution. Il faut être dans l'opposition, j'y ai réfléchi. Nina a raison. Surtout nous, les femmes : toujours dans l'opposition.

— Et pourquoi pleures-tu à présent, ma tante ? Pour l'amour de Dieu, pourquoi pleures-tu ?

— Parce que je l'ai décidé ! Mais surtout parce que... parce que je savais que je ne reverrais pas José. Je le savais, mais il ne fallait pas qu'il meure, il ne fallait pas !

— Oh, Modesta, il est mort ? Et comment est-ce arrivé ?

— Oui, en combattant à Cassino. Il s'était enrôlé dans la Ve Armée. Et pour moi, je me trompe peut-être, avec lui cette guerre a emporté l'un des meilleurs d'entre nous. « Et si toutes les deux, petites jeunes femmes évaporées, vous aviez rien qu'un instant pensé jouir de cette paix fâcheuse, vous vous trompiez ! Jamais je ne supporterai la vue de ces embusqués qui profitant de l'absence des meilleurs se préparent à jouir d'une paix de malversations et de mensonges. La guerre emporte les meilleurs, toujours ! »

Les yeux gris de grand-mère Gaia transpercent de leurs lames mes pupilles, et je dois baisser la tête pour échapper à leur regard torturant... Des mois de misérables conversations gonflées de rhétorique, de bonnes intentions, de propositions diverses et variées. Pendant ce temps dans les campagnes on meurt de faim. Et déjà des fusils invisibles se pointent vers la tête des rouges, des sans-dieu. Non, on disait cela avant, maintenant on les appelle « émissaires du bolchevisme ». Déjà des têtes tombent en ce temps de paix, et sur quelques-unes, parmi les innombrables têtes disparues dans le néant, on commence à pouvoir mettre un nom : le 7 juin 1945 est tué à Naro le syndicaliste Nunzio Passalacqua, commanditaires et auteurs matériels ont opéré en plein jour, à terrain découvert, de façon à ce que chacun puisse voir et réfléchir.

— Déjà la dame noble que nous savons a remis tout son bien dans les mains de Don Calò. Oui, le même Calogero Vizzini• de quand nous étions jeunes, Modesta. Disons que la mafia de Palerme et de Monreale l'a encouragé à adhérer à l'EVIS[1] : une espèce d'armée constituée par l'aile droite du parti séparatiste, le parti de ceux qui veulent se séparer de l'Italie pour mieux extorquer et voler. Et ils financent et ils arment, faute d'un quelconque Mussolini, un certain Giuliano•, bandit. Don Calò a eu personnellement affaire à lui. Je le sais de source sûre.

— Ils ne perdent pas de temps, hein, Mattia !

— Toujours pleins d'à-propos, ces messieurs, comme disait Carmine quand j'étais gamin : « Tu dois apprendre ça d'eux, et rien que ça. Parce que nous autres paysans nous sommes lents, mais avec la force de nos bras et leur vivacité, tu seras comme ton père Carmine, tu n'auras plus rien à craindre pour ta vie et celle de tes enfants. » Ce n'est que maintenant que je comprends pourquoi perdre à la table de jeu me donnait tant de joie. C'était comme une saignée bénéfique, Mody, ça me vidait de tout le sale sang noir des veines de nous autres, les maudits Tudia !

— Vous les Tudia vous êtes peut-être maudits, mais pas nous les Brandiforti ! Nous, grâce à l'enseignement de notre mère, nous nous sommes trouvés du bon côté, et nous ferons valoir ce que nous avons payé d'abord avec l'antifascisme et puis en combattant à la guerre et dans les montagnes. Je te préviens, Mattia Tudia, qu'on ne résout rien avec ce défaitisme.

— Défaitisme était un mot fasciste, Prando.

— Nous en trouverons un autre, ne t'inquiète pas !

1. *Esercito Volontario per l'Independenza della Sicilia :* Armée de volontaires pour l'Indépendance de la Sicile.

Nous trouverons d'autres mots, pas vrai, maman ? L'important est d'agir ! Comme tu es belle, maman ! J'ai honte de te le dire, mais j'avais peur de te retrouver vieille. C'est une chose étrange, mais au milieu de cet enfer ma seule inquiétude était de ne pas te retrouver comme je t'avais laissée. Maman, tu sais comment je t'appellerai désormais, et peut-être que ça servira à te faire rester toujours jeune ?

— Comment, Prando ?

— Ma mère enfant... Quel drôle d'animal est l'homme !

— Pourquoi, Prando ?

— Eh oui, vraiment drôle ! Avant je t'avais tout entière pour moi et je ne te comprenais pas, et puis une fois loin j'ai compris qui tu étais et j'ai eu peur de te perdre : comme un remords de ne pas t'avoir comprise avant, comme si le destin voulait me punir de ma distraction. Je n'ai eu peur que de cela et pas de tuer ou d'être tué. Tu me laisses poser la tête sur tes genoux ? Ce n'est qu'en te touchant que je suis sûr de t'avoir retrouvée.

À peine a-t-il posé la tête sur mes genoux qu'il tombe dans le sommeil. Son visage inchangé ne porte pas de traces de la période passée au loin. Comme s'il était sorti et revenu d'une promenade en moto. Seul son regard s'est fait plus serein et plus attentif. À la longue blessure de la joue désormais presque effacée, en répond une autre, parallèle, encore rouge. Sa peau a perdu son brillant de caillou poli par la mer mais même dans le sommeil reste ferme et lisse sous mes doigts. Pourquoi est-ce que je ne parviens pas à me réjouir de ce retour ? C'est peut-être le refrain de grand-mère Gaia ? « À chaque guerre ce sont les meilleurs qui s'en vont... » Ou peut-être est-ce la présence de 'Ntoni qui, enfermé dans sa douleur, erre, distrait, dans le jardin, sans parler ? De loin son corps revenu à la santé le fait paraître le même qu'autrefois, mais dès qu'on s'approche on voit ses yeux saigner d'une plaie encore ouverte.

Un avion passe, obscurcissant le soleil, et les yeux de Prando s'ouvrent, à peine troublés.

— Tu es là, maman ? Heureusement ! Je dors tout le temps, qui sait pourquoi ? C'est comme si je ne me rassasiais jamais de sommeil et... Mais tu es triste, maman ? Oh, pardonne-moi, quel idiot ! Ton Prando sera toujours une grosse bête égoïste ! C'est pour Jacopo ? Tu es inquiète pour Jacopo ? Mais il faut qu'il revienne, maman, il le faut... C'était le meilleur d'entre nous.

Cette phrase me fait lancer un grand cri entre ses bras. Si Jacopo est mort, je n'ajouterai plus une ligne à ces souvenirs et je me tairai pour toujours.

86

Et comme en ce lointain 1945 le silence tomba sur le peu que j'avais noté de ma vie, je me tais de nouveau maintenant que j'écris, et je tremble en cherchant le nom de Jacopo parmi mes feuilles. Je crains d'avoir oublié la date de son retour.

L'attente rend sourd, distrait... Voilà, 6 août 1945, Hiroshima. Jacopo revint juste dans ces jours-là, c'est pour cela que je n'ai pas noté la date, la bombe atomique eut la capacité de me distraire, même moi. Une bombe seulement plus puissante que les autres, dit-on alors, tant et si bien que par la suite on donna le nom de « bikini » à un maillot de bain et le surnom édifiant d'atomique à une vedette de cinéma.

Je ferme les yeux et je n'écoute plus que le souvenir de cette attente qui dilate les secondes, les minutes en un seul son confus et sombre. Et je n'aperçois même pas 'Ntoni qui vient vers moi sur la plage de la villa Suravita... De loin – son corps fortifié, ses cheveux coupés – il semble le même que bien des années auparavant. Mais à peine suis-je près de lui que je dois détourner le regard pour ne pas rencontrer sa bouche amère qui ne sourit plus.

— La mer te manquait vraiment, hein, Modesta ? pour que tu ne te soucies même pas des mines.

— N'aie pas peur, 'Ntoni, je me contente de faire les cent pas là où c'est permis. Regarde, il y a des pancartes, et puis cette villa, il faudra tôt ou tard se décider à l'arranger.

— Elle en a vu des choses, pauvre Suravita ! Je n'ai pas encore eu le courage d'entrer. Bambù a l'air d'une folle quand elle en parle, et pourtant on ne peut pas dire que Bambù ne soit pas forte, n'est-ce pas, Modesta ?

— Non, vraiment pas.

— C'est vrai que dans la salle de théâtre les murs sont tous barbouillés ? Qu'il y a des taches de sang sur les murs ?

— Nous avons tout nettoyé, 'Ntoni.

— Et les taches sont parties ?

— Elles sont parties.

— Tu as été courageuse.

— Nina m'a aidée.

— Nina est la femme la plus belle et la plus gentille que j'aie jamais rencontrée. Pauvre Nina ! On voit bien comme elle souffre pour son Arminio... Comme elle l'attendait, c'est atroce, la guerre ! Après avoir reçu la nouvelle elle avait maigri et vieilli. Mais maintenant elle a de nouveau l'air d'une jeune fille, comment est-ce possible ? Quel âge a-t-elle ?

— Je ne sais pas, 'Ntoni, tu sais que je ne me souviens de l'âge de personne.

— Mais d'où prend-elle cette force ? De sa fille, peut-être ? C'est vrai que c'est une fille merveilleuse. Ce serait formidable d'avoir une fille comme elle ! Mais je crois, j'en ai parlé avec Prando et il est d'accord, qu'il vaudra mieux ne plus avoir d'enfants ; et même qu'il ne faut plus en avoir. Ne plus mettre au monde un seul malheureux. Quel avenir peut-il y avoir pour les enfants, désormais ? Il ne manquait plus que cette bombe, Mody ! Quelle mort, désintégrés, pulvérisés en une seconde ! Et puis qui sait quoi d'autre encore qu'on ne nous dit pas, et tout ça nous le devons à nos amis américains.

— 'Ntoni, je t'en prie, tout est déjà si triste.

— Oh, excuse-moi, Modesta, tu as raison, c'est... c'est plus fort que moi ! Qu'est-ce qu'on disait ? Ah, oui, Nina est fantastique ! Et comme elle chante ! Dommage qu'elle n'ait pas été là avec nous quand on faisait du théâtre, elle aurait rendu tout le monde fou. Dommage qu'elle ne nous ait pas connus à ce moment-là, hein, Mody ! Sortons, je ne supporte pas la vue de notre maison abîmée comme ça. Et pourtant, même maintenant, si je la regarde je vous vois là comme vous étiez : Maman avec ces drôles de tenues, un peu de paysanne, un peu de dame, Prando toujours crotté et négligé, ce snobinard imitait Jean Gabin ! Bambù toujours la plus belle dans ses robes blanches... Oh, il me semble la voir descendant les escaliers ! et puis derrière elle le couple de première page : la princesse donnant le bras à son préféré... même si tu ne le disais pas, hein, Mody ?... à son Jacopo si grand, dégingandé, avec son visage d'enfant et sa démarche de vieillard... Voici que la princesse et son préféré daignent descendre l'escalier. Oh, Modesta, je deviens fou, je deviens fou ! Partons, je te vois là-bas vêtue de blanc avec Jacopo près de toi, et pourtant tu es ici. Modesta, au secours, regarde toi-même !

Une profonde terreur me fait me tourner d'un bond vers lui : il a le visage décoloré de celui qui voit un fantôme.

— Regarde, je ne suis pas fou. C'est Bambolina avec Jacopo ! C'est lui, Modesta, c'est lui ! Quelqu'un d'aussi grand, ça ne peut être que lui !

Est-ce qu'une joie peut vous foudroyer comme l'éclair et vous déchiqueter le corps ? Clouée au sol par cette joie, je n'ai pas le temps de le voir que je m'évanouis dans ses bras.

Quand je rouvre les yeux, des années ont dû passer, même si la mer est là, illuminée par le même soleil aveuglant.

— Oh, maman, heureusement que tu rouvres les yeux ! J'ai cru un instant que tu t'étais évanouie.

Sa voix est là, mais cette poitrine robuste, ces bras puissants qui me soulèvent presque doivent être ceux de Prando. Il vaut mieux ne pas regarder, je suis tombée dans l'illusion. Il ne fallait pas que j'écoute 'Ntoni et sa démence.

— Non, maman, non, je ne suis pas Prando. Allez, regarde-moi bien, je suis Jacopo, tu ne me vois pas ? C'est la faute de cet uniforme américain, mais j'ai préféré venir tout de suite plutôt que de perdre du temps à me changer. Et puis, me changer avec quoi, hein, Bambù ? Je n'entre plus dans rien.

— Mais oui, ma tante, même les chemises de Prando sont trop étroites pour lui !

Pourquoi est-ce que je ne le reconnais pas ? Nina m'avait pourtant avertie : « Mais oui, Mody, ton Jacopo t'a portée dans ses bras pendant tout le voyage quand tu brûlais de fièvre. » Mais une chose est d'imaginer, une autre de voir, de toucher. Les mains sur cette large poitrine, je cherche mon Jacopo. De mes paumes, je monte tout doucement vers les épaules pleines et droites. Et ce n'est que lorsque je rencontre les yeux gris derrière les verres embués des lunettes que je le retrouve. C'est bête, je le sais, et je comprends pourquoi Bambolina éclate de rire. Mais je ne peux m'empêcher de lui enlever les lunettes pour être sûre. Dénudées, les prunelles s'élargissent, douces et timides, et le regard triste, pudique – comme Beatrice le disait d'oncle Jacopo – me fixe attentif, comme il le faisait de la photographie. « Oh oui, s'il n'y avait pas eu sa maigreur et cette façon de marcher courbé, oncle Jacopo aurait été un très bel homme. » Oncle Jacopo s'éloigne, courbé sous son fardeau, tandis que mon Jacopo remet en soupirant ses lunettes sur son nez légèrement aquilin aux narines fines.

— Oh, merci, maman, je te revois enfin ! Eh oui, Bambolina, je suis vraiment bigleux ! Pense que de loin, même avec mes lunettes, je t'avais prise pour Modesta.

— C'est que tu n'as rien d'autre en tête. Tu la vois partout.

— Et toi alors ? Bel accueil, oh ! Maman, tu sais que jusqu'au moment où j'ai été littéralement sous son nez, elle n'a fait que me regarder avec soupçon ?

— Je l'avais pris pour un de ces géants américains.

— Honte sur toi ! Et 'Ntoni qui me regarde comme si j'étais un fantôme ! Et toi, maman, si pâle, qui ne dis rien ? C'est la faute de ce maudit uniforme. Allez, vite, allons-y, je vais l'enlever, je n'en peux plus !

Au fur et à mesure qu'il parle le foudroiement de joie qui m'a frappée se dénoue en moi en un bonheur jamais éprouvé, mais dès qu'il relâche son étreinte et fait le geste de me laisser, la peur de ce sable mou, incertain sous mes pieds me fait dire sottement, et Bambù a raison de rire :

— Non, Jacopo, ne me laisse pas, porte-moi dans tes bras comme quand vous êtes venus avec Pietro sur l'île pour me libérer.

— Bien sûr, bien sûr, mais tu t'en souviens ? Comment est-ce possible ? Tu délirais.

— Non, je ne m'en souviens pas, Nina me l'a raconté.

— Mais oui, Nina ! Et où est-elle ? J'ai tellement envie de la revoir. Quelle femme courageuse, Bambù, tu ne peux pas imaginer.

— Oh, raconte, Jacopo, raconte et tiens-moi bien fort.

Dans les bras de Jacopo je réentends les étapes aventureuses de notre voyage, et c'est alors seulement que mes sens ont la certitude que cet emprisonnement, cette guerre sont finis. Alors seulement, par sa voix, je comprends qu'on peut penser à l'avenir. Ou même, comme dit Jacopo en m'étendant sur le fauteuil et me couvrant d'un châle... Que dit-il ?

— Oui, maman, les horreurs les plus grandes sont terminées, au moins pour nous en Italie. Mais je te raconterai plus tard, j'en ai vu des choses chez les Alliés ! Il me tardait de revenir ici et d'en discuter avec vous : le marxisme n'existe pas chez leurs intellectuels, et je te parle d'intellectuels, d'étudiants comme moi : étranges étudiants, exclusivement spécialisés dans un seul domaine. Certes Roosevelt est un grand homme, mais du genre de notre vieil Antonio, un socialisme libertaire à l'eau de rose. Mais parmi les jeunes, j'en ai vu des choses ! Des inhibitions, des discriminations, des haines raciales. Pense, il y avait un certain Bob que j'avais pris en affection, et n'ai-je pas découvert que la nuit, il était à l'hôpital avec moi, malgré son peu de santé il sortait en groupe pour tabasser n'importe quel soldat noir de leur armée, le premier qu'ils rencontraient, comme il m'a dit ensuite d'un air ingénu, désarmant : « La première figure de négro sur laquelle nous tombons... » Mais maintenant même ce passé est terminé et, s'il ne faut pas que nous soyons pessimistes, il ne faut pas non plus penser – comme la majeure partie des gens, malheureusement – qu'avec la fin du fascisme tout ira pour le mieux. Moi, maman, en une année dans cet hôpital j'ai eu l'impression d'être passé d'une cellule en bonne et due forme à une autre à peine plus spacieuse, avec de la nourriture en suffisance et quelques journaux : une prison légèrement plus permissive, comme Joyce définissait dans le temps l'Italie par rapport à l'Allemagne de Hitler.

— ... Vingt ans pour tout recommencer à zéro. Il n'y a pas eu de révolution. Et ce sera déjà beaucoup si nous nous débarrassons de la famille de Savoie. Vingt ans de fascisme et d'ignorance se paient. Durant mon voyage de retour à travers toute l'Italie j'ai entendu quelques discours à faire frémir. J'ai acquis la conviction que nous les paierons, toutes ces années, jour après jour, heure après heure.

— Si je n'étais pas si content de te revoir vivant, Jacopo, je te promets que je me remettrais à discuter avec toi ! Mais je ne veux pas gâcher cette joie et la joie de maman. Regarde-la, Mattia, on dirait une autre femme, elle a rajeuni de dix ans ! Viens ici, Jacopo, embrasse ton frère Prando, et sois le bienvenu.

Dans les bras l'un de l'autre au soleil, immobiles, un silence empli de joie émane de leurs corps enlacés. Ce silence doit contenir en lui un appel car tous les habitants du Carmel, un à un, s'arrêtent sur le seuil, presque sur la pointe des pieds : Pietro, le vieil Antonio qui enlève ses lunettes et se concentre à les nettoyer avec son mouchoir fraîchement lavé, Vif-argent avec dans ses bras la petite Beatrice, Crispina main dans la main avec Olimpia (d'un doigt elle désigne son héros à sa petite amie) et d'autres visages nouveaux pour moi, des visages de gamins qui travaillent aux champs avec Mattia ; parmi eux, un homme âgé aux grands yeux bleus au milieu de ses rides, qui tient par la main le petit Carlo. La beauté de ce visage de vieillard retient mon regard. Ou peut-être est-ce que je cherche une image étrangère pour n'être pas submergée par l'émotion ? Bambolina, elle aussi, s'agrippe très fort à moi comme lorsque, dans son enfance, nous allions côte à côte sur le sable vers le soleil, nous ouvrant un chemin dans les vagues silencieuses du matin. L'eau au menton, elle murmurait : « Oh, ma tante, je suis encore trop petite, il me tarde de grandir pour aller comme toi près du soleil. »

Elle ne parle pas du soleil, et même si elle m'entoure la taille d'un bras comme autrefois, je n'ai pas besoin de me baisser pour entendre.

— Oh, ma tante, dans notre joie nous avons oublié 'Ntoni : il a disparu ! Allons le chercher, vite !

Sans parler, nous le cherchons dans les pièces immenses, les immenses couloirs, montant et descendant ces escaliers interminables qui brusquement, dans l'angoisse qui m'envahit, reprennent le caractère effrayant qu'ils avaient quand enfant j'errais dans cette maison ennemie.

— Je le savais, il a fermé la porte à clef, ma tante, vite ! Heureusement que j'avais compris...

— Quoi, Bambù ?

— C'est pour cette raison que je l'ai fait dormir dans la chambre d'oncle Jacopo... Viens ! Je connais un moyen d'entrer dans cette pièce. Là, derrière ce tableau, il y a un passage qui correspond à la grande tapisserie qui se trouve dans la chambre. On y va, aide-moi à le décrocher.

En passant de l'obscurité de la courte galerie à la lumière aveuglante de la pièce, je ne vois qu'une silhouette découpée dans le rectangle de la fenêtre grande ouverte : un bras levé vers le haut comme pour saluer quelqu'un au fond du jardin. Je n'ai pas le temps de me tourner vers Bambolina que je la vois s'élancer vers ce bras tandis qu'une détonation me fait porter mécaniquement les mains aux oreilles et fermer les yeux.

— Lâche le revolver, 'Ntoni, lâche-le, c'est raté, de toute façon ! Tu as failli me blesser, tu le sais ? Blesser ta Bambù !

« Ta Bambù » doit être une expression magique de leur rapport car elle a pour effet de transformer ce halètement d'animal traqué en sanglots convulsifs et de faire tomber à genoux 'Ntoni qui s'écrie :

— Oh non, non, Bambù, à toi, jamais, je ne voudrais jamais faire de mal ! Je suis un fou, un fou ! Un fou et un lâche ! J'ai même laissé la porte ouverte !

— Tu l'avais fermée, 'Ntoni, malheureusement tu l'avais fermée. C'est que ta Bambù est rusée, rusée comme une fouine. Tu te souviens que tu m'appelais ta fouine, hein ?

— Oh, oui, oui... Comment es-tu entrée ?

— Il y a une porte secrète.

— Quelle honte, Bambù ! Ne le dis à personne : je suis un lâche ! Je voudrais mourir ! Tu es belle, bonne comme ma mère, je ne veux pas te faire de mal comme je lui en ai fait à elle. Elle est morte parce que je l'avais reniée en moi-même... je l'avais jugée, gommée. Je suis comme mon père, maman avait raison, comme mon père je détruis ce que j'aime le plus.

— 'Ntoni, 'Ntoni...

Une seconde, j'ai la tentation d'avancer d'un pas et de dire la vérité. Mais mon savoir est théorique, et ces enfants doivent découvrir tout seuls leur propre vie, dans leur chair, avec leur langage. Et, en effet, comme des aveugles qui tentent de voir, ils s'embrassent maintenant, ils se touchent en silence.

Doucement, pour qu'ils ne m'entendent pas, je sors de cette pièce.

87

Durant le long voyage de retour à travers couloirs, escaliers et encore escaliers interminables, l'angoisse de perdre Jacopo, lui aussi, dans cette autre guerre qu'il mène depuis des années contre un doux visage entouré de jolies boucles, me fait trembler ; il n'a pas dit un mot d'Inès, il n'a pas posé de questions. Ce n'est que lorsque je rentre dans le salon maintenant rempli de monde comme le parterre d'un théâtre : même murmure, mêmes rares éclats de voix entrecoupés de quelques notes argentines d'instrument – quelqu'un accorde une guitare, une mandoline –, ce n'est que lorsque je vois Jacopo à la même place dans les bras, non plus de Prando, mais de Nina, que mon angoisse se calme. Et la surprise née du peu de temps écoulé entre la paix que son retour nous a apportée, et la guerre qui a éclaté en 'Ntoni, et qui peut-être rampe aussi, invisible, dans le sourire tranquille de Jacopo, laisse place à la mélodie du premier joueur de mandoline qui enchante Prando, la tête inclinée, absorbé dans son écoute. Toujours, pour chaque événement petit ou grand, Prando réclame de la musique, et son regard se fait tendre, lointain. Ma blessure palpite sous ma frange à la vue de la beauté de cette tête pensive, de cette grande tête d'homme adulte. Je ne peux rester immobile, mieux vaut retourner auprès de 'Ntoni. Mais à peine me suis-je tournée pour m'en aller que Prando me saisit par la taille.

— Où se sauve ma mère enfant ? Toujours à disparaître, toujours pleine de mystères ! Ou c'est juste que tout en t'acquittant de ton devoir de mère, tu ne peux vraiment pas me voir, hein ?

Avec force, il m'oblige à me retourner. Quand je rencontre son regard redevenu hardi, cinglant, je comprends qu'il n'y a rien à faire, il en sera toujours ainsi : il m'aime comme je l'aime. Pourrait-il en être autrement ? L'amour entre mère et fils est le dernier grand drame romantique, précisément parce qu'il ne peut être consommé.

— Il est inutile que tu te sauves, petite fille, parce que c'est justement cette façon de te sauver qui me fait t'aimer encore plus. Sur le front j'étais devenu la risée de tous ! Oh, ce n'est pas que j'aie beaucoup parlé de toi, mais tout le monde s'était rendu compte de ma passion pour toi et en riait. Oh, avec respect, entendons-nous... et tu sais ce que je répondais ? « Riez, riez, vous qui avez des mères moches comme des poux ! » Et après ça ils disaient des conneries parce qu'eux aussi étaient tous amoureux de leur mère. Vous voyez comment elle fait, ma mère enfant ? À peine je lui parle qu'elle détourne les yeux et s'enfuit à droite et à gauche. Mais où vas-tu ? Que tu dois rester près de moi : tu es ma mère et ma mine d'or ! Allez, Pippo, attaque la gentille sérénade, peut-être qu'elle va se dissoudre, cette pierre précieuse qu'elle a à la place du cœur.

Où Prando trouvait-il ce langage oublié ? Avait-il jamais entendu la voix de Carmine ?

— Oh, Pippo ! Elle palpite contre ma poitrine comme une colombe effrayée.

— Tu me fais mal, Prando ! Laisse-moi, je n'arrive plus à respirer !

— Tu le sais que je pourrais te casser en morceaux avec une vraie prise ? Mais après, dans ce cas, où trouver une colle adaptée pour recoller ce cou de *biscuit** ? Si je savais la trouver, cette colle ! Ça me plairait de te casser en morceaux pour, après, avoir le plaisir de te remonter peu à peu. Où la trouver ? À la Civita, il faut que je la cherche, dans ce no man's land. Il est dit que là-bas on peut trouver de tout, on peut tout acheter : des soies les plus fines à la cire pour les morts, de l'or à cent carats aux couteaux les plus effilés, du gosse sans visage qui te descend pour quelques lires celui qui s'est mis en tête de te barrer la route, et des *vellute* aux cheveux parfumés, aux cadavres tout frais, si tu as vraiment l'intention d'étudier l'anatomie pour ton propre compte... Tu ris, hein ! Ris, ma belle, que lorsque le rire te saisit, sans offenser les femmes célibataires et mariées, tu deviens la plus belle !

Ce devaient être la guitare et la mandoline qui faisaient jaillir cette source auparavant muette. Sa voix aussi changeait. La guitare, jusque-là délicate, se faisait profonde, comme balayée par des vents souterrains.

Pippo et Cosimo, tout en jouant, se sont levés, et derrière le dos de Prando fixent mon visage ou quelque apparition, derrière moi, qui les enchante et les transporte. Prando se tait. Il sait qu'il est temps, après avoir livré à tous son offrande d'amour, d'écouter la voix des autres. Et en effet une voix de jasmin fend la vague pour déclarer le tourment de son amour contrarié :

— *Bedda p'amari a tia 'stu cori chianci. Sincera-*

menti senza ca si fingi... Cugghiennu alivi pi 'sti munti santi... bedda p'amari a tia 'stu cori chianci[1]...

Pour qui chante Crispina ? D'où provient cette voix mûrie ? Ou était-ce le silence de la guerre, uniquement rythmé de chants militaires, qui rendait cette lymphe vivante muette ? Après la douleur pour son amour contrarié, Crispina, poussée maintenant par des mains invisibles au milieu de la pièce, attaque le chant de revanche :

— *Quanti è laria la mi zita, malanova di la sua vita... Ah, laria è, cchiù laria d'idda nun ci nn'è... Havi i spaddi vasci vasci ca mi parunu du casci... Ah, laria è, cchiù laria d'idda non ci nn'è*[2]...

À cette expression de libération des chaînes d'un amour torturant, Carluzzu ouvre tout grands les yeux et sans effort se libère des bras du vieux et vient vers nous. Retenu par ce vieillard, il semblait petit. Maintenant qu'il s'approche lentement, l'ossature solide de ses hanches et de ses épaules le fait paraître un homme.

— Oh, maman, regarde mon fils, il me tire ! Il ne doit pas être habitué à me voir enlacé à une femme. Qu'y a-t-il, Carluzzu, tu es jaloux ?

— Je chante moi aussi, papa !

La voix de Stella me saisit à la gorge, ses yeux noirs confiants me fixent. Il faut que je m'incline, que je le touche pour la sentir dans mes bras... Ce petit corps robuste ne se débat pas pour se dégager, il répète seulement :

1. Ma belle, de t'aimer ce cœur pleure. Avec sincérité et sans faire semblant... En cueillant des olives sur ces collines saintes... ma belle, de t'aimer ce cœur pleure...

2. Qu'elle est moche ma fiancée, oh disgrâce de sa vie... Ah, qu'elle est laide, il n'y a pas plus laid... Ses épaules s'affaissent, je croirais voir des caisses... Ah, qu'elle est laide, il n'y a pas plus laid...

— Je chante... moi aussi je chante avec Crispina. Pourquoi pleures-tu, grand-mère ?

— Je pleure d'émotion, Carluzzu. Crispina chante si bien.

— Moi aussi je chante bien, grand-mère.

— J'en suis sûre.

— Grand-mère, grand-mère...

J'étais déjà grand-mère... Et sur cette réflexion qui fatalement bouleverse plus qu'aucune guerre, je détachai mon regard de Carluzzu et je vis Inès franchir la porte-fenêtre du salon.

Je ne l'avais plus vue depuis des années, et s'il n'y avait eu la perception du danger que ce nom murmuré à côté de moi amenait avec lui, je ne l'aurais pas reconnue. La riante douceur d'autrefois, qui la rendait belle, avait disparu en même temps que ses boucles noires, maintenant serrées en une couronne de tresses dures autour de la tête. Sa petite bouche pleine, pincée en une expression méprisante, s'était effilée en une lame tendue d'autoritarisme, son corps forci par la « place » qu'elle avait conquise n'avait plus ni mobilité ni grâce.

— Eh, Mody, tout nouveau tout beau ! Si tu la voyais maintenant, une véritable harpie avec sa femme de chambre ! C'est ça que Pietro ne peut pas supporter, despotique et dure y compris avec le prince. Cette femme-là a décidé de se débarrasser de lui et de se marier : je le vois, moi, comme elle regarde à droite et à gauche ! Elle ne fait qu'accumuler de l'argent. Et puis elle satisfait plus le prince et lui n'en peut plus, pauvre malheureux ! J'ai parlé avec elle, mais elle ne veut pas de *vellute*. Eh comment ? que j'ai pensé. Si toi tu l'as accepté, alors, cet arrangement, pourquoi pas elle, et pourquoi est-ce qu'elle fait souffrir ce pauvre malheureux qui maintenant tremble et s'enfuit quand il la voit ? Il faut agir, Mody, écoute ce que je te dis !

— Et comment, Pietro ?
— C'est simple, par le moyen naturel : la faire disparaître en employant ses propres procédés empoisonnés.
Inès avance d'un pas de reine et se plante devant Jacopo, toujours enlacé à Nina. Jacopo ne l'a pas vue, tout entier pris par le sourire de Nina. Je pense bien ! Qu'est-ce qui peut lui importer de tout le reste quand Nina raconte et rit ? Mais Inès, levant la main – autrefois tremblante et délicate, maintenant chargée de bagues –, la pose résolument sur l'épaule de son fils et les sépare. Jacopo devient pâle comme un mort et d'un geste brusque éloigne de lui Nina, qui le regardant étonnée s'exclame :
— Et qu'est-ce qui t'arrive, joli petit brun ? Ça serait pas ta belle qui te prendrait sur le fait ? Mais regarde comme il a rougi ! Oh, Mody, viens voir !
Nina rit plus fort en fixant Inès avec défi. Inès, le menton levé, siffle :
— Vous voyez des saletés partout, madame ! ou mademoiselle ?
— Mademoiselle, mademoiselle !
— Ah, je comprends maintenant, mademoiselle, mais ici les choses ne sont pas comme sur le continent ! Je connais Jacopo depuis qu'il est tout petit et je suis venue l'embrasser comme une mère.
— Mais pardon, je plaisantais, et puis vous êtes si jeune et si belle que je croyais vous faire un compliment !
— Ici on n'apprécie pas ce genre de compliments, n'est-il pas vrai, Jacopo ? Tu ne me dis rien ?
— Mais Inès, je suis venu tout de suite te voir, à peine de retour...
— Oui, mais une minute.
— Oui, pour te rassurer, et puis... puis je devais aussi rassurer les autres.

— Bien sûr, mais ensuite je t'ai attendu toute la journée.

— Je serais revenu chez toi après... Tu vois ? Ils jouent. Crispina chantait. Allez, Crispina, recommence à chanter ! Et puis tu es ici, non ? Tu es ici avec nous maintenant. Allons, Inès, ne sois pas comme ça !

La voix de Jacopo se fait incertaine, balbutiante. Il est temps d'agir. Comme si Pietro avait compris mon intention – à ma démarche peut-être, sûrement pas à l'expression souriante de mon visage –, je le trouve près de moi, silencieux, tandis que je m'entends dire :

— Oh, Inès, je suis heureuse de te voir ! Allons, ne gâchons pas cette fête en l'honneur de Jacopo. Notre Jacopo est heureux, sois heureuse toi aussi, embrassons-nous. Cela faisait si longtemps que nous ne nous étions pas vues, nous non plus.

Dans mes bras, raide et hostile, elle murmure :

— Jacopo est à moi, rien qu'à moi, et cette traînée ne me plaît pas. Pourquoi le tenait-elle serré comme ça ?

— Bien, Inès, maintenant tu es là, non ? Reste avec ton Jacopo... et toi, Nina, viens voir la merveille qu'est devenu Carluzzu. Il dit qu'il sait chanter comme Crispina. Voyons si c'est vrai. Et toi aussi, Pietro, tu avais vraiment raison : ta Crispina doit étudier la musique. Pour cette autre question aussi, tu avais raison : nous avons perdu trop de temps, il faut conclure.

— Pour ça oui, Mody ! Tu soulages mon cœur, et avec ta permission tout sera arrangé de la meilleure des façons.

— Je n'en doute pas, Pietro.

— Mais qu'est-ce qu'elle a, Mody, cette Inès, de se mettre en rogne comme ça ? Elle ne serait pas amoureuse de Jacopo, par hasard ?

— Voyons, Nina, tu as oublié que c'est sa mère ?

— Ah, c'est vrai. Mais qu'est-ce que ça change ?

— Sa colonie, tu as mis la main sur sa colonie !

— Mazette, Mody, tu me rends ma bonne humeur ! Olimpia, viens ici, ma colonie à moi ! Ma Somalie, mon Abyssinie adorée ! Tu es un beau brin de fille, Mody ! Je voudrais faire une chanson là-dessus et la chanter dans les rues... Oh *Bambuccia*, je te vois enfin ! Où avais-tu disparu ? Viens écouter la dernière trouvaille de ta tante, viens, toi qui possèdes aussi des terres, des plantations ! Comment se porte ta colonie ?

Nina et Modesta rient, Bambù sait respecter ce moment de paix. Ce n'est que lorsque Nina, cherchant dans le salon plein de monde, s'exclame : « Mais où est ton jumeau d'élection ? Mais vois un peu, oh ! quelque chose est arrivé, là, c'est la première fois que je vous vois séparés », ce n'est qu'à ce moment-là que Bambolina répond calmement : « 'Ntoni a eu un léger malaise, mais à présent il s'est endormi. Je pense qu'il vaut mieux le laisser dormir. Mais ensuite, ma tante, ensuite, 'Ntoni a demandé de parler avec Jacopo, quand cette belle fête improvisée sera terminée. Maintenant allons chercher d'autres bouteilles, Nina. Sapristi, quelle hôtesse es-tu ? Tu ne vois pas qu'ils ont tout descendu et cherchent des boissons et du vin comme des assoiffés ? »

— Alors, maman, tu te décides ou pas ? Tu te présentes comme député, oui ou non ? Tu serais la première de la liste. Ils insistent, là-bas à Catane. Ce serait une fierté pour nous, une communiste sicilienne députée à Rome. Et puis moi, j'aimerais bien avoir à mon côté ma mère enfant.

— Non, Prando, Joyce aussi m'a écrit, non ! Même si nous avons peu d'argent et qu'un salaire ne serait pas de trop. Mais en vous payant, et à ce que je vois

ils ne paient pas qu'un peu, ils deviennent vos patron
et vous lient les mains. Non, Prando, je veux être libr
de parler.

— Tu es imprévisible, maman, aussi imprévisibl
que choquante ! La cause communiste...

— Je me suis inscrite, non ? Je suis avec vous, e
même, vu que je me suis découvert ce don de parle
en public que j'ignorais...

— Oh, tu es tout simplement fantastique !

— Bon, je travaillerai pour vous mais en contac
avec la base, sur les places, dans la foule, pas dans u
palais où vous êtes déjà fort nombreux à nous défendre

— C'est vrai aussi, les jeunes ne savent pas parle
en public, c'est étrange.

— Vingt ans de silence, ça compte.

— Eh oui, les seuls qui sachent parler sont ceux qu
l'ont fait comme moi aux *Littoriali*, bref, dans le cadr
du fascisme.

— Précisément, alors avec moi vous colmatez u
vide. Affaire conclue, Prando ?

— Quand même, ça me désole un peu, je rêvais d
te voir là-bas à Rome à côté de Joyce.

— Quelle belle fête, pas vrai, Prando ?

— Oh, splendide ! C'est toujours quand on ne le
organise pas que les fêtes sont les plus belles.

— Dommage qu'elle soit terminée, pas vrai, Nina

— Dommage, mais pourquoi Jacopo et Bambù n
reviennent-ils pas ? Ça fait une heure qu'ils sont là
haut avec 'Ntoni, je suis un peu inquiète.

— Les voici, je me barre.

— Mais pourquoi, Prando ? Reste, tu ne veux pa
savoir, pour 'Ntoni ?

— Oh, Nina, excuse-moi mais j'ai autre chose
faire que de me préoccuper de ces crises de peti
gamins gâtés !

Prando se lève lentement et se dirige vers la porte-
enêtre ; dans son trajet il relève un petit fauteuil ren-
ersé, doublé de soie rouge. Un instant cette soie
oncentre les mille langues de feu du crépuscule et de
es cheveux, un instant son grand corps agile reste en
uspens, regardant dans le silence les tables couvertes
e verres, de brocs, de plats... Peut-être a-t-il perçu
ans nos regards le désarroi pour ce qu'il a dit. Peut-
tre lui aussi a-t-il été frappé d'une certaine façon par
es propres paroles, puisqu'il est obligé de dire :

— C'était bien, maman, une fête après tant d'an-
ées ! Je devrais te donner un coup de main pour
nettre de l'ordre, mais bon... il faut que je me sauve,
xcusez-moi. À plus tard.

— Et qu'est-ce que je peux te dire, Mody ? Sans
ffenser personne, moi, plus je les regarde, ces
ommes, et plus je suis contente de n'avoir eu qu'une
etite fille. Mais tu lui as fait lire Voltaire ?

— Mais bien sûr !

— T'en es certaine ? Même l'article « fanatisme »,
tolérance » ? Moi, si j'étais au gouvernement, les
rando, je les mettrais tous bien gentils, bien à l'aise,
ntourés de frais gazons et de jets d'eau, à lire tout le
emps et exclusivement ce que Voltaire dit du fana-
sme... Mais quel fanatique, oh ! Comme s'il avait été
 seul à faire la guerre !

— Oh, Nina, tu me rends la gaieté ! Tu sais ce que
 ferais, moi, si j'étais au gouvernement ?

— Qu'est-ce que tu ferais ?

— Je donnerais un traitement à vie aux gens qui ont
omme toi le talent de mettre en joie.

— Parle pas de traitements, s'il te plaît ! Mais
u'est-ce que je pourrais bien faire pour gagner de l'ar-
ent ? Merde, je ne suis experte qu'en prisons ! Oh,
lody, il y aurait pas une école où on pourrait ensei-
ner cette matière-là ?

— Arrête, Nina, j'en ai mal aux côtes de rire !

— Mais oui, il devrait y en avoir, ou il faudrait e créer. Parce que, oh, le fascisme est mort mais les pri sons sont toujours là. Hier j'ai fait un petit tour dan Catane... Elles doivent être protégées par Dieu, les pri sons ! Oh, Mody, tout est détruit, bombardé, mais l prison, debout comme si de rien n'était... Mais que fon ces enfants ? *carusi*, comme vous dites. J'aime tan *carusi, meschini, picciotti...* Voilà, je pourrais étudie le sicilien et aller l'enseigner à l'étranger.

— À l'étranger, Nina ?

— Mais oui, en Italie... Elle vous en a causé de ennuis, hein, cette Italie ! Oh, Mody, on ne pouvait pa passer directement des petits États d'avant au socia lisme ?

— Il semble que non, Nina.

— Dommage ! Mais qu'est-ce qu'ils font ? Ça fa une heure qu'ils sont là à bavarder dans l'escalier. Mais regarde un peu, au lieu de descendre ils remor tent. Va y comprendre quelque chose, allez ! Les fête de jour sont vraiment belles, mais elles ont, comm tout, du reste, leur revers : le soleil tombe et le ombres, après toute cette chaleur des gens, devienne immenses et on pense, on pense qu'il y a toute la soiré à passer, et la mélancolie entre sur la pointe des pie comme une danseuse triste. Toi aussi, Mody, merde si je ne mets pas tout en œuvre pour te faire sourire. Je te vois, qu'est-ce que tu crois ? Même dans le no je te vois, c'est que j'ai comme l'impression d'avo passé cent ans avec toi ! Je te vois tout absorbée pâle, avec l'air de couver des pensées amères. Mod belle et triste, qu'est-ce qui te prend ?

— Toi aussi tu es triste, Nina, allons !

— À cause de la fête qui est finie, je crois.

— Ce n'est pas à cause de la fête et tu le sais.

— Bien sûr, faut reconnaître que plus qu'une fête de retour on aurait dit une fête d'adieu.
— Quand Prando est sorti de cette façon j'ai eu la même impression que lorsqu'il est parti à la guerre.
— C'est sûr que là-bas sur l'île on n'espérait pas une fin aussi rapide du fascisme. Mais on pensait à une paix différente.
— Exactement, Nina.
— Et pourtant mon père et ses vieux nous avaient avertis.
— Oui, tu me l'as dit bien souvent, et Maria, là-bas à Catane, me le disait aussi.
— J'ai peur que le camarade Angelo ait eu raison.
— Angelo quoi ?
— Angelo Tasca•, quand il a dit autrefois qu'avec les accords du Latran l'Église ne s'alliait pas tant au fascisme qu'elle se préparait à en assumer l'héritage... Oh, quelle peur, putain, Bambolina ! Vous n'êtes pas fous de surgir comme des fantômes et d'allumer la lumière comme ça d'un seul coup ?
— Tu es fâchée, Nina ?
— Non, non ! Mais je dois vous le dire, excusez-moi. Ça doit être la faute de la prison, six ans c'est pas rien, oh ! Chaque fois qu'on allume la lumière d'un coup ou dès que j'entends un cri mes nerfs craquent. Mais on peut savoir ce que vous faisiez à descendre et monter l'escalier ? Oh, qu'est-ce qu'il y a ? Quelque chose de grave est arrivé ?
— C'est ça, Nina, ma tante, nous avons dû prendre des décisions... ou plutôt Jacopo a dû en prendre, parce que je n'y arrive plus. J'ai tellement, tellement rêvé de ce moment, j'étais si heureuse ! Tous réunis ici comme autrefois ! Et en fait, oh, Nina, je ne peux pas y croire ! À peine réunis on est obligés de...
— Allons, cocotte, allons, ne pleure pas. Mais

qu'est-ce que je dis ? Pleure, pleure, laisse-toi aller, là dans les bras de Nina !

Bambolina sanglote dans les bras de Nina et ses épaules forcies par l'air et le soleil, agitées par ces san-glots, redeviennent fragiles et tremblantes. Nina la tien doucement, avec délicatesse, elle sait, comme je savais que cette taille mince à peine marquée par une ceinture vernie noire peut se briser sous la pression d'un geste brusque, d'un mot déplacé. Comme ma Beatrice, Bam-bolina aspire à la joie plénière comme à un droit de nature et sait comment la conquérir, comment la don-ner aux autres. Même Mattia qui entre lentement pa la porte-fenêtre et me regarde gravement – commen ne l'avais-je pas remarqué avant ? – semble redeven un jeune homme, malgré sa maladie de cœur : la peau le regard comme lavés par les caresses de sa Bambù.

« Le bonheur est un droit. » Oui, Carlo, comme le pain, l'eau, le soleil. Et nous lutterons ensemble pou Bambolina et pour la petite Beatrice qui, on le voi déjà, « n'a pas en elle la ruse et la cruauté pour lutte qu'heureusement tu as, Modesta ».

Jacopo fixe un broc renversé en essayant de ne pa écouter les sanglots de Bambolina. « Oh, maman quand j'entends pleurer une femme, je voudrais mouri je ne le supporte pas ! » Jacopo, son grand corps droi tout à l'heure, comme humilié maintenant, enlève se lunettes et les nettoie. Jacopo, lui aussi, comme Bam-bolina, n'a ni ruse ni cruauté. C'est pour eux qu'il fau lutter, Carlo, rien que pour eux... Pour ce Carluzzu qu s'est endormi sur le divan et se frotte maintenant le yeux en fixant le lustre. « ... Eh bien, maman, avec ce enfant, fille ou garçon, qui va naître de Stella e Prando, nous en sommes à la quatrième génératio d'athées. Je sais que tu n'aimes pas ce mot, mais quatr générations constituent quasiment une noblesse.

« Comment, Jacopo ? » « Oncle Jacopo, puis toi, maman ; puis Prando, Bambù et moi. Et avec Carluzzu, la quatrième... »

Le voici, là : un petit homme à la grande ossature qui glisse en bas du divan et court tout désorienté vers sa tante. Dans ses yeux grands ouverts on lit tout – des yeux encore pleins des chants de joie, des plaisanteries de tout à l'heure. Hésitant clairement à délaisser la joie pour pleurer lui aussi, il s'agrippe à la jupe de Bambolina, il appelle à l'aide à sa façon. Ses petites mains ont le pouvoir de réveiller Bambù qui, lâchant Nina, s'exclame :

— Mais avons-nous perdu la tête dans cette maison ! Carluzzu, mais on t'a abandonné ? Mais regardez ce qu'il faut voir, oublier un pitchounet si mignon ! Mon petitou, mon petit chat ! Qu'est-ce qu'on est aujourd'hui, hein, Carluzzu ? Allez, dis à tante Modesta ce que tu es aujourd'hui : un petit chat ou une petite fourmi ?

— Un *sciccareddu*, je suis aujourd'hui, tata.

— Un petit âne, tu veux dire, hein, Carluzzu ? Tôt ou tard il faudra bien apprendre quelques mots d'italien, non ?

— Un petit âne, *'u sacciu.* Je la sais, moi, la chanson : *Sciccareddu di lu me cori* [1]...

— Oh, ma tante, quand tu étais loin je croyais me tromper, mais maintenant que je vous vois si près l'un de l'autre... Tu sais que Carluzzu est ton portrait ?

— Eh, quelle découverte, Bambù, Prando est le fils de Mody.

— Bien sûr, Nina, bien sûr, mais Prando ne ressemble pas à Modesta. Et toi, Carluzzu, elle te plaît, ta grand-mère ?

1. Petit âne de mon cœur.

Carluzzu ne répond pas et me fixe avec gravité. Eh oui, j'étais grand-mère... Qu'est-ce qu'on ressentait ? Nina me l'avait souvent demandé, mais je n'avais rien su répondre. Et maintenant encore, devant ce visage exagérément sérieux qui me fixe de ses grandes cornées blanches, je n'éprouve rien mais je commence à comprendre. Jusque-là ma distraction envers ce dernier-né cachait de l'envie pour quelqu'un dont la jeunesse vous rappelle le temps qui pour vous est passé et le temps futur que, par loi biologique, vous ne connaîtrez pas. Et cette façon qu'ils avaient tous d'insister sur le fait que ce petit être me ressemblait tant ? Probablement sentaient-ils cette envie de celui qui vieillit, qui, mal dirigée, pouvait puissamment exploser, et cherchaient-ils à susciter en moi de la tendresse afin de le protéger. Son petit visage tendu, occupé à me scruter confirmait lui aussi ma découverte : Modesta devait lui apparaître grande, puissante... comme grand-mère Gaia, grand-mère Valentina. Bien sûr, l'effrayer et le dominer par mon autorité aurait été facile, comme il aurait été facile de l'étouffer par un excès d'amour, et de se défendre ainsi d'une toujours possible « association contre les grands-mères indignes ».

— Mais regarde-les, Jacopo : deux gouttes d'eau !

Comment échapper à cette tentation de puissance qui bat à mon front maintenant que, sentant peut-être mon doute et mon désarroi, il sourit de mon sourire et d'une main me touche le visage pour comprendre à travers ma chair où réside le danger de mon être, ou ma tendresse ? Sa paume lit en moi, et dès que j'ai décidé de ne pas user de ce pouvoir, la petite main devient forte et esquisse une gifle.

— Elle te plaît, hein, ta grand-mère, si tu fais comme ça ! Il fait toujours ça quand quelqu'un lui plaît, y compris avec Olimpia.

— Olimpia ! Où elle est Olimpia ?

— Mais c'est vraiment une passion, toujours collé à Olimpia ! Mais regarde-le, c'est toujours comme ça, maintenant de la gifle il passe aux baisers.

Je sens que j'ai réussi à détacher de ma peau ce mot de grand-mère ou à le transformer en quelque chose de petit et de tendre comme lui.

— Oh, ma tante, il est vraiment comme toi, il ne fait que s'agiter, faire des choses, et que de questions il pose ! Tu devais être comme ça, enfant, il me semble te voir ! Et puis il a la manie de traîner...

— De traîner, Bambù ?

— Mais oui, il traîne des bouts d'arbre, il ramasse des feuilles et il demande, il demande, il pose des questions. Il est éveillé, intelligent, mais ce qui me préoccupe est cette idée fixe qu'il a que tout le monde peut disparaître d'un moment à l'autre. Qu'est-ce que tu en penses, Jacopo, c'est à cause de la guerre ? Parce qu'il vous a vus partir l'un après l'autre ?

— C'est possible, Bambù. Mais maintenant, c'est de 'Ntoni que nous devons nous occuper. Il dort à présent, mais il va mal, plus mal que ce que vous pensez. Et comme je te l'ai dit tout à l'heure là-haut, vos soins aimants, vos discours ne l'aideront pas. Il a besoin d'un médecin et c'est tout. L'âme tombe malade exactement comme le corps. Il a été blessé à l'intérieur de lui-même et cette blessure, il ne pourra la cicatriser qu'avec l'aide d'un médecin spécialiste de ces problèmes. Ce n'est pas seulement, comme tu le pensais, à cause de la guerre, du camp de concentration. Il y a aussi Stella...

— Alors tu as vraiment décidé, Jacopo ? J'espérais que tu changerais d'avis.

— Bambù, que tu es entêtée, oh ! Si lui qui va mal l'a compris... Tu as vu comme il me demandait de partir quand il a vu une issue possible ? Si lui l'a compris, vous devez le comprendre vous aussi. Que crois-tu ? Moi aussi, en revenant, je ne rêvais à rien d'autre qu'à étudier ici et profiter du soleil, de la maison ! J'en ai rêvé pendant des années, mais il est évident qu'on ne peut pas.

— Mais il pourrait aller à Milan chez ce médecin.

— Non ! Il m'a demandé de l'accompagner, et au fond, ce sera mieux pour moi aussi : comme ça j'étudierai et je pratiquerai tout de suite... Selon moi, c'est un avertissement. Comme toujours après une guerre le temps accélère. Oui, les temps ont raccourci et probablement c'est le signe qu'il ne faut pas perdre un instant. Et nous sommes en retard de vingt ans au moins sur l'Europe ! Maman, je t'en prie, parle avec Ida, toi. Je sais que toi tu as compris.

— J'ai parfaitement compris. Sauf que nous devons faire des comptes : nous disposons de peu d'argent, désormais.

— Pardi ! Avec le journal qui en un an est arrivé à trente lires ! Bordel, Mody, j'accepte l'offre de cette connasse cousue d'or. Je me donne au commerce !

— Au commerce, Nina ?

— Eh oui, Jacopo. Là, sur l'île, j'ai commencé à tricoter, et c'est pas mal du tout de faire des bérets au crochet, des écharpes, des pulls, des châles. Et puis avec cette Esmeralda de merde nous aurons des aides. J'aime bien choisir, assembler les couleurs. J'ai toujours eu une passion pour les couleurs, peut-être parce que je suis bigleuse, comme disait ma mère, et que les couleurs sautent aux yeux.

— Oh, Nina chérie, heureusement que tu restes là !

— Nous travaillerons, maman ! Et pour 'Ntoni ce sera un bien comme pour moi de commencer à penser à nous-mêmes, y compris financièrement parlant.

— Bon, allez, je vais dormir. Quelle journée, oh ! Je vais prendre des forces pour affronter demain les grâces et les propositions de rachat par le travail qui animent cette aristo d'Esmeralda. Elle est belle, ceci étant, nom d'une pipe qu'elle est belle ! On nous parle tant de la beauté prolétaire... pour nous consoler et nous faire tenir tranquilles dans notre pauvreté. Moi, avant, les riches, je les regardais pas, ou je les regardais et ne les voyais pas, avec mes yeux bouchés par ce lieu commun populiste. Mais j'ai compris, nom d'une pipe que oui, que j'ai compris que non seulement ils sont riches mais ils sont beaux, parfumés et souvent intelligents ! Comme toi, Jacopo, putain de monde pourri !

— Tu me fais rougir, Nina, je t'accompagne en haut.

— Eh oui, va, accompagne-moi, donne-moi le bras. Ça n'est pas donné à tout le monde d'être accompagné par un garçon en or comme toi, au moins je pourrai le raconter à mes petits-enfants : « Alors, vous ne le croirez jamais, mes petits chéris, mais votre grand-mère, en un temps lointain, a eu la chance, grâce à des passages en prison et relégation, de tomber au beau milieu des gens les plus élégants et les plus raffinés... » Et eux : « Mais non, grand-mère ! Comment est-ce possible ? Raconte ! »

88

La voix de Nina s'éloigne vers l'obscurité du salon. Je voudrais suivre cette voix et continuer à rêver tandis qu'elle parle, mais des bourdonnements de voix, des bruits de train, une sourde rumeur de foules qui se pressent se détachent de mon avenir et envahissent la pièce, m'immobilisant sur le fauteuil... Je voudrais chasser ces foules et retourner avec elle dans une petite cellule où il n'est pas pensable de s'éloigner de plus d'un mètre l'une de l'autre. Comment est-ce possible ? Le regret de cette cellule perdue me fait pleurer ainsi ? Comment pouvais-je le savoir si la vie ne me le disait pas ? Comment pouvais-je savoir que le bonheur le plus grand était caché dans les années apparemment les plus sombres de mon existence ? S'abandonner à la vie sans peur, toujours... Et maintenant encore, dans les sifflements de trains et les portes claquées, la vie m'appelle et je dois y aller.

La capacité de parler et d'emporter les auditeurs qui s'était brusquement révélée en moi, excitant mes sens et mon esprit comme sous l'effet d'une drogue, me répétait que ce don de la nature, sans doute solidement mûri sous l'humus fertile du silence, de l'étude, de la réflexion de nombreuses années, pouvait servir à amener à nous les femmes comme Crispina, comme Bambolina... Les réveiller d'une léthargie de vingt ans, leur dire qu'elles n'étaient pas les premières, les informer des exemples du passé.

— Vois-tu, Modesta, tu ne peux pas, à chaque meeting, revenir toujours à cette Alexandra Kollontaï*... Angelica Balabanoff, dis-tu ? Maria Giudice ? Mais enfin, Modesta, ce sont des personnages difficiles, non alignés, des bombes, plus qu'autre chose, au moins pour le moment. Quand nous avons su que Maria était tombée malade, je serai franche avec toi, ça a été un soulagement pour tout le monde. C'est moche à dire, mais elle ne créait que de la confusion. On ne peut pas parler tout de suite comme ça d'amour libre, d'avortement, de divorce, il faut y aller progressivement, comme dit le camarade Giorgio.

Eh oui, Giorgio... Sur le bureau, sa photographie trône au milieu des livres.

— Ton mari, veux-tu dire ?

— Comme tu veux, Modesta, je vois que tu n'as pas changé.

— Toi non plus.

Joyce (ou son fantôme ?), de l'autre côté du bureau, brillant, sans une trace de poussière, me sourit avec un doux détachement.

— Il y a ici des choses plus urgentes dont nous occuper.

— Mais pourquoi ai-je dû t'appeler du nom de ton mari pour te voir ?

— Et alors ? C'est vrai, tu n'as jamais été un esprit politique, Modesta. Il faut que nous rassurions l'opinion publique, il faut que nous démontrions au pays que nous sommes des personnes respectables à tous les sens du terme et pas les hors-la-loi rouges, la canaille rouge, etc., comme on le lit encore sur les murs dans les campagnes.

Où avait-elle appris ce sourire charmeur, démocratique, propre aux vedettes et aux politiciens d'outre-Atlantique ? Avant, elle ne souriait jamais, et la gravité douloureuse de ses yeux la rendait belle. Maintenant, avec ce sourire étranger comme piqué par deux épingles aux coins de sa bouche, ses cheveux blancs savamment coupés par des mains expertes – une coupe à peine plus longue que la coupe masculine –, sa beauté s'était défaite, synthétisée en une image abstraite de solitude mortuaire. Modesta l'avait deviné bien des années auparavant, mais l'incarnation vivante de cette intuition qu'elle avait eue la fait trembler de rage et de peur.

Pour vaincre la répugnance que les mots de Joyce déversent en elle, Modesta cherche dans sa mémoire d'autres visages de camarades rencontrées sur les estrades, dans les assemblées, dans les réunions de ces dernières années... Luciana ? Carla ? Renata, peut-être ? Elle n'a que vingt-deux ans, Renata, avec cet éternel refrain encore une fois répété pas plus tard qu'hier soir : « Mais les femmes, à part quelques exceptions, sont des sottes. C'est du temps perdu, Modesta ! Je ne comprends vraiment pas comment quelqu'un comme toi peut perdre son temps en allant dîner avec l'une d'elles. » Attention, Bambolina, Crispina, Olimpia, attention ! D'ici vingt ou trente ans, n'accusez pas les hommes quand vous vous retrouverez à pleurer dans les quelques mètres carrés d'une petite pièce, les mains mangées par l'eau de Javel. Ce ne sont pas les hommes qui vous ont trahies, mais ces femmes, anciennes esclaves, qui ont volontairement oublié leur esclavage et qui, se reniant, se placent aux côtés des hommes dans les diverses sphères du pouvoir.

— Alors, que décides-tu, Modesta ?

— Décider ?

— Toujours la même ! Inutile d'essayer de te faire raisonner, dès que ce qu'on dit ne te plaît pas, tu t'enfermes dans tes délires et amen ! Tu avais beaucoup de talent, Modesta, mais je vois que ton obstination délicieusement féminine a eu le dessus.

Attention, Bambolina, Crispina, Olimpia... Attention, vous, privilégiées de la culture et de la liberté, de ne pas suivre l'exemple de ces négresses parfaitement alignées. À la place des mains cisaillées par l'eau de Javel, pour vous se préparent des années du sinistre exercice masculin qui consiste à attacher les plus pauvres à la chaîne de montage, et l'atroce nuit sans sommeil de l'efficacité à tout prix. Et après vingt années de cet exercice, vous vous trouverez enfermées dans des gestes et des pensées distordus comme ce spectre qui sourit par devoir bureaucratique – matérialisation ni masculine ni féminine –, figées devant le vide et pleines du regret de votre identité perdue.

— Je l'avais dit au camarade Giorgio qu'il était inutile d'essayer de te convaincre, mais il a insisté. Il a un étrange respect pour toi, et moi, au nom de notre vieille amitié, je me suis décidée à te parler. Mais je vois que c'est inutile, que tu n'accepteras pas les coupures qu'on a justement, justement, je dis bien, faites à ton article. Il est trop violent, Modesta. On ne peut pas aujourd'hui, en 1950, intituler un article : « Nous sommes tous des assassins. »

— Pourquoi, Joyce ? Selon toi et selon ce que nous, les marxistes, pensons depuis au moins des décennies, est-ce que ce n'est pas nous tous – de moi, qui parle aux foules, à toi qui es assise derrière ce bureau, à l'huissier qui, satisfait de son misérable pouvoir, me fait entrer avec des saluts bourbonesques par cette porte majestueuse –, nous tous, qui avons conduit, qui avons poussé cette femme de Salerne à se noyer avec ses trois enfants à cause des misérables conditions de vie que...

— Déséquilibre mental, Modesta ! Je suis médecin, ne l'oublie pas.

— Non, pas du tout ! J'ai parlé avec tout le monde, j'ai vu les photos. Elle ressemble à Stella, pense, Joyce, à Stella.

— Qui est-ce ?

— Stella, la nourrice de Jacopo.

— Ah, oui, cette charmante paysanne un peu bêtasse... et comment va-t-elle ?

— Ça n'a pas d'importance. Comme cet article n'a pas d'importance.

— Alors nous ne le publions pas ?

— À ces conditions, non !

— Modesta, tu n’as pas l’intention de faire éclater un scandale, n’est-ce pas ?

— Si ça m’était possible, je le ferais, mais je sais que ce n’est pas possible parce que vous êtes un tas de traîtres, Joyce. Et en tant que tels, puissants, comme toujours.

— Tu veux dire que nous ne sommes pas fous. Nous ne pouvons alarmer ainsi le citoyen. Nous devons conquérir l’électorat catholique ! Nous sommes dans un pays catholique, Modesta, tu oublies l’histoire !

— Un article dans une revue n’a pas la diffusion d’un quotidien, et à mon avis c’est justement là, dans la presse spécialisée, qu’il faut commencer à agiter les problèmes les plus profonds pour garder vivante une tradition – notre tradition – et nous préparer à la répandre demain. En agissant ainsi, vous ne faites pas seulement un acte de respect envers l’électorat catholique, vous vous y soumettez pleinement et vous déformez les racines mêmes de notre combat.

— Bien ! Nous nous sommes enfin vues, mais maintenant j’ai à faire et je voudrais une réponse.

— Oui, Joyce, nous nous sommes vues... et je comprends maintenant pourquoi j’ai essayé de ne pas te voir durant toutes ces années.

— Et pourquoi ?

— Je sentais qu’en te voyant je comprendrais clairement les choses et je ne voulais pas. Je voulais m’illusionner, et cela parce que... Bon Dieu, qu’il est difficile d’y voir clair quand on fait quelque chose qui en soi vous comble, vous donne de la joie, vous drogue.

— J’ai décidé d’être patiente avec toi, Modesta, qu’est-ce que c’est qui te plaît tant ?

— Eh, parler, sentir palpiter la foule, les applaudissements !

— Toujours la même. Pour moi ce n’est pas un plaisir.

— Ah non ?
— Non, pour moi c'est un devoir.
— Tu en es sûre ?
— Ça suffit, Modesta, ça suffit !
— Tu m'as appris ce peu de psychologie que nous devrions tous connaître, Joyce.
— Oh, ça suffit avec le passé, j'ai tant à faire.
— Et moi, par contre, je n'ai plus rien et je me sens comme un ballon dégonflé.

89

Ce fut ainsi que Modesta dut décider de laisser l'activité la plus enthousiasmante qu'elle eût jamais connue. Il n'y avait pas de rossolis, fût-ce le plus doux, ou de pain à peine sorti du four, ou de salive d'amant qui pût soutenir la comparaison avec ce vent de vie, de plénitude, qui pendant des années l'avait fait voler à travers le pays, balayant en elle tout souvenir, toute mélancolie. Décidée à ne pas collaborer avec l'ennemi, même travesti de cent façons modernes... Quel visage avait ce nouveau pouvoir qui se déployait en de multiples tentacules silencieux de poulpe camouflé par les couleurs diverses de la science, de l'art, du professionnalisme ?... C'était toujours ce pouvoir en ronde-bosse dans son élégant uniforme de hautain guerrier.

Décidée, Modesta était parvenue à se lever du fauteuil et à se tenir droite, mais il y avait encore à traverser le salon, à descendre par le grand escalier de marbre. Et si devant Joyce l'ironie l'avait aidée à cacher le vide qui tout doucement lui montait de la poitrine à la tête, quand elle fut dehors, dans une immense rue, marmoréenne, de cette Rome intacte au milieu du désert de décombres de toute la péninsule, Rome protégée par les grandes ailes roses de la papauté, elle ne put faire autrement que céder au découragement. Pour ne pas tomber, elle chercha à tâtons une chaise dans ce bar plein de gens qui des régions les plus diverses affluaient à un rythme continu dans ces rues, cherchant au milieu de ces murs intacts refuge et espérances... La foule effrayante tournait comme en rêve autour d'elle : Italiens affamés à côté des visages roses, joufflus, d'Américains en quête d'affaires. Hommes d'Europe centrale frôlés par d'anciens détenus des Lager : de frêles Juifs suivis par les pas à peine plus assurés d'anciens prisonniers... Les femmes, depuis un an ou deux, descendent dans la rue sans chapeau et sans bas. Là au fond une petite femme blonde, timide peut-être, porte encore un fichu sur la tête et rase le mur, tâchant de passer inaperçue : elle serre contre sa poitrine un nouveau trésor, la pimpante revue *Grand Hôtel*, de marque américaine, qui fait fureur. Sur les tables du bar : glaces, cafés et forêts de minces bouteilles de Coca Cola.

— Vous désirez, Madame ?

— Un café.

Les yeux ronds, rieurs, encore cerclés du noir de la faim, lancent des regards rapides, à la recherche d'occasions, yeux mobiles d'ancien *sciuscià*[1], exercés à identifier la grosse proie blonde : l'Américain. Le café, on le sait, pour nous qui en avons été privés pendant tant d'années, est encore un prodige et emplit le vide laissé par le désarroi.

Il faut que je courre à l'hôtel avant que l'odeur de crasse des pauvres corps de nos soldats, mêlée aux

1. Gamin des rues.

mille parfums de savons hygiéniques américains et aux odeurs de crasse françaises, ne me noie. Mais je n'ai pas la force de marcher. Épuisée, Modesta regarde son image dans une vitrine. Depuis des années elle n'a pas eu le temps de se regarder dans un miroir. Elle a vieilli peut-être ? Peut-être cette fatigue n'est-elle que le premier symptôme de la vieillesse ? Au fond, il était temps : elle a cinquante ans. La voici là, Modesta : les seins plus lourds, les joues pleines... mais elle a toujours été un peu trop maigre. Et les hanches rondes, les jambes fines, le buste mince ne lui donnent pas l'air d'une dame, plutôt d'une gamine, une petite fille vieillie d'un jour à l'autre mais avec grâce, comme dit sa Nina boutiquière. Que dit-elle dans sa lettre ? « Je t'ai vue dans le journal, tu étais vraiment drôle, Mody ! Plein de baisers de ta boutiquière bourrée de thunes. Il me tarde de te raconter comme je suis devenue forte pour voler ces crétins d'Américains. Il suffit qu'on leur dise que quelque chose est populaire, ou ancien, et allez, ils achètent... »

Une petite fille vieillie ! Mais là dans la vitrine elle ne peut voir ses rides, ses cheveux. Maintenant, si Modesta veut en savoir un peu plus sur cette fatigue, une fois au moins elle doit avoir le courage de se regarder dans un miroir. « Eh, merde, tu es presbyte, Mody ! Tu vois tout estompé et lissé... Tu vas les mettre, ces lunettes, oui ou non ? » Alors il vaut mieux que Modesta mette les lunettes que Bambolina lui a offertes. « Tu vas avoir un torticolis, ma tante, chaque fois que tu devras lire ! »

Rassurée par ses verres, elle ne voit que les habituels fils blancs et quelques rides de plus. Et les dents ? Saines. Et si elle sourit les rides s'effacent comme par enchantement. Ce sourire, à la fin des discours, déchaînait des cris d'enthousiasme et des applaudissements.

C'était beau et réconfortant d'être comprise, d'être aimée. C'était pour cela – maintenant elle s'en rendait compte – qu'elle acceptait jour après jour d'amputer de moitié ses idées, d'appauvrir les contenus, de réduire son langage. Comme ça aussi le succès venait, assuré, mieux encore, plus assuré même qu'avant. Voilà le piège ! Dans les derniers mois, moins elle en disait, et plus elle recevait d'applaudissements de la foule. Et elle, heureuse, elle essayait de ne pas comprendre. Maintenant elle se rendait compte que durant ces années elle n'avait eu que des succès personnels. Comme une actrice qui, pourvu qu'elle plaise, fait passer pour bon le texte même le plus banal ou le plus réactionnaire. Elle comprenait Mela, elle comprenait enfin ce regard brillant, l'allure assurée de la jeune fille... Mela au milieu des applaudissements, acceptée, aimée par la foule, n'avait besoin de personne, sauf de quelques amourettes féminines. Heureuse était-elle ! Mais Mela faisait jaillir des sons de son clavier, des sons aimables, classiques, et pas des mots qui crachent un feu plus terrible que les canons...

Les bras sur le miroir, Modesta fait disparaître ce sourire heureux et pleure désespérée. Jamais elle n'a éprouvé tant de douleur, ni quand elle a décidé de ne pas devenir de plus en plus riche en accumulant de l'argent, ni quand la poésie l'appelait. Le visage caché dans ses bras, elle cherche la force de ne pas se laisser corrompre par elle-même, cette elle-même qui dit : « Et puis, si tu ne le fais pas, quelqu'un d'autre va le faire, et quelqu'un d'autre qui sera sûrement pire que toi. »

90

— Quelles sont tes intentions, maman ?

— De prendre le soleil, tu ne le vois pas ? Il me semble être restée cent ans loin de ce soleil !

— Il te semble normal de me laisser dans l'ignorance de tout ? De me faire faire cette figure ?

— Quelle figure, Prando ?

— La figure de l'imbécile, là-bas à Catane, à Rome. Est-il possible que je ne doive jamais apprendre les choses que par les autres, par des étrangers ?

— Lucio t'a appelé ?

— Il était désespéré ! Tu es partie sans même lui téléphoner et il voulait savoir de ton couillon de fils qui ne sait rien s'il était vrai que tu avais l'intention de tout abandonner.

— Ce sont des histoires, Prando, des excuses pour te téléphoner. J'ai abandonné toutes mes activités en bonne et due forme. Je suis restée une semaine de plus dans cette fausse paix de Rome pour annuler tous mes engagements, une semaine de cauchemar ! Réceptions, poudre aux yeux ! Et comme si cela ne suffisait pas, via Veneto avec ces *happy few* qui feignent une gaieté macabre à voir.

— Laisse tomber avec Rome ! Pourquoi est-ce que tu ne réponds pas ? Qu'est-ce que c'est que cette histoire de l'article ?

— Pourquoi poses-tu des questions, Prando, quand tu sais tout ?

— Pour dix lignes d'un article !

— S'il s'agit de cela, douze lignes et un titre. Et n'y

aurait-il même eu qu'une ligne, vois-tu, je n'accepte aucune censure. Vous êtes jeunes, mais moi, vingt ans m'ont suffi. Je me sens toute censurée, comme dirait Nina.

— Nina, Nina ! Ne m'en parle plus ! C'est elle et ce ramolli d'existentialiste de Libero qui t'ont monté la tête.

— Je peux te dire que Libero est l'un des rares vrais marxistes que j'aie rencontrés à Rome.

— Un foutu individualiste, voilà ce qu'il est !

— Bien sûr, par rapport à votre triomphalisme à tout crin. Laissons tomber, Prando, j'en ai assez des polémiques. Qui aurait pu me le dire, oh ! qu'au bout de quatre ans seulement il me faudrait donner raison à ce tordu de Jésuite qu'est Sartre !

— Qu'est-ce que Sartre vient ficher là, maintenant ?

— Il vient y ficher quelque chose, à Milan en 46, je crois, c'était l'été et on étouffait... Quelle chaleur, oh ! dans ce Nord sans soleil.

— Épargne-moi tes évocations poétiques, maman !

— Je te les épargne. Sartre a dit qu'un peu d'angoisse ne ferait pas de mal contre votre triomphalisme, et il a conquis tous les jeunes.

— Toutes ces chiffes molles de jeunes que tu connais ! Je connais d'autres jeunes comme moi...

— Toi, jeune, Prando ? Tu es aussi vieux que le pouvoir de cette île, et tu es beau, aussi, de la vieille beauté de cette île. J'aime te regarder. Tu me rappelles un vieux, rusé comme la mer et calme comme l'Etna, qui me fascinait quand j'étais jeune fille.

— Si l'on pouvait raisonner avec vous les femmes, par le sang de Judas !

— Je raisonne, Prando, si tu me parles clairement et ne tournes pas autour du pot comme tu le fais depuis une heure. Que veux-tu ? Crache le morceau.

— Lucio veut te...
— M'épouser, c'est ça ?
— Parce que c'est un homme d'honneur.
— Un homme d'ordre, tu veux dire ?
— Mais qu'est-ce qui ne te convient pas chez Lucio ?
— Une petite chose qui n'est plus à la mode aujourd'hui : je n'en suis pas amoureuse, mon cher Prando.
— Amoureuse ! Mais les années, l'expérience ne t'ont donc rien appris ? On doit pourtant se calmer, avec le temps.
— C'est ce qu'on me disait aussi.
— Mais je ne te suffis pas, moi, ton Jacopo de merde, Carluzzu, Bambù ? Toutes les femmes t'envient. Carluzzu ne veut que toi, il me prend la tête ! Amalia meurt de jalousie parce qu'elle n'arrive absolument pas à faire la conquête de Carluzzu.
— Ça passera, Prando. Dès que ta femme aura son enfant – je suis sûre que ce sera lui aussi un garçon –, tu verras qu'elle se calmera. Elle est gentille, Amalia, elle a juste besoin d'avoir un enfant tout à elle.
— Je m'en tape complètement d'Amalia, je veux savoir ce que tu as décidé.
— Décidé ? En quel sens ?
— Lucio appelle demain, qu'est-ce que je lui dis, merde, on peut le savoir ?
— De m'appeler, je m'en occupe, moi, de Lucio.
— Mais dis-moi, si tu ne l'épouses pas, tu viens vivre avec moi à Catane.
— Et pourquoi ?
— Pourquoi, dit-elle ! La Villa Suravita est vendue, non ? Tu dois la laisser dans trois mois. Où veux-tu aller ? Tu n'as pas un sou, maman, tu veux bien te mettre ça dans la tête ?
— Tu veux vraiment m'envoyer en maison de

retraite, hein, Prando ? C'est comme ça, le vieux veut t'obliger à être éternellement enfant et le jeune veut te voir tout de suite vieux, hors circuit.

— Mais qu'est-ce que tu dis ? Tout le monde t'adore !

— Précisément, on gâte l'enfant, et on adore le vieux relégué dans son coin. Tu me tentes, Prando ! Vieillir parmi les livres, mes petits-enfants et dans l'orgueil de ta force et de ta beauté. Tu as du succès au tribunal, hein ! C'est autre chose que Lucio ou Libero !

— Ne prononce pas ce nom !

— Pourquoi ne pas s'abandonner à l'amour sublime qu'un fils peut vous donner ? Je pourrais faire la loi avec ta douce Amalia et quand naîtrait votre bébé, le lui prendre sans peine comme avec Carluzzu.

— Tu es folle, maman, folle !

— Assurément, et comme tous les fous je te répète ce que je t'ai dit il y a de nombreuses années : de la même façon que je ne me suis pas soumise au chantage des vieux, je ne me soumettrai jamais à votre chantage à vous, les jeunes. Et maintenant va-t'en, je rentre. J'ai besoin d'un bon bain chaud ! C'est incroyable, mais je ne cesserai jamais de m'étonner devant un petit robinet qu'on tourne sans effort avec deux doigts et qui vous permet d'avoir des fleuves d'eau chaude à votre disposition. Tu sais qu'autrefois il fallait réchauffer l'eau et en remplir de toutes petites bassines ? Et encore, s'il y avait de l'eau ! Quels temps affreux, Prando ! Puanteur de transpiration, punaises et démangeaisons.

— Eh non, maman !

— Non, dis-tu ?

— Non, je te connais ! Quand tu commences avec les divagations c'est le signe que tu as une idée précise, et je ne bouge pas si tu ne me donnes pas de réponse. Par le sang de Judas, je ne peux pas rester avec cette préoccupation constante ! Que veux-tu faire ?

— Prendre un bain chaud, Prando, je te l'ai dit.

— Et qu'est-ce que tu fais encore, tu fumes, maintenant ?

— Eh oui, pour compenser...

— Compenser quoi ? Il ne nous manquait plus que cette cigarette à la bouche...

— Le matin où on m'a arrêtée j'ai commencé à fumer et ça m'a beaucoup plu ! Puis j'ai compris qu'il valait mieux ne pas continuer. Et j'ai bien fait parce qu'en prison et sur l'île ç'aurait été un supplice de plus. Maintenant, ici, sur la grande île, avec ces Américains, nous avons plein de cigarettes... La cigarette fait rêver et tient compagnie.

— Mais ça te fait mal !

— Quand je sentirai que ça me fait mal, j'arrêterai. Nina a raison : se faire et se défaire des habitudes, c'est comme ça qu'on doit vivre. Bon, je vois que tu ne lâches pas prise. « L'épouse ne lâchait pas prise ». Qu'il est comique, votre langage d'avocats ! Et dire que tu as passé cet examen sur un coup de tête.

— Eh, il fallait bien que je fasse quelque chose !

— Et en fait tu es fier et heureux de ton métier. Ça se voit. C'est ça qui est beau dans la vie. Le meilleur peut vous venir du recoin le plus sombre, où l'on n'a jamais regardé. Alors, mon fils, tu me fais préparer ce bain ou pas ?

— Je ne te lâche pas, maman.

— Bien, entrons à l'intérieur, alors... Oh, regarde, Mattia est arrivé ! Allons, lâche mon bras, tu veux bien me laisser le saluer, oui ou non ? Mattia, tu es enfin revenu ! Embrasse-moi, ça fait un an que je ne t'ai pas vu, vieux ! Elle te pèse, cette horreur de mot, hein ? Qui nous l'aurait dit, que nous vieillirions ensemble !

— Je le savais, Mody. Salut, Prando. C'est vrai que tu restes ici avec nous, Mody ? Nina me l'a dit, et ça me fait un plaisir inexprimable. C'est vrai ?

— Bien sûr ! Et toi, tu as fini de voyager ?

— Oui, tout est arrangé, j'ai vendu toutes ces maisons que je gardais en réserve... Bambù a raison : peu d'argent mais du liquide pour les semences, l'engrais et les machines, le mieux est de renforcer le peu de terre que nous avons. J'étais hésitant à cause des petites. Mais Bambù a raison : elles se construiront leur vie. Par bonheur, cela au moins a changé, avoir deux filles n'est plus une préoccupation comme avant.

— Au moins ça, Mattia !... Quelle ombre merveilleuse ! Cette glycine, c'est Beatrice qui l'avait fait planter. Le maître maçon ne voulait pas, il disait que les racines, voraces comme des bêtes, mangeraient, avec le temps, les murs de la terrasse et de la maison, mais Beatrice répétait : « Elle vivra toujours plus que nous, cette maison, et je veux une plante qui en hiver disparaisse comme un décor de théâtre, et en été me donne de l'ombre, une ombre verte et violette. » Vous ne me croirez pas, mais en été Beatrice avait les yeux violets... Merci, Nina, maintenant tu fais vraiment le thé comme Beatrice.

— Ben, à force de fréquenter les riches on s'affine et on dégénère. Mais comme cette dégénérescence est douce !

— Et comment se fait-il que tu sois encore là ? Je pensais que tu étais allée au magasin.

— C'est dimanche, Mody ! Putain, on voit que tu n'as jamais travaillé !

— Eh oui, tu m'apprendras tout, pas vrai, Nina ?

— Apprendre quoi, maman ? Vous me coupez bras et jambes, on peut savoir ce que vous avez concocté, encore ?

— Qu'en penses-tu, Mody, on peut lui dire ? Ta mère ouvre un magasin à côté du mien, et vu qu'elle s'y entend mieux en livres qu'en laine, un magasin de livres.

— Je veux ouvrir une librairie qui soit aussi un lieu de rencontres, comme celle de Rome via Veneto. Quelques livres choisis et quelqu'un à qui l'on puisse demander conseil : au moins mes lectures serviront à quelque chose.

— Toi, à une caisse ? Tu as perdu la tête ?

— Et qu'y a-t-il de mal, Prando ? Je te l'avais dit, Nina, qu'il valait mieux ne rien lui dire.

— Toi, une Brandiforti, faire du commerce ?

— Tu sais, Mattia, que parfois j'ai envie de faire vraiment une révolution domestique et de dire à ce garçon ce qu'il mérite d'entendre.

— Laisse tomber, Prando, laisse ta mère tranquille ! Elle sait ce qu'elle a à faire.

— Toujours alliés, vous deux ! Mais quel besoin y a-t-il ? Je gagne de l'argent, Bambolina est riche. Avec ce qu'on a pu retirer de la vente...

— Non, Prando ! Ce qu'on a eu de cette villa a déjà été investi en livres et dans ce petit magasin à côté de celui de Nina.

— Et où habiteras-tu ?

— J'ai acheté le pas de porte aux Bruno, j'habiterai au-dessus du magasin.

— Dans ce trou à rats ? Dans ce quartier mal famé ? Mais tu es tombée sur la tête ?

— Nina y est, non ? Et si elle y est...

— Nina, Nina ! Je ne le permettrai jamais ! Je ne permettrai jamais qu'on te voie à une caisse !

— Je dois gagner ma vie, et de la façon la moins nocive possible. À vue de nez, nous avons devant nous une vingtaine d'années de fascisme blanc.

— Mais que dis-tu ? La révolution par étapes...

— Le foutoir réformiste, tu veux dire ? Comme cette farce de réforme agraire, hein, Mattia ?

— Je ne comprends pas grand-chose à la politique,

Prando, mais il est vrai que la réforme agraire a été un miroir aux alouettes, un os à ronger : quelques empans de pierraille mal attribués et sans argent pour les semences, les machines. De telle sorte que pour cultiver ces quelques empans de terre, les paysans se sont endettés, ils sont partout tombés aux mains des usuriers, et déjà les jeunes abandonnent la terre.

— Vous êtes fous, Mattia ! Vous voudriez tout d'un jour à l'autre ? J'en ai assez. Toi avec la terre, et elles, là, avec la question féminine !

— Ça va, Prando, je te l'ai dit et je te le répète : je veux être indépendante des hommes comme Lucio ! Et faites attention, parce que, si vous continuez comme ça, quand les femmes s'apercevront de la façon dont vous, hommes de gauche, souriez avec une suffisance paternaliste à leurs discours, quand ton Amalia se rendra compte qu'elle n'est pas écoutée et qu'elle fait un double travail en s'épuisant devant les fourneaux et au laboratoire – pourquoi ne me parles-tu jamais du travail d'Amalia, hein ? Pourquoi est-ce qu'il me faut simplement entendre comme elle est douce, gentille ou jalouse ? – quand elles s'en rendront compte, leur vengeance sera terrible, Prando, comme en Amérique. Elles vous rejetteront et...

— Mais arrête !

— Justement ! Je ne veux pas te détester, j'ai de l'amour pour les hommes comme Jacopo, comme Mattia...

— Des chiffes molles, maman !

— Attention, Prando ! Parce que je peux aussi te casser le cou si tu le dis une fois encore.

— Du calme, Mattia, ne t'offense pas, ce n'est pas sa faute, il a grandi dans le vivier du Duce !

— Tu ne me verras plus, maman, encore un mot et tu ne me verras plus !

— Il fallait s'y attendre, Prando, l'autre fois aussi nos frères, nos fils nous ont abandonnées. C'est l'heure des grandes décisions, penses-y. La mienne, je l'ai prise... Qu'a fait ton Malatesta• quand le fascisme est venu, Nina ? Et il avait soixante-douze ans, moi, à côté de lui, je suis une petite jeune.

— Il a repris son travail d'électricien dans une petite boutique à San Lorenzo.

— Voilà, j'en profiterai pour lire Bakounine• et tant d'autres. Que disait fort justement ton Arminio, Nina ?

— Il disait que le léniniste ne lit pas par autocensure. C'est incroyable, mais c'est ainsi !

91

Devant le petit lac artificiel qui par prodige a surgi devant elle, Modesta s'arrête et de la main caresse l'eau verte. Mais aucune joie ne naît de ce prodige. Prando tourne les talons et s'éloigne. « Tu ne me verras plus, maman, jamais plus ! » Se rebeller contre un enfant... cela, elle ne le savait pas, se rebeller contre un enfant provoque une douleur insoutenable, n'est-ce pas, Modesta ? Et pourquoi ? Réfléchis bien, Modesta, ne te laisse pas prendre au piège. Si tu y penses bien et ne perds pas la tête – exactement comme sous les bombardements –, tu trouveras la réponse. Voilà, assieds-toi sur le petit tabouret doré où ta Beatrice s'asseyait pendant que tu barbotais dans l'eau : « Je le mets là, Modesta. Il est joli, si vieux dans un ensemble moderne... Il est original, et puis comme ça nous pourrons ne pas arrêter de parler. » Voilà, assieds-toi sur le tabouret et allume une cigarette, l'eau peut attendre.

Entre fumée et larmes Modesta réfléchit : se rebeller contre un père, on le fait quand on croit être jeune et avoir l'éternité devant soi, mais se rebeller contre un enfant, quand on en est peut-être à la moitié du voyage, fait surgir des pensées de solitude charnelle qui ont un goût de mort. Et alors, que faire ? Je suis encore habillée. Je peux courir dehors et l'appeler, et ainsi décider de ma propre mort en pleine vie, me rendre prisonnière de mots, d'actions contraires à ma propre pensée, assister à la démolition systématique de cette pauvre Amalia, confiante comme toutes les femmes intelligentes, mais novices dans l'art d'être adultes. Assister à la démolition inverse que Carluzzu subit jour après jour : « Tu es un homme, tu dois démontrer combien tu es viril, Carluzzu ! Et pas une demi-portion comme ces jeunes d'aujourd'hui ! »

Ils n'ont pas trente ans et déjà, comme toujours, ils se déchaînent contre ceux qui en ont quatorze, ou vingt. Non, Modesta ! Accepter une chose pareille est méprisable, plus méprisable que d'être du côté des geôliers là-bas sur l'île. Si tu as résisté sur cet empan de rocher fouetté par le vent à toutes les heures du jour et de la nuit, si tu as résisté alors, tu ne peux pas maintenant annuler cette action par une reddition totale à Prando (ou à la peur de la mort ?), ou à la peur de la vieillesse qu'on t'a inculquée pour ne pas mettre de désordre dans la société, pour ne pas ébranler cette forteresse de première ligne qu'est toujours, fascisme ou pas, la famille, école de futurs soldats, mères de soldats, grands-mères régnantes. Et pourquoi d'ailleurs cette éternelle glorification de la jeunesse ? Le jeune sert, produit, engendre des enfants, fait la guerre avant d'avoir conscience de lui-même. Mais à quarante ans, à cinquante, l'être humain – s'il n'a pas péri dans la guerre sociale permanente – devient dangereux, il se pose des questions, réclame de la liberté, du repos, de la joie. Même le mot de vieillesse ment, Modesta, il a été rempli de fantômes effrayants comme le mot de mort pour te faire tenir tranquille, respectueuse de toutes les lois instituées. Qui sait ce qu'est la vieillesse ? Quand commence-t-elle ? Au temps de Stendhal, à trente ans une femme était vieille. Moi, à trente ans, j'ai tout juste commencé à comprendre et à vivre. Qui a osé franchir le seuil de ce mot sans écouter préjugés et lieux communs ? Peut-être plus de gens que tu ne l'imagines, si tu peux rencontrer dans les trous où on les a relégués des visages sereins, des regards calmes et pleins de savoir. Mais personne n'a jamais osé en parler par crainte – toujours l'éternelle crainte – de renverser les faux équilibres établis. Devant la porte close de ce mot effrayant, la tentation d'entrer, de tout observer te prend, n'est-ce pas, Modesta ? Bien sûr, à chaque coin, après avoir passé cette porte, tu peux rencontrer ta propre mort. Mais pourquoi l'attendre là dehors, le dos courbé, les mains mollement ramenées vers toi ? Pourquoi ne pas aller à sa rencontre et la défier jour après jour, heure après heure, en lui dérobant toute la vie possible ?

La cigarette s'est éteinte entre ses doigts et l'eau incite au combat. Des savons parfumés, comme venus des *Mille et Une Nuits* – qui l'aurait imaginé alors, Beatrice ? – jettent des lueurs roses, vertes, bleues sur la tablette plongée dans l'ombre. C'est Bambù qui les a mis là pour me donner de la joie. Peut-être a-t-elle compris ma faiblesse ? « Tu es distante, ma tante, pourquoi ? Distante et distraite. Je t'en prie, redeviens comme avant ! » Se savonner est doux, le corps engourdi a juste besoin de mouvement. Il est temps de se remuer, de lutter de tous ses muscles et de toutes ses pensées dans cette partie d'échecs avec la *Certa* qui attend. Et chaque année volée, gagnée, chaque heure arrachée à l'échiquier du temps, devient éternelle dans cette partie finale. Réfléchis, Modesta, peut-être que vieillir de façon différente n'est qu'un acte révolutionnaire de plus...

Révolutionnaire ? Modesta sourit en essayant de flotter dans ce petit espace d'eau artificielle.

« Tu es dans la baignoire comme si tu étais au milieu de la mer, Mody !

— Il pleut dehors, Beatrice. C'est l'hiver, mais il me suffit de fermer les yeux et de me souvenir... C'est que j'ai peur d'oublier comment on nage. Qu'en penses-tu, quand l'été viendra, je saurai encore nager ?

— Quand on a appris à nager, Mody, on n'oublie plus.

— Quand on a appris la joie de la révolution, tu veux dire. »

Beatrice doit avoir vraiment peur de ce mot, car son visage devient tout petit et pâle, si pâle qu'il disparaît dans la vapeur de l'eau chaude montant vers le plafond. Elle est partie ? Ne crains rien, Beatrice, même le mot de révolution ment ou vieillit. Il faudrait en trouver un autre. Si Carlo était vivant, il le trouverait. Il était si fort, un puits de mots nouveaux...

92

Quelques brasses et déjà la main caresse la barbe du prophète : longues boucles peignées par les vagues où des essaims de poissons glissent dans le silence vers des algues. Entre la barbe et le front, on peut s'étendre sans que cille le grand œil creux du géant, occupé

omme il est depuis des millions d'années à surveiller
a mer. Quand Modesta ne savait pas nager, la distance
ntre elle et ce regard la faisait trembler d'espérance et
le peur. Maintenant seule une paix profonde envahit
on corps mûr à chaque émotion de la peau, des veines,
les jointures. Corps maître de lui-même, rendu savant
ar l'intelligence de la chair. Intelligence profonde de
a matière... du toucher, du regard, du palais. Renversée
ur le rocher, Modesta observe comme ses sens mûris
euvent contenir, sans fragiles peurs d'enfance, tout
'azur, le vent, l'espace. Étonnée, elle découvre la
ignification du savoir que son corps a su conquérir
lans ce long, ce bref trajet de ses cinquante ans. C'est
omme une seconde jeunesse avec en plus la
onscience précise d'être jeune, la conscience des
nanières de jouir, toucher, regarder. Cinquante ans,
ge d'or des découvertes, cinquante ans, âge heureux
njustement calomnié par l'état civil et les poètes.

Comment rendre cet après-midi d'été étendue sur le
oc, effleurée par les dernières caresses du soleil qui
ombe ? Comment redire la joie de cette découverte ?
Comment la raconter aux autres ? Comment communiquer le bonheur de chaque acte simple, de chaque pas,
le chaque rencontre nouvelle... de visages, de livres,
le crépuscules et d'aubes et d'après-midi du dimanche
ur les plages ensoleillées ? « Heureuse es-tu, grand-
nère, je t'envie ! J'ai découvert que l'envie est une
onne attitude pour vouloir les choses. Moi, en t'en-
iant, j'essaie de t'imiter et peut-être un jour serai-je
omme toi. » Comment raconter la joie d'écouter ce
arçon ? L'émotion que sa voix communique quand il
épète : « Moi, Modesta, tu me permets de t'appeler
omme ça ? moi, avec toi, j'ai comme l'impression
l'avoir un camarade. Alors, camarade, mon patron de
ère m'a donné ma paie. On va s'embêter un peu au

cinéma ? Il faut vraiment que je voie *Quand la ville dort*[*], tout le monde en parle ! C'est devenu une obligation, maintenant, le cinéma. Viens avec moi, de toute façon ça dure deux heures, et après on va parler en se promenant. J'ai tant de choses à te dire sur ce Julien que tu m'as fait connaître... » Après le cinéma il peut arriver qu'on ne parle pas, ni du film, ni de Julien Sorel, mais qu'on aille chez Nina et qu'on rie, qu'on dîne, et que Carluzzu et Olimpia jouent sans fin, en se passant la guitare et un verre de vin...

S'arrêter là, dans cette plénitude de joie des sens et de l'esprit, et retenir ainsi pour toujours en moi, en vous, les dix plus belles années de la vie, celles qui vont des cinquante aux soixante ans ? La tentation est forte, mais la vie ne s'arrête pas et Carluzzu est entré dans la librairie. Il a le visage altéré, ses yeux étincellent, pleins de haine, et il essuie son front trempé de sueur. Il me regarde, et l'espace d'un instant son regard s'apaise. Il a besoin de moi.

— Qu'y a-t-il, Carluzzu, qu'est-il arrivé ?

— Il y a que j'ai dû donner une bonne dérouillée à ton fils pour l'état civil, c'est-à-dire à mon père, toujours si l'on s'en tient à cette saleté d'état civil ! Je ne voulais pas, Dieu sait à quel point je ne voulais pas. Mais brusquement il me flanque une gifle. Je me dis : du calme, Carlo, c'est la petite gifle habituelle. Mais ensuite il se met à hurler, et moi, les cris, je ne les supporte pas, grand-mère, tu le sais, et alors comme ça je l'ai fait taire de force. Et j'aurais pu le tuer, oh !

— Et puis ?

— Je suis allé au port pour faire passer ma colère en marchant en long et en large au milieu des cris des pêcheurs. Puis je me suis arrêté chez le marchand de moules et j'ai mangé une centaine de moules crues, je pense ! J'ai arrosé ça d'un verre de vin et mes vapeurs me sont passées. Oh, Mody – peut-être à cause des moules et du vin à midi –, il m'a semblé voler dans le soleil, léger comme une mouette entre les murs blancs et les cris, le soleil brûlant dans mon dos et le vent frais sur mon front. Et je me suis dit : « Mais pourquoi perdre tout ça pour cet idiot ? Et puis il est inutile que tu songes à prendre le train ou le bateau – tu l'as déjà fait si souvent –, tu reviendras toujours ici comme oncle 'Ntoni et oncle Jacopo. » Puis je repense à ton animal de fils, je le vois repoussé contre le mur par mes poings, sa tête de lion fatigué baissée, et ça me fait un peu de peine et je me dis : « Allons voir s'il n'a pas perdu quelques dents... Il y tient à ses dents, à son sourire éblouissant à arborer devant les jurés. » Je sais, inutile que tu souries, nous avons fait tous les cours du soir, comme dit Nicola. Je le sais que c'est un remords ancien, ancestral. Qui oserait lever la main vers la tête chenue ou non de son propre père, qu'il soit croyant ou athée ? Bien, je retourne à la maison, j'ouvre la porte sans bruit, je mets le pied dans l'entrée et qu'est-ce que j'entends ? Tu ne le croiras pas : sa voix satisfaite et persuasive comme au tribunal qui dit au téléphone : « Mais oui, Mattia... il m'a frappé, il n'y a rien à faire ! Quand on a un fils de son sang qui n'est pas une poire, mais un vrai homme, une chose pareille peut aussi arriver. Heureux es-tu de n'avoir que deux filles ! »

— Et toi ?

— Mince alors ! Oh, Mody, tu sais qu'à Rome c'est la mode chez les jeunes de dire « mince alors ! ». Nicola me l'a rapporté, c'est horrible mais ça te colle à l'esprit comme le refrain d'une mauvaise chanson.

— Alors ?

— Mince alors ! Oh, pardon ! Alors j'enfile trois ou

quatre dithyrambes à la Miller, le grand Henry blasphémateur, et tout satisfait de mes outils culturels je file droit chez toi qui me les as donnés... Et maintenant allons, je t'emmène au restaurant, ton petit-fils est riche aujourd'hui.

— Comment est-ce que ça se fait ?

— J'ai fini le Mémoire de Maîtrise de Nicola. Tu te souviens que je venais te voir pour informations ? Je chipe tes idées sur la littérature anglo-saxonne, j'y ajoute quelque chose de mon cru et je vends la marchandise à Nicola qui est riche et ne sait rien de rien. Et puis il fait son petit effet chez lui et avec son professeur. Tout un trafic, grand-mère, sur ton dos...

— Et qu'y a-t-il de mieux dans ce cas qu'être volé ? Si on te vole, ça veut dire que tu es riche, non ?

— Alors, vilaine fille, qu'est-ce que tu prends ?

— Des spaghetti !

— Moi aussi ! Oh, l'ami, deux spaghetti aux palourdes et des rivières de vin blanc !

— Quel soleil, Carlo ! Encore une semaine et puis hop, on nage jusqu'en octobre.

— Tu sais que tu es une grand-mère fabuleuse ?

— Tu m'as fait un splendide récit de ta matinée, Carlo, mais tu ne m'as pas dit pourquoi tu avais frappé mon Prando.

— Tu as de l'affection pour ton Prando ?

— Non, mais je l'aime.

— Tu es d'une clarté, Mody, qui fait peur, comme dit Nina.

— Alors, que voulait ce matin ton vieux père ?

— Le refrain habituel : « Tu es jeune... Tu ne sais pas ce que ça veut dire... » Et toujours à la même heure, à table, quand tu es affamé et que tu n'as pas la tête à ça : « Tout le monde, mon petit, n'a pas la chance d'avoir un père qui lui aplanit le chemin. Pourquoi chercher des choses impossibles comme l'archéologie quand ici, à portée de main, tu as un cabinet d'avocat rentable comme un puits de pétrole ? » Cela, il y a cinq ans, tu te souviens ? Et moi pour vivre tranquillement je me suis dit : faisons-lui plaisir, de toute façon c'est le patron, et le patron, ou on le trucide tout de suite, ou on le mène en bateau. Et je saute des classes et je lui rends ce qu'il a dépensé pour m'élever. Parce que la question est là : ils veulent juste que l'argent qu'ils ont dépensé pour toi fructifie. Tu parles d'amour paternel ! Mais c'est vrai qu'il était antifasciste, Mody ?

— Bien sûr, et même communiste.

— Mais s'il était communiste, pourquoi a-t-il quitté le Parti quand il y a eu le XXe Congrès ? Il croyait qu'on fait la révolution avec des sucettes ? Oncle Jacopo ne l'a pas quitté, il m'a même dit à cette époque-là à Milan que c'était le moment de lutter davantage, de rester à l'intérieur pour faire enfin valoir les idées de Gramsci... Je sais, excuse-moi, nous en avons parlé si souvent et je te fais de la peine. C'est que pour nous, les jeunes, c'est difficile de comprendre. Prends Nicola... Dehors, en public, son père se déclare communiste, et puis le dimanche il va à la messe. Et le soir ils disent leurs prières. Quel bordel, comme dit Nina ! Je n'arrive plus à parler à Nicola, Mody, c'est terrible mais je vais le perdre ! Il est comme vidé, inerte. Un jour sa pensée semble claire, le lendemain il commence à dire que tout est inutile. Mais tu sais que maintenant il ne lit plus que des textes indiens ? Moi aussi, j'ai lu l'*Autobiographie d'un Yogi*• pour essayer de le comprendre, mais je n'y ai trouvé que l'habituel mysticisme d'emprunt. Comment ne comprennent-ils pas que ce n'est qu'un autre opium fabriqué en Amérique ? Que peut-on faire ? Ça au moins, ça n'existe pas chez nous, ne serait-ce que grâce à la femme que ton fils ne méritait vraiment pas. Elle est formidable, oh ! je ne sais pas comment elle fait pour trimer toute la journée derrière papa et se tenir toujours informée. Ah, c'est quelqu'un ! Je ne comprends pas comment une femme comme ça peut supporter ton fils, grand-mère, je ne comprends pas ! Toi, tu ne l'as pas supporté.

— C'est qu'Amalia n'a pas confiance en elle-même, Carluzzu. Elle ne le sait pas, mais elle n'a pas confiance parce qu'elle est une femme.

— Tu sais que parfois je m'amuse à la taquiner ? Je lui fais la cour et je lui propose de s'enfuir avec moi. Elle fait semblant d'être indignée, et de sa belle voix pleine elle dit : « Mais Carlo, je suis ta mère ! » Et moi : « Mais non, Amalia, je suis le fils de Stella. » « Mais je suis vieille. » Et moi : « Stella aussi était vieille quand elle m'a fait avec ton mari. » Alors elle devient toute rouge et s'exclame : « Quelle horreur de dire la vérité aux gamins, ils en profitent ! » Et elle rit... Ce sont quasiment les seules fois où je la vois rire. Elle me fait tant de peine que parfois je frôle la sensation de l'amour. C'est vrai, Mody, que l'amour est tellement, tellement proche de la compassion ? C'est aussi pour elle que j'ai obtenu ce diplôme en droit. Je me dis : « Maintenant que tu es docteur en droit, Carlo, ton père va se calmer, il te donnera de l'argent et tu t'en iras trois mois en Grèce avant de faire ton service militaire. » Et puis ce matin il me sort : « Alors à partir de demain tu viens au tribunal avec moi et tu commences à t'exercer. » Et moi : « Mais papa, dans six mois je pars au service militaire ! » Et lui : « Mais non, je te ferai exempter. » Je me raccroche à l'évidence de la nature et je réplique : « Mais papa, avec une taille de 1,86 mètre et 120 de tour de poitrine, ce sera impossible ! », et lui : « Tout est possible à un

Brandiforti ! » Et alors moi, la faim me passe d'un coup, et dans mon assiette je vois des champs de bataille, des appels forcés aux armes, des croisades, et je comprends pourquoi les guerres éclatent... C'est une façon comme une autre de s'enfuir de chez soi. Mais par le sang de Judas, Mody ! Comment peut-il parler comme ça à son âge ? Comment peut-il dire : « Tu verras la satisfaction morale qu'il y a à faire acquitter un innocent ! » Mais pour un que l'on sauve il y en a cent qui vont en prison... Il ne comprend pas qu'il faut tout remettre en discussion, à commencer par sa morale vieille d'au moins mille ans ?

— Carlo parlait comme toi il y a quarante ans.

— Quel Carlo ?

— Le père de Bambolina.

— Oui, et il est mort assassiné. Mais moi on ne me tuera pas, Mody ! Nous, on ne nous tuera pas, grâce à toi, grâce à Jacopo. J'ai rencontré ses élèves là-haut à Trente, des jeunes aux yeux ouverts, des jeunes comme moi, décidés à ne se laisser prendre au piège d'aucun faux idéalisme. C'est seulement que...

— Quoi, Carluzzu ?

— Nous sommes peu nombreux, grand-mère, nous ne sommes que quelques-uns !

— Il en a toujours été ainsi.

— Et les quelques-uns que j'ai rencontrés, à Milan, à Londres, à Paris, ils sont tristes.

— Il en a toujours été ainsi, Carlo.

— Et moi je ne veux pas être triste comme eux.

— Mais dans la conscience d'être différents il y a aussi de la joie, Carluzzu, si on sait la dénicher.

— C'est vrai, c'est ça qu'ils ne veulent pas comprendre ! Comme s'ils avaient honte d'être heureux, comme si le bonheur impliquait forcément d'être comme les autres : superficiels, bêtement satisfaits.

Prenons oncle 'Ntoni, là-haut à Rome : succès auprès du public et de la critique, files d'intellectuels, de gens raffinés qui attendent pour le féliciter dans sa loge. Dès que nous sommes seuls, quel masque tragique lui tombe sur le visage !

— Mais 'Ntoni est un comique, Carlo, ne l'oublie pas.

— Ce qui veut dire ?

— Il y a aussi la nature de chacun, ne me deviens pas un fanatique de la joie, je t'en prie ! Le tempérament d'un comique est terriblement triste. Dans les êtres, dans les professions qu'ils choisissent, il y a aussi une donnée mystérieuse, insondable. La nature elle-même est insondable, je t'en prie, mon petit ! Laissons les autres être comme ils sont, ou comme ils veulent être !

— Tu as raison, grand-mère, je suis un fanatique comme ton Prando, et avant que tu ne t'énerves – je sens ta colère qui monte –, donne-moi la main et faisons la paix ! Je t'emmène voir quel beau bar couvert de miroirs et tout scintillant ils ont ouvert à la *Pescheria*[1].

Main dans la main, nous descendons vers le port, nous délasser en laissant voguer notre esprit derrière les ailes blanches des mouettes que suivaient de longs nuages.

— ... C'est vrai, Mody, que parfois l'esprit, quand on le laisse aller, ouvre ses ailes et glisse sur les couleurs en les aspirant comme si c'était un papillon ?

La même pensée au même instant, là, le long du quai du port à l'ombre. Une femme de soixante ans peut-elle avoir les mêmes pensées qu'un garçon de vingt ? Je le regarde, le noir de ses yeux, au soleil couchant, est veiné de vert et de violet.

1. Le Marché aux poissons.

— Le jour, tu as les yeux clairs, Carluzzu.

— Maman, c'est-à-dire Stella, avait les yeux noirs, n'est-ce pas ?

— Oui, noirs comme une nuit sans étoiles.

— Dommage que je ne puisse pas me souvenir d'elle.

— Je m'en souviens pour toi, Carluzzu.

Oui, une femme de soixante ans peut avoir les mêmes pensées qu'un garçon de vingt. Encore étonnée, heureuse comme une enfant, Modesta saute au cou de ce garçon qui la prend par la taille et la soulève et la fait tournoyer au milieu des pêcheurs, des étals, des cris des vendeurs. Plus tard, Carlo dit à Nina et à ses amis que quelques personnes se retournèrent surprises, mais ni indignées ni ironiques :

— Imaginez-vous une dame sérieuse, élégante, qui brusquement se détache de terre comme si elle avait des ailes et me saisit dans ses bras et m'embrasse ! En un éclair le gros conformiste qui est en moi me dit : « Arrête-toi ou ils vont te lyncher, Carlo ! » Mais tout de suite l'autre Carlo réplique : « Lâche, affronte-les comme elle le fait, mieux, exalte son geste en la faisant tourner autour de toi et donne-toi une leçon à toi-même et à cette race dure et orgueilleuse dont tu es issu. » Mon cœur explose en mille morceaux pendant que je la fais voler et j'attends, durant une éternité de secondes, un gloussement, une plaisanterie. Mais rien... Et quand je la détache de moi et j'ose regarder autour de nous, je vois deux ou trois personnes qui presque avec crainte regardent ailleurs, et un type qui me fixe avec des yeux traversés par la lame du doute, songeant que peut-être, oui, cet étrange couple est heureux et a le courage de le montrer. C'était ce vieux du port, grand comme une armoire, avec deux petits balais hirsutes en guise de sourcils. Eh bien, cette montagne de rides après un instant m'a souri. C'est la victoire !

Nina rit et elle est très belle, peut-être plus belle qu'avant. Elle doit être tombée de nouveau amoureuse. Et de qui ? Peut-être de cet homme grand et maigre qui la regarde avec les yeux du connaisseur en musique qui sait écouter sans effort les rythmes les plus complexes ? Ou c'est Cesare, au corps lent et au profil frémissant d'imagination, son nouvel amour ? Non, ce doit bien être ce musicien qui attire Nina...

Et je voudrais rester là pour toujours, mais Bambù m'appelle. Je voudrais rester, continuer à écouter Carlo qui a le don de raconter, de vous arracher à vous-même et de vous emporter au loin. Mais la vie file, rapide, en ce temps de jeunesse consciente, elle appelle et je dois y aller. La vie ne peut s'arrêter. Pietro meurt et a besoin de moi.

93

Si le médecin ne nous avait pas murmuré en sortant en toute hâte : « Eh oui, il lui reste peu de temps désormais ! », aucun d'entre nous n'aurait pu le comprendre. Assis dans le grand fauteuil, la tête à peine appuyée au dossier, il regarde attentivement quelque chose au-delà de la fenêtre grande ouverte.

— Pietro n'a jamais été au lit quand le soleil est haut, et ce ne sera sûrement pas ce petit ver qui me chatouille la poitrine qui m'y fera aller.

— Tu souffres, Pietro ?

— Non, Mody, j'attends après ma fille. Après, quante je l'aurai vue, je pourrai m'en aller... Ça fait combien de temps que je l'attends, Bambolina ?

— Deux jours, Pietro. Mais maintenant elle devrait arriver, elle est juste en attente à l'aéroport.

— L'Amérique est toujours loin, hein, Bambù !

— Mais maintenant Crispina est à Palerme, et s'il n'y avait pas les grèves...

— Des grèves, Mody ?

— Oui, Pietro.

— Il en a fallu, hein, Mody, pour pouvoir dire ce mot-là à voix haute et en plein jour ! Tu es jeune, *Bambuccia*, mais dans le temps on ne pouvait parler que dans l'obscurité, et même dans les murs de sa propre maison on pouvait pas être en sécurité. Tu te souviens de Pasquale, hein, Mody ? Il était mince et blond comme un archange, et puis à force de courbettes aux fascistes et de trahisons il était devenu bouffi et suant comme un cochon, et comme un cochon, de cette main, je l'ai liquidé... Bambù, tu me donnes la main comme hier ? La main de Bambolina voit, guérit et apaise. C'est pour ça que ce qu'elle touche, elle sait le redire ensuite en poésies comme les conteurs. Mon père disait que celui qui naît avec le talent de raconter est aussi quelqu'un qui guérit... Que fait mon petit moineau, Bambù ? Ça serait pas qu'elle pleure, ma Vif-argent ?

— Non, elle prépare un gâteau... Crispina sera affamée.

— Gentil petit moineau, il m'a obéi. Tu me prendras bien soin d'elle, après, hein, Bambù ? Tu me la guideras ? Elle est comme ça, beaucoup sont comme ça. C'est pas qu'ils soient moins bien que les autres, c'est qu'ils sont doux par nature et qu'ils ont besoin d'être guidés.

— Bien sûr, Pietro.

— Je le savais, je parle parce qu'on trompe l'attente en discourant...

— À propos de discours, ma tante, si tu savais quels récits fantastiques m'a faits Pietro ces jours-ci ! Je les écrirai tous, Pietro, tu me le permets, n'est-ce pas ?

— S'ils te frappent l'imagination, ils sont à toi.

— Mais il ne s'agit pas que d'imagination ! Si tu savais tout ce qu'il sait sur grand-mère Gaia, sur oncle Jacopo et du moment où il est venu vous libérer sur l'île. Raconte aussi à ma tante ce qui s'est passé sur l'île, Pietro.

— J'ai tout dit maintenant, Bambolina.

— Mais cet Allemand qui a été gentil...

— Bah, je sais pas s'il a fait exprès de pas nous voir ou si vraiment il nous a pas vus, mais c'est certain que s'il nous arrêtait nous étions perdus.

Timur !... Alors j'avais rencontré Timur ? Un frisson glacé de terreur m'envahit à ce nom par moi-même ressuscité. Eux n'ont fait que parler d'un Allemand.

— Qu'y a-t-il, ma tante ? Tu es devenue toute pâle.

— Comment était cet Allemand, Pietro, dis-moi ?

— Et qu'est-ce que j'en sais, Mody *mia !* Avec ce casque ils avaient tous la même figure.

— Ne parlons pas d'Allemands, ma tante fait une tête que je n'aime pas quand on en parle. Parle plutôt de ton chef-d'œuvre, de la façon dont tu as mis Inès en déroute... Pietro considère ça comme son chef-d'œuvre, ma tante.

— Pour sûr ! Je sais combattre avec la force des mains et des jambes, mais avec une femme, eh ! avec une femme ! Pietro a dû se faire petit comme un serpent et épier... Mais Mody sait tout, Bambù, je n'avais rien contre Inès mais elle tourmentait mon Ippolito et alors je l'ai fait chanter. Elle avait un amoureux transi, mais elle se décidait pas à partir avec lui, elle accumulait de l'argent, et je l'ai fait se décider en deux temps trois mouvements. Mais après elle était contente elle aussi. Les femmes ! Qui peut les comprendre ! Elle disait qu'elle pouvait pas laisser Jacopo, son fils, que son devoir était d'être près de lui. Mais puisque nous parlons de tout ça, Mody, je sais que je devrais pas... mais pour ma tranquillité, je peux être sûr que vous trouverez à mon prince un compagnon pour pêcher, pour se promener ?

— Absolument sûr, Pietro.

— Va ouvrir la porte, Bambù, Crispina est arrivée ! Elle est arrivée juste à temps. Je suis fatigué, et cet ennui qui m'a pris à raconter même des choses gaies est signe que je suis vraiment fatigué et qu'il me faut dormir.

Pietro dort profondément, et devant ce sommeil serein personne n'ose pleurer ou crier. C'est du respect seulement qu'inspire ce grand corps à la digne tenue, ce sourire que l'arrivée de Crispina a fixé pour toujours sur son visage.

Tous vinrent, avertis par l'écriture élégante mais sans appel de Bambolina... Comme autrefois au Carmel nous pouvions faire tout ce que nous voulions, n'est-ce pas, Pouliche ? mais seulement dans les heures que cette écriture inscrivait avec décision sur cette feuille de papier brillant comme de la soie. Jacopo me serre un instant le bras. Il a sur ses vêtements cette senteur nouvelle de salles aseptisées mélangée à des bouffées de vapeur de train, ils ont voyagé toute la nuit, et comme pour la soutenir il tient par la taille son Olimpia. Eh oui, j'avais presque oublié, on oublie même les belles choses. Pour une vie qui meurt, une autre naît. Olimpia attend un enfant de mon Jacopo.

— Comme Crispina est belle, grand-mère, chaque fois qu'elle revient elle est encore plus belle ! C'est vrai que j'étais amoureux d'elle quand j'étais petit ? Pietro me le racontait toujours.

— Oui, Carluzzu.

— Je ne me souviens pas de cet amour, mais seulement de quand elle chantait. J'ai en moi deux Crispina : celle que 'Ntoni poussait au milieu de la pièce pour qu'elle chante et cette femme imposante et sûre d'elle sur cette scène immense. Tu te souviens comme Pietro transpirait ? Mais où était-ce, grand-mère ?

— À Milan, je crois, tant de temps est passé. Pietro était heureux ! La vie vole quand on est heureux.

— C'est vrai. Mais que regardes-tu comme ça, grand-mère ? Et pourquoi pâlis-tu ?

Il y a Prando là au fond, il est à côté de 'Ntoni et me sourit. Après des années, il veut me parler. Je voudrais rester là avec eux, entendre les récits sur Pietro, boire le vin, mais Prando a besoin de moi. Il faut que j'y aille.

— Qu'y a-t-il, maman, pour que tu me regardes ainsi ? Ton silence m'humilie. Prando est venu, et sa venue demande le pardon pour son comportement d'autrefois. Oublions.

Pourquoi parle-t-il avec la même voix qu'il avait quand, enfant, son pied plâtré le faisait s'agiter ?

— J'ai dû aller chez le médecin, il y a quelque chose qui ne va pas là dans mon cœur. Ils disent que je dois me décider, ou changer de vie et vivre encore trente ans, ou...

De mes mains je saisis les boucles dures et je cherche : pas un cheveu blanc, pas une ombre dans ces traits de marbre. Mais Prando ne ment pas, seul cet avertissement a pu faire plier son orgueil et le faire revenir auprès de qui l'a vu naître.

— Mais tu sais ce que je lui ai dit, à ce crétin patenté ? Que sans mon travail qui m'enivre plus que le vin et sans moto je ne peux pas vivre. Est-ce que je dois devenir comme cette chiffe molle de Mattia, qui ne fait que se surveiller comme une petite femme de santé délicate ?

— Mais il est heureux.
— Peut-être bien, mais je préfère...
— De quoi veux-tu te venger en mourant, hein, vieux ?
— Tu m'appelles vieux, et tu as raison. Pourquoi est-ce que tu m'as mis au monde si tu savais que je deviendrais vieux ?
— Alors tu veux te venger de moi ?
— Aussi. Si tu perds un fils, ton fils, tu te repentiras de m'avoir fait naître. Et tu vieilliras avec ce regret, à jamais enfermée dans le souvenir de moi.
— Tu m'as aimée à ce point, Prando ?
— À ce point. Mais toi non !
— Pourquoi, non ?
— Parce que tu as vécu pour tout le monde, toujours loin, maudite que tu es, à parler et à te confier à chacun.
— Il fallait que je te choisisse toi et que je chasse la vie ?
— Oui.
— Toi, Prando, tu as toujours tout voulu, même enfant. « Prando a deux mamans : maman Stella et maman Mody, et deux tantes aussi. » Tu te souviens ?
— Oui.
— Et alors dis-moi : moi qui suis comme toi, qui comme toi veux tout, comment pouvais-je faire ?
— C'est vrai aussi ! Tu souris enfin, maman. Quante tu souris tu redeviens jeune comme quante j'étais petit. Prando est un sale animal, mais il est fier aussi, quand même, quand tu souris et as l'air d'une petite fille... Je veux te tenir dans mes bras, et ne proteste pas, oh, je suis malade ! Là, serrée contre moi, ma mère enfant, ou alors tu m'as menti et je ne suis même pas né de toi ? Et tu es ma sœur, peut-être ? Tout peut arriver avec toi. C'est ça qui me fait enrager ! Même mort ça me fera enrager !

— Et pourtant tu sais que si j'avais été une bonne pâte, toute à toi comme Amalia, tu te serais lassé de moi comme tu l'as fait d'elle.

— C'est vrai. Prando se lasse des choses qu'il possède. L'argent, maintenant que j'en ai, ne fait que m'ennuyer, et même à la moto, je fais semblant de tenir, mais j'en suis dégoûté maintenant que tout le monde peut en avoir une.

— Je te connais, Prando, tu es d'accord pour que nous la jouions cartes sur table, cette partie ?

— Et jouons-la cartes sur table, qu'est-ce que tu veux dire ?

— Connaissant ton avidité jamais rassasiée, il m'a paru inutile de me sacrifier.

— Tu veux dire que tu l'avais compris, que plus tu me lâchais la bride, plus tu me tenais ?

— Peut-être, si tu le sens comme ça, peut-être... Qui peut pénétrer jusqu'au fond ses propres actions quand il s'agit d'affection ou d'amour ? Je sais seulement que l'idée d'être tenu en réserve ne plaît à personne, et toi, tu es un homme qui prend et tient en réserve... De qui peux-tu le tenir ? Le vieux n'était pas comme ça, lui savait aimer les choses qu'il avait conquises.

— Ne me parle pas du passé, le passé m'ennuie !

— Tu vois ? Tu voles la vie à pleines mains. Tu l'as prise à pleines mains, avoue-le, et maintenant tu veux la mettre de côté.

— Oui.

— Et tes enfants ne t'aident pas ?

— Pas beaucoup ! Carluzzu me plaît, il est dur, il sait ce qu'il veut. Tu sais qu'il m'a frappé une fois ?

— Oui.

— Ah, c'est quelqu'un !

— Comment se fait-il que tu ne l'aies pas empêché de me voir durant tout ce temps ?

— Dame ! Comme si je ne l'avais pas fait ! Mais tu sais comment il a réagi ? Il ne te l'a pas dit ? Avec trois mots secs et durs : « Tu n'empêcheras pas mes choix. Tu n'es qu'un vieux fasciste à flanquer en l'air », tels furent exactement ses termes. Entre nous soit dit, mère, j'avais envie de rire. Il te plaît, hein, Carluzzu ?

— Jamais personne ne m'a plu comme ça.

— Alors tu m'en attribues une part de mérite, parce que tout de même c'est mon fils, non ? Quelle force a ce petit ! Et quelle rectitude ! Prenons le service militaire... Je pouvais d'un tour de main le faire réformer, et non... Il part, oh ! d'ici quelques mois il part et il n'y a rien à faire. Mais pourquoi ?

— Il a raison, il dit qu'ayant grandi dans une *élite**, cela lui servira à comprendre son pays.

— Oui, oui, il dit des choses comme ça, mais... Il doit s'installer avec moi quand il revient ! Sinon, à qui est-ce que je le laisse, mon cabinet, moi ?

— Enlève-toi ça de la tête, Prando, essaie de comprendre une fois pour toutes...

— Toujours alliés, hein ! Je le savais, et s'il faut te dire la vérité c'est la seule chose qui m'ait soulagé pendant ces années et qui m'ait permis de maintenir le contact avec toi. À travers lui je te suivais, votre affection me comblait, qui sait pourquoi ? Nous sommes vraiment un mystère pour nous-mêmes dans ces affaires d'affection et d'amour... Qui l'a dit, toi ou lui ?

— Moi, tout à l'heure.

— Eh oui, je ne sais pas écouter, je sais. *Bambuccia* aussi me fait toujours des reproches. Mais lui sait écouter, n'est-ce pas ?

— Pour le moins qu'on puisse dire, et si tu savais comme il raconte !

— Ça suffit, ou je vais être jaloux ! Dis-moi plutôt, vieille sorcière, comment te semble Ignazio ?

— C'est ton portrait et tu le sais. Qu'est-ce qu'il y a ?

— Oui... mon portrait.

— Pourquoi t'assombris-tu comme ça ? Pourquoi le fuis-tu ? Bambù me l'a dit.

— Et qu'est-ce que je peux fabriquer avec quelqu'un qui est comme moi ? Déjà que j'en ai assez de moi depuis des années ! Oh, Mody, écoute...

— Et pourquoi m'appelles-tu Mody, maintenant ?

— Maintenant je vais vraiment t'expliquer pourquoi je suis revenu te voir. Je ne suis pas revenu auprès de ma mère mais de mon meilleur ami. Parce que tu as été un ami pour moi, Mody, il faut que je te le dise. Maintenant j'ai besoin d'un allié qui connaisse mon accident cardiaque – le secret absolu pèse et toi, je le sais, tu ne m'ennuieras pas avec des gémissements et des conseils comme le ferait Amalia, Bambù ou même Mattia.

— Tu peux avoir confiance en moi.

— Je le sais. Mais il faut que tu me jures ici sur Carluzzu que personne ne saura jamais rien.

— Je le jure.

— Viens ici, regarde-moi dans les yeux. Tu es forte, vieille ! Comment peut-il se faire que je ne voie aucun désarroi, aucune larme dans tes yeux ?

— Tu voudrais que je pleure, maintenant ? Que je m'inquiète ?

— Non, tu aurais baissé dans mon estime. Mais tu y arriveras aussi demain, dans un mois, à rester comme ça ?

— Mets-moi à l'épreuve.

— Voyez-moi ça, voyez-moi ça, c'est elle maintenant qui me défie ! Et à ce défi, ma Mody, j'en ajoute un autre. Écoute, une idée m'est venue : tu serais capable, dès que le deuil pour Pietro sera terminé, d'organiser une fête pour moi et mon cœur ? Une fête pour nous deux et pour notre secret ? Je voudrais une immense fête. Toute l'île devra recevoir les échos de sa gaieté. Il faut que tu la prépares de tes mains, et je verrai si elles tremblent, ces belles petites mains que je baise. Tu y arriveras ? Si le courage ne te manque pas dans ce combat – et qui a jamais fait une chose pareille, de fêter les fiançailles de son propre fils avec cette garce de maladie qui s'est accrochée à son cœur ? – si tu y arrives, Prando te récompensera en voulant vivre, sois-en sûre. L'enthousiasme qu'il éprouve pour ce pari lui fait déjà refluer la vie dans le sang. Mais attention, vieille, que ce ne sera pas facile, je te suivrai pas à pas, j'observerai chacun de tes gestes, chacune de tes expressions. Et pour peu que tu trembles ou que tu t'assombrisses, tu auras perdu.

94

L'étendue d'orangers et de citronniers illuminée par mille petites lampes – à l'époque, avec les bougies, on n'aurait pas pu le faire, hein, Beatrice ? – se décolore lentement à la lueur de l'aube. Pourtant des couples enlacés continuent à tourner dans l'espace de marbre, là où les deux escaliers se rejoignent. Prando monte lentement le large escalier du Carmel, cherchant sa mère. Toute la nuit il m'a épiée, bientôt nous saurons qui a gagné. Je n'ai pas tremblé comme je le craignais, et maintenant je sais la raison de ma sérénité devant Pietro mort, devant la maladie de Prando. Ce n'est pas de l'indifférence, un émoussement des sens dû aux années, comme je l'avais soupçonné. C'est la pleine possession de mes émotions et la connaissance suprême de chaque instant précieux que la vie nous offre en prime si on a fermeté et courage... Carmine monte lentement l'escalier du Carmel. Je sais maintenant, vieux, le sens profond de la liberté et de la joie que tu avais avant de mourir et je ne t'envie plus, je me suis emparée de ton savoir, et il ne sera que joie à partir d'aujourd'hui pour moi. Je le vois dans mon avenir et dans ton regard, Prando.

— Que vois-tu dans mon regard, vieille ?

— Je vois que tu ne mourras pas avant que mes yeux ne se soient fermés.

— Et combien crois-tu vivre encore ?

— Qui peut le savoir ? Beaucoup de temps, j'espère.

— Alors ma vie dépend de la tienne ?

— Si tu le veux. Si tu ne le veux pas, tue-toi ! Mais fais-le sans attendre, avec un revolver. Attendre la mort en gémissant est d'un médiocre, et tu as tout été, mais pas lâche.

— Tu as gagné ton pari et Prando te paie en voulant vivre. Il ne peut faire autrement. Quel plaisir y a-t-il à mourir si l'on sait qu'à votre mort celle qui vous a enfanté ne versera même pas une larme.

'Ntomi : Quelle idée fantastique d'éclairer le jardin *a giorno*, et à l'intérieur, où se déroulait la plus grande partie de la fête, de laisser les salons dans la pénombre ! J'ai tourné toute la nuit comme en proie à un songe. Voilà de quoi il s'agit ! Félicitations, Mody. C'est une fête onirique !

Bambù : Carluzzu, prends-moi dans tes bras, je me sens si seule.

'Ntoni : Quand une fête, un spectacle s'achèvent, c'est toujours comme ça, on se sent seul, quelque chose s'en va en laissant en nous un tas de petites morts, de petites perles glacées et roses comme celles que tu portes autour de ton cou, Bambù.

CARLO : Toujours *up to date*, notre 'Ntoni ! Tu le sens, hein, vieux loup, qu'on est en train de revaloriser D'Annunzio ?

BAMBÙ : Non, Carluzzu, laisse parler 'Ntoni, j'aime tant l'entendre. C'est peut-être le seul qui soit resté tel qu'il était.

'NTONI : C'est-à-dire, *Bambuccia ?*

BAMBÙ : Le plus amusant et le plus original.

'NTONI : Et tu sais pourquoi ?

BAMBÙ : Non.

'NTONI : C'est parce que je ne me suis pas marié... Eh, qu'est-ce que tu as à pleurer, Bambù ? Ma réplique se voulait pleine d'esprit.

BAMBÙ : Je veux voir Jacopo ! Il ne donne jamais de nouvelles, ou si rarement...

José donne de plus en plus rarement des nouvelles... Il combat au loin et Jacopo le suit... Un instant Modesta craint de ne plus le revoir et serre fortement contre elle la tête de Prando.

PRANDO : Qu'y a-t-il, vieille ?

MODESTA : J'ai peur, Prando.

PRANDO : Pour moi ?

MODESTA : Non, pour Jacopo. Toujours seul à se battre !

PRANDO : Et moi je l'envie, au contraire ! C'est un don du destin d'avoir une tête qui vous permet de vous battre pour des idées. Moi, je ne pourrais me battre qu'avec mes bras, mais il n'est plus temps. C'est peut-être pour ça que mon corps commence à me peser.

BAMBÙ : Ton corps commence à te peser parce que tu manges et que tu bois trop.

PRANDO : Ce n'est pas faux non plus, Bambù.

BAMBÙ : Maintenant encore, au lieu de rester dans

les bras de Modesta, pourquoi est-ce que tu ne t'occupes pas d'Ignazio ? Il s'est endormi sur le tapis, va le prendre et porte-le dans son lit, c'est ton fils, non ?

CARLO : Oh ma tante, comme il dort, il a l'air tout heureux ! Je ne sais pas, mais...

BAMBÙ : Quoi ?

CARLO : Mais à voir Ignazio dans cette pénombre, je me suis comme vu moi-même un instant. Oui, comme si moi aussi...

BAMBÙ : Eh, c'est sûr... Si tu savais combien de fois tu t'es endormi toi aussi comme ton frère !

CARLO : Et j'avais peur, aussi, n'est-ce pas, Bambù ?

BAMBÙ : Tu avais peur que tout le monde parte et ne revienne plus. Mais après il y a eu tant de fêtes et d'embrassades et... tu as guéri. Il fallait te tenir tout le temps dans les bras.

CARLO : Mais ça alors ! Maintenant que tu me le dis je sens des bras puissants qui me soulèvent dans le sommeil.

BAMBÙ : Eh oui, c'était Pietro qui tout doucement, sans rien dire – il savait que ton père ne l'aurait jamais fait –, te soulevait et te portait en haut.

CARLO : Pietro ! Je le sens toujours près de moi. Je l'ai vu si souvent en rêve se promener dans la foule avec son visage sans expression... Je vais prendre moi-même Ignazio et le porter en haut. Je veux sentir ce qu'on ressent à être père. Parce que Pietro a été père, n'est-ce pas, Bambù ?

BAMBÙ : Oui, père et mère, Carluzzu... Je vais faire un tour pour voir qui est resté. C'est toujours comme ça, les fêtes ! Tant que le soleil ne vient pas éteindre ces lumières, personne n'a la volonté de mettre un terme à l'allégresse... Oh, Carlo, regarde cette merveille ! C'est tout blanc et brillant, et les petites lampes dans la verdure ont vraiment l'air d'oranges lumineuses... Et toi aussi, 'Ntoni, allez, lève-toi, regarde !

'NTONI : J'étais en train de m'endormir, heureusement que tu m'as réveillé. Je viens avec toi, on ne peut pas rater une aube comme celle-là.

PRANDO : Nous y allons nous aussi, maman ?

MODESTA : Bien sûr, Prando, une aube comme celle-là, il ne faut la rater à aucun prix.

« Tant que le soleil n'est pas là, personne n'ose éteindre les feux de l'allégresse. » Et on le comprend. Qui pourrait avoir le courage de commettre ce crime ?... Est-ce moi qui l'ai dit ou Prando qui me murmure à l'oreille des phrases insensées ? Ou Bambù, qui légère court au-devant de nous, sa main fine levée – une aile de colombe – pour nous indiquer le chemin ? Sa taille étroite oscille dans le silence.

BAMBÙ : Comment se fait-il qu'il y ait ce silence, Prando ?

PRANDO : Les musiciens dorment, regarde : tombés comme des paladins vaincus.

BAMBÙ : Mais les autres dansent encore...

PRANDO : Bien sûr, chacun se chante quelque chose, une valse, un tango, à son gré.

BAMBÙ : Il faudrait dire à Vif-argent d'apporter quelque chose de chaud. Regarde ces deux là-bas tapis dans la niche, ils sont transis.

PRANDO : C'est déjà fait. La voici qui arrive en clopinant avec son plateau. Comme elle est devenue grosse et comique, Vif-argent !

'NTONI : Le gras doit l'avoir rassasiée parce qu'elle parle moins. On n'y échappe pas : ou le sexe, ou la nourriture, ou la logorrhée.

VIF-ARGENT : Que dites-vous, *signorino ?*

'NTONI : Je dis que grosse et muette tu es délicieuse, Vif-argent, délicieuse !

VIF-ARGENT : Vous êtes trop aimable, *signorino.*

'NTONI : Pour toi je suis toujours un *petit monsieur*,

pas vrai, Vif-argent ? Quelle consolation de rester jeune au moins pour quelqu'un ! Viens, viens danser avec moi.

MODESTA : Les pièces du Carmel toutes habitées... Si ta grand-mère était là, Prando, tu entendrais ses cris de rage ! C'est peut-être le sommeil, mais dans ce silence j'ai peur à chaque instant d'entendre exploser sa voix. Qui est-ce qui crie comme ça ?

PRANDO : C'est Nina, maman, et elle ne crie pas. Elle chante enlacée à son petit gandin. Qu'il m'est antipathique ! Regarde, ils nous ont vus. Viens, enfuyons-nous derrière la haie. Peut-être éviterons-nous les minauderies de ce *gentleman* à la noix.

NINA : Et non, *Prandone !* Maintenant faut que tu arrêtes de séquestrer Modesta. Nous aussi nous avons le droit de la fréquenter. Oh, à distance, ne t'inquiète pas. Mais où l'emmènes-tu ?

PRANDO : Au lit, Nina.

NINA : Au lit ? Ça c'est le mieux ! Reste, Mody, reste avec ta Nina.

Prando me tient serrée. Les mille escaliers et rideaux et couloirs de cette maison m'ont ramenée dans un passé de mort, et Nina doit l'avoir senti, car d'une main ferme elle détache les bras de Prando et dit en riant :

NINA : Eh non, mon coco ! Nous te l'avons laissée toute la soirée, mais maintenant Mody reste avec nous.

PRANDO : Mais elle est fatiguée, Nina !

NINA : T'aimerais bien, mon garçon ! Tu sais ce que je te dis ? Qu'elle est fatiguée d'être vampirisée par vos problèmes. Oh, ces nourrissons, Marco ! Plus tu les allaites et plus ils sont goulus.

PRANDO : Quelle peste tu es, Nina, quelle peste, par Dieu !

NINA : Pourquoi ne vas-tu pas auprès d'Amalia ? Regarde-la là-bas comme elle te regarde...

PRANDO : Bien sûr que j'y vais, tu viens, maman ?

Je voudrais y aller, je suis fatiguée, mais maintenant Nina m'a prise dans ses bras, et puis je ne peux être impolie avec l'un de ses amis. Prando l'est toujours avec les étrangers. Pour réparer cela, je tends la main à ce monsieur, mais je ne retiens pas son nom.

MODESTA : Comment as-tu dit, Nina ?

MARCO : Marco Clayton, madame. Décidément, Nina, ta Modesta ne veut pas me connaître.

NINA : Voyons, Mody, je te l'ai présenté cent fois ! Tu ne me perdrais pas la mémoire, par hasard ? Tu ne te souviens pas de cette soirée où tu es venue chez moi avec Carlo, puis au théâtre ? Il faut que tu lui pardonnes, Marco. Quand Mody est avec Carluzzu, elle ne voit plus personne.

Mais oui, cette soirée... Pietro était encore vivant et Olimpia était encore là. Nina a raison, il était aussi à la veille et à l'enterrement. Maintenant je me souviens de ce visage, toujours aux côtés de Nina... J'ai sommeil et Prando m'appelle du regard. Il faudrait que je le suive. Mais ce monsieur ? « Souviens-toi, Mody, qu'une princesse, même si elle ne l'est pas, ne doit jamais offenser personne, pas même le plus humble des hommes. »

MARCO : Bon, Nina, ça t'irait de prendre un bon thé ? J'ai l'impression que ta Modesta est très fatiguée, allons-y.

Il est vexé ; il sourit, mais il est évident qu'il est vexé. Il faut que je dise quelque chose.

MODESTA : Excusez-moi, mais je suis vraiment fatiguée...

Et pourquoi est-ce que maintenant j'entends ma voix qui dit :

— Vous êtes musicien, n'est-ce pas ? Et vous savez nager ?

NINA : Mais qu'est-ce qui te prend, Modesta ? Ça me fait mourir de rire ! Je te l'avais bien dit, Marco. Elle a l'air toute sérieuse et puis...

MODESTA : Allons nager, alors !

NINA : Mais la mer est loin, Mody.

MODESTA : Elle paraissait loin avec la voiture à chevaux. Mais maintenant, avec l'auto, en moins d'une heure...

NINA : Qu'en dis-tu, Marco, nous lui faisons ce plaisir ? Nous prenons la voiture et nous l'emmenons à la mer ? Regarde ce visage de friponne ! Elle est toujours comme ça, ma Mody, même en prison elle arrivait à s'inventer un caprice, et adieu la tranquillité !

MARCO : Vraiment ?

Ils rient tous les deux, et il est clair que ce n'est que par courtoisie qu'ils restent auprès de Modesta. Il est clair, à la façon dont ils se regardent, qu'ils n'attendent rien d'autre que d'être seuls pour rire et jouer. Je suis devenue trop sérieuse ! À force d'imiter grand-mère Gaia pour me faire respecter, elle a pris possession de moi et maintenant je suis vieille et dure. Ou est-ce parce que je ne tombe plus amoureuse ? Nina a eu un grand amour après moi – un amour à la *Grand Hôtel** – comme elle l'a défini elle-même, et puis cet autre amour sublime ou amour de printemps... « Et qu'est-ce que tu fais de ta vie si tu ne tombes pas amoureuse au printemps ? » Mais il ne devait pas être si sublime que ça si au bout de trois mois déjà, en plein mois d'août, elle se laisse regarder ainsi par ce musicien...

NINA : Et maintenant, qu'est-ce qu'on fait, Marco ? Elle s'est endormie..

MODESTA : Je ne dors pas, j'ai seulement fermé les yeux parce que je n'ai pas envie de parler.

MARCO : Ce n'est pas grave, Nina, nous la portons en haut. Je m'en occupe... Mais regarde, elle a enlevé ses chaussures et s'est pelotonnée comme si elle était déjà au lit. Et comme elle pèse ! Tu es sûre que ce n'est pas grave ?

Nina : Mais non, ça a toujours été comme ça ! Elle peut rester des jours et des jours sans dormir, en prison aussi, à l'époque, et puis tout à coup elle est capable de dormir deux jours et deux nuits.

Marco : Quelle bizarrerie !

Nina : Carluzzu m'a dit que c'était l'art des grands meneurs d'hommes, je ne sais pas s'il plaisantait, il plaisante toujours, Carluzzu. En fait, il m'a dit que César, Jules César je veux dire, quand il ne savait pas quel poisson pêcher, s'endormait.

Marco : Ne me fais pas rire, Nina, elle n'est pas très lourde mais je crois que je suis ivre, et j'ai peur de la faire tomber ou de la réveiller.

Nina : Tu peux toujours attendre ! Quand elle fait comme ça, même des coups de canon ne la réveillent pas.

Je ne dors pas puisque je peux entendre leur dialogue. Et je pourrais lui faire attraper un coup au cœur, comme dit Nina, en me mettant à crier ou à rire. Mais je n'ai pas envie de parler, surtout maintenant que Carluzzu s'est joint à la procession et s'amuse à taquiner Nina à propos de la force de son ami musicien.

Carlo : Oh, Nina, pour une fois tu as un ami costaud, comment ça se fait ? Tu es en train de te raviser à propos du concept de virilité ? J'ai toujours vu près de toi des éphèbes et des nymphettes.

Quand Carluzzu plaisante comme ça on croirait un peu 'Ntoni. Pourquoi t'étonnes-tu, Modesta ? D'une façon ou d'une autre, ce sont tous les deux des fils de Stella, sauf que Carluzzu – il n'est pas utile de le dire à 'Ntoni, il se vexerait, pauvre garçon ! – est beaucoup, beaucoup plus intelligent que 'Ntoni.

95

— Bonjour, ma tante.

— Oh, Bambù, ils sont partis ?

— Plutôt ! depuis deux jours.

— Allons, ne plaisante pas, j'ai tout parfaitement entendu. Carluzzu plaisantait avec Nina...

— Oui, sûrement, il y a deux jours !

— Je vois : je dormais et je rêvais que je ne dormais pas. En effet, j'ai une faim de loup ! Ça faisait longtemps que ça ne m'était pas arrivé. Je voulais échapper à quelque chose... Mais à quoi ?

— Peut-être, comme dit Nina, voulais-tu échapper à nos plaintes. Elle nous a passé un savon, génial, je dirais, ta Nina ! Et elle a raison parce que moi aussi j'ai été très embêtante ces derniers temps. Même pour la fête tu as dû tout faire toute seule.

— La fête a été belle, n'est-ce pas ?

— Vraiment telle que Prando la voulait ! Toute l'île en parle et en parlera longtemps.

— Oh, Bambù, le déjà vécu ! J'ai déjà vécu ce moment : moi qui mange, toi qui me regardes, la grande fenêtre, et le miroir avec les pampres et les fruits dorés. L'autre fois aussi quand j'ai eu le typhus après la relégation, je me suis éveillée dans cette chambre. Je voulais te le demander et puis j'ai oublié...

— Quoi ?

— Peut-être ne te souviens-tu pas...

— Bien sûr que je me souviens ! Comment pourrais-je oublier la chute du fascisme et toi mourante ?

— Ce miroir, Bambolina, qui est-ce qui l'a mis à cet endroit ?

— C'est moi.

— Cette chambre était la mienne quand j'ai connu ta mère, tu le savais ?

— Vraiment ?

— Qu'est-ce qui t'a poussée à choisir juste ce miroir pour le suspendre là ?

— Je ne sais pas, il était dans le grenier.

— Maintenant je sais pourquoi je me suis endormie. Je voulais rester ici, maintenant que les morts sont partis et que la maison est habitée. C'est beau ici. Les petites se sont éveillées, Bambù. Tu entends comme elles rient dans les escaliers ? Mais combien sont-elles ?

— Beatrice, Gaia et deux ou trois de leurs amies qui ont dormi ici... Elles ne parlent que de la fête, à leur façon, elles la font continuer.

— Oui, je voulais rester ici !

— Oh, si c'était possible ! Reste, ma tante, reste !

— Je voudrais rester avec toi, Bambù, mais la vie continue, quelqu'un frappe à la porte, voyons qui c'est...

CARLUZZU : Oh, grand-mère, tu nous as fait faire du souci, toute l'île s'est inquiétée ! Tout le monde est posté en attente à la librairie ! Ta secrétaire – qu'elle est jolie, oh ! pour un peu je ne partais pas et lui faisais la cour –, ta secrétaire dit que sans toi elle est terrorisée... Mais comme tu es belle, oh ! Il faut que tu restes comme ça pour l'éternité.

MODESTA : Ça fait un peu trop de temps, qu'en dis-tu, Bambù ?

CARLO : Alors, au moins jusqu'au moment où je t'aurai soutiré ton image en fabriquant une fille exactement pareille à toi, ou un grand roman où tu seras tout entière.

BAMBÙ : Ça, c'est moi qui m'en charge !

CARLO : Eh non, Bambù !

BAMBÙ : Eh si !

CARLO : Bon, ça va, et si nous l'écrivions ensemble ?

MODESTA : Ensemble ou pas, je vous prie de ne pas l'écrire tout de suite parce que j'ai l'intention de vivre jusqu'à cent ans. On n'écrit pas sur les vivants.

BAMBÙ : Quelles belles roses, Carluzzu ! Pourquoi les as-tu jetées comme ça sur la table ? Je les mets dans un vase, elles souffrent.

CARLO : Oh, Bambù, embrasse-moi avant de t'occuper des fleurs, c'est la première fois que nous resterons séparés si longtemps.

BAMBÙ : Qu'est-ce qu'il faut entendre ! Et la fois où tu es allé en Amérique ?

CARLO : Mais regarde-la, Modesta, elle a les larmes aux yeux !

BAMBÙ : Ne t'acharne pas, Carluzzu ! Vous partez tous, je sais que c'est bien comme ça, mais je souffre.

CARLO : Mais je reviendrai, Bambù, le service militaire n'est pas éternel.

BAMBÙ : Tu reviendras, c'est vrai ?

CARLO : Mais bien sûr ! Et je te raconterai tout ce qui me sera arrivé. Quel intérêt de faire des expériences si on ne revient pas ensuite les raconter sur la place de son village, au bar, aux amis ?

BAMBÙ : Tu dois être un peu sadique, Carluzzu, je te le dis. Je parie que tu pars toujours pour avoir le plaisir de nous voir souffrir. Mais je ne marche plus ! Je préfère aller me distraire avec les fleurs.

CARLO : Tu ne m'accompagnes pas à la gare ?

BAMBÙ : C'est ça, pour te voir enchanté de mes larmes. C'est un monstre, oh ! ce gamin.

CARLO : Tu le sais, tantine Bambù, que tu es géniale ?

BAMBÙ : Pourquoi ? Qu'est-ce que c'est, un prétexte pour me faire rester encore un peu ici à souffrir ?

CARLO : Tu as raison quand tu dis que j'aime vous avoir chagrinés. Et je crois que c'est parce que, quand 'étais enfant, tout le monde partait tout le temps et arfois certains ne revenaient pas. Ce doit être une orme de vengeance : faire subir aux autres l'abandon ue j'ai subi, moi.

BAMBÙ : C'est possible, Carluzzu, mais ça me emble un peu trop mécanique, y compris du point de ue psychanalytique...

CARLO : Oh, Mody, pourquoi gardes-tu les yeux ermés, tu es émue ?

MODESTA : Eh, bien sûr ! On n'échappe pas à ceux ui se délectent de vous émouvoir.

CARLO : Oh, Mody, je t'ai apporté le livre d'un cerain Pierre Daco, un prêtre de merde, comme dirait ina. Regarde : *Qu'est-ce que la psychanalyse ?* Je l'ai u toute la journée d'hier, ce bâtard en fait du christiaisme, je n'en croyais pas mes yeux.

MODESTA : Et tu t'étonnes ? D'ici peu nous aurons ussi un matérialisme chrétien. Ces gens-là ne sont pas és de la dernière pluie, comme dirait Nina.

CARLO : Il faut faire quelque chose !

MODESTA : Tu le feras, Carluzzu.

CARLO : Mais j'ai si peur aussi. Ils sont puissants, ody ! Ah, j'oubliais presque, regarde, regarde cette ouverture.

MODESTA : Mais pourquoi diable as-tu acheté l'*Ecoomist ?*

CARLO : Regarde, le type, là, à côté de Brandt... Ce 'est pas le portrait masculin de Joyce ?

Sur la couverture, une tête parfaite, chauve, deux eux noirs douloureusement étirés vers des tempes élicates me fixent attentivement. Timur sourit, iroique et sûr de lui, comme si quelques heures seuleent s'étaient écoulées depuis notre déjeuner sur la errasse du San Domenico de Taormina.

— Vous êtes restée la même, princesse.

Je savais que je le rencontrerais encore, mais je n'aurais jamais imaginé entendre à nouveau sa voix – qu
peut m'appeler désormais de cette façon, sinon lui ? –
dans ce salon de thé solitaire d'Istanbul, entouré d
tombes pareilles à des troncs d'arbres pourris.

— Je n'ai pas eu un seul instant d'hésitation.

— Vous aussi, Timur, vous êtes le même.

— Les personnes qui possèdent une grande tensio
morale vieillissent, certes, mais intactes comme le
marbres immortels des temples. Non, ne vous en alle
pas, concédez-moi encore quelques instants de votr
temps précieux. Votre sourire est un baume sur m
nostalgie.

— De la nostalgie, Timur ?

— Oui, je l'avoue, de la nostalgie pour vos étendue
d'ombre et de soleil, pour vos espaces humains e
métaphysiques... De Chirico ne pouvait être qu'italien

— Votre italien, si c'est possible, s'est encore amélioré.

— L'éloignement donne la connaissance. On n
comprend entièrement que ce qu'on a perdu.

— Vous n'êtes plus retourné en Sicile ?

— Non, le massacre que j'ai vu à Rome et à Naple
m'a suffi. Je crains de ne plus retrouver la terre qu'
exalté notre Goethe, notre terre. La terre comme l'a
appartiennent à qui les comprend. De Chirico est sicilien, princesse ?

— Je ne sais pas.

— Il doit l'être, parce que la Sicile est la clef d
tout... Nous aurions fait de votre île un jardin, et pas l
décharge – on dit comme ça ? – que j'ai vue à Naple
Mais pourquoi parler du passé ? Ce soleil éblouissan
fuit les nuages et pousse vers l'avenir, et l'avenir se
à nous. Dommage, pourtant, trente ans de perdus. Nou

urions fait un travail rapide, propre et scientifique au
eu de procéder à cette lente saignée qu'on appelle
émocratie. Hitler a été trahi, mais son rêve se réali-
era : une Europe unie avec à sa tête le génie germa-
ique... Mais vous devez partir, princesse ?
— Oui, il faut vraiment que je m'en aille.
— Vous tremblez, c'est ma faute, je vous ai retenue
cette table. Ici sur le Bosphore j'ai parfois l'illusion
'être dans la douce Palerme. Palerme douce et majes-
ueuse, bercée par la corolle rose de ses montagnes...
lais dès que le soleil baisse, le froid vent barbare des
aines asiatiques me ramène à la réalité.
J'ai froid et je ne veux plus écouter ses paroles ni
garder ses yeux. Il faut que je rentre à Catane. J'ai
oid, et je ne comprends pas pourquoi j'écoute cet être
squeux aux yeux de serpent...

BAMBÙ : Carluzzu, Carluzzu, qu'est-il arrivé ?
CARLO : Je ne sais pas, elle est brusquement retom-
ée dans le sommeil.
BAMBÙ : Et tu restes là sans rien faire ?
CARLO : Grand-mère, grand-mère, s'il te plaît !
BAMBÙ : Elle ouvre les yeux, Carlo, elle ouvre les
ux ! Mais cours chez le médecin !
L'*Economist* a glissé à côté de moi. Sa couverture
i m'a montré un instant de mon futur gît retournée
r terre : une *réclame** voyante pour une boisson tro-
cale s'étale entre sable et palmiers... Cette rencontre
endra plus tard, bien plus tard, quand j'aurai appris
art de voyager, et d'être heureuse d'observer un vase,
ne statue, une fleur... Dans l'anxiété de vivre j'ai
issé filer trop vite mon esprit.
BAMBÙ : Modesta, ma tante, que t'est-il arrivé ?
MODESTA : Rien, Bambù, un malaise, j'ai trop dormi.
ide-moi à me lever, tu verras qu'avec un bon bain et
i café...

Bambù : Et un médecin, s'il te plaît ! Cette fois, o tu te fais examiner par un médecin, ou je me mets e colère, vraiment, ma tante ! Mais pourquoi es-t revenu, Carlo ? Je t'avais dit d'aller chercher u médecin !

Carlo : Chut, Bambù, c'est une chance ! Je me pr parais à aller chercher un médecin, et qui sait où, d reste ? Depuis qu'Antonio est mort on n'arrive pas en trouver un ! Ça donnait tellement confiance de vo toujours le même médecin, il passait tous les soirs. Comme c'était bien ! Mais pourquoi est-il mort ?

Bambù : Il avait quatre-vingts ans, Carlo, tu n rends folle ! C'est comme ça que tu t'inquiètes ?

Nina : Mais regarde-la comme elle va bien, elle r même... Viens, Marco, elle est là, notre entêtée (gamine.

Bambù : Oh, Nina ! Excuse-moi de ne pas t'embra ser, mais je dois trouver un médecin.

Carlo : Mais le voici ! Marco est médecin, je l'ai dit.

Bambù : Tu ne me l'as pas dit, Carluzzu ! Quan finiras-tu de penser les choses et de ne pas les dire !

Carlo : Je n'ai pas dit que j'avais rencontré Nina Marco à la grille et qu'elle a fait : « Où cours-tu ? » moi : « Je cherche un médecin, et blablabla et blabl bla ? » Eh voyons, un peu d'esprit de synthèse, Bamb que tu es vieux jeu !

Bambù : Écoute, Carlo, il faut qu'il l'examine.

Carlo : Mais elle n'a rien, Bambù ; comme si c'éta la première fois qu'elle tombait en extase et s'envola vers d'autres rivages !

Bambù : Et moi j'exige qu'on l'examine.

Modesta : Mais oui, Carlo, tranquillisons Bamb Comme tu es belle, Nina, que se passe-t-il ?

Nina : C'est ma robe blanche, comme d'habitud

ody, le blanc rajeunit. Chaque fois que je mets cette
be je me trouve belle. Allons, Bambù, notre Mody ne
mprendra jamais rien aux vêtements. Personne n'est
rfait, on le sait... Oh, Carlo, j'ai revu *Certains l'ai-*
ent chaud•, plus je le vois et plus ça me plaît.
Nina a raison, ma robe jetée sur le fauteuil est d'une
uleur vomitive. À la lumière artificielle, ce n'était
ut-être pas trop mal, mais comme ça au soleil elle a
e couleur de moisissure de champignon vénéneux.
ai honte, et je n'ose détacher mes yeux de ce champi-
on violacé. Et puis qui sait ce que j'ai mis comme
us-vêtements ! J'ai honte devant cet étranger si grand
i se tait, immobile au pied du lit. Je tire les couver-
res sur moi et de mes mains j'essaie de deviner la
uleur de mes sous-vêtements. Mon seul espoir est
e Bambolina, comme la fois où on m'a arrêtée, ait
is sur moi quelque chose à elle. Il doit en être ainsi
rce que je sens un tissu léger comme de la soie. Ce
it être une de ces grandes chemises de coton exo-
ue qu'on porte maintenant.
— Alors, on procède à ce contrôle ?
D'après son aspect je pensais que ce musicien avait
e voix coincée comme tant d'Anglais. Quel ennui
and ils commencent avec ces *that, that, and, and*...
ais ce doit être une exception parce que d'une voix
ofonde et bien rythmée il décrète, sérieux, après
avoir palpée de partout comme un lapin :
— Mon impression est que vous êtes en excellente
nté, mais je vous conseille de faire des analyses.
ujourd'hui l'œil clinique n'existe plus... Dites-moi :
n de vos parents souffrait-il de diabète ?
— Mais vous n'êtes pas musicien ?
— Musicien ? Et pourquoi ? En vérité, la musique
un mystère pour moi, je l'entends comme du bruit
rien que du bruit. Mais vous n'avez pas répondu à
question.

De loin le visage de ce musicien semblait trop lis
et trop parfait, mais de près il a des myriades de rid
tourmentées et élégantes qui enchantent le regard.

— Vous avez des rides très élégantes, Marco,
n'avais jamais vu des rides comme celles-là.

— Ça a été un long travail, Modesta : cinquant
huit ans de travail inlassable ! Mais vous ne m'av
pas répondu.

— Mes parents ?

— Oui.

— Et qu'est-ce que je peux en savoir ! Avec n
mère j'ai dû échanger en tout et pour tout quatre mo
et c'était un être qui ne savait pas s'il était vivant
déjà mort. Ma sœur était mongolienne. Ça a peut-êt
quelque chose à voir avec le diabète ? Pourquoi rie
vous ? Ça a quelque chose à voir ou pas ?

— Non, rien du tout. Et votre père ?

— J'ai rencontré quelqu'un qui disait être mon pè
mais je n'ai pas eu le temps de lui demander s'il av
le diabète ou pas.

— Vous avez fini ? Si vous riez comme ça, la vis
est terminée et je peux entrer. Grand-mère, je t'en pr
je dois partir, et comme il est de règle, un petit-fils
peut partir sans la bénédiction de sa grand-mère.

Pourquoi crient-ils comme ça ? Elle avait eu la ten
tion de rester au Carmel, mais maintenant elle voy
que c'était une folie ; elle désirait le silence de sa pet
chambre, ses objets tout simples et ses papiers. Ce
chemise était jolie, mais elle serrait sous les aissell
Et même Carluzzu, pourquoi était-il si excessif ? Ce
gaieté faisait penser aux oiseaux migrateurs qui v
se cogner aux phares dans les nuits de tempête... N
ça c'était un poème, un poème appris bien des ann
auparavant. La découverte de la poésie ! Voilà

u'elle devait faire : retourner dans sa chambre et ecommencer à lire. Des voix nouvelles l'appelaient epuis les couvertures : Kerouac, Burroughs et cet utre... Elle se réjouissait toujours d'avoir appris des ingues étrangères, même maintenant que le monde 'était transformé en une petite place, les traductions rrivaient toujours en retard... Moi aussi je suis en etard, je veux me lever mais Carluzzu m'embrasse, la eine de son front palpite au contact de mon cou.)uand Carluzzu est triste, il masque toujours sa tris-esse par ces plaisanteries qui font tant rire les autres. Iais moi je préfère quand il est sérieux.

— Tu as raison, Mody, je suis très agité par le oyage. Au fond je ne suis qu'un névrotique comme oute ma génération.

— Nous aussi nous étions névrotiques, Carlo, sim-lement nous ne le savions pas.

— Cette revue qui a été la cause de ton malaise, je emporte... Rien qu'un mot, Mody, qu'est-ce qui t'a oublée comme ça ?

— Lis sur la couverture, Carlo, c'est clair.

— Et alors, grand-mère ?

— Alors je pense que nous avons été des présomp-ieux. Le moment me semble venu de prendre onscience que nous ne sommes encore qu'un petit, inuscule groupe d'antifascistes, exactement comme il a des années.

Pourquoi est-ce que tout le monde se tait de cette içon et regarde par terre comme devant le dernier ommeil de Pietro ? Peut-être est-ce que je vais mal et ue, comme il advient toujours dans ces cas-là, on me cache ? Cet étranger – quel qu'il soit, musicien ou édecin – s'est maintenant éloigné et fixe Bambù ; il t sympathique, mais trop grand et trop parfait, trop gnolé, comme on dit chez nous.

— Vraiment, tu ne viens pas à la gare, grand-mère
— Non, Carlo.

Ils sont enfin partis, et je peux tranquillemer prendre un bain, m'habiller, et, pourquoi pas ? fume aussi une cigarette en regardant ces belles roses rouge qui palpitent au soleil.

La cigarette se consume entre mes doigts, et je rest là suspendue entre un deuil, une fête, un départ. J'avai eu la tentation de rester au Carmel, mais maintenant l silence de ces murs glace le sang. Et à la fenêtre mêm le soleil ne me réchauffe pas, ni ne me rassure le gest lent de la main que Pietro, sans sourire, m'adresse e contournant l'angle de la villa de son pas assuré.

— Oh, minette, qu'est-ce que tu fais là toute seule Viens, nous allons t'accompagner... Marco, reviens ic ma minette descend, pas vrai, minette ?

Un instant je regarde cet homme immobilisé à m chemin dans son élan. Son indécision se transforme e quelque chose de comique.

— Et puis cette villa, quand elle n'est pas pleine c gens, devient sinistre. Allez, Mody, descend que nou filions !

Nina a raison, pour les enfants, ici, il y a de l'air, c l'espace, de la lumière, mais pour moi cette lumiè est obscurcie de fantômes. Et puis je sens clairemе l'appréhension que Nina, même si elle plaisant éprouve pour moi ; elle connaît les abandons, l deuils, elle sait l'épaisseur de chaque mur. C'est el que je dois suivre.

— Enfin ! Qu'en dirais-tu, Mody, d'une bon séance de nage, comme ça on secoue de notre d départs et enterrements ? Que la vie est curieuse ! Pe dant des années on reste ensemble et puis en un insta Olimpia part, se marie, fait un enfant... Et maintena Carluzzu. Et notre tête n'est plus qu'une bagarre trains qui filent et de sifflets de chefs de gare !

Dans le petit espace à l'intérieur de la voiture, cet homme qui conduit semble être quelqu'un de connu depuis je ne sais combien de temps. Mais peut-être est-ce juste parce qu'avant je l'ai toujours vu au milieu d'un tas de gens. Ou c'est ce « Marco » murmuré par Nina qui le rend familier ? Ou c'est seulement parce qu'il rit maintenant en poursuivant Nina sur la plage ?

Ils rient, et moi j'ai appris à plonger. Bambolina me l'a enseigné. Je me relève sur la pointe des pieds, je prends mon élan, et la tête la première dans l'eau. « Quand tu es au fond, tu donnes un coup de reins, il n'y a rien à craindre. L'eau elle-même te ramène en haut. » L'eau froide doit m'avoir lavée des brumes du sommeil, car lorsque j'ouvre les yeux, je suis tout éveillée et vois enfin le bleu du ciel courant sur l'étendue de la mer.

Déshabillé, cet homme semble plus petit et plus agile. Nina aussi, avec ses longues jambes de jeune fille, court vers les vagues en faisant semblant d'avoir peur de cet homme comme naguère avec Carluzzu et comme hier avec le petit Ignazio. La plage solitaire pousse à ce jeu et puis il y a des bras, des dents, des pattes de lave qui s'étendent au-delà du sable et où l'on peut se cacher. « Allez, Nina, jouons à cache-cache ! Compte jusqu'à cent, et toi, grand-mère, surveille qu'elle ne regarde pas... Voilà, je t'ai trouvée, Nina, inutile que tu te caches... »

— Eh non, minette, dormir au soleil, non ! Comment ça va ?

— Bien, Nina, mais pourquoi ce visage triste ? Tu ne vas pas me faire le coup de devenir anxieuse comme Bambù, j'espère ?

— Mais qu'est-ce que c'est que ce sommeil, Mody ? Je...

— Je t'en prie, Nina, je vais bien. Ton ami lui-même l'a confirmé.

— Euh... j'ai confiance en Marco comme ami, mais comme médecin beaucoup moins.

— Ne me dévalorise pas devant Modesta, Nina. J'ai même été médecin à l'armée.

— Oui, en Afrique, tu vois un peu la garantie ! Et puis, comme si c'était hier ! Tu auras tout oublié.

— On naît médecin, comme on naît dénigreur, c'est comme ça qu'on dit ?

— Oui, et tu le sais.

— Dénigreur comme toi.

— Tu ne peux pas dire une chose pareille, en ce qui concerne ton physique, ton *paraître*, comme dit Carluzzu, je t'apprécie beaucoup. Oh, Mody, c'est un spectacle de se promener avec Marco, tout le monde se retourne sur lui.

— La classe, Nina, la classe ne pardonne pas !

Ils plaisantent comme s'ils se connaissaient depuis des années, et avec surprise je me retrouve à écouter sa voix qui sonne à mon oreille comme un refrain autrefois connu et ensuite oublié.

— On dirait l'un des nôtres, pas vrai, Modesta ?

— Oui, mais comment l'as-tu connu ?

— Sur les toits, minette... Diable, il se fait tard ! L'histoire des toits m'a rappelé un rendez-vous. Je monte m'habiller... Non, Marco, pourquoi te lèves-tu ? Reste, je fais appeler un taxi par le jardinier.

Je voudrais monter avec Nina, ne serait-ce que parce que de gros nuages troublent le front du Prophète, et que ce profil fait peur quand il s'assombrit de colère. Mais Marco se tait, son silence a des ondes connues, et puis il doit tout savoir de nous s'il peut murmurer avec calme :

— Je suis de l'avis de Nina. Je trouve cette villa plus agréable que le Carmel. Bambù a bien fait de la racheter. Je ne peux oublier la joie de ses yeux quand elle m'a dit : « Allez, Marco, allez voir comme elle est belle, la villa de notre jeunesse ! Vous verrez, chaque pièce résonne encore de nos chants et de nos jeux. » Et puis c'est une façon de conserver quelque chose dans cette course à la destruction qui s'est emparée de tout le monde. Je veux la photographier, Bambù m'en a donné la permission.

Je n'ai pas envie de parler, peut-être ont-ils raison de s'inquiéter pour moi, et je m'entends péniblement dire :

— Oh, Marco, vous ne vous plairiez pas, vous aussi, à regretter le passé ? C'est presque une mode, cette manie du regret, quel ennui !

— Non, je ne regrette rien du passé, mais j'ai également compris depuis longtemps le mensonge qui se dissimule sous le mot de progrès, et je me console en allant partout photographier les choses qui vont bientôt disparaître... Les dernières trattorias de Rome, les dernières gargotes... J'ai des centaines de photos de la Civita... Ils ont tout démoli, ruelle après ruelle, maison après maison.

— Comment se fait-il que vous parliez si bien l'italien ?

— C'est simple, ma mère était sicilienne et mon père anglais. Et dans le combat que mènent toujours les parents pour vous avoir tout pour eux, c'est ma mère qui a gagné, voilà tout. Et cela a comporté la négation d'une vie de spécialisation, de médecin dans mon cas, comme le voulait mon père, et le retour à mon Éden maternel.

— Pauvre Marco, ce chemin-là a dû vous coûter cher !

— Comme à tous les *outsiders :* faim, métiers en tous genres, aventures.

— Je me rappelle maintenant, Nina a beaucoup insisté pour que je fasse votre connaissance cet hiver, pour m'en donner l'envie elle disait : « Mon Marco est l'aventure personnifiée ! »

— Nina exagère, au fond je ne suis qu'un photographe... Mais vous avez froid, Modesta.

Oui, j'ai froid, et avec gratitude pour son silence je le laisse me prendre les mains et m'aider à me soulever du sable qui est devenu humide dans mon dos. Quand je suis debout, la tête me tourne – je dois aller vraiment mal –, et je ne m'étonne pas qu'il me tienne serrée contre sa poitrine pour me soutenir. Peut-être la *Certa* a-t-elle voulu fixer son rendez-vous juste sur cette plage, sur notre plage, toute pleine encore des cris des enfants, du mouvement voltigeant des jupes blanches de Beatrice, de la voix de Carlo, du pas lent et empressé de Pietro. C'est fort possible.

J'ouvre les yeux pour déchiffrer ce message, mais je rencontre un regard calme, comme occupé à écouter une mélodie quelconque. Ce regard me pousse à poser la tête sur son épaule et à écouter avec lui.

— Tu as une intensité de vie, Modesta, que je comprends maintenant parce que je t'ai suivie à la trace toute cette année.

— Tu m'as suivie, Marco ?

— Oui. Ce n'est pas que je l'aie réellement su. J'étais intrigué, très intrigué, par ta façon de parler, ta façon de te taire. Tu te taisais encore il y a un instant, mais on pouvait entrevoir sur ton visage que tu étais en train de penser. À quoi, Modesta ?

— Une intense curiosité m'avait prise pour ma propre mort. Oui, comme si dans ce mot j'avais lu une nouvelle aventure biologique, une énième métamorphose qui nous attend, Marco, moi, toi, Nina.

— À moi, la mort me fait peur...

— Bien sûr, mais elle inspire aussi une intense curiosité de savoir. Tu es un homme, Marco, et tu ne sais pas dans ton corps, ou tu savais et puis dans la hâte d'agir tu as oublié, les métamorphoses de la matière, et tu trembles un peu à ce mot. Mais si tu te serres contre moi et m'étreins, moi, femme, je t'aiderai à te souvenir et à ne pas craindre ce qui doit changer pour nous permettre de continuer à être vivants.

Il se serre contre moi et m'étreint et son tremblement disparaît, et entre mon corps et le sien l'éternelle chaleur pleine de frissons s'élève en vagues jusqu'à dilater de plaisir son regard dans le mien. Je comprends maintenant, j'ai appris tant de choses dans la vie mais jamais à prévenir l'amour... Peut-on prévenir l'amour, Mimmo ? « On peut prévenir l'intelligence des autres, les faits de l'histoire, même le destin – je te le concède, même le destin – mais l'amour jamais ! » Et si Carmine ne me le disait pas, comment pouvais-je le savoir que l'indifférence que je croyais éprouver pour cet homme, la lassitude, l'ennui, n'étaient rien d'autre que des tentatives de fuite devant cet engagement mystérieux qui inspire toujours de la crainte, et qu'aucun bistouri de la spéculation humaine n'est encore parvenu à disséquer ?

— Et comment pouvais-je te le dire, Modesta, quand je ne le savais pas encore ? Mais maintenant que nous l'avons découvert, si tu veux, nous pouvons nous accompagner l'un l'autre quelque temps. Je suis seul depuis bien des années, et cela fatigue d'aller seul de par le monde. Tu veux venir avec moi ?

Et ce fut ainsi que la vie, d'un geste simple, avec la complicité de Nina, me tendit le plus beau cadeau que jamais esprit enfantin ait pu imaginer. Et de cet homme en qui j'avais vu par erreur un ancien *golden boy* vieilli dans l'aisance et l'ennui, je découvris jour après jour, année après année, une richesse d'expérience et de connaissances que seul un corps adulte peut contenir.

De lui j'appris que je ne connaissais pas mon île,

son puissant corps physique et secret, son chaud souffle nocturne qui rassemble pierre sur pierre jusqu'à souder en un bloc unique l'âme des murs en pierres sèches, la respiration mystique qui garde en vie les colonnes des temples et les fait palpiter dans les crépuscules : « Là, Mody : c'est là où la pierre s'élargit, que la colonne respire et que se produit cet effet optique comme de lévitation », le silence blanc des thonaires abandonnés, mis à l'écart par la mer et les hommes, mais toujours parcourus par les fantômes des thons qui restent là à chercher la raison de leur vie et de leur mort, les courants éternels des mers qui se rencontrent autour de l'île et tantôt l'enserrent, tantôt la libèrent, changeant toujours d'intensité et de couleur : « Ce sillage, là, couleur d'émeraude, c'est la mer africaine. »

De lui j'appris l'art, que je ne connaissais pas encore, d'entrer et de sortir de ma terre, de l'oublier parfois, en voyageant à travers continents et océans divers, pour la retrouver ensuite nouvelle et toujours plus riche de souvenirs et de sensations stratifiés. Et que dire de nos soirs et de nos nuits ? Pouvoir les arrêter ! Ce bonheur de se retrouver seuls, les mains dans les mains, les yeux dans les yeux, à se raconter impressions, intuitions, à discuter ?

— On parle tant du premier amour, hein, Marco ? On ment comme pour tout le reste.

— C'est ainsi, Modesta, moi non plus je n'aurais jamais imaginé, et malheureusement il faut arriver à notre âge pour le savoir. Tu as vu aujourd'hui sur le pont comment ces jeunes nous regardaient ? J'ai presque eu la tentation de le leur dire, mais ils ne m'auraient pas cru.

Non, on ne peut communiquer à personne cette plénitude de joie que donne l'excitation vitale de défier le temps à deux, d'être partenaires dans l'art de le dilater, en le vivant le plus intensément possible avant que ne sonne l'heure de la dernière aventure. Et si cet homme – mon vieux petit ami – s'étend sur moi avec son beau corps lourd et léger, et me prend comme il le fait maintenant, ou me baise entre les jambes comme Tuzzu le faisait autrefois, je me retrouve à penser bizarrement que la mort ne sera peut-être qu'un orgasme aussi comblant que celui-là.

— Tu dors, Modesta ?

— Non.

— Tu penses ?

— Oui.

— Raconte, Modesta, raconte.

Rome, 1967-1976

GOLIARDA ET L'ART DE LA JOIE

Quand au printemps 1996 apparut brusquement la possibilité de publier en entier *L'Arte della Gioia*, Goliarda, s'apprêtant à revoir ce roman vingt ans après l'avoir mené à son terme, posa devant elle une sorte d'écriteau portant les mots suivants : « Trente ans ont passé depuis que j'ai noté pour la première fois quelque chose sur *Modesta*. Attention, Goliarda, de ne pas tomber dans le piège de l'autocensure. » Elle craignait que deux décennies de refus éditoriaux, et trois de vie partagée avec la protagoniste de son roman, n'aient entamé la force de l'idée originelle, et de se laisser aller à ce péché de l'autocensure, où rien, pour un écrivain comme elle, n'aurait été plus grave que de tomber. Elle redoutait la honte de la trahison la plus sotte, celle de sa propre histoire.

N'importe qui à sa place aurait eu raison de douter. Les deux plus grands critiques italiens avaient exprimé des jugements du genre, pour le premier : « C'est un ramassis d'insanités. Moi vivant, jamais on ne publiera un livre pareil. » Le second, esprit plus élégant et plus libre, et plutôt intime de Goliarda, avait une fois répondu au téléphone, d'une voix quelque peu altérée : « Mais qu'est-ce que j'ai à faire avec cette chose-là, moi ? »

L'Arte della Gioia doit être un roman maudit : pour lui Goliarda se réduisit à l'absolue pauvreté et alla même en prison. Elle avait commencé à l'écrire dans l'année qui avait suivi sa première esquisse, c'est-à-dire en 1967. Elle avait déjà achevé *Lettera aperta*, qui sortira précisément cette année-là, et *Il filo di mezzogiorno*, qui sera publié deux ans plus tard. Ce sont les deux premiers romans d'un cycle autobiographique en comprenant cinq, que Goliarda interrompit pendant neuf ans, littéralement possédée par le besoin de donner vie à sa protagoniste, Modesta (que d'ironie dans ce nom !). Elle écrivait habituellement le matin, commençant vers neuf heures et demie, et jusque vers une heure et demie-deux heures, tous les jours, essayant d'échapper – et ce n'était pas facile – aux nombreuses invitations à déjeuner au soleil de Rome de ces années bénies et agitées. Elle disait toujours qu'écrire signifie voler du temps au bonheur même. Elle se reposait canoniquement le dimanche. Elle fumait beaucoup, comme un peu tout le monde alors. Sa journée de travail se terminait souvent par un bain chaud. Tard dans l'après-midi, sonnait à sa porte une amie bien plus jeune qu'elle, Pilù, presque rousse avec de délicates taches de rousseur sur le visage et de grandes lunettes. Elles fumaient et buvaient ensemble, mais surtout Goliarda lui relisait ce qu'elle avait écrit le matin. Je pense que la régularité de cette écoute de Pilù a été déterminante pour le progrès d'une œuvre qui n'est certes pas une nouvellette comme le sont depuis quelques années tant de prétendus romans. Pilù écoutait avec une attention non professionnelle, mais en lectrice assidue et cultivée. Par ailleurs Goliarda faisait parfois également lire ce qu'elle écrivait à Peppino, son cher, distingué et sensible concierge de la maison de via Denza.

Goliarda et Pilù continuaient ainsi jusqu'au soir. Après quoi Goliarda préparait un dîner rapide avec son extraordinaire talent de cuisinière. Elle arrivait à cuisiner de tout, avec tout, et surtout sans qu'on s'en aperçoive. Elle tenait beaucoup à ce qu'on lui reconnaisse ce talent. Qu'on dise, à la rigueur, qu'elle était un écrivain médiocre, mais pas une mauvaise cuisinière. Il semble qu'elle avait hérité cet art de sa mère, Maria Giudice, qui entre un soulèvement paysan, une grève, un meeting et une foule d'enfants, ne dédaignait pas de préparer de riches petits repas qu'avait même pu apprécier en son temps – pendant leur exil à tous deux en Suisse – un Mussolini encore révolutionnaire et indigent.

Mais bien souvent Goliarda et Pilù se joignaient à un groupe d'amis qui habitaient dans une rue voisine, la via Paolo Frisi, et finissaient là la soirée en généreuses beuveries après avoir dîné ensemble au-dehors.

Le lendemain matin, après l'immanquable café noir avalé à jeun des Siciliens, Goliarda remontait à l'étage du dessus, là-haut entre ciel et nuages – une curieuse mansarde en quoi avait été transformée une ancienne buanderie, avec une immense baie vitrée donnant sur la rêveuse mer de pins de Villa Glori –, s'asseyait sur un petit fauteuil baroque, très bas, posait sur ses genoux comme écritoire un coffret cartonné qui avait contenu de vieux disques de 33 tours (les *Fantaisies* de Bach exécutées, je crois, par Gieseking), et se remettait à écrire entourée d'une forêt de notes toutes éparpillées sur le parquet. Elle écrivait toujours sur de banales feuilles de papier extra-strong pliées en deux parce que, disait-elle, ce format réduit lui donnait une idée de mesure – mais moi je crois que c'était un souvenir, un besoin des dimensions des anciens cahiers d'enfance –, qu'elle couvrait de son écriture assez petite et fine, raccourcissant la ligne au fur et à mesure jusqu'à la réduire à un ou deux mots, et recommençant alors avec une ligne entière. Il en sortait un curieux dessin, une espèce d'électrocardiogramme de mots, oui, une écriture très *cardiaque*. Goliarda écrivait toujours à la main, – elle disait qu'elle avait besoin de sentir l'émotion dans le battement de son pouls –, en se servant d'un simple Bic noir à pointe fine. Elle en consommait des dizaines tout simplement parce qu'elle les disséminait partout et ne les retrouvait plus.

Ainsi passaient les jours, les mois, les années, sans événements particuliers, à part un voyage aux frontières orientales de la Turquie (mais Goliarda ne fut jamais une grande voyageuse, géographiquement parlant) et la publication de ses deux premiers romans. Pendant ce temps disparaissaient des tableaux, des dessins, des sculptures de quantité de bons artistes, et arrivaient des huissiers, des saisies, des avis d'expulsion. Jusqu'à ma venue. Je me souviens que l'un des premiers jours où j'habitais via Denza, en montant l'escalier je tombai sur un coffre du XVIIIe qui partait aux enchères, saisi à la suite d'une réclamation syndicale de la femme de ménage depuis trop longtemps non payée – cette Argia malgré tout adorée, à laquelle Goliarda resta toujours reconnaissante de l'aide que son précieux travail domestique lui avait apportée durant ces années consacrées à écrire *L'Arte della Gioia*.

À dater de notre rencontre, Goliarda écrivit toute la quatrième et dernière partie du roman, qui fut achevé dans ma maison de Gaeta le 21 octobre 1976 exactement. Je marquai moi-même la date sur le manuscrit, et nous commençâmes ensemble sa révision, que je continuai seul au bout de quelques mois, et qui dura jusqu'au milieu de 1978, année où nous partîmes pour la Chine après avoir donné le roman en lecture, par l'intermédiaire d'un célèbre critique, à l'un de nos plus grands éditeurs. Au retour, à la fin de cette année-là, nous trouvâmes la première d'une longue série de réponses négatives. Puis la vie pressa de plus en plus impérativement, *L'Arte della Gioia* fut mis de côté, d'autres œuvres réclamaient Goliarda, d'autres rendez-vous avec la vie, d'autres parcours de son destin.

On arriva en 1994, année où je m'occupai personnellement de la publication, à *Stampa Alternativa*, maison d'édition dont ce n'était pas la première entreprise courageuse, d'une première partie du roman, et ce fut alors que l'on pensa à procéder à la publication de l'œuvre entière. La mort brutale de Goliarda a fait qu'il me revienne, encore une fois, de préparer le roman pour son édition intégrale.

Goliarda ne pourra pas voir sa *Modesta* en librairie. Mais je sais que la douleur n'est plus sienne, que c'est moi qui l'éprouve pour elle ; Goliarda n'est plus. Mais *Modesta* existe. Le bonheur d'un écrivain, on le sait, réside dans son travail lui-même, dans le fait de voir se développer page après page, dans les infimes signes des mots écrits, ses personnages et leurs histoires, de les voir vivre de leur vie propre, prêts à partir se promener au milieu des gens. Le reste, le volume sur le présentoir du libraire, est satisfaction – et angoisse –, il n'a rien à faire avec ce bonheur-là.

Je revois encore Goliarda monter le matin l'escalier de la mansarde avec une théière pleine et ses inévitables cigarettes, je me rappelle parfaitement comment elle descendait quelques heures plus tard, dans un état d'émotion heureuse ; parfois elle pleurait sans sanglots. Elle semblait remonter lentement à la lumière d'un puits abyssal au fond duquel vivait la dense colonie de ses fantômes, les nombreux personnages de ce roman.

Qui étaient en grande partie elle-même, avec des histoires appartenant à d'autres. Goliarda ne se reconnaissait pas beaucoup en Modesta – après tout *L'Arte della Gioia* n'est pas un roman autobiographique –, elle répondait toujours un peu troublée que Modesta était meilleure qu'elle, signe qu'en fait elle était bien Modesta, du moins autant qu'un auteur peut être l'un de ses personnages, mais ajoutée et mélangée à Beatrice, Carlo, Bambù, Nina, Mattia, et même à grand-mère Gaia, tandis qu'elle n'avait presque rien de Joyce, Carmine, Pietro, de Prando, de Stella, ni de Jacopo et Carluzzu. Ceux qui l'ont bien connue pourront en partie le confirmer.

Je suis certain que les lecteurs verront la grande quantité de vie que renferme ce roman, comme si Goliarda avait pris sa revanche sur la vie qui n'avait pas voulu qu'elle ait d'enfant, elle qui en désirait autant que sa mère, qui en avait eu huit. Je n'oublierai jamais la dédicace que le poète Ignazio Buttitta mit sur un volume de poèmes qu'il lui offrit : « A G. qui est mère de tous et n'a pas eu d'enfants. » Oui, les innombrables personnages de *L'Arte della Gioia* sont elle-même en autant d'enfants, Modesta en tête.

Par la suite, la critique la plus pertinente s'occupera de mettre en lumière tous les aspects, stylistiques et structurels, de ce livre ; ils sont nombreux. Probablement établira-t-elle aussi que Mody est le personnage féminin le plus vivant de notre XXe siècle, que le fait de naître entre néo-avant-garde et minimalisme ne pouvait la servir, que la fusion du cinéma et de la psychanalyse a rendu au roman sa rapidité naturelle, refermant l'époque de l'antiroman sans le faire pour autant devenir pur cinéma ou télévision. Mais tout cela intéressait peu Goliarda ; non qu'elle ne l'ait pas su. Elle écrivait comme elle lisait, en lectrice, elle écrivait sans souci de réception immédiate, pour les lecteurs les plus purs et les plus lointains, avec un abandon lucide et passionné à la fois, affectueux et sensuel, attentive aux battements de cœur d'une œuvre, plus qu'aux concepts et aux questions formelles.

Aux idées, par contre, aux idées elle était extrêmement attentive – elle se définissait en effet comme un écrivain idéologique, se calomniant elle-même, à l'évidence –, oui, cœur et idées étaient sa seule nourriture littéraire. Pour le reste elle écrivait vraiment pour les lecteurs les plus purs et les plus lointains, les seuls qu'elle parvînt à sentir fraternellement proches.

Angelo Maria Pellegrino
Mai 1997

LEXIQUE

Accords du Latran

De 1926 à 1936, le régime fasciste, que les nationalistes et le philosophe Giovanni Gentile ont pourvu d'une doctrine, enregistre des succès. Incroyant mais superstitieux, Mussolini, par les Accords du Latran, réconcilie en 1929 la papauté et l'État italien, ce qui lui vaut un énorme prestige dans le monde catholique.

Artsybachev, Mikhaïl Petrovitch (1878-1927)

Romancier et auteur dramatique russe. Son roman, *Sanine*, qui justifie la révolte contre toute contrainte sociale, paraît en 1907 et lui vaut la gloire. Alors qu'il était l'un des auteurs russes les plus joués en Russie, après la Révolution toute son œuvre fut mise à l'index.

Atatürk – Mustafa Kemal Pacha (1881-1938)

Fondateur et premier président de la République turque, Mustafa Kemal, dit Atatürk (père des Turcs), a été l'un des premiers chefs d'État à comprendre la nécessaire occidentalisation des pays musulmans. Il instaure dès 1924 la laïcité en Turquie, avec l'abolition du califat, et donne aux femmes droits civiques et politiques (1926). Toutefois, dirigeant d'un régime autoritaire, niant la particularité kurde par nationalisme ottoman, il n'hésite pas à recourir aux exécutions sommaires et aux déplacements de populations. Pour les Turcs, il est celui qu'ils ont appelé, après sa mort, le « Chef éternel ».

Autobiographie d'un Yogi
Livre de Paramahansa Yogananda (1893-1952) dans lequel l'auteur raconte la vie et les pouvoirs extraordinaires des yogis hindous.

Avanti !
Quotidien du Parti socialiste italien, dont Mussolini fut un temps le directeur (en 1913).

Avventuroso (L)
Premier journal italien pour les adolescents, contenant articles et bandes dessinées (les aventures de Flash Gordon, Tarzan...), créé dans les années 30.

Bakounine, Michel (1814-1876)
Né dans une famille de petite noblesse russe, il découvre la philosophie de Hegel durant un séjour en Allemagne, et avec elle l'idée démocratique. Il côtoie un temps Engels et Marx, à qui il ne tardera pas à s'opposer : impressionné par les théories de Proudhon, il devient en effet « antiautoritaire », c'est-à-dire anarchiste. On lui doit, parmi d'autres publications, un *Catéchisme révolutionnaire* où il prône le socialisme, l'athéisme, l'antimilitarisme. Son activisme l'entraîne dans divers pays (et prisons) d'Europe. Il fonde une société secrète, la Fraternité internationale, puis l'Alliance internationale de la démocratie socialiste.

Balabanoff, Angelica (1878-1965)
D'origine russe ukrainienne, Angelica Balabanoff entre en contact avec les socialistes alors qu'elle est étudiante à Bruxelles. Elle s'installe à Rome et devient un des chefs du PSI puis du Parti social démocrate. Peu de temps après la révolution de 1917, elle retourne en Russie et devient secrétaire de l'Internationale en 1919. Mais ses critiques

à l'égard du bolchevisme la poussent à retourner en Italie. La montée du fascisme l'oblige à s'exiler en Suisse.

Bebel, Auguste (22 février 1840-13 août 1913)
Homme politique allemand, il choisit l'engagement marxiste et, en 1869, avec Liebknecht, il fonde le Parti social-démocrate. En fait, il consacre l'essentiel de son activité à l'amélioration du sort des masses ouvrières. Son livre le plus connu de son vivant est *La Femme et le socialisme*, écrit en 1883, qui ouvre la voie dans la classe ouvrière au combat pour la libération de la femme.

Belli, Giuseppe Gioachino (1791-1863)
Un des plus grands poètes italiens en dialecte. Versificateur satirique et burlesque, il a été sauvé de l'oubli grâce à la découverte d'une cassette qui renfermait les manuscrits inédits de quelque 2 279 sonnets en *romanesco* (langue populaire romaine).
Œuvre clandestine circulant en manuscrit ou oralement du vivant de l'auteur, les *Sonnets*, que Sainte-Beuve, grâce à Gogol, signala, ont été imprimés après bien des vicissitudes. Belli a clairement exprimé son propos : « J'ai décidé de laisser un monument de ce qu'est aujourd'hui la plèbe de Rome. »

Bocchini, Arturo (1880-1940)
Chef de la police italienne entre 1926 et 1940, période de l'apothéose et du déclin du fascisme, il est considéré durant ces années comme l'homme le plus puissant d'Italie, et parfois appelé le « Vice-Duce ». C'est lui qui est le fondateur de l'OVRA.

Bustelli, Ranieri (1889-1974)
Prestidigitateur considéré comme le roi de la magie italienne.

Cabiria
Film historique le plus célèbre de la société cinématographique l'Itala. Giovanni Pastrone, principal responsable de

la firme, en signa la réalisation en 1913-1914. *Cabiria* mélange des éléments proprement historiques – les guerres puniques, mettant en présence Scipion l'Africain et Hannibal – avec des éléments de pure imagination, notamment le personnage de Maciste. Il marque le triomphe des grandes superproductions en costumes.

Calogero Vizzini, dit Don Calò (1877-1954)
Maire de Villalba et colonel honoraire de l'armée américaine, en raison de son rôle clé lors du débarquement allié en Sicile en 1943, Don Calogero Vizzini fut le grand homme de la mafia des années 40. Impuissante – comment poursuivre un ami des libérateurs ? – la Justice italienne le soupçonnait de 39 assassinats, 6 tentatives de meurtres, 36 vols et 63 extorsions.

Certains l'aiment chaud (1959)
Film de Billy Wilder, avec Marilyn Monroe, Jack Lemmon et Tony Curtis.

Crispi, Francesco (1818-1901)
Crispi est d'abord un patriote conspirant contre les Bourbons pour l'indépendance de la Sicile. Sa carrière d'homme d'État commence avec l'avènement au pouvoir de la gauche en mars 1876. Son action se développe au cours de ses deux présidences du Conseil : 7 août 1887-31 janvier 1891 et 15 décembre 1893-1er mars 1896. Nationaliste et autoritaire, il réprime avec brutalité les émeutes socialistes de la Sicile et de la Lunigiana par des lois d'exception (1893-1894). Certains de ses thèmes seront repris par le fascisme mussolinien.

Croce, Benedetto (1866-1952)
Benedetto Croce a été le maître le plus influent et le plus suivi de la critique littéraire italienne, dont une large part porte encore son empreinte. Philosophe de tendance hégélienne, historien des idées, il prit part à la vie politique italienne, en affirmant ses positions libérales. Sénateur

puis ministre de l'Instruction publique, il manifesta son opposition au fascisme. En 1944, il devint président du parti libéral.

Cuore (ou *Libro Cuore) : Cœur* (ou *Le Livre Cœur)* (1886)
Livre édifiant, moral et patriotique d'Edmondo de Amicis, classique de la littérature enfantine.

D'Amico, Silvio (1887-1955)
Écrivain, critique dramatique, il fonde et dirige l'Académie d'Art dramatique de Rome, où il tient la chaire d'Histoire du théâtre.

D'Annunzio, Gabriele (1863-1938)
Écrivain italien. Dès 1900, il se fait élire député d'extrême droite, et devient le prophète du nationalisme. Enthousiasmé par la guerre, il a du mal à accepter la fin de cette « aventure ». En septembre 1919, il entre dans Fiume, menacé d'une occupation franco-anglaise. Mussolini ordonnera la publication d'une édition nationale de ses œuvres.

De Chirico, Giorgio (1888-1978)
Peintre italien, né en Grèce, ayant contribué par ses œuvres à l'élaboration du mouvement intitulé « Peinture métaphysique ». Les surréalistes soulignèrent le caractère éminemment dépaysant de ses tableaux.

De Gasperi, Alcide (1881-1954)
Originaire du Trentin, alors rattaché à l'Empire austro-hongrois, Alcide De Gasperi s'engage dans la vie politique de sa région et de l'Autriche durant ses années universitaires à Vienne. Après le rattachement de Trente à l'Italie, à la fin de la Première Guerre mondiale, il s'engage dans la création d'un parti catholique, le Parti populaire italien (PPI). Élu député de Trente en 1921, il préside le groupe parlementaire du PPI. Il joue un rôle important dans la vie politique italienne jusqu'à l'arrivée de Mussolini au

pouvoir. À la fin de la Seconde Guerre mondiale, De Gasperi se retrouve au premier plan de la vie politique en tant que leader incontesté de la Démocratie chrétienne.

Fiancés (Les)
Roman de l'écrivain italien Alessandro Manzoni (1785-1873) publié en 1840-1842, dont le sous-titre est *Histoire milanaise du XVIIe siècle*. Il est considéré comme le premier grand roman italien moderne.

Galilée (1564-1642)
Mathématicien, physicien et astrologue italien. Fondateur de la dynamique, il fut le premier véritable expérimentateur. Il découvrit les lois du mouvement pendulaire, énonça le principe de l'inertie. Réalisateur d'un des premiers microscopes, il construisit la lunette qui porte son nom, grâce à laquelle il se tourna vers l'astronomie.

Garibaldi, Giuseppe (1807-1882)
De bonne heure engagé dans la lutte pour l'unité de l'Italie, républicain rallié après 1860 à la monarchie piémontaise, il devint à la fin de sa vie un véritable mythe que chercheront à récupérer plus tard aussi bien les fascistes que les antifascistes. Pour les Italiens, il est le héros mythique de la nation unifiée : celui qui a fait passer l'intérêt de la nation italienne avant toute autre considération, celui également qui incarne la veine populaire et démocratique du *Risorgimento*. Au-delà des frontières de la péninsule, il est le « héros des deux mondes », toujours prêt à voler au secours des nobles causes.

Général Bava Beccaris, Fiorenzo (1831-1924)
La seule action d'éclat de cet officier piémontais semble avoir été de faire tirer sur la foule lors des grandes manifestations de Milan, en 1898 (80 morts, 450 blessés). Il a été aussitôt décoré par Umberto Ier de la croix de grand officier de l'ordre militaire de Savoie, pour le « grand service rendu aux institutions et à la civilisation ».

ǀiudice, Maria (1880-1953)
ssue de la petite-bourgeoisie progressiste, elle obtient son diplôme d'enseignante, et entre en contact avec le milieu syndical. Elle rencontre Carlo Civardi (qui meurt au front en 1917), avec lequel elle vit en union libre et dont elle aura sept fils. Très vite elle assume la responsabilité de l'organisation de la Chambre de Travail à Borgho san Donnino. Elle collabore avec Angelica Balabanoff, devient maîtresse d'école à Milan. En mars 1916, elle part à Turin et écrit pour l'hebdomadaire socialiste *Le Cri du Peuple*. En septembre 1916, elle devient secrétaire provinciale du PSI. Elle est arrêtée plusieurs fois, et ses compagnons de lutte, dont Gramsci, interviennent pour atténuer la sentence édictée par le tribunal. À la fin de l'année 1919, la direction du PSI lui assigne un tour de propagande en Sicile, où elle rencontre l'avocat Giuseppe Sapienza, vice-secrétaire régional du PSI, dont elle aura une fille, Goliarda. Elle s'installe alors à Catane. En juillet 1922, elle est encore arrêtée pour « incitation à la haine des classes ». Elle sort de prison en 1923. Après la dissolution de toutes les associations politiques et syndicales imposées par le régime fasciste, elle est contrainte d'abandonner le militantisme.

ǀiufà
ersonnage de fable sicilien, qui s'inscrit dans la tradition orale. Le cycle de ses aventures est d'influence arabe, comme en témoigne le nom du protagoniste, personnage ignorant et oisif, à qui il arrive nombre d'aventures qui finissent toujours bien, sans même qu'il s'en rende compte. Giufà a été repris par Italo Calvino dans ses *Fables italiennes*.

ǀiuliano, Salvatore (1922-1950)
ǀé à Montelepre, il prend le maquis à la suite d'une arrestation pour contrebande, et forme un groupe de bandits à la fin de la Seconde Guerre mondiale. Certains le considèrent alors comme le Robin des Bois sicilien. En septembre 1943,

les chefs du séparatisme, après avoir éliminé la gauche d
leur mouvement (MIS, *Movimento Indipendente Sici*
liano), s'allient à Giuliano, qui devient ensuite chef d
l'EVIS.
Le 1er mai 1947, à Portella delle Ginestre, il ouvre le fe
sur des manifestants réunis pour la fête du Travail. C'est u
massacre : 7 morts, 33 blessés. L'exécution a été comman
ditée en sous-main, pense-t-on, par les grands proprié
taires fonciers et les services secrets américains. Sa band
détruit le mois suivant six sections du PCI. En avril 1948
il invite à voter pour la Démocratie chrétienne. La DC
triple ses votes dans les zones sous son contrôle.
Il est assassiné, dans un règlement de compte où se mêlen
police et Mafia, par son lieutenant Pisciotta, le 5 juille
1950. Francesco Rosi à fait un film sur sa vie intitulé
Salvatore Giuliano.

Gouvernement Parri
Du nom de Ferruccio Parri (1890-1981), Président d
Conseil des ministres d'un gouvernement d'union natio
nale après la Libération.

Gramsci, Antonio (1891-1937)
Homme politique et essayiste italien. Il adhère en 1913 a
Parti socialiste, dont il devient rapidement l'un des chef
de l'aile gauche. Après les grèves de 1920, il contribu
avec Togliatti, Bordiga et Tranquilli (Ignazio Silone)
la scission de Livourne, devient le secrétaire général d
nouveau Parti communiste et fonde *L'Unità*. Député d
Turin (1924-1926), il sera déclaré déchu de son mand
par le gouvernement fasciste et arrêté en 1926. Deux an
plus tard, condamné à vingt ans de réclusion, il ser
relégué aux îles. Atteint d'une grave maladie, il sera « l
béré » par le gouvernement fasciste, et transporté dans u
hôpital de Formia puis à Rome où il meurt.

Grand Hôtel
Roman de l'Autrichienne Vicky Baum (1888-1960) publi
en 1929, où sont évoqués quelques-uns des différen

drames secrets qui, en quelques heures, peuvent se dérouler dans un palace de Berlin.

Grasso, Giovanni (1873-1930)
Né à Catane, il fut le plus grand acteur tragique sicilien de son temps.

Kollontaï, Alexandra (1872-1952)
ssue d'une famille de la noblesse terrienne, elle est internationaliste pendant la guerre, et se rapproche de Lénine dès 1915. Après la révolution d'Octobre 1917, elle est commissaire du peuple à l'Assistance publique, seule femme du premier gouvernement bolchevik. À partir de 1920, elle est chargée du secteur féminin du parti pour l'organisation des ouvrières. Signataire de la Déclaration des vingt-deux qui font appel auprès de l'Internationale communiste au nom de l'Opposition ouvrière, elle se rallie à Staline en 1930. Elle est affectée au service diplomatique en 1923. Première femme ambassadeur, elle représente son pays en Norvège, au Mexique, à nouveau en Norvège puis en Suède, où elle est en poste lorsqu'elle prend sa retraite en 1945.

Kouprine, Alexandre Ivanovitch (1870-1938)
Romancier et nouvelliste russe. Son œuvre maîtresse, *La Fosse aux filles* (1912) décrit la vie dans les maisons de tolérance de la Russie du sud. Il s'exile en France lors de la Révolution, mais, la nostalgie aidant, il rentre à Moscou où il meurt.

eonetti, Alfonso (1895-1984)
Dit aussi Torino Feroci. Dirigeant historique du PCI, compagnon de Gramsci. Il fait partie des trois exclus du Bureau Politique du PCI qui forment la *Nouvelle Opposition Italienne*. Membre de la direction de l'Opposition de Gauche Internationale jusqu'en 1936, il craque alors et entame un processus de capitulation qui aboutit à sa réintégration dans le PCI après 1945.

Luxemburg, Rosa (1871-1919)
Socialiste allemande d'origine juive polonaise. La faillite d
la IIe Internationale et la politique de la Social-démocrati
allemande, qui contribua à faire voter les crédits de guerre
l'amenèrent à fonder avec Karl Liebknecht, Franz Meh
ring et Clara Zetkin la *ligue Spartakus* qui adopta de
positions révolutionnaires et antimilitaristes. Libérée lor
de la révolution de novembre 1918, elle reprit son acti
vité, fonda et dirigea le journal *Die rote Fahne*, où ell
publia le programme de la révolution. Au congrès d
décembre 1918, la *ligue Spartakus (Spartakus-bund*
devint le Parti communiste allemand. Elle participa à l'in
surrection spartakiste (janvier 1919) à laquelle elle avai
d'abord été opposée : elle fut arrêtée et assassinée lors d
la répression (15 janvier 1919).

Malatesta, Errico (1853-1932)
Figure du mouvement anarchiste, prototype du militant tou
jours resté fidèle à lui-même et à ses idéaux, d'une cohérenc
révolutionnaire sans faille, mais aussi non étroitemer
dogmatique.

Matteotti, Giacomo (1885-1924)
Giacomo Matteotti fait des études de droit et milite, trè
jeune, au Parti socialiste italien. Interné pour pacifism
pendant la Première Guerre mondiale, il est élu député e
1919 et constamment réélu. En 1922, lors de la scissio
du Parti socialiste, il ne suit pas la fraction communist
et, avec Turati, demeure au Parti socialiste, dont il devier
secrétaire général en 1924. Dès l'avènement de Mussolin
à la présidence du Conseil, en 1922, il dénonce à la tr
bune du Parlement les violences et les malversations de
fascistes. Le 10 juin, il est enlevé à Rome puis poignard
à mort.
La vague d'indignation qui traversa l'Italie à la nouvelle d
sa mort faillit briser l'ascension de Mussolini. Elle suscit
une série d'actions contre le fascisme, qui se prolonge
jusqu'à la fin de 1924. Le Duce songea à se retirer, ma

la faiblesse et les divisions de l'opposition permirent à Mussolini de se ressaisir et d'exploiter les erreurs de ses adversaires.

Melograni, Piero (1930)
Professeur d'Histoire contemporaine. Entré au PCI à 15 ans, il le quitte en 1956 lors de la répression de l'insurrection hongroise. Il abandonne alors la vie politique avant de la reprendre en 1995 au sein de la Convention libérale.

Montessori, Maria (1870-1952)
Elle fut la première Italienne à laquelle l'Université conféra le grade de docteur en médecine. Elle exerça la médecine générale, puis se consacra à l'éducation des enfants retardés mentaux. Elle voulut étendre son expérience pédagogique aux enfants normaux, fonda une école et mit au point une méthode d'enseignement qui connut rapidement un large succès dans plusieurs pays d'Europe. Cette méthode attache une importance prépondérante à l'éducation sensorielle, au développement de la mémoire et met l'accent sur la liberté active de l'enfant, dirigé sans contrainte par l'éducateur.

Musco, Angelo (1872-1937)
Acteur italien né à Catane, grand interprète de Pirandello et de rôles comiques du répertoire sicilien.

Mussolini, Benito (1883-1945)
Premier en date des dictateurs européens de l'entre-deux-guerres, Mussolini, socialiste converti au totalitarisme autoritaire, entend achever le *Risorgimento* et façonner une Italie nouvelle. Après les succès de la première décennie (1926-1936), le Duce est entraîné vers la guerre contre les démocraties, dans le sillage de l'Allemagne nazie. Le fascisme, de plus en plus germanisé et subordonné à Hitler, s'effondre dans la défaite militaire, malgré une ultime tentative de revenir à ses origines populaires et révolutionnaires.

Nâzim Hikmet (1902-1963)
Poète turc né à Salonique en 1902, mort à Moscou en 1963. D'abord instituteur en Turquie, il rejoint Moscou pour compléter ses études et s'inscrit en 1922 à l'Université de Travailleurs de l'Orient. De retour en Turquie, il participe à des publications socialistes à Istanbul. Après la fondation de la république en 1923, il prend position contre les injustices sociales. Poursuivi, il devra retourner en URSS, où il participera à part entière à la vie artistique de Moscou. De retour clandestinement dans son pays, il parvient à publier ses œuvres qui transforment de fond en comble la thématique et la stylistique de la poésie turque.

Niels Lyhne
Roman de l'écrivain danois Jens-Peter Jacobsen (1847-1885). C'est l'histoire d'un homme qui naît avec des dispositions au rêve et non à l'action. « Ce qu'il rêve n'est pas impossible, il faudrait simplement que la réalité accepte de ressembler à son désir intérieur. » Après la lecture de *Niels Lyhne*, Rilke voulut rencontrer Jacobsen, mais il était déjà mort, et c'est à la suite de cette « non-rencontre » qu'il écrivit les *Cahiers de Malte Laurids Brigge*.

Ortis (Jacopo)
Protagoniste du roman épistolaire de Ugo Foscolo, *Ultime lettere di Jacopo Ortis* (1817), figure emblématique de la désillusion politique, de l'idéalisme déçu.

Pandolfi, Vito (1917-1974)
Homme de gauche, critique, metteur en scène et directeur de théâtre, il s'intéressa tout particulièrement à l'expressionnisme, à la Commedia dell'Arte et au théâtre populaire.

Pertini, Sandro (1896-1990)
Sandro Pertini s'inscrit en 1918 au Parti socialiste où il milite dans l'aile réformiste de Filippo Turati. Opposant de la première heure au fascisme, il est arrêté en 1925 et

condamné à huit mois de prison. En 1927, il s'enfuit en France, accompagnant Filippo Turati dont il a organisé l'évasion d'une prison fasciste. Rentré clandestinement en Italie en 1929, il est vite arrêté et condamné à onze ans de réclusion. Délivré par la chute de Mussolini, il participe activement à la Résistance en Italie du Nord. À la Libération, sa carrière politique s'annonce brillante. Dans le Parti socialiste, il occupe les positions les plus élevées : secrétaire général d'avril à décembre 1945, secrétaire général adjoint de 1946 à 1955. L'hommage unanime qui lui fut rendu au moment de sa mort, le 24 février 1990, laisse bien percevoir la place importante et singulière qu'il a occupée dans la vie politique italienne.

Petrolini, Ettore (1884 ou 1886-1936)
Fils de forgeron, il fut un auteur-acteur comique, doué d'un extraordinaire sens de la scène. Observateur redoutable, il fut l'interprète sarcastique des aspects les plus absurdes et hypocrites d'une société qui se voulait ordonnée et moderne.

Pirandello, Luigi (1867-1936)
Enfant de Sicile, puisqu'il est natif d'Agrigente, Pirandello produisit au fil de ses quarante-cinq ans de carrière littéraire quatre recueils de poèmes, sept romans, plus de deux cents nouvelles, une quarantaine de pièces de théâtre, ainsi que deux volumes d'essais. Ce fut son théâtre qui le rendit célèbre ; il souleva des polémiques et donna naissance au terme de « pirandellisme ». En 1934, deux ans avant sa mort à Rome, Pirandello reçut le prix Nobel.

Quand la ville dort (The Asphalt Jungle)
Film du cinéaste américain John Huston (1906-1987), qu'il tourna en 1950.

Reich, Wilhem (1897-1957)
Né en Autriche, il devint dès 1922 membre de la Société de psychanalyse de Vienne. Il rompt cependant très tôt avec

l'école freudienne. Il tenta une synthèse entre marxisme et psychanalyse, critiqua la morale bourgeoise et analysa le fascisme. Son travail porte surtout sur la sexualité ; étudiant l'orgasme, il croit déceler que s'y libère une énergie d'ordre quasi cosmique qu'il va nommer l'« orgone », et sur laquelle beaucoup de ses recherches vont se centrer.

Résurrection
Roman de l'écrivain russe Lev Nikolaïevitch Tolstoï publié en 1899. Tout le roman se concentre sur le processus de chute et de rédemption des deux protagonistes, Nekhlioudov et Katioucha.

Rosselli, Carlo (1899-1937)
Historien et homme politique. Socialiste réformiste, antifasciste de la première heure, il crée, en 1925, avec des amis et son frère Nello, le bulletin clandestin *Non mollare (Ne cède pas)*, qui donne du fil à retordre à Mussolini, car on y publie des articles en mémoire de Matteotti. Il se réfugie en 1930 à Paris. Il sera assassiné, avec son frère Nello, le 9 juin 1937 à Bagnoles-de-l'Orne par La Cagoule (mouvement français d'extrême droite), sur ordre des dirigeants italiens.

Sacco, Nicolas (1898-1927) et Vanzetti, Bartolomeo (1888-1927)
En 1920, ces deux immigrés italiens, l'un et l'autre militants anarchistes, furent arrêtés comme auteurs présumés du meurtre du trésorier et du gardien d'une usine de Braintree. Condamnés à mort par la Cour supérieure du Massachusetts (1921), ils furent exécutés (1927) malgré les déclarations d'un autre prisonnier affirmant leur innocence et malgré tous les mouvements qui se formèrent en leur faveur, réclamant leur libération. Cette affaire judiciaire américaine prit rapidement des dimensions sociales et politiques et souleva de vives protestations tant aux États-Unis que dans le monde. Le cinéaste italien Giuliano Montaldo a fait un film de *L'Affaire Sacco et Vanzetti*.

Silone, Ignazio (1900-1978)
Pseudonyme de Secondo Tranquilli. Romancier et essayiste italien. Très tôt, il entre dans l'action politique et devient le chef des Jeunesses socialistes italiennes. Lors de la scission consacrée au congrès de Livourne (1921), il exerce une action déterminante en adhérant au PCI nouvellement créé dont il va devenir l'un des trois responsables bientôt clandestins. En 1928, il quitte l'Italie et s'installe en Suisse. Là, son opposition à Staline, pour la défense de Trotski et de Zinoviev, lui vaut d'être expulsé du Parti communiste.

Tasca, Angelo (1892-1960)
Militant syndicaliste et socialiste, il se fait vite un nom comme dirigeant de la Jeunesse socialiste piémontaise. Il est l'un des fondateurs du Parti communiste italien, mais très vite intervient la rupture avec Gramsci. Après avoir assumé les plus hautes responsabilités au sein de l'Internationale communiste, il en est exclu sur ordre de Moscou, pour cause de non-conformisme et d'indépendance d'esprit. Il se réfugie alors en France, où il prend la direction du PSI, et fonde la tendance hostile à toute alliance avec les communistes.

Togliatti, Palmiro (1893-1964)
Militant socialiste, rédacteur à l'*Avanti*, il fut l'un des créateurs du PCI. Après l'instauration du fascisme, il s'exile en URSS et devient secrétaire du Komintern. Il rentra en Italie en 1944, fut ministre dans divers gouvernements, mais fut exclu du pouvoir en même temps que les autres communistes en 1947. Il devint alors le chef de l'opposition d'extrême gauche.

Tresso, Pietro (Blasco) (1893-1943)
Militant du PSI, puis dirigeant du PCI, d'abord lié à Bordiga puis à Gramsci. En 1930 il est l'un des trois exclus qui donnent naissance à la *Nouvelle Opposition Italienne*, qui rejoint l'opposition de gauche. Réfugié en France, il milite

au sein du Parti Ouvrier Internationaliste et devient rapidement l'un des membres du Secrétariat International trotskiste.
Blasco est arrêté par les nazis en 1942. Libéré par un commando FTP de la prison du Puy en 1943, il est, avec trois autres militants trotskistes, assassiné au maquis où il a été mené. Il s'agit indiscutablement d'un crime commandité par l'appareil stalinien.

Trombadori, Antonello (1917-1993)
Écrivain, politicien, journaliste et critique d'art, il créa un groupe clandestin qui organisa l'opposition au fascisme à l'intérieur même de ses journaux culturels et de ses organismes. En octobre 1943, il fut l'un des organisateurs de la résistance romaine et de groupes d'action partisane. En août 1944, il organisa l'exposition « L'Art contre la barbarie ». Membre du comité central du PCI, il fut envoyé au Vietnam en guerre par *L'Unità*.

Turati, Filippo (1857-1932)
Turati fut l'un des fondateurs du Parti des travailleurs, qui deviendra en 1895 le Parti socialiste italien. En 1926, devant la montée du fascisme, et après avoir trenté de constituer un gouvernement antifasciste avec la bourgeoisie libérale, ce qui lui vaut d'être exclu du PSI, il quitte l'Italie pour rejoindre Paris, où il poursuit son action en créant une ligue antifasciste. Il est considéré comme « le père noble du socialisme réformiste italien ».

Zacconi, Ermete (1857-1948)
Acteur tragique, parfois partenaire de la Duse. Il est notamment célèbre pour avoir introduit en Italie Ibsen et Strindberg.

TABLE DES MATIÈRES

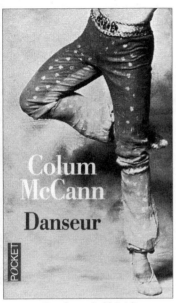

Composition et mise en page
Nord Compo

Impression réalisée sur Presse Offset par

45169 – La Flèche (Sarthe), le 23-01-2008
Dépôt légal : février 2008

POCKET – 12, avenue d'Italie - 75627 Paris cedex 13

Imprimé en France